한국주역대전 14

계사하전·설괘전·서괘전·잡괘전

이 저서는 2012년 대한민국 교육부와 한국학중앙연구원(한국학진흥사업단)의 한국학분야 토대연구지원사업의 지원을 받아 수행된 연구임(AKS-2012-EAZ-2101)

14

한국주역대전

한국주역대전 편찬실

계사하전 · 설괘전 · 서괘전 · 잡괘전

學古房

한국주역대전을 펴내며

　2012년 9월 첫 작업을 시작한 '『한국주역대전』편찬 · 표점 · 번역 · 주해 · 해제'라는 방대한 사업이 이제 출판의 결실을 보게 되었다. 지난 수 십 년간 유교경학과 한국학의 급속한 성장에도 불구하고 한국역학은 여전히 불모의 상태를 벗어나기 어려웠다. 개별 연구들이 적지 않게 축적되어 왔고, 이에 고무되어 한국역학사를 공동으로라도 엮어보자는 호기로운 시도가 없었던 것은 아니지만, 그것이 아직 시기상조라는 자각과 함께 무산되곤 하였다. 한국역학 원전자료는 한국경학자료 가운데 단연 방대한 양을 자랑한다. 반면 전문연구자는 턱없이 부족하다. 사정이 이러하니 한국역학이 우뚝 서기까지는 아직 갈 길이 멀기만 하다. 이러한 정황 속에서 『한국주역대전』의 출간은 매우 기쁜 일이 아닐 수 없다.

　이번에 출간되는 『한국주역대전』은 한국학자의 역학관련 자료 가운데 주요한 것을 가려 뽑아 『주역전의대전』 체제에 맞추어 집해(集解)형식으로 편찬한 것이다. 『주역전의대전』은 중국은 물론 조선시대 역학사상 형성에 무엇보다 영향력이 큰 문헌이라 할 수 있다. 이번 『한국주역대전』은 먼저 『주역전의대전』을 소주까지 모두 번역하여, 주역에 대한 중국학자들의 이해와 한국학자들의 해석을 비교해 볼 수 있도록 하였다. 편찬 체재는 경문 - 정전 - 본의 - 중국대전 - 한국대전으로 구성하였다. 편찬과 표점, 그리고 번역을 동반한 『한국주역대전』을 통해 한국학자들의 『주역전의대전』에 대한 깊은 이해 및 새로운 해석의 지평을 볼 수 있을 것이다. 또한 한국학자들의 저작을 시대별로 배열하였으므로 그 흐름을 일목요연하게 파악할 수 있을 것이다.

　이번 『한국주역대전』을 편찬하면서 연구기간은 짧고 작업은 방대하여 아쉬운 점이 한 둘이 아니었다. 제한된 연구기간으로 인해 연구 범위를 제한할 수밖에 없었으며, 따라서 작자 미상의 자료, 연대 미상의 자료, 『주역전의대전』과 유사하여 별다른 특징을 볼 수 없는 자료는 편찬 범위에 포함시키지 않았다. 또한 다산의『주역사전』처럼 중요한 자료일지라도 별도로 번역되어 시중에 유통되고 있는 책은 자료에 포함시키지 않았다. 특히 상수학 관련 자료들에 대한 번역은 앞으로 더 정치한 번역이 필요할 것이라고 생각되며, 그에 대한 별도의 연구도 필요할 것이다. 그럼에도 불구하고 이번『한국주역대전』의 출간은 한국역학연구의 획기적인 토대를 제공하여, 많은 후속연구를 가능하게 하리라는 기대로 그 아쉬움을 상쇄하고자 한다.

이와 같이 방대한 토대사업은 실상 국가적 지원이 아니고서는 실행되기 어렵다. 이 사업의 지원을 결정해 주신 한국학중앙연구원과 한국학진흥사업단에 감사드린다. 그리고 제한된 연구기간의 압박 속에 과도한 업무를 사명감으로 감당해 준 연구진들의 노고에 고마운 마음을 전한다.

오늘날과 같은 출판시장의 현실에서『한국주역대전』과 같은 방대한 분량의 책을 간행해 줄 출판사를 찾는다는 것은 결코 쉽지 않은 일이다. 모든 어려움에도 불구하고 조금의 망설임도 없이 흔쾌하게 이 책의 출판을 결정해 주신 도서출판 학고방의 하운근 사장님께 깊은 감사를 드린다.

2017년 1월
한국주역대전편찬 연구책임자
성균관대학교 유학대학 교수/한국주자학회 · 율곡학회 회장
최 영 진

목차

계사하전

繫辭下傳

제1장第一章

八卦成列, 象在其中矣, 因而重之, 爻在其中矣,

팔괘가 줄을 이루니 상(象)이 그 가운데 있고, 인하여 거듭하니 효(爻)가 그 가운데 있고,

‖中國大全‖

本義

成列, 謂乾一兌二離三震四巽五坎六艮七坤八之類. 象, 謂卦之形體也. 因而重之, 謂各因一卦而以八卦, 次第加之, 爲六十四也. 爻 六爻也, 旣重而後, 卦有六爻也.

‘줄을 이룸’은 건(乾☰)이 일(一), 태(兌☱)가 이(二), 리(離☲)가 삼(三), 진(震☳)이 사(四), 손(巽☴)이 오(五), 감(坎☵)이 육(六), 간(艮☶)이 칠(七), 곤(坤☷)이 팔(八)인 종류를 이른다. ‘상(象)’은 괘의 형체를 이른다. ‘인하여 거듭함’은 하나의 괘마다에 팔괘를 차례로 더하여 64괘를 만드는 것을 이른다. ‘효(爻)’는 육효이니, 거듭하고 난 뒤에는 괘(卦)에 육효가 있게 된다.

小註

朱子曰, 八卦所以成列, 乃是從太極兩儀四象, 漸次生出, 以至於此. 畫成之後, 方見其有三才之象, 非聖人因見三才, 遂以己意思維, 而連畫三爻, 以象之也. 因而重之, 亦是因八卦之已成, 各就上面節次生出. 若旋生逐爻, 則更加三變, 方成六十四卦, 若倂生全卦, 則只用一變, 便成六十四卦. 雖有遲速之不同, 然皆自然漸次生出, 各有行列次第. 畫成之後然後, 見其可盡天下之變, 不是聖人見下三爻, 不足以盡天下之變然後, 別生計較, 又竝畫上三爻, 以盡之也. 此等皆是作易妙處. 方其畫時, 雖是聖人, 亦自不知裏面有許多巧妙奇特, 直是要人細心體認, 不可草草立說.

주자가 말하였다: 팔괘가 줄을 이룬 것은 바로 태극(太極)・양의(兩儀)・사상(四象)에서 점차 나와 여기에 이른 것이다. 획이 이뤄진 뒤에야 삼재(三才)의 상이 있음을 본 것이지,

성인이 삼재가 있음을 보았기 때문에 마침내 자기의 뜻대로 생각하여 세 효를 이어 그어서 형상한 것은 아니다. '인하여 거듭함'도 팔괘가 이루어짐을 통하여 각각 그 위에서 순서대로 나왔다는 것이다. 만약 돌아가면서 효를 하나씩 늘렸다면 다시 세 번의 변화를 더해야 64괘가 이루어지겠지만, 전체의 괘를 겹쳐서 나왔다면 한 번의 변화만으로도 바로 64괘가 이루어질 것이다. 비록 늦고 빠름이 다르지만, 모두 자연스럽게 점차 나왔으니, 각각 행렬의 차례가 있다. 획이 이루어진 뒤에 그것이 천하의 변화를 다할 수 있음을 안 것이지, 성인이 아래의 세 효로 천하의 변화를 다할 수 없음을 안 뒤에 달리 견주어 살펴서 다시 위의 세 효를 함께 그어 다한 것은 아니다. 이러한 것들은 모두 역을 제작하는 미묘한 곳이다. 막 획을 그을 때에는 비록 성인이라도 그 안에 수많은 교묘함과 기이함이 있음을 스스로 알지 못하였고, 곧장 사람들을 주의시켜 깨닫게 한 것이니, 허둥지둥 주장을 펼쳐서는 안 될 것이다.

○ 問, 八卦成列, 只是說乾兌離震巽坎艮坤, 先生解云之類, 如何. 曰, 所謂成列者, 不止只論此橫圖. 若乾南坤北, 又是一列, 所以云之類.
물었다: 팔괘가 줄을 이룸은 단지 건·태·리·진·손·감·간·곤을 말한 것인데, 선생의 해석에 '종류[類]'라고 한 것은 어째서입니까?
답하였다: 이른바 '줄을 이룸'은 단지 이러한 횡도(橫圖)만을 논의한 것은 아닙니다. 건괘가 남쪽이고 곤괘가 북쪽인 것도 또한 하나의 줄이기에 그래서 '종류'라고 한 것입니다.

○ 問, 象, 只是乾兌離震之象, 未說到天地雷風處否. 曰, 是. 然八卦是一項看, 象在其中, 又是逐箇看. 又問, 成列是自一奇一耦, 畫到三畫處, 其中逐一分, 便有乾兌離震之象否. 曰, 是.
물었다: 상(象)은 건·태·리·진이라는 괘의 상일 뿐이지, 하늘·땅·우뢰·바람까지는 말하지 않은 것 같습니다.
답하였다: 그렇습니다. 그러나 팔괘는 하나의 항목으로 본 것이고, 상이 그 가운데 있다는 것은 다시 각각의 것으로 본 것입니다.
물었다: 줄을 이룸은 하나의 홀[−]과 하나의 짝[−−]이 세 번 그어지게 되면, 그 안의 한 부분마다 바로 건·태·리·진의 상이 있다는 것이 아닙니까?
답하였다: 그렇습니다.

○ 南軒張氏曰, 謂在其中者, 言非自外至也.
남헌장씨가 말하였다: 그 가운데 있다고 한 것은 밖으로부터 이른 것이 아님을 말한다.

○ 童溪王氏曰, 聖人, 因象以設卦, 則象在卦先, 設卦以立象, 則象在卦中.

동계왕씨가 말하였다: 성인이 상(象)을 통하여 괘(卦)를 펼쳤다면 상은 괘보다 앞에 있고, 괘를 펼쳐 상을 세웠다면 상은 괘의 가운데 있다.

║韓國大全║

유정원(柳正源) 『역해참고(易解参攷)』

强恕齋柴氏曰, 八卦成列, 則凡天下之象, 擧在其中, 不止八物. 如說卦中所列皆是. 此指三畫之卦言也.

강서재시씨가 말하였다: 팔괘가 줄을 이루면 천하의 모든 상이 모두 그 안에 있어서 여덟 물건일 뿐만이 아니다. 예컨대 「설괘전」 안에 열거된 것이 모두 이것이다. 이는 삼획괘를 가리켜 말한 것이다.

○ 誠齋楊氏曰, 八卦未畫, 萬象在天下, 八卦旣畫, 萬象在易. 卦未重, 象備而爻未備, 卦旣重, 爻始備矣.

성재양씨가 말하였다: 팔괘가 그어지기 전에는 만물의 상이 천하에 있고, 팔괘가 그어지고 난 뒤에는 만물의 상이 『주역』에 있다. 괘가 거듭되기 전에는 상은 구비되어 있으나 효는 구비되지 않다가, 괘가 거듭한 뒤에 효가 비로소 구비된다.

○ 案, 重卦者, 八卦上, 各加八卦也, 非謂先畫八卦, 而各加八卦於其上也. 其意與八卦之生出次第, 未嘗不同.

내가 살펴보았다: '거듭된 괘'라는 것은 팔괘 위에 각각 팔괘가 더해지는 것이지, 먼저 팔괘를 긋고 그 위에 각각 팔괘를 더하는 것은 아니다. 그 뜻이 팔괘가 생겨나는 차례와 다른 적이 없다.

김상악(金相岳) 『산천역설(山天易說)』

八卦者, 乾兌離震巽坎艮坤也, 成列, 謂一二三四五六七八, 相爲次第也. 象者, 天地水火雷風山澤之象也. 因而重之, 謂各因一卦, 重之以八卦也. 爻六爻也, 旣重以爲六十四卦, 則皆有六爻也.

팔괘는 건괘(乾卦☰)·태괘(兌卦☱)·리괘(離卦☲)·진괘(震卦☳)·손괘(巽卦☴)·감괘

(坎卦☵)·간괘(艮卦☶)·곤괘(坤卦☷)이고, 열을 이루었다는 것은 일(一)·이(二)·삼(三)·사(四)·오(五)·육(六)·칠(七)·팔(八)로 서로 차례가 됨을 이른다. 상(象)이란 하늘[天]·땅[地]·물[水]·불[火]·우레[雷]·바람[風]·산[山]·못[澤]의 상이다. 인하여 거듭함은 각각 한 괘를 인하여 팔괘를 거듭한다는 것이다. 효는 여섯 효이니 거듭하여 64괘를 만들면 모두 각각 여섯 효를 가진다.

○ 上傳, 太極儀象之相生, 止於八卦. 故下傳曰因而重之, 始有六十四卦之名.
「계사상전」에서 태극(太極)·양의(兩儀)·사상(四象)이 서로 생겨나 팔괘에 그쳤다.[1] 그러므로 「계사하전」에서는 '인하여 거듭하여'라고 하여 비로소 64괘의 이름이 있게 되었다.

오치기(吳致箕) 「주역경전증해(周易經傳增解)」

八卦謂乾兌離震巽坎艮坤也, 成列謂自一至八之序也. 象以卦體之象言, 則如天地雷風水火山澤之類. 以遠取近取之象言, 則各以其類, 包在卦中也. 因而重之, 言重三畫之卦而成六畫也. 爻在其中, 言六爻在重卦之中也.
팔괘는 건괘(乾卦☰)·태괘(兌卦☱)·리괘(離卦☲)·진괘(震卦☳)·손괘(巽卦☴)·감괘(坎卦☵)·간괘(艮卦☶)·곤괘(坤卦☷)이고, 열을 이루었다는 것은 일(一)에서 팔(八)에 이르는 순서이다. 상(象)은 괘체의 상으로 말하였으니, 곧 하늘[天]·땅[地]·우레[雷]·바람[風]·물[水]·불[火]·산[山]·못[澤]의 종류이다. 멀리서 취하고 가까운 데서 취하는 상으로 말하면 각각 그 종류가 괘 안에 포함되어 있다. 인하여 거듭함은 삼획괘를 거듭하여 육획괘를 이룬다는 말이다. "효가 그 가운데 있다"는 여섯 효가 거듭된 괘 가운데 있다는 말이다.

이진상(李震相) 『역학관규(易學管窺)』

因而重之.
인하여 거듭하니.

八卦旣成, 一重之爲十六, 再重之爲三十二, 三重之爲六十四, 非謂纔畫八卦, 直加八卦於其上也. 觀本義, 次第加之可見.
팔괘가 이루어지고 나서 한 번 겹쳐서 16괘가 되고 두 번 겹쳐서 32괘가 되며 세 번 겹쳐서 64괘가 되는 것이니, 잠깐 팔괘를 긋고 곧바로 그 위에 팔괘를 더하는 것이 아니다. 『본의』를 살펴보면 차례로 그것을 더함을 알 수 있다.

---

1) 『周易·繫辭上傳』: 是故, 易有大極, 是生兩儀, 兩儀生四象, 四象生八卦.

剛柔相推, 變在其中矣, 繫辭焉而命之, 動在其中矣.

굳센 양과 부드러운 음이 서로 밀치니 변화가 그 가운데 있고 말을 달아 명하니 움직임이 그 가운데 있다.

‖中國大全‖

本義

剛柔相推, 而卦爻之變, 往來交錯, 无不可見. 聖人因其如此而皆繫之辭, 以命其吉凶, 則占者所値當動之爻象, 亦不出乎此矣.

굳센 양과 부드러운 음이 서로 밀쳐서 괘효의 변화가 오가면서 섞이니, 볼 수 없는 것이 없다. 성인이 이와 같음에 인하여 모두 말을 달아 그것의 길과 흉을 명하였으니, 점치는 사람이 얻어서 실행해야 할 효(爻)의 상(象)도 또한 이를 벗어나지 않을 것이다.

小註

或問, 變字, 是總卦爻有往來交錯者言, 動字, 是專指占者所値當動底爻象而言否. 朱子曰, 變是就剛柔交錯而成卦爻上言, 動是專主當占之爻言. 如二爻變, 則占者以上爻爲主, 這上爻便是動處. 如五爻變一爻不變, 則占者以不變之爻爲主, 則這不變者, 便是動處也.

어떤 이가 물었다: ‘변(變)’자는 전체 괘효가 오가면서 섞임이 있음을 말한 것이고, ‘동(動)’자는 전적으로 점치는 사람이 얻어서 실행해야 할 효(爻)의 상을 가리켜 말한 것입니까?

주자가 답하였다: 변화는 굳센 양과 부드러운 음이 섞여 괘효를 이룬다는 측면에서 말한 것이고, 움직임은 전적으로 점친 효(爻)를 위주로 말한 것입니다. 만약 두 효가 변한다면 점치는 사람은 위의 효를 위주로 하니, 위의 효가 바로 움직이는 곳입니다. 만약 다섯 효가 변하고 한 효가 변하지 않으면 첨치는 사람은 변하지 않은 효를 위주로 하니, 변하지 않은 것이 바로 움직이는 곳입니다.

○ 節齋蔡氏曰, 剛柔, 爻之體, 相推, 謂剛推柔柔推剛也. 唯其相推, 故能成其變. 繫辭, 爻象之辭, 卽其變而命之, 故能鼓其動也.
절재채씨가 말하였다: 굳센 양과 부드러운 음은 효의 몸체이고, 서로 밀침은 굳센 양이 부드러운 음을 밀치고 부드러운 음이 굳센 양을 밀침을 말한다. 서로 밀치기 때문에 그 변화를 이룰 수 있다. 말을 단 것은 효상의 말이니, 그 변화에 따라서 명하므로 그 움직임을 부추길 수 있다.

‖韓國大全‖

박치화(朴致和)「설계수록(雪溪隨錄)」

剛柔相推, 陽變陰, 陰變陽, 而卦爻成, 故曰變在其中也.
굳센 양과 부드러운 음이 서로 밀쳐서 양이 음으로 변하고 음이 양으로 변하여 괘의 효가 이루어지기 때문에 "변화가 그 가운데 있다"고 하였다.

○ 剛柔, 以爻言也, 動, 占者當動之爻象, 亦在其中也.
굳센 양과 부드러운 음은 효로써 말한 것이니, 움직임[動]은 점치는 자가 마땅히 행하여야 할 효의 상도 그 가운데 있다는 것이다.

○ 剛柔相推, 故變在其中.
굳센 양과 부드러운 음이 서로 밀치니, 변화가 그 가운데 있다.

○ 剛柔相推, 以六十四本卦之體言, 變, 以蓍卦九六之變言. 言本卦之體, 剛柔相推而成, 故蓍卦變化之象, 已具於其中. 動在其中, 亦倣此, 皆以六十四卦本體言也.
굳센 양과 부드러운 음이 서로 밀침은 64괘 본괘의 몸체로 말한 것이고, '변화'는 시괘(蓍卦) 구(九)와 육(六)의 변화로 말한 것이다. 본괘의 몸체는 굳센 양과 부드러운 음이 서로 밀쳐서 이루어지기 때문에, 시괘의 변화하는 상이 이미 그 가운데 갖추어 있다. 움직임이 그 가운데 있는 것도 이와 마찬가지이니, 모두 64괘의 본체로 말한 것이다.

○ 本爻三百八十四爻, 元皆繫辭以斷吉凶, 則占者當動之爻, 已具於其中.
본효 384효가 원래 모두 말을 달아 길·흉을 결단하였으니, 점치는 자가 마땅히 움직여야 할 효가 이미 그 안에 갖추어 있다.

이익(李瀷) 『역경질서(易經疾書)』

四象生八卦, 象積而成卦. 故知象在其中. 大傳中言象, 皆指八卦也. 凡卦靜爲畫, 動爲爻也. 八卦旣列, 有體有用, 七八爲體, 九六爲用. 然六畫未重之前, 爻無所用, 旣重之後, 遠近相取, 情僞相感, 爻之用於是乃見. 故知爻在其中也. 其七八之體, 七爲剛, 八爲柔. 剛變則爲柔, 柔變則爲剛, 觀其相推, 知變在其中也. 苟非九六之用, 則辭於何繫. 聖人因其爻而命之, 故知動在其中也. 四者皆原其本而言也.

사상이 팔괘를 낳음은 상(象)이 누적하여 괘를 이룬 것이다. 그러므로 상이 그 가운데 있음을 안다. 「계사전」 안의 상을 말한 것은 모두 팔괘를 가리킨다. 무릇 괘는 고요한 것이 획이고 움직이는 것이 효이다. 팔괘가 배열된 뒤에는 몸체가 있고 쓰임이 있으니, 칠·팔은 몸체이고 구·육은 쓰임이다. 그러나 육획이 거듭하기 전에는 효를 쓸 데가 없고, 거듭한 뒤에야 멀고 가까운 것이 서로 취하고 실정과 허위가 서로 느끼니, 효의 쓰임이 이에 드러난다. 그러므로 효가 그 가운데 있음을 안다. 칠·팔의 몸체에서 칠은 굳셈이고 팔은 부드러움이다. 굳셈이 변하면 부드러움이 되고 부드러움이 변하면 굳셈이 되니, 서로 밀침을 관찰하면 변화가 그 가운데 있음을 안다. 진실로 구·육의 작용이 아니면 말을 어디에 달겠는가? 성인이 효로 인하여 말하였기 때문에 움직임이 그 안에 있음을 안다. 네 가지는 모두 근본에 근원하여 말하였다.

김상악(金相岳) 『산천역설(山天易說)』

剛推柔, 柔推剛, 是相推而變也. 因其如此, 而皆繫之辭, 以命其吉凶動靜者, 卽其所命之爻也.

굳센 양이 부드러운 음을 밀치고 부드러운 음이 굳센 양을 밀치는 것이 곧 서로 밀쳐 변하는 것이다. 이와 같음으로 인하여 모두 말을 달아 길·흉·동·정을 명하는 것이 곧 명한 바의 효이다.

유정원(柳正源) 『역해참고(易解參攷)』

案, 以啓蒙卦變圖觀之, 如乾爲姤坤爲復之類, 皆是, 於剛柔之相推, 而卦爻之變, 往來交錯, 自可見矣. 以啓蒙七占之例觀之, 如一爻變二爻變之類, 皆是, 於聖人之繫辭, 而占者所値當動之爻, 不出於此矣.

내가 살펴보았다: 『역학계몽』의 괘변도로 살펴보자면, 건괘가 구괘가 되고 곤괘가 복괘가 되는 따위 같은 것이 모두 여기에 해당하니, 굳센 양과 부드러운 음이 서로 밀치는 데에서 괘효가 변하여 왕래하고 갈마듦이 스스로 드러날 수 있다. 『역학계몽』의 일곱 가지 종류로 치는 점의 예로 살펴보면, 한 효가 변하고 두 효가 변하는 따위 같은 것이 모두 여기에 해당하니, 성인이 말을 닮에 점치는 자가 만난 마땅히 움직여야 하는 효가 여기에서 벗어나지 않는다.

오치기(吳致箕) 「주역경전증해(周易經傳增解)」

剛柔相推 謂剛推而爲柔 柔推而爲剛也 變在其中 如乾初爻爲老陽 則變陽爲陰 坤初爻爲老陰 則變陰爲陽之類 而此言六十四卦之通例也 命者告也 繫辭而命之 言聖人因卦爻之變 而繫之辭以告其吉凶悔吝也 如乾初言潛龍勿用 坤初言履霜堅氷至者也 因剛柔之變動 而爲辭 故言動在其中也

'굳센 양과 부드러운 음이 서로 밀침'은 굳센 양이 밀치면 부드러운 음이 되고 부드러운 음이 밀치면 굳센 양이 됨을 이른다. '변화가 그 가운데 있음'은 예컨대 건괘의 초효가 노양이면 양효가 변하여 음효가 되고, 곤괘의 초효가 노음이면 음효가 변하여 양효가 되는 따위이니, 이것은 64괘의 공통된 규례를 말한 것이다. '명(命)'은 알려줌이다. '말을 달아 명함'은 성인이 괘효의 변화로 인하여 말을 달아서 길·흉·회·린을 알려주는 것이니, 건괘의 초효에서 "잠겨있는 용이니 쓰지 말라"고 말한 것과 곤괘의 초효에서 "서리를 밟으면 단단한 얼음이 이른다"고 말한 것과 같다. 굳센 양과 부드러운 음의 변동으로 말하기 때문에 움직임이 그 가운데 있다고 말하였다.

吉凶悔吝者, 生乎動者也,

길함과 흉함과 뉘우침과 인색함은 움직임에서 생겨나는 것이고,

▌中國大全▐

本義

吉凶悔吝, 皆辭之所命也. 然必因卦爻之動而後見.

길함과 흉함과 뉘우침과 인색함은 모두 말로 명하는 것이다. 그러나 반드시 괘효의 움직임을 따른 뒤에 드러난다.

小註

柴氏中行曰, 吉凶悔吝, 生乎動者, 主動爻而言也, 如情僞相感, 遠近相取, 好惡相攻, 皆是動也.

시중행이 말하였다: “길함과 흉함과 뉘우침과 인색함은 움직임에서 생겨나는 것이다”는 움직이는 효를 위주로 말한 것이니, 예컨대 진정과 허위가 서로 느끼고, 멂과 가까움이 서로 취하고, 사랑함과 미워함이 서로 공격함[2]이 모두 움직임인 것이다.

○ 雲峰胡氏曰, 八卦成列, 卽先天八卦橫圖也, 因而重之, 六十四卦橫圖也. 象非特天地山澤之類. 卽八卦之畫成列, 而象卽在畫矣, 未動之先, 有八卦之畫而未見. 八卦之交也, 因而重之, 爻在其中者, 爻之爲言, 交也. 有交則有變. 故剛柔相推, 而變在其中. 變統指卦爻而言, 動專指所値之變爻而言也. 繫辭焉而命之, 則文王周公之易也.

운봉호씨가 말하였다: ‘팔괘가 줄을 이룸’은 선천 팔괘의 횡도(橫圖)이고, ‘인하여 거듭함’은 64괘의 횡도이다. ‘상(象)’은 다만 하늘·땅·산·못의 부류일 뿐만이 아니다. 바로 팔괘의

---

2) 『周易·繫辭下傳』: 愛惡相攻而吉凶生, 遠近相取而悔吝生, 情僞相感而利害生.

획이 줄을 이룸에 상이 곧 획 속에 있는 것이지만, 아직 움직이지 않아 팔괘의 획이 있어도 드러나지 않는다. 팔괘가 섞임이 "인하여 거듭하니 효가 그 가운데 있다"는 것이니, 효(爻)라는 말은 섞음이다. 섞음이 있으면 변화가 있다. 그러므로 굳센 양과 부드러운 음이 서로 밀치면 변화가 그 가운데 있게 된다. '변화[變]'는 괘효의 전체를 가리켜 말한 것이고, '움직임[動]'은 전적으로 얻은 바의 변효(變爻)를 가리켜 말한 것이다. '말을 달아 명함'은 문왕과 주공의 『주역』이다.

○ 臨川吳氏曰: 此承前篇卒章, 言蓍卦之象辭變占. 曰在其中者, 凡四, 一象, 二爻, 三變, 四動. 爻者辭也 動則有吉凶悔吝之占焉 前篇動者尙其變 而此以動屬占者 動因變而得占也

임천오씨가 말하였다: 이것은 앞 책의 마지막 장을 이어서, 시초와 괘의 상(象)과 말[辭]과 변(變)과 점(占)을 말한 것이다. "그 가운데 있다"고 한 것이 모두 넷인데, 첫째는 상(象)이고 둘째는 효(爻)이고 셋째는 변화[變]이고 넷째는 움직임[動]이니, 효는 말이고, 움직이면 길과 흉과 뉘우침과 인색함이라는 점사가 있게 된다. 앞 책에서 "움직이는 자는 그 변화를 숭상한다"[3]고 하고 여기서는 '움직임'을 점사에 배속시킨 것은 움직이면 변화에 따라서 점사를 얻기 때문이다.

‖ 韓國大全 ‖

조호익(曺好益) 『역상설(易象說)』

註雲峯說, 未動之動, 疑重.

소주의 운봉호씨의 설 가운데 '미동(未動)'의 '동(動)'은 '중(重)'자의 오자인 듯하다.

유정원(柳正源) 『역해참고(易解參攷)』

韓氏曰, 有變動而後, 有吉凶.

한강백이 말하였다: 변하여 움직임이 있은 뒤에 길흉이 있다.

---

3) 『周易‧繫辭傳上』: 易有聖人之道四焉, 以言者尙其辭, 以動者尙其變, 以制器者尙其象, 以卜筮者尙其占.

○ 周子曰, 吉凶悔吝, 生乎動. 噫, 吉一而已, 動可不愼乎.

주자(周子)가 말하였다: 길흉회린은 움직임에서 생겨난다. 아! 길한 것은 하나일 뿐이니, 움직임을 삼가지 않을 수 있겠는가?

김상악(金相岳)『산천역설(山天易說)』

吉凶悔吝, 因卦爻之動而後見.

길함과 흉함과 뉘우침과 인색함은 괘효의 움직임에 따라 그 뒤에 나타난다.

심대윤(沈大允)『주역상의점법(周易象義占法)』

二老動而有之卦.

노양(老陽)과 노음(老陰)이 움직임에 변하는 괘[之卦]가 있게 된다.

박문호(朴文鎬)「경설(經說)·주역(周易)」

當動之爻, 卦爻之動, 兩動字, 皆指卦爻之所變也, 今世占家, 猶謂變爲動.

'마땅히 행하여야[動] 할 효'와 '괘효의 움직임[動]'에서의 두 '동(動)'자는 모두 괘효가 변하는 것을 가리키니, 요즘 세상의 점술가가 '변(變)'을 '동(動)'이라 하는 것과 같다.

剛柔者, 立本者也, 變通者, 趣時者也.

굳센 양과 부드러운 음은 근본을 세우는 것이고, 변하여 통함은 때에 맞추는 것이다.

‖中國大全‖

本義

一剛一柔, 各有定位, 自此而彼, 變以從時.

하나의 굳센 양과 하나의 부드러운 음이 각각 정해진 자리가 있지만, 여기에서 저기로 변하여 때를 따른다.

小註

朱子曰, 此兩句, 亦相對說. 剛柔者, 陰陽之質, 是移易不得之定體, 故謂之本. 若剛變 爲柔, 柔變爲剛, 便是變通之用. 又曰, 變通, 便只是其往來者.

주자가 말하였다: 이 두 구절도 또한 상대하여 말하였다. 굳센 양과 부드러운 음은 음양의 바탕이니, 바뀔 수 없는 고정된 몸체이다. 그러므로 '근본'이라 하였다. 만약 굳센 양이 변하여 부드러운 음이 되고, 부드러운 음이 변하여 굳센 양이 된다면 바로 변하여 통하는 작용이다. 또 말하였다: 변하여 통함은 바로 오가는 것일 뿐이다.

○ 節齋蔡氏曰, 剛柔者, 變通之本體, 變通者, 剛柔之時用.

절재채씨가 말하였다: 굳센 양과 부드러운 음은 변하여 통하는 본래의 몸체이고, 변하여 통함은 굳센 양과 부드러운 음의 때에 맞는 작용이다.

○ 雲峰胡氏曰, 上繫曰, 剛柔者, 晝夜之象, 卽此所謂立本. 曰變化者, 進退之象, 卽此 所謂趣時, 卦有卦之時, 爻有爻之時. 立本者, 天地之常經, 趣時者, 古今之通義.

운봉호씨가 말하였다: 「계사상전」에서 "굳센 양과 부드러운 음은 낮과 밤의 상이다"[4]라고 한 것이 여기의 이른바 '근본을 세움'이다. "변과 화는 나아감과 물러남의 상이다"[5]라고 한

것이 여기의 이른바 '때에 맞춤'이니, 괘에는 괘의 때가 있고 효에는 효의 때가 있다. '근본을
세움'은 천지의 한결같은 도리이고, '때에 맞춤'은 예나 지금이나 통하는 의리이다.

○ 臨川吳氏曰, 剛柔之畫, 其體一定, 如木本之植立, 因著之變, 其用相通, 隨時所遇,
趨而就之. 剛或化柔, 柔或化剛, 此承剛柔相推變在其中之語, 而言著之變也.
임천오씨가 말하였다: 굳센 양과 부드러운 음의 획은 그 몸체가 일정하여 나무의 밑동을
곧게 세움과 같지만, 시초의 변함을 따라서 그 작용이 서로 통하고 때에 따라 만난 것이
향해서 나아간다. 굳센 양이 부드러운 음이 되기도 하고 부드러운 음이 굳센 양이 되기도
하니, 이것은 "굳센 양과 부드러운 음이 서로 밀치니 변화가 그 가운데 있다"는 말을 이어서
시초의 변화를 말한 것이다.

‖韓國大全‖

조호익(曺好益)『역상설(易象說)』

至此, 始言著之變.
여기에 이르러 비로소 시초의 변화를 말하였다.

박치화(朴致和)「설계수록(雪溪隨錄)」

剛柔者, 卦之本體, 故曰立本, 變通者, 著之動變, 故曰趨時.
굳센 양과 부드러운 음이라는 것은 괘의 본체이기 때문에 '근본을 세우는 것'이라고 하였고,
변통이라는 것은 시초가 움직여 변하는 것이기 때문에 '때에 맞추는 것'이라고 하였다.

이익(李漢)『역경질서(易經疾書)』

吉凶悔吝, 易之辭也. 辭本於動, 故曰生乎[6]動也. 剛柔者體也, 動者用也. 用本於體,

---

4) 『周易·繫辭傳上』: 剛柔者, 晝夜之象也.
5) 『周易·繫辭傳上』: 變化者, 進退之象也.
6) 乎: 경학자료집성 DB에 '字'로 되어 있으나, 경학자료집성 영인본을 참조하여 '乎'로 바로잡았다.

故曰立本也. 旣動則有變而通之者, 故曰趣時者也.
길흉회린은『주역』의 말이다. 말은 움직임에 근본하기 때문에 움직임에서 생겨난다고 하였다. 굳센 양과 부드러운 음이란 몸체이고 움직임이란 쓰임이다. 쓰임은 몸체에 근본하기 때문에 "근본을 세운다"고 하였다. 이미 움직였다면 변하여 통함이 있기 때문에 "때에 맞추는 것이다"라고 하였다.

유정원(柳正源)『역해참고(易解參攷)』

韓氏曰, 立本況卦, 趣時況爻.
한강백이 말하였다: '근본을 세움'은 괘를 비유하였고, '때에 맞춤'은 효를 비유하였다.

○ 漢上朱氏曰, 爻有剛柔, 不有兩則一不立, 所以立本也. 剛柔相變, 通其變以盡利者, 趣時也, 趣時者, 時中也. 故曰乾坤毁則旡以見易矣.
한상주씨가 말하였다: 효에는 굳센 양과 부드러운 음이 있으니, 둘 다 있지 않으면 하나도 설 수 없기 때문에 근본을 세운다고 하였다. 굳센 양과 부드러운 음이 서로 변함에 변화를 통달하여 이로움을 다할 수 있는 것이 '때에 맞춤'이니, 때에 맞춤은 시중(時中)이다. 그러므로「계사하전」12장에 "건과 곤이 훼손되면 역을 볼 수 없다"고 한 것이다.

○ 朱子曰, 剛柔者, 晝夜之象, 所謂立本, 變化者, 進退之象, 所以趣時
주자가 말하였다: '굳센 양과 부드러운 음은 낮과 밤의 상[7]이니 이른바 '근본을 세움'이고, '변과 화는 나아감과 물러남의 상[8]이니 이 때문에 '때에 맞음'이다.

○ 强恕齋柴氏曰, 六爻有剛柔, 爲之本體. 然後消息進退, 隨時而變通. 故乾六爻, 旣以爲本, 則潛見飛躍, 皆趣時之類.
강서재시씨가 말하였다: 여섯 효에 굳센 양과 부드러운 음이 있어 본체가 된다. 그런 뒤에 '사라지고 자라고 나아가고 물러나[消息進退]' 때에 따라 변화하여 통한다. 그러므로 건괘 여섯 효가 이미 본체가 되면 '잠겨있고 나타나고 날고 뛰어오르는' 것이 모두 때에 맞추는 종류이다.

---

7)『周易·繫辭傳上』: 剛柔者, 晝夜之象也.
8)『周易·繫辭傳上』: 變化者, 進退之象也.

김상악(金相岳) 『산천역설(山天易說)』

立本者, 體也, 趣時者, 用也.

'근본은 세움'은 몸체이고, '때에 맞춤'은 쓰임이다.

오치기(吳致箕) 「주역경전증해(周易經傳增解)」

此承上文而言爻辭之吉凶悔吝, 皆生於剛柔之變動, 故曰生乎動也. 剛推而爲柔, 則剛爲本, 柔推而爲剛, 則柔爲本. 如乾初之剛爻, 雖變爲柔, 而以剛爲本, 坤初之柔爻, 雖變爲剛, 而以柔爲本之類. 故曰立本也. 窮則變, 變則通, 故變乎此, 則通乎彼, 通乎彼者, 趣時也. 如乾之初九爲老陽, 則通其變, 而爲潛龍之時, 九二爲老陽, 則通其變, 而爲見龍之時者, 卽隨時所遇者也, 故曰趣時也.

이 글은 윗글을 이어 효사의 길·흉·회·린이 모두 굳센 양과 부드러운 음의 변동에서 생겨났음을 말하였기 때문에 "움직임에서 생긴다"고 하였다. 굳센 양이 밀쳐서 부드러운 음이 되면 굳센 양이 근본이 되고 부드러운 음이 밀쳐서 굳센 양이 되면 부드러운 음이 근본이 된다. 예컨대 건괘 초효가 굳센 양효이면 변하여 부드러운 음이 되었더라도 굳센 양이 근본이고, 곤괘의 초효가 부드러운 음효이면 변하여 굳센 양이 되었더라도 부드러운 음이 근본이 되는 따위이다. 그러므로 '근본을 세움'이라고 하였다. 궁하면 변하고 변하면 통하기 때문에 여기에서 변하면 저기로 통하니, 저기로 통하는 것이 '때에 맞춤'이다. 예컨대 건괘의 초구가 노양이면 변화에 통하여 '잠겨있는 용'의 때가 되고, 구이가 노양이면 변화에 통하여 '나타난 용'의 때가 된다. 바로 때에 따라 만나는 것이기 때문에 '때에 맞춤'이라고 하였다.

吉凶者, 貞勝者也,

길과 흉은 항상 이기는 것이니,

‖ 中國大全 ‖

本義

貞, 正也, 常也, 物以其所正爲常者也. 天下之事, 非吉則凶, 非凶則吉, 常相勝而不已也.

‘정(貞)’은 바름[正]이며 상도[常]이니, 만물은 그 바른 것을 일상의 도리[常道]로 삼는다. 천하의 일은 길(吉)이 아니면 흉(凶)이고 흉이 아니면 길이니, 항상 서로 이겨 그치지 않는다.

小註

朱子曰, 貞, 只是說他體處, 常常如此.
주자가 말하였다: ‘정(貞)’은 그것의 몸체가 항상 이와 같다고 말하는 것일 뿐이다.

○ 貞, 常也, 陰陽常只是箇相勝. 如子以前便是夜勝晝, 子以後便是晝勝夜.
정(貞)은 상도(常道)이니, 음과 양은 항상 서로 이기는 것일 뿐이다. 이를테면 자시(子時) 이전은 바로 밤이 낮을 이긴 것이고, 자시 이후는 바로 낮이 밤을 이긴 것이다.

○ 吉凶者, 貞勝者也, 這一句最好看. 這箇物事, 常在這裏相勝, 一箇吉, 便有一箇凶在後面來. 這兩箇, 不是一定往在裏底物, 各有其所正爲常. 正, 是說他當然之理.
“길과 흉은 항상 이기는 것이다”라는 이 구절은 아주 근사하다. 이것들은 항상 여기에서 서로 이기고 있으니, 하나의 길에는 곧 하나의 흉이 뒤따라온다. 이 두 가지는 일정하게 안에 머물러 있는 것이 아니라, 각각 그 바른 것[正]을 상도로 삼으니, ‘정(正)’은 그것의 당연한 이치를 말한 것이다.

○ 進齋徐氏曰, 先言變動, 而後獨言吉凶悔吝生乎動者, 以動詳於變故也. 此言吉凶悔吝, 而後止言吉凶者, 以吉凶者, 悔吝之積也.

진재서씨가 말하였다: 앞에서는 '변화와 움직임'을 말했는데, 뒤에서는 "길과 흉과 뉘우침과 인색함은 움직임에서 생겨나는 것이다"만 말한 것은 움직임이 변화보다 상세하기 때문이다. 여기서는 '길과 흉과 뉘우침과 인색함'을 말했는데, 뒤에서는 '길과 흉'만 말한 것은 길과 흉은 뉘우침과 인색함의 쌓임이기 때문이다.

‖韓國大全‖

박치화(朴致和) 「설계수록(雪溪隨錄)」

貞, 貞固不變之謂也.

'항상[貞]'은 곧고 견고하여 변하지 않음을 이른다.

○ 正是當然之理. 凶有凶之理, 吉有吉之理, 吉凶, 各以其所正爲常者也.

정(正)은 마땅히 그렇게 되는 이치이다. '흉'은 흉한 이치가 있고, '길'은 길한 이치가 있으니, 길흉은 각각 바른 것을 일상의 도리[常道]로 삼는다.

○ 朱子以貞字兼吉凶解, 故曰物以其所正爲常者也.

주자가 '정(貞)'자를 길흉을 겸하여 풀었기 때문에 "만물은 그 바른 것을 일상의 도리[常道]로 삼는다"고 한 것이다.

유정원(柳正源) 『역해참고(易解參攷)』

張子曰, 有義命當吉當凶當亨當否者, 聖人不使避凶趨吉, 一以貞勝而不顧. 如大人否亨, 有隕自天, 過涉滅頂凶无咎, 損益龜弗克違, 及其命辭之類三者情異, 不可不察.

장자(張子)가 말하였다: 의리와 천명에 마땅히 길하고 마땅히 흉하며 마땅히 형통하고 마땅히 비색한 것이 있으니, 성인은 흉을 피하고 길을 향하게 하지 않고 한결같이 바름이 이기게 하여 아랑곳하지 않는다. 예컨대 "대인은 비색하니 형통하다"[9]와 "하늘로부터 떨어진다"[10]

와 "상육은 지나치게 건너 이마까지 빠져 흉하니, 탓할 데가 없다."[11]와 손괘와 익괘의 "거북도 어기지 못할 것이다"[12] 및 명하는 말의 종류 세 가지가 실정이 다르니, 살피지 않아서는 안 된다.

○ 問, 貞字便是性之骨子. 朱子曰, 常偌地便是他本如此. 猶言附子者, 貞熱者也, 龍腦者, 貞寒者也. 天下只有箇吉凶, 常相往來. 與利貞之貞一般, 所以說利貞者性情也. 橫渠說得這箇別, 他說道, 貞便能勝得他, 如此, 則下文三箇貞字, 說不通. 這箇只是說吉凶相勝, 天地間一陰一陽, 如環无端, 便是相勝底道理, 張子貞勝之說, 雖非經義, 然其說亦自好.

물었다: '정(貞)'자는 바로 성(性)의 핵심입니까?

주자가 답하였다: 정(貞)은 항상 이와 같은 것이니 곧 그것이 본래 서로 이와 같은 것입니다. 마치 부자(附子)가 항상 열기(熱氣)가 있고, 용뇌(龍腦)[13]가 항상 냉기(冷氣)가 있는 것과 같습니다. 천하에는 다만 길흉이 있어 항상 서로 왕래하니 '리정(利貞)의 정(貞)'과 같습니다. 이 때문에 리정(利貞)이 성정(性情)이라고 말하는 것입니다. 횡거가 말한 것은 이것과는 다릅니다. 그는 정(貞)은 곧 이길 수 있는 것이라고 말하였습니다. 이와 같다면 아래 문장의 세 '정(貞)'자[14]와는 말이 통하지 않습니다. 여기에서는 길흉이 서로 이기는 것만을 말하였으니, 천지간에 한 번 음이 되고 한 번 양이 되어 끊임없이 순환하는 것이 곧 서로 이기는 도리입니다. 장자의 "정(貞)이 이긴다"는 설이 비록 경문의 뜻은 아니나 그 설명이 나름대로 괜찮습니다.

○ 吉凶以貞勝, 有雖得凶而不可避者. 縱貧賤困窮死亡, 卻非悔吝, 故橫渠云, 不可避凶趨吉, 一以貞勝者是也.

길흉은 항상 이기니, 비록 흉하더라도 피할 수 없는 것이 있다. 비록 빈천하거나 곤궁하거나 사망하더라도 도리어 회린(悔吝)이 아니기 때문에, 횡거가 "흉을 피하여 길로 나아가서는 안 되고 한결같이 곧음으로 이겨야한다는 것이 이것이다"라고 하였다.

○ 南軒張氏曰, 變動以利言, 吉凶以情遷, 此吉凶所以生乎動也. 若夫得正固之道, 則

---

9) 『周易·否卦』: 六二, 包承, 小人, 吉, 大人, 否, 亨.

10) 『周易·姤卦』: 九五, 以杞包瓜, 含章, 有隕自天.

11) 『周易·大過卦』: 上六, 過涉滅頂, 凶, 无咎.

12) 『周易·損卦』: 六五, 或益之, 十朋之. 龜弗克違, 元吉. 『周易·益卦』: 六二, 或益之, 十朋之. 龜弗克違, 永貞, 吉, 王用享于帝, 吉.

13) 용뇌(龍腦): 박하향이 나는 나무로 강심제(强心劑)와 청량제(和淸涼劑)로 쓰임.

14) "貞觀者也", "貞明者也", "貞夫一者也"를 가리킨다.

寂然不動, 確乎不拔, 禍亦不屈, 福亦不求, 吉凶旡得以動之者, 此吉凶以貞勝者也.

남헌장씨가 말하였다: '변하여 움직임'은 리(利)로 말하였고 길흉은 실정으로 옮겨지는 것이니, 이것이 길흉이 움직임에서 생겨나는 이유이다. 만약 바르고 단단한 도를 얻는다면 고요하여 움직이지 않고 확고하여 뽑히지 않아서 재화를 당해도 굽히지 않고 복도 구차히 구하지 않을 것이니, 길흉을 움직일 수 없는 것, 이것이 길흉이 항상 이기는 것이다.

김상악(金相岳) 『산천역설(山天易說)』

貞, 正也常也, 貞勝, 言吉凶常相勝而不已也.

정(貞)은 바름이고 항상[常]이니, 정승(貞勝)은 길흉이 항상 서로 이겨 그치지 않음을 말한다.

심대윤(沈大允) 『주역상의점법(周易象義占法)』

吉凶常相勝.

길함과 흉함은 항상 서로 이긴다.

박제가(朴齊家) 『주역(周易)』

非吉則凶, 非凶則吉, 常相勝而不已. 雙湖胡氏曰, 天地之道, 以貞而勝, 日月之道, 以貞而明, 天下之動, 亦惟當一以貞而勝之而已. 案, 經文曰貞字, 皆重在貞字, 若如本義, 重在勝字. 天地之道在觀, 日月之道在明, 天下之動在一, 恐卽如雙湖說之爲得.

『본의』에서는 "길(吉)이 아니면 흉(凶)이고 흉이 아니면 길이니, 항상 서로 이겨 그치지 않는다"라고 하였다. 쌍봉호씨는 "천지의 도는 바름으로 이기고, 일월의 도는 바름으로 밝히고 천하의 움직임은 오직 마땅히 하나를 바름으로서 하여 이길 뿐이다"라고 하였다.

내가 살펴보았다: 경문에서 정(貞)자를 말한 경우는 모두 비중이 정(貞)자에 있는데, 『본의』처럼 한다면 비중이 승(勝)자에 있다. 천지의 도는 보이는 데 있고, 일월의 도는 밝음에 있고, 천하의 움직임을 하나에 있는 것이니, 쌍봉호씨처럼 설명하는 것이 설득력이 있을 듯하다.

박문호(朴文鎬) 「경설(經說)·주역(周易)」

以其所正爲常, 所以明正與常之爲相須之意也, 非釋經文之義也.

『본의』에서 "만물은 그 바른 것을 일상의 도리[常道]로 삼는다"고 한 것은 '바른 것[正]'과 '상도(常道)'가 서로 필요로 하는 뜻을 밝힌 것이지, 경문의 뜻을 해석한 것이 아니다.

天地之道, 貞觀者也, 日月之道, 貞明者也, 天下之動, 貞一
者也.

정전 하늘과 땅의 도리는 항상 보여주는 것이고 해와 달의 도리는 항상 밝은 것이며, 천하의 움직임은
　　항상 한결같은 것이다.

본의 하늘과 땅의 도리는 항상 보여주는 것이고 해와 달의 도리는 항상 밝은 것이며, 천하의 움직임은
　　하나의 이치를 항상 행하는 것이다.

中國大全

小註

程子曰, 天地之道, 常垂象以示人, 故曰貞觀. 日月, 常明而不息, 故曰貞明.

정자가 말하였다: 하늘과 땅의 도리는 항상 상(象)을 드리워 사람들에게 보여주므로 "항상
보여준다"고 하였다. 해와 달은 항상 밝고 쉬지 않으므로 "항상 밝다"고 하였다.

本義

觀, 示也. 天下之動, 其變无窮, 然順理則吉, 逆理則凶, 則其所正而常者, 亦一
理而已矣.

'관(觀)'은 보여줌[示]이다. 천하의 움직임은 그 변화가 다함이 없으나 이치를 따르면 길(吉)하고
이치를 거스르면 흉(凶)하니, 그 바르며 상도(常道)인 것도 또한 하나의 이치일 뿐이다.

小註

朱子曰, 吉凶常相勝, 不是吉勝凶, 便是凶勝吉. 二者常相勝, 故曰貞勝. 天地之道, 則
常示, 日月之道, 則常明, 天下之動, 貞夫一者也. 天下之動, 雖不齊, 常有一箇是底,
故曰貞夫一.

주자가 말하였다: 길과 흉은 항상 서로 이기니, 길이 흉을 이긴 것이 아니라면 흉이 길을

이긴 것이다. 둘이 항상 서로 이기므로 "항상 이긴다"고 하였다. 천지의 도리는 항상 보여주고, 해와 달의 도리는 항상 밝으며, 천하의 움직임은 하나의 이치를 항상 행하는 것이다. 천하의 움직임이 비록 고르지는 않지만, 항상 하나의 옳은 것이 있으므로 "하나의 이치를 항상 행한다"고 하였다.

○ 雲峰胡氏曰, 上繫於吉凶悔吝无咎之義, 發之詳矣, 獨貞字未發, 故於下繫發之. 貞者, 正而固也, 本義曰, 正而常, 何哉. 固者, 人事之當然, 常者, 天理之必然. 天下之動, 非吉勝凶, 則凶勝吉. 二者, 常相勝而不已, 然亦天下之正理也. 人之所爲, 正則吉, 不正則凶. 雖其動也不一, 而常有至一者存, 亦不外乎此至正之理而已. 天地日月之道, 亦猶是也.

운봉호씨가 말하였다: 「계사상전」에서는 길과 흉과 뉘우침과 인색함의 뜻에 대해 자세하게 밝혔으나, 유독 정(貞)자는 밝히지 않았으므로 「계사하전」에서 밝힌 것이다. 정(貞)은 바름[正]이며 변치 않음[固]인데, 『본의』에서 "바름[正]이며 상도[常]이다"라고 한 것은 어째서인가? 변치 않음[固]은 인사의 마땅히 그러함이고, 상도[常]는 천리의 반드시 그러함이다. 천하의 움직임은 길이 흉을 이기지 않으면 흉이 길을 이긴다. 두 가지가 항상 서로 이기려 하고 그치지 않지만, 또한 천하의 바른 이치인 것이다. 사람의 행위는 바르면 길하고 바르지 않으면 흉하다. 비록 그 움직임이 한결같지는 않지만 항상 지극한 하나가 보존되어 있고, 또한 이 지극히 바른 이치에서 벗어나지 않는다. 하늘과 땅, 해와 달의 도리도 또한 이와 같다.

韓國大全

조호익(曺好益) 『역상설(易象說)』

天地之道, 貞觀者也.
하늘과 땅의 도리는 항상 보여주는 것이다.

註雲峯說, 然亦之間, 語意未備.
소수의 운봉호씨의 설 가운데 '연역(然亦)'의 부분은 말뜻이 제대로 갖추어지지 않았다.

박치화(朴致和) 「설계수록(雪溪隨錄)」

天下之動, 吉凶貞勝, 而莫不貞夫一. 一者, 一箇是底道理, 故易常稱利貞.

천하의 움직임은 길·흉이 항상 이겨서 하나를 항상 하지 않음이 없다. '하나'라는 것은 하나의 도리이기 때문에, 『주역』에서 언제나 "곧은 것이 이롭다"고 일컬었다.

○ 吉凶貞勝, 天地氣數之理也, 天下之動貞夫一, 人事本然之則也.

"길과 흉은 항상 이기는 것이다"는 천지간의 기수(氣數)의 이치이고, "천하의 움직임은 하나의 이치를 항상 행하는 것이다"는 인사의 본연의 법칙이다.

이익(李瀷) 『역경질서(易經疾書)』

貞猶正也. 吉比於凶則勝矣. 聖人說吉說凶, 欲人愼擇而取勝也. 此以勝爲正者也. 人之爲敎, 必以言語, 天地不言, 故仰觀俯察, 寒暑晝夜, 風雨霜露, 流峙草木, 莫非敎也, 其要只在善觀而則之. 觀與下示字相勘, 此以觀爲正者也. 日入而復升, 月晦而復盈, 日以照晝, 月以照夜, 其道歸於光明也. 人法之, 則完養智思, 隨時普照, 此以明爲正者也. 天下之動, 萬事繫焉. 其小大輕重, 緩急微顯, 萬緖千頭, 其歸不過一於善而已, 此以一爲正者也.

정(貞)은 바름[正]이다. 길이 흉과 나란해지면 이긴다. 성인이 길흉에 대하여 말하는 것은 사람들에게 신중히 가려서 이기는 쪽을 취하게 하고자 한 것이다. 이것이 '이김'을 '바름'으로 삼은 것이다. 사람이 가르치는 것은 반드시 말로 하나, 천지는 말하지 않기 때문에 우러러 관찰하고 굽어 살피니, '추위·더위·낮·밤[寒暑晝夜]'과 바람·비·서리·이슬[風雨霜露]'과 '강산의 초목[流峙草木]'이 가르침 아님이 없으나, 그 요점은 다만 잘 살펴 본받는 데에 있다. '관(觀)'은 아래 글의 '보여주다[示]'와 서로 헤아려 보아야 하니 이것이 '관(觀)'을 '바름[正]'으로 삼은 것이다. 해가 지면 다시 떠오르고 달이 기울면 다시 차서 해가 낮을 비추고 달이 밤을 비추니, 그 도는 광명한 데로 귀결된다. 사람이 그것을 본받으면 지혜와 사고를 온전히 길러서 때에 따라 두루 비추게 될 것이니, 이것이 밝음을 바름으로 삼은 것이다. 천하의 움직임에 온갖 일이 거기에 속해있다. '작고 크며 가볍고 무거움[小大輕重]'과 '느리고 급하며 은미하고 드러나는[緩急微顯]' 천만가지 모든 일이 그 귀결은 선을 한결같이 함에 불과할 뿐이니, 이것이 한결같음[一]을 바름으로 삼은 것이다.

유정원(柳正源) 『역해참고(易解參攷)』

張子曰, 天地日月, 其變不能遷夫正. 天地之道, 至大至廣, 貞乃能觀, 天地之明, 貞乃能明, 天下之動, 貞乃能一.

장자(張子)가 말하였다: 천지·일월은 그 변화가 바름을 옮길 수 없다. 천지의 도는 지극히 크고 지극히 넓어서 항상 보여줄 수 있으며, 천지의 밝음을 항상 밝힐 수 있고 천하의 움직임을 항상 한결같이 할 수 있다.

○ 龜山楊氏曰, 貞正也. 正者靜一之性. 雖天地日月聖人, 有所不能外. 天運乎上, 地處乎下, 終古不息者, 以正觀也, 日懸乎晝, 月懸乎夜, 其明不已者, 以正明也, 天下之動, 紛至沓來, 皆有以一之者, 以正幹也. 經曰貞者事之幹也, 非此之謂歟.

구산양씨가 말하였다: 정(貞)은 바름이다. '바름'이라는 것은 고요하고 한결같은 성질이다. 비록 천지며 일월이며 성인이더라도 도외시할 수 없는 것이 있다. 하늘은 위에서 운행하고 땅은 아래에 처하여 오래 동안 쉬지 않는 것은 바름으로 보여주기 때문이고, 해가 낮에 달려 있고 달이 밤에 달려있어서 그 밝음이 그치지 않는 것은 바름으로 밝히기 때문이고, 천하의 움직임이 연속해서 오는 것은 모두 하나로 함이 있어서 바름으로 근간을 삼기 때문이다. 「건괘·문언전」에 "정(貞)은 사물의 근간이다"라고 하였으니, 이것을 이름이 아니겠는가?

○ 問, 貞勝貞觀貞明張程之說孰是. 朱子曰, 伊川解貞作常者爲是. 吉凶二者, 不是吉便是凶, 常須一件勝, 故曰貞勝. 貞所以訓常[15]者, 易傳解此字處多云正固, 固乃常也. 爲正字盡貞字義不得, 故又著一固字, 謂此雖是正, 又須常固守之, 然後爲正.

물었다: 정승(貞勝)·정관(貞觀)·정명(貞明)에 대한 장자와 정자의 해석 가운데 어느 것이 옳습니까?

주자가 답하였다: 이천이 정(貞)을 해석하여 '항상[常]'이라고 한 것이 옳습니다. 길과 흉 두 가지는 길이 아니면 곧 흉이니, 항상 한 쪽이 이기기 때문에 정승(貞勝)이라고 한 것입니다. 정(貞)을 상(常)이라고 훈고하는 것은 『정전』에서 이 글자를 해석하여 대부분 '정고(正固)'라고 해서이니, 고(固)라는 것은 곧 상(常)입니다. 정(正)자로는 정(貞)자의 뜻을 다할 수 없기 때문에 또 하나의 고(固)자를 쓴 것이니, 이것은 비록 바르더라도 또 모름지기 항상 지킨 뒤에야 바름이 됨을 이릅니다.

김상악(金相岳) 『산천역설(山天易說)』

觀示也, 一一理也. 天下之動, 其變不一, 吉凶常相勝, 而其正理, 則常有至一者存.

관(觀)은 보이는 것이고 일(一)은 하나의 이치이다. 천하가 움직이는 것이 그 변화가 하나가

---

15) 常: 경학자료집성DB에 '當'으로 되어 있으나, 『주자어류』 권76을 참조하여 '常'으로 바로잡았다.

아니나, 길흉이 항상 서로 이기니, 이치를 바르게 하면 항상 지극한 하나의 이치가 보존될 것이다.

심대윤(沈大允) 『주역상의점법(周易象義占法)』

觀感化也, 一誠一也. 天下之動, 一於利而已矣, 聖人之道, 以天下一於利而已矣.
관(觀)은 느껴서 감화되는 것이고, 하나(一)는 성실하고 한결같음이다. 천하의 움직임은 이로움에 한결같을 뿐이고, 성인의 도는 이를 본받아 천하를 이롭게 하는 데에 한결같이 할 뿐이다.

오치기(吳致箕) 「주역경전증해(周易經傳增解)」

此節承上文吉凶悔吝之義而言也. 貞者正也, 勝者勝負之勝, 而言以正而勝不正也. 天下之事, 有吉有凶, 善則吉, 不善則凶. 吉且善者爲正, 凶且不善者爲不正. 故聖人用易之道, 惟言利于正, 勸人以趨吉避凶爲善去惡, 以正而勝不正. 故曰吉凶者貞勝者也. 觀者垂象以示人也, 明者光明也, 動者人之事爲也, 一者无私心也. 此言天地以此正理而觀, 故无私覆无私載, 日月以此正理而明, 故无私照. 天地日月且如此, 況于人乎. 故天下之動, 雖千緖萬端, 惟以正理, 而无私心而已也. 此皆貞勝之理也.
이 구절은 윗글의 길흉회린의 뜻을 이어 말하였다. 정(貞)은 바름[正]이고 승(勝)은 이기고 짐[勝負]의 이김[勝]이니, 바름으로 바르지 못함을 이긴다는 말이다. 천하의 일에는 길함과 흉함이 있으니, 선하면 길하고 선하지 못하면 흉하다. 길하고 선한 것이 바름이고, 흉하고 선하지 못함이 바르지 못함이다. 그러므로 성인이 역을 사용하는 도에 오직 바른 것이 이로움만을 말하여 사람들에게 길함을 향하고 흉함을 피하여 선을 하고 악을 제거하게 하며 바름으로써 바르지 못함을 이기게 하였다. 그러므로 "길함과 흉함이란 바름이 이기는 것이다"라고 말하였다. 보임[觀]은 상을 드리워 사람들에게 보이는 것이고, 밝음[明]은 빛나는 것이며, 움직임[動]은 사람들이 일을 함이고, 하나[一]는 사심이 없는 것이다. 이것은 하늘과 땅은 이 바른 이치로 보이기 때문에 사사로이 덮어줌도 없고 사사로이 실어줌도 없으며, 해와 달은 이 바른 이치로 밝기 때문에 사사로이 비춰줌도 없다는 말이다. 하늘·땅과 해·달이 이와 같은데, 하물며 사람에 있어서이겠는가? 그러므로 천하의 움직임이 비록 천만가지 단서이나, 오직 바른 이치로써 하여 사사로운 마음이 없을 뿐이다. 이것은 모두 바름이 이긴다는 이치이다.

이병헌(李炳憲) 『역경금문고통론(易經今文考通論)』

虞曰, 謂繫彖象九六之辭, 故動在其中, 動謂爻也.

우번이 말하였다: 단(彖)·상(象)과 양효[九]·음효[六]에 말을 붙였음을 이른다. 그러므로 움직임이 그 안에 있으니, 움직임[動]은 효를 이른다.

韓曰, 立本況卦, 趣〈向也〉時況爻, 貞者, 正也一也.

한강백이 말하였다: 근본을 세움은 괘를 비유하였고, 때에 맞춤〈향함이다.〉은 효를 비유하였다. 정(貞)은 바름이고 한결같음이다.

姚曰, 正則吉, 不正則凶. 不正獲吉亦不勝, 正而凶亦勝.

요신이 말하였다: 바르면 길하고 바르지 못하면 흉하다. 바르지 못한데 길하면 또한 이기지 못함이고, 바른데 흉하면 또한 이김이다.

虞曰, 一者謂乾元.

우번이 말하였다: '하나[一]'란 건원(乾元)을 이른다.

夫乾確然, 示人易矣, 夫坤隤然, 示人簡矣,

건(乾)은 굳세니 사람에게 평이함[易]을 보이고, 곤(坤)은 순하니 사람에게 간단함[簡]을 보이니,

‖中國大全‖

本義

確然, 健貌, 隤然, 順貌, 所謂貞觀者也.

‘확연(確然)’은 굳센 모양이고, ‘퇴연(隤然)’은 순한 모양이니, "항상 보여준다[貞觀]"는 것이다.

‖韓國大全‖

박치화(朴致和) 「설계수록(雪溪隨錄)」

乾坤所示之理, 則易簡也. 爻之奇偶, 卦之消息, 易簡之理, 具於其中也.

건·곤이 보여주는 이치가 곧 ‘평이함’과 ‘간단함’이다. 효의 ‘기수·우수’와 괘의 ‘사라짐·자라남’에 ‘평이함’과 ‘간단함’의 이치가 그 가운데 갖추어 있다.

○ 乾易坤簡, 六十四卦三百八十四爻, 無非乾坤, 則易簡之理自在其中.

건은 평이하고 곤은 간단하여 64괘 384효에 건·곤 아님이 없으니, 곧 ‘평이함’과 ‘간단함’의 이치가 저절로 그 가운데 있다.

유정원(柳正源) 『역해참고(易解參攷)』

漢上朱氏曰, 乾陽至剛, 確然不易, 示人爲君爲父[16]爲夫之道, 不亦易歟. 坤陰至柔, 隤

然而順, 示人爲臣爲子爲婦之道, 不亦簡歟. 乾剛坤柔, 以立本者也.

한상주씨가 말하였다: 건양(乾陽)은 지극히 굳세어 확고하여 바뀌지 않아서 사람들에게 임금이 되고 아비가 되고 남편이 되를 도를 보이니, 매우 평이하지 아니한가? 곤음(坤陰)은 지극히 부드러워 순하게 따라서 사람들에게 신하가 되고 자식이 되고 부인이 되는 도를 보이니, 매우 간단하지 아니한가? 굳센 건과 부드러운 곤은 근본을 세우는 자이다.

김상악(金相岳) 『산천역설(山天易說)』

確然健貌, 隤然順貌.

확연(確然)은 강건한 모양이고, 퇴연(隤然)은 순한 모양이다.

심대윤(沈大允) 『주역상의점법(周易象義占法)』

確, 一而實也, 隤, 順而附也.

확(確)한 한결같아 성실한 것이고, 퇴(隤)는 순하여 따르는 것이다.

---

16) 父: 경학자료집성 DB와 영인본에 '夫'로 되어 있으나, 문맥을 살펴 '父'로 바로잡았다.

爻也者, 效此者也, 象也者, 像此者也.

효(爻)는 이를 본받는 것이고, 상(象)은 이를 그려낸 것이다.

‖中國大全‖

本義

此, 謂上文乾坤所示之理, 爻之奇偶, 卦之消息, 所以效而象之.

‘차(此)’는 위 글의 건곤이 보인 이치를 이르니, 효(爻)의 홀수와 짝수, 괘(卦)의 줄어듦과 자람은 이를 본받고 그려낸 것이다.

小註

或問, 爻也者, 效此者也, 是效乾坤之變化而分六爻, 象也者, 像此者也, 是象乾坤之虛實而爲奇偶. 朱子曰, 效此, 便是乾坤之理, 象只是像其奇偶.

어떤 이가 물었다: “효는 이를 본받는 것이다”는 건과 곤의 변화를 본받아 육효가 나뉜 것이고, “상은 이를 그려낸 것이다”는 건과 곤의 빔과 참을 형상하여 홀수와 짝수를 만든 것입니까? 주자가 답하였다: “이를 본받았다”는 바로 건과 곤의 이치이고, ‘상’은 그것의 홀수와 짝수를 그려낸 것입니다.

‖韓國大全‖

유정원(柳正源) 『역해참고(易解參攷)』

强恕齋柴氏曰, 爻者, 所以效乾坤剛柔之義也, 象者, 所以像乾坤所宜之物也.

강서재시씨가 말하였다: 효는 건곤의 굳세고 부드러운 뜻을 본받은 것이고, 상은 건곤의 마땅한 물건을 상징한 것이다.

○ 案, 易中陽爻效乾之確然, 故其畫爲奇, 陰爻效坤之隤然, 故其畫爲偶, 所謂爻者, 效也. 象乾之奇而確然, 故其象爲天圓君父等象, 象坤之偶而隤然, 故其象爲地母布釜等象, 所謂象者像也.

내가 살펴보았다: 『주역』가운데 양효는 건괘의 굳셈을 본받았기 때문에 그 획이 기수이고, 음효는 곤괘의 순함을 본받았기 때문에 그 획이 우수이니, 이른바 효라는 것은 본받음이다. 건괘의 기수를 본받아 굳세기 때문에 그 상이 둥근 하늘·임금·아버지 등의 상이 되고, 곤의 우수를 본받아 순하기 때문에 그 상이 땅·어머니·베·가마솥 등의 상이 되니, 이른바 상이라는 것은 상징이다.

김상악(金相岳) 『산천역설(山天易說)』

效此像此者, 卽乾坤所示之象也.

이를 본받고 이를 그려낸 것이란 곧 건곤이 제시하는 상이다.

심대윤(沈大允) 『주역상의점법(周易象義占法)』

爻也者, 効此者也, 象也者, 像此者也. 爻象, 動乎內, 吉凶, 見乎外, 功業, 見乎變, 聖人之情, 見乎辭. 天地之大德曰生, 聖人之大寶曰位, 何以守位, 曰仁. 何以聚人, 曰財. 理財, 正辭, 禁民爲非曰義.

효(爻)는 이를 본받는 것이고, 상(象)은 이를 그려낸 것이다. 효와 상은 안에서 움직이고, 길과 흉은 밖에 나타나고, 공적은 변화에 나타나고, 성인의 뜻은 말에 나타난다. 천지의 큰 덕을 '낳음'이라 하고, 성인의 큰 보배를 '자리'라 하니, 무엇으로 자리를 지키는가? 사람이다. 무엇으로 사람을 모으는가? 재화이다. 재화를 다스리고 말을 바르게 하며 백성의 잘못된 행동을 금지함을 옳음이라 한다.

朱子曰, 仁古本作人.

주자가 말하였다: 인(仁)은 옛 판본에 인(人)으로 되어 있다.

爻象, 動乎內, 吉凶, 見乎外, 功業, 見乎變, 聖人之情, 見乎辭.

효와 상은 안에서 움직이고, 길과 흉은 밖에 나타나고, 공적은 변화에 나타나고, 성인의 뜻은 말에 나타난다.

║中國大全║

本義

內謂蓍卦之中, 外謂蓍卦之外. 變卽動乎內之變, 辭卽見乎外之辭.

'내(內)'는 시초로 괘를 구하는 때를 이르고, '외(外)'는 시초로 괘를 구한 뒤를 이른다. '변(變)'은 바로 안에서 움직이는 변화이고, '사(辭)'는 바로 밖으로 나타나는 말이다.

小註

或問, 爻象動乎內, 吉凶見乎外, 或謂陰陽老少, 在分蓍揲卦之時, 而吉凶, 乃見於成卦之後, 如何. 朱子曰, 也是如此, 然內外字, 猶言先後微顯.

어떤 이가 물었다: "효와 상은 안에서 움직이고, 길과 흉은 밖에 나타난다"를 어떤 이는 "음양의 노소(老少)는 시초를 나누어 괘를 세는 때에 있고, 길과 흉은 괘가 이루어진 뒤에 나타난다"고 하는데 어떻습니까?

주자가 답하였다: 또한 이와 같습니다. 그러나 안과 밖이라는 글자는 앞과 뒤의 은미함과 드러남을 말함과 같습니다.

○ 功業見乎變, 是就那動底爻見得, 這功業字, 似吉凶生大業之業, 猶言事變庶事相似.

"공적은 변화에 나타난다"는 저 움직이는 효에 나타난 것이다. '공적[功業]'이라는 말은 "길흉이 대업을 낳는다"[17]의 업(業)과 같으니, 오히려 일의 변화나 여러 가지 일이라고 하는 것과 서로 유사하다.

---

17) 『周易·繫辭傳』: 八卦定吉凶, 吉凶生大業.

○ 潘氏曰, 確然隤然, 乾坤之體也, 隤與頹同. 乾坤之所以示人者, 易而不難, 簡而不繁. 爻者, 傚此易簡者也, 象者, 像此易簡者也. 及其爻象動乎卦之內, 則吉凶見於事之外, 功業見於變通之間. 蓋動則有吉凶, 不動則吉凶无自而生, 變則有功業, 不變則功業无自而成. 聖人之情, 則見爻辭象辭之間, 所以指人以所之也.

반씨가 말하였다: 굳셈[確然]과 순함[隤然]은 건과 곤의 몸체이니, 퇴(隤)는 좇음[頹]과 같다. 건과 곤이 사람에게 보인 것은 평이하여 어렵지 않고 간단하여 번거롭지 않다. 효(爻)는 이 평이함과 간단함을 본받는 것이고, 상(象)은 이 평이함과 간단함을 그려낸 것이다. 효와 상이 괘의 안에서 움직이게 되면 길과 흉이 일의 밖으로 나타나고, 공적도 변통하는 사이에 나타난다. 대체로 움직이면 길과 흉이 있지만 움직이지 않으면 길과 흉이 따라 나올 수 없고, 변통하면 공적이 있지만 변통하지 않으면 공적이 따라 나올 수 없기 때문이다. 성인의 뜻은 효사와 상사의 사이에 나타나니, 사람에게 나갈 곳을 가리켜 주는 것이다.

┃韓國大全┃

이익(李瀷) 『역경질서(易經疾書)』

確堅也, 所堅在健不息之謂也. 其所以不息則易而已. 其運行之至易, 莫有天若也. 術家云天之一度, 應地二千九百三十二里. 天有三百六十度, 則大約一百五萬五千五百二十里. 雖使非的見, 要亦有相近. 天能一日一周, 非至易, 烏得如是. 示與上觀字相勘, 天示人而人觀也, 示之欲其自强不息也. 隤順下也, 周天之內, 以地爲最下, 處於中心, 上下左右之不得, 則其勢隤然處下矣. 乾動而坤靜, 其動也至易, 其靜也至簡. 簡者煩之反, 謂靜而不煩也. 其生育萬物之功, 承天之機, 自然而然, 不見煩勞之跡, 故曰簡. 其示之亦欲人之涵育而知要也. 凡一百九十二陽爻 效乾, 一百九十二陰爻效坤, 故曰乾坤毀則無以見. 易有爻, 則象在其中也. 卦之爻象有動, 故事之吉凶見焉. 內外者, 以卦言也. 占其吉凶, 化而裁之, 功業之所以成. 若無所繫之辭, 後人何從而知所取舍. 皆由聖人憂患後世之情也.

확(確)은 견고함이니, 견고한 것은 강건하여 쉬지 않음을 이른다. 그것이 쉬지 않는 이유는 평이해서일 뿐이다. 운행이 지극히 쉬운 것이 하늘만한 것이 없다. 술가(術家)가 “하늘의 1도(度)는 땅의 2,932리에 해당한다”고 하였다. 하늘에 360도가 있으니 대략 105만 5,520리이다. 비록 정확하게 알 수 있는 것은 아니더라도 요컨대 서로 근사한 이치가 있다. 하늘은 하루에 한 바퀴를 도니, 지극히 평이하지 않다면 어찌 이와 같을 수 있겠는가? '보여줌[示]'을 윗글의 '관(觀)'자와 서로 헤아려 보면 하늘이 사람에게 보여줌에 사람이 보는 것이니, 보여주는 것은 스스로 힘써서 쉬지 않게 하고자 함이다. 퇴(隤)는 순하고 낮음이다. 온 하늘 안에 땅이 가장 낮다. 중심에 처하여 상하좌우로 행할 수 없으니, 그 형세가 순하여 아래에 처한다. 건은 움직이고 곤은 고요한데, 움직이는 것은 지극히 쉽고 고요한 것은 지극히 간단하다. 간단함이란 번다함의 반대이니, 고요하고도 번다하지 않음을 이른다. 만물을 생육하는 공효가 하늘의 기틀을 계승하여 자연스럽게 그렇게 되어 번다한 수고로움의 자취를 드러내지 않기 때문에 간단하다고 하였다. 그것이 보여주는 것도 사람에게 함육(涵育)하여 요점을 알게 하고자 함이다. 무릇 192의 양효는 건을 본받고 192의 음효는 곤을 본받았기 때문에, "건과 곤이 훼손되면 역을 볼 수 없다"[18]고 하였다. 『주역』에는 효가 있으니, 상(象)이 그 가운데 있다. 괘의 효상은 움직임이 있기 때문에, 일의 길과 흉이 거기에 드러난다. 안과 밖이라는 것은 괘로 말한 것이다. 길흉을 점쳐서 변화하여 재량하니, 공업(功業)이 이 때문에 이루어진다. 만일 달린 말이 없다면 후세 사람이 어디로부터 근거하여 '취하고 버릴[取舍]' 바를 알겠는가? 이는 모두 성인이 후세 사람을 걱정하는 심정에서 말미암은 것이다.

유정원(柳正源) 『역해참고(易解參攷)』

張子曰, 因爻象之旣動, 明吉凶於未形, 故曰爻象動乎內, 吉凶見乎外. 隨爻象之變, 以通其利, 故功業見也.
장자(張子)가 말하였다: 효와 상이 움직임으로 인하여 길과 흉이 드러나기 전에 밝히기 때문에, "효와 상은 안에서 움직이고 길과 흉은 밖에 나타난다"고 하였다. 효와 상의 변화에 따라 이로움에 통하기 때문에 공적이 나타나는 것이다.

○ 南軒張氏曰, 乾坤示人以易簡, 人不能明乎乾坤之易簡, 轉而爲繁亂者有之, 聖人所謂見天下之動而立爻者, 乃效乾坤之易簡以示人也, 所謂見天下之賾而立象者, 乃像乾坤之易簡以示人也. 爻象動乎內者, 謂指其易簡於幽隱之中, 吉凶見乎外者, 謂示其得失之際, 功業見乎變者, 謂成其易簡之功業於從權, 聖人之情見乎辭者, 謂明其易簡而見於言者也.
남헌장씨가 말하였다: 건곤이 사람들에게 평이하고 간단함을 보여주나, 사람들은 건곤의 평이함과 간단함을 밝게 알 수 없어 도리어 번다하고 어지럽다고 여기는 자가 있으니, 성인이

---

18) 『周易·繫辭傳』: 乾坤, 其易之縕耶. 乾坤成列, 而易立乎其中矣, 乾坤毁則无以見易, 易不可見, 則乾坤或幾乎息矣.

이른바 천하의 움직임을 보고 효를 세운다는 것은 곧 건곤의 평이함과 간단함을 본받아 사
람들에게 보인 것이고, 이른바 천하의 오묘함을 보고 상을 세웠다는 것은 곧 건곤의 평이함
과 간단함을 상징하여 사람들에게 보인 것이다. 효와 상이 안에서 움직인다는 것은 그윽하
고 은미한 가운데 평이함과 간단함을 가리킴을 이르고, 길흉이 밖에 나타난다는 것은 득실
의 즈음을 보인 것을 이르며, 공적이 변화에 나타났다는 것은 권도를 따르는 데에서 평이하
고 간단한 공적을 이룸을 이르고, 성인의 심정이 말에 나타난다는 것은 평이하고 간단함을
밝게 알아 말에 나타나는 것을 이른다.

○ 平庵項氏曰, 爻象動於內, 卽所謂象在其中, 爻在其中, 變在其中, 動在其中也, 吉
凶見於外, 卽所謂吉凶悔吝生於動者也. 功業見於變, 卽所謂吉凶生大業也, 所謂善惡
分萬事出也. 吉凶者, 功業之總名, 廢興存亡, 成敗得失, 皆吉凶也. 此變卽指動言之.
因變動而有吉凶, 因吉凶而有功業, 觀爻象之變動, 則吉凶功業, 俱可見矣. 以見者爲
外, 故以動爲內.
평암항씨가 말하였다: 효와 상이 안에서 움직임은 곧 이른바 “상이 안에 있다” · “효가 안에
있다” · “변화가 안에 있다” · “움직임이 안에 있다”이고, 길과 흉이 밖에 나타남은 곧 이른바
“길과 흉과 뉘우침과 인색함은 움직임에서 생기는 것이다”이다. 공적이 변화에 나타난다는
것은 곧 이른바 “길흉이 대업을 낳는다”는 것이며, 이른바 “선악이 나뉨에 온갖 일이 나온다”
는 것이다. 길흉이란 공업을 총괄한 이름이니, ‘폐하고 흥하며 보존하고 망하며’, ‘성공하고
실패하며 얻고 잃는’ 모든 것이 길흉이다. 여기에서 변화는 곧 움직임을 가리켜 말하였다.
변동으로 인하여 길흉이 있고 길흉으로 인하여 공적이 있으니, 효상의 변동을 관찰하면 길
흉과 공적을 모두 알 수 있다. ‘나타남’을 밖이라고 하였기 때문에 ‘움직임’을 안이라고 한
것이다.

○ 强恕齋柴氏曰, 內以理言, 外以事言,
강서재시씨가 말하였다: ‘안’은 이치로 말하였고 ‘밖’은 일로 말하였다.

김상악(金相岳) 『산천역설(山天易說)』

此爻此象, 動乎卦之中, 則或吉或凶, 呈于卦之外. 功業卽因變而見, 聖人之情卽因辭
而見矣.
이 효와 이 상이 괘 안에서 움직이면 때로는 길하고 때로는 흉하여 괘 밖에 나타난다. 공적
은 곧 변화로 인하여 나타나고 성인의 뜻은 곧 말로 인하여 드러난다.

박문호(朴文鎬) 「경설(經說)·주역(周易)」

聖人之情, 情猶意也.

'성인의 정(情)'에서 정(情)은 뜻과 같다.

오치기(吳致箕) 「주역경전증해(周易經傳增解)」

此節承上文天地貞觀之義而言也. 確然健貌, 隤然順貌. 天惟有此貞道, 故確然示人以易, 地惟有此貞道, 故隤然示人以簡. 聖人之作易也, 爻不過效此貞道而作, 象不過像此貞道而立. 此爻此象 動乎卦之內, 則或吉或凶, 卽見于卦之外矣. 爻象以卦而言, 故曰內, 吉凶以事而言, 故曰外. 功業者, 卽所謂成務定業也. 見乎變, 言因變而見也, 卽所謂變而通之以盡利也. 聖人之情, 言聖人欲使斯民趨吉避凶之情也. 辭者, 所繫吉凶之辭也.

이 구절은 윗글의 '하늘과 땅은 항상 보여줌'의 뜻을 이어 말하였다. 확연(確然)은 굳센 모습이고 퇴연(隤然)은 순한 모습이다. 하늘은 오직 이런 바른 도가 있기 때문에 굳세게 평이함으로 사람들에게 보여주고, 땅은 오직 이런 바른 도가 있기 때문에 순하게 간단함으로 사람들에게 보여준다. 성인이 역을 지음에 효는 이런 바른 도를 본받아 지은 것에 불과하고, 상은 이런 바른 도를 그려서 세운 것에 불과하다. 그러나 이런 효와 이런 상이 괘 안에서 움직이면 때로 길함과 흉함이 곧 괘 밖에서 나타난다. 효와 상은 괘로써 말하였기 때문에 '안'이라 하였고, 길함과 흉함은 일로써 말하였기 때문에 '밖'이라고 말하였다. 공업(功業)이란 곧 이른바 '일을 이루고 일을 정함'[19]이다. 변화에 나타남[見乎變]은 변화로 인하여 나타난다는 말이니, 곧 이른바 '변하여 통하게 하여 이로움을 다함'[20]이다. '성인의 뜻'이란 성인이 이 백성에게 길함으로 나아가고 흉함을 피하게 하는 뜻을 말한다. 말[辭]은 괘효에 달아놓은 길함과 흉함에 대한 말이다.

---

19) 「周易·繫辭傳」: 子曰, 夫易, 何爲者也. 夫易, 開物成務, 冒天下之道, 如斯而已者也. 是故, 聖人以通天下之志, 以定天下之業, 以斷天下之疑.

20) 「周易·繫辭傳」: 子曰, 書不盡言, 言不盡意, 然則聖人之意, 其不可見乎. 子曰, 聖人立象, 以盡意, 設卦, 以盡情僞, 繫辭焉, 以盡其言, 變而通之, 以盡利, 鼓之舞之, 以盡神.

天地之大德曰生, 聖人之大寶曰位, 何以守位, 曰仁. 何以聚
人, 曰財. 理財, 正辭, 禁民爲非, 曰義.

천지의 큰 덕을 '낳음'이라 하고 성인의 큰 보배를 '자리'라 하니, 무엇으로 자리를 지키는가? 사람이
다. 무엇으로 사람을 모으는가? 재화이다. 재화를 다스리고 말을 바르게 하며 백성의 잘못된 행동을
금지함을 옳음이라 한다.

┃中國大全┃

本義

曰人之人, 今本作仁, 呂氏從古. 蓋所謂非衆, 罔與守邦.

"사람이다[曰人]"의 '사람[人]'은 지금 판본에는 '어짊[仁]'으로 되어 있지만, 여씨(呂氏)는 옛 판본
을 따랐다. 대체로 "많은 사람이 아니면 함께 나라를 지킬 수 없다"[21]는 것이다.

小註

朱子曰, 天地以生物爲心. 蓋天地之間, 品物萬形, 各有所事, 唯天則確然於上, 地則隤
然於下, 一无所爲, 只以生物爲事. 故易曰, 天地之大德曰生. 聖人之情, 見乎辭, 下連接
說天地大德曰生, 此不是相連, 乃各自說去. 聖人之大寶曰位, 有德有位, 則事事做得.
주자가 말하였다: 천지는 만물을 낳는 것으로 마음을 삼는다. 대체로 천지의 사이에 온갖
사물은 각각 일삼는 것이 있지만, 하늘은 위에서 굳세고 땅은 아래에서 순하며 한결같이
꾀하는 것이 없이 단지 만물을 낳는 것으로 일을 삼는다. 그러므로 『주역』에서 "천지의 큰
덕을 낳음이라 한다"고 하였다. "성인의 뜻은 말에 나타난다"는 아래로 "천지의 큰 덕을 낳음
이라 한다"고 한 것과 이어지지만, 이것은 서로 연결되는 것이 아니고 도리어 각각 별도로
말한 것이다. "성인의 큰 보배를 자리라 한다"는 덕이 있으며 자리가 있음이니, 일마다 이룰
것이다.

---

21) 『書經·虞書』.

○ 問, 人君臨天下, 大小大事, 只言理財正辭, 如何. 曰, 是因上文而言. 聚得許多人, 无財何以養之. 有財不能理, 又不得. 正辭, 便只是分別是非. 又曰, 敎化便在正辭裏面.

물었다: 임금이 천하를 대하는 크고 작은 상황에서 '재물을 다스림'과 '말을 바르게 함'만 말한 것은 어째서입니까?

답하였다: 이는 위의 글을 따라서 말한 것입니다. 많은 사람을 모았어도 재물이 없다면 어떻게 양육하겠습니까? 재물이 있으면서 다스릴 수 없는 것도 또한 안 됩니다. '말을 바르게 함'은 바로 옳고 그름을 분별하는 것일 뿐입니다.

또 말하였다: 교화(敎化)는 바로 말을 바르게 하는 가운데 있습니다.

○ 理財正辭禁非, 是三事, 大槪是辨別是非. 理財, 言你底還你, 我底還我. 正辭, 言是底說是, 不是底說不是, 猶所謂正名.

재화를 다스리며 말을 바르게 하며 잘못된 행동을 금지하는 세 가지 일은 대체로 옳고 그름을 변별하는 것이다. '재화를 다스림'은 너의 것은 너에게 돌려주고 나의 것은 나에게 돌려줌을 말한다. '말을 바르게 함'은 옳은 것은 옳다고 하고, 옳지 않은 것은 옳지 않다고 하는 것을 말하니, 이른바 '정명(正名)'과 같다.

○ 白雲郭氏曰, 天地以生物爲德. 故人以大德歸之. 聖人得崇高之位然後, 成位乎中, 而贊化育. 故以位爲大寶也. 大寶者, 亦非聖人自以爲寶也. 天下有生, 幸聖人之得位, 以蒙其澤. 故天下以爲寶也.

백운곽씨가 말하였다: 천지는 만물을 낳는 것으로 덕을 삼는다. 그러므로 사람들이 '큰 덕'을 천지에 돌렸다. 성인은 숭고한 자리를 얻은 뒤에야 중앙에 자리를 이루어 화육을 돕는다. 그러므로 자리를 큰 보배로 삼는다. 큰 보배는 또한 성인이 스스로 보배라고 여긴 것이 아니다. 천하의 생명이, 성인이 자리를 얻어 그 은택을 입음을 즐거워하였다. 그러므로 천하가 보배로 여긴 것이다.

○ 臨川王氏曰, 生生不已者, 天地之大德. 然天地生物生人, 又生與天地合德之聖人, 命之居君師之位, 爲人物之主而後, 能使天地之所生, 得以各逐其生也. 苟或但有其德, 而无其位, 則亦不能相天地, 而逐人物之生. 故位爲聖人之大寶. 大寶, 謂大可貴重. 守, 謂保有之, 必得衆人之歸嚮, 乃能保有君師之位. 聚, 謂養之而使蕃盛衆多也.

임천왕씨가 말하였다: 낳고 낳아 그치지 않음이 천지의 큰 덕이다. 그러나 천지가 사물을 낳고 사람을 낳아도, 다시 천지와 덕을 합하는 성인을 낳아서 군사의 자리에 있도록 명하여 사람과 만물의 주인을 삼은 뒤에야 천지가 낳은 것들이 각각 그 삶을 이루도록 할 수 있다. 만일 그 덕이 있기는 하지만 그 자리가 없으면, 또한 천지를 도와서 인물의 삶을 이룰 수

없다. 그러므로 자리는 성인의 큰 보배가 된다. '큰 보배'는 귀중할 만큼 큼을 이른다. '수
(守)'는 보유함을 이르니, 반드시 많은 사람이 따르고 의지해야만 이내 군사의 자리를 보유
할 수 있다. '취(聚)'는 양육하여 사람들을 많게 번성시킴을 이른다.

○ 平庵項氏曰, 財者, 百物總名, 皆民之所利也. 正辭, 謂殊貴賤使有度, 明取予使有
義, 辨名實使有信, 蓋利之所在, 不可不導之使知義也. 禁民爲非, 謂憲禁令致刑罰, 以
齊其不可導者也. 蓋養之敎之而後齊之, 聖人不忍之政, 盡於此三者矣. 理財, 則易之
備物致用也, 正辭, 則易之辨物正言也, 禁民爲非, 則易之斷吉凶, 明失得, 外內使知懼
也, 易之事業, 盡於此三者矣.
평암항씨가 말하였다: '재화'는 온갖 사물의 총칭이니, 모두 백성이 이롭게 여기는 것이다.
'말을 바르게 함'은 법도가 있게끔 귀함과 천함을 구분하고, 의리가 있게끔 취함과 줌을 밝히
고, 믿음이 있게끔 이름과 실질을 분별함을 이르니, 대체로 이로움이 있는 곳에는 의리를
알도록 인도하지 않으면 안 된다. '백성의 잘못된 행동을 금지함'은 법으로 금지하고 형벌을
이용하여 인도할 수 없는 자를 다스림을 이른다. 대체로 양육하고 교육한 뒤에 다스리는
것이니, 성인의 차마 하지 못하는 정치는 이 세 가지에서 다할 것이다. '재화를 다스림'은
『주역』의 '만물을 갖추어 씀을 다함'[22]이며, '말을 바르게 함'은 『주역』의 '사물을 분별하고
말을 바르게 함'[23]이며, '백성의 잘못된 행동을 금지함'은 『주역』의 길과 흉을 결단하고 잃음
과 얻음을 밝혀 '안팎으로 두려움을 알게 함'[24]이니, 『주역』의 사업은 이 세 가지에서 다할
것이다.

○ 雲峰胡氏曰, 上繫首章, 由乾之始坤之成, 說歸乾坤易簡之理, 下繫首章, 則由乾之
易坤之簡, 說出天地大生之德. 得乾坤易簡之理, 如聖人, 乃可以成人之位, 行天地大
生之德, 在聖人, 不可无大寶之位. 兩位字, 不同. 位乎天地之中, 人所同也, 而聖人能
成之, 大寶曰位, 聖人之所獨也, 而天地實賴之, 上下繫之首章, 其有望於後世有德有
位之聖人, 也如此哉.
운봉호씨가 말하였다: 「계사상전」의 첫 장은 건(乾)의 시작과 곤(坤)의 이룸을 연유하여 건
과 곤의 평이하고 간단한 이치로 돌아감을 설명했는데, 「계사하전」의 첫 장은 건의 평이함
과 곤의 간단함을 연유하여 천지의 크게 낳는 덕(德)을 말하였다. 건과 곤의 평이하고 간단
한 이치를 얻음이 성인과 같아야 사람의 자리를 이루고 천지의 크게 낳는 덕을 행할 수

---

22) 『周易·繫辭傳』: 備物致用, 立成器, 以爲天下利, 莫大乎聖人.
23) 『周易·繫辭傳』: 開而當名辨物, 正言斷辭, 則備矣.
24) 『周易·繫辭傳』: 其出入以度, 外內使知懼.

있으니, 성인에게는 큰 보배인 자리가 없을 수 없다. 두 개의 '자리[位]'는 같지 않다. 천지의 가운데 자리함은 사람이 같지만 성인은 그것을 이룰 수 있고, "큰 보배를 자리라 한다"는 성인이 독점하는 것이어서 천지가 실로 이를 의지하니, 「계사전」 상하편의 첫 장에서 후세의 덕이 있고 자리가 있는 성인에게 바란 것이 또한 이와 같도다!

右第一章.

이상은 제1장이다.

‖ 中國大全 ‖

本義

此章, 言卦爻吉凶, 造化功業.

이 장은 괘효의 길흉과 조화의 공적을 말하였다.

小註

雙湖胡氏曰, 按此章首論重卦繫辭, 有爻象變動四者. 其下文, 皆是覆說上面爻畫剛柔之變繫辭之動兩股. 其曰吉凶悔吝生乎動者, 所以明繫辭焉而命之動在其中之意, 其曰剛柔立本變通趨時者, 所以明剛柔相推變在其中之意. 而自吉凶貞勝以下, 又申明吉凶悔吝生乎動一句, 謂天地之道, 以貞而勝, 日月之道, 以貞而明, 天下之動, 亦唯當一以貞而勝之而已. 大抵易爲斯人作, 卦爻辭, 无非所以明失得之報. 故說吉凶爲甚詳也. 次論乾坤易簡, 對天地德生說. 作易聖人, 以憂世之情, 發明易簡於卦爻之辭, 用易聖人, 有御世之位, 推行德生於仁義之道. 前一股是易, 後一股是用易, 要之乾坤卽天地也, 易簡卽大德之生也. 作易聖人之情, 見乎辭, 用易聖人, 以仁守其位. 无非所以爲斯人而已耳, 合兩節而觀, 一章之旨, 可見矣.

쌍호호씨가 말하였다: 살펴보면 이 장(章)은 처음에 중괘(重卦)와 계사(繫辭)에 효와 상과 변화와 움직임, 네 가지가 있음을 논하였다. 그 아래의 문장은 모두 위에 나온 효획(爻畫)의 굳센 양과 부드러운 음의 변화와 계사의 움직임, 두 측면을 반복하여 설명하였다. "길과 흉과 뉘우침과 인색함은 움직임에서 생겨나는 것이다"는 "말을 달아 명하니 움직임이 그 가운

데 있다"는 뜻을 밝힌 것이고, "굳센 양과 부드러운 음은 근본을 세우고, 변하여 통함은 때에 맞추는 것이다"는 "굳센 양과 부드러운 음이 서로 밀치니 변화가 그 가운데 있다"는 뜻을 밝힌 것이다. 그리고 "길과 흉은 항상 이기는 것이다"부터는 다시 "길과 흉과 뉘우침과 인색함은 움직임에서 나온다"는 한 구절을 거듭 밝혔으니, 하늘과 땅의 도리는 항상 이기고, 해와 달의 도리는 항상 밝고, 천하의 움직임은 또한 하나에 맞추어 항상 이기려 할 뿐임을 이른다. 대체로 『주역』은 사람들을 위하여 지었으니, 괘효의 말이 잃고 얻는 보답을 밝히지 않는 것이 없다. 그러므로 길과 흉을 설명한 것이 아주 자세하다. 다음으로 건과 곤의 평이함과 간단함을 논하면서 천지의 덕인 낳음과 상대하여 말하였다. 『주역』을 만든 성인은 세상의 실정을 근심하여 괘효의 말에 평이함과 간단함은 밝혔고, 『주역』을 쓰는 성인은 세상을 다스리는 자리에 있어서 인의(仁義)의 도리로 덕의 낳음을 미루어 행하였다. 앞의 부분은 『주역』이고 뒤의 부분은 『주역』을 씀이니, 요약하면 건과 곤은 바로 하늘과 땅이고, 평이함과 간단함은 바로 큰 덕이 낳는 것이다. 『주역』을 만든 성인의 뜻은 말에 나타나고, 『주역』을 쓰는 성인은 어짊으로 그 자리를 지킨다. 사람들을 위하지 않는 것이 없으니, 두 절을 합쳐 본다면 1장의 뜻을 알 수 있을 것이다.

‖韓國大全‖

권근(權近)『주역천견록(周易淺見錄)』

天地以生物爲心, 人得之以生而爲仁, 聖人繼天爲君而守其位者, 亦在止於仁而已. 是體天地之大德也. 仁古本作人, 先儒多從之. 蓋以大寶曰位以下, 其文皆承上而起下, 下文有聚人之語, 故從古而作人也. 然始言天地生物之大德, 終言禁民爲非之義, 則其中當言愛民之仁也. 何以聚人, 亦承大寶曰位而言. 有位則必有民, 故旣言位, 則當以守位之道, 聚人之事, 無分而言之也. 然後及於禁民之義, 蓋首言天地生物之德, 次言人君愛民之仁, 以上承天地之德, 下起禁民[25]之義而終之. 其意爲備. 若不言仁, 則不可便以禁民之義, 上接天地生物之心也. 抑或守位曰仁之下, 當脱一句言其以仁及人之意者歟.

---

25) 民: '民'은 경학자료집성 DB에는 '氏'로 되어있으나, 경학자료집성 영인본을 참조하여 '民'으로 바로잡았다.

천지는 만물을 낳는 것을 마음으로 삼고, 사람은 그것을 받아 태어나 인(仁)을 행하니, 성인이 하늘을 계승하여 군주가 되어 그 자리를 지키는 것도 인에 그치는 데에 있을 뿐이다. 이것이 천지의 큰 덕을 본받음이다. 인(仁)은 옛 판본에 인(人)으로 되어 있고 선유들은 대부분 이를 따랐다. 이는 "큰 보배를 자리라고 한다"고 한 이하의 문장이 모두 윗글을 이어 아래 글을 시작하였고, 또 아래 글에 "사람을 모은다"는 말이 있으므로 고본을 따라서 '인(人)'이라고 한 듯하다. 그러나 처음에 천지가 만물을 낳는 큰 덕을 말하고, 끝에 백성의 잘못된 행동을 금지하는 것을 의라 하였으니, 그 중간에 당연히 백성을 사랑하는 인에 관해서 언급해야 한다. "무엇으로 사람을 모으는가?"는 "큰 보배를 자리라고 한다"는 말을 이어서 말한 것이다. 자리가 있으면 반드시 백성이 있기 때문에 이미 자리를 말하였으니, 자리를 지키는 도리와 사람을 모으는 일을 구분하지 않고 말하였다. 그런 뒤에 백성의 잘못된 행동을 금지하는 의를 언급하였으니, 이는 먼저 천지가 만물을 낳는 마음을 언급하고, 다음으로 군주가 백성을 사랑하는 인을 언급함으로써 위로 천지의 덕을 잇고 아래로 백성들을 금지하는 의를 일으켜 마친 것이다. 이렇게 보아야 그 의미가 갖추어진다. 만약 인(仁)을 말하지 않았다면, 백성들의 잘못된 행동을 금지하는 의만으로는 위로 천지가 만물을 낳는 마음을 이을 수 없다. 아니면 "자리를 지키는 것을 인(仁)이라 한다"의 아래에 인(仁)이 사람들에게 미치는 의미를 말한 구절이 탈락되었을 것이다.

조호익(曺好益) 『역상설(易象說)』

註朱子曰, 故易曰, 易字, 宜衍.
소주에서 주자(朱子)가 "고역왈(故易曰)"이라 한 것의 '역(易)' 자는 분명 연문(衍文)이다.

天地之大德曰生, 生者仁也. 聖人有天地之德, 故以仁守位. 如此看尤順. 雙湖作仁字說.
"천지의 큰 덕을 낳음[生]이라 한다"의 '낳음[生]'이 '인(仁)'이다. 성인은 천지의 덕이 있으므로 인(仁)으로써 자리를 지킨다. 이와 같이 보는 것이 더욱 순하다. 쌍호호씨도 인(仁)자로 설명하였다.

○ 如項氏註說, 則正辭禁非, 皆在理財中. 但以朱子敎化便在正辭裏面一語觀之, 則恐非只言理財也.
주에 나오는 평암항씨(平庵項氏)의 설과 같이 본다면, 말을 바르게 하고 백성들의 잘못된 행동을 금함은 모두 재화를 다스리는 가운데 포함된다. 다만 주자(朱子)의 "교화가 곧 말을 바르게 하는 가운데에 들어 있다[敎化便在正辭裏面]"는 한마디 말로 본다면, 단지 재화를 다스리는 것만은 아닌 듯하다.

第一章章下註, 雙湖說貞字, 似用橫渠說.
제 1장의 장(章) 아래 나오는 주 가운데 쌍호호씨의 설에서 말한 '정(貞)' 자는 장횡거(張橫渠)의 설을 쓴 듯하다.

송시열(宋時烈) 『역설(易說)』

折中易, 言此章與上傳第二章相應. 故上傳第三章以後, 皆申說第二章之意, 下傳則自第二章之後, 皆申說此章之意也, 理或然也.
『주역절중』에 "이 장과 「계사상전」의 제2장이 서로 호응한다. 그러므로 「계사상전」의 제3장 뒤로는 모두 제 2장의 뜻을 거듭 설명하였고, 「계사하전」은 제2장 뒤로 모두 제 1장의 뜻을 거듭 설명하였다"라고 말하였으니, 이치상 그럴 듯하다.

박치화(朴致和) 「설계수록(雪溪隨錄)」

天地之大德曰生, 聖人之守位曰仁, 一理而已也.
"천지의 큰 덕을 '낳음'이라 한다"는 것과 "성인이 '자리'를 지키는 것을 '인'이라 한다"는 것은 하나의 이치일 뿐이다.

○ 聖人有位, 然後行天地之大德. 天地之大德, 則易也, 故生生之謂易也.
성인이 자리가 있은 뒤에 천지의 큰 덕이 행해진다. 천지의 큰 덕이 곧 '역(易)'이기 때문에 '낳고 낳음'을 '역'이라 한다.

○ 此言聖人有位然後能用易.
이는 성인이 자리가 있은 뒤에야 역(易)을 쓸 수 있음을 말하였다.

○ 仁以守位, 義以治人.
인(仁)은 자리를 지키는 것이고, 의(義)는 사람을 다스리는 것이다.

○ 天地大德, 聖人大寶, 承上文功業一句而言也.
'천지간의 큰 덕'과 '성인의 큰 보배'는 윗글의 '공업(功業)' 구절에 이어서 말한 것이다.

○ 聖人之治, 敎養二端而已. 理財正辭, 禁民爲非, 則經綸於斯盡矣.

성인의 다스림은 '가르침'과 '기름' 두 가지일 뿐이다. 재화를 다스리고 말을 바르게 하며 백성의 잘못된 행동을 금지하면 다스림이 이에 극진할 것이다.

이익(李瀷) 『역경질서(易經疾書)』

天地之德, 非一端, 雷動風散, 雨潤日晅之類, 莫非輔益生理. 大約皆所以生成之也, 故曰大德. 聖人之寶, 亦非一端, 爲綱爲耒, 爲舟爲車之類, 莫非貴重. 然苟非得位, 何能普施. 故曰大寶. 以大德處大寶, 非守之有道不可. 人而守位, 財以聚人, 與下章致民聚貨相似, 仁之爲人定矣. 人無食不生, 其始也必以佃漁. 然後種粟而食之, 故耒耟次之. 佃漁種粟, 必賴器械之利, 故交易次之. 旣食矣, 又衣被次之. 聚貨之利, 必資遠方, 故舟楫服乘次之. 貨旣聚矣, 盜竊則不保, 故門柝次之. 人爲稍備燔黍之風漸革, 故曰杵次之. 雖有門柝, 劫掠可憂, 故弧矢次之.

천지의 덕은 한 가지가 아니니, 우레가 움직이고 바람이 흩어지고 비가 윤택하게 하고 해가 내리쪼이는 따위가 모두 살아가는 이치에 보익(輔益)되지 않음이 없다. 대체로 모두 만물을 낳고 이루게 하는 것이기 때문에 '큰 덕'이라고 하였다. 성인의 보배도 한 가지가 아니어서 그물을 만들고 쟁기를 만들고 배를 만들고 수레를 만드는 따위가 모두 귀중하지 않음이 없다. 그러나 만일 자리를 얻은 경우가 아니면 어떻게 널리 베풀 수 있겠는가? 그러므로 '큰 보배'라고 하였다. 큰 덕으로 큰 보배에 처하더라도 도(道)로 지키지 않으면 할 수 없다. "사람으로 자리를 지키고 재화로 사람을 모은다"는 것은 제 2장의 '백성을 오게 하며 재화를 모음'[26]과 서로 유사하니, 인(仁)이 인(人)이 됨이 분명하다. 사람은 먹을 것이 없으면 살지 못하니, 처음에 반드시 사냥과 고기잡이로 살았을 것이다. 그런 뒤에 곡식을 심어서 먹었을 것이므로 다음으로 농기구가 만들어졌을 것이다. 사냥과 고기잡이와 곡식을 심는 일은 반드시 기구의 이로움에 의존하기 때문에 다음으로 교역이 생겨났을 것이다. 식생활이 마련되니 또 다음으로 의생활이 이루어졌을 것이다. 재물을 모으는 이로움은 반드시 먼 지방에 의뢰하기 때문에 다음으로 배와 탈 것이 만들어졌을 것이다. 재화가 모여지자 도둑이 훔쳐가 보존하지 못하기 때문에 다음으로 문지기와 야경꾼이 있게 되었을 것이다. 사람들이 차츰 곡식을 익혀먹는[燔黍] 풍습이 점점 바뀜에 대비하였기 때문에 다음으로 절구와 방아공이가 만들어졌을 것이다. 비록 문지기와 야경꾼이 있더라도 겁탈과 노략질이 우려되었기 때문에 다음으로 활과 화살이 만들어졌을 것이다.

---

26) 『周易·繫辭傳』: 日中爲市, 致天下之民, 聚天下之貨, 交易而退, 各得其所, 蓋取諸噬嗑.

此以上皆理財之事也. 人旣聚矣, 生必有居, 死必有葬, 方安土而樂業, 故宮室棺槨次之. 然後須有君長而治之, 人衆事繁, 非書契不理, 故終之以此, 此聚人之事. 下第五章, 乃正辭禁非之證. 案, 理財非殖貨, 惟義是貴, 入未必皆善, 則法有以禁之也. 禁乎人, 必以辭, 然非當理則不行. 是謂正辭. 辭者, 易所繫之辭, 君子居則觀象玩辭, 不但爲修其身, 要及於天下. 易道之無窮如此. 正辭帖禁非也. 聚人理財禁非, 與論語庶富敎同義.

이 글 이상은 모두 이재(理財)의 일이다. 사람이 이미 모이자 살아가는 데에는 반드시 거처가 있어야 하고 죽어서는 반드시 장례가 있어야 바야흐로 살 곳에서 편안히 살고 할 일을 즐겁게 해낼 수 있기 때문에 다음으로 궁실과 관곽이 만들어졌을 것이다. 그런 뒤에야 모름지기 군장(君長)이 있어 백성을 다스렸는데 사람은 많고 일은 번다하여 서계(書契)가 아니면 다스릴 수 없었기 때문에 이것으로 마친 것이니 이는 사람을 모으는 일이다. 곧 아래 제 5장의 글이 '말을 바르게 하고'·'잘못된 행동을 금지하는' 일의 증험이다.

내가 살펴보았다: 이재(理財)는 재화를 늘리는 것이 아니라 오직 의롭게 함을 귀하게 여긴다. 수입이 반드시 모두 선한 것은 아니기 때문에 법으로 그것을 금할 수 있는 것이다. 사람을 금할 때에는 반드시 말로써 한다. 그러나 마땅한 이치가 아니면 행할 수 없다. 이것을 '말을 바르게 함'이라 하는 것이다. '말'이란 『주역』에 매단 말이니 군자가 거할 때에 상을 보고 말을 완미하여 자신을 닦을 뿐만 아니라 요컨대 천하 사람들에게 미쳐야 한다. '역의 도'의 무궁함이 이와 같다. '말을 바르게 함'은 '잘못된 행동을 금지함'과 부합한다. 사람을 모으고, 재화를 다스리고, 잘못된 행동을 금하는 것은 『논어』에서 말한 "백성이 많다"·"부유하게 한다"·"가르친다"[27)]와 같은 뜻이다.

유정원(柳正源) 『역해참고(易解參攷)』

節齋蔡氏曰, 使穀與魚鼈不可勝食, 材木不可勝用者, 理財之事. 制爲命令, 使上下守之而不敢違者, 正辭禁非之事也. 孟子言保民而王者, 守位之仁也, 言王道之始者, 理財正辭禁民爲非之義也.

절재채씨가 말하였다: 곡식과 물고기·자라를 이루 다 먹을 수 없게 하고 재목을 이루 다 쓸 수 없게 하는 것이 재화를 다스리는 일이다. 명령을 제정하여 상하로 하여금 지키고 감히 어기지 못하게 하는 것이 말을 바르게 하며 잘못된 행동을 금지하는 일이다. 맹자가 백성을 보전하여 왕노릇한다고 말한 것이 자리를 지키는 인이고, 왕도의 시작이라고 말한 것이 재화를 다스리고 말을 바르게 하며 백성의 잘못된 행동을 금지하는 옳음이다.

---

27) 『論語·子路』: 子適衛, 冉有僕. 子曰, 庶矣哉 冉有曰, 旣庶矣, 又何加焉. 曰, 富之. 曰, 旣富矣, 又何加焉. 曰, 敎之.

○ 西山眞氏曰, 易之竝言仁義者, 此章及說卦立天之道章而已. 在天地則曰生, 在聖人則曰仁, 仁之義, 蓋可識矣. 又小人不恥不仁, 不畏不義, 是亦竝言仁義之一也.

서산진씨가 말하였다: 『주역』에서 인의를 나란히 말한 곳은 이 장과 「설괘전」의 입천지도장(立天之道章)[28]뿐이다. 천지에 있어서는 생(生)이라 하였고 성인에 있어서는 인(仁)이라 하였으니 인의 뜻을 알 수 있다. 또 「계사하전」 5장에서 "소인은 어질지 못함을 부끄러워하지 않으며, 의롭지 못함을 두려워하지 않는다"고 한 것도 인의를 나란히 말한 것 중의 하나이다.

○ 强恕齋柴氏曰, 天地之德, 雖生生不窮, 然非聖人建綱紀立法度, 拔生人於禽獸異類之中, 以立人極, 使各遂其性, 各由其分, 亦豈能使萬物, 安於覆載之間, 與化育爲无終窮哉. 此天地聖人, 所以竝立於域中也. 聖人非得位, 不能繼天地, 故位者, 聖人之大寶, 仁者, 天地之心也. 天地位乎上下者, 以其於萬物有生生之心, 聖人位乎中, 非有天地生生之心, 豈足以稱其位, 而有之在心爲仁, 以是心而處事爲義, 理財也, 正辭也, 禁民爲非也, 皆是心之發用也.

강서재시씨가 말하였다: 천지의 덕이 비록 낳고 낳아 다함이 없으나, 기강을 세우고 법도를 확립하여 사람을 금수나 다른 종류 중에서 뽑아내어 살려서 사람의 법도를 세워 각각 본성을 이루게 하고 각각 분수를 말미암게 하는 성인이 아니라면, 어찌 만물이 천지간에 편안하여 무궁하게 더불어 화육할 수 있겠는가? 이것이 천지와 성인이 우주 안에 나란히 서있는 이유이다. 성인이 자리를 얻은 것이 아니면 천지를 계승할 수 없기 때문에 자리는 성인의 큰 보배이고 인은 천지의 마음인 것이다. 하늘[天]은 위에 땅[地]은 아래에 자리한 것은 만물을 낳고 낳는 마음이 있어서이니, 성인이 가운데 있으면서 천지가 낳고 낳는 마음을 가지고 있지 않다면 어찌 자리에 걸맞을 수 있겠는가? 마음에 간직하고 있는 것을 '인'이라 하고 이 마음으로 일에 처하는 것을 '의'라 하니, 재화를 다스리고 말을 바르게 하며 백성의 잘못된 행동을 금지하는 것은 모두 이 마음이 발현되어 쓰인 것이다.

○ 瓊山丘氏曰, 人君居聖人大寶之位, 當天地生生之大德, 以育天地所生之人民, 使之得所生聚 然後有保守, 其莫大之位焉. 然人之所以生, 必有所以養而後, 可以聚之. 又在乎生, 天下之財, 使百物足以給其用, 有以爲聚居衣食之資, 无離散失所之患, 則吾大寶之位, 可以長保而有之矣.

경산구씨가 말하였다: 임금은 성인의 큰 보배의 자리에 거처하여 천지가 낳고 낳는 큰 덕을

---

28) 『周易·說卦傳』: 昔者聖人之作易也, 將以順性命之理, 是以立天之道曰陰與陽, 立地之道曰柔與剛, 立人之道曰仁與義, 兼三才而兩之, 故易, 六畫而成卦, 分陰分陽, 迭用柔剛. 故易, 六位而成章.

감당하여 천지가 낳은 인민을 육성하여 백성을 기르고 재물을 모을 수 있게 한 뒤에 보전하여 지킬 수 있으니, 가장 위대한 자리이다. 그러나 사람이 살아가는 것은 반드시 잘 길러짐이 있은 뒤에야 모일 수 있다. 또 삶에 있어서 천하의 재물은 만물에게 씀을 공급하기에 충분하여 의식주생활의 자본이 될 수 있고, 이산가족이 되거나 알맞은 자리를 잃어버리는 근심이 없게 할 수 있으니, 그렇게 할 수 있다면 나 임금의 큰 보배의 자리가 길이 보전되어 지켜질 수 있을 것이다.

○ 晦齋先生曰, 人之所同好者, 生也, 所同欲者, 財也. 天下之大情, 盡於此矣. 生者人之本也, 旡財則旡以生, 財雖足矣, 人不知義而或陷於刑辟, 則又旡以保其生矣. 理財以養民, 明義以敎民, 旡非聖人好生之仁也.
회재선생이 말하였다: 사람이 똑같이 좋아하는 것은 ‘생’이고 똑같이 바라는 것은 ‘재물’이다. 천하 사람들의 큰 심정이 ‘생’과 ‘재물’에 극진하다. 생은 사람의 바탕이고 재물이 없으면 살 수 없으나, 재물이 충분하더라도 사람이 의(義)를 모르고 때로 형벌에 빠진다면 또 생을 보전할 수 없을 것이다. 재물을 다스려 백성을 기르고 의를 밝혀 백성을 교화하는 것은 성인의 살리기를 좋아하는 인(仁)이 아님이 없다.

○ 案, 天地之德曰生, 聖人之德曰仁, 朱子所謂仁者, 天地生物之心, 而人得以生者, 所謂元者 善之長者是也.
내가 살펴보았다: 천지의 덕을 ‘낳음’이라 하고 성인의 덕을 ‘인(仁)’이라 하니, 주자의 이른바 “인(仁)은 천지가 만물을 낳는 마음으로서 사람이 그것을 얻어 태어난다”고 한 것과, 이른바 “원(元)은 선(善)의 으뜸이다”라고 한 것이 이것이다.

송능상(宋能相) 「계사전질의(繫辭傳質疑)」

剛柔相推, 變在其中, 此以當初揲著生變之時而言, 繫辭焉而命之, 動在其中, 此以六爻旣成, 視其動靜, 以考占辭而言. 所謂變所謂動, 言之於上下, 各有所當, 若不可亂, 然實則一事, 非有二也. 是故後凡言動也變也變動也, 雖各便文而異語, 要其取義則同, 詳玩味之. 恐其如是 而本義此解, 及道有變動, 所釋不免與諸段逕庭可疑焉.
“굳센 양과 부드러운 음이 서로 밀치니 변화가 그 가운데 있다”고 한 것은 애초에 시초를 세어 변화가 생겨날 때로써 말한 것이고, “말을 달아 명하니 움직임이 그 가운데 있다”고 한 것은 여섯 효가 이뤄지고 나서 그 동정을 살펴 점사를 상고함으로써 말하였다. 이른바 ‘변화’와 이른바 ‘움직임’이라는 것은 전후로 말하여 각각 마땅함이 있으니 섞여서는 안 될 듯하나, 실제로는 한 가지 일이지 두 가지가 아니다. 이러므로 뒤에 움직임·변함·변동이라고 말하는 것은 비록 각각 고정된 글자로서 다른 말이기는 하나, 요컨대 그 의미를 취해 보면 같으니 자세히 완미해 보아야 한다. 이와 같은데도 『본의』에서 이곳을 해석하여 도에 변함과 변동이 있다고 언급한 것은, 해석한 것이 다른 해석과 큰 차이가 있어[29] 의심스러움을 면치 못할 듯하다.

백봉래(白鳳來) 「三經通義-역전(三經通義-易傳)」

大德.

큰 덕.

吁, 天地之大德曰生, 以其地而言也.

아, 천지의 큰 덕을 낳음이라 함은 땅으로써 말한 것이다.

大寶.

큰 보배.

吁, 天地之大寶曰位, 則其曰地位者, 於不爲有其德有其位之謂耶.

아, 천지의 큰 보배를 자리라 하니, 지위라고 말하는 것은 인위적으로 하지 않는 데에서 덕이 있고 지위가 있음을 이를 것이다.

김상악(金相岳) 『산천역설(山天易說)』

天主生物之始, 地主生物之成, 故曰天地之大德曰生. 理財正辭禁非, 皆聖人所以守位而聚人者, 故曰義.

하늘은 만물을 낳는 처음을 주관하고 땅은 만물을 낳는 성과를 주관하므로 천지의 큰 덕을 '낳음'이라 한다. 재물을 다스리고 말을 바르게 하며 잘못된 행동을 금지하는 것은 모두 성인이 자리를 지켜 사람을 모으는 것이므로 옳음[義]이라 한다.

박윤원(朴胤源) 『경의(經義)·역경차략(易經箚略)·역계차의(易繫箚疑)』

八卦成列, 象在其中, 象是乾馬坤牛之象之類歟. 雷風山澤之象之類歟. 非特指此而言, 乃是萬象森然之謂歟. 本義以象爲卦之形體, 而語類則以爲三才之象, 何其不同

---

29) 큰 차이가 있어: 경정(逕庭)을 번역한 말이다. 경(逕)은 문 밖의 작은 길이고, 정(庭)은 정원이다. 둘 사이에 거리가 떨어져 있거나 차이가 날 때 쓰는 말이다. 『莊子·逍遙遊』에 "大有逕庭 不近人情"이라는 말이 있다.

歟. 大抵八卦是三畫之八卦, 三畫列而三才之象, 在其中矣. 如是看, 似爲精妙, 然旣有本義說, 惟當以此爲主歟. 因而重之, 來易以爲是六畫之八卦, 非六十四卦. 至下文剛柔相推, 方是言六十四卦, 此說何如. 何以守位曰仁, 此仁字, 呂氏從古作人, 當以古本爲正歟. 古者仁與人, 多錯換, 如論語井有仁焉之類是也. 惟當以理致爲長者斷定, 而此句文義, 仁與人之間, 何字爲勝歟. 仁字, 於其承上句曰生之德固緊貼, 而於其起下句聚人之文義似隔斷, 何以勘定歟. 或曰, 仁者, 人之所歸也, 曰仁則聚人之意在其中矣, 於喚起下文, 亦未有齟齬, 不必改仁爲人, 此說爲得歟. 且立人之道曰仁與義, 則此仁字, 與下文禁民爲非曰義相對, 是竝稱仁義也. 以此論之, 則其爲仁字, 無疑歟.

"팔괘가 줄을 이루니 상이 그 가운데 있다"에서 상은 건괘가 말의 상이고 곤괘가 소의 상인 종류일까? 우레·바람·산·못의 상인 종류일까? 다만 이것을 가리켜 말한 것은 아니고, 바로 무수히 많은 만 가지 상을 이를 것이다. 『본의』에서 상은 괘의 형체라고 했으면서 『주자어류』에서는 삼재의 상이라고 하였으니 어째서 다른가? 대체로 팔괘는 삼획괘의 팔괘이니, 삼획이 줄지어 있음에 삼재의 상이 그 가운데 있는 것이다. 이와 같이 보는 것이 정묘한 듯 하나 이미 『본의』의 설명이 있으니, 오직 이것을 위주로 삼는 것이 마땅할 것이다. '인하여 거듭함'을 래지덕의 『주역집주』에서는 "이것은 육획괘의 팔괘이지 64괘가 아니다"라고 하였다. 아래 글에 '굳센 양과 부드러운 음이 서로 밀침'이라고 한 것은 바야흐로 64괘를 말한 것이니 이 말이 어떠한가? '하이수위왈인(何以守位曰仁)'의 인(仁)자를 여씨(呂氏)가 옛 판본을 따라 인(人)이라 하였으니, 마땅히 옛 판본으로 바름을 삼아야 할 것이다. 옛날에 인(仁)과 인(人)을 섞어서 바꿔 쓴 일이 많다. 예컨대 『논어』의 "우물에 사람이 있다[井有仁焉]"의 종류가 이런 경우이다. 다만 마땅히 이치상 좋은 것으로 단정해야 하니, 이 구절의 문장 내용상 인(仁)과 인(人) 중에 어느 글자가 더 나은가? 인(仁)자는 위 구절의 '낳는 덕'이라고 한 말을 잇기에는 진실로 긴밀하나, 아래 구절의 "사람을 모은다"는 글의 뜻을 일으키기에는 의미가 단절되니, 어떻게 헤아려 정해야 할까? 어떤 이가 말하기를 "인(仁)이라는 것은 사람들이 귀의하는 곳이니, 인(仁)이라고 한 것은 사람을 모으는 뜻이 그 안에 있고, 아래 글과 호응하기에도 껄끄러운 것이 없으니, 굳이 인(仁)을 인(人)으로 고칠 필요는 없다"고 하였는데 이 말이 설득력 있다. 또 사람의 도를 확립하여 인(仁)과 의(義)라고 하였으니, 이 인(仁)자는 아래 글의 '백성의 잘못된 행동을 금지하는 것을 옳음[義]'이라고 하는 말과 서로 짝이 되니, 이는 인·의(仁義)를 아울러 칭한 것이다. 이것으로 논한다면 인(仁)자로 보는 것이 의심의 여지가 없을 것이다.

심취제(沈就濟) 『독역의의(讀易疑義)』

第一章, 與上傳之第二章相對也. 八卦成列者, 伏羲之易也, 因以重之者, 文王之易也.

八卦者, 陰陽也, 重卦者, 剛柔也, 陰陽剛柔, 義文互相用也. 象在其中, 爻在其中, 此立易之體, 而中提出中字也.

제 1장은 「계사상전」의 제 2장과 서로 상대한다. '팔괘가 줄을 이룸'은 복희씨의 『주역』이고 '인하여 거듭함'은 문왕의 『주역』이다. 팔괘란 음양이고 중괘(重卦)란 굳센 양과 부드러운 음이니, 음양과 굳센 양과 부드러운 음을 복희씨와 문왕이 서로 사용한 것이다. "상이 그 안에 있고 효가 그 안에 있다"는 것은 『주역』의 몸체를 세우고 그 가운데서 중(中)자를 끌어낸 것이다.

剛柔相推, 指八卦而言也, 繫辭命之, 指重卦而言也. 剛柔立本者, 立其體也. 上傳以陰陽爲體, 下傳以剛柔爲體也. 貞勝之貞, 卽利貞之貞也. 上傳以元爲體, 下傳以貞爲體也. 貞夫一者, 言其一理也, 中是一也, 一是中也. 言中言貞言一, 則八卦重卦, 剛柔吉凶, 天地日月, 各定其位也.

"굳센 양과 부드러운 음이 서로 밀침"은 팔괘를 가리켜 말한 것이고, "말을 달아 명함"은 중괘(重卦)를 가리켜 말한 것이다. "굳센 양과 부드러운 음이 근본을 세움"이란 몸체를 세운 것이다. 「계사상전」은 음양으로 몸체를 삼고 「계사하전」은 굳센 양과 부드러운 음으로 몸체를 삼았다. 정승(貞勝)의 정(貞)은 곧 "바른 것이 이롭다[利貞]"의 '바름[貞]'이다. 「계사상전」에서는 원(元)으로 몸체를 삼고, 「계사하전」에서는 정(貞)으로 몸체를 삼았다. "하나의 이치를 항상 행한다"란 이치를 하나로 한다는 말이니, 중(中)이 일(一)이고 일(一)이 중(中)이다. 중(中)을 말하고 정(貞)을 말하고 일(一)을 말하였으니, 팔괘와 중괘의, 굳센 양과 부드러운 음과 길흉과 천지와 일월이 각각 자리를 정한 것이다.

體健順用動靜者, 易簡, 而上傳之易簡, 言其易簡之體也, 此所謂易簡, 言易簡之用也. 天地有易簡之德, 而示人以易簡, 人亦體易簡, 而示人以易簡, 則人易從也. 爻之效乾坤者, 效此易簡之理也, 象之像乾坤者, 像其易簡之道也. 大德曰生, 則生易簡之德也. 以大德之人, 臨乎大寶之位, 則此非中和大人乎. 上傳則乾坤, 而下傳則泰否故也. 立天之道曰陰陽, 立地之道曰剛柔, 立人之道曰仁義, 則此言仁義者, 卽泰否之人事也. 居此位而治天下, 則財可無乎. 財之用大矣. 用財之道, 在於理財之理字也, 大學之言財, 蓋本於此也. 義文之用陰陽剛柔者, 以中貞之一用之也. 一理之理字, 散在於萬物, 末歸于一也.

강건함과 순함[健順]을 몸체로 하고 움직임과 고요함[動靜]을 쓰임으로 하는 자는 평이하고 간단하니, 「계사상전」의 '평이함과 간단함'은 '평이함과 간단함'의 몸체를 말하고 여기에서 말하는 '평이함과 간단함'은 '평이함과 간단함'의 쓰임을 말한다. 천지에 '평이함과 간단함'의 덕이 있어서 사람들에게 '평이함과 간단함'을 보여주니, 사람들도 '평이함과 간단함'을 체득하여 다른 사람들에게 '평이함과 간단함'을 보인다면 사람들이 따르기 쉬울 것이다. 효가 건곤(乾坤)을 본받는다는 것은 이 '평이함과 간단함'의 이치를 본받는다는 것이고, 상(象)이 건곤을 그려낸다는 것은 이 '평이함과 간단함'의 도를 그려낸다는 것이다. "큰 덕을 낳음이라고 함"이란 '평이하고 간단함'의 덕을 낳음이다. 큰 덕을 지닌 사람으로서 큰 보배의 자리에 임한다면 이것이 중화(中和)의 대인이 아니겠는가?「계사상전」은 건곤을 본받았고「계사하전」는 태비(泰・否)를 본받았기 때문이다. 하늘의 도를 세우는 것을 '음양'이라 하고, 땅의 도를 세우는 것을 '강유'라 하며, 사람의 도를 세우는 것을 '인의'라 하니, 여기에서 인의를 말한 것이 바로 인사(人事)인 태비(泰・否)이다. 이 자리에 거하여 천하를 다스린다면 재물이 없을 수 있겠는가? 재물의 쓰임은 크다. 재물을 쓰는 도는 "재화를 다스린다[理財]"의 '다스림[理]'에 있으니,『대학』에서 재물을 말한 것은 이 글에 근본한다.[30] 복희씨와 문왕이 음양과 군센 양과 부드러운 음을 쓰는 것은 하나의 중정(中貞)을 쓰는 것이다. 하나의 이치라는 이치[理]는 흩어져 만물에 있으나 결국은 하나로 돌아가는 것이다.

윤행임(尹行恁)『신호수필(薪湖隨筆)・계사전(繫辭傳)』

卦爻因重而成也, 故程子曰加倍法耶. 康節伏羲四圖, 蓋得其詳.

괘효는 거듭함으로 인하여 이루어지기 때문에 정자는 가배법(加倍法)이라고 하였을 것이다. 대체로 소강절(邵康節)의 복희사도(伏羲四圖)[31]가 자세하게 설명하고 있다.

自復至乾爲三十二卦, 自姤至坤爲三十二卦, 圓圖之序也. 剛柔相推, 而變化在于其中。曰吉曰凶, 曰悔曰吝, 各因其動而生焉. 易之爲易, 變也動也, 不變不動, 則生生之理息矣. 變者觀乎姤, 動者觀乎復.

복괘에서 건괘까지 32괘이고 구괘에서 곤괘까지 32괘이니「원도(圓圖)」의 차례이다. 군센 양과 부드러운 음이 서로 밀쳐서 변화가 그 가운데 있으니, '길'이라고 하고 '흉'이라고 하며 '회'라고 하고 '인(吝)'이라고 함은 각각 그 움직임으로 인하여 생긴 것이다. 역이 역이 됨은 변화하고 움직여서이니, 변화하고 움직이지 않는다면 낳고 낳는 이치가 종식될 것이다. 변화는 구괘에서 관찰하고, 움직임을 복괘에서 관찰한다.

---

30)『大學』전10장: 有德此有人, 有人此有土, 有土此有財, 有財此有用. 德者本也, 財者末也, 外本內末, 爭民施奪. 是故財聚則民散, 財散則民聚.

31) 복희사도(伏羲四圖)는 복희팔괘차서지도(伏羲八卦次序之圖)・복희팔괘방위지도(伏羲八卦方位之圖)・복희육십사괘차서지도(伏羲六十四卦次序之圖)・복희육십사괘방위지도(伏羲六十四卦方位之圖)로서 소강절(邵康節)이 발견하였다고 전해진다.

剛也柔也, 立其質, 變也通也, 從其時. 是爲繪事後素, 而不知有通變者, 膠柱而調瑟也.

굳센 양과 부드러운 음이 바탕을 세우고, 변화와 통함은 때를 따른다. 이것은 "그림 그리는 일은 흰 비단을 마련하는 것보다 뒤에 하는 것이다"[32]가 되니, 변통이 있음을 모르는 자는 기러기발에 아교칠을 해 놓고 슬(瑟)을 연주하는 것이다.

貞勝者, 貞故勝也, 禹貢乃貞之義是也. 貞者正也, 扶陽抑陰之意也. 天地之象, 觀之則貞, 日月之光, 觀之則貞, 蓋天地日月之道, 貞而已. 凡盈天地之間者, 只是一理. 理固貞矣, 能知其貞者一也. 一者誠也. 誠故貞觀貞明, 誠者, 天道也.

정승(貞勝)이란 바르므로 이기는 것이니,「우공(禹貢)」에 곧 '바르다'[33]고 한 뜻이 이것이다. 정(貞)은 바름이니 양을 북돋우고 음을 억누르는 뜻이다. 천지의 상은 그것을 관찰함에 바르게 되고 일월의 빛남은 그것을 관찰함에 바르게 되니 천지ㆍ일월의 도는 바를 따름이다. 천지간에 꽉 찬 것이 다만 하나의 이치이다. 이치는 본래 바르니 바른 것이 하나임을 알 수 있다. 하나는 성실[誠]이다. 성실하기 때문에 바름으로 보여주고 바름으로 밝히니, 성실함은 천도이다.

易簡者德也. 天地確然而隤然, 何以示諸人也. 人窮其理而知其易簡, 則天地之所以示之也, 示之云者, 如天與之謂也. 爻之所效, 卦之所像者, 卽一示字, 爻象之著吉凶, 所以倣乾坤之示也.

평이하고 간단한 것은 덕이다. 천지는 굳세고 순하니 어떻게 사람에게 보여주는가? 사람이 그 이치를 궁구하여 평이하고 간단함을 안다면 천지가 보여준 것이니, 보여준다고 말한 것은 "하늘이 준 것이다"[34]와 같음을 이른다. '효(爻)는 본받는 것'이고 '괘(卦)는 그려낸 것'이라는 것은 바로 하나의 '보이다[示]'이니, 효상이 길흉을 나타내는 것이 건곤이 보여줌을 모방한 것이다.

道莫大於德, 德莫大於生. 聰明睿智之聖, 繼天立極, 敎民以義, 俾海隅蒼生莫不各遂其生, 則大人者與天地合其德, 是也.

도(道)는 '덕(德)'보다 큰 것이 없고, 덕은 '낳음'보다 큰 것이 없다. 총명하고 슬기로운 성인이 하늘을 이어 법을 세워서 백성을 '의'로서 가르쳐, 바다모퉁이[35]의 백성들까지 각각 그

---

32)『論語ㆍ八佾』: 子夏問曰, 巧笑倩兮, 美目盼兮, 素以爲絢兮. 何謂也. 子曰, 繪事後素. 曰, 禮後乎. 子曰, 起予者商也. 始可與言詩已矣.

33)『書經ㆍ禹貢』: 厥田, 惟中下, 厥賦, 貞, 作十有三載, 乃同.

34)『孟子ㆍ萬章』: 萬章曰, 堯以天下與舜, 有諸. 孟子曰, 否, 天子不能以天下與人. 然則舜有天下也, 孰與之. 曰, 天與之. 天與之者, 諄諄然命之乎. 曰, 否, 天不言, 以行與事示之而已矣.

'낳음'을 이루지 않는 이가 없게 하니, 대인이 천지와 덕을 합한다는 것이 이것이다.

오희상(吳熙常) 「잡저(雜著)-역(易)」

下傳第一章, 象在其中, 爻在其中, 實承上傳末章, 是故謂之象, 是故謂之爻, 可見上下傳交接也.

「계사하전」 제 1장의 "상(象)이 그 가운데 있다"와 효(爻)가 그 가운데 있다"는 실제로 「계사상전」 제 12장을 이었기 때문에 '상'이라 하였고 '효'라 하였으니, 「계사상전」과 「계사하전」이 서로 연결되었음을 알 수 있다.

貞觀貞明貞夫, 一應上立本趣時. 貞勝剛柔雖相推, 天地之道, 以貞觀爲本, 變通趣時, 莫如日月往來, 而以貞明爲道. 天下之動, 吉凶萬端, 而常一於正. 何以守位曰仁, 古本作人, 今本作仁, 本義竝載, 而雖不明言其去取, 竊恐以義理求之, 當以今本爲正. 蓋仁以守位, 財以聚人, 義以禁非, 而聖人之能事畢矣. 且上傳首章之末, 承乾坤之易簡, 而說歸於賢人之德業, 結之以成位乎中, 下傳首章之末, 承天地之大德, 〈朱子曰, 天地以生物爲心. 蓋天地之間, 品物萬形, 各有所事, 唯天則確然於上, 地則隤然於下, 一无所爲, 只以生物爲事. 故易曰, 天地之大德曰生. 由是言之, 大德亦從易簡來矣.〉而說歸於聖人之大寶, 徵結以仁義. 仁是德而義是業, 豈非所謂立人之道曰與義者乎. 然則上下傳結語, 自相唱應也.

항상 보여줌[貞觀]·항상 밝음[貞明]·하나의 이치를 항상 행함[貞夫一]은 위의 '근본을 세움'과 '때에 맞춤'에 호응한다. 항상 이겨서 굳센 양과 부드러운 음이 비록 서로 밀치나 천지의 도는 항상 보여줌을 근본으로 하고, '변하고 통하여 때를 맞춤'은 해와 달이 왕래하여 항상 밝음으로 정도를 삼는 것 만한 것이 없다. 천하의 움직임은 길흉이 만 가지이나 바름을 기준으로 하나를 항상 한다. '하이수위왈인(何以守位曰仁)'의 인(仁)을 옛 판본에서는 인(人)이라 하고, 지금 판본에서는 인(仁)이라 하였다. 『본의』에서 둘 다 기재하여 취사선택을 분명히 하지 않았으나, 의리로 밝혀보면 지금 판본대로 보는 것이 옳은 듯하다. 이는 인(仁)으로 자리를 지키고 재화로 사람을 모으며 의(義)로 잘못된 행동을 금지하여야 성인의 역할이 구비되기 때문이다. 또 「계사상전」 1장의 끝에서는, 건괘 곤괘의 평이함과 간단함에 이어서 말함에 현인의 덕업에 귀결하여 '가운데에 자리를 이룸'으로 맺었고, 「계사하전」 1장 끝에서는 천지의 큰 덕에 이어서 〈주자가 말하기를 "천지는 만물을 낳는 것으로 마음을 삼으니, 대체 천지간의 모든 물상은 각각 일삼는 바가 있다. 하늘은 위에서 굳세고 땅은 아래에서

---

35) 『書經·君奭』: 嗚呼. 篤棐, 時二人, 我式克至于今日休, 我咸成文王功于不怠, 丕冒, 海隅出日, 罔不率.

순하며 한결같이 꾀하는 것이 없이 단지 만물을 낳는 것으로 일삼는다. 그러므로 『주역』에서 '천지의 큰 덕을 낳음이라 한다'고 하였다"고 하였다. 이로 말미암아 말하자면 큰 덕도 '평이함'과 '간단함'에서 온 것이다.〉 말함에 '성인의 큰 보배'에 귀결하고 인과 의로 맺었다. 인은 덕이고 의는 업(業)이니, 어찌 "사람의 도를 세움은 인과 의라고 말한다"[36] 라는 것이 아니겠는가? 그렇다면 「계사상전」과 「계사하전」의 결구가 본래 선창하고 화답한 것이다.

윤종섭(尹鍾燮) 『경(經)-역(易)』

下傳, 天下之動貞夫一, 繼之以易簡. 一者道也, 易簡德也, 應上傳易簡而天下之理得.

「계사하전」 1장의 "천하의 움직임은 하나를 항상 한다"고 한 것은 '평이함과 간단함'을 이은 것이다. '하나'는 도이고 '평이함과 간단함'은 덕이니, 「계사상전」 1장의 "평이하고 간단함에 천하(天下)의 이치가 얻어진다"에 호응한다.

오치기(吳致箕) 「주역경전증해(周易經傳增解)」

天地之大德曰生, 聖人之大寶曰位, 何以守位, 曰仁. 何以聚人, 曰財. 理財, 正辭, 禁民爲非, 曰義.

천지의 큰 덕을 '낳음'이라 하고, 성인의 큰 보배를 '자리'라 하니, 무엇으로 자리를 지키는가? 사람이다. 무엇으로 사람을 모으는가? 재화이다. 재화를 다스리고 말을 바르게 하며 백성의 잘못된 행동을 금지함을 옳음이라 한다.

大德卽指易簡貞觀也. 天主生物之始, 地主生物之成, 故曰生. 聖人居天位, 然後可以成參贊之功, 故曰大寶. 理財者, 富之也, 正辭者, 敎之也, 禁非者, 旣導之以德, 又齊之以禮也. 此言天地有此貞觀之大德, 以生物爲心, 聖人居大寶之位, 與天地參, 而亦以貞一之道, 聚斯民, 理財而富之, 正辭而敎之, 禁非而齊之, 此聖人所以克配于天地者也. 上繫首章, 擧天地易簡知能之德, 而繼之 以聖人之成位, 下繫首章, 擧天地易簡貞觀之道, 而繼之以聖人之寶位, 可見造化功業參爲三才也

큰 덕은 바로 평이함과 간단함으로 항상 보여 줌을 가리킨다. 하늘은 만물을 낳는 처음을 주관하고 땅은 만물을 낳는 성과를 주관하기 때문에 "낳는다"고 말하였다. 성인이 하늘의 자리에 있은 뒤에야 참여하여 돕는 공적을 이룰 수 있기 때문에 "큰 보배"라고 하였다. '재화

---

36) 『周易 · 說卦傳』: 昔者聖人之作易也, 將以順性命之理, 是以立天之道曰陰與陽, 立地之道曰柔與剛, 立人之道曰仁與義, 兼三才而兩之, 故易, 六畫而成卦, 分陰分陽, 迭用柔剛. 故易, 六位而成章.

를 다스림'은 부유하게 하는 것이고 '말을 바르게 함'은 가르치는 것이고 '잘못된 행동을 금지함'은 덕으로써 인도하고 또 예로써 가지런하게 함이다. 이것은 천지는 바르고 보여주는 큰 덕이 있어 만물을 낳음을 마음으로 삼으며, 성인은 큰 보배의 자리에 거하여 천지와 더불어 참여하고, 바르고 한결같은 도로 이 백성을 모으며, 재화를 다스려 부유하게 하고, 말을 바르게 하여 가르치며, 잘못된 행동을 금지하여 가지런하게 한다는 말이니, 이것이 성인이 능히 천지에 짝하는 이유이다. 「계사상전」 1장에서 하늘과 땅이 평이함과 간단함으로 주장하고 능한 덕을 들어 성인이 자리를 이루는 것으로 이었고, 「계사하전」 1장에서는 천지가 평이함과 간단함으로 바름을 보여주는 도를 들어 성인의 보배로운 자리를 이었으니, 조화와 공업이 섞여서 삼재(三才)가 됨을 알 수 있다.

此章, 論卦爻吉凶, 而兼言天地聖人之造化功業.
이장은 괘효의 길함과 흉함을 논하고 겸하여 천지와 성인의 조화와 공적을 말하였다.

이진상(李震相) 『역학관규(易學管窺)』

何以守位, 曰仁.
무엇으로 자리를 지키는가? 사람이다.

此仁字, 古本作人, 而本義從之. 蓋下文便說何以聚人故也. 節齋西山, 皆以仁字爲是. 然不言仁, 而仁在其中, 守位以人, 聚人以財, 禁民[37]爲非, 皆所以體天地好生之仁也.
여기서 인(仁)자는 옛 판본에 인(人)으로 되어 있는데 『본의』에서 그것을 따랐다. 이는 아래 글에서 "무엇으로 사람을 모으는가?"라고 했기 때문이다. 절재채씨와 서산진씨는 모두 인(仁)자가 옳다고 여겼다. 그러나 인(仁)을 말하지 않았더라도 인(仁)이 그 안에 있으니, 사람으로써 자리를 지키고, 재화로써 사람을 모으며, 백성이 잘못을 행함을 금지하는 것이 모두 천지의 '낳음'을 좋아하는 인(仁)을 본받은 것이다.

박문호(朴文鎬) 「경설(經說)·주역(周易)」

以本義曰人之人觀之, 經文仁字, 當作人字, 是傳寫之誤也. 蓋其下句聚人之人, 承上爲說, 而於文義爲順. 故本義又引呂氏說爲定論.
『본의』에서 "사람이다(曰人)"의 '사람(人)'에 대한 주장으로 살펴보면 경문에 인(仁)자는 마땅히 인(人)자로 써야 하니, 이것은 잘못 옮겨 쓴 것이다. 대개 아래 구절의 '취인(聚人)'의

---

37) 民: 경학자료집성 DB에 '氏'로 되어 있으나, 경학자료집성 영인본을 참조하여 '民'으로 바로잡았다.

인(人)은 윗말을 이어 설명하여야 글의 의미가 순조롭다. 그러므로 『본의』에서도 여씨의 설을 인용하여 정론으로 삼았다.

이병헌(李炳憲) 『역경금문고통론(易經今文考通論)』

孟曰, 崔然心志高也.
맹희가 말하였다: '확연(崔然)'은 심지가 고상함이다.

荀曰, 陰陽相變, 功業乃成也.
순상이 말하였다: 음양이 서로 변해야 공적이 곧 이루어진다.

姚曰, 寶者, 保也重也.
요신이 말하였다: '보배'란 보존되고 소중한 것이다.

陸曰, 人非財則不聚, 故聖人觀象制器, 備物盡利, 以業萬民而聚之也
육적이 말하였다: 사람은 재화가 아니면 모이지 않기 때문에 성인이 상을 보고 기물을 만들고 만물을 갖추어 이로움을 다하여 만민을 위한 업을 이루어 모이게 한다.

荀曰, 尊卑貴賤, 衣食有差, 謂之理財, 名實相應, 萬事得正, 謂之正辭. 咸得其宜, 故謂之義也.
순상이 말하였다: 존비와 귀천에 따라 복식과 음식에 차등이 있게 함을 '재화를 다스림'이라 하고, 이름과 실상이 서로 호응하여 온갖 일이 바르게 됨을 '말을 바르게 함'이라 한다. 모두 마땅함을 얻었기 때문에 '의(義)'라고 이른다.

제2장第二章

古者包犧氏之王天下也, 仰則觀象於天, 俯則觀法於地, 觀鳥
獸之文, 與地之宜, 近取諸身, 遠取諸物, 於是, 始作八卦, 以
通神明之德, 以類萬物之情.

옛날에 포희씨가 천하의 왕이 됨에 우러러 하늘에서 상(象)을 살피고 구부려 땅에서 법(法)을 살피며,
새와 짐승의 무늬와 땅의 마땅함을 살피며, 가까이 자신에게 취하고 멀리 사물에게 취하여, 이에
비로소 팔괘를 만들어 이로써 신묘하고 밝은 덕에 통하며, 만물의 실정을 분류하였다.

中國大全

小註

程子曰, 近取諸身, 一身之上, 百理具備, 甚物是沒底. 背在上, 故爲陽, 胸在下, 故爲
陰, 至如男女之生, 已有此象. 天有五行, 亦有五藏. 心火也, 着些天地間熱氣, 乘之則
便須發燥, 肝木也, 着些天地風氣, 乘之則便須怒, 推之五藏, 亦然.

정자가 말하였다: '가까이 자신에게 취함'은 일신(一身)의 위에 온갖 이치가 갖춰져 있어서
이니, 어떤 물건이 없는 것이겠는가? 등은 위에 있으므로 양이 되고 가슴은 아래에 있으므로
음이 되니, 남자와 여자가 생겨남에도 이미 이러한 상이 있다. 하늘에 오행이 있다면 사람에
게도 오장(五藏)이 있다. 심장은 화(火)이니 약간이라도 천지의 더운 기운을 잡아서 타면
곧 바로 조급해지고, 간장은 목(木)이니 약간이라도 천지의 바람 기운을 잡아서 타면 바로
성내게 되니, 오장으로 미루어도 또한 그러하다.

本義

王昭素曰, 與地之間, 諸本多有天字. 俯仰遠近所取不一, 然不過以驗陰陽消息
兩端而已. 神明之德, 如健順動止之性, 萬物之情, 如雷風山澤之象.

왕소소는 "여(與)자와 지(地)자 사이에 천(天)자가 있는 판본이 많다"고 하였다. 구부리고 우러르며
멀리서와 가까이서 취한 것이 같지는 않으나, 음양이 줄고 느는 두 단서를 확인하는 것에 불과할
뿐이다. '신묘하고 밝은 덕'은 강건하고 유순하며 움직이고 멈추는 것과 같은 특성이고, '만물의 실
정'은 우레나 바람, 산이나 연못과 같은 상이다.

小註

朱子曰, 仰則觀象於天一段, 只是陰陽奇耦. 聖人看這許多般事物, 都不出陰陽兩字.
便是河圖洛書, 也只是陰陽.

주자가 말하였다: "우러러 하늘에서 상을 살핀다"는 단락은 다만 음과 양의 홀수와 짝수일
뿐이니, 성인은 수많은 사물이 모두 음과 양, 두 글자에서 벗어나지 않음을 본 것이다. 설사
「하도」와 「낙서」일지라도 또한 음양일 뿐이다.

○ 觀鳥獸之文, 與地之宜, 那時未有文字, 只是仰觀俯察而已. 想得聖人心細, 雖鳥獸
羽毛之微, 也盡察得有陰陽, 今人心麤, 如何察得. 或曰, 伊川見兔曰, 察此亦可以畫
卦, 便是此義. 曰, 就這一端上, 亦可以見. 凡草木禽獸, 无不有陰陽. 鯉魚脊上有三十
六鱗, 陰數, 龍脊上有八十一鱗, 陽數. 龍不曾見, 鯉魚必有之. 又龜背上文, 中間一簇
成五段, 兩邊各插四段, 共成八段子, 八段之外, 兩邊周圍共有二十四段. 中間五段者,
五行也, 兩邊插八段者, 八卦也, 周圍二十四段者, 二十四氣也, 箇箇如此. 又如草木之
有雌雄, 銀杏桐楮牝牡麻竹之類皆然. 又樹木向陽處則堅實, 其背陰處必虛軟. 男生必
伏, 女生必偃, 其死於水也亦然, 蓋男陽氣在背, 女陽氣在腹也.

"새와 짐승의 무늬와 땅의 마땅함을 살핀다"는 저 당시에는 문자가 없었으니, 다만 우러러
살피고 구부려 살필 뿐이었다. 성인의 마음은 세밀해서 비록 조수(鳥獸)의 미세한 털에서라
도 또한 음양이 있음을 모두 살필 수 있다고 생각되지만, 지금 사람들은 마음이 거치니,
어떻게 살필 수 있겠는가?

어떤 이가 물었다: 이천이 토끼를 보고 "이것을 보고도 또한 괘를 그을 수 있다"고 한 것이
바로 이 뜻입니까?

답하였다: 이러한 하나의 단서에서도 또한 알 수 있습니다. 모든 초목과 금수는 음양이 없을
수 없습니다. 잉어의 등골 위에는 36개의 비늘이 있으니 음의 수이고, 용의 등골 위에는

81개의 비늘이 있으니 양의 수입니다. 용은 본적이 없지만 잉어에는 반드시 있습니다. 또 거북등 위의 무늬는 중간에 한 무리가 다섯 조각을 이루고, 양변에 각각 네 조각을 끼워 함께 여덟 조각을 이루며, 여덟 조각의 밖에 양변의 주위에 모두 24조각이 있습니다. 중간의 다섯 조각은 오행이며, 양변에 여덟 조각을 끼운 것은 팔괘이며, 주위에 24조각은 24절기이니, 하나하나가 이와 같습니다. 또한 초목이라도 암수가 있으니, 은행나무·오동나무·닥나무·암수의 삼·대나무의 부류가 모두 그렇습니다. 또 수목이 양을 향한 곳은 단단하고 알차며, 등져서 음인 곳은 반드시 허술하고 연합니다. 남자는 반드시 엎드려 태어나고 여자는 반드시 누워서 태어나며, 물에서 죽을 때도 또한 그러하니, 대체로 남자는 양기가 등에 있고 여자는 양기가 배에 있기 때문입니다.

○ 以通神明之德, 以類萬物之情, 盡於八卦, 而震巽坎離艮兌, 又總於乾坤. 曰動, 曰陷, 曰止, 皆健底意思, 曰入, 曰麗, 曰說, 皆順底意思. 聖人下此八字, 極狀得八卦性情盡. "이로써 신묘하고 밝은 덕에 통하며, 만물의 실정을 분류한다"는 것은 팔괘로 다했는데, 진괘·손괘·감괘·리괘·간괘·태괘는 다시 건괘와 곤괘로 합쳐진다. 움직인다고 하고 빠진다고 하고 그친다고 한 것은 모두 강건하다는 뜻이고, 들어간다고 하고 걸린다고 하고 기뻐한다고 한 것은 모두 유순하다는 뜻이다. 성인이 이 여덟 글자를 써서 팔괘의 특성과 실정의 전부를 지극히 형용하였다.

○ 問, 本義, 謂伏羲作易, 驗陰陽消息兩端而已, 此語最盡. 曰, 陰陽雖是兩箇字, 然卻是一氣之消息. 一進一退, 一消一長, 進處便是陽, 退處便是陰, 長處便是陽, 消處便是陰. 只是這一氣之消息, 做出古今天地間無限事來. 所以陰陽做一箇說亦得, 做兩箇說亦得.
물었다: 『본의』의 "복희가 역을 지은 것은 음양이 줄고 느는 두 단서를 확인한 것일 뿐이다" 라는 이 말이 가장 좋은 것 같습니다.
답하였다: 음양이 비록 두 개의 글자이지만, 그러나 다시 한 기운이 줄거나 자라나는 것입니다. 한 번은 나아가고 한 번은 물러나며 한 번은 줄어들고 한 번은 성장하니, 나아가는 곳이 바로 양이고 물러나는 곳이 바로 음이며, 성장하는 곳이 바로 양이고 줄어드는 곳이 바로 음입니다. 단지 한 기운이 줄거나 자라나면서 고금의 천지에 무한한 일을 만들어 내는 것일 뿐입니다. 그래서 음양은 하나라고 해도 또한 좋고, 두 개라고 해도 또한 좋습니다.

○ 柴氏中行曰, 仰觀象於天, 而參驗於鳥獸之文, 於是得陰陽之理, 俯觀法於地, 而參驗於地宜, 於是得剛柔之情. 近取諸身, 遠取諸物, 而知理之所在, 物我无二, 三才之道, 默會於心, 要不出乎陰陽二端相變而已.

시중행이 말하였다: 우러러 하늘에서 상(象)을 살피고 조수의 무늬를 직접 확인하여 이에 음양의 이치를 얻으며, 구부려 땅에서 법(法)을 살피고 땅의 마땅함을 직접 확인하여 이에 '굳센 양과 부드러운 음'의 실정을 얻는다. 가까이 자신에게 취하고 멀리 사물에게 취하여 이치의 소재를 알면 사물과 내가 둘이 아니니, 삼재(三才)의 도리를 묵묵히 마음으로 이해하여 음과 양의 두 단서가 서로 변하는 것에서 벗어나지 않고자 할 뿐이다.

○ 平庵項氏曰, 象以氣言屬陽, 法以形言屬陰. 鳥獸之文, 謂天産之物, 飛陽而走陰也, 土地所宜, 謂地産之物, 木陽而草陰也.
평암항씨가 말하였다: 상(象)은 기운으로 말한 것이니 양에 속하고, 법(法)은 형체로 말한 것이니 음에 속한다. 조수(鳥獸)의 무늬는 하늘이 낳은 사물을 이르니, 나는 것은 양이고 달리는 것은 음이며, 토지의 마땅함은 땅이 낳은 사물을 이르니, 나무는 양이고 풀은 음이다.

○ 節齋蔡氏曰, 聖人所畫之卦, 精可以通神明之德, 粗可以類萬物之情. 神明之德, 不可見者也, 故曰通, 萬物之情, 可見者也, 故曰類.
절재채씨가 말하였다: 성인이 그은 괘는, 정밀하게는 신묘하고 밝은 덕에 통할 수 있고, 거칠게는 만물의 실정을 분류할 수 있다. 신묘하고 밝은 덕은 볼 수 없는 것이므로 "통한다"고 하였고, 만물의 실정은 볼 수 있는 것이므로 "분류한다"고 하였다.

○ 雲峰胡氏曰, 神明之德, 不外乎健順動止八者之德, 萬物之情, 不止乎天地雷風八物之情.
운봉호씨가 말하였다: 신묘하고 밝은 덕은 강건하고 유순하며 움직이고 멈추는 등 여덟 가지의 덕에서 벗어나지 않고, 만물의 실정은 하늘·땅·우뢰·바람 등 여덟 가지 사물의 실정에 그치지 않는다.

▌韓國大全▐

송시열(宋時烈) 『역설(易說)』
古者包犧氏以下.
"옛날에 포희씨" 이하에 대하여.

王昭素曰, 與地之間, 諸本多有天字.
왕소소(王昭素)[38]가 말하였다: 여(與)와 지(地)의 사이에 여러 판본에 대부분 천(天)자가 있다.

○ 朱震曰, 自此以下, 明物致用各成器, 爲天下利之事.
주진이 말하였다: 이 글 이하는 물건을 갖추어 쓰임을 이루고 각각 기물을 이루는 것이 천하의 이로움이 되는 일임을 밝혔다.

박치화(朴致和) 「설계수록(雪溪隨錄)」

觀象於天者, 成象也, 觀法於地者, 成形也.
하늘에서 상을 살핀다는 것은 상을 이룸이고, 땅에서 법을 살핀다는 것은 형체를 이룸이다.

○ 地有陰陽剛柔之異物, 亦隨地之宜而生養焉. 故曰與地之宜.
땅에는 음양과 강유의 다른 물건이 있으니, 또한 땅의 마땅함에 따라 태어나고 길러진다. 그러므로 "땅의 마땅함"이라고 하였다.

○ 觀地之宜者, 觀物之陰陽也.
땅의 마땅함을 살핀다는 것은 물건이 음인지 양인지를 살핌이다.

○ 與地之宜, 宜於地者, 對天而言也.
"땅의 마땅함"과 "땅에 마땅함"은 하늘에 상대하여 말한 것이다.

○ 造化鬼神之事, 盡著於八卦中, 故曰以通神明之德.
조화와 귀신의 일이 팔괘 안에 다 드러나기 때문에 "이로써 신묘하고 밝은 덕에 통하며"라고 하였다.

---

38) 왕소소(王昭素, 894~982): 송나라 개봉(開封, 하남성) 산조(酸棗) 사람. 어릴 때부터 학문에 힘써 행실이 지극했고, 학생을 모아 가르치면서 생계를 꾸렸다. 이목(李穆)과 이숙(李肅), 이운(李惲) 등을 스승으로 섬겼다. 구경(九經)에 두루 해박했고, 노장(老莊)도 함께 연구했는데, 특히 『시(詩)』와 『역(易)』에 정통했다. 관직은 국자박사(國子博士)에 이르렀다. 성격이 순수 질박했으며, 사람을 잘 판단했다. 저서에 『역론(易論)』 33편이 있다.

○ 八卦成列, 六十四卦之象, 已具其中, 因而重之, 三百八十四爻之爻, 已具其中.
팔괘가 줄을 이룸에 64괘의 상이 이미 그 가운데 갖춰 있고, 인하여 거듭하니 384효의 효가
이미 그 가운데 갖춰있다.

○ 健動順止, 天地之性, 而八卦象之, 雷風相搏, 山澤通氣, 萬物之情, 而八卦類聚之也.
강건하여 움직이고 순하고 그치는 것이 천지의 본성이니 팔괘가 그것을 상징하고, 우레와
바람이 서로 치고 산과 못이 기운을 통하는 것이 만물의 실정이니 팔괘가 종류대로 모인다.

○ 雷風山澤, 先天八卦, 對待之象也. 是情性之感處, 因萬物相感之情, 而類聚之.
우레·바람·산·못은 「선천도」의 팔괘에서 대대(對待) 상이다. 이는 감정과 본성이 느끼
는 곳으로 만물이 서로 느끼는 정에 따라 종류대로 모인다.

○ 類, 效也. 如八卦雷卦風卦, 皆效風雷之象也.
'유(類)'는 본받음이다. 예컨대 팔괘 중에 우레의 괘와 바람의 괘는 모두 바람과 우레의 상을
본받은 것이다.

○ 明列而動者, 百物市肆之象.
줄지어 움직이는 것을 밝혔으니 온갖 사물이 저자에 펼쳐지는 상이다.

이익(李瀷) 『역경질서(易經疾書)』

此章乃制器尙象之節. 度制器者, 爲理財也. 理財爲聚人也, 聚人爲守位也. 故前章已
鋪說源本, 遂及〈于此〉聖人之畫計也, 其事不出於說卦也. 仰觀俯察, 卽其第三第四章
是也, 觀鳥獸之文, 第八章是也, 天地之宜, 第五第六章是也, 近取身, 第九章是也, 遠
取物, 第十一章是也. 史云包犧受圖畫卦, 若但如此, 此何以云爾. 凡史之文, 只攄經爲
說. 經有河出圖, 洛出書, 聖人則之語, 故櫽括如此. 然上皆云, 天生神物, 與圖書有
別. 繼又云, 天之垂象, 及天地變化, 此豈皆圖出以後事乎. 意者, 包犧之所取者極廣,
物物參驗, 契合無痕, 然後畫成此圖. 於是河龍應時呈瑞, 所謂則之者, 卽伏義以後之
聖也. 後天洪範, 皆出於河圖也. 詳在上.
이 장은 곧 "기물을 만드는 자는 『주역』의 상을 숭상한다"[39]는 구절이다. 기물을 헤아려
만드는 것은 재화를 다스림이다. 재화를 다스림은 사람을 모으는 것이고, 사람을 모으는

---

39) 『周易·繫辭傳』: 易有聖人之道四焉. 以言者尙其辭, 以動者尙其變, 以制器者尙其象, 以卜筮者尙其占.

것은 자리를 지키는 것이다. 그러므로 이미 1장에서 근원적인 이치를 다 말하고 마침내 여기에서 성인의 계책을 언급하였으니, 그 일은 「설괘전」에서 벗어나지 않는다. 우러러 관찰하고 구부려 살핌은 곧 「설괘전」 제 3·4장이 여기에 해당하고, 조수의 문채를 관찰함은 「설괘전」 제8장이 여기에 해당하며, 천지의 마땅함은 「설괘전」 제 5·6장이 여기에 해당하고, 가까이 몸에서 취함은 「설괘전」 제 9장이 여기에 해당하며, 멀리 사물에서 취함은 「설괘전」 제 11장이 여기에 해당한다. 『전한서』에 "복희씨가 그림을 받고 괘를 그었다"[40]고 하였는데, 다만 이와 같을 뿐이라면 어찌하여 이렇게 말하는가? 무릇 『전한서』의 글은 단지 경서에 의거하여 말하였을 뿐이다. 경서에 "하수에서 그림이 나오고 낙수에서 글이 나와 성인이 이를 본받았다"는 말이 있으므로 바로잡아 말한 것이 이와 같다. 그러나 「계사상전」에서 모두 "하늘이 신물(神物)을 내었다"[41]고 하였으니, 「하도」·「낙서」와는 구별이 있다. 이어 또 말하기를 "하늘이 상을 드리웠다"하여 천지의 변화를 언급하였으니, 어찌 모두 「하도」가 나온 뒤의 일이겠는가? 생각건대 복희씨가 취한 것이 매우 넓어 물건마다 참여하고 징험하며 부합하여 흔적이 없게 한 뒤에 그려서 이 그림이 이루어진 듯하다. 이에 하수의 용마가 때에 부응하여 상서로움을 드러내었으니, 이른바 본받았다는 자는 곧 복희씨 이후의 성인이다. 「후천도」와 「홍범」은 모두 「하도」에서 나왔다. 자세한 것은 「계사상전」에 있다.

天地之大德曰生, 其理本自神明. 如春生秋收, 物無不育是也. 然嘿運無跡, 故聖人作卦而通之, 萬物之情狀各殊, 小大輕重, 參差不齊, 故聖人作卦而類之. 類者, 以類推之也.
천지의 큰 덕을 '낳음'이라 한 것은 그 이치가 신명(神明)에 근본한다. 마치 봄이 낳아주고 가을이 거둬들임과 같아, 물건마다 길러지지 않음이 없는 것이 여기에 해당한다. 그러나 묵묵히 운행하여 자취가 없기 때문에 성인이 괘를 만들어 통하게 하였으며, 만물의 실정과 상황이 각각 달라서 크고·작고·가볍고·무거움이 들쑥날쑥 가지런하지 않기 때문에 성인이 괘를 만들어 종류대로 하였다. 종류대로 한다는 것은 종류대로 미루어 적용함이다.

유정원(柳正源) 『역해참고(易解參攷)』

古者 [至] 之宜.
옛날에 … 마땅함을 살피며.

---

40) 『前漢書·五行志』: 劉歆以爲虙羲氏繼天而王, 受河圖則而畫之八卦是也.
41) 『周易·繫辭傳』: 是故天生神物, 聖人則之, 天地變化, 聖人效之, 天垂象, 見吉凶, 聖人象之, 河出圖, 洛出書, 聖人則之.

韓氏曰, 聖人之作易, 至大不極, 旡微不究, 大則取象天地, 細則觀鳥獸之文與地之宜也.

한강백이 말하였다: 성인이 『주역』을 지음은 지극히 커서 다함이 없고 더 이상 작은 것이 없어 다하지 않으니, 크게는 천지에서 상을 취하고 작게는 조수의 무늬와 땅의 마땅함을 관찰하였다.

김상악(金相岳) 『산천역설(山天易說)』

象以氣言屬陽, 法以形言屬陰. 天之象, 日月星辰也, 地之象, 山陵川澤也. 鳥獸之文, 飛陽而走陰也, 土地之宜, 木陽而草陰也. 近取諸身, 氣之呼吸, 形之頭足之類也. 遠取諸物, 鱗介羽毛, 雌雄牝牡之類也. 神明之德, 如健順動止之性, 萬物之情, 如天地雷風之象. 德精而難見, 故曰通, 情粗而易見, 故曰類.

상(象)은 기(氣)를 가지고 말했으니 양에 속하고, 법(法)은 형(形)을 가지고 말했으니 음에 속한다. 하늘의 상은 해·달·별이고, 땅의 상은 산·언덕·천택이다. 새와 짐승의 무늬는 날짐승은 양이고 길짐승은 음이다. 땅의 마땅함은 나무는 양이고 풀은 음이다. 가까이 자신에게서 취함은 기의 호흡과 머리·발 같은 형체의 종류이다. 멀리 사물에게서 취함은 비늘·껍데기·깃·털, 날짐승의 암수와 길짐승의 암수 같은 종류이다. 신묘하고 밝은 덕은 강건하고 유순하며 움직이고 그치는 성질 같은 것이고, 만물의 실정은 하늘·땅·우레·바람 같은 상이다. 덕이 정밀하여 보기 어렵기 때문에 통한다고 하였고, 거칠어서 보기 쉽기 때문에 분류한다고 하였다.

박윤원(朴胤源) 『경의(經義)·역경차략(易經箚略)·역계차의(易繫箚疑)』

此章首節, 是言伏羲作易之由, 則是開卷第一義也. 然伏羲之易, 是則河圖而成者, 而此節自仰觀俯察, 至近取遠取, 無有言河圖者, 何歟. 或言鳥獸之文, 卽指馬圖, 而鳥字是帶說耳, 此說甚誤. 按, 禮緯曰, 伏羲德, 合[42]上下, 天應以鳥獸文章, 地應以河圖洛書, 圖書之竝出於伏羲之時, 固未可信, 而鳥獸之文與龍圖, 爲各項事則明矣. 然則此節內, 無可索得河圖處, 其意安在. 豈以前已言河出圖, 聖人則之, 故此不必復言也歟. 大抵盈天地間者, 皆象也. 上而日月星辰, 下而山川草木, 以至於羽毛鱗介之屬, 莫不有陰陽之象, 奇耦之數焉. 衆人不知, 而聖人黙察而得之, 然則雖非河圖之出, 亦可以畫卦. 故夫子於此, 不言河圖也歟. 且伏羲之則河圖也, 是見其圖而摸擬其方, 畫象數歟. 抑卦畫旣成之後, 自與河圖數合歟. 其畫八卦, 果是竝累三陽而爲乾, 竝累三陰而

---

42) 德合: 경학자료집성 DB와 영인본에 모두 '合德'으로 되어있으나, 『주역주소(周易注疏)』·『통지(通志)』등을 참조하여 '德合'으로 바로잡았다.

爲坤. 以意交錯而成六子, 如諸家之說歟. 願聞親見伏義者之論.

「계사하전」 2장의 1절은 복희씨가 『주역』을 지은 이유를 말했으니, 책머리의 가장 중요한 뜻이다. 그러나 복희씨의 『주역』은 「하도」를 본받아 이루어진 것인데, 이 구절의 "우러러보고 구부려 살폈다"에서 부터 "가까이에서 취하고 먼 데서 취한다"에 이르기까지 「하도」에 대해 언급한 것이 없는 것은 어째서인가? 어떤 이는 "새ㆍ짐승의 무늬는 바로 「하도」를 가리키니, 조(鳥)는 따라 붙은 말일 뿐이다"라 하나 이 말은 매우 잘못되었다. 『예위(禮緯)』를 살펴보니 "복희씨의 덕이 위로 하늘과 아래로 땅에 합하여 하늘이 새ㆍ짐승의 무늬로 부응하였고 땅이 「하도」와 「낙서」로 부응하였다"라 하니, 이 말대로라면 「하도」와 「낙서」가 복희씨 때에 함께 나온 것이니 진실로 믿을 수 없으나, 새ㆍ짐승의 무늬와 「하도」를 별도의 일로 보면 분명하다. 그렇다면 이 구절 안에서 「하도」를 찾을 만한 곳이 없는데, 「하도」의 의미가 어디에 있는가? 아마도 이전에 이미 하수에서 그림이 나와 성인이 그것을 본받았다고 말했기 때문에 여기에서는 굳이 다시 말하지 않은 듯하다. 대체로 천지간에 꽉 찬 것이 모두 역이다. 위로 해ㆍ달ㆍ별과 아래로 산천초목에서부터, 날짐승ㆍ길짐승ㆍ어패류ㆍ갑각류에 이르기까지, 음양의 상과 기수ㆍ우수의 수 아님이 없다. 일반사람들이 이것을 모르고 성인이 묵묵히 관찰하여 얻었다고 하니, 그렇다면 「하도」가 나오지 않았더라도 획을 그을 수 있는 것이다. 그러므로 공자가 여기에서 「하도」를 언급하지 않은 것이다. 또 복희씨가 「하도」를 본받았다는 것은 「하도」를 보고 그 방위를 그대로 따라 상과 수를 그었을 것이다. 아니면 괘를 그은 것이 완성된 뒤에 저절로 「하도」의 수와 부합되었을 것이다. 팔괘를 긋자 과연 세 양이 쌓여 건괘가 되고 세 음이 쌓여 곤괘가 되었다. 이러한 뜻으로 교차하여 여섯 자식에 해당하는 괘가 이루어졌다는 것은 여러 학자들의 주장과 같다. 원컨대 복희씨를 직접 본 자의 의논을 듣고 싶다.

박제가(朴齊家) 『주역(周易)』

以通神明之德.

신묘하고 밝은 덕에 통하다.

神明之德, 如健順動止之性.

신묘하고 밝은 덕은 예컨대 강건하고 유순하며 움직이고 그치는 성질이다.

案, 神明, 卽鬼神之謂. 言神明不自言. 設卦, 敎民卜筮, 求之於神明, 所以通其德也. 情與象不同. 如曰雷風山澤之象, 已悉於仰觀俯察, 近取遠取等句, 不當疊言 象字. 如健順動止, 乃情也. 又情可類, 象可分.

내가 살펴보았다: 신묘하고 밝음은 귀신을 이르니, 신묘하고 밝아서 스스로 말하지 않음을 말한다. 괘를 베풀어 백성에게 복서를 가르쳐서 신명에게 구하게 하였으니, 때문에 그 덕을

통하게 된다. 실정과 상은 같지 않다. 예컨대 우레·바람·산·못의 상이라고 말한 것은 이미 우러러 살피고 구부려 살피며 가까이에서 취하고 멀리서 취하는 등의 구절에서 갖추어 졌으니, '상(象)'자를 중첩해서 말해서는 안 된다. 강건하고 유순하며 움직이고 그치는 것 같은 것이 곧 실정이다. 실정은 분류할 수 있고 상은 나눌 수 있다.

地之宜.
땅에 마땅함이다.
與地之間多有天字.
『본의』에서 "여(與)자와 지(地)자 사이에서 천(天)자가 있는 판본이 많다"고 하였다.
上旣仰觀俯察, 不當復說天地. 此云地宜, 恐是四方人物, 生質俗尙, 各有宜. 非如觀隤然地勢丘陵川澤之法也.
위에서 이미 우러러 보고 구부려 살핀다고 했으니 다시 천지를 말해서는 안 된다. 여기에서 땅의 마땅함이라고 한 것은, 아마도 사방의 사람과 사물의 타고난 바탕과 세속에서 숭상하는 것이 각각 마땅함이 있는 것이니, 땅의 형세가 순하다거나 구릉과 천택을 관찰하는 방법 같은 것은 아닌 듯하다.

誠齋楊氏曰, 敎民肉食自包犧始, 粒食自神農始.
성재양씨가 말하였다: 백성에게 육식하도록 가르친 것은 포희씨에게서 비롯되었고, 곡식을 먹도록 가르친 것은 신농씨에게서 비롯되었다.
案, 未有耕種, 茹毛飮血, 自知鮮食, 包犧特作網罟, 燧人敎民火食, 火食皆敎也. 特神農作耒耜, 以利之耳.
내가 살펴보았다: 농사짓거나 씨 뿌리는 일이 없고 화식(火食)할 줄 몰라 털 달린 짐승을 그대로 먹고 피를 마시고 물고기를 먹을 줄 알았는데, 포희씨가 특별히 새그물과 물고기 그물을 만들고 수인씨가 익혀 먹는 것을 가르쳤으니, 익혀먹는 것이 모두 가르침이다. 다만 신농씨가 쟁기와 보습을 만들어 이런 일을 더 이롭게 하였을 뿐이다.

심취제(沈就濟)『독역의의(讀易疑義)』

第二章王天下之王字, 承上章聖人之大寶而言, 自包犧而歷敍帝王也. 包犧氏首出, 有其德, 有其位, 然後仰觀俯察, 遠求近取, 始作八卦.
제 2장의 "천하에 왕이 되다[王天下]"의 '왕'은 제1장의 "성인의 큰 보배"를 이어서 말하여 포희씨로부터 차례로 제왕을 서술하였다. 포희씨가 먼저 나와 덕이 있고 자리가 있은 뒤에 우러러 보고 굽어 살펴서, 멀리에서 구하고 가까이에서 취하여 비로소 팔괘를 만들었다.

上傳, 天易也, 卽畫前之易也, 下傳, 人易也, 卽畫後之易也. 言其天易, 則易之自天而出也, 言其人易, 則易之自人而出也. 然則天亦伏羲也, 伏羲亦天也. 上傳體乾坤也, 下傳體咸恒也. 上傳, 陰陽也, 下傳, 五行也. 傳有上下, 而人居上下之間, 察上察下, 則可以見陰陽剛柔之互相體用也.

「계사상전」은 '하늘의 역'이니 곧 획이 그어지기 이전의 역이고, 「계사하전」은 '사람의 역'이니 곧 획이 그어진 이후의 역이다. '하늘의 역'이라고 말한 것은 곧 역이 하늘로부터 나왔다는 것이고, '사람의 역'이라고 말한 것은 곧 역이 사람으로부터 나왔다는 것이다. 그렇다면 하늘이 또한 복희씨이고 복희씨가 또한 하늘이다. 「계사상전」은 건괘·곤괘를 본받았고, 「계사하전」은 함괘·항괘를 본받았다. 「계사상전」은 음양을 설명했고, 「계사하전」은 오행을 설명했다. 「계사전」에 상·하가 있으니, 사람이 상·하의 사이에 거처하여 위를 살피고 아래를 살핀다면 음양과 강유가 서로 본체와 작용이 됨을 알 수 있다.

上章對觀於上傳之二章, 以此二章, 對觀於上傳之首章, 則亦可見陰陽而剛柔, 剛柔而陰陽之互相變通也.

1장은 「계사상전」의 2장에 상대하여 살폈으니, 이 2장을 「계사상전」의 1장을 상대하여 살핀다면 또한 음양이면서 강유이고, 강유이면서 음양이 서로 변하여 통함을 알 수 있다.

上傳言仰以觀俯以察, 而此則仰則觀俯則觀者, 上傳觀察而於下傳也. 上傳言謂卦, 下傳言作卦,則上傳言意圓而泛, 下傳言意方而止也. 上傳陰陽剛柔之用, 浩浩無窮, 下傳剛柔陰陽之體, 曲曲有定也. 渾於上者, 方於下, 定於下者, 渾於上也. 餘皆倣此.

「계사상전」에서 "우러러 살피고 구부려 살핀대仰以觀 俯以察]"고 말하고, 여기에서는 "우러르면 살피고 구부리면 살핀대仰則觀 俯則觀]"고 한 것은 「계사상전」을 관찰하기를 「계사하전」에서 하는 것이다. 「계사상전」에서는 괘를 이른다고 말하고 「계사하전」에서는 괘를 만든다고 말한 것은, 「상전」은 의미가 원만하면서 범범함을 말하고 「하전」은 모나면서 머무름을 말한다. 「상전」은 음양·강유의 작용이 넓디넓어 다함이 없고, 「하전」은 강유·음양의 본체가 자세하여 정해짐이 있다. 위가 혼미한 것은 아래가 방정하고 아래가 정돈된 것은 위가 혼미하다. 나머지는 모두 이와 마찬가지이다.

作結繩之作字[43], 爲網罟之爲字, 其非作而爲之體用耶. 古謂包犧, 則上古非包犧之前耶.

"노끈을 만들다[作結繩]"의 '만들다[作]'와 "그물을 만들다[爲網罟]"의 '만들다[爲]'는 작위하

---

43) 字: 경학자료집성 DB와 영인본에 '者'로 되어있으나, 문맥을 살펴 '字'로 바로잡았다.

여 만든 본체와 작용이 아닐 것이다. 옛날을 '포희'라고 했다면 상고시대는 복희씨 이전이
아닐 것이다.

以八卦爲體, 而用六十四卦, 故首言始作八卦, 而下言六十卦之取象也.
팔괘를 본체로 삼아 64괘를 쓰기 때문에 먼저 "비로소 팔괘를 만들어"라고 말하고 아래에서
64괘의 상을 취함을 말하였다.

男之背陽腹陰, 女之背陰腹陽者, 天之知, 地之仁.
남자는 등이 양이고 배가 음이며, 여자는 등이 음이고 배가 양인 것은 하늘이 지(知)이며
땅이 인(仁)인 것과 같다.

上傳, 皆言聖人君子者, 泛言也, 下傳, 指言包犧神農黃帝堯舜者, 的言也. 上傳, 易之
作也, 下傳, 易之立也. 然則易具於上傳, 而體立於下傳, 此正陰陽者, 氣也, 剛柔者,
質也. 質具於氣, 而氣行乎質也.
「계사상전」에서 '성인'·'군자'라고 말한 모든 것은 범범히 말한 것이고, 「계사하전」에서 포
희씨·신농씨·황제·요·순을 가리켜 말한 것은 명확하게 말한 것이다. 「상전」은 『주역』
이 만들어 짐에 대하여 말하였고, 「하전」은 『주역』의 성립에 대하여 말하였다. 그렇다면
『주역』은 「상전」에서 갖추어졌고 몸체는 「하전」에서 성립되었으니, 이것이 바로 음양이 기
운이고 강유가 바탕인 것이다. 바탕은 기운에서 갖추어지고 기운은 바탕에서 행해진다.

심대윤(沈大允) 『주역상의점법(周易象義占法)』

天爲一大天, 人爲一小天. 理具于性情, 而象備于腸腑. 皮竅氣數, 存乎呼吸動息, 故近
取諸身也.
하늘은 하나의 '큰 하늘'이고, 사람은 하나의 '작은 하늘'이다. 이치는 성정에 구비되어 있고
상은 장부에 갖추어있다. 피부·구멍·기수는 호흡하고 움직이고 쉬는 데에 보존되어 있기
때문에 가까이 몸에서 취한다.

오치기(吳致箕) 「주역경전증해(周易經傳增解)」

象以氣言, 屬陽, 日月星辰之類也, 法以形言, 屬陰, 山陵川澤之類也. 鳥獸之屬, 根乎
天, 而飛走相雜, 故曰文, 草木之屬, 根乎地而燥濕異宜, 故曰宜. 近取諸身者, 氣而呼
吸形而頭足之類也,遠取諸物者, 鱗介羽毛牝牡雌雄之類也. 神明之德, 卽陰陽之理,

而如健順動入陷麗止說之性, 萬物之情, 卽陰陽之迹, 而如天地山澤雷風水火之形, 理精而難見, 故曰通, 迹粗而易見, 故曰類.

상(象)은 기로써 말하면 양에 속하니 해·달·별의 종류이고, 법(法)은 형체로써 말하면 음에 속하니 산·언덕·강·늪의 종류이다. 조수의 등속은 하늘에 근본하여 날짐승과 길짐승이 서로 섞여 있기 때문에 "문채난다"고 하였고, 초목의 등속은 땅에 근본하여 건조하고 습한 것이 각각 알맞기 때문에 "마땅하다"고 하였다. 가까이 몸에서 취한다는 것은 기운으로는 호흡하고 형체로는 머리·발이 있는 종류이다. 멀리 물건에서 취한다는 것은 어류·갑각류·길짐승·날짐승의 종류이다. 신묘하고 밝은 덕은 곧 음양의 이치여서 강건함·순함·움직임·들어감·빠짐·걸림·그침·기쁨의 성질과 같고, 만물의 정은 곧 음양의 자취여서 하늘·땅·산·못·우레·바람·물·불의 형상과 같으니, 이치는 정밀하여 보기 어렵기 때문에 "통한다"고 하였고, 자취는 거칠고 보기 쉽기 때문에 "분류한다"고 하였다.

作結繩而爲網罟, 以佃以漁, 蓋取諸離.

노끈을 매듭지어 그물을 만들어 이로써 사냥하며 고기 잡게 하니, 리괘(離卦☲)에서 취하였다.

┃中國大全┃

小註

程子曰, 聖人制器, 不待見卦而後知象, 以衆人由之而不能知之. 故因卦以示之耳.

정자가 말하였다: 성인이 기물을 제작함에 괘를 보고 난 뒤에 상(象)을 안 것이 아니고, 많은 사람들이 이를 의거하나 알지 못하므로 괘에 의거하여 보였을 뿐이다.

本義

兩目相承而物麗焉.

그물의 두 눈이 서로 이어져 물건이 걸린다.

小註

朱子曰, 蓋取諸等字, 乃模樣是恁地. 蓋字, 便是一箇半間半界底字. 又曰, 據十三卦取象, 蓋取之離者, 言繩爲網罟, 有離之象. 非覩離而始有此也.

주자가 말하였다: "대체로 무엇에서 취하였다[蓋取諸等]"는 말은 바로 모양이 이와 같다는 것이다. '개(蓋)'자는 묻기도 하고 구분하기도 하는 글자이다.

또 말하였다: 13괘에 의거하여 상을 취했는데, 대체로 리괘(離卦)에서 취하였다는 것은 노끈으로 그물을 만드는 것에는 리괘의 상이 있다는 것이지, 리괘를 보고 비로소 이를 만든 것은 아니라고 말한 것이다.

○ 誠齋楊氏曰, 教民肉食, 自包犧始.

성재양씨가 말하였다: 백성에게 고기를 먹게 한 것은 포희씨로부터 시작된다.

○ 南軒張氏曰, 古者, 禽獸多而人民少. 故伏羲氏爲之網罟, 以佃以漁, 非徒使民皆知鮮食之利, 抑亦去其害, 而安其居也. 取諸離者, 蓋離以一陰, 麗乎二陽之間, 則鳥獸之麗乎網, 魚鼈之麗乎罟, 其義可推矣.

남헌장씨가 말하였다: 옛날에는 금수는 많고 사람은 적었다. 그러므로 복희씨가 그물을 만들어서 사냥하며 고기 잡게 하였으니, 백성들에게 날로 먹는 이로움을 알도록 한 것일 뿐만 아니라, 금수의 침해를 제거하여 편안히 지내도록 한 것이다. 리괘에서 취한 것은, 대체로 리괘에서 하나의 음이 두 양의 사이에 걸린 것이 바로 조수가 그물에 걸리고 물고기와 자라가 그물에 걸린 것이니, 그 뜻을 유추할 수 있을 것이다.

○ 厚齋馮氏曰, 離有二義, 曰象, 曰理. 理謂麗也, 謂鳥獸魚鼈麗乎網罟也. 象謂虛中, 網罟之目虛也.

후재풍씨가 말하였다: 리괘에는 두 가지 뜻이 있으니 상(象)과 이치이다. 이치는 걸림을 이르니, 금수와 물고기가 그물에 걸림을 이른다. 상(象)은 중앙이 빔을 이르니, 그물의 눈이 빈 것이다.

○ 雲峰胡氏曰, 民以食爲先. 自古未有耕種, 則鮮食乃其先也. 伏羲氏, 非取諸離然後爲網罟, 特網罟兩目相承而物麗, 自有似於離之象焉耳. 蓋之言, 疑辭也, 下倣此.

운봉호씨가 말하였다: 백성은 먹는 것을 우선한다. 옛날에는 밭 갈고 파종하지 않았으니, 날로 먹는 것이 먼저였다. 복희씨가 리괘에서 취한 뒤에 그물을 만들었다는 것이 아니라, 다만 그물의 두 눈이 서로 이어져 물건이 걸리니, 자연히 리괘의 상(象)과 유사함이 있을 뿐이다. '개(蓋)'라는 말은 의문하는 말이니, 아래에도 이와 같다.

▌韓國大全▐

박치화(朴致和) 「설계수록(雪溪隨錄)」

兩目相承〈本義〉, 以卦象言, 物離[44]〈本義〉, 以卦意言. 自此以下諸節, 皆倣此.

"그물의 두 눈이 서로 이어짐"〈『본의』에 보인다.〉은 괘의 상으로 말하였고, "물건이 걸림"〈『본의』에 보인다.〉은 괘의 뜻으로 말하였다. 이 이하의 구절은 모두 이와 마찬가지이다.

---

44) 離: 경문에는 '麗'로 되어 있으나, 같은 의미이므로 그대로 두었다.

이익(李瀷) 『역경질서(易經疾書)』

離火也. 火本無質, 附麗於物而爲形. 故附麗之義爲重. 所謂日月麗天, 草木麗地, 卽其大較也. 生人之始, 必以禽獸爲食, 而不可以徒得, 于斯時也, 見有附麗之象 則必思有物以麗之也. 其初作爲結繩以麗之, 則有一目之罟而已. 所謂兔蹄是也. 後其術漸巧, 則爲衆目之綱以麗之, 則其義專取於附麗, 非爲離有兩目象也.

리(離)는 불이다. 불은 본래 바탕이 없어 다른 물건에 붙어서 형체가 있게 된다. 그러므로 붙어있는 의미를 중요하게 여긴다. 이른바 "해와 달이 하늘에 붙어있고, 나무와 풀이 땅에 붙어 있다"는 것[45]이 바로 그 대략이다. 사람이 생겨난 처음에는 반드시 짐승을 먹이로 삼았으나 맨손으로 잡을 수는 없었는데, 이때에 붙어있는 상이 있음을 보고 반드시 걸리는 물건이 있음을 생각했다. 처음에는 끈을 묶어 걸리게 하였으니, 그물눈이 하나인 그물이 있을 뿐이었다. 이른바 토끼 덫이 이것이다. 뒤에 기술이 점점 교묘해져서 그물눈이 많은 그물을 만들어 걸리게 하였으니, 그 의미를 오로지 "붙어 걸리다"에서 취한 것이지, 리괘에 눈이 둘 있는 상 때문이 아니다.

유정원(柳正源) 『역해참고(易解參攷)』

雙湖胡氏曰, 重離, 有巽體. 巽繩離目, 有罔罟象.

쌍호호씨가 말하였다: 대성괘의 리괘(離卦☲)에는 손괘(巽卦☴)의 몸체가 있다. 손괘는 줄[繩]이고 리괘는 눈이니 그물눈의 상이 있다.

김상악(金相岳) 『산천역설(山天易說)』

網以佃, 罟以漁. 結繩爲網, 兩目相承, 而物麗焉. 故取象于離.

새그물로 사냥하고, 고기그물로 물고기 잡는다. 노끈을 매듭지어 새그물을 만듦에 두 그물눈이 서로 이어져 사물이 걸린다. 그러므로 리괘에서 상을 취하였다.

서유신(徐有臣) 『역의의언(易義擬言)』[46]

結繩而爲網罟, 以佃以漁.

노끈을 매듭지어 그물을 만들어 이로써 사냥하며 고기 잡게 하니.

互巽爲繩, 相麗爲結. 有重離之目, 有互兌之口. 巽入於林澤, 而兌之魚, 巽之禽, 離之

雉鼈, 皆麗焉, 是爲佃漁也.

호괘인 손괘(巽卦☴)가 노끈이고, 서로 걸리는 것이 매듭을 짓는 것이다. 중괘인 리괘의 눈이 있고, 호괘인 태괘(兌卦☱)의 입이 있다. 수풀과 못에 손괘로 들어가서, 태괘의 물고기와, 손괘의 새와, 리괘의 꿩·자라가 모두 걸리니, 이것이 사냥하고 물고기 잡음이 된다.

심대윤(沈大允) 『주역상의점법(周易象義占法)』

离, 麗也, 而有網罟之象. 互巽繩, 而兩目相承. 坎巽爲魚鳥, 兌爲死爲亨.

리는 걸림이니 그물의 상이 있다. 호괘인 손괘(巽卦☴)가 줄이고 두 눈이 서로 이어 있다. 감괘(☵)와 손괘는 물고기와 새가 되며 태괘(兌卦☱)는 죽음이 되고 형통함이 된다.

오치기(吳致箕) 「주역경전증해(周易經傳增解)」

離爲目, 網罟之兩目相承者似之, 離爲麗, 物麗于網罟者似之. 網罟以繩作, 而互巽爲繩.

리괘는 '눈'이니 그물에 두 눈이 서로 서로 이어진 것과 유사하고, 리괘는 '걸림'이니 물건이 그물에 걸린 것과 유사하다. 그물은 줄로 만드는데 호괘인 손괘(巽卦☴)가 줄이 된다.

이진상(李震相) 『역학관규(易學管窺)』

第二章, 作結繩.

제 2장 노끈을 매듭지어.

離互巽, 巽爲繩, 互兌, 兌爲澤. 繩入澤, 亦網罟畋漁之象也.

리괘의 호괘인 손괘에서 손괘는 줄이 되고, 호괘인 태괘에서 태괘는 못이 된다. 줄이 못에 들어가는 것도 그물이 고기를 잡는 상이다.

이병헌(李炳憲) 『역경금문고통론(易經今文考通論)』

孟曰, 伏服也, 戲化也.

맹희가 말하였다: 복(伏)은 일한다는 뜻이고, 희(戲)는 변한다는 뜻이다.

姚曰, 王天下, 爲其體元而出治也.

요신이 말하였다: 천하에 왕노릇함은 원(元)의 덕을 본받아 다스리는 것이다.

韓曰, 離麗也. 網罟之用, 必審物之所麗也.

한강백이 말하였다: 리는 걸림이다. 그물의 작용은 반드시 물건이 걸리는 것을 살핌이다.

包犧氏沒, 神農氏作, 斲木爲耜, 揉木爲耒, 耒耨之利, 以敎
天下, 蓋取諸益.

포희씨가 죽자 신농씨가 일어나서, 나무를 깎아 보습을 만들고 나무를 휘어 쟁기를 만들어 밭 갈고 김매는 이로움을 천하에 가르치니, 익괘(益卦䷩)에서 취하였다.

┃中國大全┃

本義

二體皆木, 上入下動, 天下之益, 莫大於此.

두 괘의 몸체가 모두 나무로[47] 위[☴]는 들어가고 아래[☳]는 움직이니, 천하의 이익됨이 이보다 큰 것이 없다.

小註

或問, 上入下動, 於取象有所未曉. 朱子曰, 耜乃今之鑡鏵, 耒乃鏵柄, 雖下入, 畢竟是上面用力, 方得入.

어떤 이가 물었다: "위는 들어가고 아래는 움직인다"에서 상을 취한 것을 알지 못하겠습니다. 주자가 답하였다: '보습[耜]'은 바로 지금의 가래[鑡]나 쟁기[鏵]이고, 자루는 바로 가래의 자루입니다. 비록 아래로 들어가도 필경은 위에서 힘을 써야만 들어갈 수 있습니다.

○ 沙隨程氏曰, 飛走之類, 實害禾稼, 唯網罟佃漁之制立然後, 耒耨之利, 見於天下.

사수정씨가 말하였다: 날고 달리는 부류는 실로 곡물에 해를 입히니, 그물로 사냥하고 고기 잡아 제재한 뒤에야 밭 갈고 김매는 이로움이 천하에 나타날 것이다.

○ 誠齋楊氏曰, 敎民粒食, 自神農始.

---

47) 익괘(益卦䷩)는 상괘가 손괘(巽卦☴)이고 하괘가 진괘(震卦☳)로 둘 다 나무[木]에 속한다.

성재양씨가 말하였다: 백성에게 쌀밥을 먹게 한 것은 신농씨로부터 시작되었다.

○ 節齋蔡氏曰, 耜, 耒首也, 斲木之銳而爲之. 耒, 耜柄也, 揉木使曲而爲之.

절재채씨가 말하였다: '보습[耜]'은 쟁기의 머리이니, 나무를 날카롭게 깎아 만들었다. '쟁기[耒]'는 보습의 자루이니, 나무를 부드럽게 하여 구부려 만들었다.

○ 疊山謝氏曰, 耒耜者, 今謂之犂. 曲木在上, 俗名犂衝, 卽耒也. 斲削二片在下, 以承鐵二片, 俗呼犂壁, 卽耜也.

첩산사씨가 말하였다: '뇌사(耒耜)'는 지금은 쟁기[犂]라고 한다. 굽은 나무가 날의 위에 있는 것을 세속에서 '리충(犂衝)'이라 부르는데, 바로 '뇌(耒)'이다. 아래에서 두 조각으로 깎아서 철 두 조각을 이은 것을 세속에서 '리벽(犂壁)'이라 부르는데, 바로 '사(耜)'이다.

○ 漢上朱氏曰, 炎帝時, 民厭鮮食, 而食草木之實. 於是始爲耒耜, 以敎天下. 故曰神農. 耨, 耘除草也.

한상주씨가 말하였다: 염제(炎帝)의 때에 백성들이 날로 먹는 것을 싫어하여 초목의 과실을 먹었다. 이에 비로소 쟁기와 보습을 만들어 천하에 가르쳤다. 그러므로 '신농씨'라고 하였다. '누(耨)'는 풀을 제거하는 것이다.

○ 雲峰胡氏曰, 自古未有牛耕, 神農敎民耒耜. 其動也, 在下之耜, 而所以入之者, 在上之耒. 於益之卦德, 上入下動, 蓋有合焉, 況爲天下之益. 於卦名, 又有合也.

운봉호씨가 말하였다: 옛날에는 소로 경작하지 않았기에, 신농씨가 백성에게 쟁기와 보습을 가르쳤다. 움직이는 것은 아래에 있는 보습이고 들어가게 하는 것은 위에 있는 쟁기이니, 익괘의 덕인 위는 들어가고 아래는 움직이는 것에 대체로 합치함이 있다. 하물며 천하에 이익이 됨에 있어서랴! 괘의 이름에도 또한 합치함이 있다.

▌韓國大全▐

송시열(宋時烈) 『역설(易說)』

耒耜[48]取益, 本義以上入下動明之, 上下之云, 似未若前後之謂. 以耒象見之, 動於後,然後前爲入也. 耒柄在後, 耒銳在前, 手持柄而動撓之, 方能入土之深而前進也.

쟁기와 보습은 익괘에 취하였다. 『본의』에서 '위[☴]는 들어가고 아래[☳]는 움직임'으로 밝혔으니, "오르락내리락 한다"는 것은 앞·뒤를 이름과는 같지 않을 듯하다. 쟁기의 상으로 보자면 뒤에서 움직이고 나서야 앞에서 들어감이 된다. 쟁기 자루는 뒤에 있고 쟁기 날은 앞에 있으니, 손으로 자루를 잡고 움직여 흔들어야 바야흐로 깊은 흙속에 들어가 앞으로 나아갈 수 있는 것이다.

이익(李瀷) 『역경질서(易經疾書)』

天下之助益, 莫如風雷. 風與雷, 竝兩潤在其中, 所謂天施地生, 其益無方, 卽其大較也. 人文稍備, 必將種粟而食之, 于斯時也, 見有助益之象, 則其初斲木, 而銳其端, 穴土而種之. 後其術漸巧, 揉曲其柄, 墢土而耕. 管子曰, 鐵官之數, 女必有一鍼一刀, 耕必有一耒一耜[49]一銚, 耒耜[50]之非一物可知. 此專取於助益, 非有耒耜[51]之象也.

천하에 도움과 유익이 되는 것이 바람과 우레만한 것이 없다. 바람과 우레는 아울러 비의 윤택함이 그 가운데 있으니, 이른바 "하늘은 베풀고 땅은 낳아서 그 유익함이 한량이 없음"[52]이 바로 그 대략이다. 인문이 다소 구비되어 반드시 곡식을 씨 뿌려서 먹었는데, 이때에 유익함에 도움이 있는 상을 보고 처음에는 나무를 깎아 그 끝을 날카롭게 하고 흙에 구덩이를 파서 씨앗을 심었다. 그 뒤에 기술이 점차 교묘해져서 손자루를 휘어 굽어지게 하고 흙을 갈아 농사를 지었다. 『관자』에 이르기를 "철관(鐵官)[53]의 수에 여자는 반드시 바늘 하나와 칼 하나를 가지고 있어야 하고, 농부는 반드시 쟁기 한 자루와 보습 한 자루와 쟁개비 한 자루를 가지고 있어야 한다"[54]고 하였으니, 쟁기와 보습이 한 가지 물건이 아님을 알 수 있다. 이것은 오로지 도움과 유익이 됨을 취한 것이지, 쟁기와 보습의 상이 있어서가 아니다.

유정원(柳正源) 『역해참고(易解參攷)』

雙湖胡氏曰, 巽木, 入於前耒象, 震木, 動於後耜象.

---

48) 耜: 경학자료집성 DB와 영인본에 '耟'로 되어 있으나, 경문과 『관자』를 참조하여 '耜'로 바로잡았다.
49) 耜: 경학자료집성 DB와 영인본에 '耟'로 되어 있으나, 경문과 『관자』를 참조하여 '耜'로 바로잡았다.
50) 耜: 경학자료집성 DB와 영인본에 '耟'로 되어 있으나, 경문과 『관자』를 참조하여 '耜'로 바로잡았다.
51) 耜: 경학자료집성 DB와 영인본에 '耟'로 되어 있으나, 경문과 『관자』를 참조하여 '耜'로 바로잡았다.
52) 「周易·益卦」: 益, 動而巽, 日進无疆, 天施地生, 其益无方, 凡益之道, 與時偕行.
53) 철관(鐵官): 철기를 주조하는 일을 맡았던 고대의 관명.
54) 『管子·海王』: 今鐵官之數曰, 一女必有一鍼一刀, 若其事立. 耕者必有一耒一耜一銚, 若其事立, 行服連軺輦者,必有一斤一鋸一錐一鑿, 若其事立, 不爾而成事者, 天下無有.

쌍호호씨가 말하였다: 손괘의 나무는 앞에서 들어가니 쟁기의 상이고, 진괘의 나무는 뒤에서 움직이니 보습의 상이다.

○ 鄱陽董氏曰, 耒耜, 謝氏以爲今之犁耒, 卽犁衝, 而以耜爲犁壁, 則非也. 朱子以耜爲鏵鍫, 耒爲鍫柄, 閩人多用之. 但於揉木爲柄. 无所取考之. 十三卦取象, 皆以兩物合, 爲一事之用. 如衣裳舟楫門柝之類, 則耒耜亦兩木合爲一器耳. 蓋犁衝, 別用一曲木, 前首趨下施橫木, 縛輗以駕牛者, 犁壁則以木承一片曲鐵, 加於耜上, 使耕起之土, 飜轉向身外者, 而總名之曰犁. 農爲天下之大本, 犁乃農器之大者, 聖人以之, 取象於易.

파양동씨가 말하였다: 뇌사(耒耜)에 대하여 사씨가 '지금의 리뢰(犁耒)이니 곧 리충(犁衝)이고, 보습은 리벽(犁壁)'이라고 여긴 것은 잘못이다. 주자는 "사(耜)는 가래[鏵鍫]이고 뢰(耒)는 가래자루[鍫柄]이니, 민(閩) 지역 사람들이 많이 사용한다. 다만 나무를 휘어 자루를 만든다"라고 하나 취하여 상고할 데가 없다. 13괘에서 상을 취한 것이 두 물건을 합하여 한 가지 일의 쓰임으로 삼았다. 마치 의상(衣裳)·주즙(舟楫)·문탁(門柝)의 종류와 같으니, 뇌사(耒耜)도 두 나무가 합하여 하나의 기물이 되었을 뿐이다. 대개 리충(犁衝)은 별도로 하나의 굽은 나무를 사용하여 앞머리에 아래쪽으로 가로나무를 설치해서 멍에를 묶어 소에 멍에를 씌우는 것이고, 리벽(犁壁)은 나무를 한 조각의 굽은 쇠붙이에 이어서 따비술 위에 더하여 밭갈이 하는 흙이 뒤집어져서 몸 밖으로 향하도록 하는 것이니, 이것을 총괄하여 리(犁)라 한다. 농사는 천하의 큰 근본이고, 리(犁)는 곧 농기구 중에서 큰 것이니, 성인이 이 때문에 『주역』에서 상을 취하였다.

김상악(金相岳) 『산천역설(山天易說)』

震剛木, 耜在下之象, 巽柔木, 耒在上之象.

진괘는 굳센 양의 나무이니 보습이 아래에 있는 상이고, 손괘는 부드러운 음의 나무이니 쟁기가 위에 있는 상이다.

서유신(徐有臣) 『역의의언(易義擬言)』[55]

斲木爲耜, 揉木爲耒.

나무를 깎아 보습을 만들고 나무를 휘어 쟁기를 만들어.

震木巽木, 故曰斲木揉木也. 互艮手執之, 震足踏之, 巽入於互坤之地, 而土爲之震動,

---

55) 경학자료집성 DB에서는 「계사하전」 '통론'으로 분류했으나, 내용에 따라 이 자리로 옮겼다.

耒耨之象也. 震爲春爲稼, 巽爲風恊風, 至土脉動, 耒耨之時也.

진괘(震卦☳)의 나무와 손괘(巽卦☴)의 나무이기 때문에 "나무를 깎다", "나무를 휘다"라고 하였다. 호괘인 간괘의 손(艮卦☶)으로 잡고, 진괘(震卦☳)의 발로 밟으며, 호괘인 곤괘(坤卦☷)의 땅으로 손괘가 들어가, 땅이 이 때문에 진동하니 밭 갈고 김매는 상이다. 진괘는 봄이며 농사이고, 손괘는 바람이며 바람을 맞으니, 땅에 이르러 움직여서 밭 갈고 김매는 때이다.

심대윤(沈大允) 『주역상의점법(周易象義占法)』

巽爲長木, 行于地上而入之, 震爲短木, 動乎地下而發之. 离巽爲田 坤爲地 互剝 有剝變田地之象 震爲稼 又有損上益下之義 .

손괘(巽卦☴)는 긴 나무이니 땅위로 가서 들어가고, 진괘(震卦☳)는 짧은 나무이니 땅 아래에서 움직여 드러난다. 리괘(离卦☲)와 손괘(巽卦☴)는 밭이고, 곤괘(坤卦☷)는 땅이며, 호괘인 박괘(剝卦䷖)는 농토가 깎이는 상이 있다. 진괘는 농사이다. 또 위에서 덜어 아래에 보태는 뜻이 있다.

오치기(吳致箕) 「주역경전증해(周易經傳增解)」

耒耜[56]上下之體皆木, 而巽象爲木. 耒耜動入于地, 而震爲動, 巽爲入, 互坤爲地也. 天施地生, 其益无方, 故取益之義.

쟁기와 보습은 위아래의 몸체가 모두 나무인데 손괘의 형상이 나무이다. 쟁기와 보습은 움직여 땅으로 들어가는데, 진괘(震卦☳)가 움직임이고, 손괘(巽卦☴)가 들어감이고, 호괘인 곤괘(坤卦☷)가 땅이다. 하늘이 베풀고 땅이 낳으니, 그 유익함이 무한하다. 그러므로 익괘(益卦䷩)의 의미를 취하였다.

이진상(李震相) 『역학관규(易學管窺)』

蓋取諸益.

익괘(益卦䷩)에서 취하였고.

益互坤艮, 皆土也. 以木入土, 乃耒耟之象也.

익괘의 호괘인 곤괘와 간괘는 모두 흙이다. 나무가 흙에 들어가는 것이 곧 쟁기와 보습의

---

56) 耜: 경학자료집성 DB와 영인본에 '耟'로 되어 있으나, 경문과 『관자』를 참조하여 '耜'로 바로잡았다.

상이다.

박문호(朴文鎬) 「경설(經說)·주역(周易)」

二體皆木, 上入下動, 言是耒耜之象也, 天下之益莫大此, 言益於人者, 莫大於農也.

『본의』에서 "두 몸체가 모두 나무로 위는 들어가고 아래는 움직임"이라고 한 것은 보습과 쟁기의 상이라는 말이고, "천하의 이익 됨이 이보다 큼이 없다"고 한 것은 사람에게 유익한 것이 농사만큼 큰 것이 없다는 말이다.

日中爲市, 致天下之民, 聚天下之貨, 交易而退, 各得其所, 蓋取諸噬嗑.

한낮에 시장을 열어 천하의 백성을 오게 하며, 천하의 재화를 모아서 교역하고 물러가 각각 제 자리를 얻게 하니, 서합괘(噬嗑卦䷔)에서 취하였다.

┃中國大全┃

本義

日中爲市, 上明而下動, 又借噬爲市嗑爲合也.

'한낮에 시장을 엶'은 위[☲]는 밝고 아래[☳]는 움직이기 때문이며, 또 서(噬)를 가차하여 시(市, 시장)로 하고 합(嗑)을 합(合, 모임)으로 한 것이다.

小註

開封耿氏曰, 有菽粟者, 或不足乎禽魚, 有禽魚者, 或不足於菽粟, 罄者无所取, 積者无所散, 則利市不布, 養不均矣. 於是日中爲市焉, 日中者, 萬物相見之時也. 當萬物相見之時, 而致天下之民, 聚天下之貨, 使遷其有无, 則得其所矣.

개봉경씨가 말하였다: 곡물이 있는 사람이 혹 육류가 부족하고, 육류가 있는 사람이 혹 곡물이 부족하며, 없는 사람이 취할 곳이 없고 쌓은 사람이 풀 곳이 없으면, 시장의 이로움이 퍼지지 않고 양육이 고르지 않을 것이다. 이에 한낮에 시장을 열었으니, '한낮'은 만물이 서로 보이는 때이다. 만물이 서로 보이는 때에, 천하의 백성을 오게 하며 천하의 재화를 모아서 그 있음과 없음을 옮기게 하였으니, 제 자리를 얻을 것이다.

○ 丹陽都氏曰, 五十里爲市, 而各致其民, 則天下之民, 无不致矣. 市各聚其貨, 則天下之貨, 无不聚矣. 於是以其所有, 易其所无, 交易而退, 各得其所, 則動而噬嗑以爲養. 蓋取諸噬嗑也.

단양도씨가 말하였다: 오십 리에 시장을 세워 각각 그 백성을 오게 하면, 천하의 백성이 이르지 않음이 없을 것이다. 시장마다 각각 그 재화를 모으면, 천하의 재화가 모이지 않음이 없을 것이다. 이에 있는 것으로 없는 것을 바꾸어, 교역하고 물러가 각각 제 자리를 얻게 하니, 움직여서 씹고 합하는 것으로 양육함이다. 대체로 서합괘에서 취하였다.

○ 節齋蔡氏曰, 天下之民, 不同業, 天下之貨, 不同用. 致而聚之, 噬而嗑之之義.
절재채씨가 말하였다: 천하의 백성은 사업이 같지 않고, 천하의 재화는 씀이 같지 않다. 오게 하여 모으는 것이 씹어서 합친다는 뜻이다.

○ 進齋徐氏曰, 噬嗑離明在上, 日中象, 震動于下, 致民交易於市之義.
진재서씨가 말하였다: 서합괘(☲☳)에서 리괘(☲)가 위에서 밝음은 한낮의 상이고, 진괘(☳)가 아래에서 움직임은 백성을 오게 하여 시장에서 교역한다는 뜻이다.

○ 合沙鄭氏曰, 十三卦, 始離次益次噬嗑, 所取者食貨而已. 食貨者, 生民之本也.
합사정씨가 말하였다: 13괘는 이괘에서 시작하여 익괘가 다음이고 서합괘가 다음이다. 취한 것은 음식과 재화일 뿐이니, 음식과 재화는 백성의 근본이다.

韓國大全

이익(李瀷) 『역경질서(易經疾書)』

佃漁耒耟之後, 又必物貨相易. 而後其用無闕. 噬嗑合也. 天地之間, 六象之合, 而不可離者, 惟電雷也, 人不聚合, 不可以相易, 相易, 又必以日明之時. 其曰日中, 卽電在上之象. 則知致民聚貨, 乃雷在下之象也. 民聚貨易, 非言語不能. 聚蚊尙猶成雷, 況人籟之衆多乎. 日明于上, 衆聒于下, 惟市爲然. 故取其衆, 各得其所者, 謂得其利而安其業也. 古者百里爲國, 市在其中, 則四遠不過五十里, 可以朝發而夕還也. 故日中爲市也.

사냥하고, 고기 잡고, 쟁기와 보습으로 농사지은 뒤에 또 반드시 물건과 재화를 서로 바꾼다. 그런 뒤에야 쓰임에 빠짐이 없다. 서합(噬嗑)은 합함이다. 천지의 사이에 육상(六象)이 합하여 떨어질 수 없는 것은 오직 번개와 우레이다. 사람이 모이지 않으면 서로 교역할 수 없고 서로 교역하려면 또 반드시 밝은 낮 시간에 한다. '한낮[日中]'이라고 한 것은 곧 번개가 위에 있는 상이니, 백성을 부르고 재화를 모음은 곧 우레가 아래에 있는 상임을 알 수 있다. 백성을 모으고 재화를 교역함은 언어가 아니면 할 수 없다. 모기도 모이면 오히려 우레를 이룰 수 있거늘, 하물며 사람의 소리가 많이 모임에랴! 해가 위에서 밝고 사람들이 아래에서 떠들썩한 것은 오직 시장만이 그러하다. 그러므로 무리를 모아 각각 제자리를 얻게 한다는 것은 이로움을 얻고 일을 안정시킴을 이른다. 옛날에는 백리가 나라였는데 시장이 그 안에 있으니, 사방이 멀어도 50리를 넘지 않아 아침에 출발하면 저녁에 돌아올 수 있다. 그러므로 한낮에 시장을 여는 것이다.

유정원(柳正源) 『역해참고(易解參攷)』

韓氏曰, 噬嗑合也, 市人之所聚, 異方之所合. 設物以合物, 噬嗑之義也.
한강백이 말하였다: 서합은 합함이다. '시장'은 사람들이 모이는 곳이며 이국(異國)이 모이는 곳이다. 물건을 진열하여 물건을 모으는 것이 서합괘의 의미이다.

○ 雙湖胡氏曰, 市離虛象, 致民聚貨, 艮藏山海寶之象.
쌍호호씨가 말하였다: 시장은 비어있는 리괘(離卦☲)의 상이고, 백성을 오게 하고 재화를 모음은 간괘(艮卦☶)의 산해의 보물을 보관하는 상이다.

○ 案, 離日震雷, 有白日雷動之象. 今觀市人之所聚, 若有此象.
내가 살펴보았다: 리괘는 해이고 진괘는 우레이니, 대낮에 우레처럼 움직이는 상이 있다. 지금 시장에 사람이 모이는 것을 살펴보니, 이러한 상이 있는 듯하다.

김상악(金相岳) 『산천역설(山天易說)』

萬物出乎震, 相見乎離. 上明下動, 日中爲市之象, 故有市合之義.
만물은 진괘에서 나오고 리괘에서 서로 만난다. 상괘가 밝고 하괘가 움직이니, 대낮에 시장이 열리는 상이기 때문에 시장에서 모이는 의미가 있다.

서유신(徐有臣) 『역의의언(易義擬言)』[57]

日中爲市.

---

57) 경학자료집성 DB에서는 「계사하전」 '통론'으로 분류했으나, 내용에 따라 이 자리로 옮겼다.

한낮에 시장을 열어.

離爲日, 萬物相見也. 初至四間二柔, 四至上間一柔, 或間一日, 或間二日也. 震爲大
塗, 互艮爲徑路, 離爲目, 互坎爲耳, 震爲足, 艮爲手, 手足耳目震動, 離麗於塗路, 爲
相聚交易之象. 水火金木土穀雞犬牛馬之類, 爲聚物之象也.

리괘(離卦☲)는 해가 되니 만물이 서로 본다. 초효부터 사효까지에 두 음이 사이에 있고,
사효부터 상효까지에 한 음이 사이에 있으니, 어떤 때는 하나의 해가 끼어 있고 어떤 때는
두 해가 끼어있다. 진괘(震卦☳)는 큰 길이고 호괘인 간괘(艮卦☶)는 작은 길이며, 리괘(離
卦☲)는 눈이고 호괘인 감괘(坎卦☵)는 귀이며, 진괘는 발이고 간괘는 손이니, 손ㆍ발ㆍ
귀ㆍ눈이 움직여 도로에 붙어서 서로 모이고 교역하는 상이 된다. 물ㆍ불ㆍ쇠ㆍ나무ㆍ흙ㆍ
곡식ㆍ닭ㆍ개ㆍ소ㆍ말 따위가 물건이 모이는 상이 된다.

심대윤(沈大允) 『주역상의점법(周易象義占法)』

交易之道, 較量長短輕重而後合. 上明下動. 互蹇有流行朋合之義. 火山有旅人相麗而
止震聲雷動之象. 對井有往來汲取之義, 坎互兌巽爲食貨交易遷變流行之象. 交易必
有合故取對也.

교역의 도는 장단과 경중을 비교하고 헤아린 뒤에 합한다. 위는 밝고 아래는 움직이며, 호괘
인 건괘(蹇卦䷦)는 유행하여 붕우가 합하는 뜻이 있다. 화산려괘(旅卦䷷)는 나그네가 서로
걸려서 천둥이 치고 우레가 움직이는 상이 있다. 음양이 바뀐 괘인 정괘(井卦䷯)는 왕래하
며 물을 긷는 뜻이 있고, 감괘와 호괘인 태괘(兌卦☱)와 손괘(巽卦☴)는 음식과 재화를 교
역하고 옮기고 유행하는 상이 된다. 교역은 반드시 합함이 있어야 하기 때문에 음양이 바뀐
괘를 취하였다.

오치기(吳致箕) 「주역경전증해(周易經傳增解)」

離爲日而柔得中, 故日中之象. 震爲大塗, 又爲行. 而卦中三陰爲民之象. 互坎爲水,
互艮爲山. 山海群珍之所産, 乃聚貨之象. 卦中陰陽交錯, 有交易之象. 巽爲進退, 而
對巽乃退之象. 互艮爲止, 得其所之象. 又以天下之貨, 皆于市而合之, 故噬嗑有市合
之義也.

리괘(離卦☲)는 해인데 부드러운 음이 가운데 자리를 얻었기 때문에 '한낮'의 상이 된다.
진괘(震卦☳)는 큰 길이고 또 길을 감이 된다. 괘 안의 세 음이 백성이 되는 상이다. 호괘인
감괘(坎卦☵)는 물이 되고 호괘인 간괘(艮卦☶)는 산이 된다. 산과 바다는 뭇 보배가 생산

되는 곳이니, 곧 재화를 모으는 상이다. 괘안에 음양이 교차하니 교역의 상이 있다. 손괘(巽卦☴)는 진퇴가 되는데, 음양이 바뀐 괘인 손괘는 곧 물러가는 상이다. 호괘인 간괘는 그침이 되니, 갈 곳을 얻은 상이다. 또 천하의 재화가 모두 시장에 있어서 합하기 때문에, 서합괘는 시장에서 합하는 뜻이 있다.

박문호(朴文鎬) 「경설(經說)·주역(周易)」

借噬爲市嗑爲合, 言其音相似, 故借而言之.

『본의』에서 "'서(噬)'를 가차하여 '시(市; 시장)'로 하고 '합(嗑)'을 '합(合: 모임)'으로 한 것이다"는 음이 서로 비슷하기 때문에 가차하여 말하였다는 말이다.

이병헌(李炳憲) 『역경금문고통론(易經今文考通論)』

虞曰, 没終也, 作起也.

우번이 말하였다: 몰(没)은 마침이고, 작(作)은 일어남이다.

姚曰, 神者伸也. 農物生[58]時也, 神農引伸氣而生物也. 斲斫也, 揉屈也.

요신이 말하였다: 신(神)은 폄이다. 농(農)은 물건이 생겨나는 때이니, 신농(神農)은 기운을 끌어당겨 펴서 물건이 나게 하는 것이다. 착(斲)은 쪼갬이고, 유(揉)는 굽힘이다.

孟曰, 耒耜, 曲木垂所作.

맹희가 말하였다: 쟁기와 보습은 나무를 굽혀서 일하는 곳에 드리우는 것이다.

京曰, 耜耒下釘也, 耒上句木也

경방이 말하였다: 보습은 쟁기 아래가 보습이고, 쟁기 위는 굽은 나무이다.

孟曰, 耨耘除草也.

맹희가 말하였다: 누(耨)는 김매어 풀을 제거함이다.

虞曰, 離象正上, 故稱日中. 噬嗑食也. 市井交易, 飲食之道, 故取諸此.

우번이 말하였다: 리괘의 상은 바르고 높기 때문에 '한낮'이라고 하였다. 서합괘는 먹는 것이다. 시정에서 교역함은 먹고 마시는 도이기 때문에 여기에서 취하였다.

---

58) 生: 경학자료집성 DB에 '主'로 되어 있으나, 경학자료집성 영인본을 참조하여 '生'으로 바로잡았다.

神農氏沒, 黃帝堯舜氏作, 通其變, 使民不倦, 神而化之, 使
民宜之, 易窮則變, 變則通, 通則久. 是以自天祐之, 吉无不
利, 黃帝堯舜, 垂衣裳而天下治, 蓋取諸乾坤.

신농씨가 죽자 황제씨와 요·순씨가 일어나서, 그 변함을 통하여 백성들이 싫증내지 않게 하며, 신묘하여 화육하여 백성들이 마땅하게 하니, 역(易)은 궁하면 변하고 변하면 통하고 통하면 오래간다. 이 때문에 하늘로부터 도와 길하여 이롭지 않음이 없으니, 황제와 요·순이 의상을 드리움에 천하가 다스려지니, 건괘(乾卦☰)와 곤괘(坤卦☷)에서 취하였다.

▌中國大全▐

小註

程子曰, 聖人主化, 如禹之治水, 順則當順之, 治則順治之. 古之伏羲, 豈不能垂衣裳, 必待堯舜然後, 垂衣裳. 據如此事, 只是一箇聖人, 都做得了, 然必須數世然後成, 亦因時而已. 又曰, 識變知化, 爲難, 古今風氣不同, 故器用亦異. 是以聖人通變, 使民不倦, 各隨其時而已矣. 後世雖有作者, 虞舜爲弗可及矣, 蓋當是時, 風氣未開, 而虞舜之德, 又如此, 故後世莫可及也. 若三代之治, 後世決可復, 不以三代爲治者, 終苟道也.

정자가 말하였다: 성인이 교화를 주재함은 우(禹)임금이 물을 다스림과 같으니, 순응할 것은 마땅하게 순응하고 다스릴 것은 순리대로 다스렸다. 옛날의 복희씨가 어찌 의상을 드리우지 못하고, 반드시 요순을 기다린 뒤에야 의상을 드리웠겠는가? 이와 같은 일에 근거해 보면 다만 한 성인이 모두 할 수 있는 것이지만, 반드시 수 세대를 기다린 뒤에야 이룬 것은 또한 때를 따랐을 뿐이다.

또 말하였다: 변화를 아는 것이 어려우니, 고금의 기풍이 같지 않으므로 기물의 쓰임도 또한 다르다. 이 때문에 성인은 변함을 통하여 백성들이 싫증내지 않게 하고 각각 그 때를 따르게 할 뿐이다. 후세에 비록 만드는 사람이 있더라도 순임금에는 미칠 수 없으니, 대체로 순임금의 때에는 기풍이 열리지 않고 순임금의 덕이 또한 이와 같으므로 후세가 미칠 수 없는 것이다. 삼대의 정치와 같으면 후세에도 결단코 회복할 수 있으나, 삼대로 다스리지 않는 것은 끝내는 도리에 구차하기 때문이다.

本義

乾坤變化而无爲.

건곤은 변화하지만 꾀함이 없다.

小註

朱子曰, 黃帝堯舜氏作, 到這時候, 合當如此變. 易窮則變, 道理亦如此. 垂衣裳而天下治, 是大變他以前底事了. 通其變, 須是得一箇人通其變, 若聽其自變, 如何得.

주자가 말하였다: 황제씨와 요·순씨가 일어나서 이러한 시절에 이르렀으니, 마땅히 이와 같이 변해야만 하였다. "역이 궁하면 변한다"는 도리가 또한 이와 같다. "의상을 드리움에 천하가 다스려진다"는 그 이전의 일을 크게 변화시킨 것이다. "그 변함을 통한다"는 반드시 사람이 그 변함을 통해야만 하니, 만약 그것이 스스로 변하도록 놔둔다면 어떻게 이룰 수 있겠는가?

○ 南軒張氏曰, 作衣裳以被之於身, 垂絹爲衣, 其色玄而象道, 襞幅爲裳, 其色纁而象事. 法乾坤以示人, 使民知君臣父子尊卑貴賤, 莫不各安其分也.

남헌장씨가 말하였다: 의상을 제작하여 몸에 입힘에, 생사를 드리워 상의[衣]를 만드니 그 색이 검어서 도리를 상징하고, 주름을 잡아서 치마[裳]를 만드니 그 색이 분홍으로 일을 상징한다. 건과 곤을 본받아 사람에게 보여주어 백성에게 임금과 신하, 아비와 자식, 높음과 낮음, 귀함과 천함을 알아 각각 그 분수를 편안히 여기지 않음이 없게 한 것이다.

○ 誠齋楊氏曰, 所謂衣裳, 卽舜所謂古人之象五色作服者是也, 蓋始於黃帝, 備於堯舜.

성재양씨가 말하였다: 이른바 의상은 순임금의 "고인의 상(象)을 살펴 오색으로 옷을 만든다"[59]는 것이니, 대체로 황제에게서 시작되어 요순에게서 갖춰졌다.

○ 疊山謝氏曰, 乾天在上衣象, 衣上闔而圓, 有陽奇象. 坤地在下裳象, 裳下兩股, 有陰偶象. 上衣下裳, 不可顚倒, 使人知尊卑上下不可亂, 則民志定, 天下治矣.

첩산사씨가 말하였다: 건(乾)인 하늘이 위에 있으니 상의[衣]의 상이며, 상의는 위에서 여미고 둥그니 양인 홀[奇]의 상이 있다. 곤(坤)인 땅이 아래에 있으니 하의[裳]의 상이며, 하의는 아래에서 두 가랑이이니 음인 짝[偶]의 상이 있다. 상의와 하의를 거꾸로 할 수 없음으로

---

59) 『書經·虞書』: 予欲觀古人之象, … 宗彝藻火粉米黼黻, 絺繡, 以五采, 彰施于五色, 作服, 汝明.

사람들에게 높고 낮음과 위와 아래가 문란할 수 없음을 알게 하였으니, 백성의 뜻이 안정되고 천하가 다스려질 것이다.

○ 建安丘氏曰, 十三卦制器而尙象, 皆通變宜民之事. 特於黃帝堯舜氏言之者, 犧農之時, 人害雖消, 而人文未著, 衣食雖足, 而禮義未興. 爲之君者, 方且與民, 竝耕而食, 饔飱而治, 蚩蚩蠢蠢, 蓋未識所謂上下尊卑之分. 於是三聖人者, 仰觀俯察, 體乾坤之象, 正衣裳之儀, 使君臣分義, 截然於天高地下之間, 天下其有不治乎. 斯時也, 其世道一新之會, 而黎民於變之機也.

건안구씨가 말하였다: 13괘로 기물을 제작함에 상(象)을 숭상함은 모두 변함을 통하고 백성을 마땅히 하는 일이다. 특히 황제와 요순씨를 언급한 것은, 신농의 때에는 사람의 재해가 비록 적어도 인문이 드러나지 않았고, 의식이 비록 풍족해도 예의가 흥기하지 않아서이다. 임금된 사람이 또한 백성과 함께 밭 갈아 밥 먹고 아침저녁으로 다스려도 어리석고 무례하니, 대체로 이른바 위와 아래, 높음과 낮음의 분수를 알지 못한 것이다. 이에 세 성인이 우러러 보고 구부려 살펴서 건과 곤의 상을 체득하고 의상의 의례를 바르게 하여, 임금과 신하의 분수의 의리를 높은 하늘과 낮은 땅의 사이만큼 단절시키니, 천하에 다스려지지 않음이 있겠는가? 이 시기는 세상의 도리가 한 번 새로워질 기회이고, 백성이 변모할 계기이다.

○ 雲峰胡氏曰 食貨旣足 不可无禮 於是垂衣裳 以明尊卑貴賤之分 而於乾坤之尊卑有合焉 垂衣裳而天下治 卽乾坤之變化而无爲也

운봉호씨가 말하였다: 음식과 재화가 이미 풍족해도 예의가 없을 수 없으니, 이에 의상을 드리워 높고 낮음과 귀하고 천함의 분수를 밝혀 건과 곤의 높고 낮음에 합함이 있었다. 의상을 드리워 천하가 다스려짐은 바로 건곤이 변화하지만 꾀함이 없는 것이다.

┃韓國大全┃

송시열(宋時烈) 『역설(易說)』

衣裳取乾坤者, 乾爲衣, 坤爲裳也.

"의상을 건괘·곤괘에서 취했다"는 것은 건괘는 '저고리'이고 곤괘는 '치마'이기 때문이다.

박치화(朴致和) 「설계수록(雪溪隨錄)」

乾坤變化而無爲〈本義〉, 以言黃帝堯舜通變神化之事. 旣言通變神化, 則事物無所不包, 而但此章專言尙象制器, 則黃帝堯舜, 見乾坤之象, 而制衣裳之意也.

"건곤은 변화하지만 꾀함이 없다."〈『본의』에 보인다.〉는 황제와 요순이 변화에 통하고 신묘한 일로 말하였다. 이미 변화에 통하고 신을 말했다면 사물을 포용하지 않는 바가 없으나, 다만 이 장에서는 오로지 상을 숭상하여 기물을 만든 일을 말했으니, 황제와 요순이 건곤의 상을 보고 의상을 만든 뜻을 나타내었다.

○ 黃帝堯舜作, 而事物大備. 譬如乾坤化物, 不可以一物名之, 故曰取諸乾坤.

황제와 요순이 일어남에 사물이 크게 구비되었다. 비유하자면 건곤이 만물로 변화한 것은 한 가지 물건으로 이름할 수 없는 것과 같기 때문에, 건괘(乾卦☰)와 곤괘(坤卦☷)에서 취하였다고 하였다.

○ 不可以一物名, 故就其中, 指衣裳而言.

한 가지 물건으로 이름 지을 수 없기 때문에 그 가운데에 나아가 의상을 가리켜 말하였다.

○ 上衣下裳, 法乾坤.

위에 저고리를 입고 아래에 치마를 입는 것이 건괘와 곤괘를 본받음이다.

○ 雷動巽入, 故曰上入下動. 〈本義.〉

우레는 움직이고 손괘는 들어가기 때문에 상괘는 들어가고 하괘는 움직인다고 하였다. 〈『본의』에 보인다.〉

이익(李瀷) 『역경질서(易經疾書)』

當變而通之, 故民悅從不倦, 而趨事赴功也. 神而化之, 故與時宜之, 而遷善不覺也. 窮變通久, 卽其證案也. 上古衣被皮革, 至黃帝堯舜, 文物漸備, 書所謂十二章乃絺繡衣裳者, 而有九章七章等威之別. 謂之垂, 則乃廣袖長裾, 威儀之服也. 以此臨民, 天下自治, 則其十二章等威, 包在其中也. 以之職任別於上, 名分定於下, 而事無不成. 堯舜之所重, 莫過於此. 其爲上下十二章, 則衣玄象乾, 裳黃象坤, 所謂天尊地卑, 乾坤定位是也. 天地位而後萬物育, 故法象之. 器關於治道有如是. 夫食貨旣足, 而衣裳之制, 亦其序然也.

마땅히 변하여 통하기 때문에 백성이 기뻐 따르고 게으르지 않아 일에 달려가고 공에 나아가며, 신묘하여 변화하기 때문에 때와 더불어 마땅하여 선에 옮겨가도 깨닫지 못한다. 궁함・변함・통함・오래함은 바로 그 증좌이다. 상고시대에는 가죽으로 입고 덮었는데 황제와 요순에 이르러 문물이 점차 구비되었으니, 『서경』에서 이른바 12문장으로 의상(衣裳)에 수를 놓았다는 것이며, 여기에는 구장복・칠장복의 위의에 따른 등차의 구별이 있다. 이것을 '드리운다[垂]'고 하는 것은 곧 소매를 넓게 하고 옷자락을 길게 하니 위의가 있는 옷이기 때문이다. 이것으로써 백성에 임하면 천하가 저절로 다스려지는 것이니, 곧 12문장의 등급과 위의가 그 안에 포함된다. 이것으로써 위에서 직임이 구별되고 아래에서 명분이 정해짐에 일마다 이뤄지지 않음이 없다. 요순이 중요하게 여긴 것이 이보다 더한 것은 없었다. 그것은 상의(上衣)와 하상(下裳)을 합하여 12문장이니, 상의는 검은 색으로 하늘[乾]을 상징하고, 하의은 황색으로 땅[坤]을 상징하니, 이른바 하늘은 높고 땅은 낮으며 건곤이 자리를 정하였다는 것이 이것이다. 천지의 자리가 정해진 뒤에 만물이 길러지기 때문에 본받아 기물을 형상하였으니, 기물이 다스리는 도에 관계됨이 이와 같다. 무릇 음식과 재화가 이미 풍족함에 의상의 제도가 또한 그 순차가 그러하다.

유정원(柳正源) 『역해참고(易解參攷)』

神農 [至] 祐之.
신농씨가 … 도와.

開封耿氏曰, 莊子云, 不離於精, 謂之神人, 兆於變化, 謂之聖人, 以神農稱神, 則黃帝者, 聖人之事也. 然則自神農而上, 則神人之事, 所謂不離於精者也, 自神農而下, 則聖人之事, 所謂兆於變化者也. 兆於變, 故通於變, 兆於化, 故神而化之. 通其變, 使之不弊, 則民固不倦矣, 神而化之, 順其自然, 則民固宜之矣.
개봉경씨가 말하였다: 장자(莊子)가 "도(道)의 정수에서 떠나지 않는 사람을 신인(神人)이라 하고, 변화를 미리 아는 사람은 성인(聖人)이다"[60]라고 하였으니, 신농씨를 신인이라 하였다면 황제씨가 한 일은 성인의 일이다. 그렇다면 신농씨 이상은 신인의 일이니 이른바

---

60) 『莊子・天下』: 도의 대종에서 떠나지 않는 사람을 천인이라 하고, 도의 정수에서 떠나지 않는 사람을 신인이라 하고, 도의 진수에서 떠나지 않는 사람을 지인이라 하고, 천을 도의 대종으로 삼고 도의 체득을 자기의 근본으로 삼으며, 도를 문으로 삼아 출입하여 우주 만물의 변화를 미리 아는 사람을 성인이라 하고, 인애로 은혜를 베풀며, 정의로 조리를 세우며, 예를 행위의 기준으로 삼으며, 악으로 조화를 이루어 따뜻하게 자애로운 사람을 군자라 한다.[不離於宗, 謂之天人, 不離於精, 謂之神人, 不離於眞, 謂之至人. 以天爲宗, 以德爲本, 以道爲門, 兆於變化, 謂之聖人, 以仁爲恩, 以義爲理, 以禮爲行, 以樂爲和, 薰然慈仁, 謂之君子.]

'도의 정수에서 떠나지 않는' 자이고, 신농씨 이하는 성인의 일이니 이른바 '변화를 미리 아는' 자이다. 바뀜을 미리 알기 때문에 바뀜에 통하고, 변화를 미리 알기 때문에 신묘하게 교화한다. 바뀜에 통하여 피폐하게 하지 않으면 백성이 진실로 게으르지 않을 것이고, 신묘하게 교화하여 저절로 그러한 데에 순응하면 백성이 진실로 마땅하게 될 것이다.

○ 案, 通其變, 神而化之, 皆是順天道以敎民之事, 所謂天之所助者順, 而人之所助者信也.
내가 살펴보았다: '바뀜에 통함'과 '신묘하게 교화됨'은 모두 천도에 순응하여 백성을 가르치는 일이니, 이른바 "하늘이 도와주는 것은 순응하기 때문이고, 사람들이 도와주는 것은 미덥기 때문이다"[61]라는 것이다.

김상악(金相岳) 『산천역설(山天易說)』

乾衣坤裳, 所以明尊卑之分也.
건괘는 웃옷이고 곤괘는 아래치마이다. 이 때문에 존비의 구분이 분명하다.

서유신(徐有臣) 『역의의언(易義擬言)』[62]

垂衣裳, 而天下治.
의상을 드리움에 천하가 다스려지니.

衣, 圓而上乾象, 裳, 方而下坤象.
의(衣)는 둥글며 위에 있으니 하늘[乾]의 상이고, 상(裳)은 네모나고 아래에 있으니 땅[坤]의 상이다.

박윤원(朴胤源) 『경의(經義)·역경차략(易經箚略)·역계차의(易繫箚疑)』

垂衣裳而天下治, 蓋取諸乾坤, 諸家皆以作衣裳辨上下之分, 定民志而天下自治, 釋之. 然垂衣裳, 非始製衣裳之謂. 垂之爲言, 卽言端凝之威儀. 蓋聖帝明王, 恭己南面, 穆然高拱, 不言不動, 只是垂衣裳於身, 而治化自行於天下. 變化無爲, 如乾坤之大也,

---

61) 『周易·繫辭傳』: 祐者, 助也, 天之所助者, 順也, 人之所助者, 信也, 履信思乎順, 又以尚賢也. 是以自天祐之, 吉无不利也.
62) 경학자료집성 DB에서는 「계사하전」 '통론'으로 분류했으나, 내용에 따라 이 자리로 옮겼다.

故曰取諸乾坤, 非但上衣下裳, 取天地之象而已. 夫爲文章, 以表貴賤與. 五服五章, 固是黃帝堯舜時事, 而易繫所云, 則非是始製衣裳. 若是始製衣裳, 則何不曰作, 而曰垂歟. 尙書武成, 垂拱而天下治, 垂是垂衣無爲之義. 以此證之, 豈不皎然. 或曰, 十三卦皆言制作, 而此豈獨不言制作, 此論泥矣. 此節與諸節義例, 本自不侔. 通其變以下, 至吉无不利, 有幾句說話, 卽諸段所無也. 此只是贊黃帝堯舜德化之盛而已. 其制作則下文又別言之矣, 何可拘於一例歟.

"의상을 드리움에 천하가 다스려지다"를 대체로 건괘와 곤괘에서 취한 것에 대하여 제가들은 모두 '저고리와 치마'를 만들어 상하의 구분을 삼으니, 백성의 뜻이 안정되어 천하가 저절로 다스려졌다고 해석한다. 그러나 의상을 드리운 것은 의상을 처음 만든 일을 이름이 아니다. '드리웠다'는 말은 위의(威儀)를 장중(莊重)하게 함을 말한다. 대체로 훌륭하고 밝은 제왕은 자신을 공손히 하고 남면하여 심원하게 고상히 두 손을 마주 잡고 명령하지도 않고 움직이지도 않으면서, 다만 몸에 의상을 드리우고 있어도 저절로 교화가 천하에 행해진다. 함이 없어도 변화함이 건괘・곤괘의 위대함과 같기 때문에 건괘・곤괘에서 취하였다고 하였으니, 저고리와 치마만이 천지의 상을 취한 것은 아니다. 무릇 문장을 만든 것은 귀천을 표현하고자 해서 일 것이다. 오복(五服)과 오장(五章)은 본래 황제와 요순 때의 일이니, 『주역』에서 언급한 것은 처음 의상을 만든 일이 아니다. 만일 처음으로 의상을 만들었다면 어찌 '만들다[作]'라고 하지 않고 '드리우다[垂]'라고 했겠는가? 『상서(尙書)・무성(武成)』에 "옷자락을 드리우고 두 손을 잡고 있음에 천하가 다스려진다"고 하였으니, 수(垂)는 옷자락을 드리우고 아무 일도 하지 않는다는 뜻이다. 이것으로 증거해 보면 어찌 분명하지 않겠는가? 어떤 이는 "13괘는 모두 처음 만들어진 것을 말하였는데, 여기에서만 어찌 유독 처음 만들어졌음을 말하지 않았겠는가?"고 하니, 이 논리는 꽉 막혔다. 이 구절과 다른 여러 구절의 의미와 예시는 본래 서로 다르다. '변화에 통하여[通其變]' 이하에서부터 "길하여 이롭지 않음이 없다[吉无不利]"까지에 몇 구절의 말이 있는데, 이것은 다른 여러 문단에서는 없는 것이다. 여기에서는 다만 황제와 요순의 훌륭한 덕화를 찬술하였을 뿐이다. 그것이 처음 만들어진 것에 대해서는 아래 글에 또 별도로 언급하였으니, 어찌 한 가지 예시에 구애받을 수 있겠는가?

심대윤(沈大允) 『주역상의점법(周易象義占法)』

言至誠而時中也. 朱子曰, 乾坤變化而无爲. 乾坤, 爲六十四卦之主, 不親職事. 震代[63]乾, 兌代[64]坤 而施行, 故後天乾自午左旋, 至戌亥, 遇坤之本位而止, 坤自子右旋, 至

---

63) 代: 경학자료집성 DB와 영인본에 '伐'로 되어 있으나, 문맥을 살펴 '代'로 바로잡았다.

未申, 遇乾之本位而止. 父母旣老, 而子女代行是也. 乾坤有衣裳之象.

지극히 성실하고 때로 알맞다는 말이다. 주자는 "건곤은 변화하지만 꾀함이 없다"고 하였다. 건괘(乾卦☰)와 곤괘(坤卦☷)는 64괘의 주체가 되나 직접 일을 맡지는 않는다. 진괘(震卦☳)는 건괘를 대신하고, 태괘(兌卦☱)는 곤괘는 대신하여 시행하기 때문에 「후천도」에서 건괘는 오(午)에서 왼쪽으로 돌아 술(戌)·해(亥)에 이르러 본래의 자리에 있는 곤괘를 만나고, 곤괘는 자(子)에서 오른쪽으로 돌아 미(未)·신(申)에 이르러 본래의 자리에 있는 건괘를 만나 그친다. 부모가 늙음에 자녀가 대신 이것을 행한다. 건괘와 곤괘에는 의상의 상이 있다.

오치기(吳致箕) 「주역경전증해(周易經傳增解)」

義農之世, 饔飱而治. 人文未闢, 衣食雖足, 而禮義未興, 卽窮而未通之時也. 黃帝堯舜相繼而作, 變其窮而通其變, 使民日趨而不倦, 以神明而化之, 使民安而宜之. 是乃易道之窮則必變, 變則必通, 通則能久者也. 是以當時君民上下, 皆受自天之祐, 吉无不利. 然其所以爲治者, 不過以上衣下裳之制, 明尊卑貴賤之分, 而天下自治, 卽如乾坤之變化而无爲也.

복희씨와 신농씨의 세상에서는 손수 밥을 지어 먹으면서 다스렸다. 인문이 열리지 않았으니 의식이 풍족했다고 하더라도 예의가 일어나지 않아 궁하고 통하지 않은 때였다. 황제와 요순이 서로 이어 일어남에 궁한 것이 변하고 변한 것을 통하게 하여 백성에게 날마다 나아가 게으르지 않게 하고 신묘하고 밝음으로 교화하여 백성에게 편안하고 마땅하게 하였다. 이것이 바로 역의 도가 궁하면 반드시 변하고, 변하면 반드시 통하고, 통하면 오래갈 수 있다는 것이다. 이러므로 당시의 윗자리에 있는 임금과 아랫자리의 백성이 모두 하늘로부터 도움을 받아 길하여 이롭지 않음이 없었다. 그러나 잘 다스려진 이유는 '위에는 저고리를 입고 아래에는 치마는 입는[上衣下裳]' 제도로 존비귀천(尊卑貴賤)의 분수를 밝혀 천하가 스스로 다스려지는 데에 불과하였으니, 바로 "건곤은 변화하지만 꾀함은 없다"는 것과 같다.

박문호(朴文鎬) 「경설(經說)·주역(周易)」

乾坤之尊卑, 有上衣下裳之象. 蓋此章所取, 固主乎象, 而兼取其義 觀於章下註可知矣.[65]

---

64) 代: 경학자료집성 DB와 영인본에 '伐'로 되어 있으나, 문맥을 살펴 '代'로 바로잡았다.

65) 경학자료집성 DB에 「계사하전」 제 3장에 편집되어 있으나, 경학자료집성 영인본을 참조하여 제 2장으로 옮겼다.

건괘·곤괘의 높음과 낮음에, 위에 입는 저고리와 아래 입는 치마의 상이 있다. 대체로 이 장에서 취한 것은 본래 상(象)을 위주로 하였으나 겸하여 뜻도 취하였으니, '장 아래의 주[章下註]'를 보면 알 수 있다.

이병헌(李炳憲) 『역경금문고통론(易經今文考通論)』

姚曰, 黃中之色, 坤之元也. 帝者諦也, 堯高也, 舜充也, 言氣盛[66]也. 故以黃帝堯舜 繼神農氏焉

요신이 말하였다: 황(黃)은 가운데 색이고 곤(坤)은 으뜸이다. 제(帝)는 살핀다는 뜻이고 요(堯)는 높음이며 순(舜)은 채움이니 기운이 번성하다는 말이다. 그러므로 황제와 요순이 신농씨를 이었다.

鄭曰, 乾爲天, 其色玄, 坤爲地, 其色黃, 故玄以爲衣, 黃以爲裳.

정현이 말하였다: 건(乾)은 하늘이고 검은색이며, 곤(坤)은 땅이고 황색이기 때문에 검은색으로 웃옷을 만들고 황색으로 아래옷을 만든다.

---

66) 盛: 경학자료집성 DB에 '戱'로 되어있으나, 경학자료집성 영인본을 참조하여 '盛'으로 바로잡았다.

刳木爲舟, 剡木爲楫, 舟楫之利, 以濟不通, 致遠以利天下,
蓋取諸渙.

나무를 쪼개 배를 만들고 나무를 깎아 노를 만들어, 배와 노의 이로움으로 통행하지 못하는 곳을
건너고, 멀리 가게 하여 천하를 이롭게 하니, 환괘(渙卦☴☵)에서 취하였다.

中國大全

本義

木在水上也. 致遠以利天下, 疑衍.

나무[☴]가 물[☵]의 위에 있는 것이다. "멀리 가게 하여 천하를 이롭게 하니[致遠以利天下]"는 잘
못 붙여진 글인 듯하다.

小註

南軒張氏曰, 衣裳之垂, 固欲遠近之民, 下觀而化. 然川途之險阻, 則有所不通, 唯夫舟
楫之利旣興, 則日月所照, 霜露所墜, 莫不拭目觀化, 天下如一家, 中國如一人矣. 是以
刳其木而中虛, 剡其楫而末銳, 舟所以載物, 而楫所以進舟, 致遠以利天下. 而取諸渙
者, 蓋渙之成卦, 上巽下坎, 象曰, 利涉大川, 乘木有功也.

남헌장씨가 말하였다: 의상을 드리움은 진실로 멀고 가까운 백성들이 보고서 교화되게 함이
다. 그러나 물길이 험난하면 통행하지 못하는 곳이 있으니, 배와 노의 이로움을 일으켜야만
해와 달이 비추고 서리와 이슬이 내리는 곳마다 눈을 씻고 보면서 교화되지 않음이 없어
천하가 한 집안과 같고 중국이 한 사람과 같아질 것이다. 이 때문에 나무를 쪼개 중앙을
비우고 노를 깎아 끝을 예리하게 하였는데, 배는 물건을 싣는 것이고 노는 배를 나아가게
하는 것이니, 멀리 가게 하여 천하를 이롭게 한다. 환괘에서 취했다는 것은 대체로 환괘☴☵
가 위는 손괘[☴]이고 아래는 감괘[☵]이기 때문이니, 「단전」에서는 "큰 내를 건넘이 이로움
은 나무를 타서 공로가 있어서이다"라고 하였다.

┃韓國大全┃

유정원(柳正源) 『역해참고(易解參攷)』

案, 乘木舟虛, 濟渙之道也.

내가 살펴보았다: 나무를 타고 배가 비었으니, 물을 건너는 도이다.

김상악(金相岳) 『산천역설(山天易說)』

風行水上, 乘木有功.

바람이 물위에서 가니, 나무를 탐에 공이 있다.

서유신(徐有臣) 『역의의언(易義擬言)』[67]

刳木爲舟, 剡木爲楫.

나무를 쪼개 배를 만들고, 나무를 깎아 노를 만들어.

巽木互震木, 故曰刳木剡木也. 巽木震動於坎水, 而巽風行焉, 是爲舟楫象. 互艮手震足, 人在舟中, 擊楫撑舟之象. 又上九九五如船頭, 初六如船尾, 三四如船腹, 亦如拖楫之狀. 自二至五, 如掛帆之狀也, 巽伏艮止, 有不通象, 震行坎流, 而濟其不通也.

손괘(巽卦☴)는 나무이고 호괘인 진괘(震卦☳)도 나무이기 때문에 "나무를 쪼개다", "나무를 깎다"고 하였다. 손괘의 나무가 감괘(坎卦☵)의 물에서 움직여 손괘인 바람이 부니, 이것이 배의 형상이 된다. 호괘인 간괘의 손과 진괘의 발이니, 사람이 배 안에 있어서 노를 저어 배를 지탱하는 상이다. 또 상구와 구오는 뱃머리와 같고, 초육은 뱃고물과 같으며, 삼효·사효는 배허리와 같으니, 또한 노를 부리는 상이다. 이효에서 오효까지는 돛이 걸려있는 상과 같다. 손괘에 간괘의 그침이 잠복해 있으니 통하지 못하는 상이 있으나, 진괘가 움직이고 감괘가 흘러 통하지 못하는 것을 건넌다.

심대윤(沈大允) 『주역상의점법(周易象義占法)』

木翼風而行, 而麗於水. 水動而木止, 以渙達于遠也.

---

67) 경학자료집성 DB에서는 「계사하전」 '통론'으로 분류했으나, 내용에 따라 이 자리로 옮겼다.

나무가 바람의 도움으로 감에 물에 걸려있다. 물이 움직이고 나무가 머물러 있어서 풀려서 멀리까지 도달할 수 있다.

오치기(吳致箕) 「주역경전증해(周易經傳增解)」

巽木坎水, 乃舟楫行于水上之象.
손괘(巽卦☴)의 나무와 감괘(坎卦☵)의 물은 바로 배가 물 위에서 떠가는 상이다.

이병헌(李炳憲) 『역경금문고통론(易經今文考通論)』

正義曰, 刳木鑿其中也. 剡削也.
『주역정의』에서 말하였다: '고목(刳木)'은 가운데를 파내는 것이다 '섬(剡)'은 깎음이다.[68]

按, 渙者, 乘木有功也.
내가 살펴보았다: 환괘는 나무를 타서 공효가 있는 것이다.

---

68) 『周易正義』: 刳鑿其中, 故云刳木也. 剡木爲楫者, 楫必須纖長, 理當剡削, 故曰剡木也.

· ·

服牛乘馬, 引重致遠, 以利天下, 蓋取諸隨.

소를 부리고 말을 타서, 무거운 것을 끌고 멀리 가게 하여 천하를 이롭게 하니, 수괘(隨卦☲☲)에서 취하였다.

· ·

┃中國大全┃

小註

程子曰, 服牛乘馬, 皆因其性而爲之. 胡不乘牛而服馬乎, 理之所不可也.

정자가 말하였다: 소를 부리고 말을 탐은 모두 그 성격을 따라서 한 것이다. 왜 소를 타고 말을 부리지 않는가? 이치상 불가하기 때문이다.

本義

下動上說.

아래[☲☲]는 움직이고, 위[☲]는 기뻐함이다.

小註

漢上朱氏曰, 上古牛未穿, 馬未絡, 至是始服乘之.

한상주씨가 말하였다: 옛날에는 소에 코청을 뚫지 않고 말에 고삐를 달지 않았는데, 이에 이르러 부리고 타기 시작하였다.

○ 鄱陽董氏曰, 服牛乘馬, 穿鼻絡頭, 雖人爲也, 亦各因其天而任之. 故取諸隨.

파양동씨가 말하였다: 소를 부리고 말을 탐은 코청을 뚫고 머리에 고삐를 매단 것으로, 비록 사람이 한 일이지만 또한 각각 천연을 따라서 행한 것이다. 그러므로 수괘에서 취하였다.

○ 安定胡氏曰, 隨者, 是動作必隨於人, 以之遠, 則隨於人, 以之近, 則亦隨於人.

안정호씨가 말하였다: 수(隨)는 소와 말의 움직임이 반드시 사람을 따른다는 것이니, 멀리가도 사람을 따른 것이고, 가까워져도 사람을 따른 것이다.

○ 李氏曰, 刳木爲舟, 剡木爲楫, 因植物之材而川通矣, 服牛乘馬, 引重致遠, 因動物之性而途通矣. 牛以順爲道, 故服而馴之以引重, 馬以行爲事, 故乘而駕之以致遠. 牛非不可以致遠, 於引重爲力而已, 馬非不可以引重, 於致遠爲敏而已. 引重, 謂之引, 以有所進爲義, 致遠, 謂之致, 以有所至爲義.

이씨가 말하였다: 나무를 쪼개 배를 만들고 나무를 깎아 노를 만듦은 식물의 재료를 가지고 내[川]를 통행함이고, 소를 부리고 말을 타서 무거운 것을 끌고 멀리 가게 함은 동물의 성질에 따라서 길을 통행함이다. 소는 유순함으로 도리를 삼으므로 다스리고 길들여서 무거운 것을 끌게 하고, 말은 걸어가는 것으로 일을 삼으므로 올라타고 부려서 멀리 가게 하였다. 소로 멀리 갈 수 없는 것은 아니지만 무거운 것을 끎에 도움이 되기 때문이며, 말로 무거운 것을 끌 수 없는 것은 아니지만 멀리 감에 민첩하기 때문이다. 무거운 것을 끎을 인(引)이라 하니 나아감이 있다는 뜻이고, 멀리 가게 함을 치(致)라고 하니 도달함이 있다는 뜻이다.

‖韓國大全‖

송시열(宋時烈) 『역설(易說)』

引重致遠, 取諸隨者, 上說之意, 未詳. 澤虛中容物之象, 象車之載物耶.

"무거운 것을 끌고 멀리 가게 함을 수괘에서 취했다"는 것에 대하여 '위는 기뻐함'이라는 뜻으로 설명한 것은 자세하지 않다. 못은 가운데가 비어 물건을 받아들이는 상이니, 수레에 물건을 실음을 형상하였을 것이다.

박치화(朴致和) 「설계수록(雪溪隨錄)」

下動上悅〈本義〉. 馬在下而動, 人在上而悅.

하괘는 움직이고 상괘는 기뻐한다.〈본의에 보인다.〉 말은 아래에 있어 움직이고, 사람은 위에 있어 기뻐한다.

○ 下動上悅, 於服牛似未合.

하괘는 움직이고 상괘는 기뻐하니, 소를 부림에 합당하지 않은 듯하다.

○ 金重而壓木, 木上而戴金, 相交而有服牛乘馬之象.

쇠는 무거워 나무를 누르고 나무는 위에 있으나 쇠를 이고 있으니, 서로 사귀어 소를 부리고 말을 타는 상이 있다.

이익(李瀷) 『역경질서(易經疾書)』

市易既成, 非遠通天下, 則利亦不博. 於是先舟楫, 而次服乘. 風行水上爲渙. 夫浮在水面者, 固多其物, 然浮而過者, 惟風爲然. 見其象則知有舟楫之利, 所謂乘木有功是也. 雷在澤中, 可藏則藏, 可發則發, 隨時而行, 服牛而引之, 乘馬而致之, 貨隨人至, 卽其象也. 乘非人乘也, 以物乘載以致遠也.

시장의 교역이 이루어져도 멀리 천하와 통하지 않으면 이로움도 넓지 못하다. 이에 먼저 배를 만들고 다음으로 소를 부리며 말을 탄다. 바람이 물 위에서 부는 것이 환괘(渙卦☴☵)이다. 본래 수면에 떠있는 물건이 많으나, 떠서 지나가는 것은 오직 바람만이 그러하다. 그 상을 보고 배의 이로움이 있음을 알았으니, 이른바 "나무를 타서 공(功)이 있는 것이다"[69]는 것이 이것이다. 우레가 못 가운데 있어서 보관할 만하면 보관하고 꺼낼 만하면 꺼내어, 때에 따라 행하여, 소를 부려 당기고 말에 실어 전달하여, 재화가 사람을 따라 오게 하는 것이 바로 그 상이다. 탐乘은 사람이 타는 것이 아니라, 물건을 탈 것에 실어서 멀리 전달하는 것이다.

유정원(柳正源) 『역해참고(易解參攷)』

韓氏曰, 隨, 隨宜也. 服牛乘馬, 隨物所之, 各得其宜也.

한강백이 말하였다: '따름'은 마땅함에 따름이다. 소를 부리고 말을 타서 물건이 가는 바에 따라 각각 마땅함을 얻는 것이다.

○ 涑水司馬氏曰 服牛乘馬 附物而行 隨之象

속수사마씨가 말하였다: 소를 부리고 말을 타서 물건에 붙어 다니는 것이 수괘의 상이다.

○ 鄱陽董氏曰, 平地任載之大車, 載物之多者 則服牛以引重, 田車兵車乘車之小車,

---

69) 『周易·渙卦·象傳』: 利涉大川, 乘木, 有功也.

載人而輕者, 則乘馬以致遠. 左傳, 晉伯宗辟重曰辟傳, 重則用牛, 傳則用馬. 蓋牛以順爲道, 而力在肩, 故服而馴之, 以引重. 馬以健爲道, 而力在足, 故乘而駕之, 以致遠.

파양동씨가 말하였다: 평지에서 짐을 싣는 큰 수레는 물건을 싣는 것이 많은 것이니, 소를 부려 무거운 것을 끌게 하고, 전거(田車)·병거(兵車)·승거(乘車)같은 작은 수레는 사람을 실어 가벼운 것이니, 말을 타고 멀리 가게 한다. 『춘추좌씨전』에 "진(晉)나라 백종(伯宗)이 중거(重車)에게 길을 피하게 하며 '이 전거(傳車)를 위해 길을 피하라'고 하였다"[70]고 하였으니, 중거(重車: 짐 싣는 수레)는 소를 쓰고, 전거(傳車: 명을 전달하는 수레)는 말을 쓴다. 소는 유순함을 도리로 삼고 힘이 어깨에 있으므로 부리고 길들여서 무거운 것을 끌게 하며, 말은 강건함을 도리로 삼고 힘이 발에 있기 때문에 타고 달려서 멀리 도달하게 한다.

김상악(金相岳) 『산천역설(山天易說)』

服而引重者, 牛也, 乘而致遠者, 馬也.

부림에 무거운 짐을 끄는 것은 소이고, 태워서 멀리 도달하는 것은 말이다.

서유신(徐有臣) 『역의의언(易義擬言)』[71]

服牛乘馬, 引重致遠.

소를 부리고 말을 타서 무거운 것을 끌고 멀리 가게 하여.

震爲車爲馬, 又有牛馬駕車之象焉. 初九乾車之輗, 而二三坤牛也. 上六坤輿之轅, 而四五乾馬也. 乾坤參互反覆取象也. 互艮山, 有引重象, 互巽風, 有致遠象. 巽繩而穿絡之, 艮擊而鞭策之. 兌說巽伏, 震動艮止. 牛馬馴服, 隨人動止, 故服乘之. 不然, 則頑然悍然, 猶鹿豕耳, 安得以駕馭也. 又初至四爲大離, 三至上爲大坎, 是爲牛馬象也.

진괘(震卦☳)는 수레가 되고 말이 되며, 또 소와 말이 수레를 멍에하고 가는 상이 있다. 초구는 건괘인 수레의 멍에이고, 이효·삼효는 곤괘의 소이다. 상육은 곤괘인 수레의 끌채이고 사효·오효는 건괘의 말이다. 건괘와 곤괘가 섞이고 반복하여 상을 취하였다. 호괘인

---

70) 『春秋左氏傳』 成公 5년: 양산이 무너지자, 진후(晉侯)가 전거(傳車)를 보내어 백종을 불렀다. 백종이 명을 받고 오는 도중에 무거운 짐을 실은 수레(重車)에게 길을 피하게 하며 "이 전거를 위해 길을 피하라"고 하니, 무거운 짐을 싣고 있는 수레의 어자(御者)가 말하기를, "내가 길을 피하기를 기다리기보다 차라리 첩경으로 가는 것이 빠를 것이오"라고 하였다[梁山崩, 晉侯以傳召伯宗. 伯宗辟重曰, 辟傳. 重人曰, 待我, 不如捷之速也] 여기에서 '전(傳)'은 '전거(傳車)'이다. 이는 급한 사명을 받고 가는 사람이나, 급한 전갈을 전할 때 이용하는 역참의 수레이다.

71) 경학자료집성 DB에서는 「계사하전」 '통론'으로 분류했으나, 내용에 따라 이 자리로 옮겼다.

간괘(艮卦☶)의 산에 무거운 것을 끄는 상이 있고, 호괘인 손괘(巽卦☴)의 바람에 멀리 가는 상이 있다. 손괘의 노끈으로 코청을 뚫고 고삐를 매달며, 간괘의 손으로 쳐서 채찍질한다. 태괘의 기쁨에 손괘가 숨어 있고, 진괘로 움직이고 간괘로 그친다. 소와 말이 길들여지고 복종하여 사람의 명에 따라 움직이거나 그치기 때문에 부리고 탄다. 그렇지 않다면 고집스럽고 사나워 사슴이나 돼지와 같을 뿐이니, 어찌 멍에하거나 부릴 수 있겠는가? 또 초효에서 사효까지가 '큰 리괘(☲)'이고, 삼효에서 상효까지는 '큰 감괘(☵)'가 되니, 이것이 소와 말의 상이 된다.

심대윤(沈大允) 『주역상의점법(周易象義占法)』

牛馬隨人者也. 上說而乘而安, 下動而牽而止. 巽离爲升而麗曰乘. 爲係而麗曰牽. 艮爲安爲止. 互漸爲位. 震互坎爲力而果行, 巽震爲行道爲遠近.

소와 말은 사람을 따르는 동물이다. 상괘는 기쁨으로 타고 있어 편안하고, 하괘는 움직여 당겨서 머무른다. 손괘(巽卦☴)와 리괘(離卦☲)는 올라가 걸려있는 것이 되므로 '탄다'고 하였다. 매여서 걸려있는 것을 '당긴다'고 한다. 간괘(艮卦☶)는 편안함이고 머무름이다. 호괘인 점괘(漸卦䷴)는 자리가 된다. 진괘와 호괘인 감괘(坎卦☵)는 힘써 가기를 결단함이고, 손괘(巽卦☴)와 진괘(震卦☳)는 길을 감이 되고 멀고 가까움이 된다.

오치기(吳致箕) 「주역경전증해(周易經傳增解)」

穿牛鼻, 絡馬頭, 雖人爲也, 而隨牛馬之性者也. 服之乘之, 亦雖在人也, 而隨人之所爲者, 牛馬也, 故有隨之義.

소의 코청을 뚫고 말머리에 고삐를 다는 것은 비록 사람이 만든 것이기는 하지만, 소와 말의 성질을 따른 것이다. 그것을 부리고 타는 것도 비록 사람에게 달린 것이지만, 사람이 하는 일에 소와 말을 따라오게 하는 것이므로 따른다는 의미가 있다.

박문호(朴文鎬) 「경설(經說)·주역(周易)」

上說上, 指其所載之物也. 說謂從也.[72]

『본의』에서 "위는 기뻐함이다"의 '위[上]'는 실려 있는 물건을 가리킨다. '기뻐함'은 '따름'을 이른다.

---

72) 경학자료집성 DB에 「계사하전」 제 3장에 편집되어 있으나, 경학자료집성 영인본을 참조하여 제 2장으로 옮겼다.

이병헌(李炳憲) 『역경금문고통론(易經今文考通論)』

姚曰, 震爲車〈用晉語〉. 故服牛乘馬.

요신이 말하였다: 진괘는 수레이다. 〈진(晉)나라 말을 썼다.〉 그러므로 소를 부리고 말을 탄다고 하였다.

韓曰, 隨物所之, 各得其宜也.

한강백이 말하였다: 물건이 가는 바에 따라 각각 그 마땅함을 얻는다.

重門擊柝, 以待暴客, 蓋取諸豫.

문을 이중으로 하고 딱따기를 쳐서 사나운 나그네를 대비하니, 예괘(豫卦䷏)에서 취하였다.

┃中國大全┃

本義

豫備之意.

미리 대비한다는 뜻이다.

小註

朱子曰, 重門擊柝, 以待暴客, 只是豫備之意, 卻須待用互體, 推艮爲門闕, 雷震乎外之義. 剡木爲矢, 弦木爲弧, 只是睽乖, 故有威天下之象, 亦必待穿鑿附會, 就卦推出制器之義. 殊不知卦中但有此理而已. 故孔子各以蓋取諸某卦言之, 亦曰其大意云爾. 漢書所謂獲一角獸, 蓋麟云, 皆疑辭也.

주자가 말하였다: ‘문을 이중으로 하고 딱따기를 쳐서 사나운 나그네를 대비함’은 단지 미리 대비한다는 뜻이다. 그러나 반드시 호체(互體)를 쓰고자 한다면, 간(艮)을 미루면 크고 작은 문이 되고 우레가 밖에서 울린다는 뜻이 된다. 나무를 깎아서 화살을 만들고 나무에 시위 걸어 활을 만듦은 다만 등져 어그러진 것이다. 그러므로 천하를 위협하는 상이 있지만, 또한 반드시 천착하여 갖다 붙인다면, 괘에서 기물을 제작한다는 뜻을 끌어낼 수 있다. 사람들이 괘에 이러한 이치가 있을 뿐임을 결코 몰랐다. 그러므로 공자가 각각 어떤 괘에서 취하였다고 말하였고, 또한 그 대의(大意) 등등의 말을 하였다. 『한서』에 이른바 “뿔이 하나인 짐승을 잡았는데, 대체로 기린인 듯하다”라고 한 것은 모두 의심하는 말이다.

○ 漢上朱氏曰, 上古, 外戶不閉, 禦風氣而已, 至是始有暴客之防.

한상주씨가 말하였다: 옛날에는 밖의 문을 닫지 않고 바람만을 막았는데, 이에 이르러 사나운 나그네를 방비하기 시작하였다.

○ 楊氏曰, 川途旣通, 則暴客至矣, 又不可无禦之之術. 故取諸豫. 重門以禦之, 擊柝以警之, 則暴客无自而至. 二陰在前, 重門之象也, 一陽在下, 擊柝之象也, 三陰安於內, 說豫之象也.

양씨가 말하였다: 내와 길이 이미 통하면 사나운 나그네가 이를 것이니, 또 그것을 막는 방법이 없을 수 없다. 그러므로 예괘에서 취하였다. 문을 이중으로 하여 막고 딱따기를 쳐서 경계한다면 사나운 나그네가 이를 수 없을 것이다. 두 개의 음효가 앞에 있는 것이 문을 이중으로 하는 상이고, 하나의 양이 아래에 있는 것이 딱따기를 두드리는 상이며, 세 개의 음효가 안에서 편안한 것은 기뻐하는 상이다.

○ 涑水司馬氏曰, 豫者, 怠惰之意, 擊柝者, 所以警怠惰也.
속수사마씨가 말하였다: 예(豫)는 태만하다는 뜻이니, '딱따기를 두드림'은 태만함을 경계시키는 것이다.

‖ 韓國大全 ‖

조호익(曹好益) 『역상설(易象說)』

重門擊柝, 以待暴客.
문을 이중으로 하고 딱따기를 쳐서 사나운 나그네를 대비하니.

柝判兩木, 夾於門爲機, 相擊以警夜也. 今荒城, 多叩鼓以持更, 蓋其遺象也. 說文又云, 夜行所擊者.
탁(柝)은 나무를 두 쪽으로 갈라 문에 끼워놓고 기관을 만들어 서로 쳐서 밤에 경계하는 것이다. 오늘날 황성(荒城)에서 북을 두드려 오경을 알리는 일이 많은데,[73) 그 일의 남은 모습이다. 또 『설문』에 "밤중에 길을 가면서 두드리는 것이다"라고 하였다.

---

73) 『資治通鑑·唐懿宗咸通九年』의 호삼성(胡三省) 주(注)에 "밤에 오경(五更)이 있는데 1경마다 북을 쳐서 민중을 경계하게 하니 이것을 지경(持更)이라 한다"고 하였다.

송시열(宋時烈) 『역설(易說)』

重門擊柝, 兪琰曰, 坤爲闔闢, 重門之象. 震者動而有聲之木, 擊柝之象.

'문을 이중으로 함'에 대하여 유염(兪琰)이 말하였다: 곤괘는 문짝이니 이중문의 상이고, 진괘는 움직임에 소리가 나는 나무이니 딱따기를 치는 상이다.

박치화(朴致和) 「설계수록(雪溪隨錄)」

雷動於重陰之外, 重門擊柝之象.

우레가 두 음의 밖에서 움직이니 문을 이중으로 하고 딱따기를 두드리는 상이다.

○ 陰畫虛, 有門之象, 陰性塞, 有閉之之意.

음획은 비었으니 문의 상이 있고, 음의 성질은 막혀있으니 닫는 의미가 있다.

이익(李瀷) 『역경질서(易經疾書)』

遠貨既通, 必有慢藏誨盜之憂, 故重門以固之. 既固, 又必有强劫弱衆暴寡, 或不能以保守, 故必須有擊柝以備之也. 雷在地中, 應時而發, 重門擊柝之象也. 兪琰曰, 坤爲闔戶, 重門之象, 雷動有聲之木, 擊柝之象也.

먼 곳의 재화가 통하고 난 뒤에는 반드시 "보관을 허술하게 함은 도적을 가르침이다[慢藏誨盜]"라는 근심이 있기 때문에, 문을 이중으로 하여 견고하게 한다. 이미 견고하게 한 뒤에는 또 강자가 약자를 위협하고 다수가 소수에게 폭력을 휘둘러 혹 보전하여 지킬 수 없는 일이 있기 때문에, 반드시 딱따기를 두드려서 대비한다. 우레가 땅 속에 있다가 때에 응하여 드러나니, 문을 이중으로 하고 딱따기를 두드리는 상이다. 유염(兪琰)[74]이 "곤괘(坤卦☷)는 문짝과 홑문이니 문을 이중으로 하는 상이고, 우레[진괘(震卦☳)]는 움직여 소리 나는 나무이니 딱따기를 두드리는 상이다"라고 하였다.

유정원(柳正源) 『역해참고(易解參攷)』

進齋徐氏曰, 內坤爲闔戶, 互艮爲門闕, 重門之象.

---

74) 유염(兪琰): 송말원초(宋末元初)의 도교학자로 알려져 있으며 생몰년은 미상이다. 자는 옥오(玉吾)이고 호는 전양자(全陽子)이다. 30여년 역학을 연구하여 『주역집설(周易集說)』을 남겼다. 이밖에 「독역수지(讀易須知)」・『역도찬요(易圖纂要)』・『역경격고증(易經考證)』・『역전고증(易傳考證)』・『육십사괘도(六十四卦圖)』・「고점법(古占法)」・「괘문상점분류(卦文象占分類)」・『역도합벽연주외전(易圖合璧連珠外傳)』 등 여러 저서가 있다고 하나 지금은 모두 전하지 않는다.

진재서씨가 말하였다: 내괘인 곤괘가 문짝이 되고, 호괘인 간괘가 문궐(門闕)이 되니 이중문의 상이다.

○ 疊山謝氏曰, 震爲木爲聲, 柝也. 艮手擊之, 有擊析象. 俗號梆子, 擊以警夜也. 三五互坎, 爲盜暴客也.
첩산사씨가 말하였다: 진괘(震卦☳)는 나무가 되고 소리가 되니 딱따기이다. 간괘(艮卦☶)인 손으로 두드림이니 딱따기를 치는 상이 있게 된다. 세속에서는 방자(梆子, 딱따기)로 불리니 쳐서 밤을 경계한다. 삼효에서 오효까지는 호괘로 감괘(坎卦☵)이니, 도적이 되므로 사나운 나그네[暴客]이다.

김상악(金相岳) 『산천역설(山天易說)』

坤偶爲門, 又互艮門, 重門之象. 以艮手擊震木, 擊柝之象. 待者, 豫爲備禦也.
곤괘(坤卦☷)는 짝수이니 문이고, 또 호괘인 간괘(艮卦☶)도 문이니, 문을 이중하는 상이다. 간괘(艮卦☶)의 손으로 진괘(震卦☳)의 나무를 치니 딱따기를 치는 상이다. 대비함이란 미리 대비하여 막음이다.

서유신(徐有臣) 『역의의언(易義擬言)』[75]

重門擊柝, 以待暴客.
문을 이중으로 하고 딱따기를 쳐서 사나운 나그네를 대비하니.

內外之間, 有互艮門, 以禦震懼, 以衛坤衆, 外動而內靜, 關防嚴重之象. 艮手擊震木, 震有聲, 爲擊柝之象. 互坎爲盜, 暴客也. 四在艮外而爲賓, 故曰客也. 藏於互體, 故曰待也.
내괘와 외괘 사이에 호괘인 간괘(艮卦☶)의 문이 있어 진괘(震卦☳)의 두려움을 막고 곤괘(坤卦☷)의 대중을 호위하니, 밖은 움직이나 안은 고요하여, 잠그고 방비하며 엄중하게 하는 상이다. 간괘의 손으로 진괘의 나무를 치니 진괘에 소리가 있어 딱따기를 치는 상이다. 호괘인 감괘(坎卦☵)는 도적이 되니 사나운 나그네이다. 사효는 간괘의 밖에 있어 손님이 되기 때문에 나그네라고 하였다. 호체에 감춰져 있기 때문에 대비한다고 하였다.

---

75) 경학자료집성 DB에서는 「계사하전」 '통론'으로 분류했으나, 내용에 따라 이 자리로 옮겼다.

심대윤(沈大允) 『주역상의점법(周易象義占法)』

豫有豫備及逸豫二義. 事豫備則安也. 坤爲重複, 艮爲門, 震爲擊爲木爲聲爲警懼, 坎爲險固. 對小畜, 兌乾爲暴客, 巽离爲行人之入附者.

예괘(豫卦䷏)는 "미리 대비하다"와 "편안하고 기쁘다"는 두 가지 뜻이 있다. 일을 미리 대비하면 편안하다. 곤괘는 중복하는 것이고, 간괘는 문이며, 진괘는 '침·나무·소리·놀라고 두려워함'이며 감괘는 험고함이다. 음양이 반대괘인 소축괘(小畜卦䷈)는 태괘와 건괘가 사나운 나그네가 되고 손괘와 리괘는 행인이 들어와 따르는 자가 된다.

오치기(吳致箕) 「주역경전증해(周易經傳增解)」

艮爲門, 而互艮反艮, 乃重門之象. 柝者, 木之有聲者, 而對巽爲木, 震爲聲. 暴客謂盜, 而互坎爲盜之象. 設重門擊木柝, 亦以備豫之意也.

간괘(艮卦☶)가 문이 되니, 호괘인 간괘와 거꾸로 된 괘인 간괘가 곧 문을 이중으로 한 상이다. 딱따기는 나무에 소리가 있는 것이니, 음양이 바뀐 괘인 손괘(巽卦☴)가 나무이고, 진괘(震卦☳)가 소리이다. 사나운 나그네를 도적이라 하니, 호괘인 감괘(坎卦☵)가 도적이 되는 상이다. 문을 이중으로 설치하고 딱따기를 치는 것도 미리 대비하는 의미가 있다.

이진상(李震相) 『역학관규(易學管窺)』

重門擊柝.

문을 이중으로 하고 딱따기를 쳐서.

豫互艮坎, 艮爲門闕, 坎爲盜. 震爲木, 聲當門而守盜.

예괘의 호괘인 간괘와 감괘에서 간괘는 문이고 감괘는 도적이다. 진괘는 나무이니 문에서 소리를 내어 도둑을 지킨다.

박문호(朴文鎬) 「경설(經說)·주역(周易)」

雷出地奮, 亦爲擊柝警衆之象.[76]

우레가 땅에서 나와 떨침도 또한 딱따기를 쳐서 대중을 경계하는 상이 된다.

---

[76] 경학자료집성 DB에 「계사하전」 제 3장에 편집되어 있으나, 경학사료집성 영인본을 참조하여 제 2장으로 옮겼다.

이병헌(李炳憲) 『역경금문고통론(易經今文考通論)』

孟曰, 柝[77]夜行所擊者.

맹희가 말하였다: 탁(柝)은 밤에 다니면서 치는 것이다.

韓曰, 取其豫備.

한강백이 말하였다: 미리 대비함을 취하였다.

---

77) 柝: 경학자료집성 DB와 영인본에 '榛'으로 되어 있으나, 문맥을 살펴 '柝'으로 바로잡았다.

斷木爲杵, 掘地爲臼, 臼杵之利, 萬民以濟, 蓋取諸小過.

나무를 잘라 절굿공이를 만들고 땅을 파서 절구를 만들어 절구와 절굿공이의 이로움으로 온 백성이 구제되니, 소과괘(小過卦䷽)에서 취하였다.

┃中國大全┃

本義

下止上動.

아래[☶]는 멈춰 있고 위[☳]는 움직이는 것이다.

小註

誠齋楊氏曰, 耒耜, 耕稼之始, 臼杵, 脫粟之始.

성재양씨가 말하였다: 쟁기와 보습은 경작의 시작이고, 절구와 절굿공이는 탈곡의 시작이다.

○ 建安丘氏曰, 以象言之, 上震爲木, 下艮爲土, 震木上動, 艮土下止. 杵臼, 治米之象.

건안구씨가 말하였다: 상(象)으로 말하면 상괘인 진[☳]은 나무가 되고 하괘인 간[☶]은 흙이 되니, 진인 나무가 위에서 움직이고 간이 흙이 아래에 멈춰있는 것이다. 절굿공이와 절구는 쌀을 찧는 상이다.

○ 進齋徐氏曰, 民粒食矣, 又杵臼以治之而使精, 小有所過而利人者也.

진재서씨가 말하였다: 백성이 쌀밥을 먹게 되자 다시 절굿공이와 절구로 찧어서 정미하게 하였으니, 조금 지나치더라도 사람을 이롭게 하는 것이다.

‖韓國大全‖

송시열(宋時烈) 『역설(易說)』

曰杵取小過, 丘富國曰, 震木上動, 艮土下止.

'절구와 공이는 소과괘에서 취하였음'에 대하여 구부국이 말하였다: 진괘인 나무가 위에서 움직이고, 간괘인 흙이 아래에 그쳐있다.

유정원(柳正源) 『역해참고(易解參攷)』

南軒張氏曰, 聖人敎人, 知艱食矣, 復爲之曰杵, 以治其五穀, 此小有所過者乎.

남헌장씨가 말하였다: 성인이 사람을 가르쳐서 먹을 것을 구하기가 어려움을 알게 하고, 다시 사람들을 위해 절구와 절굿공이를 만들어 오곡을 다루게 하였으니, 이것이 조금 지나치는 바가 있는 것이다.

○ 雙湖胡氏曰, 震木, 互兌金斷之, 有爲杵之象. 艮土, 互巽木入之, 有掘臼之象.

쌍호호씨가 말하였다: 진괘(震卦☳)는 나무이고, 호괘인 태괘(兌卦☱)는 쇠이며 결단함이니, 절굿공이를 만드는 상이 있다. 간괘(艮卦☶)는 흙이고, 호괘인 손괘(巽卦☴)는 나무이며 들어감이니, 절구의 상이 있다.

김상악(金相岳) 『산천역설(山天易說)』

艮土止於下, 震木動於上.

간괘(艮卦☶)인 흙은 아래에서 그치고, 진괘(震卦☳)인 나무는 위에서 움직인다.

서유신(徐有臣) 『역의의언(易義擬言)』[78]

斲(斷)木爲杵, 掘地爲臼.

나무를 잘라 공이를 만들고 땅을 파서 절구를 만들어.

震木爲杵, 互巽爲舂股, 互兌爲臼. 口在象陰之中, 掘地而安臼也. 上動下止, 杵動而臼

---

78) 경학자료집성 DB에서는 「계사하전」 '통론'으로 분류했으나, 내용에 따라 이 자리로 옮겼다.

止也. 震足踏之, 艮手築之, 兌口相之, 巽風揚之. 巽爲進退, 舂杵之出沒也. 震爲稼穀
粟也, 巽爲白精鑿也. 曰杵之利, 不厭小過, 不過則糲, 太過則糜也.

진괘의 나무가 절굿공이이고, 호괘인 손괘가 절구통이 되며, 호괘인 태괘가 절구이다. 입이
음을 본뜬 가운데에 있으니, 땅을 파서 절구를 안치한다. 위는 움직이고 아래는 그쳐있으니,
절굿공이는 움직이고 절구는 그쳐있다. 진괘의 발이 밟고, 간괘의 손이 다지며, 태괘의 입이
돕고, 손괘의 바람이 까부른다. 손괘는 나아가고 물러남이 되니, 절굿공이가 오르락내리락
함이다. 진괘는 곡식을 농사지음이 되고, 손괘는 대껴서 희게 함이 된다. 절구질의 이로움은
조금 지나침을 싫어하지 아니하니, 지나치지 않으면 현미가 되고, 너무 지나치면 싸라기가
되기 때문이다.

심대윤(沈大允)『주역상의점법(周易象義占法)』

小過上而下之, 志在乎下而求享也. 上則震之短木, 以怒力雷動而上下, 艮巽爲上下
也. 下則艮石 互兌凹巽入而止. 中有巽兌爲皮穀, 兌爲剝, 變艮巽爲精好, 坎爲食.

소과괘는 위에서 내려가니 뜻이 아래에 있으면서 향유하기를 구한다. 상괘는 진괘인 짧은
나무가 노력하여 움직여서 오르락내리락 하니, 아래의 간괘와 손괘가 위아래가 된다. 하괘
는 간괘인 돌이 호괘인 오목한 태괘로 들어가 그친다. 가운데에 손괘와 태괘가 있어 곡식의
껍데기인데 태괘는 깎아내는 것이니, 음양이 변한 괘인 간괘와 손괘는 잘 방아 찧은 것이며,
감괘는 먹음이다.

오치기(吳致箕)「주역경전증해(周易經傳增解)」

互兌爲毀折, 乃斷與掘之象, 互巽爲木之象, 交坤爲地之象. 似坎爲陷, 乃曰舂之象. 民
粒食矣, 杵臼而治米, 使之精鑿, 乃小有所過, 而利民者也.

호괘인 태괘는 훼절이 되니 곧 끊고 파는 상이고, 호괘는 손괘는 나무의 상이며, 상하괘가
바뀐 괘인 곤괘는 땅의 상이다. 유사감괘(☵)는 함정이니 곧 절구의 형상이다. 백성은 낟알
곡식을 먹는데 절구에 공이질하여 쌀을 빻아 정밀하게 찧게 하니, 곧 조금 지나치긴 하지만
백성에게 이로운 것이다.

이병헌(李炳憲)『역경금문고통론(易經今文考通論)』

姚曰, 艮止於下, 震動於上, 舂之象也.

요신이 말하였다: 간괘가 아래에서 머무르고 진괘가 위에서 움직이니 방아 찧는 상이다.

弦木爲弧, 剡木爲矢, 弧矢之利, 以威天下, 蓋取諸睽.

나무에 시위 걸어 활을 만들고 나무를 깎아서 화살을 만들어 활과 화살의 이로움으로 천하에 위엄을
떨치니, 규괘(睽卦䷥)에서 취하였다.

‖中國大全‖

本義

睽乖然後, 威以服之.

등져 어그러진 뒤에 위엄으로 복종시킴이다.

小註

南軒張氏曰, 外有擊柝以防暴客, 內有杵臼以治粒食, 而无以威其不軌, 則雖有險不能
守, 雖有粟而不得食. 此弧矢之利, 不可緩也.

남헌장씨가 말하였다: 밖으로는 딱따기를 쳐서 사나운 나그네를 방비하고, 안으로는 절굿공이
와 절구로 찧어 쌀밥을 먹지만, 무법자에 위엄을 떨칠 수 없다면 비록 위험이 있어도 지킬
수 없고, 비록 곡식이 있어도 먹을 수 없다. 이래서 활과 화살의 이로움을 늦출 수 없는 것이다.

○ 臨川吳氏曰, 弧, 木弓也. 兵器不一, 弓矢, 所及者遠, 爲長兵. 威天下者, 示有警備,
而使之畏也.

임천오씨가 말하였다: '호(弧)'는 나무로 만든 활이다. 병기는 하나가 아니니, 활과 화살은
미치는 곳이 멀기에 훌륭한 무기가 된다. '천하에 위엄을 떨침'은 경비가 있음을 보여서 두렵
게 함이다.

○ 漢上朱氏曰, 知門柝而不知弧矢之利, 則威天下者, 有未盡. 故敎之以弧矢之利.

한상주씨가 말하였다: 문과 딱따기는 알아도 활과 화살의 이로움을 알지 못하면 천하에 위
엄을 떨침에 미진함이 있는 것이다. 그러므로 활과 화살의 이로움을 가르친 것이다.

○ 進齋徐氏曰, 其害之大者, 以重門擊柝, 不足以待之. 故必有弧矢以威之. 利天下者, 仁也, 威天下者, 義也.

진재서씨가 말하였다: 해로움이 큰 것은 문을 이중으로 하고 딱따기를 쳐도 방비할 수가 없다. 그러므로 반드시 활과 화살로 위엄을 떨쳐야 한다. 천하를 이롭게 하는 것은 인(仁)이고, 천하에 위엄을 떨치는 것은 의(義)이다.

‖韓國大全‖

송시열(宋時烈) 『역설(易說)』

弧矢取睽, 諸易不言象未詳, 蓋離爲中虛, 有彎弓象, 兌爲上坼, 有剡矢象耶.

'활과 화살은 규괘에서 취함'에 대하여 제가(諸家)들의 『주역』에서 상을 말하지 않은 것은 자세치 않으나, 대체로 리괘는 가운데가 비어 있어 굽어있는 활의 상이 있고, 태괘는 위가 터져 있어 날카로운 화살의 상이 있어서일 것이다.

이익(李瀷) 『역경질서(易經疾書)』

上古燔黍而食之, 當此時以是爲安. 人謀漸備, 臼杵以春之則過也, 比珍盛之味則小矣. 雷在山上, 與在天上者異. 乃小澤不至浹洽之象, 自旱乾言則過也, 比浹洽則小. 故爲小過, 所以取象也. 睽與睦反, 睦則相與樂生, 睽則或思劫奪. 防睽莫如弧矢. 此以上理財之事也.

상고시대에는 기장을 구워서 먹었으나, 당시에는 이것을 편안히 여겼다. 사람들의 지모가 점차 갖춰져서 절구와 절굿공이로 방아를 찧게 되었으니 훨씬 나아졌으나, 진수성찬의 음식에 비한다면 좀 못하다. 우레가 산 위에 있는 것과 하늘 위에 있는 것은 다르다. 곧 작은 못이라 무젖는 데는 이르지 못하는 상이니 가뭄으로 말하면 훨씬 나으나, 무젖는 데에 비하면 좀 못하기 때문에 소과괘(小過卦☳)가 되어 이것으로 상을 취하였다. 노려봄[규괘(睽卦☲)]과 화목함은 반대이니, 화목하면 서로 더불어 즐거움이 생겨나고, 노려보면 혹 서로 위협하고 빼앗을 것을 생각한다. 노려봄을 방지하는 데는 활과 화살만한 것이 없다. 이 글 이상은 재화를 다스리는 일이다.

박치화(朴致和) 「설계수록(雪溪隨錄)」

火炎上, 澤潤下, 有睽乖之象. 如弓在此, 矢往彼之象也.

불은 타오르고 못은 적셔 내려가니, 반목하고 어긋나는 상이 있다. 마치 활은 이쪽에 있는데 화살은 저쪽으로 가는 상과 같다.

유정원(柳正源) 『역해참고(易解參攷)』

韓氏曰, 睽乖也, 物乖則爭興. 弧矢之用, 所以威乖爭也.

한강백이 말하였다: 규(睽)는 어긋남이다. 물건이 어긋나면 다툼이 일어난다. 활과 화살을 쓰는 것은 어긋나서 다투는 것을 위협하는 것이다.

○ 雙湖胡氏曰, 睽所以取弧矢者, 以其有互坎也. 說卦坎爲弓. 睽上九張弧說弧, 皆取互坎象. 坎又爲堅多心木.

쌍호호씨가 말하였다: 규괘(睽卦䷥)에서 활과 화살을 취하는 것은 호괘가 감괘(坎卦☵)이기 때문이다. 「설괘전」에 감괘는 활이라 하였다. 규괘의 상구에서 '활줄을 당김'·'활줄을 풀어놓음'79)은 모두 호괘인 감괘의 상을 취하였다. 또 감괘는 '단단하고 심이 많은 나무'80)가 된다.

김상악(金相岳) 『산천역설(山天易說)』

弧者, 兌之決也, 矢者, 離之麗也. 威天下者, 以其睽乖不服也.

활은 태괘의 떨어짐이고, 화살은 리괘의 걸림이다. 천하에 위엄을 떨친다는 것은 어긋나서 복종하지 않기 때문이다.

서유신(徐有臣) 『역의의언(易義擬言)』81)

弦木爲弧, 剡木爲矢.

나무를 시위 걸어 활을 만들고, 나무를 깎아서 화살을 만들어.

---

79) 『周易·睽卦』: 上九, 睽孤, 見豕負塗, 載鬼一車. 先張之弧, 後說之弧, 匪寇, 婚媾, 往遇雨則吉.

80) 『周易·說卦傳』: 坎…其於木也, 爲堅多心.

81) 경학자료집성 DB에서는 「계사하전」 '통론'으로 분류했으나, 내용에 따라 이 자리로 옮겼다.

互坎爲堅, 多心之木, 故弦以爲弓也, 弦亦木皮爲之也. 離爲科上槁之木, 故剡以爲矢也. 坎爲弧象, 離爲矢象也. 弓矢相注, 則有合睽象, 旣舍發, 則有離睽象也, 中互坎藏其險也, 上離明先見其幾也, 下兌說服其威也.

호괘인 감괘가 단단함이 되니 심이 많은 나무이기 때문에 시위를 걸어 활을 만들고, 시위도 나무 줄기로 만든다. 리괘는 속이 비어 위가 마른 나무가 되기 때문에 깎아서 화살을 만든다. 감괘는 활의 상이고 리괘는 화살의 상이다. 활과 화살이 서로 모이면 화합하는 규괘의 상이 있고, 발사하고 나서는 떨어지는 규괘의 상이 있다. 가운데 호괘인 감괘가 험함을 감추나 위의 리괘의 밝음이 그 기미를 먼저 보고, 아래의 태괘의 기쁨이 그 위엄에 복종한다.

심대윤(沈大允) 『주역상의점법(周易象義占法)』

睽[82]中少二女同居, 中女有所附麗而不行, 少女行而從人也. 中有坎弧, 有所附麗, 志在分, 張而不離. 其所上下有离, 互坎爲矢, 在弧上之象, 互兌爲分離而傷夷, 弓之道, 反張焉. 矢搭于外而向內, 故外离附而內兌決.

규괘는 둘째딸과 막내딸이 함께 사는데 둘째딸은 붙일 곳이 있어서 떠나지 않으나 막내딸은 떠나 남을 따른다. 가운데에 있는 감괘인 활은 붙는 것이 있으면서 뜻은 나눠짐에 있으니, 시위를 벌리나 발사하지는 않는다. 상하가 떠남이 있는 것은 호괘인 감괘가 화살이니, 활 위에 있는 상이고, 호괘인 태괘는 분리되어 상처받음이니, 활의 도는 뒤집고 벌림이다. 화살은 밖에서 메워 안으로 향하기 때문에, 외괘는 붙어있는 뜻의 리괘이고, 내괘는 결단하는 뜻의 태괘이다.

오치기(吳致箕) 「주역경전증해(周易經傳增解)」

弦木使曲, 剡木使直, 而互坎爲矯輮, 反巽爲木. 亦以睽乖梗化者, 則威以服之也.

나무에 시위를 거는 것은 굽어지게 하려는 것이고 나무를 깎는 것은 곧게 하려는 것이니, 호괘인 감괘(坎卦☵)는 바로잡음과 구부림이 되고 거꾸로 된 괘인 손괘(巽卦☴)는 나무가 된다. 또한 어긋나 강경하게 된 자들은 위엄으로 그들을 복종시킨다.

이진상(李震相) 『역학관규(易學管窺)』

弦木爲弧.

나무에 시위 걸어 활을 만들고.

---

82) 睽: 경학자료집성 DB와 영인본에 '暌'로 되어 있으나, 문맥을 살펴 '睽'로 바로잡았다.

互坎爲弓, 爲矯揉, 又爲木之堅多心. 互離, 離爲戈兵, 此無互坎, 則如何有木. 大概[83] 十三卦取象, 有只取本象者, 有[84]兼取互體者. 此非作此器者, 一一取此象. 器成而後 有是象, 象又在器前, 則不可謂不在所取也.

호괘인 감괘는 활이 되고 바로잡음과 구부림이 되며, 또 나무에 있어서는 단단하고 심이 많음이 된다. 호괘인 리괘에서 리괘는 창과 무기이니, 여기에서 호괘인 감괘가 없다면 어떻게 나무가 있겠는가? 대체로 13괘에서 상을 취한 것은 다만 본래의 상을 취한 것이 있고, 호체를 겸하여 취한 것도 있다. 이것은 이 기물을 만든 자가 일일이 이런 상을 취한 것이 아니다. 기물이 이루어진 뒤에 이런 상이 있게 된 것도 있고, 또 상이 기물 이전에도 있으니 취한 곳이 있지 않다고 이를 수도 없다.

박문호(朴文鎬) 「경설(經說)·주역(周易)」

暌之取象未詳. 或取矢浮上而弧處下之象耶.[85]

규괘에서 상을 취한 것은 자세하지 않다. 혹 화살이 위에 떠있고 활이 아래에 있는 상을 취한 것인가?

---

83) 槪: 경학자료집성 DB에 '拒'로 되어 있으나, 글자가 분명하지 않아 우선 '槪'로 번역하였다.
84) 有: 경학자료집성 DB에 □로 처리하였으나, 문맥을 살펴 '有'로 바로잡았다.
85) 경학자료집성 DB에 「계사하전」 제 3장에 편집되어 있으나, 경학자료집성 영인본을 참조하여 제 2장으로 옮겼다.

上古, 穴居而野處, 後世聖人, 易之以宮室, 上棟下宇, 以待
風雨, 蓋取諸大壯.

아주 옛날에는 동굴에 살며 들에서 지냈는데, 후세의 성인이 집으로 바꾸어 종도리를 올리고 서까래
를 내려서 비바람을 대비하니, 대장괘(大壯卦䷡)에서 취하였다.

┃中國大全┃

小註

程子曰, 上古之時, 民皆巢居而穴處, 後世, 易之以棟宇, 而不以巢居穴處, 爲可變者,
以棟宇之利故也.

정자가 말하였다: 아주 옛날에는 백성들이 모두 나무 위에 머무르거나 동굴에서 지냈는데,
후세에 종도리와 서까래로 바꾸어 나무 위에 머무르지도 동굴에서 지내지도 않으니, 변할
수 있었던 것은 종도리와 서까래의 이로움 때문이다.

本義

壯固之意.

튼튼하고 견고하다는 뜻이다.

小註

節齋蔡氏曰, 棟屋脊檁也, 宇橑也. 棟直承而上, 故曰上棟, 宇兩垂而下, 故曰下宇. 棟
取四剛義, 宇取二柔義.

절재채씨가 말하였다: '동(棟)'은 집의 등마루 도리이고, '우(宇)'는 서까래이다. 도리는 똑바
로 들어 올리므로 "종도리를 올린다"고 하였고, 서까래는 양쪽으로 드리워 내리므로 "서까래
를 내린다"고 하였다. 종도리는 네 양효를 취함이니 강(剛)의 뜻이고, 서까래는 두 음효를

취함이니 유(柔)의 뜻이다.

○ 涑水司馬氏曰, 風雨, 動物也, 風雨動於上, 棟宇建於下, 大壯之象也.
속수사마씨가 말하였다: 비바람은 움직이는 사물이니, 비바람이 위에서 움직이고 종도리와 서까래가 아래에 세워짐이 대장괘의 상이다.

○ 進齋徐氏曰, 冬穴居, 无以待風, 夏野處, 无以待雨. 故宮室不得不興. 震風凌雨然後, 知厦屋之爲帲幪. 故棟宇不可不固, 大壯之意也.
진재서씨가 말하였다: 겨울에 동굴에 머무르면 바람을 막을 수가 없고, 여름에 들에서 지내면 비를 막을 수 없다. 그러므로 집을 세우지 않을 수 없었다. 비바람이 사나운 뒤에야 큰 집에도 장막을 쳐야 함을 안다. 그러므로 종도리와 서까래가 견고하지 않을 수 없으니, 대장의 뜻이다.

┃韓國大全┃

송시열(宋時烈) 『역설(易說)』

棟宇大壯象司馬光曰, 風雷動於上, 棟宇健於下, 大壯之象也.
'종도리와 서까래가 대장괘의 상'인 것에 대하여 사마광이 말하였다: 바람·우레가 위에서 움직이고, 종도리·서까래가 아래에서 튼튼한 것이 대장괘의 상이다.

박치화(朴致和) 「설계수록(雪溪隨錄)」

雷天之象, 風雨動於覆蓋之上, 故聖人象之, 以爲宮室.
우레와 하늘의 상은 비바람이 지붕 위에서 움직이는 것과 같으므로 성인이 이것을 상징하여 궁실을 만들었다.

유정원(柳正源) 『역해참고(易解參攷)』

雙湖胡氏曰, 震木在上而爲棟, 乾天在下而爲宇.
쌍호호씨가 말하였다: 진괘의 나무가 위에 있어서 종도리가 되고, 건괘의 하늘이 아래에 있

어서 서까래가 된다.

김상악(金相岳) 『산천역설(山天易說)』

大壯者, 壯固之意也. 上二陰爲棟, 下三陽爲宇.

대장(大壯)이라는 것은 건장하고 견고하다는 뜻이다. 상괘의 두 음은 종도리가 되고 하괘의 세 양은 서까래가 된다.

서유신(徐有臣) 『역의의언(易義擬言)』[86]

上棟下宇, 以待風雨.

종도리를 올리고 서까래를 내려서 비바람을 대비하니.

上震木爲棟薨, 上隆之象, 下乾天爲簷宇, 下垂之象. 外震爲風雨振蕩之象, 內乾爲宮室庇覆之象. 震爲木爲雷, 木將風, 雷將雨, 故待之也.

상괘인 진괘의 나무가 종도리와 용마루가 되니 위로 높은 상이고, 하괘인 건괘의 하늘이 처마가 되니 아래로 드리운 상이다. 외괘인 진괘는 비바람에 흔들리는 상이고, 내괘인 건괘는 궁실에 비호 받는 상이다. 진괘는 나무이고 우레이니 나무에 바람이 불고 우레가 비가 될 것이기 때문에 기다리는 것이다.

심대윤(沈大允) 『주역상의점법(周易象義占法)』

大壯有壯而不實之義, 屋宇高壯而中虛也. 動乎高大之上, 乾兌爲屋宇宮室, 震兌爲雷雨之象. 對觀全爲巽風, 艮巽爲家爲入處.

대장괘(大壯卦䷡)는 씩씩하지만 성실하지 못한 뜻이 있으니, 집의 지붕이 높고 단단하나 가운데가 빈 것과 같다. 높고 큰 것의 위에서 움직이니, 건괘와 태괘는 지붕과 집이 되고 진괘와 태괘는 우레와 비의 상이 된다. 음양이 바뀐 괘인 관괘(觀卦䷓)는 온전히 손괘인 바람이 되고, 간괘와 손괘는 집이 되고 들어가는 곳이 된다.

오치기(吳致箕) 「주역경전증해(周易經傳增解)」

對體互艮, 爲宮之象, 對巽, 爲木棟之象, 亦爲風象. 交體互坎, 爲雨之象, 亦以棟宇壯固之義也.

---

86) 경학자료집성 DB에서는 「계사하전」 '통론'으로 분류했으나, 내용에 따라 이 자리로 옮겼다.

음양이 바뀐 몸체의 호괘인 간괘는 집의 형상이고 음양이 바뀐 괘인 손괘는 종도리의 형상이니, 또한 바람의 상이다. 이효와 오효가 바뀐 몸체에서 호괘인 감괘는 비의 형상이니, 또한 종도리가 장엄하고 견고하다는 의미이다.

박문호(朴文鎬) 「경설(經說)·주역(周易)」

雷在天上, 有架大木於虛空之象.[87]

우레가 하늘 위에 있으니, 큰 나무가 허공에 가설되어 있는 상이다.

이병헌(李炳憲) 『역경금문고통론(易經今文考通論)』

姚曰, 震木在上, 故上棟, 乾在下, 故下宇.

요신이 말하였다: 진괘인 나무가 위에 있기 때문에 '종도리를 올림'이고, 건괘가 아래에 있기 때문에 '서까래를 내림'이다.

---

87) 경학자료집성 DB에 「계사하전」 제 3장에 편집되어 있으나, 경학자료집성 영인본을 참조하여 「계사하전」 제 2장으로 옮겼다.

古之葬者, 厚衣之以薪, 葬之中野, 不封不樹, 喪期无數, 後
世聖人, 易之以棺槨, 蓋取諸大過.

옛날에 장사지내던 자는 땔나무로 두텁게 입혀서 들 복판에서 장사지내면서 봉분하지도 않고 나무
심지 않으며 초상의 기간이 정수(定數)가 없었는데, 후세의 성인이 널[棺槨]로 바꾸니, 대과괘(大過
卦䷛)에서 취하였다.

▌中國大全▌

本義

送死, 大事而過於厚.

죽은 이를 보냄은 큰일이어서 두터움을 지나치게 한다.

小註

南軒張氏曰, 君子不以天下儉其親, 於此而過无害也.

남헌장씨가 말하였다: 군자는 천하 때문에 그 어버이를 검소하게 하지 않으니,[88] 여기서는
지나쳐도 해가 없다.

○ 丹陽都氏曰, 杵曰棺槨, 所以使民養生送死无憾, 所以依於人者, 過厚也. 然養生,
不足以當大事, 故取小過之義而已, 送死, 足以當大事, 故取大過之義焉.

단양도씨가 말하였다: 절굿공이와 절구와 널은 백성들로 하여금 살아계신 부모를 봉양하고
돌아가신 부모를 장례함에 유감이 없도록 하는 것이니, 사람들이 하는 대로 놔둠이 지나치게
두텁지만, 그러나 살아계신 부모를 봉양하는 것은 큰일이라고 할 수 없으므로 소과괘의 뜻을
취하였고, 돌아가신 부모를 장례하는 것은 큰일에 해당되므로 대과괘의 뜻을 취하였다.

---

88) 『孟子·公孫丑』: 吾聞之也, 君子不以天下儉其親.

○ 合沙鄭氏曰, 大壯外震, 震動也, 風雨飄搖之象. 大過內巽, 巽入也, 殯葬入土之象.
합사정씨가 말하였다: 대장괘䷡는 외괘가 진괘[☳]이며 진은 움직임이니, 비바람이 나부끼는 상이다. 대과괘䷛는 내괘가 손괘[☴]이며 손은 들어감이니, 장사지낸 땅에 들어가는 상이다.

▌韓國大全▐

송시열(宋時烈)『역설(易說)』

棺椁大過象, 諸易不言, 而折中云, 木在澤中. 又云死者以土爲安, 故入而後說也, 亦未詳. 此亦澤兌之虛中容物, 巽木之有入義耶.
'널[棺椁]이 대과괘의 상'인 것에 대해 제가(諸家)들의 여러『주역』주석에서 언급하지 않았으나,『주역절중』에서는 "나무가 못 안에 있는 것이다"라고 하였다. 또 "죽은 자는 흙을 편안하게 여기기 때문에 들어간 뒤에 기쁘다"고 한 것도 자세하지 않다. 여기서도 못인 태괘가 가운데가 비어 물건을 받아들이니, 손괘인 나무가 들어가는 뜻이 있어서일 것이다.

박치화(朴致和)「설계수록(雪溪隨錄)」

上動下入〈本義〉. 葬之象, 兩木上下相合, 棺椁之象.
상괘는 움직이고 하괘는 들어간다.〈『본의』에 보인다.〉장사지냄의 상은 두 나무가 위아래로 서로 합한 것이니, 관곽의 상이다.

이익(李瀷)『역경질서(易經疾書)』

棟者最居于上, 衆材仰承, 宇者下覆之義, 故曰上棟下宇也. 雷在天上, 滛雨之象, 與山上之小過異矣. 滛雨之備, 莫大於宮室, 故有取於此. 旣樂業而爲生, 生必有居, 死必有葬, 故宮室棺椁, 其序然也.
종도리는 가장 위에 있어 뭇 자재들이 우러러 받들고, 서까래는 아래를 덮어주는 뜻이 있기 때문에 "종도리를 올리고 서까래를 내린다"고 하였다. 우레가 하늘 위에 있어 폭우[滛雨]의 상이니, 우레가 산위에 있는 소과괘(小過卦䷽)와는 다르다. 폭우에 대한 대비는 궁실이 가장 중대하기 때문에 여기에서 취함이 있다. 이미 즐거워 일하며 살아간다면, 살아서는 반드시 거처가 있고 죽어서는 반드시 장례가 있어야 하기 때문에 궁실과 관곽을 말하였으니, 그 순차가 그러하다.

小過之象, 喪過乎哀, 以心言也, 此云棺槨, 以事言也. 當其心也, 未必有事, 厚衣以薪, 惟小過可以當之. 內棺外槨, 無不備具, 此又時宜, 而以過爲中者也. 澤在風上, 因風注下, 有大過之象, 故有取於此.

소과괘(小過卦䷽)의 「상전」에서 "상사(喪事)에는 슬픔을 지나치게 함"[89]이라고 한 것은 마음으로 말하였고, 여기에서 관곽을 말한 것은 일로써 말하였다. 마음을 당해서는 아직 꼭 일이 있는 것은 아니니, 땔나무로 두텁게 입히는 것은 오직 소과괘에서 당해낼 수 있다. 내관과 외곽으로 구비하지 않음이 없음은 더욱 때에 맞으나 지나침을 중도로 삼는 자이다. 못이 바람의 위에 있어서 바람으로 인해 흘러내리니, 대과괘의 상이 있기 때문에 여기에서 취하였다.

유정원(柳正源) 『역해참고(易解參攷)』

韓氏曰, 取其過厚.

한강백이 말하였다: 두터움이 지나침을 취하였다.

○ 正義, 不封不樹者, 不積土爲墳, 是不封也. 不種樹以標其處, 是不樹也. 喪期无數者, 哀止則除, 无日月限數也.

『주역정의』에서 말하였다: "봉분하지 않고 나무를 심지도 않았다"는 것은 흙을 쌓지 않고 분묘를 만들었으니 이것이 '봉분하지 않음'이고, 나무를 심어 분묘가 있는 곳을 표시하지 않았으니 이것이 '나무를 심지도 않음'이다. "초상의 기간이 정해진 수가 없었다"는 것은 슬픔이 가시면 그만두었으니, 한정된 날짜의 수가 없었다는 것이다.

○ 疊山謝氏曰, 大過巽下爲木, 上兌反巽亦爲木. 棺槨皆木爲之, 木皆四片. 大過全體, 又有坎穴, 皆埋葬象.

첩산사씨가 말하였다: 대과괘(大過卦䷛)는 하괘인 손괘가 나무이고 상괘인 태괘의 거꾸로 된 괘가 손괘이니 또한 나무이다. 내관과 외곽은 모두 나무로 만드는데, 나무는 모두 네 조각이다. 대과괘의 전체괘는 또 감괘의 구멍이 있으니, 모두 매장의 상이다.

---

89) 『周易・小過卦象傳』: 山上有雷小過, 君子以, 行過乎恭, 喪過乎哀, 用過乎儉.

○ 息齋余氏曰, 棟宇棺槨, 皆取四陽, 非此无以抗風雨水泉之陰也. 大壯象兌, 陰在上也, 大過象坎, 表裏皆陰也.

식재여씨가 말하였다. 종도리·서까래·내관·외곽은 모두 네 양을 취하였으니, 이것이 아니고는 비바람과 물의 음에 대항할 수 없는 것이다. 대장괘의 상은 태괘이니 음이 위에 있고, 대과괘의 상은 감괘이니, 밖과 안이 모두 음이다.

○ 案, 棺槨擧其一而言之也. 蓋衣之以薪也, 易以棺槨之制, 不封不樹也, 制爲四尺之墳, 喪制无數也, 定爲三年之禮, 皆大事之過厚者也. 又於大過之事, 而得其中者也.

내가 살펴보았다: 관곽은 그 중 하나를 들어 말하였다. '땔나무로 두텁게 입힘'을 관곽의 제도로 바꾸고, 봉분하지도 않고 나무를 심지도 않음을 사방 한자의 봉분을 만들고, 상제에 정해진 수가 없었는데 삼년의 예를 정한 것은, 모두 대사로서 지나침이 큰 것이다. 또 크게 지나친 일에 있어서 그 중도를 얻은 자이다.

김상악(金相岳)『산천역설(山天易說)』

巽木上有兌口, 棺槨之象.

손괘인 나무위에 태괘인 입이 있으니, 관곽의 상이다.

서유신(徐有臣)『역의의언(易義擬言)』[90]

易之以棺槨.

널로 바꾸니.

中四爻如棺, 上下爻如槨. 大坎爲掘地之象, 巽入爲深埋之象, 兌說爲無憾之象也.

가운데의 네 효는 내관(內棺)과 같고, 상효와 초효는 외곽(外槨)과 같다. 큰 감괘는 땅을 파는 상이고, 손괘의 들어감은 깊이 묻는 상이며, 태괘인 기쁨은 유감이 없는 상이다.

박제가(朴齊家)『주역(周易)』

古之葬者, 厚衣之以薪.

옛날에 장사지내던 자는 땔나무로 두텁게 입혀서.

---

90) 경학자료집성 DB에서는「계사하전」'통론'으로 분류했으나, 내용에 따라 이 자리로 옮겼다.

以厚爲句, 恐當以厚衣爲文. 蓋衣之以薪, 何厚之. 有易以棺槨, 然後當曰厚. 其曰取諸大過, 本義曰過於厚, 謂古之葬之厚耶, 謂易之棺槨之厚耶. 經之取象, 以喪期無數爲太過, 故見其大過而易之云, 非取其大過而過於厚.

'후(厚)'자에서 구두를 떼어야 하는데 여기에서는 마땅히 '후의(厚衣)'를 문장으로 삼은 듯하다. 땔나무를 입혀서 무엇을 두텁게 한다는 것인가? 관곽으로 바꾼 뒤에 '두터이 하다[厚]'라고 해야 한다. "대과괘에서 취했다"고 하는 것을 『본의』에서는 "두터움을 지나치게 한 것이다"라고 하였는데, '옛날의 장사지냄'이 두텁다는 것인가? '관곽으로 바꾼 일'이 두텁다는 것인가? 경문에서 상을 취한 것은 상기에 정수가 없는 것을 '너무 지나침'으로 여겼기 때문에 크게 지나침을 보고 바꾼 것이지, 대과괘에서 취하여 두터움에 지나치게 한 것이 아니다.

심대윤(沈大允) 『주역상의점법(周易象義占法)』

送死, 過于厚而時中也. 全卦兌互巽, 兌爲死尸, 巽爲入爲木, 坎爲蔽藏埋瘞. 兌巽又爲喪木, 對頤艮爲墳, 震爲樹, 有樹養墓木之義. 巽爲三, 兌互對卦离震艮, 有喪三年之象.

죽은 이를 장례하는 것은 두터움에 지나치더라도 때에 맞는 것이다. 전체 괘는 태괘(兌卦☱)가 손괘(巽卦☴)와 갈마드니, 태괘는 죽은 시체가 되고, 손괘는 들어감이 되며 나무가 되고, 감괘(坎卦☵)는 가리고 감추고 묻음이 된다. 태괘와 손괘는 또 초상에 쓰는 나무가 되고, 음양이 바뀐 괘인 이괘(頤卦䷚)는 간괘(艮卦☶)가 무덤이 되고 진괘(震卦☳)가 나무가 되니, 무덤의 나무를 기르는 뜻이 있다. 손괘는 삼이 되고, 태괘가 음양이 바뀐 괘에서 리괘·진괘·간괘와 갈마들어 삼년상의 상이 있다.

오치기(吳致箕) 「주역경전증해(周易經傳增解)」

本巽反巽皆爲木, 乃棺槨以木之象. 似坎爲穴, 互之對坤爲地, 巽爲入, 乃殯葬入土穴之象, 亦以送死可以當大事而過于厚, 故取大過之義也.

본괘인 손괘와 거꾸로 된 손괘가 모두 나무이니, 나무로 관곽을 만든 상이다. 감괘(☵)는 구멍이 되고 호괘[䷚]의 음양이 바뀐 괘인 곤괘(坤卦☷)가 땅이 되며 손괘는 들어감이니, 곧 염하며 장례할 때에 토혈에 안치하는 상으로서 또한 초상은 큰일에 해당할 수 있어 두터움에 지나치기 때문에 대과괘의 뜻을 취하였다.

澤滅木, 有埋人於土之象.[91]
못이 나무를 멸하니, 사람이 흙에 매장되는 상이 있다.

---

91) 경학자료집성 DB에 「계사하전」 제 3장에 편집되어 있으나, 경학자료집성 영인본을 참조하여 2장으로 옮겼다.

이병헌(李炳憲) 『역경금문고통론(易經今文考通論)』

孟曰, 葬藏也.

맹희가 말하였다: 장(葬)은 감춤이다.

劉向云, 棺槨之作, 自黃帝始.

유향이 말하였다: 관곽이 만들어진 것은 황제로부터 비롯되었다.

按, 此爲澤滅木之象也.

내가 살펴보았다: 이것은 못이 나무를 멸하는 상이 된다.

上古, 結繩而治, 後世聖人, 易之以書契, 百官以治, 萬民以
察, 蓋取諸夬.

아주 옛날에는 노끈을 묶어[결승문자] 다스렸는데, 후세의 성인이 글과 문서로 바꾸어 백관이 이것으
로 다스리며 온 백성들이 이것으로 살피니, 쾌괘(夬卦䷪)에서 취하였다.

▌中國大全▌

本義

明決之意.

밝게 결단한다는 뜻이다.

小註

朱子曰, 上古結繩而治, 後世聖人易之以書契, 天下事有古未之爲而後人爲之, 固不可
无者, 此類是也. 又曰, 結繩, 今溪洞諸蠻猶有此俗. 又有刻版者, 凡年月日時, 以至人
馬糧草之數, 皆刻版爲記, 都不相亂.

주자가 말하였다: 아주 옛날에는 노끈을 묶어 다스렸으나 후세의 성인이 글과 문서로 바꾼
것이다. 천하의 일에는 옛날에는 하지 않았으나 후인이 한 것이 있으니, 진실로 없을 수
없다는 것이 이 부류인 것이다.

또 말하였다: 노끈을 묶음은 지금 계동의 여러 만족(蠻族)에게 여전히 이러한 풍속이 있다.
또 목판에 새긴 것이 있는데, 연월일시로부터 사람과 말, 군량과 건초의 수까지 모두 목판에
새겨 기록하여 모든 것을 서로 어지럽지 않게 하였다.

○ 問, 六十四卦, 重於伏羲, 果否. 曰, 此不可考. 或曰, 耒耜市井, 已取重卦之象, 則
疑伏羲已重卦, 或者, 又謂此十三卦, 皆云蓋取, 則亦疑辭. 未必因見此卦, 而制此物
也. 今无所考, 但旣有八卦, 則六十四卦, 已在其中, 此則不可不知耳.

물었다: 64괘는 복희에게서 겹쳐졌다는데, 과연 그러합니까?

답하였다: 이것은 알 수가 없습니다. 어떤 이는 "쟁기와 보습과 시장에 이미 중괘(重卦)의 상을 취했으니, 복희 때에 이미 괘를 겹친 듯하다"고 하고, 어떤 이는 또 "이 13괘에서 모두 '대체로 취하였다[蓋取]'고 했으니, 또한 의심하는 말이다. 반드시 이 괘를 보고서 이 물건을 제작한 것은 아니다"라고 합니다. 지금은 알 수가 없지만, 이미 팔괘가 있었다면 64괘는 이미 그 안에 있었을 것이니, 이 점을 몰라서는 안 될 것입니다.

○ 進齋徐氏曰, 上古民淳事簡, 事之小大, 唯結繩以識之, 亦足以爲治, 至後世, 風俗 媮薄, 欺詐日生, 而書契不容不作矣. 書文字也, 契合約也. 言有不能記者, 書識之, 事 有不能信者, 契驗之. 取明決之義. 蓋夬乃君子決小人之卦, 而造書契者, 亦所以決去 小人之僞而防其欺也.

진재서씨가 말하였다: 아주 옛날에는 사람이 순수하고 일이 간단하여 크고 작은 일에 노끈을 묶어서 식별하더라도 또한 다스릴 수 있었으나, 후세에는 풍속이 경박하고 야박하며 날마다 속이는 일이 일어나서 글과 문서를 만들지 않을 수 없게 되었다. 글은 문자이고 문서는 약속함이다. 말에 기억할 수 없는 것이 있으면 글로 식별하고, 일에 믿을 수 없는 것이 있으면 문서로 확인하였으니, 밝게 결단한다는 뜻이다. 대체로 쾌괘는 군자가 소인을 결단하는 괘이고, 글과 문서를 만든 것도 또한 소인의 거짓을 결단하고 그 기만을 방비하는 것이다.

○ 開封耿氏曰, 已前不云上古, 已下三事, 或言古, 與上不同者, 蓋未造此器之前, 更 无餘物之用, 非是後世以替前物. 故不言上古也. 此以下三事, 皆是未造此物之前, 已 更別有所用, 今將後用而代前用. 故本之云上古及古者.

개봉경씨가 말하였다: 앞에서는 '아주 옛날[上古]'이라고 하지 않다가 뒤의 세 가지 일에 혹 '옛날[古]'이라고 하여 위와 달리 한 것은, 이런 기물들이 만들어지기 전에는 다시 어떤 기물도 쓰인 적이 없었기 때문이니, 후세에 앞의 기물을 대신한 것이 아니다. 그러므로 '아주 옛날'이라고 하지 않았다. 뒤의 세 가지 일은 모두 이것들이 만들어지기 전에도 따로 쓰던 것이 있었으며, 이제 뒤에 쓰이는 것으로 전에 쓰던 것을 대신하였다. 그러므로 이를 근거로 '아주 옛날'이나 '옛날'이라고 한 것이다.

右第二章.

이상은 제2장이다.

‖中國大全‖

本義

此章, 言聖人制器尙象之事.

이 장은 성인이 기물을 만들고 상(象)을 숭상한 일을 말하였다.

小註

息齋余氏曰, 卜筮之說, 詳於上繫, 制器之說, 詳於下繫.

식재여씨가 말하였다: 점치는 것의 설명은 「계사상전」에 자세하고, 기물 제작에 대한 설명은 「계사하전」에 자세하다.

○ 潛室陳氏曰, 十三卦取象, 說上古雖未有易之書, 元自有易之理, 故所作事暗合易書, 卽邵子所謂畫前之易, 是也.

잠실진씨가 말하였다: 13괘에서 상(象)을 취한 것은, 아주 옛날에는 비록 역이 없었지만 원래부터 역의 이치는 있었으므로 일으킨 사업이 암암리에 역에 합치한다고 말한 것이니, 소자(邵子)의 이른바 '획을 그리기 전의 역'이 이것이다.

○ 開封耿氏曰, 十三卦之辭, 或言利, 或不言利, 何也. 網罟非不爲利也, 然必耒耜杵臼而後, 能裕萬民之食. 是則網罟之利不足言, 而耒耜杵臼之利大矣, 所以言利也. 門柝非不爲利也, 然門柝則能保其內, 使暴客不能入而已, 弧矢則又能威其外, 使暴客不能至. 是則門柝之利不足言, 而弧矢之利大矣, 所以言利也. 獨於舟楫馬牛, 言利天下者, 舟楫馬牛之利, 无所不通, 可以周天下故也.

개봉경씨가 말하였다: 13괘의 말에 이롭다고 한 것도 있고 이롭다고 하지 않은 것도 있는 것은 어째서인가? 그물이 이롭지 않은 것은 아니지만, 반드시 쟁기와 보습, 절굿공이와 절구가 있은 뒤에야 온 백성의 음식이 넉넉할 수 있다. 이렇다면 그물은 이롭다고 하기에 부족하고, 쟁기와 보습, 절굿공이와 절구는 이로움이 크기에 이롭다고 한 것이다. 문과 딱따기가 이롭지 않은 것은 아니지만, 문과 딱따기는 그 안을 보호하여 사나운 나그네가 들어올 수 없도록 할 뿐이고, 활과 화살은 또한 그 밖을 위협할 수 있어 사나운 나그네가 이르지 못하게 한다. 이렇다면 문과 딱따기는 이롭다고 히기에 부족하고, 활과 화살은 이로움이 크기에 이롭다고 한 것이다. 유독 배와 노, 말과 소에 "천하를 이롭게 한다"고 한 것은 배와 노,

말과 소의 이로움은 통행하지 못하는 곳이 없게 하여 천하를 두루 다닐 수 있기 때문이다.

○ 苟軒程氏曰, 網罟耒耜, 所以足民食, 交易舟車, 所以通民財, 杵臼弧矢, 所以利民用. 衣裳以華其身, 宮室以定其居, 門柝以衛其生, 棺槨以送其死. 凡所以爲民生利用安身養生送死之道, 已无遺憾矣. 然百官以治, 萬民以察, 卒歸之夬之書契, 何也. 蓋器利用便, 則巧僞生, 憂患作. 聖人憂之, 故終之以書契之取象, 書契, 可以代忘言之兌, 乾天, 可以防書契之僞. 其視網罟等象, 雖非一時之利, 實萬世之大利也. 故結繩初易爲網罟, 終易爲書契, 聖人以定大業, 斷大疑, 悉於書契乎觀. 百官治, 萬民察, 誠非書契, 不可也, 十三卦, 終以夬卦之取象, 聖人之意深矣.

구헌정씨가 말하였다: 그물과 쟁기와 보습은 백성의 음식을 풍족하게 하는 것이며, 교역하는 배와 수레는 백성의 재화를 유통시키는 것이며, 절굿공이와 절구, 활과 화살은 백성의 일용을 이롭게 하는 것이다. 의상으로 그 몸을 꾸미고, 집으로 그 거처를 안정시키고, 문과 딱따기로 그 생활을 지켜내고, 널로 그 죽음을 장송한다. 이러한 것들은 모두 백성의 생활에 씀을 이롭게 하고 몸을 편안히 하며 봉양하고 장송하는 도리가 되니, 이미 유감이 없을 것이다. 그러나 "백관이 이것으로 다스리며 온 백성이 이것으로 살핀다"고 하여 끝내 쾌괘의 글과 문서로 돌아간 것은 어째서인가? 대체로 기물이 이롭고 쓰기에 편리하면 교묘한 거짓이 생겨나서 근심걱정이 일어나기 때문이다. 성인이 이를 걱정했으므로 글과 문서의 상을 취하는 것으로 끝을 맺었으니, 글과 문서는 말을 잊은 태(兌)를 대신할 수 있고, 건(乾)인 하늘은 글과 문서의 거짓을 방비할 수 있다. 그물 등의 상을 보면 단지 한 때의 이로움이 아니라, 실로 만세의 큰 이로움이다. 그러므로 노끈을 묶은 것이 처음에는 그물로 바뀌고, 마침내는 글과 문서로 바뀌었으니, 성인이 큰 사업을 확정하고 큰 의혹을 결단함을 모두 글과 문서에서 볼 수 있다. 백관이 다스리고 온 백성이 살피는 것은 참으로 글과 문서가 아니라면 할 수 없으니, 13괘를 쾌괘의 상을 취함으로 끝맺음은 성인의 깊은 뜻이다.

○ 雲峰胡氏曰, 舟楫取渙, 以卦象取也, 服乘取隨, 臼杵取過, 以卦德取也. 豫備睽乖, 壯固夬決, 大過過於厚, 皆以卦義取也. 諸家往往皆以互體推之, 未免穿鑿, 殊不知夫子之意, 亦不過謂聖人之制此器也, 此卦之中, 自有此理而已. 蓋之一字, 疑取諸此, 而非必取之此也. 自天祐之, 吉无不利, 上傳爲君子之用易者言之, 下傳又爲聖人之通變者言之, 何也. 天者, 理而已. 聖人之制器, 不能先天而强爲, 不能後天而不爲, 非一時之所可爲也, 非一人之所能爲也, 皆天理之自然者也. 所以亦曰, 自天祐之.

운봉호씨가 말하였다: 배와 노를 환괘에서 취함은 괘의 상으로 취한 것이며, 부리고 탐을 수괘에서 취하고 절구와 절굿공이를 소과괘에서 취함은 괘의 덕으로 취한 것이다. 예괘의 대비와 규괘의 어그러짐, 대장괘의 견고함과 쾌괘의 결단함, 대과괘의 두터움을 지나치게

함은 모두 괘의 뜻에서 취한 것이다. 여러 학자들이 왕왕 모두 호체(互體)로 추론하여 천착함을 면치 못하는데, 공자의 뜻이 또한 "성인이 이 기물을 제작함은 이 괘에는 본래 이러한 이치가 있어서이다"라고 한 것에 불과함을 결코 모르는 것이다. '개(蓋)'라는 한 글자는 여기에서 취했음을 의심하는 것이지, 반드시 여기에서 취했다는 것은 아니다. 하늘로부터 도와서 길하여 이롭지 않음이 없는데, 「계사상전」은 군자가 『주역』을 쓰는 것을 말한 것이 되고, 「계사하전」은 다시 성인이 변함을 통하는 것을 말한 것이 된다는 것은 어째서인가? 하늘은 이치일 뿐이다. 성인이 기물을 제작함은 하늘에 앞서서 억지로 할 수도 없고, 하늘의 뒤에서 하지 않을 수도 없으며, 한 때에 할 만한 것도 아니고, 한 사람이 할 수 있는 것도 아니니, 모두 천리에 자연한 것이다. 그래서 또한 "하늘로부터 돕는다"고 한 것이다.

○ 誠齋楊氏曰, 嗚呼, 鴻荒之世, 民之初生, 非若今日之備器用, 便起居, 具服食也. 自斯人之飢而未知佃漁也, 聖人於是乎作網罟, 自斯人之肉食而未知粒食也, 聖人於是乎作耒耜. 自斯人之食貨, 或有餘或不足之偏匱也, 聖人於是乎作市易, 自斯人之寒而衣皮, 未知織紝之制也, 聖人於是乎作衣裳. 自斯人之出入, 厄於川隔而道斷也, 聖人於是乎作舟楫, 自斯人之疲於負擔而趼於遠塗也, 聖人於是乎作輪轡. 自斯人之虞於寇攘而懈於守禦也, 聖人於是乎作門柝, 自斯人之知有耕耨, 而未知有舂揄也, 聖人於是乎作杵臼. 自斯人之无爪牙以自濟而憂於搏噬也, 聖人於是乎作弧矢, 自斯人之穴處而病於濕墊也, 聖人於是乎作宮室. 自斯人之死而蹙於蘽梩之掩也, 聖人於是乎作棺槨, 自斯人之窮於結繩, 而相欺无藉也, 聖人於是乎作書契. 然非聖人之私知也, 取於十三卦之象然後成, 亦非一聖人之能爲也, 歷五聖人而後備. 蓋斯人生生之道, 若此其難, 而聖人所以生生斯人者, 若此其勞也. 故曰如古之无聖人, 人之類滅, 久矣.
성재양씨가 말하였다: 아! 아주 먼 옛날에 백성이 처음 나올 때는 오늘날과 같이 기물을 갖추고 기거를 편하게 하고 의복과 음식을 갖추지 않았다. 사람들이 굶주려도 사냥하고 고기 잡을 줄을 모르기 때문에 성인이 이에 그물을 만들었으며, 사람들이 고기를 먹어도 쌀밥을 먹을 줄을 모르기 때문에 성인이 이에 쟁기와 보습을 만들었다. 사람들의 양식과 재화가 혹 남거나 혹 모자라는 치우침 때문에 성인이 이에 시장을 열어 교역하게 했으며, 사람들이 추워서 가죽옷을 입고 직물을 제조할 줄 모르기 때문에 성인이 이에 의상을 만들었다. 사람들이 출입함에 내에 막히고 길이 끊기는 재앙을 당하기 때문에 성인이 이에 배와 노를 만들었으며, 사람들이 짐을 져서 피곤하고 길이 멀어 발이 부르트기 때문에 성인이 이에 수레와 고삐를 만들었다. 사람들이 도적 물리침을 염려하여도 막음을 게을리 하기 때문에 성인이 이에 문과 딱따기를 만들었으며, 사람들이 밭 갈고 김맬 줄 알아도 찧어서 퍼낼 줄 모르기 때문에 성인이 이에 절굿공이와 절구를 만들었다. 사람들이 스스로를 지킴에 쓸 만한 것이 없어서 할퀴고 물림을 걱정하기 때문에 성인이 이에 활과 화살을 만들었으며, 사람들이 동

굴에서 지내면서 눅눅함으로 병이 들기 때문에 성인이 이에 집을 만들었다. 사람들이 죽어서 덩굴에 가려져 수축되기 때문에 성인이 이에 널을 만들었으며, 사람들이 노끈을 묶은 것에 막히어 서로 빌림이 없다고 속이기 때문에 성인이 이에 글과 문서를 만들었다. 그러나 이는 성인이 사사로운 지혜가 아니라 13괘의 상에서 취한 뒤에 이루어진 것이며, 또한 한 성인이 해낸 것도 아니고 다섯 성인을 거친 뒤에 갖춰졌다. 대체로 사람들이 낳고 낳는 도리는 어려움이 이와 같고, 성인이 사람들을 낳고 낳는 것은 수고로움이 이와 같다. 그러므로 "만약 옛날에 성인이 없었다면 인류는 오래전에 멸망했을 것이다"라고 하였다.

○ 西山眞氏曰 此章所列卦象之意 皆物理之自然者也 有自然之象 則有自然之理 人之所共睹也 然常人見其象 而昧其理 唯聖人見是象 則知是理 知是理 則制是器 人皆謂備物致用 立成器以利天下 出於聖人之心思 不知聖人亦因其所固有而已 學者誠能虛心 以體天下之物 則精義妙道 莫不昭昭然接於吾之心目 然後眞知道器之相合 而顯微之无間也

서산진씨가 말하였다: 이 장에 나열된 괘상(卦象)의 뜻은 모두 사물의 자연한 이치이다. 자연한 상이 있으면 자연한 이치가 있으니, 사람이 함께 보는 것이다. 그러나 보통 사람은 그 상을 보아도 그 이치에 어둡고, 성인만이 이러한 상을 보면 곧 이러한 이치를 인지하고, 이러한 이치를 인지하면 곧 이러한 기물을 제작하였다. 사람들은 모두 "만물을 갖추며 씀을 다하며 기물을 만들어 내어 이로써 천하의 이로움을 삼는 것[92]"이 성인의 생각에서 나왔다고 하고, 성인도 또한 고유한 것을 따랐을 뿐임을 알지 못한다. 학자가 참으로 마음을 비우고 천하의 사물을 체득할 수 있다면, 정밀한 뜻과 미묘한 도리가 나의 마음에 밝게 접촉하지 않음이 없을 것이며, 그런 뒤에야 참으로 도(道)와 기(器)가 서로 합하고 드러남과 미묘함이 사이가 없음을 알 것이다.

---

92) 『周易·繫辭傳』: 備物致用, 立成器, 以爲天下利, 莫大乎聖人.

‖韓國大全‖

권근(權近) 『주역천견록(周易淺見錄)』[93]

作結繩而爲網罟, 以佃以漁, 蓋取諸離. 聖人觀象制器, 以利民用其事多矣, 必先言網罟者, 洪荒之世, 禽獸之害爲甚, 聖人作爲網罟, 敎人佃漁, 以制禽獸. 然後人始得免於禽獸之噣, 彝倫以敍, 制度可興, 聖人之仁, 被於萬世. 蓋欲興利, 先除其害, 此網罟所以居制作之首也. 蓋禽獸其類甚衆, 其生甚繁, 苟不獵取以去其害, 則大者食人之軀, 小者耗人之食, 人類將無以爲生, 而彝倫或幾乎斁矣. 異端之敎, 務爲姑息, 其仁禽獸, 無異同類, 深戒以勿殺. 而於人則禁絶人道, 以滅其生生之理, 是使禽獸多而人類少, 率禽獸而戕人倫者也. 聖人有四時之畋, 三驅之法, 一以爲民而除害, 一以愛物而不暴, 仁之至, 而義之盡也.

노끈을 매어 그물을 만들고 그것으로 사냥하고 고기 잡으니 리괘(離卦)에서 취했다. 성인이 상을 관찰하여 기물을 만들고 그를 통해 백성들이 이롭게 쓰도록 한 일은 많은데도 반드시 '그물'을 먼저 말한 것은 태고 시대에는 금수의 해가 가장 심했으므로 성인이 그물을 만들어 사람들에게 사냥하고 고기를 잡게 하여 금수를 제압하게 하였다. 그런 뒤에야 사람들이 비로소 금수의 해로부터 벗어날 수 있었고, 그를 통해 윤리가 펴지고 제도가 흥성하며 성인의 인이 만세에 영향을 주었다. 대체로 이익을 증진시키기 위해 먼저 그 해를 제거한 것이니, 이것이 그물이 제작된 기물의 첫 자리에 있는 이유이다. 대개 금수는 종류가 매우 많고 생명의 번식도 매우 높아 사냥하고 잡아 그 해를 제거하지 않는다면, 큰 것은 사람의 신체를 먹고 작은 것은 사람이 먹어야 할 것을 먹어치워 인류가 살아갈 도리가 없게 만들고 윤리는 거의 막히게 될 것이다. 이단의 가르침은 고식적인 것을 힘써 금수에게 어질게 대하되 동류인 사람과 차이 없이 하라고 하여 죽이지 말라고 깊이 경계한다. 사람에 대해서는 사람의 도리를 금지하고 끊어 생생하는 이치를 사라지게 하니, 이는 금수는 많게 하고 인류는 적게 하며, 금수를 이끌어 인륜을 해치는 것이다. 성인에게는 계절에 따른 사냥과 세 방향에서 짐승을 모는 방법이 있어 한편으로는 백성들을 위해 해를 제거하고, 한편으로는 동물을 아끼고 포악하게 하지 않았으니, 이것이 인을 지극하게 하고 의를 다한 것이다.

조호익(曹好益) 『역상설(易象說)』

---

93) 경학자료집성 DB에 「계사하선」 제 1장에 편집되어 있으나 경힉자료집성 영인본을 참조하여 「게사하전」 제 2장으로 옮겼다.

第二章章下註, 苟軒程氏說, 乾天二字, 疑明決之誤. 然更思之, 則夬之爲卦, 下乾上兌, 兌爲口舌, 故曰忘言之兌. 乾爲天, 天者以理言, 故可以防僞.

제 2장의 장 아래 나오는 주 가운데 구헌정씨의 설에서 말한 '건천(乾天)' 두 글자는 아마도 '명결(明決)'의 오자인 듯하다. 그러나 다시 생각해 보니, 쾌괘(夬卦)의 괘 모양은 하체가 건(乾)이고 상체가 태(兌)인데, 태는 입과 혀가 되므로 '말을 잊은 태(兌)'라고 한 것이다. 건(乾)은 천(天)이 되는데, 천(天)이라는 것은 이치로써 말을 하므로 거짓을 방비할 수 있다.

송시열(宋時烈) 『역설(易說)』

書契治民取夬者, 諸易不言象, 折中云, 兌爲言語, 可以通彼此之情, 書之象也. 乾爲健, 固可以堅彼此之信, 契之象也. 蓋決者, 剛決柔者也.

'글과 문서로 백성을 다스림은 쾌괘에서 취한 것'에 대하여 제가(諸家)들의 『주역』에서는 상을 언급하지 않았는데, 『주역절중』에서는 "태괘는 언어가 되니 피차의 뜻이 통할 수 있는 것이 글의 상이다. 건괘는 강건함이 되니 진실로 피차의 신의가 견고할 수 있는 것이 문서의 상이다"라고 하였다. 대개 결단하는 것은 굳센 양이 부드러운 음을 결단하는 것이다.

박치화(朴致和) 「설계수록(雪溪隨錄)」

澤在天上, 文章之象. 故聖人象之, 以造書契.

못이 하늘 위에 있으니 문장의 상이다. 그러므로 성인이 이를 본떠서 글과 문서를 만들었다.

○ 澤氣上天而爲文, 河漢爲章于天之意也.

못의 기운이 하늘에 올라가 문장이 됨은 은하수가 하늘에서 문장이 되는 뜻이다.

○ 聖人制器, 或取卦象, 或取卦義. 固如六書取法 而第聖人謂以制器者, 尙其象. 故此章皆以取象論也.

성인이 그릇을 만듦은 혹 괘의 상을 취하기도 하고 괘의 뜻을 취하기도 한다. 진실로 육서(六書)가 법을 취하는 것과 같으나, 다만 성인이 그릇을 만드는 것으로 말한 것은 상을 숭상해서이다. 그러므로 이 장은 모두 상을 취하는 것으로 논하였다.

이익(李瀷) 『역경질서(易經疾書)』

莊周云, 累瓦結繩, 此云結繩, 文有詳略, 非結繩之外, 別有累瓦也. 其制雖不可詳, 以意推之, 累貫瓦碁, 而結繩於碁間, 以識物數也. 蓋十瓦同貫, 有以一數者, 以十數者,以百數者, 以千數者, 以萬數者. 其以一數者, 一則結於一瓦, 二則結於二瓦, 至十而數滿, 則升於以十數者. 其一十二十, 結於一瓦二瓦如例, 至十而數滿, 則升於以百數者如例, 其升於千數萬數, 皆如例了, 了不紊. 今中國行商筭槃, 槪如此矣, 與上文作結繩者, 結繩則同, 而義不同也. 若曰但用結繩, 則恐無是理, 一結二結, 何可以盡之.

『장자』에서는 "기왓장을 쌓고 노끈을 묶음"이라고 하였는데 여기에서는 "노끈을 묶음"이라고 하였으니 문장의 자세하고 성근 차이가 있으나, 노끈을 묶는 일 밖에 별도로 기왓장을 쌓는 일이 있는 것이 아니다. 그 제도가 비록 상세하지는 않으나, 의미로 유추해보면 기와와 바둑돌을 포개어 꿰미로 엮되 바둑돌 사이에 노끈을 묶어서 물건의 수를 식별한 것인 듯하다. 대개 기와 열 개가 같은 꿰미로서, 그것으로 하나를 세기도 하고 십을 세기도 하며 백을 세기도 하고 천을 세기도 하며 만을 세기도 한다. 그중 하나를 세는 경우, 하나면 기와 하나에 노끈을 묶고, 둘이면 기와 둘에 노끈을 묶으며, 열에 이르러 수가 차게 되면 열로 세는 것에 올린다. 십과 이십은 기와 하나와 기와 둘에 노끈을 묶어 규례대로 한다. 십이 되어 수가 차면 백을 세는 것에 올리기를 규례와 같이하고, 천을 세는 곳과 만을 세는 것에 올리는 것도 모두 규례와 같이 하면, 전혀 문란하지 않다. 지금 중국 행상인들의 주판[筭槃]이 대략 이와 같으니, 윗글의 "노끈을 매듭짓다[作結繩]"라는 것과 '노끈을 묶는 것'은 같으나 의미는 다르다. 만일 다만 "노끈을 묶어 사용했다"고 한다면 이런 이치가 없을 듯하다. 한번 묶고 두 번 묶는 것이 어떻게 그 뜻을 극진히 할 수 있을까?

意在者心, 言可以宣意, 而不可以記也. 結繩以記其數, 而輕重大小, 無以別也. 天下後世 無以達也, 寧非欝悶之甚乎. 書契旣造, 千里若對面, 萬世如提耳, 天下之夬, 孰大於是. 澤在天上, 不啻雷在天上. 雷者將雨之候也, 雷在天上, 則其聲壯, 澤在天上, 則其勢夬. 夬之爲字, 從心爲快, 從水爲決. 水決而註之, 喩之於人事, 宜莫如書契, 故取其象.

뜻이 있는 곳이 마음인데 말은 뜻을 드러낼 수는 있으나 기억할 수는 없다. 노끈을 묶음은 그 수를 기억할 수는 있으나 경중과 대소를 구별할 수는 없다. 천하와 후세에서 통할 수가 없으니, 어찌 답답함이 심하지 않겠는가? 글과 문서가 만들어지자 천리 먼 곳에서도 면전에서 말해주는 듯하고 만세토록 귀를 당겨 타이르듯 하니,[94] 천하의 통쾌함이 어느 것이 이보다 크겠는가? 못이 하늘 위에 있으니, 우레가 하늘 위에 있는 것뿐만이 아니다. 우레는 비가

---

94) 제이면명(提耳面命): 이는 본래 귀를 끌어당겨 면전(面前)에서 가르친다는 뜻으로, 사리(事理)를 깨닫도록 간곡(懇曲)히 타이름을 이르는 말이다. 여기에서는 서계(書契)의 편리함을 나타낸 말로 쓰였다. 『시경·대아·억』에 "아, 소자(小子)야. 좋고 나쁨을 알지 못하는가. 손으로 잡아 줄 뿐만 아니라 일로 보여주며, 대면하여 가르쳐줄 뿐만 아니라 그 귀를 잡고 말해주노라. 설령 지식이 없다 하나, 또한 이미 아들을 안고 있도다. 사람들이 자만하지 않는다면, 누가 일찍 알고 늦게 이루리오.[於乎小子, 未知臧否. 匪手攜之, 言示之事. 匪面命之, 言提其耳. 借曰未知, 亦旣抱子. 民之靡盈, 誰夙知而莫成.]"라 하였다.

오려는 징후이니, 우레가 하늘 위에 있으면 그 소리가 우렁차고, 못이 하늘 위에 있으면 그 형세가 통쾌하다. '쾌(夬)'자는 '마음심[忄]'을 부수로 하면 '통쾌하다'가 되고, '물수[氵]'를 부수로 하면 '틔우다'가 된다. 물길을 틔워 물을 대는 것이니, 이것을 인사에 비유하면 의당 글과 문서만 한 것이 없기 때문에 그 상을 취하였다.

유정원(柳正源) 『역해참고(易解參攷)』

正義, 結繩者, 鄭康成註云, 事大, 大結其繩, 事小, 小結其繩, 義或然也.
『주역정의』에 '노끈을 묶음'에 대하여 정강성이 주석 달기를 "일이 크면 크게 노끈을 묶고, 일이 작으면 작게 노끈을 묶는다"라 하였으니, 의미가 혹 그럴 것이다.

○ 雙湖胡氏曰, 按韓子, 宋人得契, 密數其齒, 謂以刀分之有相入之齒縫也. 刀判決之, 故曰契. 又曲禮, 執右契, 兩書一札, 同而別之. 又鄭玄云, 書契, 以書書木邊, 言其事, 刻其木, 謂之書契. 今夬取書契之象, 何也. 意者, 乾兌本同生於太陽, 分之則爲乾一兌二, 合之則爲夬, 有判合之象, 故書契有取諸夬.
쌍호호씨가 말하였다: 살펴보니 『한비자』에 "송나라 사람이 문서를 주웠는데 몰래 그곳에 새겨진 숫자를 세어보았다"[95]고 하였으니, 칼로 나누어서 서로 맞물리는 부분에 치아 모양의 봉함이 있는 것을 이른다. 칼로 쪼개었기 때문에 계(契)라고 하였다. 또 『예기·곡례』에 "우계(右契)를 잡는다"고 하였는데, 그 소(疏)에 "좌우 두 문서는 한 벌의 문서로 똑같이 나눈 것이다"[96]고 하였다. 또 정현은 "서계는 글을 나무 가장자리에 써서 그 일을 말하고 나무에 새기는 것을 서계라고 한다"[97]고 하였는데, 지금 쾌괘에서 서계(書契)의 상을 취한 것은 어째서인가? 생각건대 건괘와 태괘는 본래 똑같이 태양(太陽)에서 나왔으니, 나뉘면 첫 번째로 건괘가 되고 두 번째로 태괘가 되며, 합하면 쾌괘가 되어 나뉘고 합하는 상이 있기 때문에 '서계'를 쾌괘에서 취한 듯하다.

○ 案, 五陽決一陰之卦, 而陽實陰虛, 是非眞僞判然易決.
내가 살펴보았다: 다섯의 양이 하나의 음을 결단하는 괘이나, 양은 차있고 음은 비어있으니, 시비와 진위가 갈라져서 판결하기가 쉽다.

小註朱子說六十 [至] 可考.

---

95) 『列子·說符』: 宋人有游於道, 得人遺契者, 歸而藏之, 密數其齒, 告鄰人曰, 吾富可待矣.
96) 『禮記集說·曲禮』: 獻粟者, 執右契, 獻米者, 操量鼓. 疏曰, 契者, 兩書一札, 同而別之.
97) 『尙書·序』: 鄭玄云, 以書書木邊, 言其事, 刻其木, 謂之書契也.

소주에서 주자가 말한 "64괘는 … 알 수 없습니다"에 대하여.

案, 朱子嘗謂六十四卦 伏羲所畫, 不是文王重者, 當爲定論. 此云不可考者, 疑初年說.

내가 살펴보았다: 주자는 일찍이 말하기를 "64괘는 복희씨가 그었고 문왕이 중첩한 것이 아니다"고 하였으니, 마땅히 이것이 정론이다. 여기에서 "알 수 없다"고 한 것은 아마도 초년의 주장인 듯하다.

西山眞氏曰, 後漢志, 上古聖人, 見轉蓬, 始知爲輪. 輪行可載, 復爲之轝. 轝輪相乘, 任重致遠, 天下獲其利. 後世聖人觀於天, 視斗周旋, 魁方杓曲, 乃曲其輈, 乘牛駕馬, 登險赴難, 故易震乘龍謂之壯, 言器莫有尙之者也. 此志所云, 卽十三卦之意.

서산진씨가 말하였다: 『후한서(後漢書)·여복지(輿服志)』에 "상고시대에 성인이 쑥이 굴러다니는 것을 보고 처음으로 '바퀴'를 만들 줄 알게 되었다. 바퀴가 굴러가니 물건을 실을 수 있었으므로 다시 수레를 만들었다. 수레와 바퀴를 서로 타니 짐이 무거워도 멀리 전달할 수 있어서 천하 사람들이 이로움을 얻게 되었다. 후세의 성인이 하늘을 관찰하여 두성이 주선하고 괴성이 네모나며 표성이 굽어있는 것[98]을 보고 곧 끌채를 굽어지게 만드니, 소를 부리고 말을 멍에 하여 험한 곳을 오르고 오지(奧地)를 가게 되었다. 그러므로 『주역』에 진괘가 건괘[龍]를 탄 것을 대장괘라고 하였으니, 기물을 더 높일 것은 없다는 말이다"라 하였다. 「여복지(輿服志)」에서 말한 것이 바로 13괘의 의미이다.

○ 廬陵龍氏曰, 六十四卦, 自包犧畫卦時俱, 有邵子朱子說甚明, 十三卦取象, 无可疑者. 但如互卦變卦等處, 意中古演易以來方有之. 炎皇堯舜時, 未必有也, 諸儒求十三卦象義不可得, 則穿鑿變互爲說, 似非經旨.

여릉용씨가 말하였다: 64괘는 포희씨가 획을 그은 때부터 갖추어졌고, 소자와 주자의 주장도 매우 분명하니, 13괘에서 상을 취한 것은 의심의 여지가 없다. 다만 호괘나 변괘로 설명한 것과 같은 부분은 아마도 중고시대에 문왕이 유리에서 『주역』을 지은 뒤에 생겨났을 것이다. 염황씨나 요순 때에는 없었던 것이 확실한데, 여러 학자들이 13괘의 상의 의미를 찾으려 해도 찾지 못하자 천착하여 변괘나 호괘를 가지고 설명하였으니, 『주역』의 본지는 아닌 듯하다.

小註, 苟軒說忘言之兌. 〈案, 略例云得象忘言, 而言屬乎兌, 故曰忘言之兌.〉

소주에서 구헌정씨가 '말을 잊은 태괘'라고 말하였다. 〈내가 살펴보았다: 「약례(略例)」에 "상을 얻으면 말을 잊는다"고 하였는데, 말은 태괘에 속하므로 '말을 잊은 태괘'라고 하였다.〉

---

98) 괴성이 네모나며 표성이 굽어있는 것: 요광(瑤光, 斗星)의 제1성부터 제4성까지를 괴(魁)라 하고, 제5성부터 제7성 까지를 표(杓)라 한다.

김상악(金相岳) 『산천역설(山天易說)』

書文字也, 契合約也. 兌說, 乾言, 言之可說而能決者, 書契也.

서(書)는 문자이고, 계(契)는 계약서이다. 태괘는 기뻐함이고 건괘는 말이니, 말이 기뻐할 만하여 능히 결단할 수 있는 것이 글과 계약서이다.

서유신(徐有臣) 『역의의언(易義擬言)』[99]

易之以書契.

글과 문서로 바꾸어.

兌爲附決, 旣附又決, 爲分合之義. 夬五畫, 皆連如, 書於契也, 上六則分決之象也.

태괘는 붙이고 터짐인데, 이미 붙이고 또 터지니, 나뉘고 합하는 뜻이 된다. 쾌괘의 다섯 획은 모두 이어있으니, 문서에 써진 것과 같고, 상육은 나뉘어 터지는 상이다.

윤행임(尹行恁) 『신호수필(薪湖隨筆) · 계사전(繫辭傳)』

仰觀者, 日月風雷之象也, 俯觀者, 山澤之象也, 觀鳥獸之文者, 靈龜飛鳥之象也.

우러러 본다는 것은 해 · 달 · 바람 · 우레의 상이고, 구부려 본다는 것은 산 · 못의 상이며, 새 · 짐승의 무늬를 관찰한다는 것은 신령스러운 거북과 나는 새의 상이다.

離者罹也. 詩曰, 魚網之設, 鴻則罹之, 又曰, 月離于畢, 此網罟之所以始. 而見網罟而後, 知離之爲網罟之象. 耒耟也, 交易也, 衣裳也, 舟楫也, 牛馬也, 柝也, 杵臼也, 弧矢也, 宮室也, 棺槨也, 書契也, 或取卦象, 或取卦意, 或取卦變. 而其所以取者, 非至神至聖, 何以與於此. 有書契而後, 五倫明於世, 人得以爲人, 國得以爲國, 易者義理之祖宗, 是之謂也.

리(離)는 걸림이다. 『시경(詩經) · 신대(新臺)』에 "고기 그물을 설치했는데 기러기가 걸렸도다"라고 하고, 또 "달이 필성에 걸렸네"[100]라고 하였으니, 이것이 그물이 시작된 이유이다. 그물을 본 뒤에 리괘가 그물의 상이 됨을 알았다. 쟁기와 보습 · 교역 · 의상 · 배와 노 · 말과 소 · 딱따기 · 절굿공이와 절구 · 활과 화살 · 집 · 관곽 · 글과 문서는 때로는 괘의 상에서 취하기도 하고, 때로는 괘의 뜻에서 취하기도 하였으며, 때로는 괘의 변화에서 취하기도 하였다. 취하는 것이 지극히 신묘하고 지극히 훌륭하지 아니하면, 어떻게 여기에 참예할

---

99) 경학자료집성 DB에서는 「계사하전」 '통론'으로 분류했으나, 내용에 따라 이 자리로 옮겼다.

100) 『詩經 · 漸漸之石』.

수 있겠는가? 글과 문서가 있은 뒤에 오륜이 세상에 밝아져서, 사람은 그로 인해 사람이 되고, 나라는 그로 인해 나라가 되었으니, 역이란 의리의 조종(祖宗)이라는 것은 이를 두고 하는 말이다.

윤종섭(尹鍾燮) 『경(經)-역(易)』

二章始作八卦, 以通神明之德, 天道有神明之德, 人心亦有神明之德, 易者, 以人道, 使合乎天道也. 非易, 象無以見. 天地神明之機, 設卦觀象, 以通神明, 使人窮神而知化也.

2장의 "비로소 팔괘를 만들어 이로써 신묘하고 밝은 덕에 통하며"는 천도에 신명한 덕이 있고 인심에도 신명한 덕이 있으니, 『주역』이란 인도를 천도에 합하게 하는 것이다. 『주역』이 아니면 상을 나타낼 수 없다. 천지는 신명의 기틀이니, 괘를 만들고 상을 관찰하여 신명을 통하여 사람에게 정신을 다하여 변화를 알게 하는 것이다.

심대윤(沈大允) 『주역상의점법(周易象義占法)』

夫爲明決, 而中畜高大墨澤, 決而下焉, 有分列也. 對剝爲艮, 剝有落下之義, 而艮爲手爲言, 互本卦之兌口, 以手爲口而能言也. 兌艮爲分列.

쾌괘는 밝게 결단함이 되고, 가운데에 높고 큰 묵택이 쌓여있어 터져 아래로 흐르니, 분열함이 있다. 음양이 바뀐 괘인 박괘(剝卦☶)는 간괘가 된다. 박괘는 떨어지는 뜻이 있고 간괘는 손이 되고 말이 되니, 본괘인 태괘의 입과 갈마들어 손으로 입을 삼아 말 할 수 있다. 태괘와 간괘는 분열한다.

易之取象制用, 不止于此, 此特槪見耳.

『주역』이 상을 취하여 만들고 씀이 여기에 그치지 않으니, 다만 여기에서 개략만 보였을 뿐이다.

오치기(吳致箕) 「주역경전증해(周易經傳增解)」

反巽爲繩, 兌爲口舌言之象. 對坤爲文, 而言之有文, 乃書契之象. 夫爲決, 亦有以書契決事之義.

거꾸로 된 괘인 손괘가 줄이 되고 태괘가 입과 혀로 말하는 상이 된다. 음양이 바뀐 괘인 곤괘(坤卦☷)는 문채가 되니, 말함에 문채가 있는 것이 곧 글과 문서의 상이다. 쾌괘는 결단함이 되니, 또한 글과 문서로 일을 결단하는 의미가 있다.

此章言制器尙象之事.

이 장은 기물을 제정함에 상을 숭상하는 일을 말하였다.

이진상(李震相) 『역학관규(易學管窺)』

書契註朱子說.

'글과 문서'에 대한 주자의 주장.

朱子曰, 六十四卦, 是伏羲重, 不是文王重者, 定論也. 此云不可考, 乃初說也.

주자가 "64괘는 복희씨가 겹친 것이고 문왕이 겹친 것이 아니다"라고 한 것이 정론이다. "여기에서 고찰할 수 없다"고 한 것은 초기의 주장이다.

박문호(朴文鎬) 「경설(經說) · 주역(周易)」

書契之興,[101] 聖人之澤 亘天而不斬 故爲澤上於天之義歟[102]

글과 문서가 일어남과 성인의 은택이 하늘에 뻗쳐 끊어지지 않기 때문에 못이 하늘보다 위에 있는 뜻이 될 것이다.

이병헌(李炳憲) 『역경금문고통론(易經今文考通論)』

孟曰, 契約也.

맹희가 말하였다: 계(契)는 약속이다.

按, 夬之以書契, 而鑑實事, 猶澤影之涵天光也. 右十三卦, 乃大東累萬年發展史也. 是時諸夏之人文未萌焉. 孔氏遺書, 多用韻語, 而大傳卦說, 則兼用策數, 究以中數爲準.

내가 살펴보았다: 글과 문서로 결단하여 실제의 일을 감정하는 것은 못의 그림자가 하늘의 빛을 머금고 있는 것과 같다. 이상의 13괘는 곧 대동(大東)의 수만 년 동안의 발전사이다. 이때에는 중국의 인문이 싹트기 전이다. 공씨가 남긴 글은 운문체가 많고, 「계사전」의 괘에 대한 설명은 책수를 겸하여 썼으니, 마침내 중수를 기준으로 한 것이다.

---

101) 興: 경학자료집성 DB에 '與'로 되어 있으나, 경학자료집성 영인본을 참조하여 '興'으로 바로잡았다.

102) 경학자료집성 DB에 「계사하전」 제 3장에 편집되어 있으나, 경학자료집성 영인본을 참조하여 「계사하전」 제 2장으로 옮겼다.

제3장第三章

是故, 易者, 象也, 象也者, 像也.

이런 까닭으로 역은 상(象)이니, 상이란 모양이다.

┃中國大全┃

本義

易, 卦之形, 理之似也.

역은 괘의 형체이고, 이치를 본뜬 것이다.

小註

朱子曰, 易者象也, 象也者像也, 只是彷彿說, 不可求得太深.

주자가 말하였다: "역은 상이니 상이란 모양이다"는 대체로 말한 것이니, 너무 깊게 따지지 말아야 한다.

○ 易者象也, 是總說起, 言易不過只言陰陽之象. 下云像也, 材也, 天下之動也, 則皆是說那上面象字.

"역은 상이다"는 전체적으로 말을 꺼낸 것이니, 역은 음양의 상(象)을 말한 것에 불과하다는 것이다. 아래의 '모양[像]'은 재질이며 천하의 움직임이니, 모두 저 위의 '상(象)'자를 말한 것이다.

○ 問, 易者, 象也, 象也者, 像也, 四句莫只是解箇象字否. 曰, 是解易字. 像又是解象字, 材又是解象字. 末句意亦然.

물었다: "역은 상이니, 상은 모양이다"의 네 구는, 단지 '상(象)'자를 풀이한 것이 아닙니까?

답하였다: '역(易)'자를 풀이한 것입니다. '모양[像]'은 다시 상(象)자를 풀이하고 '재질[材]'은 다시 단(彖)자를 풀이한 것이니, 끝 구절의 뜻도 또한 그러합니다.

○ 蔡氏攸曰, 昔者聖人之作易也, 始畫八卦, 而象在其中, 象與卦竝生, 以寓天下之賾. 故曰易者象也. 蓋俯仰以觀, 遠近以取, 神明之德可通, 鬼神之情狀可得, 而況於人乎, 況於萬物乎. 及因而重之, 發揮於剛柔而生爻, 則擬諸其形容者, 其變不一, 而象亦爲之滋矣. 故邑屋宮庭, 舟車器械, 服帶簪履, 下至鳥獸蟲魚, 金石草木之類, 皆在所擬, 至纖至悉, 无所不有, 所謂其道甚大百物不廢者, 此也. 其在上古, 尙此以制器, 其在中古, 觀此以繫辭, 而後世之言易者, 乃曰得意在忘象, 得象在忘言, 一切指爲魚兔筌蹄, 殆非聖人作易前民用, 以敎天下之意也.

채유가 말하였다: 옛날에 성인이 역을 지을 적에 처음 팔괘를 그리자 상(象)이 그 가운데 있으니, 상이 괘와 함께 나와서 천하의 잡다함을 함축하였다. 그러므로 "역은 상이다"라고 하였다. 대체로 구부리며 우러러 살피고 멀리서와 가까이서 취하면, 신묘하고 밝은 덕에 통할 수 있고 귀신의 실정을 얻을 수 있거늘,[103] 하물며 사람이겠으며 하물며 만물이겠는가? 인하여 거듭하여 굳센 양과 부드러운 음으로 펼쳐져 효가 생기면, 그 모양에서 헤아린 것에 변화가 한결같지 않으니 상도 또한 늘어나게 될 것이다. 그러므로 마을·가옥·정원과 배·수레·기구와 의복·허리띠·비녀·신발로부터 아래로 새·짐승·벌레·물고기나 쇠·돌·초목의 부류까지 모두 헤아림 속에 있어서 지극히 섬세하며 지극히 갖추어 없는 것이 없으니, 이른바 "그 도리가 매우 커서 온갖 사물을 없애지 않는다"[104]는 것이다. 상고에도 이를 받들어 기물을 제작하였고, 중고에는 이를 살펴서 말을 달았거늘, 후세에 역을 말하는 자가 "뜻을 얻음은 상을 잊음에 있고 상을 얻음은 말을 잊음에 있다"[105]고 하여 일체를 물고기와 토끼의 통발과 올무로 삼았으니, 아마도 성인이 역을 지어 백성의 씀을 이끌면서 천하를 가르친 뜻이 아닐 것이다.

---

103) 『周易·繫辭傳』: 仰則觀象於天, 俯則觀法於地, 觀鳥獸之文, 與地之宜, 近取諸身, 遠取諸物, 於是, 始作八卦, 以通神明之德, 以類萬物之情.

104) 『周易·繫辭傳』.

105) 『周易註』: 忘象者, 乃得意者也, 忘言者, 乃得象者也. 得意在忘象, 得象在忘言. 故立象以盡意, 而象可忘也, 重畫以盡情, 而畫可忘也.

▌韓國大全▐

박치화(朴致和) 「설계수록(雪溪隨錄)」

象以本體言, 像以倣像言也.

상(象)은 본체로 말한 것이고, 상(像)은 모방하고 본뜸으로 말한 것이다.

유정원(柳正源) 『역해참고(易解參攷)』[106]

易者 [至] 象也.

역은 … 상이니.

漢上朱氏曰, 易之有象, 擬諸其形容而已, 猶繪畫之事, 雕刻之工, 一毫損益, 則不相似矣. 小註蔡氏說筌蹄.〈莊子外物篇文. ○ 王弼略例, 意以象盡, 象以言著. 故言者所以明象, 得象而忘言, 象者所以存意, 得意而忘象. 猶蹄者所以在兔, 得兔而忘蹄, 筌者所以在魚, 得魚而忘筌也. 然則言[107]者象之蹄也, 象者意之筌也.〉

한상주씨가 말하였다: 역에 '상(象)'이 있는 것은 그 형태와 모양을 모의하였을 뿐이니, 그림을 그리는 일이나 조각하는 장인이 한 터럭만치라도 덜거나 보태면 서로 비슷하지 못한 것과 같다. 「소주」에서 채유(蔡攸)가 '통발과 올무'로 설명하였다.〈『장자·외물』편의 글이다. ○ 왕필의 『주역약례(周易略例)』에 말하였다: 의미는 '상'으로써 극진히 하고, '상'은 말로써 드러난다. 그러므로 말이란 상을 밝히는 것이니 상을 얻으면 말을 잊고, 상이란 의미를 보존하는 것이니 의미를 얻으면 상을 잊는다. 마치 올무는 토끼를 잡는 도구이니 토끼를 잡으면 올무를 잊고, 통발이란 물고기를 잡는 도구이니 물고기를 잡으면 통발을 잊는 것과 같다. 그렇다면 '말이란 '상'을 잡기 위한 올무이고, '상'이란 '의미'를 잡기 위한 통발이다.〉

김상악(金相岳) 『산천역설(山天易說)』

像者, 物之形容, 彷彿近似之謂也.

상(像)이란 물건을 형용한 것이니, 비슷하게 하고 유사하게 하는 것을 이른다.

---

106) 경학자료집성 DB에 이익(李瀷)의 『역경질서(易經疾書)』가 본 항으로 편집되어 있으므로, 유정원(柳正源) 『역해참고(易解參攷)』의 해당부분으로 새로 입력하여 번역하였다.

107) 言: 경학자료집성 DB와 영인본에 '魚'로 되어 있으나, 『주역약례(周易略例)』에 의거하여 '言'으로 바로잡았다.

심취제(沈就濟)『독역의의(讀易疑義)』

第三章象者像也, 上傳云, 在天成象, 在地成形, 則此象字, 兼形象之象也, 又兼法象之象也.

제 3장의 "상이란 모양이다"는 「계사상전」 1장에서 말한 "하늘에 있어서는 형상이 이루어지고 땅에 있어서는 형체가 이루어진다"이니, 이 상(象)자는 형상(形象)의 상을 겸하고 또 법상(法象)의 상을 겸하였다.

天生神物, 聖人則之, 則神物者, 天之象也, 則之者, □□□之也. 則之而作易, 則易象亦非法象耶. 自易而言, 則象者易之象也, 像者聖人之法象也.

"하늘이 신령한 물건을 내거늘 성인이 본받는다"[108]고 하였으니 '신령한 물건'이란 하늘의 상이고, '본받는다'란 □□□이다. 그것을 본받아 역을 만들었으니, 역상(易象)이 또한 법상(法象)이 아니겠는가? 역으로부터 말하면 상이라는 것이 역의 상이고, 모양[像]이라는 것은 성인의 법상(法象)이다.

以卦爻言之, 則象者卦象也, 像者爻像也. 以天人言之, 則象者天象也, 像者人像也.

괘효로 말하면 상(象)은 괘의 상이고, 상(像)은 효의 상(像)이다. 하늘과 사람으로 말하면 상(象)은 하늘의 상이고, 상(像)은 사람의 상(像)이다.

經則先彖而後象也, 此則先象而後彖者, 何也. 此象字, 與經之象, 其義不同也. 經之象, 取象六爪之象也, 此象字, 天與易之象也. 彖之牙一也, 取而斷一卦之意, 則象之次彖宜矣, 此以天象易象言之, 則彖之次象亦宜矣.

경문에서는 단(彖)을 먼저하고 상(象)을 뒤로 하였는데, 여기에서는 상을 먼저하고 단을 뒤에 한 것은 어째서인가? 여기에서의 상(象)자는 경문의 상(象)과 그 뜻이 같지 않다. 경문의 상은 육과(六爪)를 형상한 상에서 취하였고 여기의 상(象)자는 하늘이 역과 함께하는 상이다. 단(彖)의 어금니는 하나이니 취하여 한 괘의 뜻을 결단한다면 상(象)이 단(彖)의 다음이 되는 것이 마땅하고, 여기에서는 천상(天象)과 역상(易象)으로 말하였으니 단이 상의 다음이 되는 것이 또한 마땅하다.

---

108)『周易 · 繫辭傳』: 天生神物, 聖人則之, 天地變化, 聖人效之.

象者, 材也,

단(彖)은 재질이고,

┃中國大全┃

本義

象, 言一卦之材.

'단(彖)'은 한 괘의 재질을 말한다.

小註

漢上朱氏曰, 卦有剛柔, 材也. 有是時, 有是象, 必有是才以濟之, 才與時會, 斯足以成
務矣.

한상주씨가 말하였다: 괘(卦)에 굳센 양과 부드러운 음이 있음이 재질이다. 이러한 때가 있
고 이러한 상이 있으면 반드시 이러한 재질로 구제함이 있으니, 재질이 때와 만남에 이에
일을 이룰 수 있는 것이다.

┃韓國大全┃

박치화(朴致和) 「설계수록(雪溪隨錄)」

易卦之形, 因其理之相似者象之.

역(易)은 괘의 형체이니 이치가 서로 비슷한 것으로 인하여 형상하였다.

김상악(金相岳) 『산천역설(山天易說)』

材, 幹也.

재(材)는 근간이다.

심취제(沈就濟) 『독역의의(讀易疑義)』

象者材也, 此材字, 不曰才而曰材者, 何也. 材者, 裁制變通之謂也.

"단은 재질이다"고 하였는데, 여기에서 재(材)자를 재(才)라고 하지 않고 재(材)라고 한 것은 어째서인가? 재(材)라는 것은 재제하고 변통함을 이르기 때문이다.

爻也者, 效天下之動者也,

효(爻)는 천하의 움직임을 본받는 것이니,

‖中國大全‖

本義

效, 放也.

‘효(效)’는 본받음이다.

小註

漢上朱氏曰, 天下之動, 其微難知. 有同處一時, 同處一事, 所當之位, 有不同焉, 則進退趨舍, 殊塗矣. 故曰爻也者, 效天下之動也.

한상주씨가 말하였다: 천하의 움직임은 미묘하여 알기 어렵다. 같이 한 때에 있고 같이 한 일에 있어도, 해당된 자리는 같지 않음이 있으니, 나아감과 물러남, 빨리 감과 머무름은 길을 달리할 것이다. 그러므로 “효는 천하의 움직임을 본받는 것이다”라고 하였다.

‖韓國大全‖

박치화(朴致和) 「설계수록(雪溪隨錄)」

因卦材, 而斷一卦之吉凶, 故曰彖者材也.

괘의 재질로 인하여 한 괘의 길흉을 결단하였기 때문에 “단(彖)은 재질이다”라고 하였다.

김상악(金相岳) 『산천역설(山天易說)』

效者, 倣也.

효(效)는 모방함이다.

박윤원(朴胤源) 『경의(經義)·역경차략(易經箚略)·역계차의(易繫箚疑)』

爻也者, 效天下之動者也. 本義訓效爲放, 放是倣之之謂歟. 來易以效爲獻, 曰效是效力之義, 與川嶽效靈同義. 是發露之意, 言有一爻之動, 卽有一爻之變. 周公于此一爻之下, 繫之以辭而效之, 所謂六爻之義易以貢也. 以此說觀之, 則效如呈露之意, 呈是獻也. 且其所引易以貢之文, 貢之爲獻, 亦甚襯貼, 未可從之歟.

효라는 것은 천하의 움직임을 본받은 것이다. 『본의』에서 효(效)를 훈고하여 '방(放)'이라고 하였는데, 방(放)이 '모방한다'를 이르는 말일까? 래지덕의 『주역집주』에는 효(效)을 '바치다'는 뜻의 '헌(獻)'이라고 하며 "'효(效)'는 '힘을 바치다'의 뜻이다"라고 하였으니, '산천이 신령함을 드러냄'과 같은 뜻이다. 이는 드러낸다는 의미이니, 한 효의 움직임이 있으면 곧 한 효의 변화가 있다는 말이다. 주공이 이 한 효의 아래에 말을 매달아서 드러낸 것이 이른바 "육효의 의미는 바뀌면서 알려준다"[109]는 것이다. 이런 주장으로 관찰해 보면 '효(效)'는 드러난다는 의미이니, 정(呈)은 바친다는 뜻이다. 또 인용한 "바뀌면서 알려준다[易以貢]"의 문장에서 '공(貢)'이 '바치다'의 '헌(獻)'의 의미가 됨도 매우 일리가 있으니, 따르지 않을 수 있겠는가?

---

109) 『周易·繫辭傳』: 蓍之德, 圓而神, 卦之德, 方以知, 六爻之義, 易以貢.

是故, 吉凶生而悔吝著也.

이런 까닭으로 길함과 흉함이 생겨나 뉘우침과 인색함이 드러난다.

‖中國大全‖

本義

悔吝本微, 因此而著.

뉘우침과 인색함은 원래 은미하지만, 이[吉凶]를 따라서 드러난다.

小註

南軒張氏曰, 易者象也, 象也者像此者也, 謂之象, 則言其象之材而已, 謂之爻, 則放其象之變而已. 至於吉凶, 則悔吝之著也. 故悔者, 有改過之意而吉, 則悔之著也, 吝者, 有文過之意而凶, 則吝之著也.

남헌장씨가 말하였다: 역은 상(象)이며, 상은 모양이니, 단(彖)이라 하면 그 상(象)의 재질을 말할 뿐이고, 효(爻)라 하면 그 상의 변화를 본받은 것일 뿐이다. 길과 흉에 이르면 뉘우침과 인색함이 드러난다. 그러므로 뉘우침은 과실을 고치려는 뜻이 있어서 길함이니 뉘우침이 드러난 것이고, 인색함은 과실을 치장하려는 뜻이 있어서 흉함이니 인색함이 드러난 것이다.

○ 雲峰胡氏曰, 至著者象, 至微者理, 易之象理之似也. 象者材也, 材者象之質, 爻效天下之動, 動者象之變. 悔吝在心未著, 吉凶在事已著. 吉者悔之著, 凶者吝之著也.

운봉호씨가 말하였다: 지극히 드러난 것은 상(象)이고 지극히 미묘한 것은 이치이니, 역의 상과 이치는 유사하다. 단(彖)은 재질이니 재질은 상의 바탕이고, 천하의 움직임을 본받으니 움직임은 상의 변화이다. 뉘우침과 인색함은 마음에 있으며 아직 드러나지 않은 것이고, 길과 흉은 일에 있으니 이미 드러난 것이다. 길은 뉘우침의 드러남이고 흉은 인색함의 드러남이다.

右第三章.

이상은 제3장이다.

‖中國大全‖

小註

雙湖胡氏曰, 此章說卦象及彖辭爻辭, 論人事之悔吝至吉凶而始著. 蓋卦爻辭, 无非所以明得失之報, 欲人觀象玩辭之際, 知有悔心, 而不吝於改過, 庶幾有吉而无凶耳.

쌍호호씨가 말하였다: 이 장(章)은 괘상 및 단사와 효사를 설명하고, 인사의 뉘우침과 인색함이 길과 흉에서 비로소 나타남을 논의하였다. 대체로 괘효의 말에 잃고 얻는 보답을 밝히지 않음이 없는 것은, 사람들이 상을 살피고 말을 음미하는 때에 뉘우칠 줄 알고 과실을 고침에 인색하지 않게 하려는 것이니, 길하고서 흉함은 없기를 바라는 것일 뿐이다.

‖韓國大全‖

박치화(朴致和) 「설계수록(雪溪隨錄)」

因此〈本義〉, 因爻而著也.

"이를 따라서[因此]"〈『본의』의 말이다.〉란 효로 인하여 드러남이다.

이익(李瀷) 『역경질서(易經疾書)』

易不能自言, 其始只以象示人而已. 象之爲言, 像天道而爲之也. 凡大傳中言象, 皆指八卦之象, 故曰八卦以象告. 非重卦之後, 六爻之象也. 及重卦之象, 亦不出於八卦, 故曰象者言乎其象者也. 象之爲字, 無牙之象, 象之牝也. 牝象牙短, 故象亦像其形也. 其牡者兩牙挾鼻, 而出於外, 以爲用, 故其字如此, 詳在乾卦. 象之材也, 如木之爲材. 方其材時, 如車之輪, 如舟之柁, 靜而不及於用, 卦畫是也, 及其動也, 轉輪行車, 捩柁行舟, 則六象之爻是也. 卦陰而爻陽也. 蓋象之名, 起於重卦之後, 而象已著於八卦之時. 八卦旣成, 用其體中, 故象所以名也. 重卦之後, 象爲體, 六爻爲用, 有動靜之別, 故卦有象爻有象. 今易書中象象字, 皆後人推其義而加之也. 因象之材, 有爻之動, 吉凶所以生. 然悔則凶亦有反吉之道, 吝則吉亦有終凶之道. 其理亦明, 謂之著者, 示其必然也.

역은 스스로 말할 수 없어 다만 처음에 상으로 사람에게 제시하였을 뿐이다. 상이란 말은 천도를 본받아서 만든 것이다. 「계사전」 안에 상을 말한 것은 모두 팔괘의 상을 가리키기 때문에 "팔괘는 상(象)으로 일러준다"[110]라고 하였으니, 중첩된 괘가 있은 뒤에 있게 된 육효의 상을 말하는 것이 아니다. 중첩된 괘의 단(彖)도 팔괘에서 벗어나지 않기 때문에 "단(彖)은 상(象)을 말함이다"[111]라고 하였다. 단(彖)이란 어금니가 없는 상이니, 코끼리의 암컷이다. 암코끼리는 어금니가 짧기 때문에 '단(彖)'도 그 형태를 본받았다. 수코끼리는 두 어금니가 코를 끼고 밖으로 나와 쓰임이 되기 때문에 그 자형이 이와 같으니 자세한 설명은 건괘에 있다. 단(彖)의 재질은 나무가 재질이 됨과 같다. 바야흐로 재질이 될 때에는 수레의 바퀴와 같고 배의 키와 같아서, 고요할 때에는 쓰이지 못하니 괘획이 이것이고, 움직이게 되어서야 바퀴가 굴러 수레가 가고 키를 비틀어 배가 가니 육상(六象)의 효가 이것이다. 괘는 음이고 효는 양이다. 단(彖)이라는 이름은 괘가 중첩된 뒤에 생겼고, 상(象)은 이미 팔괘가 있던 때에 드러났다. 팔괘가 이루어지자 그 몸체 안에서 썼기 때문에 이것으로 상(象)을 이름 지은 것이다. 괘가 중첩된 뒤에 단이 본체가 되고 육효가 작용이 되어 동정의 구분이 있게 되었기 때문에 괘에 '단'이 있고 효에 '상'이 있다. 지금『주역』책 안의 '단'과 '상'이라는 글자는 모두 후세인들이 그 뜻을 추정하여 첨가한 것이다. '단'의 재질로 인하여 효의 움직임이 있게 되고 길흉이 이 때문에 생긴다. 그러나 뉘우치면 흉한 것도 길함으로 되돌아가는 도가 있고, 인색하면 길한 것도 흉으로 마치는 도가 있다. 그 이치가 또한 분명하니, 이것을 드러난다고 한 것은 반드시 그러함을 보인 것이다.

유정원(柳正源) 『역해참고(易解參攷)』

爻也 [至] 著[112]也.

효는 … 것이다.

漢上朱氏曰, 卦同爻異, 趨時之變, 不得而同. 然所歸則若合符節, 故自伏羲神農黃帝堯舜, 凡六萬一千四百有餘歲, 而行十三卦而已. 夫爻動有吉凶悔吝, 吉凶者, 所以生大業也. 吉凶生, 而悔吝著, 其動可不謹乎.

한상주씨가 말하였다: 괘는 같고 효는 다르니, 때의 변화를 따르면 같을 수 없다. 그러나

---

110) 『周易・繫辭傳』: 八卦以象告, 爻象以情言, 剛柔雜居, 而吉凶可見矣.
111) 『周易・繫辭傳』: 象者, 言乎象者也, 爻者, 言乎變者也.
112) 著: 경학자료집성 DB와 영인본에 '者'로 되어있으나, 문맥을 살펴 '著'로 바로잡았다.

귀결하는 것은 부절을 합한 것처럼 같기 때문에, 복희·신농·황제·요·순으로부터 6만1천4백여 년의 세월인데도 13괘가 행해졌을 뿐이다. 무릇 효가 움직임에 길흉회린이 있으니, 길흉이란 대업(大業)이 생겨나는 것이다. 길흉이 생겨남에 회린이 드러나니, 그 움직임을 삼가지 않을 수 있겠는가?

김상악(金相岳)『산천역설(山天易說)』

吉凶, 在事已顯, 故曰生, 悔吝, 在心尙微, 故曰著.

길함과 흉함은 일에 이미 드러났으므로 "생긴다"고 하였고 뉘우침과 인색함은 마음에 여전히 은미하게 있기 때문에 "드러난다"고 하였다.

심취제(沈就濟)『독역의의(讀易疑義)』

吉凶生云者, 吉凶則生象也, 悔吝著云者, 悔吝則見乎爻也.

"길함과 흉함이 생겨나"라고 한 것은 길함과 흉함이 단에 생겨나는 것이고, "뉘우침과 인색함이 드러난다"고 한 것은 뉘우침과 인색함이 효에 드러나는 것이다.

윤행임(尹行恁)『신호수필(薪湖隨筆)·계사전(繫辭傳)』

觀乎十三卦之取象, 而知人文之漸闢也. 耒耜之利, 所以敎民稼穡, 而未有杵臼之用, 則以殼而食矣. 杵臼之利, 所以敎民飮食, 而未有宮室之制, 則野處而炊矣. 易之像象, 如詩之比興, 文王之宮人見鴟鳩, 故以鴟鳩而起興, 南國之征婦見魴魚, 故以魴魚而取比, 皆有自然之天機流動於不言之中而然也. 象者材也. 材也者質也, 質也者體也, 象辭所以爲體於一卦之中也.

13괘에서 상을 취한 것을 살펴보면 인문이 점차 열렸음을 알 수 있다. 쟁기와 보습의 이로움은 백성에게 농사를 가르친 것이나, 공이와 절구의 사용은 없었으니, 그때에는 껍질째 먹었다. 공이와 절구의 이로움은 백성에게 먹고 마시는 것을 가르친 것이나, 궁실의 제도는 없었으니, 노숙하면서 익혀 먹었다.『주역』에서 상을 그린 것이 마치『시경』의 비체(比體)와 흥체(興體)같으니, 문왕의 궁인이 저구새를 보았기 때문에 저구새로 흥을 일으켰고, 남국의 부역 간 남편을 둔 부인이 방어를 보았기 때문에 방어로 비유하였으니, 모두 말하기 전에 저절로 그렇게 되는 기미와 움직임이 있는 것이기 때문에 그런 것이다. 단(象)은 재질이다. 재질은 바탕이며, 바탕은 몸체이니, 이 때문에 단사는 한 괘의 안에서 몸체가 된다.

윤종섭(尹鍾燮) 『경(經)-역(易)』

大傳曰, 易者象也, 又曰, 以著其形容, 象其物宜, 孔子已[113]於立傳, 取其象而見變化之道, 後之學易者, 只把義理, 不明其象, 是自家易非四聖之易也.

「계사전」에 "역은 상이다"라고 하였고, 또, "그 형용을 드러내고 그 물건의 마땅함을 형상하였다"[114]라고 하였으니, 공자가 이미 「계사전」을 지음에 상을 취하여 변화의 도를 보인 것인데, 후세에 역을 배우는 자들이 의리만으로 파악하여 상을 밝게 알지 못하였으니, 이는 스스로의 역이 네 성인의 역이 아니라고 여기는 것이다.

오치기(吳致箕) 「주역경전증해(周易經傳增解)」

是故二字, 承上章取象之義而言也. 舍象則不可以言易, 故曰易者象也. 像謂想像也, 言假象以寓理, 乃事理之彷彿, 非造化之實體也. 材猶幹也. 言一卦之材, 而卽卦德也. 效者呈也, 爻因其動而變, 其變无窮, 不可盡擧, 故曰天下之動也. 卦有小大, 爻有善惡, 各因其象, 而有吉凶悔吝也. 吉凶在事已著, 故曰生, 悔吝在心本微, 故曰著也.

'이런 까닭으로[是故]'는 윗 장의 상을 취한 뜻에 이어 말한 것이다. 상을 버리면 역을 말할 수 없기 때문에 "역은 상이다"라고 하였다. 상(像)은 상상함을 이르니, 상을 빌어서 이치를 붙임을 말하니, 곧 사물의 이치와 흡사한 것이지 조화의 실체는 아니다. 재(材)는 근간과 같다. 한 괘의 근간을 말하니 곧 괘의 덕이다. 효(效)는 드러냄이니 효가 움직임으로 인하여 변함에 변화가 무궁하여 다 들 수 없기 때문에 "천하의 움직임"이라고 말하였다. 괘에 작고 큼이 있고, 효에 선함과 악함이 있어 각각 그 상으로 인하여 길흉회린이 있다. 길흉은 일에 있어서 이미 드러났기 때문에 "생긴다"고 하였고, 회린은 마음에 있어서 본래 미미하기 때문에 "드러난다"고 하였다.

此章言伏羲之畫象, 文王之卦象, 周公之爻辭, 皆有其義也.
이 장은 복희씨가 상을 그음과, 문왕의 괘단과, 주공의 효사를 말하였으니 모두 의미가 있다.

이병헌(李炳憲) 『역경금문고통론(易經今文考通論)』[115]

是故, 易者, 象也, 象也者, 象也. 象者, 材也, 爻也者, 效天下之動者也, 是故, 吉凶生

---

113) 已: 경학자료집성 DB와 영인본에 '巳'로 되어있으나, 문맥을 살펴 '已'로 바로잡았다.
114) 『周易·繫辭傳』: 聖人, 有以見天下之賾, 而擬諸其形容, 象其物宜, 是故謂之象.
115) 경학자료집성 DB에 「계사하전」 제 2장에 편집되어 있으나, 경학사료집성 영인본의 제재에 의거하여 「계사하전」 제 3장으로 옮겼다.

而悔吝著也. 陽卦多陰, 陰卦多陽, 其故, 何也, 陽卦奇, 陰卦偶, 其德行, 何也.[116] 〈下象也之象, 從孟京.〉

이런 까닭으로 역은 상(象)이니, 상이란 모양이다. 단(彖)은 재질이고, 효(爻)는 천하의 움직임을 본받는 것이니, 이런 까닭으로 길함과 흉함이 생겨나 뉘우침과 인색함이 드러난다. 양괘(陽卦)에는 음이 많고, 음괘(陰卦)에는 양이 많으니, 그 까닭은 어째서인가? 양괘는 홀수[奇]이고 음괘는 짝수[耦]이기 때문이다. 그 덕행은 어떠한가? 〈아래 글의 '상야(象也)'의 '상(象)'은 맹희본과 경방본을 따랐다〉

姚曰, 易者象也, 此解經之名易也, 象也者像〈古本〉也, 此解卦畫之稱象也.

요신이 말하였다: "역은 상이다"는 경전을 '역'이라고 이름붙인 것에 대한 풀이이고, "상이란 모양〈옛 판본〉이다"도 괘획을 상이라고 칭한 것에 대한 풀이이다.

韓曰, 彖言成卦之材, 統卦義也.

한강백이 말하였다: 단은 괘를 이룬 재질을 말하니, 괘의 뜻을 통괄한 것이다.

---

116) '陽卦多陰…何也'는 「계사하전」 4장의 경문이다.

제4장第四章

. . . .

陽卦多陰, 陰卦多陽,

양괘(陽卦)에는 음이 많고, 음괘(陰卦)에는 양이 많으니,

. . . .

‖中國大全‖

本義

震坎艮爲陽卦, 皆一陽二陰, 巽離兌爲陰卦, 皆一陰二陽.

진(震☳)·감(坎☵)·간(艮☶)은 양괘가 되니 모두 양효가 하나이고 음효가 둘이며, 손(巽☴)·리(離☲)·태(兌☱)는 음괘가 되니 모두 음효가 하나이고 양효가 둘이다.

小註

潛室陳氏曰, 二耦一奇, 卽奇爲主, 是爲陽卦, 二奇一耦, 卽耦爲主, 是爲陰卦. 故曰陽卦多陰, 陰卦多陽.

잠실진씨가 말하였다: 짝[--]이 둘이고 홀[-]이 하나이면 홀이 주인이 되니 양괘가 되고, 홀이 둘이고 짝이 하나이면 짝이 주인이 되니 음괘가 된다. 그러므로 "양괘에는 음이 많고, 음괘에는 양이 많다"고 하였다.

‖韓國大全‖

송시열(宋時烈) 『역설(易說)』

多陰多陽, 本義已詳.

"음이 많다", "양이 많다"에 대하여는 이미 『본의』의 설명이 상세하다.

박치화(朴致和) 「설계수록(雪溪隨錄)」

陽卦用奇數五, 故自然陰多, 陰卦用偶數四, 故自然陽多.
양괘는 다섯 개의 홀수를 사용하기 때문에 저절로 음이 많고, 음괘는 네 개의 짝수를 사용하기 때문에 저절로 양이 많다.

유정원(柳正源) 『역해참고(易解參攷)』

韓氏曰, 夫小者多之所宗, 一者衆之所歸. 陽卦二陰, 故奇爲之君, 陰卦二陽, 故偶爲之主.
한강백이 말하였다: 무릇 '적음'은 '많음'이 종주로 삼고, '하나'는 대중이 귀의하는 곳이다. 양괘는 음이 둘이기 때문에 홀이 임금이 되고, 음괘는 양이 둘이기 때문에 짝이 주체가 된다.

김상악(金相岳) 『산천역설(山天易說)』

陽卦震坎艮, 皆一陽二陰, 陰卦巽離兌, 皆一陰二陽.
양괘는 진괘·감괘·간괘이니 모두 양이 하나이고 음이 둘이며, 음괘는 손괘·리괘·태괘이니 모두 음이 하나이고 양이 둘이다.

박문호(朴文鎬) 「경설(經說)·주역(周易)」

陽卦五畫, 陰卦四畫, 皆以六子三畫卦而言也.
『본의』에서 "양괘가 오획이고, 음괘가 사획이다"라고 한 것은 모두 육자괘인 삼획괘로 말한 것이다.

심대윤(沈大允) 『주역상의점법(周易象義占法)』

陽卦多陰, 陰卦多陽, 其故, 何也. 陽卦奇, 陰卦耦.
양괘(陽卦)에는 음이 많고, 음괘(陰卦)에는 양이 많으니, 그 까닭은 무엇인가? 양괘는 홀수[奇]이고 음괘는 짝수[耦]이기 때문이다.

陽卦五畫, 陰卦四畫.
양괘는 오획이고, 음괘는 사획이다.

其故, 何也. 陽卦奇, 陰卦耦.

그 까닭은 무엇인가? 양괘는 홀수[奇]이고 음괘는 짝수[耦]이기 때문이다.

┃中國大全┃

本義

凡陽卦, 皆五畫, 凡陰卦, 皆四畫.

양괘는 모두 다섯 획이고, 음괘는 모두 네 획이다.

小註

二山林氏曰, 陽卦宜多陽而多陰, 陰卦宜多陰而多陽, 何也. 蓋陽卦之數必五, 奇數也, 奇則陰畫自多. 陰卦之數必四, 耦數也, 耦則陽畫自多. 其多陰多陽, 皆自然而然, 非人力所能參也.

이산임씨가 말하였다: 양괘(陽卦)는 양이 많아야 하는데 음이 많고, 음괘(陰卦)는 음이 많아야 하는데 양이 많음은 어째서인가? 대체로 양괘의 수는 반드시 오(五)로 홀수인데, 홀수라면 음의 획이 본래 많다. 음괘의 수는 반드시 사(四)로 짝수인데, 짝수라면 양의 획이 본래 많다. 음이 많고 양이 많음은 모두 자연스럽게 그런 것이지, 사람의 힘으로 간여할 수 있는 것이 아니다.

○ 雙湖胡氏曰, 嘗推八卦奇耦之畫, 每卦雖各得其三, 而合之則爲六. 乾坤合爲六, 震巽合亦六, 坎離合亦六, 艮兌合亦六. 適符老陰掛扐之用數, 總之則四六二十四畫, 而成老陰過揲之數. 若无與於老陽之數矣, 然以陽卦五畫陰卦四畫觀之, 奇耦之合, 又皆老陽掛扐之用數. 故乾坤合爲九, 震巽合亦九, 坎離合亦九, 艮兌合亦九. 悉數之實成三十六, 而爲老陽過揲之數焉. 此乾坤用九用六, 其數默見於卦畫之可推者如此. 雖出於偶然, 其實亦莫非自然之妙也, 豈可以人力參哉.

쌍호호씨가 말하였다: 일찍이 팔괘의 홀수와 짝수의 획을 따져보니, 괘마다 각각 삼획이지만 합치면 육(六)이 된다. 건(乾)과 곤(坤)이 합쳐지면 육(六)이 되고, 진(震)과 손(巽)이 합쳐지면 또한 육이며, 감(坎)과 리(離)가 합쳐지면 또한 육이고, 간(艮)과 태(兌)가 합쳐지면 또한 육이다. 마침 노음(老陰)의 걸고 끼운 용수(用數)에 부합하며, 합치면 사(四)에 육(六)인 24[4×6=24]여서 노음의 세고 남은 수[過揲之數]를 이룬다. 노양(老陽)의 수와는 상관이 없는 것 같지만, 양괘는 오획이고 음괘는 사획인 것으로 본다면 홀수와 짝수의 합이 다시 모두 노양의 걸고 끼운 용수이다. 그러므로 건과 곤이 합쳐지면 구(九)가 되고, 진과 손이 합쳐지면 또한 구이고, 감과 리가 합쳐지면 또한 구이고, 간과 태가 합쳐지면 또한 구이다. 모두를 계산하면 실제로 36을 이루니, 노양의 세고 남은 수가 된다. 건과 곤이 구(九)를 쓰고 육(六)을 쓰는 것이, 그 수(數)가 괘의 획으로 유추할 수 있는 것에 살짝 드러남이 이와 같다. 비록 우연하게 나왔지만 실제는 또한 자연한 묘리(妙理) 아님이 없으니, 어찌 사람의 힘으로 간여할 수 있겠는가?

‖韓國大全‖

박치화(朴致和) 「설계수록(雪溪隨錄)」

陽卦五畫者, 以震卦言之, 則陽一爻爲一畫, 陰二爻爲四畫, 故曰陽卦五畫. 陰卦四畫, 亦倣此.

양괘 오획이라는 것은 진괘(震卦☳)로 말하자면, 양효 한 개가 한 획이고 음효 두 개가 사획이기 때문에 양괘 오획이라고 한 것이다. 음괘 사획이라는 말도 이와 마찬가지이다.

○ 陰畫中虛, 故以二數之.

음효는 획 가운데가 비어있기 때문에 둘로 헤아린다.

김상악(金相岳) 『산천역설(山天易說)』

陽卦以奇爲主, 故雖陰多, 而謂之陽, 陰卦以偶爲主, 故雖陽多, 而謂之陰.

양괘는 홀을 주체로 삼기 때문에 비록 음이 많으나 양이라 이르고, 음괘는 짝을 주체로 삼기 때문에 비록 양이 많으나 음이라 이른다.

이익(李瀷) 『역경질서(易經疾書)』

多陽多陰, 以卦言, 二爲多, 一爲少也. 陽奇陰耦, 以畫言, 畫中有奇耦, 而多少, 非與
於奇耦也. 奇則一, 耦則二, 陽一陰二, 各一其畫也. 陽卦多陰者, 奇畫爲主, 故曰奇,
陰卦多陽者, 耦畫爲主, 故曰耦. 一君而二民, 則一之奇爲君, 而二之耦皆爲民, 二君而
一民, 則二之耦爲君, 而一之奇皆爲民也. 陰服於陽, 君子之道也, 陽伏於陰, 小人之道
也. 若以四畫五畫, 當奇耦之數, 而又陽爲君, 陰爲民, 則恐未然. 陰卦, 陰陽各二, 何
謂多陽. 旣在陰卦, 其二陽有兩君之理乎. 更詳之.

"양이 많다"·"음이 많다"는 괘로 말하였으니, 효가 둘이면 많고 하나면 적다. "양은 홀이
다"·"음은 짝이다"는 획으로 말하였으니 획 안에 홀과 짝이 있는 것이니, 많기도 하고 적기
도 하는 것은 홀·짝과는 무관하다. 홀은 1이고 짝은 2이니, 양은 1이고 음은 2로서 각각
그 획을 하나로 한다. 양괘에 음이 많은 것은 홀획이 주체가 되기 때문에 '홀'이라고 하였고,
음괘에 양이 많은 것은 짝획이 주체가 되기 때문에 '짝'이라고 하였다. 임금이 하나이고 백성
이 둘이면 하나인 홀이 임금이 되고 둘인 짝이 모두 백성이 되며, 임금이 둘이고 백성이
하나이면 둘인 짝이 임금이 되고 하나인 홀이 모두 백성이 된다. 음이 양에 복종하는 것은
군자의 도이고, 양이 음에 엎드리는 것은 소인의 도이다. 4획·5획을 홀과 짝에 해당시키고,
또 양이 임금이고 음이 백성이라는 하는 경우는 옳지 않은 듯하다. 음괘는 음과 양이 각각
2인데 어찌 양이 많다고 하는가? 이미 음괘에 해당한다면 그 두 양에 두 임금의 이치가 있는
것인가? 다시 자세히 살펴야만 된다.

三四兩章, 蓋爲五章, 先言其由. 第一章言理財聚人, 及正辭禁非, 故二章釋理財聚人,
五章則言正辭禁非. 將言禁非, 必先正辭, 辭之所以正, 繫於卦爻之吉凶, 故此二章之
所以先發也. 且民之爲非, 關於陰陽消長, 故其辭不正, 則不能曉民也. 非者不禁, 則民
或僭上也, 所謂二君一民是也. 兩章民字相呼喚.

3장과 4장은 대체로 5장을 위하여 먼저 그 연유를 말한 것이다. 제 1장에서 "재화를 다스려
사람을 모은다", "말을 바르게 하고 잘못된 행동을 금지한다"고 말하였기 때문에 2장에서는
"재화를 다스려 사람을 모은다"를 풀이하였고, 5장에서는 "말을 바르게 하고 잘못된 행동을
금지한다"를 말하였다. 장차 '잘못된 행동을 금지함'을 말하려면 반드시 먼저 말을 바르게
해야 하니, 말이 이 때문에 바르게 되고, 괘효의 길흉에 매여있기 때문에 이 2장이 먼저
발언된 것이다. 또 백성이 잘못된 행동을 하는 것은 음양의 기운이 사라지고 자라는 데에
관계되기 때문에, 그 말이 바르지 않으면 백성을 깨우칠 수 없다. 잘못된 행동을 금지하지
않으면 백성이 때로 윗사람에게 참람하니, 이른바 임금이 둘이고 백성이 하나라는 것이 이
것이다. 2장과 5장의 '백성'은 서로 호응한다.

或曰, 易之道, 參天兩地, 故陽以三爲畫, 陰以兩爲畫. 陽之爲畫, 就陰畫中, 添一爲三, 陰之爲畫, 就陽畫中, 去一爲兩. 其實乾爲九, 坤爲六, 震坎艮爲七, 巽离兌爲八, 沕合 於陰陽老少奇耦之數, 此別是一說, 於此章文義, 未見有照應, 姑識以待後考.

어떤 이가 말하기를 "『주역』의 도는 하늘에서 셋을 취하고 땅에서 둘을 취하기 때문에 양은 셋으로 획을 삼고 음은 둘로 획을 삼는다. 양획은 곧 음획 중에서 하나를 더하여 셋이 되고 음획은 곧 양획 중에서 하나를 제거하여 둘이 된다. 실제로 건괘가 구이고, 곤괘가 육이며, 진괘 · 감괘 · 간괘가 칠이고, 손괘 · 리괘 · 태괘가 팔이니, 음양과 노소와 홀짝의 수에 꼭 맞다"라고 하나, 이것은 별도로 한 설이어서 이 장의 문의와 조응함을 볼 수 없으니, 우선 이대로 기록하고 훗날의 고찰을 기다린다.

其德行, 何也. 陽一君而二民, 君子之道也, 陰二君而一民,
小人之道也.

그 덕행은 어떠한가? 양괘(陽卦)는 임금이 하나이고 백성이 둘이니 군자의 도(道)이고, 음괘(陰卦)는
임금이 둘이고 백성이 하나이니 소인의 도(道)이다.

┃中國大全┃

本義

君謂陽, 民謂陰.

'임금[君]'은 양(陽)을 이르고, '백성[民]'은 음(陰)을 이른다.

小註

朱子曰, 二君一民, 試敎一箇民而有兩箇君, 看是甚模樣.

주자가 말하였다: "임금이 둘이고 백성이 하나이다"를 시험 삼아 하나의 백성에 두 임금이
있다고 보면 어떤 모양이겠는가?

○ 柴氏中行曰, 一君二民, 道大而公, 君子之道也, 二君一民, 道小而私, 小人之道也.
卦體乎君子小人之道, 而象象爻, 所以發明此道者也. 然在諸卦爲陽卦者, 未必皆君子
之道, 爲陰卦者, 未必皆小人之道. 蓋此特借陰陽二卦之體, 以明君子小人之道不同
耳, 非可一例成卦也. 爻象象, 乃是發明此道, 非發明此卦也.

시중행이 말하였다: 임금이 하나이고 백성이 둘이면 도가 크고 공정하니 군자의 도이고, 임
금이 둘이고 백성이 하나이면 도가 작고 사적(私的)이니 소인의 도이다. 괘는 군자와 소인
의 도를 몸체로 하고, 상사(象辭)·단사(彖辭)·효사(爻辭)는 이 도리를 밝히는 것이다. 그
러나 모든 괘중에 양괘(陽卦)인 것이 반드시 모두 군자의 도인 것은 아니고, 음괘(陰卦)인
것이 반드시 모두 소인의 도인 것은 아니다. 이것은 대체로 음과 양, 두 괘의 몸체를 빌려서
군자와 소인의 도가 같지 않음을 밝혔을 뿐이니, 똑같이 괘에 성립되는 것은 아니다. 효사·

단사·상사는 바로 이 도리를 밝히는 것이지, 이 괘를 밝히는 것이 아니다.

○ 雲峰胡氏曰, 論其故, 則陽卦五畫, 陰卦四畫, 陽與陰一定之分, 固如此. 論其德行, 則陽爲君, 陰爲民, 陽爲君子, 陰爲小人, 易之扶陽抑陰, 又如此.
운봉호씨가 말하였다: 그 까닭을 논하면 양괘는 다섯 획이고 음괘는 네 획이기 때문이니, 양과 음이 일정하게 나뉨이 진실로 이와 같다. 그 덕행을 논하면 양은 임금이 되고 음은 백성이 되며, 양이 군자가 되고 음이 소인이 되기 때문이니, 『주역』에서 양을 받들고 음을 누름이 또한 이와 같다.

右第四章.
이상은 제4장이다.

中國大全

雙湖胡氏曰, 此章, 專以八卦陰陽畫數, 分君子小人之道.
쌍호호씨가 말하였다: 이 장은 전적으로 팔괘의 음과 양의 획수를 가지고 군자와 소인의 도(道)를 구분하였다.

韓國大全

김상악(金相岳) 『산천역설(山天易說)』

一者陽也, 陽惟一, 故道大而公, 二者陰也, 陰惟二, 故道小而私. 朱子曰, 二君一民, 試敎一箇民, 而有兩箇君, 看是甚模樣.
하나는 양이니 양은 오직 하나이기 때문에 도가 크고 공변되며, 둘은 음이니 음은 오직 둘이기 때문에 도가 작고 사사롭다. 주자가 말하기를 "'임금이 둘이고 백성이 하나이다'를 시험삼아 하나의 백성에 두 임금이 있다고 보면 어떤 모양이겠는가?"라고 하였다.

박윤원(朴胤源) 『경의(經義)·역경차략(易經箚略)·역계차의(易繫箚疑)』

陽卦多陰, 陰卦多陽, 卽震坎艮一陽二陰, 巽離兌一陰二陽是也. 朱子釋陽卦奇陰卦耦曰, 凡陽卦皆五畫, 陰卦皆四畫, 此以四五爲陰陽之數而言也. 一說則以爲震坎艮皆一奇, 同出于乾之奇, 故陰雖多, 而謂之陽卦, 巽離兌皆一耦, 同出于坤之耦, 故陽雖多, 而謂之陰卦. 此說似有理致, 可以補本義之所不言歟.

"양괘는 음이 많고 음괘는 양이 많다"는 바로 진괘·감괘·간괘가 양이 하나이고 음이 둘이며, 손괘·리괘·태괘가 음이 하나이고 양이 둘인 것이 이것이다. 주자가 "양괘는 홀이고, 음괘는 짝이다"를 풀어서 "양괘는 모두 다섯 획이고, 음괘는 모두 네 획이다"라고 하였으니, 이것은 넷·다섯을 음양의 수로 삼아 말한 것이다. 일설에는 "진괘·감괘·간괘는 홀이 하나이니, 똑같이 건괘의 홀에서 나왔기 때문에 음이 많으나 그것을 양괘라 이르고, 손괘·리괘·태괘는 모두 하나의 짝이니, 똑같이 곤괘의 짝에서 나왔기 때문에 양이 많으나 그것을 음괘라 이른다"고 하였다. 이 주장이 이치가 있는 듯하니, 『본의』에서 언급하지 않은 부분을 보충할 수 있을 것이다.

심취제(沈就濟) 『독역의의(讀易疑義)』

第四章陽卦多陰陰卦多陽, 此言陰陽多寡者, 君子小人之分也.

제 4장에서 "양괘에는 음이 많고 음괘에는 양이 많다"라 하니, 이것은 음양이 많고 적은 것이 군자와 소인의 구분이라는 말이다.

下傳都是人事也, 自包犧下十二卦, 皆人事之用也. 此言陰陽君子小人進退者, 亦人事之變通也, 見於此下咸一諸爻也.

「계사하전」은 모두 '사람의 일[人事]'이니 포희씨 이하 12괘부터는 모두 인사의 쓰임이다. 여기에서 음·양과 군자·소인, 그리고 진·퇴를 말한 것도 인사의 변화와 통함이니, 이 글 아래에 있는 「계사하전」 5장의 함괘에 나타난다.

陽卦則皆一陽, 陰卦則皆一陰, 此一陽一陰者, 坎离之陰陽也.

양괘는 모두 양이 하나이고, 음괘는 모두 음이 하나이다. 여기에서 하나의 양과 하나의 음이라는 것은 감괘의 양과 리괘의 음이다.

윤행임(尹行恁) 『신호수필(薪湖隨筆)·역(易)』

卦之陽, 而爻則多陰, 卦之陰, 而爻則多陽, 一君而二民, 二君而一民之分也.

괘가 양이면 효는 음이 많고, 괘가 음이면 효는 양이 많으니, 임금이 하나이고 백성이 둘인 것과 임금이 둘이고 백성이 하나인 것의 구분이다.

오치기(吳致箕) 「주역경전증해(周易經傳增解)」

震坎艮爲陽, 皆一陽二陰, 巽離兌爲陰, 皆一陰二陽. 陽卦奇者, 陽以奇爲主, 而震坎艮之一奇, 皆出于乾之奇, 陰卦耦者, 陰以耦爲主, 而巽離兌之一耦, 皆出于坤之耦也. 君謂陽, 民謂陰, 而一君二民, 乃天地之常經, 古今之大義, 故爲君子之道. 二君一民, 則政出於多門, 車書无統, 故爲小人之道.

진괘·감괘·간괘는 양이니 모두 양이 하나이고 음이 둘이며, 손괘·리괘·태괘는 음이니 모두 음이 하나이고 양이 둘이다. "양괘는 홀이다"는 양은 홀을 주체로 삼으니, 진괘·감괘·간괘의 하나의 홀이 모두 홀인 건괘에서 나온 것이고, "음괘는 짝이다"는 음은 짝을 주체로 삼으니, 손괘·리괘·태괘의 하나의 짝이 모두 짝인 곤괘에서 나온 것이다. 임금은 양을 이르고 백성은 음을 이르니, 임금이 하나이고 백성이 둘인 것은 바로 천지의 떳떳한 법이며 고금의 큰 의리이기 때문에 군자의 도가 된다. 임금이 둘이고 백성이 하나이면 정치가 많은 통로에서 나와 수레바퀴의 규격과 문자를 통솔할 수 없기 때문에 소인의 도가 된다.

此章以八卦陰陽, 言君子小人之道.
이 장은 팔괘와 음양으로 군자와 소인의 도를 말하였다.

이병헌(李炳憲) 『역경금문고통론(易經今文考通論)』[117]

陽一君而二民, 君子之道也, 陰二君而一民, 小人之道也.〈二民, 易經異文釋, 引作二臣.〉
양괘(陽卦)는 임금이 하나이고 백성이 둘이니 군자의 도(道)이고, 음괘(陰卦)는 임금이 둘이고 백성이 하나이니 소인의 도(道)이다.〈이민(二民)은 『역경이문석(易經異文釋)』[118]에 이 글을 인용하였는데 이신(二臣)으로 되어 있다.〉

崔憬曰, 陽卦多陰 震坎艮也 陰卦多陽 巽離兌也
최경이 말하였다: 양괘는 음이 많으니 진괘·감괘·간괘이고, 음괘는 양이 많으니 손괘·리괘·태괘이다.

---

117) 경학자료집성 DB에 「계사하전」 제 2장에 편집되어 있으나, 문맥을 살펴 「계사하전」 제 4장으로 옮겼다.
118) 『역경이문석(易經異文釋)』: 6권으로 되어 있으며, 청나라 이부손(李富孫, 1764~1843)이 편찬하였다.

제5장第五章

··

易曰, 憧憧往來, 朋從爾思. 子曰, 天下何思何慮, 天下同歸
而殊塗, 一致而百慮, 天下何思何慮.

『주역』에서 말하였다: 자주 가고 오면 벗만 네 생각을 따를 것이다. 공자가 말하였다: 천하가 무엇을
생각하며 무엇을 염려하리오! 천하가 돌아감이 같아도 길은 다르며, 이치는 하나여도 생각은 백
가지니, 천하가 무엇을 생각하며 무엇을 염려하리오!

··

‖中國大全‖

本義

此, 引咸九四爻辭而釋之. 言理本无二而殊塗百慮, 莫非自然, 何以思慮爲哉.
必思而從, 則所從者, 亦狹矣.

이는 함괘(咸卦☲☶) 구사(九四)의 효사를 인용하고 해석한 것이다. 이치는 원래 둘이 없어서 길을
달리하고 백 가지로 염려해도 자연이 아님이 없으니, 무엇을 생각하고 염려하겠는가라고 말한 것이
다. 반드시 생각하고서 따른다면 따르는 것도 협소할 것이다.

小註

朱子曰, 所謂天下何思何慮, 正謂雖萬變之紛紜, 而所以應之, 各有定理, 不假思慮而
知也. 問, 天下同歸而殊塗, 一致而百慮, 何故不云殊塗而同歸, 百慮而一致. 曰, 也只
一般. 但他是從上說下, 自合如此說. 感應之理, 本不消思慮. 空費思量, 空費計較, 空
費安排, 只順其自然而已.

주자가 말하였다: 이른바 "천하가 무엇을 생각하며 무엇을 염려하리오"는 바로 "어지럽게
온갖 것으로 변화하더라도, 이에 감응하는 것은 각각 정해진 이치가 있어서 생각하고 염려

하지 않고도 알 수 있다"고 한 것이다.

물었다: "천하가 돌아감이 같아도 길은 다르며, 이치는 하나여도 염려는 백 가지다"는 어째서 "길이 달라도 돌아감이 같으며 염려가 백 가지여도 이치가 하나이다"라고 하지 않았습니까?

답하였다: 또한 같은 것일 뿐입니다. 다만 저것은 앞의 글을 이어서 말한 것이기에 이와 같이 말하는 것이 본래 마땅합니다. 감응하는 이치는 본래 생각하고 염려할 필요가 없습니다. 공연히 헤아리고 계획하고 안배하는 것이니, 단지 그 자연을 따를 뿐입니다.[119]

○ 臨川吳氏曰, 思者心之用也, 慮者謀度其事也. 心體虛靈, 如止水明鏡. 未與物接, 寂然不動, 何思之有. 旣與物接, 應之各有定理, 何慮之有. 理之在心者同, 因事之不同, 而所行之塗各殊, 理之在心者一, 因事之不一, 而所發之慮有百. 塗雖殊, 慮雖百, 而應事之理, 則同而一也. 故定心應事, 動而无動, 則亦何思何慮之有. 此人心定應寂然之感也, 若九四之憧憧, 則豈如是乎.

임천오씨가 말하였다: 생각은 마음의 작용이고, 염려는 일을 도모하여 헤아림이다. 마음의 본체는 텅 비고 신령하여 고요한 물이나 밝은 거울과 같다. 사물과 접하지 않으면 가만히 움직이지 않으니, 무엇을 생각함이 있겠는가? 이미 사물과 접하게 되면 응함에 각각 정해진 이치가 있으니, 무엇을 염려함이 있겠는가? 마음에 있는 이치는 동일하지만 일이 동일하지 않기 때문에 가는 길이 다르며, 마음에 있는 이치는 한결같지만 일이 한결같지 않기 때문에 펼쳐진 염려가 백 가지이다. 길이 비록 다르고 염려가 비록 백 가지이나 일에 응하는 이치는 동일하며 한결같다. 그러므로 마음을 안정시켜 일에 응하여서 움직여도 동요됨이 없으니, 또한 무엇을 생각하며 무엇을 염려함이 있겠는가? 이것이 사람의 마음이 안정되어 응하는 고요한 감응이니, 함괘의 구사(九四)와 같이 사심을 가진다면 어찌 이와 같을 수 있겠는가?

○ 柴氏中行曰, 言天地萬物, 皆本於天理之自然, 人當棄私欲而循天理也. 所謂理, 夫子之一貫, 子思之誠, 曾子之守約, 是也. 同歸而殊塗, 天下无二理也, 一致而百慮, 天下无二心也. 致謂極致, 明其所同歸, 極其所一致, 則天下雖塗殊慮百, 无不應者, 何以思慮爲哉.

시중행이 말하였다: 천지와 만물이 모두 천리의 자연에 근본하니, 인간도 사욕을 버리고 천리를 따라야 한다고 말한 것이다. 이른바 '리(理)'는 공자의 일이관지(一以貫之)나 자사(子

---

119) 『주역본의집성(周易本義集成)』・『주역회통(周易會通)』 등에 소주(小註)로 인용된 글은 모두 『주역전의대전(周易傳義大全)』의 소주와 동일하지만, 『어찬주자전서(御纂朱子全書)』・『문공역설(文公易說)』・『주자어류(朱子語類)』 등에 나오는 대문(大文)에서는 모두 '空費安排'의 뒤에 '都是枉了, 無益於事'라는 두 구절이 포함되어 있다. 내용적으로도 두 구절을 포함하여 "쓸데없이 헤아리고 계획하고 안배하면 모든 것이 왜곡되어 일에 유익함이 없으니, 다만 그 자연을 따를 뿐이다"로 되어야 할 듯하다.

思)의 성(誠)이나 증자(曾子)의 수약(守約)이 이것이다. 돌아감은 같은데 길이 다른 것이니 천하에 이치가 둘일 리가 없고, 이치는 하나인데 염려가 백 가지인 것이니 천하에 마음이 둘일 리가 없다. '치(致)'는 극치를 이르니, 돌아감이 같음을 밝히고 이치가 하나임을 지극히 한다면, 천하가 비록 길이 다르고 염려가 백 가지여도 감응하지 못할 것이 없으니, 무엇을 생각하고 염려하겠는가?

○ 進齋徐氏曰, 塗雖殊而歸同, 則往來自不容旡, 而加之憧憧則私矣. 慮雖百而致一, 則思亦人心所當有, 而局於朋從則狹矣. 人於此, 但當以貞守之, 不必自爲紛紛也.
진재서씨가 말하였다: 길이 비록 달라도 돌아감이 같다면 오고감이 본래 없을 수 없는데, 게다가 사심을 가지니 사욕인 것이다. 염려가 비록 백 가지여도 이치가 하나라면 생각도 사람의 마음에 있어야만 하는데, 벗을 따름에 국한되니 협소한 것이다. 사람이 여기에서 다만 곧음으로 지켜야 할 뿐이지, 스스로 분란하지 말아야 한다.

‖韓國大全‖

권근(權近) 『주역천견록(周易淺見錄)』

天下何思何慮. 言天下之大 事物雖多, 各有定理, 何容私意以計度於其間哉. 但能得其理之一者. 則殊塗百慮, 可以一虞而無疑矣.[120]
"천하가 무엇을 생각하고 무엇을 염려하겠는가?"는 천하가 크고 사물이 많기는 하지만 각각 정해진 이치가 있으니, 어찌 사사로운 생각으로 헤아리는 것을 용납하겠는가라는 말이다. 다만 하나의 이치를 얻을 수 있는 자라면, '길을 달리 하는 것'과 '생각이 백 가지로 다른 것'이 하나로 꿰어져 의심이 없을 수 있을 것이다.

박치화(朴致和) 「설계수록(雪溪隨錄)」

思慮憧憧, 則所思者私, 而無感應之妙, 故但朋類從其思, 而所從者亦狹也.

---

[120] 경학자료집성 DB에 「계사하전」 제 1장에 편집되어 있으나 경학자료집성 영인본의 체제에 의거하여 「계사하전」 제 5장으로 옮겼다.

생각과 염려에 사심을 갖게 되면 생각하는 것이 사사로와 감응의 신묘함이 없기 때문에 붕우만이 그의 생각을 따라서 따르는 자가 좁을 것이다.

○ 私則不能感應, 故必思而後有從.
사사로우면 감응할 수 없기 때문에 반드시 생각한 뒤에 따름이 있다.

○ 朋從爾思之思, 則私思也.
붕우만이 네 생각을 따르는 생각이라면 사사로운 생각이다.

이익(李瀷) 『역경질서(易經疾書)』
此章引易十一爻辭, 皆正辭禁民之證.
이 장에서 인용한 『주역』의 11개 효사는 모두 "말을 바르게 하고 백성의 잘못된 행동을 금지함"의 증거이다.

案, 夫民之非, 義始於私意, 憧憧然往來不已, 私意浸長, 則小而吮舐, 大而弑逆, 莫不從此養成, 此民非之根柢也. 君子行事, 如日月寒暑之往來屈信, 而不犯思慮 則私意無所容, 而歸於義而已. 故君子必發揮以曉之, 此正辭而禁戒也. 思者, 思事物之如此, 慮者, 慮事物之或不能如此. 先有思而後有慮, 言百慮則思在其中. 以事物言, 則殊塗而同歸, 以心言, 則百慮而一致, 同歸一致本也, 殊塗百慮末也. 故先言同歸一致也. 君子之於事物, 若如日月寒暑之屈信往復, 自然運行, 其塗雖殊, 同歸於生明成歲, 則亦何煩思慮爲哉. 今不能如此, 其往來不憚憧憧, 故惟朋類從之矣. 此公私之別也.
내가 살펴보았다: 무릇 백성의 잘못된 행동은 의가 사사로운 뜻에서 비롯된 것이니, 사심을 가지고 끊임없이 왕래하여 사사로운 뜻이 자라게 되면, 작게는 아첨을 하고 크게는 살해하고 반역하여 이것을 따라 길러지고 이루어지지 않는 이가 없을 것이니, 이것이 백성의 잘못된 행동의 뿌리이다. 군자가 일을 행함은 해·달과 추위·더위가 오가고 굽히고 펴는 것과 같아서, 생각하고 염려함을 범하지 않으니, 사사로운 뜻이 용납될 곳이 없어 의로 돌아갈 뿐이다. 그러므로 군자는 반드시 발휘하여 깨닫게 하니, 이것이 말을 바르게 하여 금지하고 경계함이다. '생각함'이란 사물이 이와 같음을 생각함이고, '염려함'이란 사물이 혹 이와 같을 수 없음을 염려함이다. 먼저 생각이 있은 뒤에 염려가 있으니, 백 가지로 염려하면 생각이 그 가운데 있다는 말이다. 사물로 말하면 길은 달라도 돌아감은 같으며, 마음으로 말하면 염려가 백 가지여도 이치는 하나이니, 돌아감이 같고 이치가 하나인 것이 본(本)이고, 길이 다르고 염려가 백 가지인 것이 말(末)이다. 그러므로 '돌아감이 같음'과 '이치가 하나'를 먼저

말했다. 군자가 사물에 대하여 해·달과 추위·더위가 오가고 굽히고 펴며 스스로 운행하여 길은 비록 다르나, '밝음이 생겨 한 해를 이룸'으로 돌아감이 같음과 같게 한다면 또한 무엇을 번거롭게 생각할 것이 있겠는가? 지금 이와 같지 못하고 꺼림 없이 가고오며 사심을 갖기 때문에 붕우만이 따른다. 이것이 공과 사의 구분이다.

子曰, 予欲無言, 天何言哉, 四時行焉, 百物成焉, 聖人與天地相似. 故不獨無言, 亦不煩思慮也. 日月寒暑之往來, 而畢竟同歸於生明成歲, 屈者感而信者應, 則利物之道生焉. 人能如此, 亦足以和義, 文言曰, 利物足以和義.
공자가 말하기를 "나는 말이 없고자 한다"고 하였고, "하늘이 무슨 말을 하겠는가? 사시가 운행하고 만물이 이루어진다"[121]고 하였으니 성인과 천지가 서로 같다. 그러므로 말이 없을 뿐만 아니라 또한 번거롭게 생각과 염려를 하지 않는다. 해·달과 추위·더위가 가고 와서 결국에는 같이 밝음이 생겨 한 해를 이룸에 돌아가 굽힌 것이 느끼고 편 것이 응한다면, 만물을 이롭게 하는 도가 생길 것이다. 사람이 이와 같을 수 있다면 또한 의를 조화롭게 하기에 충분하니, 「문언전」에 "만물을 이롭게 함이 의에 조화되기에 충분하다"고 하였다.

유정원(柳正源) 『역해참고(易解參攷)』

憧憧 [至] 何慮.
자주 … 무엇을 염려하리오!

張子曰, 何思何慮, 行其所无事而已. 下文皆是一意行其所无事, 唯務崇德, 但无意, 有意則非行其所无事. 行其所无事, 則是意必固我已絶. 今天下无窮動靜情僞, 止一屈伸而已. 在我先行其所无事, 則復何事之有. 日月寒暑之往來, 尺蠖之屈, 龍蛇之蟄, 莫非行其所无事. 是以惡其鑿也. 百慮而一致, 先得此一致之理, 則何用百慮. 慮雖百, 卒歸乎理而已.
장자(張子)가 말하였다: "무엇을 생각하며 무엇을 염려하리오?"라는 것은 꾀함이 없음을 행하는 것일 뿐이다. 아래는 모두 한결같은 뜻으로 꾀함이 없는 것을 행하는 것인데, 오직 덕을 높이는 데 힘쓰는 것도 다만 의도적인 뜻이 없어야 하니, 의도적인 뜻이 있는 경우라면 꾀함이 없는 것을 행함이 아니다. 꾀함이 없는 것을 행한다면 의도적인 뜻과 기필함과 고집함과 사사로운 내가[122] 이미 끊어진 것이다. 지금 천하는 모든 움직임이나 고요함, 진실이나

---

[121] 『論語·陽貨』: 子曰, 予欲無言. 子貢曰, 子如不言, 則小子何述焉. 子曰, 天何言哉. 四時行焉, 百物生焉, 天何言哉.

거짓은 다만 하나의 굽히고 펌일 뿐이다. 나에게 있어서 먼저 꾀함이 없는 것을 행하니, 다시 무엇을 일삼겠는가? 해·달과 추위·더위가 가고오며, 자벌레가 굽히고, 용과 뱀이 칩거함이, 꾀함이 없는 것을 행하지 않음이 없다. 이러므로 천착을 싫어한다. 생각이 백 가지여도 이치는 하나이니, 먼저 이 하나의 이치를 얻는다면, 백 가지 생각을 어디에 쓰겠는가? 생각이 백 가지라도 마침내 이치로 돌아갈 뿐이다.

○ 朱子曰, 如暑往寒來, 日往月來, 皆是常理. 只著箇憧憧便鬧了.
주자가 말하였다: 더위가 가면 추위가 오고 해가 지면 달이 뜨는 것이 모두 떳떳한 이치이다. 다만 사심을 가지면 시끄럽다.

○ 節齋蔡氏曰, 天下萬殊, 何思何慮而能感之. 以其迹而言, 則歸雖同而塗則殊, 以其心而言, 則志雖一而慮則百. 殊塗百慮, 紛然竝作, 果何從而思, 何從而慮也.
절재채씨가 말하였다: 천하가 만 가지로 다른데 무엇을 생각하며 무엇을 염려하여 느낄 수 있겠는가? 자취로 말하면 돌아감은 같으나 길은 다르고, 마음으로 말하면 뜻은 하나이나 생각이 백 가지이다. 다른 길과 백 가지 생각이 어지럽게 아울러 일어나니, 과연 어디로부터 생각하며 어디로부터 염려하겠는가?

○ 西山眞氏曰, 按, 上蔡對程子曰, 天下何思何慮, 子曰, 是則是有此理, 賢卻發得太早, 在卻云恰好著工夫. 上蔡以爲善煅煉, 豈非何思何慮, 非學者所可遽及, 要必由思而入歟.
서산진씨가 말하였다: 내가 살펴보니 "사상채(謝上蔡)가 정자에게 대답하기를 '천하가 무엇을 생각하고 무엇을 염려하겠습니까?'라고 하니, 정자가 '이것은 이런 이치가 있기는 하지만, 그대가 말하기에는 너무 이른 감이 있다'라고 하고, 곧 '적절한 공부를 하라'"[123]라고 하였다. 사상채는 단련을 잘 받았다고 여겨지니, "무엇을 생각하고 무엇을 염려하겠는가?"는 아마도 배우는 자가 대번에 미칠 수 있는 것이 아니고, 요컨대 반드시 생각으로 말미암아 들어가야 하는 것이 아니겠는가?

김상악(金相岳) 『산천역설(山天易說)』

此引咸九四爻辭而釋之. 同歸而殊塗者, 其塗雖殊, 歸于理則同, 一致而百慮者, 其慮

---

122) 『論語·子罕』: 子絶四, 毋意, 毋必, 毋固, 毋我.
123) 『伊川學案』: 謝良佐往見伊川, 伊川曰: 近日事如何. 對曰, 天下何思何慮. 伊川曰, 是則是有此理, 賢卻發得太早. 在伊川直是會鍛鍊, 說了又道, 恰好著工夫也.

雖百, 致于數則一. 同歸, 要其終也, 致一, 原其始也.

이 글은 함괘 구사효사를 인용하여 해석하였다. "돌아감이 같아도 길은 다르다"는 것은 길은 비록 달라도 이치로 돌아감은 같다는 말이며, "이치는 하나여도 생각은 백 가지"라는 것은 생각이 비록 백 가지여도 이치는 수에 있어서 하나라는 말이다. '함께 돌아 감'은 끝을 찾는 것이고, '이치가 하나임'는 처음을 근원하는 것이다.

심취제(沈就濟) 『독역의의(讀易疑義)』

上下傳諸爻, 本義皆曰此釋某爻云, 而咸之一爻, 獨言引字者, 何也. 引字, 卽相感之意也, 不引而能感乎. 感而不引者, 未之有也.

「계사상전·하전」의 여러 효에 대하여 『본의』에서는 모두 "이 글은 아무[某] 효를 해석한 것이다"라고 하였는데, 함괘 한 효에 대해서만 '인(引)'자를 말한 것은[124] 어째서인가? '인(引)'자는 서로 감응하는 뜻이니, 끌리지 않으면서 감응할 수 있겠는가? 감응하면서 끌리지 않는 것은 없다.

何思何慮者, 言其思無私慮無私也. 思慮無私, 則至於無思無慮而至公也.

"무엇을 생각하고 무엇을 염려하리오"라는 것은 생각에 사사로움이 없고 염려에 사사로움이 없다는 말이다. 생각과 염려에 사사로움이 없다면, 생각도 없고 염려도 없게 되어 지극히 공변될 것이다.

同歸之同, 一致之一, 此謂一理之一也. 居一而執一, 則殊塗百慮, 自然皆歸于一也, 何思何慮之有乎. 易曰憧憧, 故言此何思也.

"돌아감이 같다"의 '같다'와 "이치는 하나이다"의 '하나', 이것은 "하나의 이치"의 '하나'를 이른다. 하나에 있으면서 하나를 지켜, 행하면 길이 다르고 생각이 백 가지여도, 저절로 모두 하나에 귀결할 것이니, 무엇을 생각하고 무엇을 염려하겠는가? 『주역』에 "사심을 가지다"라고 말하였기 때문에 여기에서 무엇을 생각하겠느냐고 말한 것이다.

윤행임(尹行恁) 『신호수필(薪湖隨筆)·계사전(繫辭傳)』

何思何慮者, 理一也, 千塗百慮, 皆歸於一. 一者理也, 一本而萬殊.

"무엇을 생각하고 무엇을 염려하리오?"라는 것은 이치가 한 가지이니, 천 갈래 길과 백 가지 생각이 모두 하나로 귀결된다. 한 가지란 이치이니, 근본은 하나이나 만 가지로 다르다.

---

124) 「계사하전」 5장 1절의 『본의』에 "此引咸九四爻辭而釋之"라고 하였다.

柴與之有曰, 天下無二心, 此恐不然也. 性則一也, 心則不同焉, 性理而心氣也, 性實而心
虛也, 性純善而心不純善也. 有往則有來, 有屈則有信. 陰陽之所爲, 而其原則理也, 其相
感而應者順也. 利爲順之稱. 赧王崩而高帝生, 周室遷而魯史作, 皆往來屈信之理也.

시여지(柴與之)[125]가 "천하에 두 마음이 없다"라고 하였는데 이것은 그렇지 않은 듯하다.
본성은 하나이고 마음은 같지 않으니, 본성은 리(理)이나 마음은 기(氣)이며, 본성은 실제이
나 마음은 허상이고, 본성은 순전히 선하나 마음은 순전히 선하지 않다. 감이 있으면 옴이
있고, 굽힘이 있으면 폄이 있다. 음양이 하는 것이어서 그 근원은 이치이고 서로 느껴서
응하는 것이 순리이다. 이로움은 순리의 칭호이다. 난왕이 붕어하자 한나라 고제가 있게
되었고, 주나라 왕실이 천도하자 노나라 역사인『춘추』가 일어났으니, 모두 가고 오며 굽히
고 펴는 이치이다.

심대윤(沈大允)『주역상의점법(周易象義占法)』

言天下同道而異情, 不可用力思慮以强求感通也. 咸之九[126]四, 憧憧然不用力而往來,
其所思止於其同類, 故得其從應矣. 若强求感於異心之人, 豈有應與哉.

천하는 도는 같으나 실정은 다르니, 힘을 쓰거나 생각하고 염려하여 억지로 감통하기를 구
해서는 안 된다는 말이다. 함괘 구사는 자주 힘써 왕래하지 않아도 생각하는 것이 동류에
머무르기 때문에 따르고 응함을 얻게 된다. 만일 마음이 다른 사람에게 억지로 감응하기를
구한다면, 어찌 응대하여 함께 함이 있겠는가?

오치기(吳致箕)「주역경전증해(周易經傳增解)」

此釋咸九四爻辭之義. 亦如上傳擬議之事, 下諸節倣此. 慮者, 思之深也. 此言感應之
理, 非他也, 理本同歸, 而分爲殊塗, 故彼此无間, 終必歸于同矣. 心本一致, 而散爲百
慮. 故物我无隔, 終必致于一矣. 此莫非自然之常理, 而非吾所私, 則夫何思慮之有哉.
故憧憧而後從, 則所感者私, 而非公矣.

이 글은 함괘 구사 효사의 뜻을 해석하였다. 또한「계사상전」의 '모의하고 의논하는'[127] 일
과 같으니, 아래의 여러 구절도 이와 마찬가지이다. 염려함이란 생각이 깊은 것이다. 이것
은, 감응의 이치는 다름이 아니라 이치는 본래 함께 귀결되나 나뉘어 다른 길이 되기 때문에

---

125) 시여지(柴與之): 송나라 사람으로 생년 미상. 이름은 중행(中行)이며 남계선생(南溪先生)으로 불리운다.
　　저서에『역계집전(易系集傳)』이 있다.
126) 九: 경학자료집성 DB와 영인본에 '六'으로 되어 있으나,『주역』원문에 근거하여 '九'로 바로잡았다.
127)『周易·繫辭傳上』: 擬之而後言, 議之而後動, 擬議, 以成其變化.

피차간에 간격이 없어 마침내 반드시 같은 데로 귀결 된다는 말이다. 마음은 본래 한 가지 이치인데 흩어져서 백 가지 생각이 된다. 그러므로 사물과 나 사이에 간격이 없어 마침내 반드시 하나를 이룬다. 이것은 저절로 그렇게 되는 떳떳한 이치 아닌 것이 없으니, 내가 사사롭게 하는 바가 아니면, 무슨 생각할 것이 있겠는가? 그러므로 사심을 가진 뒤에 따른다면 감응하는 것이 사사로워 공변된 것이 아닐 것이다.

이진상(李震相) 『역학관규(易學管窺)』

第五章, 朋從爾思.

제 5장, 벗만 네 생각을 따른다.

天下之事, 變無窮, 而一己之思慮有限, 况私意憧憧, 偏於所從者乎. 君子非不思也, 非不慮也, 思其所當思, 慮其所當慮, 順其自然之理而已. 苟其閑思雜慮, 擾擾方寸, 則豈感應之正理也. 謝上蔡嘗引此, 而程子責之以發得太早. 蓋下學之始, 須要致思故也. 臨川又謂寂然何思之有應之何慮之有, 恐非正義. 進齋說塗雖殊而歸同, 慮雖百而致一, 亦倒說了, 殊塗百慮, 正是理一分殊.

천하의 일은 변화가 무궁하나 한 몸의 생각은 유한하니, 하물며 사사로운 뜻으로 사심을 가지며 편벽되게 종사하는 자들은 어떻겠는가? 군자는 생각하지 않는 것이 아니고, 염려하지 않는 것이 아니라, 생각하여야 할 것을 생각하고, 염려해야 할 것을 염려하여 저절로 그렇게 되는 이치를 따를 뿐이다. 만일 한가로운 생각과 잡된 염려로 마음을 어지럽게 한다면, 어찌 이것이 감응하는 바른 이치이겠는가? 사상채(謝上蔡)가 일찍이 이 글을 인용했었는데 정자가 너무 일찍 발설했다고 꾸짖었다. 이는 배우는 처음에는 모름지기 생각을 극진히 해야 하기 때문이다. 또 임천오씨(臨川吳氏)는 "가만히 있으니 무엇을 생각함이 있으며 응하니 무엇을 염려함이 있겠는가?"라고 하였으니, 바른 뜻은 아닌 듯하다. 진재서씨(進齋徐氏)가 "길이 비록 달라도 감은 같고 염려가 비록 백 가지여도 이치는 하나이다"라고 말한 것은 또한 거꾸로 말한 것이니, "다른 길과 백 가지 생각"이 바로 "이치가 하나이나 분수가 다름"이다.

日往則月來, 月往則日來, 日月相推而明生焉, 寒往則暑來, 暑往則寒來, 寒暑相推而歲成焉, 往者, 屈也, 來者, 信也, 屈信相感而利生焉.

해가 가면 달이 오고, 달이 가면 해가 와서 해와 달이 서로 밀쳐서 밝음이 생기며, 추위가 가면 더위가 오고, 더위가 가면 추위가 와서 추위와 더위가 서로 밀쳐서 한 해가 이루어진다. 가는 것은 굽힘이고 오는 것은 폄이니, 굽힘과 폄이 서로 감응하여 이로움이 생기는 것이다.

┃中國大全┃

本義

言往來屈信, 皆感應自然之常理, 加憧憧焉, 則入於私矣, 所以必思而後有從也.

감과 옴, 굽힘과 폄이 모두 감응하는 자연한 상리(常理)라고 말한 것이다. 이에 사심을 가진다면 사욕으로 들어가니, 그래서 반드시 생각한 뒤에 따름이 있는 것이다.

小註

朱子曰, 日往則月來一段, 乃承上文憧憧往來而言. 往來皆人所不能无者, 但憧憧則不可.

주자가 말하였다: "해가 가면 달이 오고"의 단락은 "자주 가고 오면"이라는 위의 글을 이어서 말한 것이다. 감과 옴은 모두 사람에게 없을 수 없는 것이지만, 사심을 가져서는 안 된다.

○ 誠齋楊氏曰, 觀諸日, 今夕之往, 所以爲來朝之來, 觀諸月, 今夕之來, 所以爲來朝之往, 蓋前之屈, 乃後之信也. 觀諸寒暑, 折膠之寒, 不生於寒, 而生於烈日流金之暑, 流金之暑, 不生於暑, 而生於堅氷折膠之寒, 蓋今之信, 乃昔之屈也.

성재양씨가 말하였다: 해의 측면에서 본다면 오늘 저녁에 가기에 내일 아침에 오게 되고, 달의 측면에서 본다면 오늘 저녁에 오기에 내일 아침에 가게 되니, 대체로 앞서 굽히면 뒤에는 펴게 된다. 추위와 더위의 측면에서 본다면 아교를 꺾을 듯한 추위는 추위에서 생기지 않고 쇠를 녹일 듯한 격렬한 태양의 더위에서 생기고, 쇠를 녹일 듯한 더위는 더위에서 생기

지 않고 아교를 꺾을 듯한 견고한 얼음의 추위에서 생기니, 대체로 지금 펴는 것은 과거에 굽힌 것이다.

○ 臨川吳氏曰, 因日之往, 而有月之來, 因月之往, 而有日之來. 二曜相推以相繼, 則 明生而不匱. 因寒之往, 而有暑之來, 因暑之往, 而有寒之來. 二氣相推以相代, 則歲成 而不缺. 往者之屈, 感來者之信, 來者之信, 又感往者之屈, 而有明生歲成之利. 此天道 往來自然之感也, 若九四之往來, 則豈如是乎.

임천오씨가 말하였다: 해가 가기 때문에 달이 오고, 달이 가기 때문에 해가 온다. 두 빛살이 서로 밀쳐서 서로 이어지기에 밝음이 나와서 없어지지 않는다. 추위가 가기 때문에 더위가 오고, 더위가 가기 때문에 추위가 온다. 두 기운이 서로 밀쳐서 서로 교대하기에 한 해가 이루어져 결핍되지 않는다. 굽혀 가는 것이 펼쳐 오는 것에 감응하고, 펼쳐 오는 것이 다시 굽혀 가는 것에 감응하여 밝음이 생기고 한 해가 이루어지는 이로움이 있다. 이것이 하늘의 도(道)가 오가는 자연한 감응이니, 함괘의 구사와 같이 사심을 가지고 오가면 어찌 이와 같을 수 있겠는가?

○ 張子曰, 屈信相感而利生焉, 感以誠也, 情僞相感而利害生, 雜以僞也.

장자가 말하였다: "굽힘과 폄이 서로 감응하여 이로움이 생기는 것"은 참됨으로 감응했기 때문이고, "진정과 허위가 서로 감응하여 이해가 생기는 것"[128]은 허위가 섞였기 때문이다.

▌韓國大全▌

박치화(朴致和)「설계수록(雪溪隨錄)」

天地感應, 莫非利物之心, 故曰利生焉.

천지가 감응하여 사물을 이롭게 하는 마음 아님이 없기 때문에 "이로움이 생기는 것이다"고 하였다.

---

128) 『周易·繫辭傳』.

유정원(柳正源) 『역해참고(易解參攷)』

往者 [至] 生焉.

가는 것은 … 나오는 것이다.

正義, 往是去藏, 故爲屈, 來是伸用, 故爲信

『주역정의』에 말하였다: '왕(往)'은 가서 감추기 때문에 "굽힌다"고 하였고, '래(來)'는 펴서 쓰기 때문에 "편다"고 하였다.

김상악(金相岳) 『산천역설(山天易說)』

屈信往來, 皆自然之理數, 故相感而利生焉. 孟子集註, 利猶順也.

굽히고 펴며 가고 옴은 모두 저절로 그렇게 되는 이치와 운행이기 때문에 서로 감응하여 이로움이 생긴다. 『맹자집주』에 "리(利)는 '이치를 따름[順]'과 같다"고 하였다.[129]

서유신(徐有臣) 『역의의언(易義擬言)』[130]

寒往則暑來.

추위가 가면 더위가 오고.

互乾爲寒, 互巽爲暑, 在外爲往, 在內爲來.

호괘인 건괘(乾卦☰)는 추위가 되고, 호괘인 손괘(巽卦☴)는 더위가 된다. 밖에 있으면 감이 되고, 안에 있으면 옴이 된다.

심취제(沈就濟) 『독역의의(讀易疑義)』

咸者夫婦也. 夫婦人事, 人事之相感, 莫如乎夫婦也. 所以上下傳屈信, 言之于咸也, 以咸之屈信言之, 則上下傳, 都是咸也.

함괘는 부부를 말하였다. 부부는 '사람의 일'이니 사람의 일에서 서로 감응하는 것 중에 부부만 한 것이 없다. 이 때문에 「계사상전·하전」의 '굽히고 폄'을 함괘에서 말하였으니, 함괘에서 '굽히고 폄'으로 말하였다면 「계사상전·하전」이 모두 함괘의 이치이다.

---

129) 『孟子·離婁』 "孟子曰, 天下之言性也, 則故而己矣, 故者, 以利爲本"의 『집주』에 "利猶順也, 語其自然之勢也"라 하였다.

130) 경학자료집성 DB에서는 「계사하전」 '통론'으로 분류했으나, 내용에 따라 이 자리로 옮겼다.

日往月來, 寒往暑來者, 無思無慮, 而自然而然也. 日往月來之間, 所以往所以來者, 屈信也, 寒往暑來之際, 所以往所以來者, 屈信也.

해가 가면 달이 오고 추위가 가면 더위가 오는 것은 생각하지 않고 염려하지 않아도 저절로 그렇게 되는 것이다. 해가 가고 달이 오는 즈음에 가는 것과 오는 것이 '굽히고 폄'이며, 추위가 가면 더위가 오는 즈음에 가는 것과 오는 것이 '굽히고 폄'이다.

屈信之意, 取諸何物 而著且緊也. 日往而月來者, 雖是屈信, 而日月陰陽, 而兩箇物也. 惟彼尺蠖之蟲, 屈一而伸一也, 元非兩箇物也. 屈伸之所以然者, 不過曰一理之自然也. 往來之中, 包屈伸, 屈伸之中, 含一理也.

'굽히고 폄'의 뜻은 어떤 물건에서 취하여 드러내고 긴밀하게 한 것일까? 해가 가고 달이 오는 것은 비록 굽히고 펴는 것이나 해와 달은 음과 양으로 두 개의 물건이다. 저 자벌레만이 한번 굽혔다가 한번 펴니 원래 두 개의 물건이 아니다. 굽히고 폄이 그렇게 되는 이유는 한 가지 이치가 저절로 그렇게 되는 것이라고 말하는 데에 불과하다. 오가는 중에 굽히고 폄이 포함되고, 굽히고 펴는 중에 하나의 이치가 포함된다.

日月寒暑, 在天者也, 尺蠖龍蛇, 在地者也, 安身崇德, 在人者也. 然則屈伸者, 天地人之屈伸也.

해와 달·추위와 더위는 하늘에 관계된 것이고, 자벌레와 용과 뱀은 땅에 관계된 것이고, 몸을 편안히 하고 덕을 높임은 사람에 관계된 것이다. 그렇다면 굽히고 폄은 하늘·땅·사람이 굽히고 폄이다.

合一者神也, 變化者陰陽也, 陰陽者二也, 二而一者, 非神耶.

하나로 합함은 신묘함이고 변화함은 음양인데, 음양은 둘이니, 둘이면서 하나가 됨이 신묘함이 아니겠는가?

심대윤(沈大允) 『주역상의점법(周易象義占法)』

言同明相感應, 不用力而往來也.

같은 밝음은 서로 감응하니, 힘쓰지 않아도 왕래한다는 말이다.

言同氣相感應, 不用力而往來也. 陰之與陽類也, 故象傳曰, 二氣感應而相與.

같은 기운은 서로 감응하니, 힘쓰지 않아도 왕래한다는 말이다. 음은 양의 무리와 함께 하기 때문에, 함괘 「단전」에 "두 기운이 감응하여 서로 함께 한다"고 하였다.

往者, 屈也, 來者, 信也, 屈信相感而利生焉.

가는 것은 굽힘이고 오는 것은 폄이니, 굽힘과 폄이 서로 감응하여 이로움이 생기는 것이다.

人之生斯世也, 必與人交接, 而往來屈伸, 然後遂其生. 利生於相感應, 害生於不相感應. 人道主利害, 而利害之所自生, 於是乎在. 故咸爲後天之首也.

사람이 이 세상에 태어남에 반드시 사람과 더불어 교제하여 오가고 굽히고 편 뒤에 생을 이룬다. 이로움은 서로 감응하는 데서 생겨나고, 해로움은 서로 감응하지 않는 데서 생겨난다. 사람의 도리는 이로움과 해로움을 주로 하는데, 이로움과 해로움의 근원이 여기에 있다. 그러므로 함괘는 후천의 머리가 된다.

오치기(吳致箕) 「주역경전증해(周易經傳增解)」

信與伸同. 終往而退, 故曰屈, 始來而進, 故曰伸也. 利者功業也, 以造化言之, 則有往必來, 有來必往, 有屈必伸, 有伸必屈者, 卽其自然之功業, 非可以思慮而往來, 非可以思慮而屈伸也.

신(信)은 신(伸)과 같은 의미이다. 마침내 가서 물러나기 때문에 "굽힌다"고 하였고, 처음에 와서 나아가기 때문에 "편다"고 하였다. "이롭다"는 공적이니, 조화로 말하면 감이 있으면 반드시 오고, 옴이 있으면 반드시 가며, 굽힘이 있으면 반드시 펴고, 폄이 있으면 반드시 굽히는 것은, 바로 저절로 그렇게 되는 공적이니, 생각하여 '가고 올' 수 있는 것이 아니고, 생각하여 '굽히고 펼' 수 있는 것이 아니다.

尺蠖之屈, 以求信也, 龍蛇之蟄, 以存身也, 精義入神, 以致用也, 利用安身, 以崇德也,

자벌레가 굽힘은 이것으로 폄을 구함이고, 용과 뱀이 칩거함은 이것으로 몸을 보존함이고, 의를 정밀히 하여 신묘함에 들어감은 이것으로 씀을 이룸이고 씀을 이롭게 하여 몸을 편안히 함은 이것으로 덕(德)을 높임이니,

┃中國大全┃

本義

因言屈信往來之理, 而又推以言學亦有自然之機也. 精研其義, 至於入神, 屈之至也, 然乃所以爲出而致用之本, 利其施用, 无適不安, 信之極也, 然乃所以爲入而崇德之資, 內外交相養互相發也.

굽힘과 폄, 감과 옴의 이치를 말하였기 때문에 더욱 미루어서 학문에도 자연한 기틀이 있음을 말한 것이다. 의를 정밀히 연구하여 신묘함으로 들어감은 굽힘의 지극함이지만 나와서 씀을 다하게 되는 근본이고, 사용함을 이롭게 하여 어디서나 편안치 않음이 없음은 폄의 지극함이지만 들어가 덕을 높이게 되는 바탕이니, 안과 밖이 서로 길러주고 서로 펴주는 것이다.

小註

朱子曰, 尺蠖之屈, 以求信也, 龍蛇之蟄, 以存身也, 屈信消長, 闔闢往來, 其機不曾停息. 大處有大闔闢, 小處有小闔闢, 大處有大消息, 小處有小消息, 此理萬古不易. 如目有瞬時, 亦豈能常瞬, 定又須開. 不能常開, 定又須瞬. 瞬了又開, 開了又瞬, 至纖至微, 无時不然.

주자가 말하였다: 자벌레가 굽힘은 이것으로 폄을 구함이고, 용과 뱀이 칩거함은 이것으로 몸을 보존함이니, 굽히고 펴며 줄고 늘며, 닫고 열며 가고 오는 기틀은 일찍이 그친 적이 없다. 큰 곳에는 크게 열고 닫힘이 있고 작은 곳에는 작게 열고 닫힘이 있으며, 큰 곳에는 큰 줄고 자람이 있고 작은 곳에는 작은 줄고 자람이 있으니, 이러한 이치는 언제나 바뀌지

않는다. 예컨대 눈을 깜빡거릴 때가 있더라도, 어찌 항상 깜빡거릴 수 있겠는가? 멈추었다가 다시 열어야 한다. 항상 열 수도 없으니, 멈추었다가 다시 깜빡거려야 한다. 깜빡이면 다시 열리고, 열리면 다시 깜빡이니, 지극히 미세하며 그렇지 않은 때가 없다.

○ 問, 此章, 言萬變雖不同, 然皆一理之中所自有底, 不用安排. 曰, 此只說得一頭, 尺蠖若不屈, 則不信得身, 龍蛇若不蟄, 則不伏得氣, 如何存得身. 精義入神, 疑與行處不相關, 然而見得道理通徹, 乃所以致用. 利用安身, 亦疑與崇德不相關, 然而動作得其理, 則德自崇. 天下萬事萬變, 无不有感通往來之理. 又曰, 尺蠖屈, 便要求信, 龍蛇蟄, 便要存身. 精研義理, 无絲毫之差, 入那神妙處, 這便是要出來致用, 外面用得利而身安, 乃所以入來自崇已德. 致用之用, 卽利用之用. 所以橫渠云, 精義入神, 事豫吾內, 求利吾外, 利用安身, 素利吾外, 致養吾內. 事豫吾內, 言曾到這裏面來. 又曰, 尺蠖屈得一寸, 便能信得一寸來許, 他之屈, 乃所以爲信. 龍蛇於冬若不蟄 則凍殺了, 其蟄也, 乃所以存身也. 精義入神, 乃所以致用也, 利用安身, 乃所以崇德也. 欲罷不能, 如人行步, 左腳起了, 不由得右腳不起. 所謂過此以往, 未之或知也, 若到那窮神知化, 則須是德之盛也, 方能.

물었다: 이 장은 온갖 변화가 비록 같지 않지만 모두 하나의 이치에 본래 있는 것이어서 안배가 필요치 않음을 말한 것입니까?

답하였다: 이것은 한 측면만을 말한 것입니다. 자벌레가 만약 굽히지 않는다면 몸을 펼 수 없고, 용과 뱀이 칩거하지 않는다면 기운을 다스릴 수 없으니, 어떻게 몸을 보존할 수 있겠습니까? '의를 정밀히 하여 신묘함에 들어감'은 실행하는 것과는 상관이 없는 듯하지만, 도리를 꿰뚫어 보는 것이 바로 씀을 이루는 까닭입니다. '씀을 이롭게 하여 몸을 편안히 함'도 덕을 높임과 상관이 없는 듯하지만, 그 이치대로 움직인다면 덕은 절로 높아질 것입니다. 천하의 온갖 일과 변화에 감응하여 소통하고 오고 가는 이치가 있지 않음이 없습니다.

또 말하였다: 자벌레가 굽힘은 바로 폄을 구하려 함이고, 용과 뱀이 칩거함은 바로 몸을 보존하고자 함입니다. 의를 정밀히 연구하여 조금의 어긋남도 없으면 신묘한 곳으로 들어가는데, 이는 '씀을 이룸'을 끌어내려는 것입니다. 밖으로 씀을 이롭게 하여 몸을 편안히 함은 바로 안으로 스스로 자기의 덕을 높이는 것이니, '씀을 이룸'의 '씀[用]'이 바로 '씀을 이롭게 함'의 '씀'입니다. 그래서 장횡거가 "'의를 정밀히 하여 신묘함에 들어감'은 일을 내 안에서 미리 알아 내 밖이 이롭기를 구하는 것이고, '씀을 이롭게 하여 몸을 편안히 함'은 평소에 내 밖을 이롭게 하여 내 안 기르기를 다하는 것이다"라고 한 것이니, '일을 내 안에서 미리 안다'는 일찍이 이 안에 와 있음을 말하는 것입니다.

또 말하였다: 자벌레가 일촌을 굽혔다면 일촌 정도를 펼 수 있으니, 그것의 굽힘이 바로 폄이 됩니다. 용과 뱀이 겨울에 칩거하지 않는다면 얼어 죽을 것이니, 그 칩거는 바로 몸을

보존하는 일입니다. '의를 정밀히 하여 신묘함에 들어감'은 바로 씀을 이루는 것이고, '씀을 이롭게 하여 몸을 편안히 함'은 바로 덕을 높이는 것입니다. 그만두려 해도 할 수 없어서[131] 사람이 걸어감에 왼 다리를 들고 나서는 오른 다리를 들지 않을 수 없는 것과 같습니다. 이른바 "이를 지나간 이후는 혹 알 수 없다"는 저 '신묘함을 궁구하며 조화를 앎'에 이른 것과 같으니, 덕이 성대해야만 할 수 있을 것입니다.

○ 精義二字, 所謂義者, 宜而已. 物之有宜有不宜, 事之有可有不可, 吾心處之, 知其各有定分而不可, 易所謂義也. 精義者, 精諸此而已, 所謂精云者, 猶曰察之云耳. 精之至而入於神, 則於事物之所宜, 毫釐委曲之間, 无所不悉, 有不容言之妙矣. 此所以致用而用无不利也. 又曰, 義至於精, 則應事接物間, 无一非義. 不問小事大事, 千變萬化, 改頭換面出來, 自家應副他, 如利刀快劒相似, 迎刃而解, 件件判作兩邊去.
'정의(精義)' 두 글자에서 이른바 '의(義)'는 마땅함일 뿐이다. 물건에는 마땅함과 마땅치 않음이 있고, 일에는 할 수 있음과 할 수 없음이 있으니, 마음으로 처리함에 그 각각에 정해진 분수가 있어서 할 수 없음을 아는 것이 『주역』의 이른바 '의(義)'이다. 정의(精義)는 이를 정밀히 하는 것일 뿐이니, 이른바 '정밀히 한다[精]'는 것은 '살핀다[察]'고 하는 것과 같다. 정밀함이 지극하여 신묘함에 들어가면, 사물의 마땅함에 털끝만한 미세한 차이도 알지 못하는 것이 없고, 말로 할 수 없는 미묘함이 있을 것이다. 이것이 씀을 이루어서 씀에 이롭지 않음이 없는 것이다.
또 말하였다: 의가 정밀하게 되면 사물에 응접할 때에 의 아닌 것이 없다. 크고 작은 모든 일들이 온갖 것으로 변화하여 이리 저리 변해 오더라도, 스스로 저에 대응해 맞춤이 마치 예리한 칼과 같아서 칼날에 따라 분해하여 모든 일들을 둘로 나누어 갈 것이다.

○ 且如精義入神, 如何不思. 那致用底, 卻不必思. 致用底是事功, 是效驗.
만일 '의를 정밀히 하여 신묘함에 들어감'이라면 어찌 생각하지 않을 수 있겠는가? 저 씀을 이루는 것이 도리어 생각이 필요치 않으니, 씀을 이루는 것은 실제의 일이며 효험이다.

○ 利用安身, 今人循理, 則自然安利, 不循理, 則自然不安利.
"씀을 이롭게 하여 몸을 편안히 한다"고 하니, 이제 사람들이 이치를 따른다면 자연히 편하고 이롭겠지만, 이치를 따르지 않는다면 자연히 편하고 이롭지 않을 것이다.

---

131) 『論語·子罕』: 夫子循循然善誘人, 博我以文, 約我以禮, 欲罷不能, 旣竭吾才, 如有所立卓爾, 雖欲從之, 末由也已.

○ 息齋余氏曰, 旣曰屈信相感而利生矣, 恐人知信之利, 而不知屈之所以利也. 故以尺蠖龍蛇明之, 其爲人切矣.

식재여씨가 말하였다: 이미 "굽힘과 폄이 서로 감응하여 이로움이 나온다"고 하고, 사람들이 폄의 이로움은 알아도 굽힘이 이로운 것임을 알지 못할까 염려하였다. 그러므로 자벌레와 용과 뱀으로 밝혔으니, 사람들을 절실하게 위한 것이다.

○ 臨川吳氏曰, 夫子旣以屈信二字, 釋往來之相感, 復以物理之屈信, 聖學之屈信, 言之而廣其意. 尺蠖不屈, 則其行不能信, 旣信而再行, 則又屈也. 龍蛇不蟄, 則其來歲之身不能奮, 旣奮於來歲, 則又蟄也. 此物理之屈信相感也. 義理精明, 則應物有定, 而神不外馳, 入者无出. 內之屈也, 而乃所以致極其外之用, 屈之感信也. 日用宜利, 則每事曲當, 而身之所處, 隨寓而安. 外之信也, 而乃所以增崇其內之德, 信之感屈也. 此聖學之屈信相感也. 因言聖學之交相養互相發, 工力至此, 則蔑以加矣.

임천오씨가 말하였다: 공자가 이미 '굽힘[屈]'과 '폄[信]' 두 글자로 감[往]과 옮[來]이 서로 감응함을 해석하고, 다시 물리(物理)의 굽히고 폄과 성학(聖學)의 굽히고 폄으로 이를 말하여 그 뜻을 넓혔다. 자벌레는 굽히지 않으면 그 나아감을 펼칠 수가 없고, 이미 폈어도 또 나아가려면 다시 굽혀야 한다. 용과 뱀은 칩거하지 않으면 그 다음 해의 몸을 떨쳐낼 수 없고, 이미 다음 해에 떨쳐냈다면 다시 칩거해야 한다. 이것이 물리에서 굽힘과 폄이 서로 감응함이다. 의를 정밀히 밝히면, 사물에 감응함이 안정되어 신묘함이 밖으로 벗어나지 않아 들어간 것이 벗어남이 없다. 안으로 굽히지만, 바로 그 밖의 작용을 지극히 이루는 것이니, 굽힘이 폄에 감응한 것이다. 일상에서 이로움을 마땅히 하면, 모든 일이 일일이 마땅하여 몸이 머무는 곳마다 편안하다. 밖으로 펴지만, 그 안의 덕을 더욱 높이는 것이니, 폄이 굽힘에 감응한 것이다. 이것이 성학의 굽힘과 폄이 서로 감응함이다. 계속해서 성학이 서로 기르고 서로 밝힘을 말하였으니, 공력이 이에 이르면 더할 나위 없을 것이다.

‖ **韓國大全** ‖

조호익(曹好益) 『역상설(易象說)』

尺蠖之屈以求信也.

자벌레가 굽힘은 이것으로 폄을 구함이고.

說文, 尺蠖屈伸蟲也. 陸佃曰, 尺蠖一名蝍蝛[132], 一名步屈. 似蠶食葉. 老亦吐絲作室, 繭化爲蝶. 漢志, 取尺義者, 今人布指求尺, 一縮一伸, 如蠖之步也.

『설문』을 보면, '척확(尺蠖)은 몸을 굽혔다가 펴는 벌레이다. 육전(陸佃)은 말하기를, "'척확(尺蠖)'은 일명 즉축(蝍蝛)이라 하며, 일명 보굴(步屈)이라고 한다. 누에와 비슷하게 생겼으며, 나뭇잎을 먹고 산다. 늙으면 또한 실을 토하여 고치를 만들고, 고치에서 화하여 나방이 된다"라고 하였다. 『한서(漢書)·예문지(藝文志)』에서 척(尺)의 뜻을 취한 것은 지금 사람들이 손가락을 펴서 척을 구하는 데에서 취한 것으로, 한 번 구부리고 한 번 펴는 것이 마치 자벌레가 기어가는 것과 같다.

精義入神, 以致用也.

의리를 정밀히 하여 신에 들어감은 이것으로 씀을 이룸이고.

註吳氏曰, 神不外馳, 入者无出云云, 入神義似與朱子不同.

소주에서 임천오씨가 말하기를 "신이 밖으로 벗어나지 않아 들어간 것이 벗어남이 없다"고 하였으니, 입신(入神)의 뜻은 주자와 같지 않은 듯하다.

박치회(朴致和) 「설계수록(雪溪隨錄)」

機, 本義屈信之機也. 精義入神, 窮理而藏於心, 故曰屈.

'기(機)'는 『본의』에서 '굽히고 폄'의 기틀이라고 하였다. 의리를 정밀히 하여 신에 들어감은 이치를 궁구하여 마음에 보관하기 때문에 "굽힌다"고 말하였다.

○ 聖人之言, 至大至密. 言天下何思何慮, 則至大似無要領, 而及言精義入神利用安身, 則又至密有要約也.

성인의 말은 지극히 크고 지극히 은밀하다. "천하가 무엇을 생각하며 무엇을 염려하리오"라고 말하였으니, 지극히 커서 요령이 없는 것 같으나, "의리를 정밀히 하여 신에 들어가며 씀을 이롭게 하여 몸을 편안히 한다"고 말하였으니, 또 지극히 은밀하여 요약이 있다.

이익(李瀷) 『역경질서(易經疾書)』

以物之有情者爲喩, 則尺蠖龍蛇, 亦非無所爲而然也. 故君子精其義, 入於神妙, 將有以致用, 如尺蠖之屈而求信也, 順利而安其身, 將有以養德而崇之, 如龍蛇之蟄, 而存

---

132) 蝛: 경학자료집성 DB에 '◎'로 처리하였으나 영인본을 살펴 '蝛'으로 수정하였다.

身也. 此當以上段絜括. 龍蛇之蟄, 亦必遇時奮起. 故易所以崇德, 將有以廣業. 上篇
五章云, 盛德大業, 七章云, 崇德廣業, 一體一用, 不可闕一. 不然有體無用, 君子不爲
也. 然其廣業也時也, 非思慮而致之, 故不言爾. 是以過此, 崇德以外, 其或行或否, 有
未之知者, 其或遇時而普施, 豈非所願乎哉. 然此實在人, 未可必也. 所當盡心者, 惟崇
德也, 窮神知化以下, 卽崇德之註脚, 精義入神, 非窮神乎. 知化者, 知變而化也, 化則
德盛, 崇德, 非德盛乎. 下一節, 卽結梢之辭, 非別有功夫在也.

만물에 실정이 있는 것으로 비유하자면 자벌레와 용과 뱀이 아무 하는 바가 없이 그렇게
되는 것이 아니다. 그러므로 군자가 의를 정밀하게 하여 신묘함으로 들어가 장차 쓰임을
이룰 수 있기를 마치 자벌레가 굽혀서 펴기를 구하는 것과 같이 하며, 이로움에 따라 몸을
편안히 하여 장차 덕을 길러 숭상할 수 있기를 마치 용과 뱀이 칩거하여 몸을 보존하는
것과 같이 해야 하니, 이것은 마땅히 위 문단5장 2절과 관련지어 이해해야 한다. 용과 뱀이
칩거하는 것도 때를 만나면 떨쳐 일어난다. 그러므로 『주역』에서 덕을 숭상하는 이유는 장
차 업을 넓히려 함이다. 「계사상편」 5장에서 "성한 덕과 큰 업"이라 하였고, 7장에서 "덕을
높이고 업을 넓힌다"고 하였으니, 하나의 본체와 하나의 쓰임이어서 하나라도 빠뜨려서는
안 된다. 그렇지 않다면 본체만 있고 쓰임이 없으니, 군자는 하지 않는다. 그러나 업을 넓히
는 것은 때가 있어서 생각하거나 염려하지 않아도 이루기 때문에 말하지 않을 뿐이다. 이러
므로 이를 지나가면 덕을 높이는 것 이외는 혹 행하기도 하고 혹 행하지 않기도 하여 알
수 없는 것이 있으니, 때를 만나 널리 베푸는 것이 어찌 원하는 바가 아니겠는가? 그러나
이것은 실제로 사람에게 있어서 기필할 수 없으니, 마땅히 마음을 다하는 것이 덕을 높이는
것일 뿐이다. "신묘함을 궁구하며 조화를 안다[窮神知化]" 이하는 곧 '덕을 높임'의 주석이
니, 의를 정밀히 하여 신묘함에 들어가는 것이 신묘함을 궁구함이 아니겠는가? 조화를 안다
는 것은 변화를 알아 변한 것이니, 변한 것은 곧 덕이 성함이다. 덕을 높이는 것이 덕이
성함이 아니겠는가? 아래 한 절은 곧 끝을 맺은 말이니, 별도로 공부가 있는 것이 아니다.

유정원(柳正源) 『역해참고(易解參攷)』

正義, 精義入神是先靜也, 以致用是後動也, 動因靜而來[133]也. 利用安身是靜也,[134] 言
崇德是動也, 動由靜而來也.

『주역정의』에서 말하였다: "의를 정밀히 하여 신묘함에 들어감"은 먼저 고요히 함이고, "쓰
임을 이룸"은 뒤에 움직임이니, 움직임은 고요함으로 인하여 온다. "쓰임을 이롭게 하고 몸

---

133) 來: 경학자료집성 DB와 영인본에 '求'로 되어있으나, 『주역정의』를 참조하여 '來'로 바로잡았다.
134) 『주역정의』에는 "利用安身是靜也"앞에 '言'자가 있다.

을 편안히 함"은 고요함이고, "덕을 높인다"는 말은 움직임이니, 움직임은 고요함으로 말미암아 온다.

○ 朱子曰, 精義入神, 以致用也, 蓋唯如此然後, 可以應務, 未至於此, 則凡所作爲, 皆出於私意之鑿冥行而已, 雖使或中, 君子不貴也.
주자가 말하였다: "의를 정밀히 하여 신묘함에 들어감은 이것으로 씀을 이룸이다"는 대개 오직 이와 같은 뒤라야 일에 응할 수 있고, 여기에 이르지 못하면 행하는 모든 일이 다 어리석은 행동에 천착하는 사사로운 뜻에서 나올 뿐이니, 가령 혹 일에 맞더라도 군자는 귀하게 여기지 않을 것이다.

○ 余大雅問, 義者利之和也, 順行此道, 以安此身, 則德亦從而進矣. 曰, 孔子遭許多困厄, 身亦危矣, 而德亦進, 何也. 大雅云, 身安而後德進者, 君子之常, 孔子遭變, 權之以宜, 寧身不安, 德則須進. 曰, 然.
여대아[135]가 물었다: '의란 이로움의 조화'이니 이 도를 따르고 행하여 이 몸을 편안히 하면 덕도 따라서 진보할 것입니다.
주자가 답하였다: 공자는 여러 차례 곤란과 재앙을 만나 몸이 위험했는데도 덕이 진보한 것은 어째서입니까?
여대아가 말하였다: 몸을 편안히 한 뒤에 덕이 진보하는 것은 군자의 일상이고, 공자는 변란을 만나 마땅함으로써 대처하여 불안한 상황의 몸을 편안하게 하였으니, 덕이 반드시 진보한 것입니다.
주희가 답하였다: 그렇습니다.

○ 精義入神, 正與利用安身爲對, 其曰精此義而入於神, 猶曰利其用以安身耳.
"의리를 정밀히 하여 신묘함으로 들어감"은 바로 "쓰기를 이롭게 하여 몸을 편안히 함"과 짝이 되니, 이 "의를 정밀히 하여 신묘함에 들어간다"고 한 것은 "쓰기를 이롭게 하여 몸을 편안하게 함과 같다."고 한 것과 같다.

○ 橫渠說, 精義入神, 是入至於微妙處, 此卻似向內做工夫, 非是作用於外. 然乃所以致用於外也.
장횡거가 말하였다: "의를 정밀히 하여 신묘함으로 들어감"은 들어가 신묘한 부분에 이르는

---

135) 여대아(余大雅, 1138~1189): 자가 정숙(正叔)이고 중국 강서(江西) 사람이다. 관식이 광서경략(廣西經略)에 이르렀다. 고향이 같았던 유경중(游敬仲)과 함께 주자를 따랐다.

것이니, 이는 곧 내면을 향한 공부이지 밖에서 쓰임이 되는 것은 아닌 듯하다. 그러나 곧 밖에서 쓰임이 이루어지는 까닭이다.

김상악(金相岳) 『산천역설(山天易說)』

因屈信往來之理, 推言交養互發之機. 精其義而入神, 乃所以致用於外也, 利其用而安身, 乃所以崇德於內也. 張子曰, 事豫吾內, 求利吾外, 素豫吾外, 致養吾內是也.

'굽히고 펴며 가고 오는' 이치로 인하여 '서로 길러주고 상호 발현하는 기틀'을 미루어 말하였다. 의를 정밀히 하여 신묘함에 들어감은 곧 밖에서 쓰임을 이루는 방법이고 쓰기를 이롭게 하여 몸을 편안히 함은 안에서 덕을 높이는 방법이다. 장자(張子)가 말하기를 "내 마음에서 일을 예비하여 내 밖에서 이로움을 구하고, 평소에 내 밖을 대비하여 내 마음의 기름을 이룬다"[136]고 한 것이 여기에 해당한다.

서유신(徐有臣) 『역의의언(易義擬言)』[137]

龍蛇之蟄.

용과 뱀이 칩거함은.

中藏, 互乾互巽之象. 龍乾象. 蛇長蟲, 巽爲長, 艮爲蟲也. 艮山兌澤, 龍蛇之所藏也.

속에 숨음은 호괘인 건괘(乾卦☰)와 호괘인 손괘(巽卦☴)의 상이다. 용은 건괘의 상이다. 뱀은 긴 벌레이니 손괘는 긴 것이 되고, 간괘(艮卦☶)는 벌레가 된다. 간괘(艮卦☶)인 산과 태괘(兌卦☱)인 못이 용과 뱀이 숨는 곳이다.

심취제(沈就濟) 『독역의의(讀易疑義)』

崇德者, 尊其神明之德, 言其存心之德也. 德之盛者, 言其著於造化者也, 崇德者, 屈之至也, 盛德者, 伸之極也.

덕을 높인다는 것은 신명한 덕을 높인다는 것이니, 마음을 보존하는 덕을 말한다. 덕이 성대함이라는 것은 조화에 드러남을 말하니, 덕을 높임은 굽힘이 지극함이고 덕을 성대히 함은 폄을 지극히 하는 것이다.

---

136) 사고전서본 『橫渠易說』 권3의 "精義入神, 事豫吾內, 求利吾外也, 利用安身, 索利吾外, 致養吾內也." 에 의거하여 '素'를 '索'으로 해석하였다.
137) 경학자료집성 DB에서는 「계사하전」 '통론'으로 분류했으나, 내용에 따라 이 자리로 옮겼다.

윤행임(尹行恁) 『신호수필(薪湖隨筆)·계사전(繫辭傳)』

一龍一蠖, 可以喩道. 屈而不信則已, 有屈必信, 蟄而不動則已, 有蟄必動. 學者精其義, 至於入神, 如尺蠖之屈, 而及其用也, 雲行雨施, 無異乎六龍之御天也. 窮則獨善其身, 達則兼善天下.

한 마리 용과 한 마리 자벌레는 도를 비유할 수 있다. 굽히고 펴지 못하면 그만이거니와 굽히면 반드시 펴고, 칩거하고 움직이지 못하면 그만이거니와 칩거하면 움직인다. 배우는 자는 뜻을 정밀하게 하여 신묘한 경지에 들어감이 마치 자벌레가 굽혔으나 쓰임에 미치는 것과 같으니, 구름이 떠다니고 비가 내려 여섯 마리 용이 하늘을 다스리는 것과 무엇이 다르겠는가? 곤궁하면 홀로 자기 몸을 착하게 하고, 통달하면 겸하여 천하를 착하게 하는 것이다.

심대윤(沈大允) 『주역상의점법(周易象義占法)』

尺蠖之屈, 以求信也, 龍蛇之蟄, 以存身也.

자벌레가 굽힘은 이것으로 폄을 구함이고, 용과 뱀이 칩거함은 이것으로 몸을 보존함이다. 君子不强求感於不可感之, 所以取其害也. 是故敎誨有序, 不憤不啓, 不悱不發, 不以三隅反, 則不復也. 行藏有道, 可以仕則仕, 可以止則止, 可以言則言, 不可以言則不言, 可以爲則爲, 不可以爲則不爲也. 求取有時, 定交而後求, 時然後取也. 交遊有人, 去其損, 而取其益也. 居處有地, 危邦不入, 而亂邦不居也. 故上交不諂, 下交不瀆. 知幾其神乎, 幾者, 利害之先見者也. 君子非不求感也, 不求感於不可感也. 不求感於不可感者, 乃所以求感也, 故曰以求信也, 以存身也.

군자가 감응할 수 없는 데서 억지로 감응하기를 구하지 않음은 해를 취하기 때문이다. 이러므로 가르침에 순서가 있으니, 분심이 없으면 깨우쳐 주지 않고, 알고자 하지 않으면 말해주지 않으며, 세 모퉁이로 반증하지 못하면 다시 가르쳐 주지 않는다. 나아가 활동하고 물러나 은둔하는 데도 도가 있으니, 벼슬할 만하면 벼슬하고 그만둘 만하면 그만두며, 말할 수 있으면 말하고 말할 수 없으면 말하지 않으며, 할 수 있으면 하고 할 수 없으면 하지 않는다. 구하는 데 때가 있으니, 교분이 정해진 뒤에 구하고 때가 된 뒤에 취한다. 교유에 사람이 있으니, 해로운 사람은 버리고 이로운 사람을 취한다. 거처에 장소가 있으니, 위태로운 나라는 들어가지 않고 어지러운 나라에는 거처하지 않는다. 그러므로 윗사람을 사귐에 아첨하지 않고, 아랫사람을 사귐에 모독하지 않는다. "기미를 앎이 신묘함이로다"에서 '기미'란 이로움과 해로움이 먼저 드러난 것이다. 군자가 감응을 구하지 않는 것은 아니나, 감응할 수 없는 데서 감응을 구하지 않는다. 감응할 수 없는 데서 감응을 구하지 않음이 곧 감응을 구하는 것이기 때문에, "이것으로 폄을 구함이다"라 하고 "이것으로 몸을 보존함이다"라고 말하였다.

精義入神, 以致用也.

의를 정밀히 하여 신묘함에 들어감은 이것으로 씀을 이룸이다.

感應之道, 貴其精一. 君子之所以精義入神, 而求感於物者, 致用以成其利也. 故不失其可感. 不求感於異心者, 避害以安其身也, 故能盡其利而不涉於害.

감응하는 도는 정밀히 하고 한결같이 함을 귀하게 여긴다. 군자가 의를 정밀히 하여 신묘함에 들어가 사물과 감응하기를 구하는 것은 씀을 이루어 이로움을 이루는 것이다. 그러므로 감응할 수 있는 것을 잃지 않는다. 마음이 다른 자에게 구하지 않는 것은 해를 피하여 자기 몸을 편안히 하는 것이기 때문에 이로움을 다하여 해에 무관할 수 있다.

利用安身, 以崇德也.

씀을 이롭게 하여 몸을 편안히 함은 이것으로 덕(德)을 높임이다.

君子精義入神, 能不失其可感, 以利用焉, 能不强其不可感, 以安身焉. 是故能全其德也.

군자는 의를 정밀히 하여 신묘함에 들어가니, 감응할 수 있음을 잃지 않아 씀을 이롭게 하고, 감응할 수 없는 것을 억지로 하지 않아 몸을 편안히 할 수 있다. 그러므로 덕을 온전히 할 수 있다.

오치기(吳致箕) 「주역경전증해(周易經傳增解)」

尺蠖, 屈伸蟲也. 蟄者深藏, 而屈之謂也, 存身者, 所以伸也. 以物理言之, 則屈者所以爲伸之地, 非屈則不能伸矣. 故以尺蠖龍蛇喩之. 尺蠖之有屈, 以其非屈, 則不能有伸也, 龍蛇之有蟄, 以其非蟄則不能存身也. 此皆自然而屈, 自然而伸, 非其思慮所能爲也. 精者專精也, 義者事理之合宜也. 入神, 言精義之極, 入于神妙也, 致用, 言致其施用也, 利用, 言利于施用也. 安身, 言施用而无處不利, 則此身之安, 无入而不自得也. 崇德, 言其德高大也. 以吾身之學言之, 則專精其義, 入于神妙者, 非所以求致用也, 然自足以出而爲致用之本矣. 利于施用, 无適不安者, 非所以求崇德也, 然自足以入 而爲崇德之資矣. 此皆自然而致, 自然而崇, 非其思慮之所求, 乃吾身內外相感而交養. 卽自然之理也, 正所謂同歸一致者也.

자벌레는 굽혔다 폈다 하는 벌레이다. '칩거'란 깊이 감춤이니 굽힘을 이르고, '몸을 보존함'이란 펴는 것이다. 사물의 이치로 말하면 굽힘은 펴기 위한 바탕이니, 굽힘이 아니면 펼 수 없다. 그러므로 자벌레·용·뱀으로 비유하였다. 자벌레가 굽힘이 있는 것은 굽힘이 아니면 펼 수 없기 때문이고, 용·뱀이 칩거함은 칩거함이 아니면 몸을 보존할 수 없기 때문이다. 이것은 모두 저절로 그렇게 되어 굽히고, 저절로 그렇게 되어 펴니 생각하여 할 수 있는 것이 아니다. '정(精)'은 전적으로 정밀히 하는 것이고, '의(義)'는 일의 이치상 마땅한 것이다. '신묘함에 들어감'은 의를 정밀히 함이 지극하여 신묘함에 들어감을 말하고, '씀을 이룸'은 베풀어 씀을 극진히 함을 말하며, '씀을 이롭게 함'은 베풀어 쓰는 데에 이로움을 말한다. '몸을 편안히 함'은 베풀어 써서 처함에 이롭지 않음이 없으면, 이 몸이 편안하여 들어가는 곳마다 스스로 만족하지 않음이 없음을 말한다.[138] '덕을 높임'은 그 덕을 높고 크게 함을 말한다. 내 몸의 배움으로 말하자면, 그 의를 전적으로 정밀히 하여 신묘함에 들어가는 것이 '쓰임을 이룸'을 구하는 것은 아니나, 나아가 '쓰임을 이룸'의 근본이 되기에는 본래 충분하다. 베풀어 쓰기에 이롭게 하여 어디를 간들 편안하지 않음이 없는 것은 '덕을 높임'을 구하는 것은 아니나, 들어가 '덕을 높임'의 바탕이 되기에는 본래 충분하다. 이것이 모두 저절로 그렇게 되어 '이룸'이고, 저절로 그렇게 되어 '높음'이니, 생각하여 구한 것이 아니라 곧 내 몸의 안과 밖이 서로 감응하고 서로 길러준 것이다. 곧 저절로 그렇게 된 이치이니, 바로 이른바 '돌아감이 같고 이치는 하나'라는 것이다.

---

138) 『中庸』 14장: 素富貴, 行乎富貴, 素貧賤, 行乎貧賤, 素夷狄, 行乎夷狄, 素患難, 行乎患難, 君子, 無入而不自得焉.

過此以往, 未之或知也, 窮神知化, 德之盛也.

이를 지나간 이후는 혹 알 수 없으니, 신묘함을 궁구하며 조화를 앎이 덕(德)의 성대함이다.

中國大全

本義

下學之事, 盡力於精義利用, 而交養互發之機, 自不能已. 自是以上, 則亦无所用其力矣, 至於窮神知化, 乃德盛仁熟而自致耳. 然不知者, 往而屈也, 自致者, 來而信也, 是亦感應自然之理而已. 張子曰, 氣有陰陽, 推行有漸爲化, 合一不測爲神. 此上四節, 皆以釋咸九四爻義.

아래로부터 배우는 일은 의를 정밀히 하고 씀을 이롭게 함에 힘을 다하여 서로 기르고 서로 밝히는 기틀이 저절로 멈출 수 없게 하는 것이다. 여기부터 위로는 또한 힘을 쓸 곳이 없으니, 신묘함을 궁구하여 조화를 알게 됨은 바로 덕(德)이 성대하고 인(仁)이 무르익어 저절로 이루어진 것이다. 그러나 알지 못하는 것은 가서 굽히기 때문이고, 저절로 이루어지는 것은 와서 펴기 때문이니, 이 또한 감응하는 자연한 이치일 뿐이다. 장자(張子)는 "기운에 음과 양이 있어서 점차 밀쳐 유행하는 것이 화(化)이고, 하나로 합하여 헤아리지 못하는 것이 신(神)이다"라고 하였다. 이상의 네 구절은 모두 함괘(咸卦) 구사효(九四爻)의 의미를 해석한 것이다.

小註

朱子曰, 窮神知化, 德之盛, 這德字, 只是上面崇德之德. 德盛後, 便能窮神知化, 便如聰明睿知 皆由此出, 自誠而明相似. 又曰, 精義入神, 以致用也, 利用安身, 以崇德也. 過此以往, 未之或知也, 窮神知化, 德之盛也, 只是這一箇. 非於崇德之外, 別有箇德之盛也, 做來做去, 做到徹處, 便是.

주자가 말하였다: "신묘함을 궁구하며 조화를 앎이 덕의 성대함이다"에서 덕(德)자는 위의 "덕을 높인다[崇德]"의 '덕(德)'일 뿐이다. 덕이 성대해진 뒤에야 신묘함을 궁구하며 조화를 알 수 있으니, 바로 "총명하고 슬기로움이 모두 여기에서 나온다",[139] "참됨을 말미암아 밝아

진다"[140]와 비슷하다.

또 말하였다: "의를 정밀히 하여 신묘함에 들어감은 이것으로 씀을 이룸이고, 씀을 이롭게 하여 몸을 편안히 함은 이것으로 덕을 높임이다. 이를 지나간 이후는 혹 알 수 없으니, 신묘함을 궁구하며 조화를 앎이 덕(德)의 성대함이다"는 단지 하나일 뿐이다. 덕을 높이는 이외에 별도로 덕의 성대함이 있는 것이 아니니, 이리 저리 행하여 철저함에 이르는 것이 그것이다.

○ 未之或知, 是到這裏不可奈何. 窮神知化, 雖不從這裏出來, 然也有這箇意思.
"혹 알지 못한다"는 이에 이르면 어찌할 수 없다는 것이다. "신묘함을 궁구하며 조화를 앎"은 비록 여기에서 나오지는 않았지만, 또한 이러한 의미가 있다.

○ 神化二字, 雖程子說得亦不甚分明. 唯是橫渠推出來, 推行有漸爲化, 合一不測爲神. 又曰, 一故神, 兩在故不測, 兩故化.
'신화(神化)' 두 글자는 비록 정자라도 아주 분명하게 설명한 것은 아니다. 오직 횡거만이 밝혀냈을 뿐이니, 미루어 행하는 데 점진함이 있는 것이 변화이고, 합일하여 예측할 수 없는 것이 신묘함이다.[141]
또 말하였다: 하나이므로 신묘하고, 양쪽에 있으므로 헤아리지 못하며, 둘이므로 변화한다.

○ 窮神知化, 化, 是逐些子挨將去底. 一日復一日, 一月復一月, 節節挨將去, 便成一年. 神, 是一箇物事, 或在彼, 或在此, 當其在陰時, 全體在陰, 在陽時, 全體在陽. 都只是這一物, 兩處都在, 不可測, 故謂神. 橫渠言一故神, 兩故化. 又註云, 兩在故不測, 這說得甚分曉.
'궁신지화(窮神知化)'의 '화(化)'는 조금씩 밀쳐 가는 것이니, 하루에 하루를 반복하고 한 달에 한 달을 반복하여 절절이 밀쳐가서 한 해를 이루는 것이다. '신(神)'은 하나의 것이 저기에 있기도 하고 여기에 있기도 한 것이니, 그것이 음에 있을 때에는 전체가 음에 있고, 양에 있을 때에는 전체가 양에 있다. 모두가 이 하나의 것일 뿐이지만, 두 곳에 모두 있어 헤아릴 수가 없으므로 신(神)이라 이른다. 횡거가 "하나이므로 신묘하고, 둘이므로 변화한다"고 하고, 다시 주(注)에서 "양쪽에 있으므로 헤아리지 못한다"고 하였는데, 이 말이 아주 분명하다.

---

139) 『明儒言行録』: 程子論恭敬曰, 聰明睿智, 皆由此出.
140) 『中庸』〈21장〉.
141) 『張子全書』 권2.

○ 此章, 解咸九四, 據爻義看, 上文說貞吉悔亡, 貞字甚重. 程子謂聖人感天下, 如雨暘寒暑, 无不通, 无不應者, 貞而已, 所以感人者, 果貞矣, 則吉而悔亡. 蓋天下本无二理, 果同歸矣, 何患乎殊塗, 果一致矣, 何患乎百慮. 所以重言何思何慮也. 如日月寒暑之往來, 皆是自然感應如此, 日不往則月不來, 月不往則日不來, 寒暑亦然. 往來只是一般往來, 但憧憧之往來者, 患得患失, 旣要感這箇, 又要感那箇, 便自憧憧忙亂, 用其私心而已. 屈信相感而利生焉者, 有晝必有夜, 設使長長爲晝而不夜, 則何以息, 夜而不晝, 安得有此光明. 春氣固是和好, 只有春夏而无秋冬, 萬物何以成, 一向秋冬而无春夏, 人何以生. 屈信往來之理, 所以必待迭相爲用, 而使利所由生. 春秋冬夏, 只是一箇感應, 所應復爲感, 所感復爲應也. 春夏是一箇大感, 秋冬則必應之, 而秋冬又爲春夏之感. 以細言之, 則春爲夏之感, 夏則應春而又爲秋之感, 秋爲冬之感, 冬則應秋而又爲春之感, 所以不窮也. 尺蠖不屈, 則不可以信, 龍蛇不蟄, 則不可以藏身. 今山林冬暖, 而蛇出者往往多死, 此則屈信往來感應必然之理. 夫子因往來兩字, 說得許多大, 又推以言學, 所以內外交相養, 亦只是此理而已. 橫渠曰, 事豫吾內, 求利吾外, 素利吾外, 致養吾內, 此下學所當致力處. 過此以上, 則不容計較. 所謂窮神知化, 乃養盛自致, 非思勉所及, 此則聖人事矣.

이 장은 함괘의 구사(九四)를 해석하였는데, 효의 뜻에 의거하여 본다면 앞서 "바르면 길하여 후회가 없어질 것이다[貞吉悔亡]"라고 하였으니 '정(貞)'자가 매우 중요하다. 정자는 "성인이 천하에 감응함은 흐림과 갬, 추위와 더위가 통하지 않음이 없고 응하지 않음이 없는 것과 같으니 바를 뿐이다"라고 하니, 사람에 감응하는 것이 과연 바르기에 길하여 후회가 없다는 것이다. 대체로 천하에 이치는 본래 두 가지가 아니어서 결국 돌아감이 같을 것이니 어찌 길이 다름을 근심하겠으며, 결국 이룸이 하나일 것이니 어찌 백 가지 염려로 근심하겠는가? 그래서 "무엇을 생각하며 무엇을 염려하리오"라고 거듭 말한 것이다. 해와 달, 추위와 더위의 가고 옴과 같은 것은 모두 자연하게 감응함이 이와 같은 것이니, 해가 가지 않으면 달이 오지 않고, 달이 가지 않으면 해가 오지 않으며, 추위와 더위도 또한 그러하다. 가고 옴은 다만 일반적인 가고 옴이지만, 자주 가고 오는 것은 얻고 잃음을 근심하여서 이것에 감응하려 하면서 다시 저것에 감응하려 함이니, 바로 스스로 자주 심란하여 사심을 쓰는 것일 뿐이다. "굽힘과 폄이 서로 감응하여 이로움이 나온다"는 것은 낮이 있으면 반드시 밤이 있음이니, 가령 계속해서 낮이면서 밤이 되지 않는다면 어떻게 쉬겠으며, 밤이면서 낮이 되지 않는다면 어떻게 이 빛을 있게 할 수 있겠는가? 봄기운이 참으로 좋더라도 봄과 여름만 있고 가을과 겨울이 없다면 만물이 어떻게 이루어지겠으며, 한결같이 가을과 겨울이고 봄과 여름이 없다면 사람이 어떻게 살아가겠는가? 굽히고 펴며 가고 오는 이치는 반드시 번갈아 가며 서로 작용하여 이로움이 따라 나오게 한다. 봄과 가을, 겨울과 여름은 다만 하나의 감응일 뿐이니, 대응하는 것이 다시 느끼게 되고, 느끼는 것이 다시 대응하게 된다. 봄과 여름이 한 번 크게 느끼면 가을과 겨울이 반드시 대응하고, 가을과 겨울은 다시 봄과 여름을 느끼게 된다. 자세하게 말하면, 봄이 여름을 느끼게 되면 여름은 봄에 대응하면서 다시 가을을 느끼게 되고, 가을이 겨울을 느끼게 되면 겨울은 가을에 대응하면서 다시 봄을 느끼게 되니, 다할 수 없는 것이다. 자벌레는 굽히지 않으면 펼 수 없고, 용과 뱀은 칩거하지 않으면 몸을 감출 수 없다. 지금 산림의 겨울이 따뜻해도 뱀이 나온다면 때때로 죽는 것이 많으니, 이는 굽힘과 폄, 감과 옴이 감응하는 필연의 이치인 것이다. 공자가 감[往]과 옴[來] 두 글자에 의거하여 말한 것이 매우 많고 크지만, 다시 학문으로 미루어 말하였으니 안과 밖이 서로 기르게 되는 것도 단지 이 이치일 뿐이다. 장횡거가 "일을 내 안에서 미리 알아 내 밖이 이롭기를 구하고, 평소에 내 밖을 이롭게 하여 내 안 기르기를 다한다"고 하였으니, 이것은 '아래로부터 배움[下學]'에 힘을 다하여야 할 곳이다. 이밖에는 견주어 살핌을 용납하지 않는다. 이른바 "신묘함을 궁구하며 조화를 앎"은 바로 기름이 성대하여 저절로 이루어진 것이며 생각하고 힘써서 미칠 바가 아니니, 이는 성인의 일인 것이다.

○ 天下何思何慮一段, 此是言自然而然. 如精義入神, 自然致用, 利用安身, 自然崇德.
"천하가 무엇을 생각하며 무엇을 염려하리오"의 단락은 자연스럽게 그러함을 말한 것이다. "의를 정밀히 하여 신묘함에 들어간다"면 자연스럽게 씀을 이루고, "씀을 이롭게 하여 몸을 편안히 한다"면 자연스럽게 덕을 높일 것이다.

○ 天下何思何慮一句, 便是先打破那箇思字, 卻說同歸殊塗, 一致百慮. 又再說天下何思何慮, 謂何用如此憧憧往來, 而爲此朋從之思也. 日月寒暑之往來, 尺蠖龍蛇之屈信, 皆是自然底道理, 不往則不來, 不屈則亦不能信也. 今之爲學, 亦只是如此. 精義入神, 用力於內, 乃所以致用乎外, 利用安身, 求利於外, 乃所以崇德乎內, 只是如此做將去. 雖至於窮神知化地位, 亦只是德盛仁熟之所致, 何思何慮之有.
"천하가 무엇을 생각하며 무엇을 염려하리오"의 구절은 먼저 저 '생각함[思]'을 없애고, 다시 돌아감이 같아도 길이 다르며, 이룸이 하나여도 염려가 백 가지임을 말한 것이다. 재차 "천하가 무엇을 생각하고 무엇을 염려하리오"를 말함은 "어째서 이와 같이 자주 가고 오면서 이렇게 벗만이 따를 생각을 하는가?"라고 한 것이다. 해와 달, 추위와 더위가 가고 오며, 자벌레와 용과 뱀이 굽히고 폄은 모두 자연한 도리이니, 가지 않으면 오지 않고 굽히지 않으면 또한 펼 수 없다. 지금 학문을 하는 것도 또한 이와 같을 뿐이다. "의를 정밀히 하여 신묘함에 들어감"은 안으로 힘을 쓰지만 바로 밖으로 씀을 이루는 것이며, "씀을 이롭게 하여 몸을 편안히 함"은 밖으로 이로움을 구함이지만 바로 안으로 덕을 높이는 것이니, 다만 이와 같이 해나갈 뿐이다. 비록 신묘함을 궁구하며 조화를 알게 되는 것도 단지 덕이 성대하고 인이 무르익어 이룬 것일 뿐이니, 무엇을 생각하며 무엇을 염려함이 있겠는가?

○ 雲峰胡氏曰, 天下何思何慮一語, 所以破思慮之感, 息憧憧之思也. 天下間, 凡一往一來, 皆感應自然之常理, 非唯日月寒暑如此. 以吾之學言之, 精義以致用, 利用以崇德, 亦有自然屈信之理. 至於窮神知化, 而德之盛, 皆自然而已矣, 皆非思慮所及. 故曰天下何思何慮.

운봉호씨가 말하였다: "천하가 무엇을 생각하며 무엇을 염려하리오"라는 한 마디는 생각하고 염려하는 감응을 없애고, 사심을 가진 생각을 그치게 한 것이다. 천하에 가고 오는 모든 것은 모두 감응하여 저절로 그러한 항상된 이치이니, 오직 해와 달, 추위와 더위만이 이런 것이 아니다. 우리의 학문으로 말한다면, 의를 정밀히 하여 씀을 이루고, 씀을 이롭게 하여 덕을 높이니, 또한 자연스럽게 굽히고 펴는 이치가 있다. 심지어 신묘함을 궁구하며 조화를 알게 되어 덕이 성대한 것도 모두 저절로 그럴 뿐이어서 모두 생각하고 염려하여 미칠 수 있는 것이 아니다. 그러므로 "천하가 무엇을 생각하며 무엇을 염려하리오"라고 하였다.

‖韓國大全‖

박치화(朴致和) 「설계수록(雪溪隨錄)」

天地之間, 屈信感應而已. 故曰過此以往, 未之或知也.
천지간은 굽히고 펴며 감응할 뿐이다. 그러므로 "이를 지나간 이후는 혹 알 수 없다"고 하였다.

○ 精義崇德之極, 便能窮神知化, 故曰德之盛也.
의리를 정밀하게 함과 덕을 높임이 지극하면 곧 신을 궁구하며 조화를 알 수 있기 때문에 '덕의 성대함'이라고 말하였다.

○ 神者, 造化妙處, 窮神則知造化之所以然, 故曰窮神知化.
신이란 조화의 신묘한 곳이니 신을 궁구하면 조화가 그렇게 된 이유를 알 수 있기 때문에 "신을 궁구하며 조화를 안다"고 말하였다.

○ 朱子訓解以爲精義入神, 利用崇德, 過此以往, 莫知其所以然, 所謂聖神也, 故曰未之或知也.

주자가 풀이하기를 "의리를 정밀히 하여 신묘함에 들어가고 이용을 이롭게 하며 덕을 높이니 이를 지나간 이후는 그것이 그렇게 된 이유를 알 수 없다"고 하였으니 이른바 성스럽고 신묘함을 알 수 없기 때문에 "혹 알 수 없다"고 말하였다.

○ 不知者, 往而屈, 釋未之或知也, 自致者, 來而信, 釋窮神知化, 德之盛也.
"알 수 없는 것은 가서 굽히기 때문이다"는 "혹 알 수 없다"를 해석한 것이고, "저절로 이루어지는 것은 와서 펴기 때문이다"는 "신을 궁구하고 변화를 안다"를 해석한 것이니, 덕의 성함이다.

○ 精義利用, 而不知其所以然. 故不知屬往而屈也.
의리를 정밀히 하고 이용을 이롭게 하나 그렇게 되는 이유를 모른다. 그러므로 '알 수 없음'은 '가서 굽힘'에 속한다.

유정원(柳正源)『역해참고(易解參攷)』

正義, 言精義入神以致用, 利用安身以崇德, 此二者皆人理之極, 過此二者以往, 則微妙不可知, 故云未之或知也. 過此以往, 則窮極微妙之神, 曉知變化之道, 乃是聖人德之盛極也.
『주역정의』에서 말하였다: '의를 정밀히 하여 신묘함에 들어가 쓰임을 이루고', '쓰임을 이롭게 하여 몸을 편안히 해서 덕을 높이는' 이 두 가지는 모두 사람이 지켜야 할 이치의 지극함이니, 이 두 가지를 지난 이후는 미묘하여 알 수 없기 때문에, "혹 알 수 없으니"라고 하였다는 말이다.[142] '이를 지난 이후'는 미묘한 신(神)을 다하고 변화의 도(道)를 밝게 알아야 하니 이것이 바로 매우 성대한 성인의 덕이다.

○ 程子曰, 窮神知化, 化之妙者神也.
정자가 말하였다: 신묘함을 궁구하고 변화를 아는 것이니 변화의 신묘함이 '신'이다.

○ 朱子曰, 過此以往, 未之或知, 亦只是雖欲從之, 末由也已之意.
주자가 말하였다: "이를 지난 이후로는 혹 알 수 없으니"는 다만 그것을 따르고자 해도 따를 길이 없다는 뜻이다.

---

142) 『周易正義』에 "過此以往, 未之或知也者, 言精義入神以致用, 利用安身以崇德, 此二者皆人理之極. 過此二者以往, 則微妙不可知, 故云未之或知也"라 하였으므로 '言精義入神以致用'의 '言'을 여기까지 걸어 번역하였다.

김상악(金相岳) 『산천역설(山天易說)』

窮神於內, 知化於外, 乃養盛自致. 張子曰, 推行有漸爲化, 合一不測爲神.

마음에서 신묘함을 궁구하여 몸 밖에서 조화를 아는 것이 곧 "기름이 성대함을 스스로 이룸"이다. 장자가 말하기를 "미루어 행하는 데 점진함이 있는 것이 변화이고, 합일하여 예측할 수 없는 것이 신묘함이다"[143]라고 하였다.

박윤원(朴胤源) 『경의(經義)·역경차략(易經箚略)·역계차의(易繫箚疑)』

窮神知化, 是極層地位, 其氣象意思, 可得以形容歟. 窮神之神, 與上文入神之神, 同歟異歟. 上文精義利用, 分言知行, 而至此則神化是行, 窮知是知歟. 精義利用, 當用工夫, 而窮神知化, 着不得工夫, 故曰過此以往, 未之或知也. 此是顔子雖欲從之, 末由也已之境界歟. 前章神而化之, 卽黃帝堯舜之窮神知化之事歟, 西銘以窮神知化爲繼述, 惟踐形之, 聖人爲能, 而中人以下, 不能與焉歟.

"신묘함을 궁구하며 조화를 앎"은 지극한 차원의 경지이니, 그 기상의 뜻을 형용할 수 있을 것이다. "신묘함을 궁구함"의 '신묘함'은 윗글의 "신묘함에 들어감"의 '신묘함'과 같은가 다른가? 윗글의 "의를 정밀히 하여 쓰임을 이롭게 함"은 지(知)와 행(行)을 나누어 말하였으나, 이 글에서는 신묘함과 조화가 '행'이고 궁구함과 앎이 '지'일 것이다. 의를 정밀히 하여 쓰임을 이롭게 함은 마땅히 직접 공부를 하는 것이나, 신묘함을 궁구하고 조화를 앎은 직접 공부하지 않는 것이기 때문에 "이를 지난 이후로는 혹 알 수 없다"고 하였다. 이것이 안자가 "비록 따르고자 하나 어디로부터 말미암을지 모르겠다"[144]고 한 경지일 것이다. 「계사하전」 2장의 "신묘하여 화육함"은 곧 황제와 요·순의 "신묘함을 궁구하고 조화를 앎"의 일일 것이며, 「서명」에서 "신묘함을 궁구하고 조화를 앎"을 "뜻을 잘 계승하고 일을 잘 기술함"[145]이라 하였으니, 타고난 형체를 실천하는 것은 성인만이 할 수 있는 것이어서 중인 이하는 참여할 수 없을 것이다.

심취제(沈就濟) 『독역의의(讀易疑義)』

不知者神也, 自致者化也. 上傳所謂神以知來, 則來者非化耶.

---

143) 『張子全書』 권2.

144) 『論語·子罕』: 欲罷不能, 旣竭吾才, 如有所立卓爾. 雖欲從之, 末由也已.

145) 『張子全書·西銘』에 "知化則善述其事, 窮神則善繼其志"라 하였고, 朱熹의 「西銘解」에 "孝子善繼人之志, 善述人之事者也. 聖人知變化之道, 則所行者無非天地之事矣, 通神明之德, 則所存者無非天地之心矣. 此二者, 皆樂天踐形之事也."라 하였다.

알 수 없는 것은 신묘함이고, 저절로 이루어지는 것은 변화이다. 「계사상전」에서 말한 "신묘함으로 미래를 안다"[146)는 '미래'라는 것이 변화가 아니겠는가?

윤행임(尹行恁) 『신호수필(薪湖隨筆)·계사전(繫辭傳)』

窮神知化, 學問之極功也, 故子張於西銘, 以是爲事天之實. 窮神知化, 是大學第五章工夫.

"신묘함을 궁구하여 조화를 아는 것"은 학문을 하는 궁극의 공부이기 때문에 장자가 「서명(西銘)」에서 이것으로 하늘을 섬기는 실제로 삼았다. 신묘함을 궁구하고 조화를 앎은 『대학』 제 5장의 공부이다.

심대윤(沈大允) 『주역상의점법(周易象義占法)』

咸之道, 止於同類. 同類旣已感應, 天下從以觀化之矣. 窮神知化, 觀之道也. 咸精而不神, 觀神而不精, 咸專而不徧, 觀徧而不專, 咸感而不化, 觀化而不感, 咸知而相應, 觀不知而相化.

함괘의 도는 동류에 그친다. 동류가 이미 감응했다면 천하가 따라서 보고 변화한다. 신묘함을 궁구하여 변화를 아는 것이 관괘의 도이다. 함괘는 정밀하나 신묘하지 않고 관괘는 신묘하나 정밀하지 않으며, 함괘는 전일하나 두루 하지 못하고 관괘는 두루하나 전일하지 못하며, 함괘는 감응하여 변화하지만 관괘는 변화하나 감응하지 못하고, 함괘는 알고서 서로 감응하지만 관괘는 모르면서 서로 변화한다.

오치기(吳致箕) 「주역경전증해(周易經傳增解)」

過此以往, 言自致用崇德而前去也, 未之或知, 言其盛之不可測也. 君子之學, 內外相感而交養, 莫非一理, 卽同歸一致者也. 過此以往, 則神不求窮, 而自至于窮, 化不求知, 而自至于知. 此乃聖人盡性至命之事, 而德之盛, 无以加矣. 何嘗憧憧思慮而求之哉.

"이를 지나간 이후"란 씀을 이루고 덕을 높이는 데서부터 앞으로 감을 말하고, "혹 알 수 없음"이란 성대함을 측량할 수 없음을 말한다. 군자의 배움은 몸의 안팎이 서로 감응하고 서로 길러주어 한 가지 이치 아님이 없으니 곧 "돌아감이 같고 이치는 하나"라는 것이다. 이를 지나간 이후는 신묘함을 궁구하기를 구하지 않으나 저절로 궁구함에 이르고, 조화를 알기를 구하지 않으나 저절로 앎에 이른다. 이것은 바로 성인이 본성을 다하고 천명에 이르는 일이니

---

146) 「周易·繫辭傳」: 聖人, 以此洗心, 退藏於密, 吉凶, 與民同患, 神以知來, 知以藏往, 其孰能與於此哉.

덕의 성대함이 더할 나위 없다. 어찌 사심을 가지고 생각하여 구한 적이 있었겠는가?

이병헌(李炳憲) 『역경금문고통론(易經今文考通論)』[147]

一致而百慮, 或作百慮而一致. 咸爲下篇之首, 故孔子於象辭, 特加詳焉, 以明天地感應之道. 咸之九四, 舊爲心之部位, 顧爻辭未足以發其精蘊, 故於此, 特因餘意發揮之, 無遺憾. 窮神知化四字, 爲其總括處. 神爲敎化之標本, 天道之主宰, 聖人雅素之言, 不及於神何也. 蓋聖人敎人, 使之易曉, 就人身上拈出一箇心字, 心卽神也. 然對學者, 而言神則未易領會, 言心則反省而知能從事於操存矣. 窮神者, 盡心之謂也, 聖人於易中, 多般說神字.

"이치가 하나인데 생각이 백 가지"를 어떤 이는 "생각이 백 가지인데 이치는 한 가지"로 쓰기도 한다. 함괘는 하경의 첫머리이기 때문에 공자가 함괘의 「단사」에서 특별히 자세함을 더하여 천지가 감응하는 도를 밝혔다. 함괘의 구사는 옛날에 심장의 위치로 여겼는데, 다만 효사가 정밀하고 온축된 뜻을 발현하기에 부족했기 때문에 여기에서 특별히 풍부한 뜻을 드러내어 유감이 없게 하였다. "신묘함을 궁구하며 조화를 안다"는 말이 그것을 총괄한 말이다. '신묘함'은 교화의 표본이며 천도를 주재함이 되는데, 공자가 평소에 '신'을 언급하지 않음은 어째서인가? 성인이 사람을 가르칠 때에 쉽게 깨닫게 하기 위하여 신체 중에서 '심(心)'을 지적하여 설명하였으니 '심(心)'이 바로 '신(神)'이다. 그러나 배우는 자를 상대로 '신(神)'을 말하면 쉽게 이해하지 못하고, '심(心)'을 말하면 돌이켜 살펴서 지켜 보존함에 종사할 줄 안다. '신묘함을 궁구함'이란 마음을 다함을 이르니, 성인이 『주역』에서 신(神)을 말한 데가 많다.

---

147) 경학자료집성DB에 「계사하전」 제 3장에 편집되어 있으나 경학자료집성 영인본의 체재에 의거하여 「계사하전」 제 5장으로 옮겼다.

易曰, 困于石, 據于蒺藜. 入于其宮, 不見其妻, 凶. 子曰, 非
所困而困焉, 名必辱, 非所據而據焉, 身必危, 旣辱且危, 死
期將至, 妻其可得見邪.

『주역』에서 말하였다: 돌[石] 때문에 어려우며 가시나무[蒺藜]에 앉아있다. 집에 들어가도 아내를
만나보지 못하니, 흉하다. 공자가 말하였다: 어려울 것이 아닌데 어려우니 이름이 반드시 욕되고,
앉아있을 곳이 아닌데 앉아있으니 몸이 반드시 위태하리니, 이미 욕되고 또 위태하여 죽을 시기가
장차 이를 것이니 아내를 만나볼 수 있겠는가?

‖中國大全‖

本義

釋困六三爻義.

곤괘(困卦䷮) 육삼효의 뜻을 해석하였다.

小註

或問, 非所困而困焉, 名必辱, 大意謂石不能動底物, 自是不須去動他. 若只管去用力,
徒自困耳. 朱子曰, 此爻大意, 謂不可做底, 便不可入頭去做. 又曰, 且以人事言之, 有
着力不得處. 若只管着力去做, 少間去做不成, 他人便道自家无能, 便是辱了名.

어떤 이가 물었다: "어려울 것이 아닌데 어려우니 이름이 반드시 욕되다"는 대의가 "돌은
움직일 수 없는 물건이어서 원래 움직여서는 안 되는 것이니, 만약 다만 힘쓰려 한다면 한갓
스스로 곤란할 뿐이다"라고 한 것입니까?

주자가 답하였다: 이 효의 대의는 할 수 없는 것은 애초에 해서는 안 된다는 것입니다.
또 말하였다: 잠시 사람의 일로 말한다면 힘을 쓸 수 없는 곳입니다. 만약 그저 힘써서 해본
다면 바로 허탕 치게 되어 다른 사람들이 무능하다고 할 것이니, 바로 이름을 욕되게 하는
것입니다.

○ 南軒張氏曰, 有應於上, 將以求名, 今困于石, 此非所困而困焉名必辱也. 有依於下, 得以安身, 今據于蒺藜, 非所據而據焉身必危也. 在困之時, 名辱身危, 有死之理, 此身不行道, 雖妻且不可見, 宜乎凶也.

남헌장씨가 말하였다: 위로 호응함은 이름을 구하려 함인데 지금은 돌 때문에 어려우니, "어려울 것이 아닌데 어려우니 이름이 반드시 욕된다"는 것이다. 아래를 의지함은 몸을 편히 하려 함인데 지금은 가시나무에 앉아있으니, "앉아있을 곳이 아닌데 앉아있으니 몸이 반드시 위태롭다"는 것이다. 곤(困)의 때에는 이름이 욕되고 몸이 위태하여 죽을 이치가 있으며, 이 몸이 도리를 행하지 못하여 아내조차도 만나볼 수 없으니, 흉한 것은 당연하다.

○ 誠齋楊氏曰, 君子有不幸之困, 无以致之, 在陳畏匡是已. 故名不辱而身不危. 小人无幸免之困, 爲不善以致之, 以其非所據而據. 是以非所困而困, 尙可得而保其名, 保其身, 保其家, 保其妻子乎.

성재양씨가 말하였다: 군자는 원치 않은 어려움이 있어도 그것을 불러온 경우는 없으니, 진나라에 있듯이,[148] 광(匡)에서 경계하듯이[149] 한 것이 그것이다. 그러므로 이름이 욕되지 않고 몸이 위태롭지 않다. 소인은 요행히 모면하는 어려움이 없더라도 좋지 않은 행실로 어려움을 불러오니, 앉아있을 곳이 아닌데 앉아있기 때문이다. 이 때문에 어려울 것이 아닌데 어려우니, 하물며 그 이름이나 몸이나 집안이나 처자조차 보존할 수 있겠는가?

▌韓國大全▌

조호익(曺好益) 『역상설(易象說)』

易曰, 困于石, 據于蒺藜. 入于其宮, 不見其妻, 凶.
『주역』에서 말하였다: 돌[石] 때문에 어려우며 가시나무[蒺藜]에 앉아있다. 집에 들어가도 아내를 만나보지 못하니, 흉하다.

朱子曰, 石指四, 蒺藜指二, 宮謂三, 而妻則六也.
주자가 말하였다: 돌은 사효를 가리키고 가시나무는 이효를 가리키며, 집은 삼효를 말하고 아내는 육(六)이다.

---

148) 『論語·公冶長』: 子在陳曰, 歸與歸與, 吾黨之小子狂簡, 斐然成章, 不知所以裁之.
149) 『論語·子罕』: 子畏於匡.

按, 本卦九四陽剛, 有石象, 九二亦陽剛, 又坎體, 坎爲叢棘, 有蒺藜象. 三其所居, 卽宮也.
내가 살펴보았다: 본 곤괘(困卦)를 보면, 구사가 굳센 양이니 돌의 상이 있는 것이고, 구이도 양강이며 또 감의 몸체인데, 감(坎)은 총극(叢棘)이 되니 가시나무의 상이 있는 것이다. 삼효는 그가 있는 곳이 바로 궁(宮)이다.

朱子又曰, 六三陽之陰, 上六陰之陰. 故將六三言之, 則上六爲妻也.
주자가 또 말하였다: 육삼은 양의 자리에 있는 음효이고, 상육은 음의 자리에 있는 음효이다. 그러므로 육삼을 가지고 말하면 상육이 처(妻)가 되는 것이다.

박치회(朴致和) 「설계수록(雪溪隨錄)」

危困之極, 妻亦不得以保有也, 故曰妻其可得見耶.
위태롭고 어려움이 지극하며 아내도 보전해 둘 수 없기 때문에 "아내를 만나볼 수 있겠는가?"라고 하였다.

김상악(金相岳) 『산천역설(山天易說)』

釋困六三爻義. 名必辱, 就進取上言, 身必危, 就安身處言.
곤괘 육삼효의 뜻을 해석하였다. "이름이 반드시 욕됨"은 나아가 취하게 되는 일로 말하였고, "몸이 반드시 위태로움"은 몸을 편안히 하는 일로 말하였다.

심취제(沈就濟) 『독역의의(讀易疑義)』

易曰困于石以下諸爻, 皆言能屈伸不能屈伸, 而君子則能屈伸也, 小人則不能屈伸也.
'역왈곤우석(易曰困于石)' 이하의 여러 효는 모두 '굽히고 펼 수 있는지', '굽히고 펼 수 없는지'를 말하였으니, 군자는 굽히고 펼 수 있으며, 소인을 굽히고 펼 수 없다.

오치기(吳致箕) 「주역경전증해(周易經傳增解)」

此釋困六三爻辭之義. 居險而無應援, 故謂非所困而困也, 乘剛而處不正, 故謂非所據而據也.
이 글은 곤괘 육삼효사의 뜻을 해석하였다. 험함에 있으면서 응원이 없기 때문에 "어려울 것이 아닌데 어렵다"고 하였고, 강한 양을 타고 처한 곳이 바르지 않기 때문에 "앉아있을 곳이 아닌데 앉아있다"고 하였다.

易曰, 公用射隼于高墉之上, 獲之, 无不利. 子曰, 隼者, 禽也,
弓矢者, 器也, 射之者, 人也. 君子藏器於身, 待時而動, 何不
利之有. 動而不括, 是以出而有獲, 語成器而動者也.

『주역』에서 말하였다: 공(公)이 새매[隼]를 높은 담 위에서 쏘아 잡음이니, 이롭지 않음이 없다.
공자가 말하였다: 새매는 날집승이고, 활과 살은 기구이고, 쏘는 이는 사람이다. 군자가 기구를
몸에 간직하고 때를 기다려 움직인 것이니, 어찌 이롭지 않음이 있겠는가? 움직여서 막히지 않기
때문에 나가서 잡음이 있으니, 기구를 만들어 움직임을 말한 것이다.

中國大全

本義

括, 結礙也. 此, 釋解上六爻義.

'괄(括)'은 얽혀 막힘이다. 이는 해괘(解卦䷧) 상육효(上六爻)의 의미를 해석한 것이다.

小註

朱子曰, 張敬夫說易, 謂只依孔子繫辭說便了. 如說公用射隼, 至成器而動者也, 只如
此說便了, 固是如此, 聖人之意, 只恁地說不得. 緣在當時只理會得象數, 故聖人明之
以理. 又曰, 公用射隼, 孔子是發出言外之意.

주자가 말하였다: 장경부는 『주역』을 설명하여 "공자의 「계사전」에 의거하여 말하면 그만이
다"라고 하였다. 만약 "'공이 새매를 쏨'으로부터 '기구를 만들어 움직임이다'까지는 단지 이
와 같이 말하면 그만이다"라고 한다면, 진실로 이와 같겠지만 성인의 뜻이 이와 같다고만
말할 수는 없다. 당시에는 『주역』을 단지 상수(象數)로만 이해했기 때문에 성인이 이치로
밝힌 것이다.

또 말하였다: '공이 새매를 쏨'은 공자가 말 밖의 숨은 뜻을 펼친 것이다.

○ 漢上朱氏曰, 藏可用之器, 待可爲之時, 動无結礙, 出則有獲. 唯乘屈信之理而其用利者, 能之.

한상주씨가 말하였다: 쓸 만한 기구를 간직하고 할 만한 시기를 기다렸기에, 움직이면 막힘이 없고 나오면 잡음이 있다. 오직 굽히고 펴는 이치를 타서 씀을 이롭게 하는 사람만이 할 수 있다.

韓國大全

유정원(柳正源) 『역해참고(易解參攷)』

待時 [至] 不括.

때를 기다려 … 막히지 않기 때문에.

韓氏曰, 括結也. 君子待時而動, 則无結閡之患. 小人至謂也.

한강백이 말하였다: 괄(括)은 맺음이다. 군자가 때를 기다려 움직이면 맺히거나 닫히는 환란이 없으니, 소인이 이름을 이른다.

晦齋先生曰, 小人无忌憚, 賊仁害義, 而略无恥畏. 小則妬賢嫉能, 妨政害治, 大則專擅威福, 弑君簒國, 甚可懼也. 蓋其心唯知趨利避害, 故見利而後, 勸於爲善, 畏威而後, 懲於爲惡. 苟能懲之小, 使不至於大, 則小人之福也.

회재선생이 말하였다: 소인은 꺼리는 것이 없으니, 인의를 해치면서도 조금도 부끄러워하거나 두려워하지 않는다. 작게는 어진 이를 투기하고 유능한 이를 질투하여 정사를 훼방하고 다스림을 해치며, 크게는 위엄과 복을 전횡하여 임금을 시해하고 나라를 찬탈하니, 매우 두려울 만하다. 그 마음은 오직 이로움을 따르고 해를 피할 줄만 알기 때문에, 이로움을 보인 뒤에야 선행을 하는 데 권면되고, 위엄으로 두렵게 한 뒤에야 악을 행함이 징계된다. 진실로 작은 일에서 징계될 수 있어 큰일에 이르지 않게 한다면 소인의 복이다.

김상악(金相岳) 『산천역설(山天易說)』

釋解上六爻義. 括結礙也, 不括, 卽象傳所謂解悖也.

해괘 상육효의 뜻을 해석하였다. 괄(括)은 맺고 막힘이니, '막히지 않음[不括]'은 「상전」에서 말한 '풀어 버림'150)이다.

서유신(徐有臣) 『역의의언(易義擬言)』151)

弓矢者, 器也.
활과 살은 기구이다.

互坎互離, 爲弓矢之象. 互卦, 故曰藏器於身也.
호괘인 감괘와 호괘인 리괘는 활과 화살의 상이 된다. 호괘이기 때문에 "몸에 기구를 간직한다"고 하였다.

심대윤(沈大允) 『주역상의점법(周易象義占法)』

君子不爲可求而不求, 致困六三之凶, 求之而不越分位, 如解上六之獲.
군자는 구할 수 있음에 구하지 않아 곤괘 육삼의 흉함을 이루는 일을 하지 않고, 구하나 분수와 자리를 넘지 않아 해괘 상육의 얻음과 같이 한다.

오치기(吳致箕) 「주역경전증해(周易經傳增解)」

此釋解上六爻辭之義. 夫子別發一義, 與小象解悖不同. 括猶括囊之括, 言閉結也.
이 글은 해괘 상육효사의 뜻을 해석하였다. 공자가 별도로 하나의 뜻을 발설하였으니, 「소상전」의 "거슬림을 풀어버림"152)과는 같지 않다. '막힘[括]'은 "자루를 묶음"의 '묶음'과 같으니, 묶고 닫는다는 말이다.

이병헌(李炳憲) 『역경금문고통론(易經今文考通論)』153)

韓曰, 括結也. 君子待時而動, 則無結閡之患也.
한강백이 말하였다: '괄(括)'은 맺음이다. 군자는 때를 기다려 움직이니, 맺고 닫히는 근심이 없다.

---

150) 『周易·解卦』: 上六象曰, 公用射隼, 以解悖也.
151) 경학자료집성DB에서는 「계사하전」 '통론'으로 분류했으나, 내용에 따라 이 자리로 옮겼다.
152) 『周易·解卦』: 上六象曰, 公用射隼, 以解悖也.
153) 경학자료집성DB에 「계사하전」 제 3장에 편집되어 있으나 경학자료집성 영인본의 체재에 의거하여 「계사하전」 제 5장으로 옮겼다.

子曰, 小人, 不恥不仁, 不畏不義. 不見利不勸, 不威不懲, 小懲而大誠, 此小人之福也. 易曰, 屨校滅趾, 无咎, 此之謂也.

공자가 말하였다: 소인은 어질지 못함을 부끄러워하지 않으며, 의롭지 못함을 두려워하지 않는다. 이익을 보이지 않으면 장려되지 않으며 위엄을 보이지 않으면 징계되지 않으니, 적게 징계하여 크게 조심하게 하는 이것이 소인의 복(福)이다.『주역』에 "형틀을 채워 발꿈치를 상하게 하니, 허물이 없다"고 하니, 이것을 말함이다.

┃中國大全┃

本義

此, 釋噬嗑初九爻義.

이는 서합괘(噬嗑卦䷔) 초구효의 의미를 해석한 것이다.

小註

厚齋馮氏曰, 不以不仁爲恥, 故見利而後, 勸於爲仁. 不以不義爲畏, 故畏威而後, 懲於不義.

후재풍씨가 말하였다: 어질지 못함을 부끄러워하지 않으므로 이익을 보인 뒤에야 인(仁)을 하는 데에 장려된다. 의롭지 못함을 두려워하지 않으므로 위엄으로 두렵게 한 뒤에야 의롭지 못함이 징계된다.

○ 漢上朱氏曰, 小人, 不恥不仁. 故不畏不義, 陷於死亡, 辱及其先, 恥孰大焉. 雖愚也, 而就利避害, 與人同. 故見利而後勸, 威之而後懲. 小懲大誠, 猶爲小人之福, 況眞知義乎.

한상주씨가 말하였다: 소인은 어질지 못함을 부끄러워하지 않는다. 그러므로 의롭지 못함을 두려워하지 않아 죽음에 빠지고 욕됨이 선조에 미치니, 이보다 큰 부끄러움이 무엇이란 말인가? 비록 어리석어도 이익에 나아가려 하고 재해를 피하려는 것은 남들과 마찬가지이다.

그러므로 이익을 보인 뒤에 장려되고, 위엄을 보인 뒤에 징계된다. 적게 징계하여 크게 조심하게 함도 오히려 소인의 복이 되거늘, 하물며 참으로 의를 아는 것이랴!

韓國大全

박치화(朴致和) 「설계수록(雪溪隨錄)」

小懲其罪, 以爲大誡, 小人之福也.

그 죄를 조금 징계하여 크게 조심하게 하니 소인의 복이다.

이익(李瀷) 『역경질서(易經疾書)』

名辱身危, 民之爲非, 故末乃正辭以禁戒也. 隼者健而高飛, 非在墉可射之物, 今云在墉者爲攫物也, 其爲宮墻之災可知. 君子有藏器射獲之利, 則其機不可失也. 此乃正辭以禁戒也. 不恥不畏, 不勸不懲, 民之爲非也, 小懲大誡, 乃正辭以禁戒也. 睦樬周易稽疑, 引說苑云, 不威下脫小字, 不懲下脫大字. 郭京易擧正云, 不勸之勸, 作動, 無益不爲, 無傷[154]不去, 民之爲非也. 不可掩解, 乃正辭而禁戒也.

이름이 욕되고 몸이 위태롭게 되는 것은 백성이 잘못된 행동을 하기 때문이므로 결말에 말을 바르게 하여 금지하고 경계하였다. '새'는 강건하고 높이 나니 담에서 맞힐 수 있는 물건이 아닌데, 지금 "담에 있는 자에게 잡힌 물건이 된다"고 하였으니 그것은 집안의 재앙임을 알 수 있다. 군자가 기물을 보관하여 맞혀 잡는 이로움이 있으면 그 기회를 놓쳐서는 안 된다. 이것이 바로 말을 바르게 하여 금지하고 경계함이다. 부끄러워하지 않고 두려워하지 않으며 권면하지 않고 징계하지 않음은 백성이 잘못된 행동을 하는 것이고, 작게 징계하여 크게 경계하게 함은 바로 말을 바르게 하여 금지하고 경계함이다. 명(明)나라 주목결(朱睦樬)이 편찬한 『주역계의』에서 『설원』을 인용하여 불위(不威) 아래에 소(小)자가 빠져있고 부징(不懲) 아래에 대(大)자가 빠져있다고 하였다. 곽경(郭京)의 『주역거정』에는 불권(不勸)의 권(勸)이 동(動)으로 되어있으니, 이익이 없으면 행하지 않고 해로움이 없으면 버리

---

154) 傷: 경학자료집성 DB와 영인본에 '備'로 되어 있으나, 「계사하전」 5장의 "小人, 以小善爲无益而弗爲也, 以小惡爲无傷而弗去也"에 근거하여 '傷'으로 바로잡았다.

지 않는 것이 백성이 잘못된 행동을 하는 것이다. 엄폐하거나 용서해서는 안 되니, 바로
말을 바르게 하여 금지함이다.

김상악(金相岳) 『산천역설(山天易說)』

釋噬嗑初九爻義.

서합괘 초구효의 뜻을 풀이하였다.

오치기(吳致箕) 「주역경전증해(周易經傳增解)」

此釋噬嗑初九爻辭之義. 可恥者不仁, 而小人則甘心於不仁, 可畏者不義, 而小人則甘
心於不義, 見以利, 然後勸於善, 制以威, 然後懲其惡. 故小有懲于前, 則大有誡于後,
此乃小人之福也.

이 글은 서합괘 초구효사의 뜻을 해석하였다. 부끄러워할 만한 것이 불인(不仁)인데도 소인
은 불인을 마음으로 달가워하고, 두려울 만한 것이 불의(不義)인데도 소인은 불의를 마음으
로 달가워하여, 이로움을 본 뒤라야 선에 권면되고, 위엄에 제재 받은 뒤라야 악함이 징계된
다. 그러므로 앞에서 작게 징계함이 있으면 뒤에 크게 경계함이 있게 되니, 이것이 바로
소인의 복이다.

善不積, 不足以成名, 惡不積, 不足以滅身, 小人, 以小善爲无益而弗爲也, 以小惡爲无傷而弗去也. 故惡積而不可掩, 罪大而不可解, 易曰, 何校, 滅耳, 凶.

선(善)을 쌓지 못하면 이름을 이루지 못하고, 악(惡)을 쌓지 않으면 몸을 망치지 않을 것이니, 소인은 작은 선을 유익함이 없다고 하지 않으며 작은 악을 해로움이 없다고 버리지 않는다. 그러므로 악이 쌓여서 가릴 수가 없으며, 죄가 커져서 풀 수가 없으니, 『주역』에 "형틀을 채워서 귀를 없어지게 하였으니, 흉하다"고 하였다.

║中國大全║

本義

此, 釋噬嗑上九爻義.

이는 서합괘(噬嗑卦☲☳) 상구효의 의미를 해석한 것이다.

小註

漢上朱氏曰, 精於義者, 豈一日積哉. 彼積不善而滅其身者, 不知小善者大善之積也.
한상주씨가 말하였다: 의에 정밀한 자가 어찌 하루만 쌓겠는가? 저 선(善)하지 않음을 쌓아 제 몸을 망치는 사람은 작은 선이 큰 선을 쌓는 것임을 알지 못한 것이다.

○ 融堂錢氏曰 積字, 宜玩, 凡善惡, 未有不由積而成也.
융당전씨가 말하였다: '적(積)'자를 잘 살펴야 하니, 모든 선악은 쌓음을 통하여 이뤄지지 않는 것이 없다.

○ 誠齋楊氏曰, 夫子釋噬嗑初上之辭, 謂懲惡在初, 改過在小.
성재양씨가 말하였다: 공자가 서합괘 초효와 상효의 효사를 해석하여, 악(惡)을 징계함은

처음에 달렸고 과실을 고침은 작을 때에 달렸다고 한 것이다.

○ 建安丘氏曰, 惡小而不能懲, 則罪大而不可解. 猶滅趾不防, 而至於滅耳也, 烏得而不凶.
건안구씨가 말하였다: 악이 작다고 징계할 수 없다면, 곧 죄가 커져서 풀 수가 없을 것이다.
발꿈치를 못 쓰게 함으로 방지하지 않아서 귀를 못 쓰게 함에 이름과 같으니, 어찌 흉하지
않을 수 있겠는가?

‖韓國大全‖

김상악(金相岳) 『산천역설(山天易說)』

釋噬嗑上九爻義. 凡善惡未有不由積而成也.
서합괘 상구효의 뜻을 해석하였다. 무릇 선과 악은 누적되지 않았는데 이루어지는 경우는 없다.

심대윤(沈大允) 『주역상의점법(周易象義占法)』

善惡之事, 皆積小而致其大. 詳見升之大象下義.
선과 악의 일은 모두 작은 것이 쌓여 큰 것을 이룬다. 승괘(升卦) 「대상전」 아래 뜻에 자세
히 보인다.

오치기(吳致箕) 「주역경전증해(周易經傳增解)」

此釋噬嗑上九爻辭之義. 不耻不仁, 故以善小爲无益而弗爲, 不畏不義, 故以惡小爲无
傷而弗去也.
이 글은 서합괘 상구효사의 뜻을 해석하였다. 불인(不仁)을 부끄러워하지 않기 때문에 선이
작은 것을 유익함이 없다고 여겨 하지 않고, 불의(不義)를 두려워하지 않기 때문에 악이
작은 것을 상해될 것이 없다고 여겨 없애지 않는다.

이병헌(李炳憲) 『역경금문고통론(易經今文考通論)』[155)

姚曰, 象云聰不明, 言其不知, 戒罔念聞也.

요신이 말하였다: 「상전」에서 "귀가 밝지 못하기 때문이다"[156]고 한 것은 모른다는 말이니 생각 없이 듣는 것을 경계한 것이다.

---

155) 경학자료집성DB에 「계사하전」 제 3장에 편집되어 있으나 경학자료집성 영인본을 참조하여 「계사하전」 제 5장으로 옮겼다.

156) 『周易·噬嗑卦』 上九: 象曰, 何校滅耳, 聰不明也.

子曰, 危者, 安其位者也, 亡者, 保其存者也, 亂者, 有其治者
也. 是故, 君子安而不忘危, 存而不忘亡, 治而不忘亂. 是以
身安而國家可保也, 易曰, 其亡其亡, 繫于包桑.

공자가 말하였다: 위태할까 염려함은 그 자리를 편안히 하는 것이고, 망할까 염려함은 그 존재를
지키는 것이고, 어지러울까 염려함은 그 다스림을 유지하는 것이다. 이런 까닭으로 군자가 편안해도
위태함을 잊지 않으며, 존재해도 망함을 잊지 않으며, 다스려도 어지러움을 잊지 않는다. 이 때문에
자신이 편안하여 국가를 지킬 수 있으니, 『주역』에 "망하게 되지나 않을까 망하게 되지나 않을까
해야 무더기로 난 뽕나무 뿌리에 맬 수 있다"고 하였다.

┃中國大全┃

本義

此, 釋否九五爻義.

이는 비괘(否卦䷋) 구오효의 의미를 해석한 것이다.

小註

或問, 危者, 以其位爲可安而不知戒懼, 故危, 亡者, 以其存爲可常保, 是以亡, 亂者,
有其治是自有其治, 如有其善之有, 是以亂. 朱子曰, 某舊也如此說. 看來保字說得較
牽强, 只是常有危亡與亂之意, 則可以安其位, 保其存, 有其治.

어떤 이가 물었다: 위태한 것은 그 자리를 안주할 만하다고 여기고 두려워할 줄을 모르기
때문에 위태한 것이고, 망하는 것은 그 존재를 항상 지킬 수 있다고 여기기 때문에 망하는
것이며, 어지러운 것은 그 다스림을 유지함이 스스로 그 다스림을 유지한 것이라 하기 때문
이니, "선함이 있다고 여기면"[157]의 '있다고 여김[有]'과 같기 때문에 어지러운 것입니까?
주자가 답하였다: 제가 예전에도 이와 같이 말하였습니다. 보아하니 '지킨대[保]'고 한 것이

---

157) 『書經·商書』: 有其善, 喪厥善, 矜其能, 喪厥功.

좀 억지인 듯하지만, 위태함과 망함과 어지러움의 뜻을 항상 유념한다면 자리를 편안히 하고 존재를 지키고 다스림을 유지할 수 있다는 것일 뿐입니다.

○ 臨川吳氏曰, 自處於危者, 乃自安其位之道也, 凛乎若將亡將亂者, 乃所以常保其存, 常有其治也. 九五否將休矣, 而不忘戒懼如此, 蓋於安存治之時, 而能不忘危亡亂之禍. 是以身之位得以安, 而國家可保其久存長治也.
임천오씨가 말하였다: 스스로 위태함에 머무는 것은 스스로 자리를 편안히 하는 방도이고, 망할까 어지러울까 두려워하는 것은 항상 그 존재를 지키고 다스림을 유지하는 이유이다. 막힘이 그치려 하는 구오(九五)의 때에 이와 같이 잊지 않고 두려워함은, 대체로 편안하고 보존되고 다스려지는 때에도 위태하고 망하고 어지러운 재화(災禍)를 잊지 않을 수 있기 때문이다. 이 때문에 일신의 자리가 편안할 수 있고, 국가를 오래도록 보존하고 다스릴 수 있는 것이다.

○ 張子曰, 明君子之見幾.
장자가 말하였다: 군자가 기미를 살피는 것을 밝혔다.

‖韓國大全‖

이익(李瀷)『역경질서(易經疾書)』

危與亡與亂者, 乃所以得安而存而治也. 彼忘而不得免焉者, 民之爲非而自陷者. 故正辭而禁戒也.
위태롭고 망하고 어지러운 것은 곧 편안하고 보존하고 다스려질 수 있는 방법이다. 저들이 잊고서 화에서 벗어날 수 없는 것은 백성이 잘못된 행동을 하여 스스로 빠진 것이다. 그러므로 말을 바르게 하여 금지하고 경계한다.

김상악(金相岳)『산천역설(山天易說)』

釋否九五爻義.
비괘 구오효의 뜻을 해석하였다.

심대윤(沈大允) 『주역상의점법(周易象義占法)』

自古及今, 未嘗不存於憂患而亡於安樂.

예로부터 지금까지 우환에서 보존되고 안락에서 망하지 않은 적이 없다.

오치기(吳致箕) 「주역경전증해(周易經傳增解)」

此釋否九五爻辭之義. 安危以身言, 存亡以家言, 治亂以國言. 所以下文曰身安而國家可保也.

이 글은 비괘 구오효사의 뜻을 해석하였다. '편안함'과 '위태로움'은 몸으로써 말하였고, '보존함'과 '망함'은 집안으로써 말하였으며, '다스림'과 '어지러움'은 나라로써 말하였다. 이 때문에 아래 글에 몸이 편안하여야 나라가 보존될 수 있다고 말한 것이다.

子曰, 德薄而位尊, 知小而謀大, 力小而任重, 鮮不及矣. 易曰, 鼎折足, 覆公餗, 其形渥, 凶, 言不勝其任也.

공자가 말하였다: 덕(德)은 얇은데 지위가 높으며, 지혜는 적은데 꾀함이 크며, 역량은 적은데 소임이 무거우면 화가 미치지 않음이 드물다. 『주역』에 "솥발이 부러져서 공(公)에게 바칠 음식을 엎었으니, 형벌이 무겁다. 흉하도다!"라고 하니, 소임을 감당하지 못함을 말한 것이다.

中國大全

本義

此, 釋鼎九四爻義.

이는 정괘(鼎卦䷱) 구사효의 의미를 해석한 것이다.

小註

漢上朱氏曰, 位欲當德, 謀欲量知, 任欲稱力, 三者各得其實, 則利用而安身. 小人志在於得而已. 以人之國, 徼倖萬一, 鮮不及禍. 自古一敗塗地殺身, 不足以塞其責者, 本於不知義而已.

한상주씨가 말하였다: 자리를 덕에 맞추고자 하고 꾀함을 지혜에 맞추고자 하고 소임을 역량에 맞추고자 하여 세 가지가 각각 그 실질을 얻는다면, 씀을 이롭게 하고 몸을 편안히 할 것이다. 소인은 뜻이 얻음에 있을 뿐이다. 나라를 다스림에 뜻밖의 행운과 만(萬)에 하나를 바라니,[158] 재화가 미치지 않음이 드물다. 예로부터 완전히 망해 자신이 죽어도 그 책임을 다할 수 없는 것은 의를 알지 못함에 근본한다.

○ 融堂錢氏曰, 古之人君, 必量力度德而後授之官, 古之人臣, 亦必度力度德而後居

---

158) 『莊子·在宥』: 此以人之國僥倖也, 幾何僥倖而不喪人之國乎. 其存人之國也, 無萬分之一, 而喪人之國也.

其任. 雖百工胥史, 且猶不苟, 況三公乎. 爲君不明於所擇, 爲臣不審於自擇, 以至亡身危主誤國亂天下, 皆由不勝任之故, 可不戒哉.

융당전씨가 말하였다: 옛날의 임금은 반드시 역량과 덕을 헤아린 뒤에 벼슬을 주었고, 옛날의 신하도 반드시 역량과 덕을 가늠한 뒤에 그 소임을 맡았다. 비록 백공(百工)과 서리(胥吏)라 하더라도 구차히 하지 않았거늘, 하물며 삼공(三公)이겠는가? 임금이 되어 가려내는 것에 분명하지 못하고 신하가 되어 스스로 가려냄에 자세하지 않아, 자신을 망치고 군주를 위태하게 하며 나라를 그르치고 천하를 어지럽게 하는 것이 모두 소임을 감당하지 못하기 때문이니, 경계하지 않을 수 있겠는가?

○ 誠齋楊氏曰, 聖人亦豈責天下之人, 皆德厚而不薄, 皆知大而不小, 皆力多而不少哉. 亦責其貪位而不量已, 過分而不勝任, 以至覆人之餗敗己之身爾.

성재양씨가 말하였다: 성인이 또한 어찌 천하의 사람들이 모두 덕이 두텁고 얇지 않으며, 지혜가 크고 작지 않으며, 역량이 많고 적지 않기를 요구하겠는가? 또한 자리를 탐하면서 자기를 헤아리지 않고, 분수에 넘치면서 소임을 감당하지 못하여 사람들의 밥그릇을 뒤엎고 자기의 몸을 망치게 됨을 책망할 뿐이다.

韓國大全

이익(李瀷) 『역경질서(易經疾書)』

位尊謀大任重, 民之爲非也. 不勝其任, 乃正辭而禁戒也.

자리가 높고 계책이 크며 임무가 중함이 백성이 잘못된 행동을 하는 것이다. 임무를 감당하지 못하니, 곧 말을 바르게 하여 금지하고 경계함이다.

유정원(柳正源) 『역해참고(易解參攷)』

德薄 [至] 任也.

덕은 얇은데 … 소임을 감당하지 못함을 말한 것이다.

案, 德有厚薄, 知有大小, 力有輕重, 量度以授之任, 則天下无可棄之才矣. 苟使不明不審, 尸居貪位, 則雖刑渥之刑, 而何能救覆餗之禍乎.

내가 살펴보았다: 덕에는 두터움과 얇음이 있고 앎에는 큼과 작음이 있으며 힘에는 가벼움과 무거움이 있으니, 이것을 헤아려 소임을 맡긴다면 천하에 버릴 만한 재주가 없을 것이다. 만일 현명하지도 않고 잘 알지도 못하는 자가 시동처럼 앉아 자리만 탐낸다면, 무거운 형벌을 내리더라도 어떻게 밥그릇을 엎는 화를 구제할 수 있겠는가?

김상악(金相岳) 『산천역설(山天易說)』

釋鼎九四爻義.

정괘 구사효의 뜻을 해석하였다.

오치기(吳致箕) 「주역경전증해(周易經傳增解)」

此釋鼎九四爻辭之義, 鮮不及者, 言不及於禍者鮮矣.

이 글은 정괘 구사효사의 뜻을 해석하였다. "미치지 않음이 드물다"는 것은 화에 미치지 않을 자가 드물다는 말이다.

이병헌(李炳憲) 『역경금문고통론(易經今文考通論)』[159]

虞曰, 鮮少也, 及於刑矣.

우번이 말하였다: 선(鮮)은 드물다는 뜻이니, 형벌을 받게 된다는 말이다.

---

159) 경학자료집성DB에 「계사하전」 제 3장에 편집되어 있으나 경학자료집성 영인본의 체재에 의거하여 「계사하전」 제 5장으로 옮겼다.

子曰, 知幾其神乎. 君子上交不諂, 下交不瀆, 其知幾乎. 幾
者, 動之微, 吉之先見者也. 君子見幾而作, 不俟終日, 易曰,
介于石, 不終日, 貞吉, 介如石焉, 寧用終日, 斷可識矣. 君子
知微知彰知柔知剛, 萬夫之望.

공자가 말하였다: 기미[幾]를 앎이 그 신묘함이로다! 군자가 윗사람과 사귀면서 아첨하지 않으며
아랫사람과 사귀면서 모독하지 않으니, 그 기미를 앎이로다! 기미는 움직임의 은미함으로 길함이
먼저 나타난 것이다. 군자가 기미를 보고 일어나 하루가 마치기를 기다리지 아니하니, 『주역』에
"절개가 돌이다. 날이 저물도록 기다리지 않으니, 바르게 하기에 길하다"고 하니, 견고함이 돌과
같거늘 어찌 하루를 마치겠는가? 결단함을 알 수 있다. 군자가 은미한 것을 알며 드러난 것을 알며,
부드러운 것을 알며 굳센 것을 아니, 모든 사람들의 선망이 된다.

‖中國大全‖

小註

程子曰, 先見則吉可知, 不見故致凶. 見幾而作, 不俟終日, 智之圓也. 介如石, 理素定
也. 理素定, 故見幾而作, 何俟終日哉.

정자가 말하였다: 먼저 나타나면 길함을 알 수 있지만, 나타나지 않았기 때문에 흉함에 이르
게 된다. '기미를 보고 일어나 하루가 마치기를 기다리지 않음'은 지혜의 원만함이고, '절개
가 돌과 같음'은 이치가 평소에 정해짐이다. 이치가 평소에 정해졌기 때문에 기미를 보고
일어나니, 어찌 하루가 마치기를 기다리겠는가?

本義

此, 釋豫六二爻義. 漢書, 吉之之間, 有凶字.

이는 예괘(豫卦䷏) 육이효의 의미를 해석한 것이다. 『한시』에는 '길(吉)'과 '지(之)' 사이에 '흉
(凶)'자가 있다.

小註

朱子曰 知幾其神乎 便是這事難, 如邦有道, 危言危行, 邦无道, 危行言遜. 今有一樣人, 其不畏者, 又言過於直, 其畏謹者, 又縮做一團, 更不敢說一句話, 此便是曉不得那幾. 若知幾, 則自中節, 无此病矣. 君子上交不諂, 下交不瀆, 蓋上交貴於恭遜, 恭則便近於諂, 下交貴於和易, 和則便近於瀆. 蓋恭與諂相近, 和與瀆相近, 只爭些子, 便至于流也. 又曰, 上交近於諂, 下交近於瀆, 於此當知幾. 纔過些子, 便不是知幾, 周子所謂幾善惡者, 此也. 又曰, 君子上交不諂, 下交不瀆, 他這下面說幾, 最要看箇幾字, 只爭些子. 凡事未至而空說, 道理易見, 事已至而顯然, 道理也易見, 唯事之方萌, 而動之微處, 此最難見. 問, 幾者, 動之微, 何以獨於上下交言之. 曰, 上交要恭遜, 才恭遜, 便不知不覺有箇諂底意思在裏頭, 下交不瀆, 亦是如此. 所謂幾者, 只才覺得近諂近瀆, 便勿令如此, 便是知幾. 幾者, 動之微, 吉之先見者也, 漢書引此句, 吉下有凶字, 當有凶字. 又曰, 凡人上交, 必有些小取奉底心, 下交, 必有些小簡傲底心. 所爭, 又只是些子, 能於此而察之, 非知幾者, 莫能. 又曰, 幾者, 動之微, 是欲動未動之間, 便有善惡, 便須就這處理會. 若到發出處, 更怎生奈何得. 所以聖賢說謹獨, 便都是要就幾微處理會.

주자가 말하였다: "기미를 앎이 그 신묘함이로다"는 이 일이 어렵다는 것이니, "나라에 도가 있을 때에는 말을 높게 하고 행실을 높게 하며, 나라에 도가 없을 때에는 행실은 높게 하되 말은 공손하게 하여야 한다"[160]는 것과 같다. 지금 어떤 사람이 두려워하지 않는 것에는 또한 말이 지나치게 직설적이지만, 두려워하는 것에는 또한 한 덩어리로 오그라져 감히 일언반구도 못하니, 이것이 바로 저 기미를 깨닫지 못한 것이다. 만약 기미를 알았다면 스스로 알맞게 조절하여 이러한 병폐가 없을 것이다. '군자가 위와 사귀면서 아첨하지 않으며, 아래와 사귀면서 모독하지 않는 것'은 대체로 위와 사귐에는 공손함이 귀하지만 공손하면 아첨함에 가까워지고, 아래와 사귐에는 편히 함이 귀하지만 편히 하면 모독함에 가까워지기 때문이다. 대개 공손함은 아첨함과 서로 가깝고, 편히 함은 모독함과 서로 가까워서 차이가 미세하므로 바로 흘러가게 된다.

또 말하였다: 위와 사귀면 아첨함에 가까워지고 아래와 사귀면 모독함에 가까워지니, 여기에서 기미를 알아야만 한다. 조금이라도 지나치게 되면 기미를 아는 것이 아니니, 주자(周子)의 이른바 "선악의 갈림길이다"라는 것이다.

또 말하였다: "군자가 위와 사귀면서 아첨하지 않고 아래와 사귀면서 모독하지 않는다"의 아래에 '기(幾)'를 말하였는데, 이 '기(幾)'자는 단지 작은 차이일 뿐임을 아주 잘 살펴야 한

---

160) 『論語・憲問』: 子曰, 邦有道, 危言危行, 邦無道, 危行言孫.

다. 아직 일이 이르지는 않아 그저 말로만 할 때 도리는 쉽게 알 수 있고, 일이 이미 이르러 환히 나타날 때에도 도리는 쉽게 알 수 있지만, 일이 막 싹터서 움직임이 미묘한 곳은 가장 알기가 어렵다.

물었다: '기미[幾]'는 움직임의 미묘함인데, 어째서 위아래와 사귐에만 말하였습니까?

답하였다: 위와 사귀면 공손하고자 하는데, 공손하자마자 바로 자기도 모르는 사이에 아첨하려는 생각이 속에 있게 됩니다. 아래와 사귀면서 모독하지 않는 것도 이와 같습니다. 이른바 '기미'는, 아첨함에 가까워지고 모독함에 가까워짐을 자각하자마자 바로 이와 같지 않게 하여야 바로 기미를 아는 것입니다. "기미는 움직임의 은미함으로 길함이 먼저 나타난 것이다"라는 구절을 『한서』에서 인용함에 길(吉)의 아래에 '흉(凶)'자를 두었으니, 마땅히 흉(凶)자가 있어야 합니다.

또 말하였다: 보통 사람은 위와 사귐에는 반드시 약간 받들려는 마음이 있고, 아래와 사귐에는 약간의 오만한 마음이 있습니다. 차이 나는 것이 또한 약간일 뿐이니, 여기에서 살피는 것은 기미를 아는 자가 아니라면 할 수 없습니다.

또 말하였다: "기미는 움직임의 은미함이다"는 움직이려 함과 아직 움직이지 않는 사이에 바로 선악(善惡)이 있으니, 바로 이곳에서 이해해야 합니다. 만약 펼쳐 나오게 되었다면 다시 어떻게 다룰 수 있겠습니까? 그래서 성현들이 홀로를 삼갈 것[謹獨]을 말한 것이니, 모두 기미의 은미한 곳에서 이해하고자 한 것입니다.

○ 知微知彰, 知柔知剛, 是四件事.
은미한 것을 알며 드러난 것을 알며, 부드러운 것을 알며 굳센 것을 앎은 네 가지의 일이다.

○ 問, 知微知彰知柔知剛, 伊川作見微則知彰矣, 見柔則知剛矣, 其說如何. 曰, 也好, 看來只作四體事, 亦自好. 旣知微, 又知彰, 旣知柔, 又知剛, 言其无所不知, 所以爲萬民之望也.
물었다: "은미한 것을 알며 드러난 것을 알며, 부드러운 것을 알며 굳센 것을 안다"를 이천은 "은미한 것을 보면 드러난 것을 알고, 부드러운 것을 보면 굳센 것을 안다"고 하였는데, 그 설명은 어떠합니까?

답하였다: 또한 좋습니다만, 보기에 네 개의 일로 간주하는 것이 또한 자연히 좋습니다. 이미 은미한 것을 알고도 다시 드러난 것을 알며, 이미 부드러운 것을 알고도 다시 굳센 것을 아는 것은 알지 못하는 것이 없음을 말하는 것이니, 모든 이의 선망이 되는 까닭입니다.

○ 張子曰, 幾者, 象見而未形者也. 形則涉乎明, 不待神而後知也. 吉之先見云者, 順性命則所先皆吉也.

장자가 말하였다: 기미는, 형상은 드러나나 형체는 아직 없는 것이다. 형성되면 드러나 보이니, 신묘함을 기다리지 않고도 알 수 있다. "길함이 먼저 나타난 것이다"라고 한 것은 성명(性命)을 따르면 앞서는 것이 모두 길해서이다.

○ 漢上朱氏曰, 神難言也, 精義入神. 其唯知幾乎, 知幾其神矣. 幾者, 動之微, 吉之先見者也. 譬如陽生而井溫, 雨降而雲出, 衆人不識, 而君子見之.

한상주씨가 말하였다: 신묘함은 말하기가 어려우니, 의를 정밀히 해야 신묘함에 들어간다. 그것이 오직 기미를 알기 때문에, 기미를 앎이 그 신묘함인 것이다. 기미는 움직임의 은미함으로 길함이 먼저 나타난 것이다. 비유하면 양기가 생기려면 우물이 따뜻해지고, 비가 내리려면 구름이 나오는 것과 같으니, 보통 사람은 알지 못하지만 군자는 이를 안다.

○ 誠齋楊氏曰, 夫石者, 至靜而无欲, 至重而不動者也. 今也君子, 介然如石, 天下之可欲者, 何物能動之乎. 其見幾, 寧用終日而後識之乎.

성재양씨가 말하였다: '돌[石]'이란 지극히 고요하여 하고자 함이 없고, 지극히 무거워서 움직이지 않는 것이다. 지금 군자가 견고함이 돌과 같으니, 천하에 하고자 하는 어떤 것이 이를 움직일 수 있겠는가? 기미를 보았으니, 어찌 하루가 마치기를 기다린 뒤에야 알겠는가?

○ 雙湖胡氏曰, 豫六二爻, 唯曰介于石, 不終日, 貞吉, 而夫子發明幾字以敎人. 蓋介有幾義, 祁寬謂至纖至細處者, 深爲得之. 上交謂五, 下交謂初. 唯當豫時, 不諂不瀆, 不沉溺於豫, 此其所以爲知幾也.

쌍호호씨가 말하였다: 예괘(豫卦)의 육이효에서 "절개가 돌이다. 날이 저물도록 기다리지 않으니, 바르게 하기에 길하다"라고만 하였는데, 공자가 '기(幾)'자의 뜻을 밝혀서 사람들에게 가르쳤다. 대체로 '개(介)'에 기미의 뜻이 있기 때문이니, 기관(祁寬)이 '지극히 섬세한 곳'이라 한 것이 이를 깊이 안 것이다. 위와 사귐은 오효를 말하고, 아래와 사귐은 초효를 말한다. 예괘의 때에 아첨하지 않고 모독하지 않아서 즐거움에 빠지지 않으니, 이는 기미를 알았기 때문인 것이다.

○ 臨川吳氏曰, 穆生得免申白之禍者, 能見幾而作也, 劉柳竟陷伾文之黨者, 不能見幾而作也.

임천오씨가 말하였다: 목생(穆生)이 신공과 백공의 재난을 모면할 수 있었던 것은 기미를 보아 일어날 수 있어서이고,[161] 유류(劉柳)가 끝내 왕비와 왕숙문[162]의 무리로 몰린 것은 기미를 보아 일어나지 못해서이다.

韓國大全

박치화(朴致和) 「설계수록(雪溪隨錄)」

君子知幾, 故上交不諂, 下交不瀆. 苟不知幾, 則苟且留戀, 必至於諂上瀆下也.

군자는 기미를 알기 때문에 윗사람과 사귀면서 아첨하지 않으며 아랫사람과 사귀면서 모독하지 않는다. 만일 기미를 모른다면 구차하고 연연하여 반드시 윗사람에게 아첨하고 아랫사람을 모독할 것이다.

이익(李瀷) 『역경질서(易經疾書)』

諂與瀆, 民之爲非也. 諂瀆而不免, 故見幾所以正辭以禁戒也. 上諂下瀆, 皆不知幾之害. 苟辨之於微, 則寧有此哉. 上交而不知幾, 則因循苟容, 非諂難免矣. 下交而不知幾, 則漸被愚夭, 不覺浸染矣. 瀆者浸染也. 作者起而斷行也. 旣見其幾, 而又復逡巡, 而終日不斷, 則必將私意回互, 墮落阮塹矣. 介如不易其介之介, 分界之謂也. 凡物旣分, 無不更合之理, 惟石微有分介, 不可復完, 見幾之斷, 當如是也. 凡事之起, 始微終彰, 物之成, 始柔終剛, 旣彰則難及, 旣剛則難變. 知微知柔, 所以爲知彰知剛, 有不善而不知, 知之而復行, 民之爲非也. 顔子則無是, 故擧以禁戒也.

아첨함과 모독함은 백성이 잘못된 행동을 함이다. 아첨하고 모독하여 화에서 면하지 못하기 때문에 기미를 아는 것이 말을 바르게 하여 금지하고 경계하는 것이다. 윗사람에게 아첨하고 아랫사람을 모독하는 것은 모두 기미를 모르는 데서 오는 해이다. 만일 기미를 분별할 줄 안다면 어찌 이런 일이 있겠는가? 윗사람과 사귐에 기미를 모르면 인습에 따르고 구차히 용납하니, 아첨이 아니면 화를 면하기 어려울 것이다. 아랫사람과 사귐에 기미를 알지 못하면 점차 우롱함을 입어 저도 모르게 물들 것이다. 독(瀆)은 물드는 것이다. 작(作)은 일어나 결단하여 행함이다. 이미 기미를 알았는데도 또 다시 따라 해서 종일토록 그침이 없다면 반드시 사사로운 뜻이 돌고 돌아 구덩이에 빠져버릴 것이다. 개(介)는 "그 절개를 바꾸지 않는다"의 절개와 같으니, 경계를 나눔을 이른다. 무릇 물건이 이미 나뉘었다면 다시 합해지

---

161) 목생(穆生): 전한 때의 사람으로, 신배공(申培公), 백생(白生), 그리고 뒤에 초원왕(楚元王)이 되는 유교(劉交)와 함께 부구백(浮丘伯)에게 『시경』을 배웠다. 유교가 원왕이 되자 백생(白生), 신공(申公)과 함께 중대부(中大夫)에 임명되었다. 유교의 아들인 유무(劉戊)가 왕이 되어 신하를 대함이 소홀하자 병을 핑계로 벼슬을 사직하여 훗날의 당고지화(黨錮之禍)를 모면하였다.

162) 왕비(王伾)와 왕숙문(王叔文): 당나라 순종(順宗) 때에 영정혁신(永貞革新)이라는 정치개혁을 주도한 두 사람으로, 후일 환관들의 모략으로 죽게 된다.

지 않을 이치가 없으나, 돌만은 조금이라도 갈라짐이 있으면 다시 완전해질 수 없으니, 기미를 아는 결단이 이와 같아야만 한다. 무릇 일이 일어남에 처음에는 미미하고 끝에는 드러나며, 물건이 완성됨에 처음에는 유약하고 끝에는 강건하니, 이미 드러났다면 미치기 어렵고 이미 강건하다면 변하기 어렵다. 미미함을 알고 유약함을 아는 것이 드러남을 알고 강건함을 앎이 되는 것이니, 불선이 있어도 알지 못하고, 알아도 다시 행하는 것이 백성이 잘못된 행동을 함이다. 안자는 이런 것이 없었기 때문에 그로써 예를 들어서 금지하고 경계하였다.

유정원(柳正源) 『역해참고(易解參攷)』
知幾 [至] 知剛.
기미를 앎이 … 굳센 것을 아니.

正義, 直曰吉不言凶者, 凡豫前知幾, 皆向吉而背凶, 違凶而趣吉, 无復有凶, 故特云吉也. 諸本或有凶字.
『주역정의』에서 말하였다: 곧바로 '길'이라고 말하고 '흉'이라고 말하지 않은 것은, 미리 기미를 아니 모두 길함으로 향하고 흉함을 등지며, 흉함을 어기고 길함을 쫓으니, 더 이상 흉함이 없기 때문에, 길함이라고만 한 것이다. 흉(凶)자가 있는 판본도 있다.

○ 晦齋先生曰, 君子之志, 尙在於審幾微, 而防之於未然, 故見微而知著, 見柔而知剛. 爲難於其易, 爲大於其細, 知堅冰於履霜之初, 知女壯於一陰之長. 此所以制治于未亂, 保邦于未危也.
회재선생이 말하였다: 군자의 뜻은 오히려 기미를 살펴 미연에 방지하는 데 있기 때문에 은미함을 보고도 드러남을 알며 유약함을 보고도 강건함을 안다. 쉬움에서 어려움이 되고 세세한 데서 중대하게 되니 서리를 밟는 처음에 단단한 얼음이 얼 줄 알며, 한 음이 자랄 때에 여자가 장성하게 됨을 안다. 이것이 어지럽기 전에 다스림을 제재하고 위태롭기 전에 나라를 보존하는 방법이다.

○ 案, 此言知幾, 必以上交下交爲戒者. 蓋幾之先動, 最在交際之間也. 微者事之未見者也, 彰者事之已形者也, 柔者事之當柔者也, 剛者事之當剛者也. 如穆生之可逝, 知微也, 龔勝之稱病, 知彰也, 武子之愚, 知柔也, 史魚之直, 知剛也. 微彰柔剛之知, 所以審其幾也, 而不諂不瀆, 知幾而得其中者也.
내가 살펴보았다: 여기에서 "기미를 안다"고 말한 것은 반드시 윗사람과 사귀고 아랫사람과 사귀는 것을 경계로 삼은 것이다. 기미가 먼저 움직임은 교제의 사이에서 가장 잘 알 수

있다. 은미함은 일이 아직 드러나지 않은 것이고, 드러난 것은 일이 이미 나타난 것이며, 부드러운 것은 일이 부드러워야 하는 것이고, 굳센 것은 일이 굳세어야 하는 것이다. 예컨대 목생이 떠날 수 있었던 것[163]은 은미함을 안 것이고, 공승(龔勝)이 병을 칭탁했던 것[164]은 드러남을 안 것이며, 영무자의 어리석음[165]은 부드럽게 할 줄 안 것이고, 사어의 곧음[166]은 굳세게 할 줄 안 것이다. 은미하고 드러나며 부드럽고 굳셀 줄 아는 것은 기미를 살핀 것이며, 아첨하지 않고 모독하지 않은 것은 기미를 알아 중도를 얻은 것이다.

김상악(金相岳) 『산천역설(山天易說)』

釋豫六二爻義. 幾者動之微, 吉凶之幾, 象見而未形者也. 周子所謂幾善惡是也.

예괘 육이효의 뜻을 해석하였다. 기(幾)는 움직임의 은미함이며, 길함과 흉함이 갈라지는 곳이니, 형상은 드러나나 형체는 아직 없는 것이다. 주돈이가 말한 "선악의 갈림길이다"는 것이 이것이다.

서유신(徐有臣) 『역의의언(易義擬言)』[167]

知幾其神乎.

기미를 앎이 그 신묘함이로다.

---

163) 전한(前漢)의 초원왕(楚元王)이 빈객을 초대하여 연회를 베풀 적에, 술을 좋아하지 않는 목생(穆生)을 위하여 항상 단술을 마련하여 예우했었는데, 원왕이 죽고 원왕의 손자 무(戊)에 이르러서 단술을 준비하지 않았다. 목생은 "단술을 준비하지 않은 것은 임금이 게을러졌기 때문이다." 하고 떠나 버렸다.(『漢書·楚元王劉交傳』)

164) 공승(龔勝): 한(漢)나라 사람이다. 본래 학문을 좋아하고 경(經)에 밝아 애제(哀帝) 때 광록대부(光祿大夫)에 이르렀다. 그 후 왕망(王莽)이 찬위(簒位)하여, 강학좨주(講學祭酒)·태자사우(太子師友) 등의 벼슬로 공승을 불렀으나 공승은 병을 이유로 불응했다. 왕망이 해를 거듭할수록 더욱 더 융숭한 예로 공승을 부르니 공승은 자신의 사의가 관철되지 않을 것을 알고 두 아들과 문인 고휘(高暉) 등을 불러 간략하게 치상 준비를 하도록 명하고는 그 길로 다시는 입을 열지 않고 물 한 모금 마시지 않은 채 14일 만에 79세의 나이로 죽었다.(『漢書·兩龔傳』)

165) 『論語·公冶長』: 子曰, 甯武子, 邦有道則知, 邦無道則愚. 其知可及也, 其愚不可及也.

166) 『論語·衛靈公』: 子曰, 直哉史魚. 邦有道, 如矢, 邦無道, 如矢. 君子哉蘧伯玉. 邦有道, 則仕, 邦無道, 則可卷而懷之. 『한시외전(韓詩外傳)』에 "위(衛) 나라의 대부 사어(史魚)가 병이 들어 죽게 되자 그 아들에게 말하기를, '나는 남의 신하가 되어 살아서는 능히 어진 이를 등용하지 못하였고 불초한 자를 물리치지 못했으니, 죽으면 정당(正堂)에서 치상하지 말고 나를 실(室)에서 빈(殯)해 주는 것이 족하다.'고 하였다. 위군(衛君)이 이 말을 듣고서, 거백옥(蘧伯玉)을 부르고, 미자하(彌子瑕)를 물리쳤다. 그는 살아서는 몸으로써 간하고 죽어서는 시(尸)로써 간하였으니, 곧다 할 만하다."라고 하였나.

167) 경학자료집성DB에서는 「계사하전」 '통론'으로 분류했으나, 내용에 따라 이 자리로 옮겼다.

豫, 故知幾也.

미리 하기 때문에 기미를 아는 것이다.

上交不諂.

윗사람과 사귀면서 아첨하지 않으며.

上, 六五也. 諂, 兌說象, 艮反兌, 故曰不諂也.

'윗사람[上]'은 육오이다. '아첨함[諂]'은 태괘(兌卦☱)의 기뻐하는 상인데 간괘(艮卦☶)를 거꾸로 한 괘가 태괘이므로 "아첨하지 않는다"고 하였다.

下交不瀆.

아랫사람과 사귀면서 모독하지 않으니.

下, 九四也, 五之下也. 瀆, 坎象, 不交於四之互坎, 故曰不瀆也.

'아랫사람[下]'은 구사이니, 오효의 아래에 있어서이다. '모독함[瀆]'은 감괘(坎卦☵)의 상인데 호괘로 감괘인 사효와는 사귀지 않으므로 "모독하지 않는다"고 하였다.

서유신(徐有臣)『역의의언(易義擬言)』[168]

幾者動之微.

기미는 움직임의 은미함이다.

九四震之初畫, 故曰動之微也.

구사는 진괘의 첫 획이므로 움직임이 은미하다고 하였다

知微知彰, 知柔知剛.

은미한 것을 알며, 드러난 것을 알며, 부드러운 것을 알며, 굳센 것을 아니.

九四震初爲微, 互艮光明爲彰, 六五爲柔, 九四爲剛也.

구사는 진괘의 초효이니 은미함이 되고, 호괘인 간괘(艮卦☶)의 광명함이 드러남이 되며, 육오는 부드러움이 되고, 구사는 굳셈이 된다.

박윤원(朴胤源)『경의(經義)·역경차략(易經箚略)·역계차의(易繫箚疑)』

天下之事知幾何限. 而此獨於上交不諂, 下交不瀆言之, 何歟. 擧交際一事, 以見其他歟. 幾者, 動之一事, 如周子所云幾善惡之幾, 則此言知幾, 似以念慮初萌處省察爲言,

---

其下見幾而作, 又以出處去就言之者, 何歟. 知微知彰知柔知剛, 伊川以見微知彰, 見柔知剛看, 而朱子做作四件事, 何說爲長歟.

천하의 일에서 '기미를 앎'을 어디까지의 범주로 봐야 할까? 여기에서 유독 "윗사람과 사귀면서 아첨하지 않으며 아랫사람과 사귀면서 모독하지 않으니"로 말한 것은 어째서인가? 한 가지 교제의 일을 예로 들어서 다른 일을 드러낸 것이다. '기미'는 움직임의 한 가지 일이니, 주돈이가 말한 '선과 악의 갈림'의 '갈림[幾]'과 같다면, 여기서 말한 "기미를 알다"가 생각이 처음 싹트는 곳에 성찰함으로 말한 듯한 것과, 또 그 아래 글에 "기미를 보고 일어남"이 벼슬길에 나아가거나 은둔함과 떠나가고 나아감의 거취로 말한 것은 어째서인가? "지미지창지유지강(知微知彰知柔知剛)"을 이천은 "은미함을 보고 드러남을 알며 부드러움은 보고 굳셈을 안다"는 것으로 보았고, 주자는 네 가지 일로 간주하였으니[169] 어느 주장이 좋은가?

심대윤(沈大允) 『주역상의점법(周易象義占法)』

漢書作吉凶之君子, 知至至之, 明於吉凶利害之幾, 故未嘗諂瀆, 而妄求儌幸而濫行. 豫之六二, 能豫備而防微, 故以言知幾也.

『한서』에 "길흉의 이치를 아는 군자는 이를 데를 알아 이르니, 길함·흉함·이로움·해로움의 기미에 밝기 때문에 아첨하거나 모독하지 않아 함부로 요행을 구하거나 외람되게 행한 적이 없다."고 하였다. 예괘의 육이는 미리 대비하여 은미함을 방비할 수 있기 때문에 "기미를 안다"고 말하였다.

오치기(吳致箕) 「주역경전증해(周易經傳增解)」

此釋豫六二爻辭之義. 幾者人所難知也, 而能知, 故曰神. 九四, 乃豫之得時者也. 初與四應, 三與四比, 皆上交而諂者也. 獨二隔三, 不與四交, 爲不諂者矣. 初六鳴豫凶不正者, 而二居中正, 雖下比初六, 其德不同, 故爲下交而不瀆者矣. 先見之吉, 應下貞吉之吉也. 末三句, 卽贊辭, 而旣知其微則彰, 尤不難知矣. 不諂于四, 卽知剛之不正也, 不瀆于初, 卽知柔之不正也. 望者仰望也.

이 글은 예괘 육이효사의 뜻을 해석하였다. '기미'란 사람이 알기 어려운 것이나 알 수 있기 때문에 "신묘하다"고 말하였다. 구사는 곧 예괘 중 때를 얻은 자이다. 초효는 사효와 응하고, 삼효는 사효와 이웃하니, 모두 윗사람과 사귐에 아첨하는 자이다. 이효만이 삼효에 가로막혀 사효와 사귀지 못하니, 아첨하지 않는 자이다. 초육은 즐거움을 소리내니 흉하고 바르

---

169) 주자는 "은미한 것을 알며, 드러난 것을 알며, 부드러운 것을 알며, 굳센 것을 안다"로 설명하였다.

지 못한 자이고, 이효는 중정한 자리에 있어서 비록 아래로 초육과 이웃하나 그 덕이 같지 않기 때문에 아랫사람과 사귐에 모독하지 않는 자이다. "먼저 나타난 길함"은 아래 글의 "곧고 길함"의 '길함'과 호응한다. 끝의 세 구절은 찬미하는 말이니, 이미 은미함을 알았다면 드러나서 더욱 알기 어렵지 않을 것이다. 사효에 아첨하지 아니하니 곧 사효의 굳셈이 바르지 않음을 안 것이고, 초효를 모독하지 아니하니 곧 초효의 부드러움이 바르지 않음을 안 것이다. '망(望)'은 우러러 바라봄이다.

이병헌(李炳憲) 『역경금문고통론(易經今文考通論)』[170]

⟨吉之, 漢楚元王傳, 作吉凶之. 或作事之.

길지(吉之)는 『한서(漢書)·초원왕전(楚元王傳)』에 길흉지(吉凶之)로 되어있다. 혹은 사지(事之)로 되어있기도 하다.⟩

韓曰, 幾者, 去无入有, 不可以名, 尋不可以形覩者也. 唯神也, 不疾而速, 感而遂通, 鑒於未形也.

한강백이 말하였다: '기(幾)'라는 것은 '무(无)'를 떠나 '유(有)'로 들어가서 무어라 이름 지을 수 없고, 찾아도 형용하거나 볼 수 없는 것이다. 오직 신만이 달리지 않고도 빠르며 느껴 마침내 통해서 드러나지 않는 데서 본다.

按, 不言吉凶, 而但言吉之先見者, 猶吉凶貞勝之意 貞勝則吉而已.

내가 살펴보았다: 길함과 흉함을 말하지 않고 다만 길함이 먼저 드러난 것이라고 말한 것은 '길과 흉은 항상 이김'의 뜻과 같으니, 항상 이기면 길할 뿐이다.

---

170) 경학자료집성DB에 「계사하전」 제 3장에 편집되어 있으나 경학자료집성 영인본의 체재에 의거하여 「계사하전」 제 5장으로 옮겼다.

子曰, 顔氏之子, 其殆庶幾乎. 有不善未嘗不知, 知之未嘗復
行也, 易曰, 不遠復, 无祗悔, 元吉.

공자가 말하였다: 안씨의 아들이 거의 가까울 것이다. 선하지 않음이 있으면 일찍이 알지 못한
적이 없으며, 알면 일찍이 다시 행한 적이 없으니, 『주역』에 "멀리 가지 않고 돌아와 후회에 이름이
없으니 크게 길하다"고 하였다.

中國大全

本義

殆, 危也. 庶幾, 近意, 言近道也. 此, 釋復初九爻義.

'태(殆)'는 '거의[危]'이다. '서기(庶幾)'는 가깝다는 뜻이니, 도리에 가까움을 말한다. 이는 복괘(復
卦䷗) 초구효(初九爻)의 의미를 해석한 것이다.

小註

朱子曰, 其殆庶幾乎, 殆, 是幾字之義. 又曰, 是近義. 又曰, 殆是危殆者, 是爭些子底
意思. 或以幾爲因上文幾字而言, 但左傳與孟子, 庶幾兩字, 都只做近字說.

주자가 말하였다: "거의 가까울 것이다[其殆庶幾乎]"에서 '태(殆)'는 '기(幾)'자의 의미이다.
또 말하였다: 가깝다는 뜻이다.

또 말하였다: '태(殆)'는 거의 이르렀다는 것이니, 조금 차이 난다는 뜻이다. 간혹 '기(幾)'를
위 글의 '기(幾)'자에 의거하여 말한 것으로 간주하는데, 『좌전』이나 『맹자』에서 '서기(庶
幾)' 두 글자는 모두 '근(近)'자의 의미로만 말했다.

○ 顔子有不善未嘗不知, 知之未嘗復行. 今人只知知之未嘗復行爲難, 殊不知有不善
未嘗不知是難處. 今人亦有說道知得這箇道理, 及事到面前, 又卻只隨私欲做將去, 前
所知者都自忘了, 只爲是不曾知. 有不善未嘗不知, 知之未嘗復行, 直是顔子天資好,
如至淸之水, 纖芥必見.

안자는 선하지 않은 일이 있으면 알지 못한 적이 없었고, 알면 다시 행한 적이 없었다. 지금 사람들은 "알면 일찍이 다시 행한 적이 없다"는 것이 어렵다는 것만 알지, "선하지 않음이 있으면 일찍이 알지 못한 적이 없다"는 것이 어려운 곳임을 결코 알지 못한다. 지금 사람들은 또한 이 도리를 안다고들 말하지만, 일이 눈앞에 닥치면 도리어 사욕을 따라 처리하고, 앞서 알던 것은 모두 스스로 잊어버리니, 일찍이 알지 못했기 때문이다. "선하지 않은 일이 있으면 알지 못한 적이 없었고, 알면 다시 행한 적이 없었다"는 것은 곧 안자의 타고난 자질이 좋은 것으로 마치 지극히 맑은 물은 가는 지푸라기도 반드시 보이는 것과 같다.

○ 李氏椿年曰, 聖人无不善. 賢人則容有不善, 但未嘗不知, 知之未嘗復行也.
이춘년이 말하였다: 성인은 선하지 않음이 없다. 현인은 혹시라도 선하지 않음이 있을 수 있으나, 다만 일찍이 알지 못한 적이 없으며, 알고서 다시 행한 적이 없다.

○ 臨川吳氏曰, 程子云, 顔子无形顯之過, 夫子謂其庶幾. 未能不勉而中, 所欲不踰矩, 是有過也. 然其明而剛, 故一有不善, 未嘗不知, 旣知未嘗不遽改, 乃不遠復也. 過旣未形而改, 何悔之有. 復者, 陽反來復也, 陽君子之道. 故復爲反善之義. 初陽來復, 處卦之初, 復之最先, 不遠而復者也. 失而後有復, 唯失之不遠而復, 則不至於悔也.
임천오씨가 말하였다: 정자는 "안자는 분명하게 드러나는 과실이 없기에 공자가 '거의 가깝다'고 하였다. 힘쓰지 않고도 중절(中節)하여 하고자 하는 것이 법도에 넘지 않게 할 수 없다면 과실이 있는 것이다. 그러나 밝고 굳세므로 하나라도 선하지 않음이 있으면 일찍이 알지 못한 적이 없고, 알게 되면 일찍이 바로 고치지 않은 적이 없으니, 바로 멀리 가지 않고서 돌아오는 것이다. 과실이 아직 형성되지 않았는데 고쳤으니, 어찌 후회함이 있겠는가? '복(復)'은 양이 돌아와 회복함이고, '양(陽)'은 군자의 도리이다. 그러므로 복(復)은 선으로 돌아간다는 뜻이 된다. 초효는 양이 돌아와 회복하여 괘의 처음에 있으니, 가장 먼저 회복한 것이고, 멀리 가지 않고서 돌아온 것이다. 잃은 뒤에 회복함이 있지만, 잃었어도 멀리가지 않고서 회복하니, 후회함에 이르지 않는 것이다"라고 하였다.

天地絪縕, 萬物化醇, 男女構精, 萬物化生, 易曰, 三人行, 則
損一人, 一人行, 則得其友, 言致一也.

천지가 얽히고설킴에 만물이 변화하여 엉기고, 남녀가 정기(精氣)를 얽음에 만물이 변화하여 생기니,
『주역』에 "세 사람이 가면 한 사람을 덜고, 한 사람이 가면 그 벗을 얻는다"고 하니, 하나를 이룸[致一]
을 말한 것이다.

‖中國大全‖

本義

絪縕, 交密之狀, 醇, 謂厚而凝也, 言氣化者也. 化生, 形化者也. 此, 釋損六三爻義.

'얽히고설킴[絪縕]'은 사귀어 친밀한 모양이고, '엉김[醇]'은 두텁게 응결됨을 이르니, 기운이 변화
하는 것을 말한다. '변화하여 나옴[化生]'은 형체가 변화하는 것이다. 이는 손괘(損卦䷨) 육삼효(六
三爻)의 의미를 해석한 것이다.

小註

朱子曰, 天地絪縕, 言氣化也, 男女構精, 言形化也. 致一, 專一也. 唯專一, 所以能絪
縕, 若不專一, 則各自相離矣. 化醇, 是已化後, 化生, 指氣化而言, 草木是也.

주자가 말하였다: '천지가 얽히고설킴'은 기운의 변화를 말한 것이고, '남녀가 정기를 얽음'은
형체의 변화를 말한 것이다. '하나를 이룸[致一]'은 오로지 하나로 함이다. 오로지 하나로
해야 얽히고설킬 수 있는 것이고, 오로지 하나로 하지 않는다면 각자가 서로 떨어질 것이다.
'변화하여 엉김[化醇]'은 이미 변화된 뒤이고, '변화하여 나옴[化生]'은 기운의 변화를 가리켜
말하였으니, 초목이 이것이다.

○ 天地男女, 都是兩箇方得專一. 若三箇, 便亂了, 三人行, 減了一箇, 則是兩箇, 便專
一. 一人行, 得其友, 成兩箇, 便專一. 程子說初與二, 三與上, 四與五, 皆兩相與, 自說
得好.

하늘과 땅, 남과 여는 모두 두 개여서 오로지 하나로 할 수 있는 것이다. 만약 셋이라면 혼란되니, 세 사람이 감에는 한 사람을 덜어내야 비로소 둘이여서 오로지 하나로 할 수 있다. 한 사람이 감에는 그 벗을 얻어야 둘을 이루어 오로지 하나로 할 수 있다. 정자가 "초효와 이효, 삼효와 상효, 사효와 오효가 모두 둘씩 서로 함께 한다"라고 하였으니 나름대로 좋은 설명이다.

○ 臨川吳氏曰, 絪縕者, 氣之交也, 構精者, 形之交也. 天地之二氣交, 故物之以氣化者, 其氣醞厚而能醇, 男女之二氣交, 故物之以形化者, 其精凝聚而能生, 此氣形之相交以二. 與三人損一一人得友之相合以二者, 其理同, 皆言其以一合一. 故能致一而不二也.

임천오씨가 말하였다: '얽히고설킴[絪縕]'은 기운의 사귐이고, '정기를 얽음[構精]'은 형체의 사귐이다. 하늘과 땅의 두 기운이 사귀기 때문에 기운으로 변화하는 사물들이 그 기운이 진해져서 엉길 수 있으며, 남과 여의 두 기운이 사귀기 때문에 형체로 변화하는 사물들이 그 정기가 응결되어 나올 수가 있으니, 이것이 기운과 형체에서 둘씩 서로 사귀는 것이다. 세 사람이면 하나를 덜고 한 사람이면 벗을 얻어서 둘씩 서로 합치는 것과 그 이치가 같으니, 모두 하나와 하나를 합침을 말한 것이다. 그러므로 하나를 이루어 둘이 되지 않을 수 있다.

○ 漢上朱氏曰, 天地萬物, 其本一也. 天地升降, 其氣絪縕, 萬物化矣, 醇而未離, 言其一而未始離也. 天地旣生萬物, 萬物各有陰陽精氣, 相交化生无窮. 男女曰化生者, 言有兩則有一也.

한상주씨가 말하였다: 천지의 만물은 그 근본은 하나이다. 하늘과 땅이 오르고 내려와 그 기운이 얽히고설킴에 만물이 변화하여 엉기고 떨어지지 않으니, 그 하나여서 애초부터 떨어지지 않음을 말한 것이다. 천지가 이미 만물을 낳으면 만물에는 각각 음양의 정기가 있어 서로 사귀어 끝없이 변화하여 나온다. 남녀에 '변화하여 나옴'을 말한 것은 둘이 있으면 하나 됨이 있음을 말한 것이다.

○ 建安丘氏曰 損自泰來, 以未成卦言之, 下乾爲天, 上坤爲地. 以乾上三爻, 交坤下三爻, 而爲損, 有天地絪縕之象. 以旣成卦言之, 上坤變艮, 艮爲少男, 下乾變兌, 兌爲少女, 有男女構精之象.

건안구씨가 말하였다: 손괘(䷨)는 태괘(䷊)로부터 왔으니, 아직 이루어지지 않은 괘로 말하면 아래의 건(☰)이 하늘이 되고 위의 곤(☷)이 땅이 된다. 건이 삼효를 올린 것과 곤이 삼효를 내린 것이 교차하여 손괘가 되니, 하늘과 땅이 얽히고설키는 상이 있다. 이미 이루어

진 괘로 말하면 위의 곤이 간(艮☶)으로 변하고 간은 막내아들이 되며, 아래의 건이 태(兌 ☱)로 변하고 태는 소녀가 되니, 남녀가 정기를 얽는 상이 있다.

○ 張子曰, 虛則受, 盈則虧, 陰陽之義也. 故陰得陽則爲益, 以其虛也, 陽得陰則爲損, 以其盈也. 艮三索而得男, 乾道之所以成也, 兌三索而得女, 坤道之所以成也. 故三之 於上, 則有天地絪縕男女構精之義.

장자가 말하였다: 비면 받아들이고 차면 이지러짐이 음양의 뜻이다. 그러므로 음이 양을 얻으면 익괘가 되니 그것이 비었기 때문이며, 양이 음을 얻으면 손괘가 되니 그것이 찼기 때문이다. 간괘(☶)는 세 번째로 구하여 아들을 얻었으니 건(乾)의 도리가 이루어진 것이고, 태괘(☱)는 세 번째로 구하여 딸을 얻었으니 곤(坤)의 도리가 이루어진 것이다. 그러므로 육삼(六三)이 상구(上九)에 대하여 천지가 얽히고설키며 남녀가 정기를 얽는다는 뜻이 있다.

┃韓國大全┃

조호익(曺好益)『역상설(易象說)』

註, 朱子曰, 化生, 指氣化而言, 草木是也.
소주에서 주자가 말하였다 : 변화하여 나옴[化生]은 기운의 변화를 가리켜 말하였으니, 초목 등이 이것이다.

按, 化生以下未詳. 疑指字下有方字, 木字下有亦字. 氣化與本義氣化不同.
내가 살펴보았다: ‘화생(化生)’ 이하는 뜻이 상세하지 않으니, 아마도 ‘지(指)’ 자 아래에 ‘방(方)’ 자가 있고 ‘목(木)’ 자 아래에 ‘역(亦)’ 자가 있는 듯하다. ‘기화(氣化)’는『본의(本義)』에 나오는 기화(氣化)와는 뜻이 같지 않다.

朱子曰, 程子說云云初二二陽, 四五二陰, 三與上應, 皆兩相與也.
주자가 말하였다: 정자의 설에 운운하기를 “초효와 이효는 두 양이고, 사효와 오효는 두 음이며, 삼효와 상효는 응(應)의 관계이니, 모두 양쪽이 서로 더부는 것이다.”라고 하였다.

○ 交而無間隙, 故曰密. 本義三人一人, 皆以男女而言也.

사귐에 간극이 없기 때문에 "긴밀하다"고 말하였다. 『본의』에서 세 사람·한 사람이라고
한 것은 모두 남녀로써 말한 것이다.

이익(李瀷) 『역경질서(易經疾書)』

天地之氣, 交結蘊蓄, 其間萬物, 變化醞釀, 旣化而又醇, 所以生生不窮也. 三則損一,
二則得友, 一夫一婦, 天地之常經. 其不能致一者, 民之爲非也, 故正辭而禁戒也.
천지의 기운이 서로 맺히고 얽히고설킴에 그 사이에 만물이 변화하고 빚어져서 이미 변화하
고 또 엉기니, 이 때문에 낳고 낳음이 다하지 않는 것이다. 셋이면 하나를 덜고, 둘이면 벗을
얻으니 한 남편에 한 아내가 천지의 떳떳한 법도이다. 하나를 이룰 수 없는 것이 백성의
잘못된 행동이므로 말을 바르게 하여 금지하고 경계한다.

유정원(柳正源) 『역해참고(易解參攷)』

天地 [至] 一也.
천지가 … 하나를 이룸을 말한 것이다.
案, 三而損一則成兩箇, 一而得友則成兩箇, 兩相合則爲一.
내가 살펴보았다: 셋에서 하나를 덜면 둘이 되고, 하나에서 벗을 얻으면 둘이 되며, 둘이
서로 합하면 하나가 된다.

小註朱子說, 化醇 [至] 草木.
소주에서 주자가 말하였다: '변화하여 엉김[化醇]'은 … 초목이 이것이다.
〈案, 此段形化也已上, 程端蒙錄, 與本義合, 致一專一已下, 沉僩錄, 而此句難曉, 恐有
記誤.
내가 살펴보았다: 이 문단의 '형화야(形化也)' 이상은 정단몽(程端蒙)의 기록이니 『본의』와
합치되고, '치일전일(致一專一)' 이하는 심한(沉僩)의 기록인데 이 구절은 이해하기 어려우
니 기록에 잘못이 있는 듯하다.〉

김상악(金相岳) 『산천역설(山天易說)』

釋損六三爻義. 天地絪縕, 氣之交也, 故曰化醇, 男女構精, 形之交也, 故曰化生.
손괘 육삼효의 뜻을 해석하였다. 천지가 얽히고설킴은 기운의 사귐이기 때문에 "변화하여 엉
긴다"고 하였고, 남녀가 정기를 얽음은 형체의 사귐이기 때문에 변화하여 생긴다고 하였다.

○ 咸之致一, 道本无二, 而歸於一也, 損之致一, 人體是道, 而致其一也.

함괘의 "하나를 이룸"은 도가 본래 두 가지가 아니니 하나로 귀결하는 것이고, 손괘의 "하나를 이룸"은 사람이 이 도를 본받아 하나를 이루는 것이다.

심취제(沈就濟) 『독역의의(讀易疑義)』

天地絪縕者合而一也, 男女搆精者合而一也. 損一得一者亦合而一也, 君子之定其交者, 亦一也. 一然後屈伸也. 神之屈伸, 化生萬物者, 神之一故也.

"천지가 얽히고설킴"은 합하여 하나가 됨이고, "남녀의 정기가 얽힘"도 합하여 하나가 됨이다. "하나를 덜고 하나를 얻음"도 합하여 하나가 됨이니 군자가 그 교제를 정하는 것도 하나이다. 하나가 된 뒤에 굽히고 편다. 신이 굽히고 펴서 만물을 변화하고 생기게 하는 것은 신이 하나이기 때문이다.

심대윤(沈大允) 『주역상의점법(周易象義占法)』

〈中庸曰, 合內外之道也, 時措之宜也, 此言致一之道也.

『중용』에 "내외(內外)를 합한 도(道)이니, 때로 둠에 마땅한 것이다"[171]라고 하였다. 이것은 '하나를 이룸'의 도를 말한 것이다.〉

絪縕凝合, 交密之狀. 醇淳也濃也, 言氣化也, 化生言形化也. 小子讀易至此, 喟然仰而歎, 俯而深, 惟曰美哉道也. 至著而微乎, 至近而玄乎, 至平而深乎, 至繁而精乎, 至易而難乎, 美哉道也. 蔑而加之矣. 天地聖人之所以爲天地聖人也夫. 此可以神會而不可以意到也, 可以意到而不可以言傳也. 今姑强言其糟粕, 世之君子, 倘有能明之者焉矣.

얽히고설키며 응결되어 합함은 교제가 긴밀한 상태이다. 순(醇)은 도탑고 짙음이니 기의 변화를 말하고, 변화하여 생김은 형체의 변화를 말한다. 내가 『주역』을 읽다가 여기에 이르러 감동하여 우러러 탄식하고 구부려 깊이 살피고서 오직 말하기를 "아름답도다, 도여!"라고 하였다. 지극히 드러나면서도 은미하고, 지극히 가까우면서도 아득하며, 지극히 평평하면서도 깊고, 지극히 번다하면서도 정밀하며, 지극히 쉬우면서도 어려우니, 아름답도다, 도여! 더할 나위 없도다. 이것이 천지와 성인이 천지가 되고 성인이 되는 이유일 것이다. 이것은

---

171) 『中庸』 25장: 誠者, 非自成己而已也, 所以成物也, 成己, 仁也, 成物, 知也, 性之德也, 合內外之道也. 故時措之宜也.

신묘함으로 알 수는 있으나, 뜻으로 도달할 수는 없으며, 뜻으로 도달할 수는 있으나, 말로 전할 수는 없다. 지금 우선 그 거친 것을 억지로 말하노니, 세상의 군자 중에 혹 여기에 밝은 자가 있을 것이다.

夫陰陽二氣, 而同生于一, 配合而爲一. 形氣二物, 而同生于一, 配合而爲一. 一者太極也, 兩儀四象八卦, 生于太極, 分列區別, 有萬不同, 而亦未嘗出於太極之外. 太極在象儀之中, 象儀在太極之中, 萬在一之中, 一在萬之中. 謂之一矣, 則萬而殊矣, 謂之萬矣, 則一而已矣. 太極君也, 兩儀臣也, 四象民也, 君也臣也民也, 三者的然有別者, 層數也, 臣也民也, 愈下而愈多, 人各不同, 不可混雜者, 分數也. 而爲國則一而已矣. 君不可謂之國, 而无君則无國, 臣不可謂之國, 而无臣則无國, 民不可謂之國, 而无民則无國, 國不在於君也臣也民也之外, 而亦不在於獨君也獨臣也獨民也. 必合三者, 而爲一國, 而三者不可爲一矣. 人之百體九竅, 不可混雜, 而爲身則一而已矣. 偏指一體一竅, 而謂之身則不可, 而无一體一竅, 則无身矣, 身與體竅, 未嘗異矣, 而體竅與身, 不可同也. 是故分然後合, 合然後分, 分在合之中, 合在分之中, 混淪膠葛, 而不可遂分, 亦不可遂合也. 不可不分, 亦不可不合也, 此之謂致一也.

무릇 음과 양은 두 기운인데 함께 하나에서 나와서 짝하여 합해서 하나가 된다. 형체와 기운은 두 가지 물건인데 함께 하나에서 생겨나 짝하여 합해서 하나가 된다. 하나라는 것은 태극이다. 양의와 사상과 팔괘가 태극에서 생겨나 분열하고 구별되어 만 가지로 같지 않음이 있으나 또한 태극의 밖에서 나온 적이 없다. 태극은 사상과 양의의 가운데 있고, 사상과 양의는 태극의 가운데 있으니, '만'이 '하나'의 가운데 있고, '하나'가 '만'의 가운데 있다. 이것을 '하나'라고 하나 '만'으로 다르고, 이것을 '만'이라고 하나 '하나'일 뿐이다. 태극은 임금이고 양의는 신하이며 사상은 백성이니, 임금·신하·백성, 이 세 가지가 확실하게 구별이 있는 것이 층수(層數)이고, 신하와 백성은 아래로 내려갈수록 더욱 많아지나 사람이 각각 같지 않으니 섞일 수 없는 것이 분수(分數)이다. 그러나 나라를 다스리는 것은 하나일 뿐이다. '임금'을 '나라'라고 할 수는 없지만 임금이 없으면 나라가 없고, '신하'를 '나라'라고 할 수는 없지만 신하가 없으면 나라가 없으며, '백성'을 '나라'라고 할 수는 없지만 백성이 없으면 나라가 없으니, 나라는 임금·신하·백성의 밖에 있지 않지만 또한 임금에게만 달렸거나 신하에게만 달렸거나 백성에게만 달린 것은 아니다. 반드시 세 가지가 합하여야 하나의 나라가 되나 세 가지가 동일해서는 안 된다. 사람의 백 가지 신체 부분과 아홉 구멍은 섞여서는 안 되나, 몸을 위해서는 하나일 뿐이다. 하나의 신체 부분과 하나의 구멍을 가리켜 몸이라고 하면 안 되나, 하나의 신체 부분과 하나의 구멍이 없으면 몸이 아니니, 몸과 신체 부분 그리고 구멍은 다른 적이 없었으나, 신체 부분과 구멍이 몸과 같아서는 안 된다. 그러므로 나누어진 뒤에 합하고 합한 뒤에 나눈다. 나눔은 합한 가운데 있고 합함은 나눔 가운데 있어서 섞이고 엉겨서 마침내 나눌 수 없고 또 마침내 합할 수 없다. 나눌 수 없기 때문에 또한 합할 수 없는 것이니, 이것을 "하나를 이룸"이라고 한다.

夫道莫不善於分異, 莫善於合同. 五官分異而人命終, 三族分異而家道敗, 上下分異而天下亂. 四德合同而爲道, 五味合同而爲養, 萬物合同而爲用. 分異則爲私, 合同則爲公. 忠恕者, 合同之道也, 專爲合同, 則不成爲合同矣. 是故公然後私, 私然後公, 公在私之中, 私在公之中, 不可爲私, 亦不可爲公也, 不可不公, 亦不可不私也. 此之謂致一也.

무릇 도는 나뉘어 다르게 되는 것이 가장 좋지 않고, 합하여 같게 되는 것이 가장 좋다. 오관(五官)이 나뉘어 다르게 됨에 사람의 생명이 끝나고, 삼족(三族)이 나뉘어 다르게 됨에 집안의 도리가 망하고, 상하가 나뉘어 다르게 됨에 천하가 어지러워진다. 사덕(四德)이 합하여 같게 됨에 바른 도가 되고, 오미(五味)가 합하여 같게 됨에 길러짐이 되며, 만물이 합하여 같게 됨에 쓰임이 된다. 나뉘어 다르게 됨은 사사롭게 행한 것이고 합하여 같게 함은 공변되게 행한 것이다. 충서는 합하여 함께하는 도이나 전적으로 합하여 함께만 하면 합하여 함께 함을 이루지 못한다. 이러므로 공변되게 한 뒤에 사사롭게 되고, 사사롭게 한 뒤에 공변되게 되니, 공변되게 함은 사사롭게 하는 가운데 있고, 사사롭게 함은 공변되게 하는 가운데 있어서, 사사로움을 해서는 안 되고, 공변된 일을 해서도 안 되며, 공변되지 않음을 해서는 안 되고, 사사롭지 않음을 해서도 안 된다. 이것을 "하나를 이룸"이라고 한다.

夫天下之物, 必虛實相配而生, 必虛實相配而行. 形配氣以生,[172] 語其質, 則形實而氣虛, 語其理, 則氣實而形虛. 道配器以行, 語其體, 則器實而道虛, 語其用, 則道實而器虛. 是故至難在於至易, 至高在於至卑, 至大在於至小, 至精在於至雜. 易也卑也小也雜也者, 器也質也, 難也高也大也精也者, 道也理也. 小人之道, 譬如四人同居, 分向四方, 偏向東者, 背西而愈遠, 偏向南者, 背北而愈遠, 日以分異矣, 君子之道, 譬如四方之人, 同會于中央, 而爲一矣. 小人之道, 譬如自室出遠行百里, 則去室百里矣, 行千里, 則去室千里矣. 君子之道, 譬如千仞之木, 枝參於天, 而根深於泉, 徹上而徹下, 徹遠而徹近, 通爲一矣, 此之謂致一也. 最下, 損則不益, 益則不損, 强則不弱, 弱則不强, 高則不卑, 卑則不高, 大則不小, 小則不大, 多則不寡, 寡則不多. 其次, 或損或益, 或强或弱, 或高或卑, 或大或小, 或多或寡. 聖人, 損之益, 弱之强, 卑之高, 小之大, 寡之多, 通爲一矣, 此之謂致一也.

무릇 천하의 물건은 반드시 '빈 것[陰]'과 '채워진 것[陽]'이 서로 짝한 뒤에 생기고, 반드시

---

172) 生: 경학자료집성 DB에 '主'로 되어 있으나, 경학자료집성 영인본을 참조하여 '生'으로 바로잡았다.

빈 것과 채워진 것이 서로 짝한 뒤에 행해진다. 형체는 기와 짝하여 생기니 바탕으로 말하면 형체가 채워지고 기가 비었으며, 이치로 말하면 기가 채워지고 형체가 비었다. 도는 기물과 짝하여 행하니 몸체로 말하면 기물이 채워지고 도가 비었으며, 쓰임으로 말하면 도가 채워지고 기물이 비었다. 이러므로 지극히 어려움은 지극히 쉬움에 있고, 지극히 높음은 지극히 낮은 데에 있으며, 지극히 큼은 지극히 작은 데에 있고, 지극히 정밀함은 지극히 복잡한 데에 있다. 쉬움·낮음·작음·섞임이란 기물이고 바탕이며, 어려움·높음·큼·정밀함이란 도이고 이치이다. 소인의 도는 비유하자면 네 사람이 함께 거처함에 사방을 향하여 나뉘어 있어서 한쪽으로 동쪽을 향하는 자는 서쪽을 등져서 더욱 멀어지고, 한쪽으로 남쪽을 향하는 자는 북쪽을 등져서 더욱 멀어져 날마다 나뉘어 달라지는 것과 같고, 군자의 도는 비유하자면 사방의 사람이 똑같이 중앙에 모여 있어 하나가 되는 것과 같다. 소인의 도는 비유하자면 방에서 나가 멀리 백리를 가면 방과의 거리가 백리가 되고, 천리를 가면 방과의 거리가 천리가 되는 것과 같으며, 군자의 도는 비유하자면 천길 되는 나무가 가지는 하늘까지 뻗어 있고 뿌리는 샘에 깊이 박혀 있는 것과 같아서, 위로 관통하고 아래로 관통하며, 멀리 관통하고 가까이 관통하여, 통해서 하나가 되니, 이것을 "하나를 이룸"이라고 한다. 가장 좋지 않은 것은 덜어내면 더하지 못하고, 더하면 덜어내지 못하며, 강하면 약하지 못하고, 약하면 강하지 못하며, 높으면 낮지 못하고, 낮으면 높지 못하며, 크면 작지 못하고, 작으면 크지 못하며, 많으면 적지 못하고, 적으면 많지 못한 것이다. 그보다 좀 나은 것은 덜어내기도 하고 덜기도 하며, 강하기도 하고 약하기도 하며, 높기도 하고 낮기도 하며, 크기도 하고 작기도 하며, 많기도 하고 적기도 한 것이다. 성인의 경우는 덜어냄의 더함이고, 약함의 강함이며, 낮음의 높음이고, 작음의 큼이며 적음의 많음이어서 통하여 하나가 되니, 이것을 "하나를 이룸"이라고 한다.

書曰, 唯精惟一, 允執厥中, 中庸曰, 惟天下至誠, 爲能盡其性, 盡物之性, 而與天地參矣. 非盡己之性而後, 乃盡物之性也, 盡己之性, 而物之性亦盡矣, 物與我通爲一矣. 道之至精者, 與天地萬物通爲一, 故能神變化, 此之謂致一也. 致一者, 非謂一而一也, 乃不一而一也. 不一而一, 故能一也. 詩云, 自西自東, 自南自北, 无思不服, 言四方不一而爲一也. 一者, 道之極致也. 忠恕者, 一之法也, 中庸者, 一之位也, 誠明者, 一之工力也, 禮樂者, 一之器也, 聖人者, 一之人也, 天地者, 一之神也, 太極者, 一之主也. 至誠之道, 體萬物而不遺, 故天地之造化, 在於萬物之中而已, 萬物之外, 更无天地之造化矣. 聖人之道, 在於天地人物之中而已, 天地人物之外, 更无聖人之道矣. 若天地聖人別有事, 爲於人物之外, 則是亦爲一物也, 何能爲至大乎. 是故致一也者, 天地聖人之所以爲天地聖人也. 中庸曰, 天地之道, 可一言而盡也. 其爲物不貳, 則其生物不測, 致一之謂也.

『서경』에 "오직 정밀하게 하고 한결같이 하여야 진실로 중도를 잡을 것이다"[173]라고 하였고, 『중용』에 "오직 천하의 지극히 성실한 사람이라야 본성을 다할 수 있고 물건의 본성을 다할 수 있어야 천지에 참여할 수 있다"[174] 라고 하였으니, 자기의 본성을 다한 뒤에야 물건의 본성을 다할 수 있는 것이 아니라, 자기의 본성을 다하여야 물건의 본성도 극진하게 되어 물건이 나와 통하여 하나가 되는 것이다. 도에 지극히 정밀한 것은 천지만물과 통하여 하나가 되기 때문에 신묘하고 변화할 수 있으니, 이것을 "하나를 이룸"이라고 한다. 하나를 이룸이란 하나라서 하나를 이르는 것이 아니라, 하나가 아닌데도 하나를 이르는 것이다. 하나가 아닌데도 하나 될 수 있기 때문에 하나일 수 있는 것이다. 『시경(詩經)·문왕유성(文王有聲)』에 "서쪽에서 동쪽에서 남쪽에서 북쪽에서 생각하여 복종하지 않는 이가 없다"라고 하였으니, 사방이 하나가 아닌데도 하나가 됨을 말하였다. 하나라는 것은 도의 극치이다. 충과 서는 하나가 되는 방법이고, 중용은 '하나'의 자리이며, 성실함에 밝음은 '하나'의 공효이고, 예와 악은 '하나'의 기구이며, 성인은 '하나'인 사람이고, 천지는 '하나'인 신이며, 태극은 '하나'인 주체이다. 지극히 성실한 도는 만물의 본체가 되어 빠뜨리지 않는다. 그러므로 천지의 조화는 만물의 가운데에 있을 뿐이니, 만물 밖에 다시 천지의 조화가 없다. 성인의 도는 하늘·땅·사람·물건 가운데 있을 뿐이니, 하늘·땅·사람·물건 밖에 다시 성인의 도는 없다. 만일 천지와 성인이 별도로 일이 있어 사람과 물건 밖에서 행한다면 이것도 한 가지 물건이니 어찌 '지극히 큼'이 될 수 있겠는가? 이러므로 "하나를 이룸"이라는 것은 천지와 성인이 천지와 성인이 되는 방법이다. 『중용』에 "천지의 도는 한 마디 말로 다 할 수 있다. 그 물건 됨이 변치 아니하니 물건을 냄을 측량할 수 없다"[175]고 하였으니 "하나를 이룸"을 이른다.

致一之道, 如樂之五聲六律八音和合而爲一聲. 小子始學書, 卽自奮曰, 讀書者, 所以爲格物行事也, 若書自書事自事, 卽讀書何爲. 於是讀書則心引事物而合之, 臨事則心證經傳而比之. 然常患讀書專則忘事, 臨事急則忘書. 蓋用力者三十年, 然後乃能書與事通爲一, 讀書卽臨事也, 臨事卽讀書也. 嘗有事而周歲不讀書, 及其對卷, 則文理乃反益明, 前所未通者, 皆怡然理順. 然後知致一之驗矣, 萬事莫不然也. 噫後之君子. 於余妄言, 庶幾神會而自得之矣. 不可局於言辭之末, 而喪其意也.

하나를 이루는 도는 음악에 있어서 오성과 육률과 팔음이 화합하여 하나의 소리가 되는 것

---

173) 『書經·大禹謨』: 人心惟危, 道心惟微, 惟精惟一, 允執厥中.
174) 『中庸』 22장: 惟天下至誠, 爲能盡其性, 能盡其性, 則能盡人之性, 能盡人之性, 則能盡物之性, 能盡物之性, 則可以贊天地之化育, 可以贊大地之化育, 則可以與天地參矣.
175) 『中庸』 26장의 말이다.

과 같다. 내가 처음 글을 배울 때에 곧 스스로 분발하여 "글을 읽는 것은 사물의 이치를 궁구하여 일을 행하기 위함이니, 만일 '글 따로' '일 따로'라면 글을 읽어 무엇 하겠는가?"라고 생각하였다. 이에 글을 읽으면 마음으로 사물을 끌어당겨 합해보고, 일에 임하면 마음으로 경전을 증명하여 비교해 보았다. 그러나 글을 읽는 데 전념하면 일을 잊고, 일에 임하는 것이 급하면 글을 잊는 것이 항상 걱정이었다. 대체로 노력한지 30년이 지난 뒤에야 글과 일이 통하여 하나가 되어 읽은 글이 곧 임하는 일이고, 임하는 일이 곧 읽은 글이 될 수 있었다. 일찍이 일이 있어서 1년 동안 글을 읽지 못했는데 책을 대면하자 문리가 도리어 더욱 밝아져서 전날 통하지 못했던 것들이 모두 기쁘게 이치가 순하게 되었다. 그런 뒤에야 "하나를 이룸"의 징험을 알게 되었으니, 모든 일은 이와 같지 않음이 없다. 아! 훗날의 군자여! 바라건대 나의 망령된 말에 대해서 정신으로 이해하여 스스로 터득할 지어다. 말단적인 말투에 국한하여 그 본지를 잃어서는 안 된다.

오치기(吳致箕) 「주역경전증해(周易經傳增解)」

此釋損六三爻辭之義. 絪縕, 交密之狀. 醇者, 凝厚也, 言氣化者也, 化生, 謂形化者也. 致者, 專致也, 陰陽相與, 則專乎一也.

이 글은 손괘 육삼 효사의 뜻을 해석하였다. "얽히고설킴[絪縕]"은 빽빽하게 교차한 모양이다. '순(醇)'은 두껍게 엉김이니 기화(氣化)를 말하고, "변화하여 생김[化生]"은 형화(形化)를 이른다. '치(致)'는 전적으로 이룸이니, 음양이 서로 함께하면 전적으로 하나가 된다.

이진상(李震相) 『역학관규(易學管窺)』

天地絪縕註朱子說.

"천지가 얽히고 설킴"에 대한 주자의 설.

化醇是已化以下句語未瑩, 疑有闕誤. 草木之種下種子, 亦只是形化, 若絶海中, 湧出島嶼, 便生草木, 方是氣化.

"화순시이화(化醇是已化)" 이하의 구절이 분명하지 않으니, 빠진 글자나 오자가 있는 듯하다. 초목의 씨에서 씨가 떨어지는 것도 형화(形化)이니, 만약 먼 바다 속 솟아나온 섬에 초목이 생겨난다면 이것은 기화(氣化)이다.

子曰, 君子, 安其身而後動, 易其心而後語, 定其交而後求,
君子修此三者, 故全也. 危以動, 則民不與也, 懼以語, 則民
不應也, 无交而求, 則民不與也. 莫之與, 則傷之者, 至矣, 易
曰, 莫益之, 或擊之, 立心勿恒. 凶.

공자가 말하였다: 군자가 그 몸을 편안히 한 뒤에야 움직이며 그 마음을 가다듬은 뒤에야 말하며
그 사귐을 안정시킨 뒤에야 구하니, 군자가 이 세 가지를 닦으므로 온전한 것이다. 위태하면서
움직이면 백성이 함께하지 않고 두려워하면서 말하면 백성이 응대하지 않고 사귐이 없이 구하면
백성이 도와주지 않는다. 도와줄 이가 없으면 다치게 할 자가 이르니, 『주역』에 "보태주는 이가
없으니 혹 칠 것이다. 마음을 세우는 것이 항상되지 않으니, 흉하다"고 하였다.

┃中國大全┃

本義

此, 釋益上九爻義.

이는 익괘(益卦䷩) 상구효의 의미를 해석한 것이다.

小註

朱子曰, 心平氣和, 則能言, 易其心而後語, 謂平易其心而後語也.

주자가 말하였다: 마음이 편안하고 기운이 온화해야 비로소 말을 할 수 있으니, "그 마음을
가다듬은 뒤에야 말한다"는 '그 마음을 편안하게 다스린 뒤에 말함'을 이른다.

○ 上下繫說許多爻, 直如此分明. 他人如說得分明, 便淺近, 聖人說來卻不淺近, 有含
蓄. 所以分在上下繫, 也无甚意義, 是聖人偶去這處說, 又去那處說爾.

「계사전」 상편과 하편에서 많은 효에 대해 말한 것이 그야말로 이와 같이 분명하다. 다른
사람들은 혹 말한 것이 분명해도 얕고 비근하지만, 성인이 말한 것은 얕거나 비근하지도
않으며 함축되어 있다. 「계사전」 상편과 하편에 나뉘어 있는 것은 또한 별 의미가 없으니,

성인이 우연히 상편에서 말하기도 하고, 또 하편에서 말하기도 했을 뿐이다.

○ 融堂錢氏曰, 安其身, 易其心, 定其交, 非立心有恒者, 不能. 然立心有恒, 種種周密, 缺一便不謂全.
융당전씨가 말하였다: 그 몸을 편안히 하며, 그 마음을 가다듬으며, 그 사귐을 안정시킴은 마음 세우기를 항구히 하는 자가 아니라면 할 수 없다. 그러나 마음 세우기를 항구히 하여 갖가지에 주도면밀해도, 하나라도 부족하다면 온전하다고 할 수 없다.

○ 平庵項氏曰, 危以動, 則民不與者, 黨與之與也, 无交而求, 則民不與者, 取與之與也.
평암항씨가 말하였다: "위태하면서 움직이면 백성이 함께하지[與] 않는다"는 "무리지어 함께함[黨與]"의 '함께함[與]'이고, "사귐이 없이 구하면 백성이 도와주지[與] 않는다"는 "받음과 줌[取與]"의 '줌[與]'이다.

○ 柴氏中行曰, 身順道則安, 悖道則危, 心无險陂則易, 有險陂則懼. 以義相與爲交定, 以利相與爲无交. 動而與, 語而應, 求而與者, 物我一心, 而无間之者也, 小人反是. 獨言莫之與則傷之者至矣, 以益之上九, 專利自益故也.
시중행이 말하였다: 몸은 도리를 따르면 편안하고 도리를 거스르면 위태하며, 마음은 음흉함이 없으면 편안하고 음흉함이 있으면 두려워한다. 의로 서로 함께하면 사귐이 안정되고, 이익으로 서로 함께하면 사귐이 없게 된다. 움직이면 함께하고, 말하면 응대하고, 구하면 도와주는 것은 사물과 내가 한 마음이어서 사이가 없는 것이고, 소인은 이와 반대된다. 따로 "도와줄 이가 없으면 다치게 할 자가 이른다"고 한 것은 익괘의 상구(上九)가 오로지 스스로의 이익만을 탐내기 때문이다.

右第五章.
이상은 제5장이다.

┃中國大全┃

雙湖胡氏曰, 夫子於繫辭上傳, 旣擧七卦爻辭, 以發明易道, 今於此章, 復擧九卦十爻之辭, 以論之, 看來亦只是隨一時意之所欲言者則擧之. 逐爻各自有意義, 皆是爲學者取法. 未必先立主意, 卻以卦實之也.

쌍호호씨가 말하였다: 공자가 「계사상전」에서 이미 일곱 괘의 효사를 가지고 역(易)의 도리를 밝혔고, 지금 이 장에서 다시 아홉 괘의 열개의 효사를 가지고 논의하였는데, 보아하니 또한 한 때에 마음이 말하고자 하는 것을 따라서 거론하였을 뿐이다. 각각의 효마다 본래 뜻이 있으니, 모두 학자를 위하여 법도를 취한 것이다. 반드시 먼저 뜻을 세워놓고 도리어 괘를 가지고 실증한 것이다.

○ 雲峰胡氏曰, 上繫七爻, 下繫十一爻, 皆象傳之文言也. 學易者, 可觸類而通其餘矣.

운봉호씨가 말하였다: 「계사상전」의 일곱 효와 「계사하전」의 열한 개의 효는 모두 「상전」의 글로 말하였다. 역(易)을 배우는 자는 종류에 따라 나머지를 통하는 것이 좋을 것이다.

┃韓國大全┃

권근(權近) 『주역천견록(周易淺見錄)』

君子, 安其身而後動, [止] 立心勿恒, 凶.

군자가 그 몸을 편안히 한 뒤에야 움직이며 … 마음을 세우는 것이 항상되지 않으니, 흉하다.

程傳, 以勿爲禁止之辭, 朱子謂與不字同. 已論之於本爻矣. 於此而觀, 則危以動, 懼以語, 無交而求, 皆言其心志之不恒也. 立心不恒, 故不能安其身, 而危以動, 不能易其心, 而懼以語, 不能定其交, 而無交而來. 其心志之不定如此故凶. 若曰勿用恒於如此, 則恐與此章文義不惬也.

『정전』은 '물(勿)'을 금지하는 말로 보았고, 주자는 '불(不)'자와 같다고 여겼다. 이에 관해서는 이미 해당 효에서 논의하였다. 여기에서 보면 '위태로우면서 움직이고 두려워하면서 말하고 사귐이 없이 구하는 것'은 모두 그 심지가 항상되지 않음을 의미한다. 마음을 항상되게 세우지 못하므로 그 몸을 편안히 하지 못하여 위태로우면서 움직이며, 그 마음을 편안하게 하지 못하여 두려워하면서 말하고, 그 사귐을 안정되게 하지 못하여 사귐이 없이 구하게 된다. 그 심지가 이처럼 불안정하므로 흉하다. 만일 이와 같은 일에 항상 됨을 쓰지 말라고 한다면 아마도 이 글의 뜻과 어울리지 않을 듯하다.

송시열(宋時烈)『역설(易說)』

第五章, 如上傳之第八章, 錯擧爻辭.
제5장은 「계사상전」의 제 8장에서 효사를 교차하여 예로 든 것과 같다.

박치화(朴致和)「설계수록(雪溪隨錄)」

桀紂身危, 故動, 則民不與也, 小人僥倖, 故懼以語, 則民不應也.
걸·주는 몸이 위태롭기 때문에 움직였으니 백성이 도와주지 않았으며, 소인은 요행을 바라기 때문에 두려워하며 말하니 백성이 응대하지 않는다.

이익(李瀷)『역경질서(易經疾書)』

危以動, 懼以語, 無交而求, 民之爲非也, 安身易心定交, 乃正辭而禁戒也. 安危屬身, 易懼屬心, 定交無交屬事. 危者易墜也, 懼者疑慮也, 無交者不相孚也. 不能安泰, 危墜而亦動, 則民誰輔之, 不能平易, 疑慮而亦語, 則民誰應之, 不能相孚, 無交而亦永, 則人誰與之. 動而未必語也, 語而未必求也, 求而不與, 則傷害必至矣, 莫之與者, 合三者而言. 凡大傳中引易者三章. 上篇八章七節, 是以動尙變之證. 案十二章一節, 是繫解斷吉凶之證, 案此章十二節, 是正辭禁非之證. 案易擧正, 民不與之與作輔.
위태로우면서 움직이고, 두려우면서 말하고, 사귐이 없는데 구하는 것이, 백성이 잘못된 행동을 하는 것이며, 몸을 편안히 하고 마음을 가다듬고 사귐을 안정시키는 것이 곧 말을 바르게 하여 금지하고 경계하는 것이다. 편안함과 위태로움은 몸에 속하고, 평안함과 두려워함은 마음에 속하며, 사귐을 안정시킴과 교분이 없음은 일에 속한다. 위태로운 자는 떨어지기 쉽고, 두려운 자는 의심하고 염려하며, 사귐이 없는 자는 서로 믿지 못한다. 편안하고 태연할 수 없어 위태로워 떨어질듯 한 데도 움직인다면 어느 백성이 도울 것이며, 평안하지 못하여 의심하고 염려스러운데도 말한다면 어느 백성이 호응할 것이며, 서로 믿지 못해 사귐이 없는데도 길이 하고자 한다면 어느 백성이 함께 하겠는가? 움직이더라도 반드시 말하지 못할 것이며, 말하더라도 반드시 구하지 못할 것이며, 구하더라도 함께하지 못하면 손상하고 해침이 반드시 이르게 되어 함께 할 자가 없을 것이니, 세 가지를 합하여 말하였다. 무릇 「계사전」 안에 『주역』을 인용한 것이 세 장이다. 「계사상편」 8장 7절[176]은 움직임에 변화를 숭상하는 증좌이다. 살펴보건대, 12장 1절[177]은 길함과 흉함을 풀이하고 결단함을 매단 증좌이고, 이 장의 12절[178]은 말을 바르게 하고 잘못된 행동을 금지하는 증좌이다. 『주역거정』을 살펴보니 "민불여(民不與)"의 '여(與)'가 '보(輔)'로 되어있다.

유정원(柳正源) 『역해참고(易解参攷)』

君子 [至] 與也.
군자가 … 함께 하지 않고.

案,[179] 危懼无交者, 立心之勿恒也, 不與不應者, 莫益而或擊之也.
내가 살펴보았다: 위태로움·두려움·사귐이 없음은 마음을 세우기를 항구히 하지 말라는 것이고, 함께 하지 않고 응대하지 않음은 도와줄 이가 없으면 혹 다치게 할 자라는 것이다.

案, 上傳擧七卦爻, 此章又擧九卦十爻之辭, 推廣言外之意, 發明易道, 不拘泥於卦體卦象.[180]
내가 살펴보았다: 「계사상전」의 8장에서는 7개 괘를 인용하였고, 이 장에서는 또 9개 괘의 10개 효[181]의 말을 인용하여, 언외의 뜻을 미루어 넓혀 역(易)의 도를 밝혔으니, 괘의 몸체와 괘의 상에 구애받지 않았다.

김상악(金相岳) 『산천역설(山天易說)』

釋益上九爻義.

---

176) 『周易・繫辭傳』: 初六, 藉用白茅, 无咎, 子曰, 苟錯諸地, 而可矣, 藉之用茅, 何咎之有, 愼之至也. 夫茅之爲物, 薄而用, 可重也, 愼斯術也, 以往, 其无所失矣.
177) 『周易・繫辭傳』: 易曰, 自天祐之, 吉无不利. 子曰, 祐者, 助也, 天之所助者, 順也, 人之所助者, 信也, 履信思乎順, 又以尙賢也. 是以自天祐之, 吉无不利也.
178) 『周易・繫辭傳』: 子曰, 顔氏之子, 其殆庶幾乎. 有不善未嘗不知, 知之未嘗復行也, 易曰, 不遠復, 无祇悔, 元吉.
179) 案: 경학자료집성 DB에 '□'로 처리하였으나, 경학자료집성 영인본을 참조하여 '案'으로 바로잡았다.
180) '案'부터 '卦象'까지의 글자가 경학자료집성 DB에 「계사하전」 제6장에 편집되어 있으나, 경학자료집성 영인본을 참조하여 「계사하전」 제5장으로 옮겼다.
181) 정확하게는 11개 효라고 해야 맞다. 저자가 착각한 듯하다.

익괘 상구효의 뜻을 해석하였다.

심취제(沈就濟) 『독역의의(讀易疑義)』

此章之十一爻, 與上傳中孚下七爻, 互相體用也.

이 장의 11개 효는 「계사상전」 8장의 중부괘 이하 7개의 효와 서로 본체와 작용이 된다.

○ 上傳七爻, 推往而知來也, 下傳十一爻, 知來而藏往也. 上之七爻則言行, 下之十一爻則存養也.

「계사상전」의 7개의 효는 가는 것을 미루어 오는 것을 앎이고, 「계사하전」의 11개의 효는 오는 것을 알아 가는 것을 감추는 것이다. 「계사상전」의 7개의 효는 '행함'을 말했고, 「계사하전」의 11개의 효는 기름을 보존함이다.

서유신(徐有臣) 『역의의언(易義擬言)』[182]

危而動. 懼而語.

위태하면서 움직이면. 두려워하면서 말하면.

危動懼語皆震象

'위태함 · 움직임 · 두려움 · 말함'은 모두 진괘(震卦☳)의 상이다.

咸之屈伸情狀, 可見於損益也.

함괘의 굽히고 펴는 실정을 덜고 더함에서 볼 수 있다.

以咸爲首, 以損益終之, 則其中諸爻, 都是屈伸也. 損益而後相感, 則咸之精神功用, 非損益耶. 以此言之, 則六十卦無非損益也.

함괘를 첫머리로 삼고 손괘 · 익괘로 마쳤으니, 그 가운데 여러 효는 모두 굽히고 폄이다. 굽히고 편 뒤에 서로 느끼니, 함괘의 정신과 공용이 '덜고 더함'이 아니겠는가? 이것으로 말하면 64괘가 '덜고 더함' 아님이 없다.

下傳人事, 故此言咸恆損益也.

「계사하전」은 사람의 일로 말하였기 때문에 여기에서 함괘 · 항괘 · 손괘 · 익괘를 말하였다.

上傳七爻, 言感應之幾, 而其妙見於下傳之屈伸也. 其屈伸者, 神也, 神者一也. 以此屈

---

182) 경학자료집성DB에서는 「계사하전」 '통론'으로 분류했으나, 내용에 따라 이 자리로 옮겼다.

伸, 推之於上之七爻, 則七爻之義明矣.

「계사상전」 8장의 7개효는 감응하는 기미를 말하였으니 그 신묘함이 「계사하전」의 '굽히고 폄'에 드러난다. 이 굽히고 폄은 신묘함이다. 신묘함은 하나이니 여기의 굽히고 폄을 「계사상전」의 7개효에 미루어보면 7개효의 뜻이 분명해진다.

神在幾微間, 無思無慮, 無爲無跡, 已然不動, 至於感, 則蓋通天下之故.

신묘함은 기미사이에 있으니 생각함도 없고 염려함도 없으며 함도 없고 자취도 없어 이미 움직이지 않다가 감응에 이르면 천하의 일에 통한다.

此十一爻, 言仁義善也.

이 글의 11개 효는 인·의·선을 말하였다.

天有陰陽剛柔仁義, 而以仁義爲心也, 地有剛柔陰陽仁義, 而以仁義爲心也, 人有陰陽剛柔仁義, 而以仁義爲心也, 天地人, 同一心也. 以仁義之心, 調其陰陽, 則陰陽順序, 以仁義之心, 用其剛柔, 則剛柔得中, 天則居陰陽之位, 而用其仁義之心也, 地則居剛柔之體, 而用其仁義之心也, 人則居仁義之位, 而用其仁義之心也. 然則最靈者非人乎.

하늘에 음양·강유·인의가 있으나 인의로 마음을 삼고, 땅에 강유·음양·인의가 있으나 인의로 마음을 삼으며 사람에게도 음양·강유·인의가 있으나 인의로 마음을 삼으니, 하늘·땅·사람은 똑같이 한 마음이다. 인의의 마음으로 음양을 조화롭게 하면 음양이 순조로와 차례에 맞고, 인의의 마음으로 강유를 쓰면 강유가 중도에 맞을 수 있으니, 하늘은 음양의 자리에 있으면서 인의의 마음을 쓰고, 땅은 강유의 몸체에 있으면서 인의의 마음을 쓰며, 사람은 인의의 자리에 있으면서 인의의 마음을 쓴다. 그렇다면 가장 신령한 것이 사람이 아니겠는가?

○ 仁義者, 在天在地在人, 無不居中也. 仁者體也, 義者用也, 用此仁義之道者, 非神乎.

인의는 하늘에 있고 땅에 있고 사람에 있어서 그 가운데 있지 않음이 없다. 인은 몸체이고 의는 작용이니 이 인의의 도를 쓰는 것이 신묘함이 아니겠는가?

윤행임(尹行恁) 『신호수필(薪湖隨筆)·계사전(繫辭傳)』

自困至益九卦之釋, 如上傳第八章. 發明一卦之義, 修德修業之工, 不外於此. 學者宜潛心焉.

곤괘부터 익괘까지 아홉 괘에 대한 해석은 「계사상전」의 제 8장과 같다. 한 괘의 뜻을 발명하였으니, 덕을 닦고 일을 닦는 공부가 여기에서 벗어나지 않는다. 배우는 자는 마땅히 여기에 마음을 두어야 한다.

安其身而後動者, 修身也, 易其心而後語者, 正心也, 定其交而後求者, 輔仁也. 上交而不諂, 下交而不瀆者, 定其交而後求之之功也. 定交在於正心修身, 而其本則致知, 致知則知幾. 知幾則危者安其位, 亡者保其存, 亂者有其治. 薄不居尊, 小不謀大. 積善以成名, 袪惡以免罪, 耻不仁不義. 待時而動, 不據於非據, 未行於不善. 能有以窮極乎天地絪縕之氣, 男女化生之理, 於是九卦十爻之義, 一辭以蔽之矣.

자기 몸을 편안히 한 뒤에 움직이는 것은 몸을 닦는 것이고, 마음을 평안하게 한 뒤에 말하는 것은 마음을 바르게 하는 것이며, 교분이 안정된 뒤에 구하는 것은 인(仁)을 돕는 것이다. 윗사람과 사귐에 아첨하지 않고 아랫사람과 사귐에 모독하지 않는 것은 교분을 편안하게 한 뒤에 구하는 공부이다. 교분이 안정되는 것은 마음을 바르게 하고 몸을 닦는 데에 있으니, 그것에 근본하면 앎을 다하고, 앎을 다하면 기미를 안다. 기미를 알면, 위태로울까 염려하는 자는 자리를 편안히 하고, 망할까 염려함은 그 존재를 지키고, 어지러울까 염려함은 그 다스림을 유지한다. 덕이 얇은 사람이 높은 자리에 거하지 않으며, 지혜가 적은 사람이 큰일을 도모하지 않는다. 선을 쌓아 이름을 이루고, 악을 없애서 죄를 면하며, 어질지 못하고 의롭지 못함을 부끄러워한다. 때를 기다려 움직여서 자리할 때가 아닌 것에 자리하지 않고, 불선을 행하지 않는다. 천지에 얽혀있는 기운과 남녀가 변화하여 생기는 이치를 궁구할 수 있으면 이에 아홉 괘 열 효의 뜻을 한 가지 말로 결론지어 말할 수 있다.

심대윤(沈大允) 『주역상의접법(周易象義占法)』

〈不能爲己而欲爲人不可得也.
자기를 위할 수 없으면서 남을 위하고자 하면 할 수 없다.〉

오치기(吳致箕) 「주역경전증해(周易經傳增解)」

此釋益上九爻辭之義. 順道則身安, 悖道則身危. 坦蕩蕩則心易, 易者平也, 長戚戚則心懼, 懼者憂也. 以義交則爲定交, 以利交則爲无交也. 无交而先求之, 不與則反傷之, 皆立心勿恒之事也.

이 글은 익괘 상구효사의 뜻을 해석하였다. 도를 따르면 몸이 편안하고 도를 어기면 몸이 위태롭다. 평탄하여 넉넉하면 마음이 평안해 지니 '이(易)'는 '평안함'이고, 길이 걱정하면 마음이 두렵게 되니 '구(懼)'는 '근심함'이다. '의로움'으로 사귀면 교분이 안정되고, '이로움'으로 사귀면 교분이 없게 된다. 교분이 없는데 먼저 구하여 함께 하지 않으면 도리어 상해를 받으니 모두 '마음 세우기를 항구히 하지 말아야 하는' 일이다.

此章與上傳釋七爻之義同, 而或言上下傳諸爻, 互有錯簡, 當以序卦之次爲定, 則上下
經各取九爻云.

이 장은 「계사상전」에서 7개 효의 뜻을 해석한 것과 같으나, 어떤 이는 "「계사상전」·「계사
하전」의 여러 효는 상호간에 착간이 있으니, 마땅히 「서괘전」의 차례로 순서를 정해보면
상경·하경에서 각각 9개 효를 취한 것이다"라고 하였다.

이병헌(李炳憲) 『역경금문고통론(易經今文考通論)』[183]

王粲[184]曰, 身不安則殆, 言不順則悖, 交不[185]審則惑, 行不篤則危矣.

왕찬이 말하였다: 몸이 편안하지 못하면 위태롭고, 말이 순하지 못하면 어긋나며, 교제를
살피지 않으면 미혹되고, 행실이 돈독하지 못하면 위험하다.

按, 始因咸之九四, 言利用安身, 終因益之上九, 言安其身而後動. 安身者無適不利, 所
以示人崇德之實也. 此節以策數考之, 則蓋準中數.

내가 살펴 보았다: 처음에는 함괘 구사로 인하여 쓰기를 이롭게 하고 몸을 편안히 함을 말하
였고, 끝에는 익괘의 상구로 인하여 몸을 편안히 한 뒤에 움직임을 말하였다. 몸을 편안히
하는 자는 어디서든 이롭지 않음이 없으니, 이것으로 사람들에게 덕을 높이는 실상을 보인
것이다. 이 구절은 책수(策數)로 살펴보면 중수(中數)를 기준으로 하였다.

---

183) 경학자료집성DB에 「계사하전」 제 3장에 편집되어 있으나 경학자료집성 영인본의 체재에 의거하여 「계사하
전」 제 5장으로 옮겼다.

184) 粲: 경학자료집성DB에 '紫'으로 되어 있으나, 경학자료집성 영인본을 참조하여 '粲'으로 바로잡았다.

185) 不: 경학자료집성 DB에 '亦'으로 되어 있으나, 경학자료집성 영인본을 참조하여 '不'로 바로잡았다.

제6장第六章

子曰 乾坤, 其易之門邪. 乾, 陽物也, 坤, 陰物也, 陰陽合德,
而剛柔有體. 以體天地之撰, 以通神明之德,

공자가 말하였다: 건곤(乾坤)은 역(易)의 문일 것이다. 건은 양물이고 곤은 음물이니, 음과 양이
덕을 합하여 굳센 양과 부드러운 음이 몸체가 있는 것이다. 이것으로 천지의 일을 본받으며, 신묘하
고 밝은 덕을 통하니,

║中國大全║

小註

程子曰, 或曰, 乾坤易之門, 其義難知, 餘卦則易知也, 曰, 乾坤天地也, 萬物, 烏有出
天地之外者乎. 知道者, 統之有宗, 則然也, 而在卦觀之, 乾坤之道, 簡易. 故其辭平直,
餘卦, 隨時應變, 取舍无當, 至爲難知也. 知乾坤之道者, 以爲易則可也.

정자가 말하였다: 어떤 이가 "건곤은 역의 문이기에 그 뜻을 알기 어렵지만, 나머지 괘(卦)
는 알기 쉽다"라고 하기에, "건곤은 천지이니, 만물이 어찌 천지의 밖으로 벗어난 것이 있겠
는가? 도(道)를 아는 자가 거느림에 종주가 있다면 그러하겠지만, 괘로 본다면 건곤의 도는
간단하고 평이하다. 그러므로 말이 평탄하고 곧지만, 나머지 괘는 때에 따라 변화에 응하며
취하고 버림에 당연한 것이 없으니 지극히 알기 어렵다. 건곤의 도를 아는 자가 쉽다고 한다
면 옳을 것이다"라고 하였다.

本義

諸卦剛柔之體, 皆以乾坤合德而成. 故曰乾坤易之門. 撰, 猶事也.

여러 괘의 굳센 양과 부드러운 음의 몸체는 모두 건과 곤이 덕을 합하여 이루어졌다. 그러므로 "건곤은 역의 문이다"라고 하였다. '찬(撰)'은 일[事]과 같다.

朱子曰, 乾坤, 易之門, 不是乾坤外別有易. 只易便是乾坤, 乾坤便是易. 似那兩扇門相似, 一扇開, 便一扇閉. 只是一箇陰陽做底, 如闔戶謂之坤, 闢戶謂之乾.

주자가 말하였다: 건곤은 역의 문이니, 건곤의 밖에 별도로 역이 있는 것이 아니다. 역(易)이 그대로 건곤이고, 건곤이 그대로 역일 뿐이다. 저 두 짝의 문과 서로 같으니 한 짝이 열리면 곧 한 짝이 닫힌다. 단지 하나의 음양이 만드는 것일 뿐이니, "문을 닫음을 곤(坤)이라 하고 문을 엶을 건(乾)이라 한다"[186]는 것과 같다.

○ 問, 門者, 是六十四卦皆由是出, 如兩儀生四象, 只管生出, 故曰門邪. 爲復是取闔闢之義邪. 曰, 只是取闔闢之義. 六十四卦, 只是這一箇陰陽闔闢而成. 但看他下文云, 乾陽物也, 坤陰物也, 陰陽合德, 而剛柔有體, 便見得只是這兩箇.

물었다: '문(門)'은 64괘가 모두 이로부터 나오기 때문인데, 양의가 사상을 낳는 것과 같이 생겨나기 때문에 문이라 하는 것입니까? 다시 닫히고 열린다는 뜻을 취한 것입니까?
답하였다: 단지 닫히고 열린다는 뜻을 취한 것입니다. 64괘는 다만 하나의 음양이 닫히고 열려서 이루어진 것일 뿐입니다. 아래 글에서 "건은 양물이고 곤은 음물이니, 음과 양이 덕을 합하여 굳센 양과 부드러운 음이 몸체가 있는 것이다"라고 한 것만 보더라도, 두 개 뿐인 것을 알 수 있습니다.

○ 乾, 陽物, 坤, 陰物, 陰陽, 形而下者, 乾坤, 形而上者. 天地之撰, 卽是說他做處.
건(乾)은 양물이고 곤(坤)은 음물인데, 음양은 형이하의 것이고 건곤은 형이상의 것이다. 천지의 일은 바로 천지가 일하는 것을 말한다.

○ 進齋徐氏曰, 陽畫爲乾, 陰畫爲坤. 門猶闔戶闢戶之義, 一闔一闢, 爲易之門, 其變无窮, 皆二物也. 陰陽合德, 謂二物交錯, 而相得有合, 剛柔有體, 謂成卦爻之體也. 天地之撰, 陰陽造化之迹也, 有形可擬, 故曰體, 體天地之撰, 言聖人作易, 皆以體法造化之事, 而效其至著者也. 神明之德, 陰陽健順之性也, 有理可推, 故曰通, 通神明之德, 言易書旣作, 又以通知造化之理, 而極於至微者也. 又曰, 自形而上者言之, 故先陰而

---

186) 『周易・繫辭傳』.

後陽, 自形而下者言之, 故先剛而後柔.

진재서씨가 말하였다: 양의 획[━]이 건이 되고 음의 획[╍]이 곤이 된다. '문(門)'은 문을 닫고 문을 연다는 뜻과 같으니, 한 번 닫고 한 번 여는 것이 역의 문이 되어 그 변화가 다함이 없으니 모두 두 물건이다. "음양이 덕을 합침"은 두 물건이 서로 섞여서 서로 합침이 있음을 말하고, "굳센 양과 부드러운 음이 몸체가 있음"은 괘와 효의 몸체가 이루어짐을 말한다. 천지의 일은 음양이 일으킨 조화의 자취여서 헤아릴 만한 형체가 있으므로 "본받는다"고 하였으니, "천지의 일을 본받음"은 성인이 역을 지음에 모두 조화의 일을 모범으로 삼아 지극히 드러난 것을 본받았음을 말한다. "신묘하고 밝은 덕"은 음양의 강건하고 유순한 성질이어서 추론할 만한 이치가 있으므로 "통한다"고 하였으니, "신묘하고 밝은 덕을 통한다"는 『주역』이 만들어지자 다시 조화의 이치를 통달하여 지극히 은미한 것을 끝까지 하였음을 말한다. 또 말하였다: 형이상의 것에 의거하여 말했으므로 음을 앞세우고 양을 뒤에 두었으며, 형이하의 것에 의거하여 말했으므로 굳센 양을 앞세우고 부드러운 음을 뒤에 두었다.

○ 凌氏曰, 乾坤, 物於陰陽, 由陰陽以闔闢. 故曰乾陽物也, 坤陰物也.

능씨가 말하였다: 건곤(乾坤)은 음양에 의거한 물건이어서 음양을 따라서 닫히고 열린다. 그러므로 "건은 양물이고 곤은 음물이다"라고 하였다.

○ 節齋蔡氏曰, 乾坤合而後, 成衆卦爻之體, 如剛來而下柔, 剛上而柔下. 此類, 皆由乾坤相合而成, 所謂陰陽合德, 而剛柔有體也.

절재채씨가 말하였다: 건과 곤이 합친 뒤에 뭇 괘와 효의 몸체가 이루어지니, 굳센 양이 와서 부드러운 음에 아래하고 굳센 양이 올라가고 부드러운 음이 내려오는 것과 같다. 이러한 부류는 모두 건과 곤이 서로 합침을 말미암아 이루어지니, 이른바 "음과 양이 덕을 합하여 굳센 양과 부드러운 음이 몸체가 있는 것이다"라는 것이다.

○ 雲峰胡氏曰, 其初也, 陰陽分而爲兩儀. 陰陽之合, 則爲四象八卦, 而剛柔於是乎有體. 著而天地之撰, 微而神明之德, 皆自乾開其始而坤成其終. 故曰乾坤易之門.

운봉호씨가 말하였다: 처음에 음양으로 나뉘어 양의가 된다. 음양이 합쳐지면 사상과 팔괘가 되는데, 굳센 양과 부드러운 음은 여기에서 몸체가 있게 된다. 드러나면 천지의 일이고, 은미하면 신묘하고 밝은 덕이지만 모두 본래 건이 그 시작을 열고 곤이 그 마침을 이룬다. 그러므로 "건곤은 역의 문이다"라고 하였다.

▌韓國大全▌

권근(權近) 『주역천견록(周易淺見錄)』

陰陽合德, 而剛柔有體.

음과 양이 덕을 합하여 굳센 양과 부드러운 음이 몸체가 있는 것이다.

陰陽以氣言, 剛柔以質言. 卦爻成質, 故曰剛柔有體. 繫辭凡言剛柔, 皆以卦爻之奇偶而言, 是質之有定者也. 陰陽合德, 以氣之相感而言, 如六二與九五相應之類. 上下相應而往來者, 隱而未著, 故以氣言.

음과 양은 기로 말하였고, 굳센 양과 부드러운 음은 바탕으로 말하였다. 괘효에 바탕이 이루어지기 때문에 "굳센 양과 부드러운 음이 몸체가 있는 것이다"라고 하였다. 「계사전」에 말하는 굳센 양과 부드러운 음은 모두 괘와 효가 기(奇)인지 우(偶)인지를 가지고 말하였으니, 이것은 바탕이 정해짐이 있는 것이다. "음과 양이 덕을 합한다"는 것은 기가 서로 감응하는 것으로 말하였으니 육이와 구오가 서로 감응하는 것과 같은 종류이다. 아래위가 서로 감응하여 왕래하는 것은 숨어 드러나지 않기 때문에 기(氣)로써 말한 것이다.

유정원(柳正源) 『역해참고(易解參攷)』

乾坤 [至] 有體.

건곤(乾坤)은 … 몸체가 있는 것이다.

案, 此一節, 即程易卦變之所由本也. 言六十四卦中, 陽爻皆從乾卦來, 陰爻皆從坤卦來, 此所謂陰陽合德剛柔有體者也. 與朱子凡陽皆乾, 凡陰皆坤之說, 雖不同, 而其理未嘗不一也.

내가 살펴보았다: 이 구절은 『정전』에서 말한 괘변의 유래에 근본하여 말하였다. 64괘 가운데 양효는 모두 건괘에서 왔고 음효는 모두 곤괘에서 왔다는 말이니, 이 글에서 말한 "음과 양이 덕을 합하여 굳센 양과 부드러운 음이 몸체가 있게 되었다"는 것이다. 주자의 "양은 모두 건이고 음은 모두 곤"이라는 주장과 비록 같지는 않으나 이치는 같지 않은 적이 없었다.

本義, 乾坤合德.

『본의』에서 말하였다: 건과 곤이 덕을 합하여.

案, 乾坤非指卦言也. 上繫本義, 已言凡陽皆乾, 凡陰皆坤, 故於此不復明言.
내가 살펴보았다: '건곤'은 괘를 가리켜 말한 것이 아니다. 「계사상전」의 『본의』에서 이미 "양은 모두 건이고, 음은 모두 곤이다"라고 말하였기 때문에 여기에서 더 이상 분명하게 말하지 않은 것이다.

小註程子說, 統之有宗.
소주에서 정자가 말하였다: 거느림에 종주가 있다.

송능상(宋能相) 「계사전질의(繫辭傳質疑)」

乾陽物也, 坤陰物也, 此物字, 以爻畫而言, 言乾卦之爻皆陽, 而坤卦之爻皆陰也. 下段諸章, 莫非此義.[187]
"건은 '양물(陽物)'이고, 곤은 '음물(陰物)'이다"에서 '물(物)'은 효의 획으로 말하였으니, 건괘의 효는 모두 양이고, 곤괘의 효는 모두 음이라는 말이다. 아래 문단의 여러 장들도 모두 이런 뜻이다.

김상악(金相岳) 『산천역설(山天易說)』

門者, 物之所從而出入者. 陰陽合德而後, 始有剛柔之體, 撰, 猶事也.
문이라는 것은 물건이 말미암아 들고 나는 곳이다. 음양이 덕을 합한 뒤에 비로소 굳셈과 부드러움의 몸체가 있게 된다. '찬(撰)'은 일과 같다.

심취제(沈就濟) 『독역의의(讀易疑義)』

乾坤其易之門耶. 屈伸後乾坤, 其非老陰陽闔闢乾坤耶.
건곤은 역의 문일 것이다. 굽히고 편 뒤의 건곤은 그 노양·노음이 열고 닫는 건곤이 아니겠는가?

剛柔, 非陰陽, 則不能周旋變化也, 陰陽, 非剛柔, 則不能致曲變通也.
굳센 양과 부드러운 음은 음양이 아니면 두루 베풀어 변화할 수 없고, 음양은 굳센 양과 부드러운 음이 아니면 자세함을 다하여 변통할 수 없다.

---

187) '乾陽物也 … 莫非此義'는 경학자료집성DB에 「계사하전」 제 5장에 편집되어 있으나 경학자료집성 영인본을 참조하여 「계사하전」 제 6장으로 옮겼다.

此乾坤, 今周易之首乾坤也, 此[188]乃父子乾坤也.

여기에서의 건곤은 지금 『주역』의 첫머리인 건괘와 곤괘이니, 이것은 바로 부자(父子)에 해당하는 건곤이다.

陽物陰物之物, 卽類字之意也.

"양물(陽物)·음물(陰物)"의 '물(物)'은 곧 '부류[類]'의 뜻이다.

심대윤(沈大允) 『주역상의점법(周易象義占法)』

諸卦之所自出, 故曰門. 朱子曰, 撰猶事也.

여러 괘가 말미암아 나온 곳이기 때문에 '문'이라고 하였다. 주자는 "찬(撰)은 '일'과 같다"고 하였다.

오치기(吳致箕) 「주역경전증해(周易經傳增解)」

物之所從出曰門, 而乾坤乃六十四卦三百八十四爻之所從出, 故曰易之門. 陽奇陰耦, 有形質, 故曰物. 陰陽相合而成, 易无獨陰獨陽, 故曰合德. 剛自剛柔自柔, 其質相分, 故曰有體. 撰者事也, 德者性情也, 承上文陰陽剛柔而言. 著而可見者, 莫非天地陰陽之事, 而易乃體之, 微而莫測者, 无非剛柔神明之德, 而易乃通之. 此以卦爻言.

물건이 나오는 곳을 '문'이라고 하는데, 건곤은 바로 64괘·384효가 나오는 곳이기 때문에 "역의 문이다"라고 하였다. 양은 기수이고 음은 우수로서 형질이 있기 때문에 '물(物)'이라고 하였다. 음과 양이 서로 합하여야 이루어지니, 역은 음만 있고 양만 있는 것은 없기 때문에 "덕을 합한다"고 하였다. '굳센 양' 따로, '부드러운 음' 따로, 각자 바탕이 서로 나뉘기 때문에 "몸체가 있게 된다"고 하였다. 찬(撰)은 일이고, 덕(德)은 성정이니, 윗글의 음양과 강유를 이어서 말한 것이다. 드러나서 볼 수 있는 것은 천지간의 음양의 일 아닌 것이 없는데 역(易)이 곧 그것을 본받고, 은미하여 측량할 수 없는 것은 강유의 신명한 덕 아님이 없는데 역(易)이 곧 그것을 통한다. 이것은 괘효로 말한 것이다.

---

188) 此: 경학자료집성 DB에 '北'으로 되어 있고, 경학자료집성 영인본은 마모(磨耗)되어 글자가 분명하지 않으나, 문맥을 살펴 '此'로 바로잡았다.

이진상(李震相) 『역학관규(易學管窺)』

乾坤易之門.

건곤은 역의 문일 것이다.

伊川卦變之說, 本此.

이천의 괘변설은 여기에서 근본하였다.

○ 小註進齋說.

소주의 진재서씨의 설에 대하여.

陰陽剛柔, 皆形而下者. 但道體由靜而後動, 故陰先於陽, 卦體, 尊陽而卑陰, 故剛先於柔. 進齋意以此.

음양과 강유는 모두 '형이하'의 부류이다. 다만 도체(道體)는 고요함으로 말미암아 움직이기 때문에 음이 양보다 앞서고, 괘의 몸체는 양을 높이고 음을 낮추기 때문에 강이 유보다 앞선다. 진재서씨의 의도는 여기에 있다.

其稱名也, 雜而不越, 於稽其類, 其衰世之意邪.

이름을 일컬음이 잡다해도 넘지는 않으나, 부류를 살펴볼 때 쇠락한 세상의 뜻일 것이다.

| 中國大全 |

本義

萬物雖多, 无不出於陰陽之變. 故卦爻之義, 雖雜出而不差繆. 然非上古淳質之時, 思慮所及也. 故以爲衰世之意, 蓋指文王與紂之時也.

만물이 아무리 많아도 음양의 변화를 벗어난 것은 없다. 그러므로 괘와 효의 의미가 아무리 뒤섞여 나와도 어긋나 얽히지 않는다. 그러나 아주 옛날의 순박하던 때의 생각이 미칠 바가 아니다. 그러므로 쇠락한 세상의 뜻으로 여긴 것이니, 대체로 문왕과 주(紂)의 시대를 가리킨다.

小註

或問, 其稱名也雜而不越, 是指繫辭而言, 是指卦名而言. 朱子曰, 他後面兩三番說名後, 又擧九卦說, 看來只是謂卦名.

어떤 이가 물었다: "이름을 일컬음이 잡다해도 넘지 않는다"는 경문[繫辭]을 가리켜 말한 것입니까? 괘의 이름을 가리켜 말한 것입니까?

주자가 답하였다: 그 아래에 두세 번 이름[名]을 설명한 뒤에, 다시 아홉 개의 괘를 가지고 설명하였으니, 단지 괘의 이름을 이른 것으로 보입니다.

○ 問, 於稽其類. 曰, 但不過是說稽攷其事類.

물었다: '부류를 살펴볼 때'는 무슨 뜻입니까?

답하였다: "일의 부류를 살펴본다"고 말한 것일 뿐입니다.

○ 其衰世之意邪, 伏羲畫卦時, 這般事都已有了, 只是未曾經歷. 到文王時, 世變不好, 古來未曾有底事都有了, 他一一經歷這崎嶇萬變過來, 所以說出那卦辭. 如箕子之明夷, 如入于左腹, 獲明夷之心, 于出門庭, 此若不是經歷, 如何說.

"쇠락한 세상의 뜻일 것이다"는 복희가 괘를 그을 때에도 이런 일들이 모두 있었을 것이나, 다만 겪지 못했을 뿐이다. 문왕의 때가 되어 세상이 좋지 않게 변하여 예전에는 없었던 일들이 모두 생겨나고, 그가 저 기구한 온갖 변란을 하나하나 겪었기에 그런 괘사(卦辭)를 말하였던 것이다. 예컨대 "기자의 밝음을 감춤"[189]이나 "육사는 좌측 배로 들어가니, 명이의 마음을 얻어서 대문의 뜰로 나온다"[190]와 같은 것은, 겪은 일이 아니라면 어떻게 말하였겠는가?

○ 雲峰胡氏曰, 伏羲三畫卦名, 自乾一至坤八, 有自然之序, 因而重之亦然. 至文王稱卦之名, 則雜而非復伏羲之序矣. 然其稱名雖雜, 而於伏羲之易, 未嘗差違. 稽類考占, 世之衰也, 蓋有不得不然者矣.

운봉호씨가 말하였다: 복희 삼획괘의 이름은 일건천(一乾天)으로부터 팔곤지(八坤地)에 이르기까지 자연한 순서가 있고, 인하여 거듭한 것도 또한 그러하다. 문왕이 괘에 이름을 일컫게 되자 잡다하여 다시는 복희의 순서가 아니게 되었다. 그러나 이름을 일컬은 것이 비록 잡다해도 복희의 역에 어긋난 적이 없다. 부류를 살피고 점사를 헤아림은 세상이 쇠락해서이니, 어쩔 수 없이 그리하였을 것이다.

○ 柴氏中行曰, 乾坤, 足以盡天下之道, 萬物由之足矣, 何用不一之名. 世衰道微, 人之情僞滋熾, 聖人不得不明其道, 以示天下.

시중행이 말하였다: 건곤은 천하의 도리를 다할 수 있고, 만물은 이를 말미암아 넉넉한데, 어째서 같지 않은 이름을 썼는가? 세상이 쇠락하고 도리가 은미하여 사람의 진정과 허위가 무성하기에 성인이 어쩔 수 없이 그 도리를 밝혀 천하에 보인 것이다.

○ 進齋徐氏曰, 上古之世, 俗朴民淳, 迷於吉凶之塗, 而莫知所趨. 故伏羲畫卦以敎之占, 而吉凶以明, 斯民由之而无疑也. 雖乾陽坤陰, 剛柔交錯, 顯而體天地之撰, 微而通神明之德, 然剛勝則吉, 柔勝則凶, 亦未嘗費辭也. 中古以來, 人心變詐, 迷謬愈甚. 文王周公於是, 繫卦爻之辭, 稱名辨物, 稽類考占, 以開示陰陽之義. 易之道雖无餘蘊, 而聖人憂患後世之意, 蓋亦有不得已然者. 故下文又申言之.

진재서씨가 말하였다: 아주 옛날에는 민속이 순박하여 길흉의 길에 어둡고 나갈 바를 알지 못하였다. 그러므로 복희가 괘를 그어 그들에게 점을 가르치고 길흉으로 밝히니, 백성이 이를 말미암아 의혹이 없게 되었다. 건(乾)인 양과 곤(坤)인 음이 굳센 양과 부드러운 음으

---

189) 『周易・明夷卦』: 六五, 箕子之明夷, 利貞.
190) 『周易・明夷卦』: 六四, 入於左腹, 獲明夷之心, 于出門庭.

로 서로 섞여서, 드러나면 곧 천지의 일을 본받고 은미하면 곧 신묘하고 밝은 덕을 통하지만, 굳센 양이 이기면 길하고 부드러운 음이 이기면 흉함은 또한 일찍이 말할 필요도 없다. 그리 오래지 않은 옛날로부터 사람의 마음이 이리저리 속여서 미혹되어 그릇됨이 더욱 심해졌다. 이에 문왕과 주공이 괘효의 말을 달고, 이름을 일컬어 사물을 분별하며, 부류를 살피고 점을 헤아려서 음양의 뜻을 열어 보였다. 역(易)의 도리가 비록 남김이 없었지만, 성인이 후세를 근심한 뜻에는 대체로 또한 어쩔 수 없이 그러한 것이 있었다. 그러므로 아래의 글에서 다시 거듭 말하였다.

韓國大全

조호익(曺好益) 『역상설(易象說)』

其稱名也, 雜而不越.

이름을 칭함이 잡다해도 넘지 않는다.

註雲峯云云.

소주에서 운봉호씨가 운운하였다.

朱子之意, 蓋謂卦爻之義, 雖雜而不外於陰陽之變. 胡氏則以爲不差違於伏羲之易, 似與朱子說不合, 然其說亦有理, 可備一說.

주자의 뜻은 괘효의 뜻이 비록 잡다해도 음양의 변화에서 벗어나지는 않음을 이른다. 호씨는 이것이 복희씨의 역과 어긋나지 않는다고 여겼으니, 주자의 주장과 합치되지 않는 듯하나, 이런 주장도 이치에 맞으니 하나의 설이 될 만하다.

송시열(宋時烈) 『역설(易說)』

第六章, 衰世之意云者, 與[191]下章起頭相應, 又與第十一章起頭相應, 而亦可見世變嗟嘆底意也.

제 6장의 "쇠락한 세상의 뜻"이라는 것은 아래 제 7장의 첫머리와 호응하고, 또 제 11장의 첫머리와 호응하니, 또한 세상이 변한 것을 한탄하는 뜻을 볼 수 있다.

---

191) 與: 경학자료 집성 DB에 '巽'으로 되어 있으나, 문맥을 살펴 '與'로 수정하였다.

유정원(柳正源) 『역해참고(易解參攷)』

其稱 [至] 意邪.

이름을 일컬음이 … 뜻일 것이다.

韓氏曰, 有憂患而後作易, 世衰則失得愈彰

한강백이 말하였다: 우환이 있은 뒤에 역이 지어졌으니 세상이 쇠락하면 '잃음과 얻음'이
더욱 드러난다.

○ 誠齋楊氏曰, 乾之所名, 或爲龍, 或爲馬, 或爲玉金, 其所稱雖雜, 而不越乎陽物也.
坤之所名, 或爲牛, 或爲牝馬, 或爲輿釜, 其所稱雖雜, 而不越乎陰物也.

성재양씨가 말하였다: '건'을 이름붙이기를 때로는 용이라 하고, 때로는 말이라 하며, 때로는
옥과 쇠라고 하니, 그 칭호가 비록 잡다해도 양의 것을 넘어가지는 않는다. '곤'을 이름붙이
기를 때로는 소라하고, 때로는 암말이라 하며, 때로는 수레와 가마솥이라 하니, 그 칭호가
잡다해도 음의 것을 넘어서지는 않는다.

○ 案,[192] 三畫卦名, 伏羲所命也. 六畫卦, 亦伏羲所畫, 而其名則文王所定, 衰世之意也.

내가 살펴보았다: 삼획괘의 이름은 복희씨가 명명하였다. 육획괘도 복희씨가 그은 것이나,
그 이름은 문왕이 정한 것이니 쇠락한 세상의 뜻이다.

김상악(金相岳) 『산천역설(山天易說)』

名, 卦名也. 稱其名, 雖雜出, 而不差繆. 然稽攷其事類, 皆衰世之意也.

명(名)은 괘명이다. 이름을 일컬음이 비록 잡다하게 나오나 어긋나지 않는다. 그러나 일의
부류를 살펴보면 모두 쇠락한 세상의 뜻이다.

심취제(沈就濟) 『독역의의(讀易疑義)』

衰世之衰, 對盛世之盛也. 文王處於衰世, 而不進不退, 則其心而可得見耶. 得見文王
之心, 然後可以知此章之意 而亦可以言易也.

'쇠세(衰世)'의 '쇠(衰)'는 '성세(盛世)'의 '성(盛)'에 상대되는 말이다. 문왕이 쇠락한 세상에

---

192) 案: 경학자료집성 DB에 판독하지 못한 글자로 처리하였으나, 경학자료집성 영인본을 참조하여 '案'으로
바로잡았다.

처하여 나아가지고 않고 물러나지도 않았으니, 그 마음을 볼 수 있겠는가? 문왕의 마음을 볼 수 있는 다음에야 이 장의 뜻을 알 수 있고, 또 역에 대해 말할 수 있을 것이다.

심대윤(沈大允) 『주역상의점법(周易象義占法)』

不能行故有言, 言而不能明, 引物以譬之.
시행할 수 없기 때문에 말이 있고, 말하나 밝힐 수 없어, 사물을 끌어다가 비유한다.

오치기(吳致箕) 「주역경전증해(周易經傳增解)」

承上文而言卦有卦之稱名, 爻有爻之稱名. 或以物象, 或以性情, 或以事變, 可謂至雜矣. 然不越乎體天地通神明二者之外也. 但於稱名至雜之中, 考其許多事類, 則聖人之意, 其乃憂患衰世民僞日滋. 故不得已而爲之者也.
윗글을 이어서 괘에는 괘의 이름을 일컬음이 있고 효에는 효의 이름을 일컬음이 있음을 말하였다. 어떤 것은 물상으로 일컫고, 어떤 것은 성정으로 일컬으며, 어떤 것은 일의 변화로 일컬으니, 지극히 어렵다고 이를 만하다. 그러나 천지를 본받고 신명을 통하는 두 가지 밖을 넘지 않는다. 다만 지극히 잡다한 가운데서 이름을 일컬으나, 허다한 일의 부류를 살펴보면, 성인의 뜻은 바로 쇠락한 세상에 백성의 거짓이 날마다 불어남을 걱정하였다. 그러므로 어쩔 수 없어 그 일을 한 것이다.

이진상(李震相) 『역학관규(易學管窺)』

衰世之意.
쇠락한 세상의 뜻.

伏羲畫卦, 而卦名未盡定也. 至文王, 始定今名, 世所傳歸藏初經, 以坤爲奭, 以坎爲犖, 以震爲釐, 又如岑霽馬徒林禍狠荔之名 都無意義 當是杜撰
복희씨가 괘를 그었으나 괘의 이름이 다 정해지지 않았다. 문왕에 이르러 비로소 지금의 이름이 정해지니, 세상에 전하는 『귀장역(歸藏易)』이나 『초경(初經)』에 곤(坤)을 奭[193]라 하고, 감(坎)을 낙(犖)이라 하며, 진(震)을 리(釐)라 하였고, 또 잠제(岑霽)·마도(馬徒)·임화(林禍)·한려(狠荔)의 이름 같은 것은 모두 의미가 없으니, 근거 없는 말들이다.

---

193) 奭: '奭'는 경학자료집성 DB에 '◎'로 되어 있으나, 경학자료집성 영인본을 참조하여 '奭'로 바로잡았다.

夫易, 彰往而察來, 而微顯闡幽, 開而當名, 辨物, 正言, 斷辭,
則備矣.

역(易)은 간 것을 드러내고 올 것을 살피며, 드러냄을 은미하게 하고 그윽한 것을 밝히며, 열어서
이름에 마땅하게 하며, 사물을 분별하며, 말을 바르게 하며, 말을 결단하니, 갖춘 것이다.

‖中國大全‖

本義

而微顯, 恐當作微顯而, 開而之而, 亦疑有誤.

‘이미현(而微顯)’은 ‘미현이(微顯而)’로 해야 할 것 같고, ‘개이(開而)’의 ‘이(而)’도 잘못된 듯하다.

小註

朱子曰, 彰往察來, 往者如陰陽消長, 來者事之未來吉凶. 問, 彰往察來, 如神以知來知
以藏往相似. 往是已定底, 如天地陰陽之變, 皆已見在只卦上了, 來謂方來之變, 亦皆
在這上. 曰, 是.

주자가 말하였다: “간 것을 드러내고 올 것을 살핀다”에서 ‘간 것’은 음양이 줄고 느는 것과
같고 ‘올 것’은 아직 일어나지 않은 일의 길흉이다.

물었다: “간 것을 드러내고 올 것을 살핀다”는 “신묘함으로 올 것을 알고 지혜로 간 것을
간직한다”[194]와 서로 같습니다. ‘간 것[往]’은 이미 정해진 것이니 천지의 음양의 변화가 모
두 이미 괘의 위에 나타나 있는 것과 같으며, ‘올 것[來]’은 앞으로 닥칠 변화가 또한 모두
이 위에 있다고 한 것입니까?

답하였다: 맞습니다.

---

194) 『周易·繫辭傳』.

○ 微顯闡幽, 幽者不可見, 便就這顯處說出來, 顯者便就上面尋其不可見底, 敎人知得. 如此顯道神德行相似. 德行顯然可見者, 道不可見者. 微顯闡幽, 是將道來事上看, 言那箇雖是粗底, 然皆出於道義之蘊. 微顯所以闡幽, 闡幽所以微顯, 只是一箇物事.

"드러냄을 은미하게 하고 그윽한 것을 밝힌다"는, '그윽한 것[幽]'은 볼 수 없으니 바로 저 드러낸 곳에서 말하는 것이고, '드러낸 것[顯]'은 바로 그것에서 그 볼 수 없는 것을 찾아내 사람들이 알게 하는 것이다. 이처럼 "도(道)를 드러내고 덕행을 신묘하게 한다"[195]와 서로 비슷하니, 덕행은 환하게 볼 수 있는 것이고 도는 볼 수 없는 것이다. "드러냄을 은미하게 하고 그윽한 것을 밝힌다"는 도(道)를 가져와 일의 위에서 보는 것이니, 저것이 비록 거친 것이지만 모두 도의(道義)의 속내에서 나왔음을 말한 것이다. 드러냄을 은미하게 하기에 그윽한 것이 밝혀지고, 그윽한 것을 밝히기에 드러냄이 은미해지는 것이니, 하나의 일일 뿐이다.

○ 繫辭, 自此以後, 皆難曉.
「계사전」은 여기부터 모두 알기가 어렵다.

○ 進齋徐氏曰, 往, 謂陰陽消長, 剛柔變化, 卦爻所藏者, 易皆著而明之, 故曰彰往. 來, 謂吉凶未定, 事之方來者, 占筮中所告, 可以前知, 故曰察來. 顯者微之, 使求其原, 故曰微顯, 幽者闡之, 使見其端, 故曰闡幽. 當名, 謂父子君臣之分, 貴賤上下之等, 各當其位也. 辨物, 謂乾馬坤牛, 離火坎水, 碩果莧陸之類, 悉辨其似也. 正言, 謂元亨利貞直方大之辭, 正其言以曉人也. 斷辭, 謂利涉大川, 不利涉大川, 可小事不可大事之語, 有以決其疑也.

진재서씨가 말하였다: '간 것'은 음양이 줄고 느는 것과 강유의 변화가 괘효에 간직된 것을 말하는데, 『주역』이 모두 드러내 밝히므로 "간 것을 드러낸다"고 하였다. '올 것'은 길흉이 아직 정해지지 않고 일이 앞으로 닥칠 것을 말하는데, 점칠 때에 알려주는 것이 앞서 알 수 있게 하므로 "올 것을 살핀다"고 하였다. 드러난 것은 은미하게 하여 그 근원을 찾게 해주므로 "드러난 것을 은미하게 한다"고 하였고, 그윽한 것은 밝혀서 그 단서를 나타나게 해주므로 "그윽한 것을 밝힌다"고 하였다. "이름에 마땅하게 함"은 아비와 아들, 임금과 신하의 분수와 귀함과 천함, 위와 아래의 등급이 각각 그 지위에 마땅하게 함을 말한다. "사물을 분별함"은 건[☰]이 말이고 곤[☷]이 소이며, 리[☲]가 불이고 감[☵]이 물인 것과 큰 과일이나 비름나물 따위가 모두 그 유사한 것을 분변한 것이다. "말을 바르게 함"은 "원(元)하고 형(亨)하고 리(利)하고 정(貞)하다"[196]나 "곧고 방정하여 크다"[197]는 말을 이르니, 그 말을 바

---

195) 『周易·繫辭傳』.

르게 하여 사람을 깨우치기 때문이다. "말을 결단함"은 "큰 내를 건넘이 이롭다"[198]나 "큰 내를 건넘이 이롭지 않다"[199]나 "작은 일에는 옳고 큰일에는 옳지 않다"는 말을 말하니, 그 의심을 결단하기 때문이다.

○ 雲峰胡氏曰, 辨物, 正言, 斷辭, 後天之易也, 視先天, 則爲備矣.

운봉호씨가 말하였다: 사물을 분별하며, 말을 바르게 하며, 말을 결단함은 후천(後天)의 역(易)이니, 선천(先天)을 본다면 갖춰질 것이다.

○ 臨川吳氏曰, 彰往卽藏往也, 謂明於天之道, 而彰明已往之理. 察來卽知來也, 謂察於民之故, 而察知未來之事. 微顯卽神德行也, 謂以人事之顯而本之於天道, 所以微其顯. 闡者闢而顯之也, 闡幽卽顯道也, 謂以天道之幽而用之於人事, 所以闡其幽. 上篇之藏往知來, 顯道神德行, 兼著而言, 此則專以卦而言也.

임천오씨가 말하였다: "간 것을 드러냄"은 바로 간 것을 간직함이니, 하늘의 도리를 밝혀서 이미 지나간 이치를 드러내 밝힘을 말한다. "올 것을 살핌"은 바로 올 것을 앎이니, 백성의 연고를 살펴서 아직 오지 않은 일을 살펴 앎을 말한다. "드러난 것을 은미하게 함"은 바로 덕행을 신묘하게 함이니, 드러난 인사(人事)를 천도(天道)에 근거시켜 그 드러난 것을 은미하게 함을 말한다. '밝힘'은 열어 드러냄이고, "그윽한 것을 밝힘"은 바로 도(道)를 드러냄이니, 그윽한 천도를 인사에 써서 그 그윽한 것을 밝힘을 말한다. 「계사상전」의 "간 것을 간직하고 올 것을 안다"[200]와 "도를 드러내고 덕행을 신묘하게 한다"[201]는 시초를 겸하여 말하였고, 이것은 오로지 괘만을 가지고 말하였다.

---

196) 『周易 · 乾卦, 革卦』 등.

197) 『周易 · 坤卦』.

198) 『周易 · 蠱卦, 益卦』 등.

199) 『周易 · 訟卦』.

200) 『周易 · 繫辭傳』: 聖人, 以此洗心, 退藏於密, 吉凶與民同患, 神以知來, 知以藏往, 其孰能與於此哉.

201) 『周易 · 繫辭傳』: 顯道神德行, 是故可與酬酢, 可與祐神矣.

‖韓國大全‖

유정원(柳正源) 『역해참고(易解參攷)』

微顯 [至] 當名.

드러난 것을 은미하게 하고 … 이름에 마땅하게 하며.

正義, 闡明也, 謂微而之顯, 幽而闡明也. 以體言之, 則云微顯也, 以理言之, 則云闡幽也. 開而當名[202]者, 謂開釋爻卦之義, 使各當所象之名.

『주역정의』에서 말하였다: 천(闡)은 밝음이니 은미하나 드러나는 데로 가며 그윽하나 밝힘을 이른다. 몸체로 말하면 드러남을 은미하게 한다고 하고, 이치로 말하면 그윽한 것을 밝힌다고 한다. 이름에 마땅하게 한다는 것은 효와 괘의 뜻을 해석하여 각각 형상한 바의 이름에 마땅하게 한다는 것이다.

김상악(金相岳) 『산천역설(山天易說)』

彰往者, 明天道之已然也, 察來者, 察人事之未然也. 微顯卽神德行也, 闡幽卽顯道也. 當名者, 當其稱名者也, 辨物者, 辨其雜而不越也, 正言, 謂不囘互也, 斷辭, 謂无依違也. 凡此皆備於易卦之中也.

"간 것을 드러낸다"는 것은 천도가 이미 그러함을 밝힌 것이고, "올 것을 살핀다"는 것은 인사가 그렇지 못함을 살피는 것이다. "드러냄을 은미하게 함"은 곧 덕행을 신묘하게 함이고, "그윽한 것을 밝힘"은 도를 드러내는 것이다. "이름에 마땅하게 함"이라는 것은 마땅히 그 이름에 걸맞게 한다는 것이며, "사물을 분별함"은 잡다함을 분별하되 넘지 않는 것이고, "말을 바르게 함"은 서로 뒤바꿔 왜곡하지 않는 것이며, "말을 결단함"은 의존하거나 어김이 없음을 이른다. 무릇 이것들은 모두 『주역』의 괘 안에 갖추어져 있다.

심취제(沈就濟) 『독역의의(讀易疑義)』

彰往察來, 微顯闡幽以下, 句句之意 以有而無, 無而有之意, 照觀, 則可以知矣.

간 것을 드러내고 올 것을 살피며 드러냄을 은미하게 하고 그윽함을 밝힌다[彰往察來 微顯闡幽]" 이하 매 구(句)의 뜻은, 있으면서도 없고 없으면서도 있는 의미로 밝게 살핀다면 알

---

202) 名: 경학자료집성 DB와 영인본에 '明'으로 되어 있으나, 『주역정의』에 의거하여 '名'으로 바로잡았다.

수 있을 것이다.

오치기(吳致箕) 「주역경전증해(周易經傳增解)」

明于天道之已然, 故曰彰往, 而指陰陽剛柔, 卦爻之著象也, 察于人事之未然, 故曰察來, 而指吉凶悔吝, 卦爻之占辭也. 日用所常行之至顯者, 則推其精妙之理而微之, 使人敬愼而不敢慢焉, 故曰微顯. 百姓所不知之深幽者, 則隨其發見之端而闡之, 使人洞曉而无所疑焉, 故曰闡幽. 開列六十四卦所當之名義, 故曰開而當名. 諸卦取象, 辨以其類, 无所混淆, 故曰辨物. 所斷之辭, 吉則正言其吉, 凶則正言其凶, 无所依違, 故曰正言斷辭. 如是則精而无形, 粗而有象, 无不備矣.

천도가 이미 그러함을 밝혔기 때문에 "간 것을 드러내고"라고 하여, 음양과 강유로 괘효가 상을 드러냄을 가리켰고, 인사가 아직 그러하지 않음을 살폈기 때문에 "올 것을 살피며"라고 하여, 길흉과 회린이 괘효의 점사임을 가리켰다. 일상생활에서 행해지는 지극히 드러난 것은 정밀하고 신묘한 이치를 미루어 은미하게 해서, 사람들에게 삼가 감히 소홀히 하지 못하게 하였기 때문에 "드러냄을 은미하게 하였다"고 하였다. 백성이 모르는 깊고 그윽한 것은 발현되는 단서를 따라 밝혀서 사람들에게 통찰하여 깨달아 의심할 것이 없게 하였기 때문에 "그윽함을 드러냄"이라고 하였다. 64괘가 명의에 마땅한 것을 진열하였기 때문에 "이름에 마땅하게 한다"고 하였다. 여러 괘는 상을 취하여 부류를 분별하니 섞이는 것이 없기 때문에 "물건을 분별한다"고 하였다. 결단하는 말은 길하면 바로 길함을 말하고, 흉하면 바로 흉함을 말하여, 그대로 하거나 어기는 것이 없기 때문에, "말을 바르게 하고 말을 결단함"이라고 하였다. 이와 같다면 정밀하여 드러남이 없고, 거칠어 상이 있기 때문에 구비되지 않음이 없는 것이다.

其稱名也小, 其取類也大, 其旨遠, 其辭文, 其言曲而中, 其
事肆而隱, 因貳, 以濟民行, 以明失得之報.

그 이름을 일컬음이 작으나 그 부류를 취함이 크며, 그 뜻이 심원하며, 그 말이 무늬가 있으며,
그 말이 곡진하면서도 꼭 맞으며, 그 일이 진열되면서도 은미하니, 의심하기 때문에 백성의 행함을
구제해서 잃고 얻는 응보를 밝혔다.

┃中國大全┃

本義

肆, 陳也, 貳, 疑也.

'사(肆)'는 진열함이고, '이(貳)'는 의심함이다.

小註

進齋徐氏曰, 負乘往來, 事名之小者也, 茅棘豕雉, 物名之小者也. 所稱雖小, 而其所取
之類, 皆本於陰陽, 非稱名也小, 取類也大乎. 旨, 謂所示之理, 文, 謂經緯錯綜也, 極
天下之賾. 凡天地陰陽, 道德性命之奧, 象皆示之, 而其所繫之辭, 經緯錯綜, 皆有自然
之文, 非其旨遠, 其辭文乎. 曲, 委曲也, 凡委曲其文者, 未必皆中乎理, 易則言雖曲,
而无不中也. 肆, 陳也, 凡敷陳其事者, 无有隱而不彰, 易則事雖肆, 而其理未嘗不隱
也. 貳, 疑也, 報, 猶應也, 失得之報, 吉凶之應也. 因民之疑貳, 以決其疑, 以濟其所行,
有以明著其吉凶之應也.

진재서씨가 말하였다: 짊어짐과 올라탐, 감과 옴은 작은 일의 이름이고, 띠풀과 가시나무,
돼지와 꿩은 작은 사물의 이름이다. 일컬음이 비록 작지만 취한 바의 부류는 모두 음양에
근본하니, 그 이름을 일컬음이 작으나 그 부류를 취함은 큰 것이 아니겠는가? '뜻[旨]'은 보인
이치를 말하고, '무늬[文]'는 이리 저리 뒤섞임을 말하니, 천하의 잡다함을 지극히 함이다.
무릇 천지의 음양과 도덕과 성명의 심원함을 상(象)으로 모두 보이고, 그 매달은 말이 이리

저리 뒤섞여 모두 자연한 무늬가 있으니, 그 뜻이 심원하며 그 말이 무늬가 있는 것이 아니겠는가? '곡(曲)'은 자세함이니, 무릇 그 글을 곡진히 한 것이 반드시 모두 이치에 맞는 것은 아니지만, 『주역』은 말이 비록 곡진하면서도 맞지 않음이 없다. '사(肆)'는 진열함이니, 무릇 그 일을 펼쳐 놓은 것은 은미하게 나타내지 않음이 없지만, 『주역』은 일이 비록 진열되면서도 그 이치가 은미하지 않은 적이 없다. '이(貳)'는 의심함이고, '보(報)'는 응보와 같으니, '잃고 얻는 응보'는 길과 흉의 응보이다. 백성이 의심하기 때문에 그 의심을 결단해 행할 것을 구제하여, 길과 흉의 응보를 밝혀 나타낼 수 있었다.

○ 雲峰胡氏曰, 稱名雖小, 而取類於陰陽也甚大, 不可以淺近卑吾易也. 其旨雖遠, 而其文經緯可見, 不可以高遠荒吾易也. 其言雖委曲, 而又皆中於理, 易豈高遠之書哉. 其事雖橫陳, 而實本於至隱, 易豈淺近之書哉. 上古之時, 唯有易畫以明失得之報, 而民无疑, 至于衰世, 不得不因民之疑, 而明之以辭矣.

운봉호씨가 말하였다: 이름을 일컬음이 비록 작으나 음양에서 부류를 취함이 아주 크니, 우리의 역(易)을 천근(淺近)하다고 낮출 수 없다. 그 뜻이 비록 심원하지만 무늬를 종횡으로 볼 수 있으니, 우리의 역을 고원(高遠)하다고 버릴 수 없다. 그 말이 비록 곡진하지만 또한 모두 이치에 맞으니, 『주역』이 어찌 고원한 책이겠는가? 그 일이 비록 멋대로 늘어섰지만 실로 지극히 은미함에 근본하니, 『주역』이 어찌 천근한 책이겠는가? 아주 옛날에는 다만 역(易)의 획만 있었어도 잃고 얻는 보응을 밝혀 백성이 의심이 없었는데, 세상이 쇠락하게 되자 어쩔 수 없이 백성의 의심을 따라서 말로 이를 밝히게 되었다.

○ 雙湖胡氏曰, 此一節上六句, 皆是抑揚說. 易書所載, 名雖小而類則大, 旨雖遠而辭則文, 言雖曲而理則中, 事雖肆而理則隱. 正與書直而溫寬而栗等語同意. 凡此者, 无非因民心之疑貳, 而欲濟其所行以易, 而明示其失得之報故也.

쌍호호씨가 말하였다: 이 한 절의 위 여섯 구는 모두 억누르고 북돋는 말이다. 『주역』에 실린 것은 이름이 비록 작으나 부류는 크며, 뜻이 비록 심원하나 말은 무늬가 있으며, 말이 곡진하지만 이치는 꼭 맞으며, 일이 진열되었지만 이치는 은미하다. 바로 『서경』의 "강직하나 온화하며, 관대하나 씩씩하다"[203] 등의 말과 같은 뜻이다. 무릇 이것들은 모두 다 민심(民心)이 의심하기에 그 행할 바를 역으로 구제하여 그 잃고 얻는 응보를 밝혀 보이려 했기 때문인 것이다.

○ 臨川吳氏曰, 自夫易以下至此, 皆論文王彖辭. 雖取類之大辭之文事之肆而隱, 爻

---

203) 『書傳・虞書』: 寬而栗, 柔而立, 愿而恭, 亂而敬, 擾而毅, 直而溫, 簡而廉, 剛而塞, 彊而義.

辭亦然, 而此則專爲象辭言也.

임천오씨가 말하였다: '역은(夫易)'부터 여기까지는 모두 문왕의 단사(彖辭)를 논한 것이다. 부류를 취함이 크고, 말이 무늬가 있고, 일이 진열되었지만 은미한 것은, 효사도 또한 그러하나, 이것은 오로지 단사만을 말한 것이다.

右第六章

이상은 제6장이다.

‖中國大全‖

本義

此章, 多闕文疑字, 不可盡通, 後皆放此.

이 장은 빠진 글과 의심스런 글자가 많아서 다 알 수가 없으니, 뒤도 모두 이와 같다.

小註

雙湖胡氏曰, 此章專論乾坤爲易之門, 六十四卦之所從出, 乃易之關鍵也. 其究則无非所以斷民疑 明吉凶之報耳.

쌍호호씨가 말하였다: 이 장은 오로지 건곤이 역(易)의 문이어서 64괘가 따라 나오는 바이며, 바로 역(易)의 관건임을 논하였다. 결국에는 백성의 의심을 결단하여 길흉의 보응을 밝힌 것이 아님이 없다.

‖韓國大全‖

조호익(曺好益)『역상설(易象說)』

其稱名也小, 其取類也大, 其旨遠, 其辭文, 其言曲而中, 其事肆而隱.

그 이름을 일컬음이 작으나 그 부류를 취함이 크며, 그 뜻이 심원하며, 그 말이 무늬가 있으며, 그 말이 곡진하면서도 꼭 맞으며, 그 일이 진열되면서도 은미하니.

胡氏以名爲卦名也.

호씨는 '이름'을 '괘의 이름'으로 여겼다.

○ 註吳氏說得之.

소주에 있는 임천오씨의 설이 좋다.

이익(李瀷)『역경질서(易經疾書)』

但言乾坤, 猶未見其爲易之門. 繼之云陽物陰物, 凡三百八十四爻, 不越乎此, 則其爲門現矣. 莫非乾坤三索而得故也. 陰陽, 天道也, 剛柔, 易物也. 天地有撰, 神明有德, 易則體而通之也.

단지 건곤이라고만 말했다면 오히려 그것이 역의 문이 됨을 알 수 없었을 것이다. 이어서 '양물ㆍ음물'이라고 말한 것은, 무릇 384효가 이것을 넘지 않음이니 곧 '문'이 됨을 나타낸 것이다. 이는 건괘와 곤괘가 세 번 구하여 얻지 않음이 없기 때문이다.[204] 음양은 천도이고 강유는 역의 물건이다. 천지에 일이 있고 신명에 덕이 있으니, 역은 이것을 본받아 통한다.

按, 十三卦制器, 多因卦名而推出, 則六十四卦之名, 伏羲時已有. 若曰有卦無名, 佃漁耒耟, 又何以名爲. 此云稱名者, 非卦名也, 不過卦中取象之名. 謂之雜者, 乾馬而以龍名, 坤牛而以馬名之類是也. 不越稽類, 如剝以狀言, 漸以鴻言, 各稽其類, 而形容之. 惟恐後人之不曉, 故曰衰世之意. 彰往, 如前事旣過, 見易之辭, 而便覺其得失也, 察來, 如後事未來, 占筮而知其吉凶也. 微顯闡幽, 其意不過如微而顯闡而幽, 微顯, 如下

---

204)『周易ㆍ說卦傳』: 乾天也, 故稱乎父, 坤地也, 故稱乎母. 震一索而得男, 故謂之長男, 巽一索而得女, 故謂之長女. 坎再索而得男, 故謂之中男. 離再索而得女, 故謂之中女. 艮三索而得男, 故謂之少男. 兌三索而得女, 故謂之少女.

文名小而取大, 闡幽, 如下文其事肆而隱也. 當名辨物, 謂辨物而各當其名也. 正言斷辭, 謂言不違理, 吉凶之辭斷也, 倒句. 〈法也.〉

내가 살펴보았다: 13괘[205]로 기물을 만드는 것은 대부분 괘의 이름으로 인하여 미루어 내었으니, 64괘의 이름이 복희씨 때 이미 있었던 것이다. 만일 괘만 있고 이름이 없었다면 '사냥'·'낚시'·'쟁기'·'보습'을 또 어떻게 이름할 수 있었겠는가? 이 글에서 "이름을 일컫다"라는 것은 괘의 이름이 아니라 괘 안에서 상을 위한 이름에 지나지 않는다. 이것을 "잡다하다"고 한 것은 건괘는 말인데 용으로 이름하고 곤괘는 소인데 말로 이름한 부류가 이것이다. "넘지 않음"과 "부류를 살핌"은 박괘는 모양으로 말하고, 점괘는 기러기로 말하여 각각 그 부류를 살펴서 형용한 것과 같다. 후세의 사람들이 알지 못할까 걱정했기 때문에 "쇠락한 세상의 뜻이다"고 하였다. "간 것을 드러냄"은 예컨대 앞의 일은 이미 지나가서 『주역』의 말을 보고 곧 득실을 알 수 있고, "올 것을 살핌"은 예컨대 뒤의 일은 아직 오지 않아서 점을 쳐서 그 길흉을 안다는 것이다. "드러냄을 은미하게 하고 그윽한 것을 밝힘"은 그 의미가 "은미하나 드러나고, 밝으나 그윽함"과 같은데 지나지 않으니, "드러냄을 은미하게 함"은 아래 글의 "이름은 작으나 취함은 큼"과 같고, "그윽함을 밝힘"은 아래 글의 "그 일이 진열되어 있으면서도 은미함"과 같다. "이름에 마땅하게 하고 사물을 분별함"은 사물을 분별하여 각각 그 이름에 마땅하게 함을 이른다. "말을 바르게 하고 말을 결단함"은 말함에 이치에 어긋나지 않고 길함과 흉함의 말이 결단됨을 이르니, 문구가 도치되었다. 〈문장법이다.〉

名小類大, 謂指名之物雖小, 取義則不止於此也. 其旨遠, 謂將傳之天下後世, 無不被其惠也. 其辭文, 謂其爲辭文彩彪暎, 必欲使人人, 歌誦而習熟, 惟恐或忽, 其意切矣. 如乾之中四爻, 坤之六爻, 皆押一韻, 漸豊鼎三卦爻, 各一韻. 又如來之坎坎, 險且枕, 入于坎窞, 係用徽纆, 置之叢棘, 三歲不得, 不鼓缶而歌, 則大耋之嗟, 困[206]于株木, 入于幽谷, 三歲不覿, 井渫不食, 爲我心惻, 병受其福, 君子豹變, 小人革面, 歸妹愆期, 遲歸有時, 承筐無實, 刲羊無血之類, 分明是尙文之語, 皆可考也. 曲而中, 如睽上九, 歸妹六五之類, 語甚委曲, 而其理皆中也. 事肆而隱, 如易中所載, 其事肆陳極廣, 其所以然, 則隱而莫之見也. 貳者, 謂變爲他物. 因貳濟民, 謂爻各有貳, 七八爲本, 九六爲貳, 繫辭曉人, 則存於其貳也.

"이름은 작고 부류는 큼"은 이름을 지칭하는 물건은 작더라도 의미를 취함은 여기에 그치지 않음을 이른다. "뜻이 심원함"은 장차 천하 후세에 전하여 그 은혜를 입지 않음이 없음을 이른다. "말이 문채 남"은 말이 문채 나고 빛나서 반드시 사람들에게 노래하고 외우고 익히

205) 「계사하전」2장에 보이는 離·益·噬嗑·乾·坤·渙·隨·豫·小過·睽·大壯·人過·夬를 이른다.
206) 困: 경학자료집성 DB와 영인본에 '用'으로 되어 있으나, 『주역』 경문에 의거하여 '困'으로 바로잡았다.

게 하여 혹 경솔히 할까 두려워하니, 그 뜻이 절실하다. 예컨대 건괘 가운데 네 효와 곤괘의
여섯 효는 모두 하나의 운으로 압운하였고, 점(漸)·풍(豊)·정(鼎), 세 괘의 효는 각각 하
나의 운을 쓰고 있다. 또 "오고 감에 험하고 험한데, 험함에 또 의지하여 구덩이의 구멍으로
들어 감"[207]과 "동아줄로 매어서 가시나무 덤불에 가둬두어 삼년이 되어도 면하지 못함"[208]
과 "질장구를 두드려 노래하지 않으면 너무 늙음을 한탄하는 것임"[209]과 "나무 등걸 때문에
어렵다. 어두운 골짜기로 들어가서 삼년이 지나도 만나보지 못함"[210]과 "우물이 청소되었는
데도 먹어주지 않아서 내 마음이 슬프니, 그 복을 받을 것임"[211]과 "군자는 표범이 변하듯
변하고 소인은 얼굴만 바꿈"[212]과 "여동생을 시집보냄에 혼기를 지나치니, 지체하여 돌아감
에 때가 있음"[213]과 "광주리를 받지만 담겨진 물건이 없고, 양을 베었으나 피가 없음"[214]과
같은 부류에서 분명히 문법을 숭상하는 말을 고찰해 볼 수 있다. "자세하면서도 맞음"은 규
괘 상구과 귀매괘 육오의 부류와 같은 것이니, 말이 매우 곡진하면서도 그 이치가 모두 맞
다. "일이 진열되어 있으면서도 은미함"은 마치 『주역』안에 실린 것은 그 일을 진열하여
벌인 것이 매우 넓으면서도 그것이 그렇게 된 까닭은 은미하여 알 수 없는 것과 같다. '이
(貳)'라는 것은 변하여 다른 물건이 된 것을 이른다. "변함으로 인하여 백성을 구제함"은
효에는 각각 '변함'이 있어서 칠·팔이 근본이고 구·육이 변함이 되어 말을 달아 사람을
깨우치니 변함에서 보존됨을 이른다.

유정원(柳正源) 『역해참고(易解參攷)』

其稱 [至] 民行.
이름을 일컬음은 … 백성의 행함을 구제해서.

正義, 其辭文者, 不直言所論之事, 乃以義理明之, 是其辭文飾也. 若黃裳元吉, 不直言
得職居中, 乃云黃裳, 是其辭文也. 其辭放肆顯露, 而所論義理, 深而幽隱也.
『주역정의』에서 말하였다: '말이 문채나며'라는 것은 논하는 바의 일을 곧바로 말하지 않고
곧 의리로 밝히는 것이니 말을 꾸미는 것이다. "황색치마가 크게 길다"처럼 직분을 얻고

207) 『周易·坎卦』: 六三, 來之, 坎坎, 險, 且枕, 入於坎窞, 勿用.
208) 『周易·坎卦』: 上六, 係用徽纆, 寘于叢棘, 三歲, 不得, 凶.
209) 『周易·離卦』: 九三, 日昃之離, 不鼓缶而歌, 則大耋之嗟, 凶.
210) 『周易·困卦』: 初六, 臀困于株木. 入于幽谷, 三歲不覿.
211) 『周易·井卦』: 九三, 井渫不食, 爲我心惻, 可用汲, 王明, 竝受其福.
212) 『周易·革卦』: 上六, 君子豹變, 小人革面, 征凶, 居貞吉.
213) 『周易·歸妹卦』: 九四, 歸妹愆期, 遲歸有時.
214) 『周易·歸妹卦』: 上六, 女承筐无實, 士刲羊无血, 无攸利.

가운데 자리에 있음을 곧바로 말하지 않고 곧 '황색 치마'라고 한 것이니, 이것이 말이 문채 나는 것이다. 말이 거침이 없고 드러나서 논하는 의리가 깊고도 그윽하다.

○ 案, 如恒之稱名, 只取恒久之道, 而極言天地萬物之情, 豫之稱名, 只取悅豫之意, 而兼說作樂崇德之義, 此非取類之大者乎.
내가 살펴보았다: 예컨대 '항(恒)'이라고 이름을 칭한 것은 단지 항구한 도를 취하였으나 천지 만물의 실정을 지극히 말한 것이며, '예(豫)'라는 이름을 칭한 것은 단지 기쁨의 뜻을 취하였으나 음악을 만들고 덕을 높이는 뜻을 겸하여 말하였으니, 이것이 부류를 취함이 큰 것이 아니겠는가?

송능상(宋能相) 「계사전질의(繫辭傳質疑)」

其稱名也, 雜而不越, 本義說有所聽瑩者. 語類曰, 他後面兩三番說名後, 又擧九卦說看來, 只是謂卦名. 只此一語, 發明得孔子之意十分. 而孔子之於此二章, 其所以發明文王作易之情者, 又極反復而詳著矣. 蓋八卦之名, 雖已具於伏羲之時, 重而伸之 別無所稱, 內外上下, 只分得八卦而已. 至於文王, 世變不好, 有所憂患, 故遂發揮易道, 繫之以辭於是焉. 合內外之象, 括德義之實, 六十四卦, 各加之以名, 或以一言, 或以二字, 或以事, 或以物. 旣又變通其序, 各從之意, 其稱也雖小, 而取類甚大, 其義似雜, 而稽事不越, 憂懼愼密之意, 開示斷告之道, 不待觀於象辭, 而固已隱然可見矣. 要其巧智, 非上古淳質之時所能及之, 此乃所謂衰世之意邪與. 抑重有可惑者, 孔子所言, 旣甚分明, 朱子之語, 亦已如是, 而本義啓蒙, 依然皆以六十四卦之名, 爲若出於伏羲之時焉, 則何故. 則何故.

"이름을 일컬음이 잡다해도 넘지는 않으나"에 대해서 『본의』의 설명은 분명하지 못한[215] 점이 있다. 『어류』에 "그 아래에 두세 번 이름[名]을 설명한 뒤에, 다시 아홉 개의 괘를 가지고 설명하였으니, 단지 괘의 이름을 이른 것으로 보입니다"고 하였으니, 다만 이 한 마디 말로 공자의 뜻을 충분히 드러내 밝혔다고 할 수 있다. 공자가 「계사하전」 5장·6장 두 장에서 문왕이 『주역』을 지은 실정을 드러내 밝힌 것이 또 반복되고 매우 자세히 드러난다. 팔괘의 이름은 비록 복희씨 때에 이미 갖추어졌으나, 중첩하여 거듭한 것은 별도로 호칭한 것이 없었고, 다만 내괘인 하괘와 외괘인 상괘를 팔괘로 나눌 수 있을 뿐이었다. 문왕에 이르러 세상이 좋지 않게 변하여 우환이 있게 되었기 때문에 마침내 역의 도를 발휘하고 이에 말을 달았다. 내괘와 외괘의 상을 합하여 괘의 덕과 괘의 뜻의 실상을 총괄하여 64괘에

---

215) 분명하지 못한: 원문은 청형(聽瑩)이다. '청형'은 '의심스럽게 여겨 분간하지 못함'의 뜻이다.

각각 이름을 붙였으니, 어떤 것은 한 글자로, 어떤 것은 두 글자로, 어떤 것은 일로, 어떤 것은 물건으로 이름 붙였다. 또 이미 순서를 변통하여 각각 뜻을 붙이니 이름을 일컬음은 작으나 부류를 취함이 크며, 뜻이 잡다한 것 같으나 일을 살핌에 넘지 아니하니, 근심하여 두려워하며 삼가는 뜻과, 열어 제시하고 단호하게 고하는 도를 「단사」를 볼 필요도 없이 본래 이미 은연중에 알 수 있다. 요컨대 공교한 지혜라도 순박한 상고시대에 미칠 수 있는 것이 아니니, 이것이 이른바 "쇠락한 세상의 뜻"일 것이다. 아니면 거듭 의혹할 만한 것이 있으니, 공자가 말한 것이 이미 매우 분명하고, 주자의 말도 이미 이와 같은데,『본의』와 『역학계몽』에서 여전히 모두 64괘의 이름을 복희씨 때에 나온듯하다고 여기는 것은 무슨 이유인가? 무슨 이유인가?

백봉래(白鳳來) 「三經通義-역전(三經通義-易傳)」

易之門.

역(易)의 문.

吁, 乾坤爲易之門, 則卦之六十, 爻之三百, 无不出入於乾坤之門也.

아! 건곤이 역(易)의 문이 되니 괘 육십여 개와 효 삼백여 개가 건곤의 문으로 들고나지 않는 것이 없다.

김상악(金相岳) 『산천역설(山天易說)』

稱名雖小, 而取類於陰陽者甚大. 肆陳也, 貳疑也, 報應也.

이름을 일컬음이 작으나 음양에서 부류를 취하는 것이 매우 크다. 사(肆)는 펼침이고, 이(貳)는 의심함이며 보(報)는 갚음이다.

박윤원(朴胤源) 『경의(經義)‧역경차략(易經箚略)‧역계차의(易繫箚疑)』

乾坤其易之門, 解之者有二說. 一說曰, 六十四卦, 皆從此生出, 故謂之門, 一說曰, 闔戶爲坤, 闢戶爲乾, 故謂之門, 何說爲得歟. 本義是主何說歟. 若曰兼兩說而以一包二, 則是主生出之說, 而包闔闢之義歟. 抑主闔闢之說, 而包生出之義歟. 微顯闡幽之義, 顯是事爲之著, 幽是理數之深, 民可使由之, 則顯者必微之, 何歟. 顯而不微, 則其弊爲何, 幽而不闡, 則其害爲何. 微顯闡幽, 似是二事, 而朱子作一事說, 何歟.

"건곤(乾坤)은 역의 문일 것이다"를 해석하는 데 두 가지 주장이 있다. 하나는 "64괘가 모두 여기에서 생겨났기 때문에 문(門)이라고 이른다"고 주장하고, 하나는 "문을 닫는 것을 곤이라 하고 문을 여는 것을 건이라 하기 때문에 문이라고 한다"고 주장하는데, 어느 주장이 옳은가? 『본의』에서는 어느 쪽을 주장하는가? 만일 두 주장을 겸하여 한 쪽이 두 쪽을 포함한다고 한다면 생겨나는 쪽을 주장하면서 닫고 여는 뜻을 포함하는 것인가? 아니면 닫고 여는 쪽을 주장하면서 생겨나는 뜻을 포함하는 것인가? "드러냄을 은미하게 하고 그윽한 것을 밝힘"의 뜻에서 '드러냄[顯]'은 일이 드러내진 것이고, '그윽함[幽]'은 이수(理數)가 깊은 것이니, 백성에게 이것을 따를 수 있게 할 것이라면, 드러내는 것을 굳이 은미하게 함은 어째서인가? 드러내기를 은미하게 하지 않으면 그 폐단이 무엇이며, 그윽한데 밝히지 않으면 그 해가 무엇인가? "드러냄을 은미하게 하고 그윽한 것을 밝힘"은 두 가지 일인 듯한데, 주자가 한 가지 일이라고 주장한 것은 어째서인가?

심취제(沈就濟) 『독역의의(讀易疑義)』

曲而中之曲, 卽中庸致曲之曲也.

"자세하면서도 맞음[曲而中]"의 '자세함[曲]'은 곧 『중용』의 "자세함을 다함"의 '자세함'이다.

윤행임(尹行恁) 『신호수필(薪湖隨筆)・계사전(繫辭傳)』

乾坤化育萬物, 而只是一陰一陽皆從此而出, 故曰易之門也. 神明之德, 卽乾坤之性情也, 天地之撰, 卽乾坤之功用也.

건곤이 만물을 화육하나, 단지 하나의 음과 하나의 양이 모두 여기에서 나오기 때문에 '역(易)의 문'이라고 하였다. 신묘하고 밝은 덕이 곧 건곤의 성정이고, 천지의 일이 곧 건곤의 공용이다.

庖犧氏畫卦, 不以文字示人, 及至文王處困而演義. 文王之憂, 在於後世之迷惑, 故不得已闡而發之. 蓋衰世意也, 故夫子以是斷之. 稱名也雜者, 比之易之道則淆也, 稱名也小者, 比之易之義則微也, 莫不有至神者存.

복희씨가 괘를 그렸으나, 문자로써 사람들에게 제시하지는 못했는데, 문왕이 곤궁에 처하게 되자 의리를 부연하였다. 문왕의 근심은 후세인이 미혹한데 있기 때문에 어쩔 수 없이 밝히고 드러낸 것이다. 대체로 쇠락한 세상의 뜻이기 때문에 공자가 이것으로 결단한 것이다. "이름을 일컬음이 잡다함"이라는 것은 역(易)의 도에 비유하면 '섞임'이고, "이름을 일컬음이 작음"이라는 것은 역(易)의 뜻에 비유하면 '은미함'이니, '지극히 신묘함'이 있지 않은 곳이 없다.

심대윤(沈大允) 『주역상의점법(周易象義占法)』

〈朱子曰, 貳疑也.

주자가 말하였다: 이(貳)는 의심함이다.)

오치기(吳致箕) 「주역경전증해(周易經傳增解)」

稱名小者, 以卦言, 則如牝馬飛鳥之類, 以文言, 則如拔茅包魚之類, 而稱名雖小, 无非因象而見理. 故天地陰陽道德性命之大, 莫不寓乎其中, 此所謂取類也大也. 所示雖似淺近, 而所指无所不及, 故曰遠, 其旨雖似高遠, 而其言明白易見, 故曰文. 言之委曲者, 難乎得中, 然易則雖其委曲婉轉而无不中於典禮. 事之肆大者, 若无所隱, 然易則雖其詳備盡該, 而其理未嘗不隱. 此皆因民心之有疑, 而決斷吉凶以濟其行, 明示失得之應者也.

"이름을 일컬음이 작다"는 것은, 괘로써 말하면 암말이나 나는 새의 부류와 같고, 문장으로 말하면 "띠풀의 뿌리를 뽑음"[216]이나 "꾸러미에 물고기가 있듯이 함"[217]의 부류와 같아서 이름을 일컬음이 비록 작으나 상(象)으로 인하여 이치를 드러내지 않음이 없다. 그러므로 천지의 음양과 도덕과 성명의 큰 것이 그 가운데 붙어있지 않음이 없으니, 이것이 이른바 "부류를 취함이 큼"이라는 것이다. 보이는 것이 비록 천근한 듯하나 가리키는 것이 미치지 않는 바가 없기 때문에 "심원하다"고 하였고, 뜻이 비록 고원한 듯하나 말이 명백하고 쉽게 볼 수 있기 때문에 "문채나다"라고 하였다. 말을 곡진하게 하는 것은 알맞음을 얻기 어려우나, 역(易)은 비록 자세하고 완곡해도 전례(典禮)에 맞지 않음이 없다. 일이 진열되어 있고 큰 것은 숨기는 것이 없는 듯하나, 『주역』은 상세하게 구비되고 다 갖추어도 그 이치를 숨기지 않은 적이 없다. 이것은 모두 백성의 마음에 의심함이 있음으로 인하여 길흉을 결단하여 행함을 구제해서 잘되고 못되는 응보를 밝게 제시한 것이다.

此章言乾坤爲易之門, 而極論卦爻也.
이 장은 건곤이 『주역』의 문(門)임을 말하여 괘와 효를 지극히 논하였다.

이병헌(李炳憲) 『역경금문고통론(易經今文考通論)』[218]

荀曰, 陰陽相易, 出於乾坤, 故曰門.
순상이 말하였다: 음양이 서로 바뀌어 건곤에서 나오기 때문에 '문(門)'이라고 하였다.

---

216) 『周易·泰卦』: 初九, 拔茅茹. 以其彙征, 吉.
217) 『周易·姤卦』: 九二, 包有魚, 无咎, 不利賓.
218) 경학자료집성DB에 「계사하전」 제 4장에 편집되어 있으나, 경학자료집성 영인본을 참조하여 「계사하전」 제 6장으로 옮겼다.

虞曰, 合德謂天地雜, 保合大和.

우번이 말하였다: '덕을 합함'은 천지가 섞임을 이르니, '큰 조화를 보전하고 합함'[219]이다.

韓曰, 撰數也. 備物極變, 故其名雜也, 各得其序, 不相踰越. 況爻繇之辭. 有憂患而後作易, 世衰則失得彌彰. 易无往不彰, 无來不察, 開釋爻卦, 使各當其名也.

한강백이 말하였다: 찬(撰)은 수(數)이다. 일을 갖추어 지극히 변하기 때문에 그 이름이 잡다하나 각각 순서를 얻어 서로 넘지 않는다. 더구나 효주(爻繇)의 말은 어떻겠는가? 우환이 있은 다음에 역이 지어졌으니, 세상이 쇠락하면 잃고 얻음이 더욱 드러난다. 역은 지나간 것을 살피지 않음이 없고, 올 것을 살피지 않음이 없으니 효와 괘를 해석하여 각각 이름에 마땅하게 한다.

干[220]曰, 辯物, 辯物類也, 正言, 言正義也, 斷辭, 斷吉凶也.

간보(干寶)가 말하였다: "사물을 분별함"은 사물의 부류를 분별함이고, "말을 바르게 함"은 바른 의리를 말하며, "말을 결단함"은 길흉을 결단함을 말한다.

鄭曰, 貳當爲式.

정현이 말하였다: '이(貳)'는 '식(式)'으로 써야 한다.

虞曰, 二謂乾與坤也.

우번이 말하였다: 이(貳)는 건괘와 곤괘를 이른다.

按, 微顯闡幽, 謂微其顯闡其幽. 故其事肆而隱. 開者, 謂陰陽分開之謂. 殷紂之世, 周文在下, 豈非衰世之意邪. 繇辭文義, 非藉文紂之事而觀之, 則多不可通. 然聖人爲萬世開太平之意 則初不爲文紂所囿也.

내가 살펴보았다: '미현천유(微顯闡幽)'는 '드러냄을 은미하게 하고 그윽함을 밝힘'을 이른다. 그러므로 일이 진열되어 있으면서도 은미하다. '개(開)'라는 것은 음양이 나뉨을 이른다. 은나라 주왕의 시대에 주나라 문왕이 아래에 있었으니, 어찌 쇠락한 세상의 뜻이 아니겠는가? 점사의 문맥은 문왕·주왕의 일에 의거하여 살피는 것이 아니면 대부분 통하지 않는다. 그러나 성인이 만 세대를 위하여 태평함을 여는 뜻이니, 애초에 문왕·주왕으로 국한되지 않는다.

---

219) 『周易·用九』象傳: 乾道變化, 各正性命, 保合大和, 乃利貞.

220) 干: 경학자료집성DB와 영인본에는 '于'로 되어 있으나, '干'으로 바로잡았다.

제7장第七章

易之興也, 其於中古乎. 作易者, 其有憂患乎.

역(易)이 일어난 때는 중고(中古)일 것이다. 역(易)을 지은 이가 우환이 있었을 것이다.

‖中國大全‖

小註

程子曰, 如言仁者不憂, 又卻言作易者其有憂患, 須要知用處各別也. 天下只有一箇憂字, 一箇患字, 旣有此二字, 聖人安得无之.

정자가 말하였다: "어진 이는 근심하지 않는다"[221]고 하였지만, 다시 "역을 지은 이가 우환이 있다"고 하였으니, 반드시 쓰이는 곳이 각각 다름을 알아야만 한다. 천하에는 단지 하나의 '우(憂)'자나 하나의 '환(患)'자가 있는 것이고, 이미 이 두 글자가 있다면 성인에게 어찌 없을 수 있겠는가?

本義

夏商之末, 易道中微, 文王拘於羑里, 而繫彖辭, 易道復興.

하나라와 상나라의 말기에 역도(易道)가 중간에 쇠락하였는데, 문왕이 유리(羑里)에 갇혀서 단사(彖辭)를 달자 역도가 다시 흥기했다.

---

221) 『論語·子罕』: 子曰, 知者不惑, 仁者不憂, 勇者不懼.

小註

臨川吳氏曰, 中古謂文王時. 羲皇之易, 有畫而已, 三畫之卦, 雖有名, 而六畫之卦, 未有名. 文王始名六畫, 而繫之以辭, 易道幾微, 而至此復興也. 卦名及辭, 皆前所未有, 故不云述而云作, 作易在羑里時, 故云其有憂患乎. 蓋於其名卦, 而知其有憂患也, 下文擧九卦之名, 以見其憂患之意.

임천오씨가 말하였다: '중고(中古)'는 문왕의 때를 말한다. 복희의 역은 획만 있었는데, 삼획괘에는 비록 이름이 있었지만 육획괘에는 이름이 있지 않았다. 문왕이 처음 육획괘에 이름을 붙이고 단사(彖辭)를 달자, 역도(易道)의 기미가 은미하다가 이에 다시 부흥하였다. 괘의 이름과 단사는 모두 전에는 없었던 것이므로 '기술했다'고 하지 않고 '지었다'고 하였으며, 유리에 갇혔을 때에 『주역』을 지었으므로 "우환이 있었을 것이다"라고 하였다. 대체로 그 괘의 이름에서 우환이 있었음을 알 수 있으니, 아래의 글에서 아홉 괘의 이름을 거론하여 우환의 뜻을 나타냈다.

┃韓國大全┃

유정원(柳正源)『역해참고(易解參攷)』

易之 [至] 憂患.

역의 … 우환이 있었을 것이다.

案, 蓋自伏羲畫卦以後, 聖人迭興, 雖旡彖象文字, 而易道大明. 如十三卦之制器, 高宗帝乙之取象是也. 及夫夏商之末, 聖人不作, 忠之弊也敬, 質之弊也鬼, 是易道之微也. 文王拘羑繫易, 身處憂患之地, 其於天理消長之幾, 人事得失之分, 其憂之也深, 故其辭危, 其慮之也遠, 故其言曲. 其爲後世憂患之意, 非聖人能之乎. 朱子以伊川易傳, 爲涪州一行氣力者, 亦以此也.

내가 살펴보았다: 복희씨가 획을 그은 이래로 성인이 번갈아 일어났으니, 비록 단과 상에 대한 문자가 없었다고 하더라도 역의 도가 크게 밝았다. 예컨대 13괘로 기물을 만든 것과 고종과 제을이 '상'을 취했다는 것이 이것이다. 하나라와 상나라의 말기에는 성인이 일어나지 아니하여 충(忠)의 폐단으로 경(敬)이 있게 되었고, 질박함[質]의 폐단으로 귀신[鬼]을

섬기게 되었으니,[222] 이것이 역도의 쇠미함이다. 문왕이 유리에 구속되어 역을 지음에, 몸은 우환의 처지에 있었으나, 천리가 소장하는 기미와 인사의 얻고 잃는 분수에 대해서 근심함이 깊었기 때문에 그 말이 위태로웠고, 염려함이 심원했기 때문에 말이 곡진하였다. 이는 후세를 위해 근심하는 뜻이니, 성인이 아니면 그렇게 할 수 있겠는가? 주자가 『이천역전』을 '부주(涪州)에서 한 번 기력을 행한 것'[223]이라고 여긴 것도 이 때문이다.

김상악(金相岳) 『산천역설(山天易說)』

中古, 謂夏商之末. 憂者, 天下後世之憂, 患者, 一身之患.

'중고'는 하나라·상나라 말기를 이른다. 우(憂)는 천하와 후세를 위한 근심이고, 환(患)은 한 몸을 위한 걱정이다.

오치기(吳致箕) 「주역경전증해(周易經傳增解)」

伏羲作易, 而旡其辭. 夏商之末, 易道中微, 文王經羑里之難, 而始有彖辭, 敎人以反身修德之道. 故夫子之言如此, 以起下文九卦之用也.

복희씨가 역을 만들었으나 '말[辭]'은 없었다. 하나라와 상나라의 말기에 역도(易道)가 중간에 쇠락하였는데 문왕이 유리에 갇히는 어려움을 겪자 비로소 단사가 있게 되어 사람들에게 자신에 돌이켜 덕을 닦는 도를 가르쳤다. 그러므로 공자가 이와 같이 말하여 아래 글의 아홉 괘의 작용을 일으켰다.

---

222) 『長短經』: 故曰, 夏人尙忠, 忠之弊也樸, 救樸莫若敬, 殷人革而修焉, 敬之弊也鬼, 救鬼莫若文, 周人矯而變焉.

223) 청나라 육롱기(陸隴其, 1630~1692)의 『독주수필(讀朱隨筆)』에 "乃知伊川先生做得易傳, 卻是得涪州一行氣力也"라 하였다.

是故, 履, 德之基也, 謙, 德之柄也, 復, 德之本也, 恒, 德之固
也, 損, 德之修也, 益, 德之裕也, 困, 德之辨也, 井, 德之地也,
巽, 德之制也.

이런 까닭으로 리(履)는 덕(德)의 터전이요, 겸(謙)은 덕의 자루요, 복(復)은 덕의 근본이요, 항(恒)은
덕의 굳음이요, 손(損)은 덕의 닦음이요, 익(益)은 덕의 넉넉함이요, 곤(困)은 덕의 분별함이요, 정(井)
은 덕의 대지요, 손(巽)은 덕의 마름질이다.

▮中國大全▮

本義

履, 禮也. 上天下澤, 定分不易, 必謹乎此然後, 其德有以爲基而立也. 謙者, 自
卑而尊人, 又爲禮者之所當執持而不可失者也. 九卦, 皆反身修德, 以處憂患之
事也, 而有序焉. 基所以立, 柄所以持. 復者, 心不外而善端存, 恒者, 守不變而
常且久. 懲忿窒慾以修身, 遷善改過以長善, 困以自驗其力, 井以不變其所然後,
能巽順於理, 以制事變也.

'리(履☰)'는 예(禮)이다. 하늘[☰]이 위에 있고 못[☱]이 아래 있어 분수가 정해져 바뀌지 않으니,
반드시 이에 삼간 뒤에야 그 덕(德)이 터전을 삼아 확립될 것이다. '겸(謙)'은 스스로를 낮추고 남을
높임이니, 또한 예를 행하는 이가 꼭 지켜서 잃지 말아야 할 것이다. 아홉 괘(卦)가 모두 자신에게
돌이켜 덕을 닦아서 우환에 대처하는 일이지만, 여기에는 순서가 있다. 터전[基]은 세우는 것이고,
자루[柄]는 잡는 것이다. '복(復)'은 마음이 벗어나지 않아 선(善)의 단서가 보존됨이고, '항(恒)'은
지킴이 변치 않아 한결같고 오래 함이다. 성냄을 다스리고 욕심을 막아서 자신을 닦고, 선으로 옮기
고 과실을 고쳐서 선을 기르며, '곤(困)'으로 스스로의 역량을 시험하고, '정(井)'으로 제자리를 바꾸
지 않은 뒤에야 이치에 순응하여 일의 변화를 마름질 할 수 있을 것이다.

小註

朱子曰 履, 德之基, 只是要以踐履爲本. 謙, 德之柄, 只是要謙退, 若處患難而矯亢自

高, 取禍必矣. 復, 德之本, 如孟子所謂自反. 困, 德之辨, 困而通, 則可辨其是, 困而不通, 則可辨其非. 損, 是懲忿窒慾, 益, 是修德益令廣大. 巽, 德之制, 巽以行權, 巽只是低心下意. 要制事, 須是將心入那事裏面去, 順他道理, 方能制事, 方能行權. 若心粗, 只從事皮膚上綽過, 如此行權, 便錯了. 巽, 伏也, 入也.

주자가 말하였다: "리(履)는 덕의 터전이다"는 단지 실천을 근본으로 삼으려는 것이다. "겸(謙)은 덕의 자루이다"는 단지 겸손하게 물러나려는 것이니, 만약 환난에 처해서 교만하게 스스로 높인다면 반드시 재난을 취할 것이다. "복(復)은 덕의 근본이다"는 맹자의 이른바 "스스로 돌이킴"224)과 같다. "곤(困)은 덕의 분별함이다"는 곤궁해도 통하면 그것의 옳음을 알 수 있고, 곤궁해서 통하지 않으면 그것의 그름을 알 수 있다. '손(損)'은 분노를 다스리고 욕심을 막아내는 것이고, '익(益)'은 덕을 더욱 광대하게 닦는 것이다. "손(巽)은 덕의 마름질이다"는 손으로 권도를 행함이니, 손은 다만 마음과 뜻을 낮춘다는 것이다. 일을 처리하려면 반드시 마음을 그 일에 몰입시켜 그 도리에 순응하여야 비로소 일을 처리할 수 있으며 비로소 권도를 행할 수 있다. 만약 마음이 거칠다면 일을 겉으로만 보며 지나칠 뿐이니, 이와 같이 권도를 행한다면 바로 어긋난다. 손은 엎드림[伏]이며 들어감[入]이다.

○ 問, 井德之地. 曰, 井有本, 故澤及於物, 而井未嘗動. 故曰居其所而遷, 如人有德而後, 能施以及人, 然其德性未嘗動也.

물었다: "정(井)은 덕의 대지이다"는 무슨 뜻입니까?

답하였다: 우물에는 근원이 있으므로 은택이 사물에 미치지만 우물은 움직인 적이 없습니다. 그러므로 "제자리에 머무르되 옮겨 간다"고 하였으니, 마치 사람이 덕이 있는 뒤에 남들에게 베풀 수 있지만 그 덕성은 움직인 적이 없는 것과 같습니다.

○ 問, 巽何以爲德之制. 曰, 巽爲資斧, 巽多作斷制之象. 蓋巽字之義, 非順所能盡, 乃順而能入之義. 謂巽一陰入在二陽之下, 是入細直徹到底, 不只是到皮子上. 如此方能斷得殺. 若不見得盡, 如何可以行權.

물었다: '손(巽)'이 어째서 덕의 마름질이 됩니까?

답하였다: '손(巽☰)'은 재물과 도끼이니, 손은 주로 결단하여 마름질하는 상으로 간주됩니다. 대체로 '손(巽)'자의 의미는 '순응[順]'만으로 다할 수 있는 것이 아니니, 바로 순응하여 들어갈 수 있다는 의미입니다. 손은 하나의 음이 두 개의 양의 아래로 들어감을 말하니, 미세함을 파고들어 꿰뚫는 것이지, 표면에만 이르는 것이 아닙니다. 이와 같아야만 결단해 버릴 수 있습니다. 만약 끝을 볼 수 없다면 어떻게 권도를 행할 수 있겠습니까?

---

224) 『孟子・公孫丑』: 自反而不縮, 雖褐寬博, 吾不惴焉. 自反而縮, 雖千萬人, 吾往矣.

○ 進齋徐氏曰, 履踐也, 基猶基址, 禮卑如地. 人之踐履一循乎禮, 是從實地上立脚, 步步皆實, 則德有其基, 自下積累而上. 故曰德之基. 復爲反善之義. 人非聖人, 不能不流於惡, 能於念慮之萌人所不知己所獨知之處, 審其幾而復於善焉, 是德有其本也. 人處困窮, 出處語默之間, 取予辭受之際, 最可觀德. 當義則爲君子, 違理則爲小人, 明辨於私, 所以自驗其所守也.

진재서씨가 말하였다: ‘리(履)’는 실천함이고 ‘기(基)’는 터전과 같으니, 예(禮)로 땅과 같이 낮춤이다. 사람이 실천하는 것이 한결같이 예를 따른다면 실지에서 확립되어 단계마다 모두 참될 것이니, 곧 덕에 터전이 있어 아래로부터 점차 쌓아 올라갈 것이다. 그러므로 “덕의 터전”이라 하였다. ‘복(復)’은 선(善)으로 돌아간다는 뜻이다. 사람은 성인이 아니라면 악(惡)으로 흐르지 않을 수 없지만, 생각이 싹터 남들은 모르고 자기만 홀로 아는 곳에서 기미를 살펴 선으로 돌아가는 것은 덕(德)에 근본이 있어서이다. 사람이 곤궁하다면 나아감과 머무름, 말함과 침묵의 사이와 취함과 줌, 사양함과 받음의 즈음에 덕을 가장 잘 살필 수 있다. 의에 맞으면 군자가 되고 의를 거스르면 소인이 되니, 사욕을 밝게 분별함이 스스로 지킬 것을 증험하는 것이다.

○ 雲峰胡氏曰, 夫子偶於上經取三卦, 下經取六卦, 言文王以憂患之心作易, 而文王處憂患之道, 自无非易也. 履之象, 上天下澤, 定分不易, 履之爻, 以一陰安處於三陽之下, 此履之所以爲禮也. 謙之象, 地中有山, 不見其高, 謙之爻, 以一陽而退處於三陰之下, 此謙之所以制禮也. 復則一陽生於五陰之下, 天地之心可見, 本義所謂心不外而善存者, 指仁而言也. 如墉之基所以立也, 如器之柄所以執也, 文王之禮也, 如木之本所以生也, 文王之仁也. 恒德之固, 文王之心, 无時而非禮, 无時而非仁也. 損以懲忿窒慾, 益以遷善改過. 困以知命而取舍有辨, 井以定性而動靜不改. 其終也巽順於理, 以制事變, 文王蓋无適而非義也.

운봉호씨가 말하였다: 공자가 우연히 상경(上經)에서 세 개의 괘를 취하고 하경(下經)에서 여섯 개의 괘를 취하여, 문왕이 우환의 마음으로 『주역』을 지었으며, 문왕이 우환에 대처하는 도리가 본래 역이 아님이 없음을 말하였다. 리괘(履卦䷉)의 상(象)은 위가 하늘이고 아래가 연못이니 분수가 정해져 바뀌지 않고, 리괘의 효(爻)는 하나의 음이 세 개의 양의 아래에 편안히 있으니 이것이 리괘가 예가 되는 까닭이다. 겸괘(謙卦䷎)의 상은 땅 속에 산이 있으니 그 높음이 나타나지 않고, 겸괘의 효는 하나의 양이 세 개의 음의 아래로 물러나 있으니 이것이 겸괘가 예를 절제함이 되는 까닭이다. 복괘(復卦䷗)는 하나의 양이 다섯 음의 아래에서 나와 천지의 마음을 볼 수 있으니, 『본의』의 이른바 “마음이 벗어나지 않아 선이 보존된다”는 것은 인(仁)을 가리켜 말한 것이다. 보루의 터전이 확립됨과 같고, 기물의 자루가 쥐어짐과 같은 것이 문왕의 예이고, 나무의 근본이 나옴과 같은 것은 문왕의 인이다.

"항(恒)은 덕의 굳음이다"는 문왕의 마음이 예가 아닌 적이 없고 인이 아닌 적이 없다는 것이다. 손(損)으로 성냄을 다스리고 욕심을 막으며, 익(益)으로 선으로 옮기고 과실을 고친다. 곤(困)으로 천명을 알아 취하고 줌에 분별이 있으며, 정(井)으로 본성을 안정시켜 동과 정에 바꾸지 않는다. 그 마지막에 손(巽)으로 이치에 순응하여 일의 변화를 마름질하니, 문왕은 어디서나 의리가 아닌 적이 없었을 것이다.

○ 雙湖胡氏曰, 此初陳九卦之德, 雖未說到聖人用易處. 然以文王之聖之德, 純亦不已, 其於九卦之德, 固自統會於其心也久矣.

쌍호호씨가 말하였다: 여기서는 애초에 아홉 괘의 덕을 진술하고 성인이 역(易)을 쓰는 일까지는 말하지 않았다. 그러나 문왕의 성덕(聖德)이 순일하여 마지않기에,[225] 그 아홉 괘의 덕을 진실로 그 마음에 거느려서 회합함이 오래 되었다.

▌韓國大全▐

유정원(柳正源) 『역해참고(易解參攷)』

履德 [至] 制也.

리괘는 덕의 … 마름질이다.

案, 基者體也, 柄者用也. 本固, 以心言也, 修裕, 以事言也. 辨, 明理也, 地, 所止也. 制者, 兼體用合內外言.

내가 살펴보았다: '터전[基]'은 본체이고, '자루[柄]'는 작용이다. '근본[本]'과 '굳음[固]'은 마음으로써 말한 것이고, '닦음[修]'과 '넉넉함[裕]'은 일로써 말한 것이다. '분별함[辨]'은 이치를 밝힌 것이고, '대지[地]'는 머무르는 것이다. '마름질[制]'은 본체와 작용을 겸하고 안과 밖을 합하여 말한 것이다.

김상악(金相岳) 『산천역설(山天易說)』

此九卦, 皆反身修德, 以處憂患之事, 而有序焉. 履者禮也. 人之修德, 必以踐履爲本,

---

225) 『中庸』: 於乎不顯, 文王之德之純, 蓋曰文王之所以爲文也, 純亦不已.

而謙退爲要也. 基所以立, 柄所以持也, 故復以反本, 恒以固守, 損以自修, 益以長善, 困以知命, 井以定性, 巽以制事.

이 아홉 괘는 모두 몸에 돌이켜 덕을 닦아 우환에 대처하는 일로서 순서가 있다. 리(履)는 예이다. 사람이 덕을 닦음은 반드시 행하는 것으로써 근본을 삼고, 겸손함으로써 요점을 삼는다. '터전[基]'은 확립하는 조건이고, '자루[柄]'는 지탱하는 조건이기 때문에, 복괘로 근본을 돌이키고, 항괘로 지킴을 굳게 하고, 손괘(損卦)로 스스로 닦고, 익괘(益卦)로 선을 길이 행하며, 곤괘(坤卦)로 명을 알고, 정괘(井卦)로 본성을 안정하고, 손괘(巽卦)로 일을 제재하는 것이다.

○ 履之一陰, 謙之一陽, 主卦於上下, 故爲九卦之首.

리괘(履卦☰)의 한 음과 겸괘(謙卦☷)의 한 양이 위아래로 괘를 주관하기 때문에 아홉 괘의 첫머리가 되었다.

심대윤(沈大允) 『주역상의점법(周易象義占法)』

立其基, 持其柄, 反其本, 守其正, 勉其修, 施其裕, 明其辨, 安其地, 行其制.

터전을 세우고, 자루를 잡으며, 근본을 돌이키고, 바름을 지키며, 닦음을 힘쓰고, 넉넉함을 베풀며, 분별을 밝히고, 대지를 편안하게 여기며, 마름질을 행한다.

오치기(吳致箕) 「주역경전증해(周易經傳增解)」

此言九卦, 爲修德之具也. 履者, 踐履也. 人之所躬行實踐者, 禮而爲德之所依據. 亦猶室之有基址, 故爲德之基也. 柄者, 人所執持也. 心志滿盈者, 必喪厥德, 惟卑已尊人, 謙讓自持, 則其德日積, 亦猶物之有柄, 而人所執持, 故爲德之柄也. 去人慾之蔽, 而復天理之善, 則萬善從此充廣, 亦猶木之有根, 而枝葉自達, 故爲德之本也. 有善在我, 而所守恒久, 則長久而堅固, 故爲德之固也. 忿欲所以害德, 而懲窒乃自修之事, 故爲德之修也. 見善而遷, 有過而改, 則乃有益于自修, 而德必充足, 故爲德之裕也. 處困窮之際, 最可辨其善惡, 而困而亨則君子, 窮斯濫則小人, 故爲德之辨也. 蓄養其德, 而施及于人, 必如井居其所而汲以養人, 故爲德之地也. 順於義理, 而入于細微, 隨宜裁斷, 故爲德之制也.

여기에서 말한 아홉 괘는 덕을 수양하는 도구이다. 리(履)라는 것은 실천함이다. 사람이 몸소 행하고 실천하는 것은 예이면서 덕이 의거함이 되고, 또한 집에 터가 있는 것과 같기 때문에 '덕의 터전'이 된다. 자루는 사람이 잡고서 지탱하는 것이니, 심지가 가득 찬 자는 반드시 그 덕을 잃거니와, 오직 자기를 낮추고 남을 높이며 겸양으로 스스로 지킨다면 덕이 날마다 쌓이니, 또한 물건에 자루가 있어 사람이 잡아 지탱함과 같을 것이기 때문에 '덕의 자루'가 된다. 인욕의 폐단을 제거하여 천리의 선함을 회복하면 온갖 선이 이로부터 채워지고 넓어지니, 또한 나무에 뿌리가 있어 가지와 잎사귀가 스스로 뻗어나가는 것과 같기 때문에 '덕의 근본'이 된다. 선이 있음은 나에게 달려 있으니, 지킴이 항구하면 길이 오래도록 견고하기 때문에 '덕의 굳음'이 된다. 분심과 욕심은 덕을 해치는 것이니 징계하고 막는 것이 곧 스스로 수양하는 일이기 때문에 '덕의 닦음'이 된다. 선을 보고 옮기고 허물을 보고 고치면 곧 스스로 닦는 데 더함이 있어서 덕이 반드시 충족될 것이기 때문에 '덕의 넉넉함'이 된다. 곤궁한 즈음에 처할 때에 가장 잘 선악을 분별할 수 있으니, 곤궁해도 형통한 것은 군자이고, 곤궁하면 이에 넘치는 것은 소인이기 때문에 '덕의 분별함'이 된다. 그 덕을 축적하고 길러서 베풂이 남에게 미치면, 반드시 우물이 제자리에 있지만 물을 길어 사람을 길러 줌과 같을 것이기 때문에 '덕의 대지'가 된다. 의리에 순응하여 세밀하고 은미한 데 들어가 의로움에 따라 마름질하여 결단하기 때문에 '덕의 마름질'이 된다.

履, 和而至, 謙, 尊而光, 復, 小而辨於物, 恒, 雜而不厭, 損,
先難而後易, 益, 長裕而不設, 困, 窮而通, 井, 居其所而遷,
巽, 稱而隱.

리(履)는 화합하면서도 지극하고, 겸(謙)은 높으면서도 빛나고, 복(復)은 작으면서도 사물과 구별되
고, 항(恒)은 섞이면서도 싫어하지 아니하고, 손(損)은 먼저는 어려우면서도 뒤에는 쉽고, 익(益)은
길러 넉넉하면서도 조작하지 아니하고, 곤(困)은 곤궁하면서도 통하고, 정(井)은 제자리에 머무르면
서도 옮겨가고, 손(巽)은 꼭 맞추면서도 은미하다.

▌中國大全▌

小註

程子曰, 益長裕而不設, 謂固有此理而就上充長之. 設是撰造也, 撰造則爲僞也.
정자가 말하였다: "익은 길러 넉넉하면서도 조작하지 않는다"는 진실로 이러한 이치가 있어
서 여기에서 확충하여 기름을 말한다. '조작[設]'은 만들어 제조하는 것이니, 만들어 제조하
면 허위가 된다.

本義

此如書之九德. 禮非强世, 然事皆至極, 謙, 以自卑而尊且光. 復, 陽微而不亂於
群陰, 恒, 處雜而常德不厭. 損, 欲先難, 習熟則易, 益, 但充長而不造作. 困, 身
困而道亨, 井, 不動而及物, 巽, 稱物之宜, 而潛隱不露.
이것은 『서경』의 구덕(九德)[226]과 같다. 예(禮)는 세상을 강압하는 것이 아니지만 일마다 모두 지극
하고, '겸(謙)'으로 스스로 낮추지만 높으면서 또 빛난다. '복(復)'은 양(陽)이 미약하지만 여러 음
(陰)에 의해 어지럽지 않고, '항(恒)'은 섞여 있지만 한결같은 덕(德)으로 싫어하지 않는다. '손(損)'

---

226) 『書傳·虞書』: 寬而栗 柔而立 愿而恭 亂而敬 擾而毅 直而溫 簡而廉 剛而塞 彊而義.

은 어려움을 먼저 하려 하니 익숙하면 쉽게 되고, '익(益)'은 확충하여 기를 뿐 조작하지 않는다. '곤(困)'은 몸은 곤란하지만 도리는 형통하고, '정(井)'은 움직이지 않아도 사물에 미치고, '손(巽)'은 사물의 마땅함에 꼭 맞추지만 숨어서 드러내지 않는다.

小註

朱子曰, 履之爲卦, 君臣上下, 各履其位, 而得其和者也. 和則疑於平易, 而非極至之義. 然各得其所而不亂焉, 是乃所以和. 而至其下八卦之說, 其例皆然.

주자가 말하였다: 리괘(履卦)는 군신과 상하가 각각 제 자리에 있어서 화합을 이룬 것이다. 화합은 평이함에 그치지 지극하다는 뜻은 아니다. 그러나 각각 제 자리를 얻어 어지럽지 않으니, 이것이 바로 화합인 것이다. 아래의 여덟 괘의 설명도 그 사례가 모두 같다.

○ 履和而至以下, 每句皆是反說. 如謙本以自卑, 卻尊而且光. 若秦人尊君卑臣, 則雖尊而不光, 唯謙, 則尊而又光.

"리(履)는 화합하면서도 지극하다"부터는 구절마다 모두 반대로 설명하였다. 예컨대 겸괘는 본래 스스로 낮추는 것이지만 도리어 높으면서 또한 빛난다. 만약 진나라 사람처럼 임금을 높이고 신하를 낮춘다면 비록 높아도 빛나지 않고, 겸손해야만 높으면서 또한 빛난다.

○ 復小而辨於物者, 蓋復卦是一陽方生於群陰之下, 如幽暗中一點白, 是小而辨也. 又曰, 復雖一陽方生, 然而與衆陰卻不相亂. 如人之善端 方萌雖小, 然而衆惡卻遏他不得.

"복(復)은 작으면서도 사물과 구별된다"는 복괘(復卦☷)는 하나의 양(陽)이 여러 음(陰)의 아래에서 막 생겨나 어두운 가운데 하나의 흰 점과 같으니, 작으면서도 구별된다. 또 말하였다: 복괘에서 비록 하나의 양(陽)이 막 생겨났지만, 그러나 여러 음(陰)과 도리어 서로 뒤섞이지 않는다. 사람의 선한 단서가 막 싹터서 비록 작더라도, 여러 악이 도리어 그것을 막을 수 없는 것과 같다.

○ 損先難而後易 如子産爲政, 鄭人歌之曰, 孰殺子産, 吾其與之, 及三年, 人復歌而頌之. 蓋事之初, 在我亦有所勉强, 在人亦有所難堪, 久之, 當事理, 順人心, 這裏方易. 便如利者義之和一般. 義是一箇斷制物事, 卻似不和, 久之, 事得其宜, 乃所以爲和. 如萬物到秋, 許多嚴凝肅殺之氣似可畏. 然萬物到這裏, 若不得此氣收斂凝結許多生意, 又无所成就. 其難者, 乃所以爲易也. 益長裕而不設, 長裕只是一事, 但充長自家物事教寬裕而已. 困窮而通, 此因困卦說澤无水困, 君子以致命遂志, 蓋此是致命遂志之時. 所以困之象曰, 險以說, 困而不失其所亨, 其唯君子乎, 蓋處困而能說也.

"손(損)은 먼저는 어려우면서도 뒤에는 쉽다"는 자산(子産)[227]의 정치와 같으니, 정나라 사람들이 "누가 자산을 죽인다면 내가 그 일을 함께 하리라"라고 노래하다가, 삼년이 되자 사람들이 다시 노래하여 칭송하였다.[228] 일의 처음에는 내게도 억지가 있고 남에게도 난감함이 있지만, 오래하여 사리에 맞고 민심을 따른다면 그때서야 쉬워진다. 바로 "이로움은 의의 조화이다"[229]와 같은 것이다. 의는 사물을 결단하는 것이어서 조화롭지 못할 것 같지만, 오래하여 일이 마땅함을 얻은 것이 바로 조화이다. 예컨대 만물이 가을이 된다면 매우 차고 말려 죽이는 수많은 기운을 두려워할 것 같지만, 만물이 거기에서 만약 이 기운을 거둬들여 수많은 생의(生意)를 응결시킬 수 없다면 다시 성취할 것이 없게 된다. 그 어려운 것이 바로 쉽게 되는 것이다. "익(益)은 길러 넉넉하면서도 조작하지 않는다"에서 기름[長]과 넉넉함[裕]은 하나의 일일 뿐이니, 다만 스스로를 확충하여 길러서 넉넉하게 하는 것일 뿐이다. "곤(困)은 곤궁하면서도 통한다"는 이것은 곤괘(困卦)에서 "못에 물이 없는 것이 곤이니, 군자가 본받아서 명을 다하여 뜻을 이룬다"[230]고 하였기 때문이니, 대체로 명을 다하여 뜻을 이루는 때이다. 그래서 곤괘의「단전」에서 "험하지만 기뻐하여 곤궁하여도 그 형통하는 바를 잃지 않으니 오직 군자일 것이다"[231]라고 한 것이니, 곤궁하면서도 기뻐할 수 있기 때문이다.

○ 井居其所而遷, 又云井德之地也. 蓋井有定體不動, 然水卻流行出去不窮, 猶人心有持守不動, 而應變不窮也. 德之地也, 地是指那不動底.

정(井)은 제자리에 머무르면서도 옮겨가는데, 또 "정(井)은 덕의 대지이다"라고 하였다. 대체로 우물은 몸체가 정해져 움직이지 않지만 물이 끊임없이 흘러나오니, 사람의 마음을 꼭 지켜 움직이지 않더라도 끊임없이 변화에 호응함과 같다. '덕의 대지[地]'에서 '대지'는 움직이지 않음을 가리키는 것이다.

○ 巽稱而隱, 巽是箇卑巽底物事. 如兌見而巽伏也, 自是箇隱伏底物事. 蓋巽一陰在下, 二陽在上, 陰初生時, 已自稱量得箇道理了, 不待顯而後見. 如事到面前, 自家便有一箇

---

227) 자산(子産): 춘추시대 정(鄭) 나라 목공(穆公)의 손자로 재상이 되어 강경과 온건을 함께 구사하는 정사를 실행하였다.

228) 『春秋左氏傳』: 從政一年, 輿人誦之曰, 取我衣冠而褚之, 取我田疇而伍之, 孰殺子産, 吾其與之. 及三年, 又誦之曰, 我有子弟, 子産誨之, 我有田疇, 子産植之. 子産而死, 誰其嗣之.

229) 『周易·文言傳』.

230) 『周易·象傳』.

231) 『周易·象傳』.

道理處置他, 不待發露出來. 又曰, 稱而隱, 是巽順恰好底道理, 有隱而不能稱量者, 有能稱量而不能隱伏不露形跡者, 皆非巽之道也. 巽德之制也, 巽以行權, 都是此意.

"손(巽)은 꼭 맞추면서도 은미하다"에서 손은 낮추는 것이다. "태(兌)는 나타남이고 손은 엎드림이다"[232]와 같으니, 본래 엎드려 숨는 것이다. 대체로 손[☴]은 하나의 음이 아래에 있고 두 개의 양이 위에 있으니, 음이 처음 나올 때에 이미 자연스럽게 저 도리를 헤아릴 수 있었다. 드러나기를 기다린 뒤에 안 것이 아니니, 마치 일이 눈앞에 닥치면 스스로 하나의 도리로 그것을 처리하지, 드러나기를 기다리지 않는 것과 같다.

또 말하였다: "꼭 맞추면서도 은미하다"는 유순하고 꼭 맞는 도리이니, 은미하지만 꼭 맞출 수 없거나 꼭 맞출 수 있지만 자취를 숨겨 드러나지 않게 할 수 없는 것은 모두 손(巽)의 도리가 아니다. "손은 덕의 마름질이다"와 "손으로 권도를 행한다"가 모두 이 의미이다.

○ 問, 隱字何訓. 曰, 隱, 不見也. 如風之動物, 无物不入, 但見其動而不見其形. 權之用, 亦猶是也.

물었다: '은(隱)'자는 어떠한 뜻입니까?

답하였다: 은(隱)은 보이지 않는 것입니다. 마치 바람이 물건을 움직이고 모든 물건에 스며들지만, 그 움직임만 볼 뿐이지 그 형체를 보지 못하는 것과 같습니다. 저울의 작용도 또한 이와 같습니다.

○ 節齋蔡氏曰, 和則不能必至, 而履之和則能至. 尊者不能必光, 而謙之尊則能光. 微昧者不辨於物, 而復之小則能辨. 雜者人厭之, 而恒之雜則不厭. 難者不易, 而損先難則有後易之理. 設, 施爲也, 裕則多施爲, 而益之裕則不施. 窮則不通, 而困之窮則能通. 遷, 謂養物不窮也, 居其所則不遷, 而井之居則能遷. 稱, 輕重等也, 稱則形著, 而巽之稱則能隱. 此如書之九德, 蓋兼體用而言也.

절재채씨가 말하였다: 화합하면 반드시 지극할 수는 없지만, 리괘(履卦)의 화합은 지극할 수 있다. 높은 사람이 반드시 빛날 수 없지만, 겸괘(謙卦)의 높음은 빛날 수 있다. 희미한 것은 사물과 구별되지 않지만, 복괘(復卦)의 작음은 구별될 수 있다. 섞인 것은 사람들이 싫어하지만, 항괘(恒卦)의 섞임은 싫어하지 않는다. 어려운 것은 쉽지 않지만, 손괘(損卦)의 앞선 어려움에는 뒤에는 쉬워지는 이치가 있다. '조작[設]'은 펼쳐 행함으로, 넉넉하다면 펼쳐 행함이 많겠지만, 익괘(益卦)의 넉넉함은 펼치지 않는다. 곤궁하면 통하지 않지만, 곤괘(困卦)의 곤궁함은 통할 수 있다. '옮겨감[遷]'은 사물을 끊임없이 기름을 말한 것으로, 제자리에 머무르면 옮겨가지 않지만, 정괘(井卦)의 머무름은 옮겨갈 수 있다. '맞춤[稱]'은

---

232) 『周易·雜卦傳』.

가볍고 무거운 따위이니, 맞췄다면 형체가 드러나지만, 손괘(巽卦)의 맞춤은 은미할 수 있다. 이것이 『서경』의 구덕과 같은 것은 대체로 본체와 작용을 겸비하여 말했기 때문이다.

○ 進齋徐氏曰, 設, 施爲也, 自然充長, 不待施爲, 以求其益也. 益之道, 當俟其涵養, 從容自然有得, 不可萌欲速助長之心. 設, 謂有所安排布置要如何也.
진재서씨가 말하였다: '조작[設]'은 펼쳐 행함이니, 자연히 확충하여 기른다면 펼쳐 행하여 이익을 구할 필요가 없다. 익괘의 도리는 함양하여 자연스럽게 얻는 것을 기다려야 하는 것이니, 빨리 이루려 조장하는 마음을 일으켜서는 안 된다. '조작[設]'은 안배하고 배치하여 무언가 하려 함을 말한다.

○ 西山眞氏曰, 損先難而後易, 蓋忿心易發難制, 欲心易開難塞. 故其始也懲之塞之爲甚難. 然天理旣明, 人欲自熄, 其爲力又有所不難者. 故曰後易. 益長裕而不設, 蓋主利物而言. 長裕者, 謂充廣吾寬裕之德, 則其利益自然及物, 不待安排做作也. 故曰不設.
서산진씨가 말하였다: "손(損)은 먼저는 어려우면서도 뒤에는 쉽다"는 대체로 분노는 펼치기는 쉬워도 제어하기는 어려우며, 욕심은 열기는 쉬워도 막기는 어렵다. 그러므로 시작될 때는 징계하고 막는 것이 더욱 어렵다. 그러나 천리에 밝고 인욕이 그쳤다면 힘을 씀에 또한 어렵지 않은 것이 있다. 그러므로 "뒤에는 쉽다"고 하였다. "익(益)은 길러 넉넉하면서도 조작하지 않는다"는 대체로 사물을 이롭게 함을 위주로 말하였다. "길러 넉넉함"은 나의 너그러운 덕을 확충한다면 그 이익이 자연히 사물에게 미침을 말한 것이니, 안배하여 행할 필요가 없다. 그러므로 "조작하지 않는다"고 하였다.

○ 雙湖胡氏曰, 此再陳九卦之材, 亦未說到聖人用易處. 然聖人旣有九卦之德, 亦必有九卦之材, 其和而至, 稱而隱, 固其餘事矣.
쌍호호씨가 말하였다: 여기서는 다시 아홉 괘의 재질을 진술하고, 또한 성인이 역(易)을 쓰는 일까지는 말하지 않았다. 그러나 성인에게 이미 아홉 괘의 덕이 있고 또한 반드시 아홉 괘의 재질이 있으니, 그 "화합하면서도 지극하고, 꼭 맞추면서도 은미하다"는 진실로 그 나머지의 일일 것이다.

‖韓國大全‖

조호익(曹好益) 『역상설(易象說)』

困, 德之辨也.

곤(困)은 덕의 분별함이다.

本義, 困以自驗其力之力, 定力也.

『본의』에서 "곤(困)'으로 스스로의 역량을 시험하고[困以自驗其力]"라고 한 곳에서의 '역(力)'은 역량이다.

恒, 雜而不厭.

항(恒)은 섞이면서도 싫어하지 아니하고.

恒久而不變, 故雖處雜亂, 而常德不厭, 謂持德如一也. 朱子之意如是, 蔡氏則以爲雜者人厭之, 而恒之雜則不厭. 是恒有雜亂義, 豈謂事變之多, 而所守不變, 故其雜可以人不厭耶. 若然則與朱子說无異, 但厭有人己之分.

항상 오래하면서 변하지 않기 때문에 비록 잡란한 가운데에 처해 있으나 떳떳한 덕이 싫지 않은 것이니, 덕을 가짐이 한결같음을 말한 것이다. 주자의 뜻은 이와 같은데, 절재채씨는 "섞인 것은 사람들이 싫어하지만 항괘(恒卦)의 섞임은 싫어하지 않는다"고 하였다. 이는 항(恒)에 잡란의 뜻이 있는 것이니, 아마도 일의 변화가 많은데도 지키는 바를 변하지 않으므로 그 잡란함을 사람들이 싫어하지 않을 수 있음을 이른 것일 것이다. 만약 그렇다면 주자의 설과 차이가 없는 것이며, 다만 싫어하는 것에 다른 사람과 자신의 구별이 있는 것이다.

이익(李瀷) 『역경질서(易經疾書)』

履者, 所處之本分, 故爲基. 如素貧賤, 素富貴, 莫不以爲基也. 守分則或涉不通, 故必貴和, 而和則易流也. 至者, 如知至至之之至. 事必有所當至處, 以道言也. 和而至, 則不違於道也. 若但爲至極之義, 則不明, 以此行事, 其效亦和也

리(履)라는 것은 처한 바의 본분이기 때문에 터전이 된다. 예컨대 빈천에 처해서든 부귀에 처해서든[233] 터전이 되지 않음이 없다. 분수를 지키면 혹 통하지 못함에 관계되기 때문에

---

233) 『中庸』 14章: 君子, 素其位而行, 不願乎其外. 素富貴, 行乎富貴, 素貧賤, 行乎貧賤, 素夷狄, 行乎夷狄, 素患難, 行乎患難, 君子, 無入而不自得焉.

반드시 화합함을 귀하게 여기나 화합하면 잘못된 데로 흐르기 쉽다. '지(至)'라는 것은 "이를 데를 알아 이른다"의 '이른다'와 같다. 일에는 반드시 마땅히 이를 곳이 있으니 도로써 말하였다. 화합하여 이르면 도에 어긋나지 않을 것이다. 만일 '지극함'의 뜻으로만 여긴다면 분명하지 않으니, 이것으로 일을 행하면 그 공효도 조화롭기 때문이다.

柄, 如器之有柄. 器非柄不擧, 事非謙不行. 苟有自滿之意, 則不獨人嫉之, 亦自損其德, 謙則不獨人尊之, 其德亦光大也. 以此制禮, 禮無不行也.
'자루(柄)'는 기구에 자루가 있는 것과 같다. 기구는 자루가 아니면 들 수 없고, 일은 겸손이 아니면 행할 수 없다. 만일 자만하는 일이 있다면 남이 미워할 뿐만 아니라 스스로 자기의 덕을 덜게 되고, 겸손하다면 남이 높일 뿐만 아니라 자기의 덕도 빛나고 크게 될 것이다. 이것으로 예를 제재하면 행하지 못할 예가 없다.

유정원(柳正源) 『역해참고(易解參攷)』

履和 [至] 而隱.
리는 화합하면서도 … 은미하다.

朱子曰, 旣說井以辯義, 又說井居其所而遷, 井是不可動物事, 水卻可隨所汲[234]而往. 如道之正體, 卻一定於此, 而隨事制宜, 自莫不當. 所以說井以辯義, 又云井居其所而遷.
주자가 말하였다: 이미 "정괘(井卦)로 의리를 분별한다"고 말하였고, 또 "우물은 제자리에 있으면서 옮겨간다"고 말하였으니, 우물은 움직일 수 없는 사물이지만, 물은 도리어 물을 긷는데 따라서 갈 수 있다. 마치 도의 바른 몸체는 도리어 여기에 일정한데, 일에 따라 마땅함을 제어하는 것은 저절로 마땅하지 않음이 없는 것과 같다. 그래서 정괘로 의리를 분별한다고 말하고, 또 우물은 제자리에 있으면서 옮겨간다고 하였다.[235]

○ 損先難而後易, 不探虎穴, 不得虎子, 須是舍身, 入裏面去, 如搏寇讎方得之. 若輕可地說得, 不濟事.
"손괘는 먼저는 어려우나 뒤에는 쉽다"는 호랑이 굴에 들어가지 않으면 호랑이 새끼를 잡을 수 없으니, 모름지기 자신을 버리고 안으로 들어가야 도둑이나 원수를 쳐서 잡을 수 있는 일과 같다. 가볍게 말한다면 일을 이룰 수 없다.[236]

---

234) 汲: 경학자료집성 DB에 '没'로 되어 있으나, 경학자료집성 영인본을 참조하여 '汲'으로 바로잡았다.
235) 『주자어류』 37권 54조목에 보인다.

○ 案, 履者上下尊卑, 各得其序, 无乖戾之患, 而皆得至善之地, 是和而至也. 恆之爲卦, 陰陽相雜, 而有恆久之德, 所以人不厭也. 損之先難而後易, 如懲忿窒慾, 是將性偏難克處, 克將去, 則習熟之久, 自當平易. 益之遷善改過, 其德自然充長, 不待人爲造作, 是長裕而不設也. 巽之行權, 稱物之輕重, 而得中其精微之義, 人不得以窺測. 故本義曰潛隱不露, 若人人所共由之道, 昭著明白, 則何以謂權也.

내가 살펴보았다: 리괘는 위·아래 사람과 높고 낮은 이가 각각 알맞은 순서를 얻어 어긋나는 환란이 없어서, 모두 지극히 선한 곳을 얻은 것이니, 이것이 "화합하면서도 지극함"이다. 항괘는 음양이 서로 섞여 항구한 덕이 있으므로, 이 때문에 사람들이 싫어하지 않는다. 손괘는 먼저는 어려우면서도 뒤에는 쉬우니, 마치 분심을 징계하고 욕심을 막는 것과 같아서, 성질이 편벽되어 이겨내기 어려운 곳을 이겨나가면 익숙한 습관이 오래됨에 저절로 평이하게 될 것이다. 익괘는 선으로 옮기고 허물을 고쳐 그 덕이 저절로 채워지고 길러져서 인위적으로 만들 필요가 없으니, 이것이 "넉넉하면서도 조작하지 아니함"이다. 손괘는 권도를 행하여 물건의 경중에 맞추어 정밀하고 은미한 뜻에 알맞으니, 사람들이 측량할 수 없다. 그러므로 『본의』에 "숨어서 드러내지 않음"이라 하였으니, 만일 사람마다 함께 말미암는 도가 환하게 드러나 명백하다면, 어떻게 권도라고 할 수 있겠는가?

本義, 禮非强世. 〈老子, 禮以强世. ○ 馬氏曰, 禮自外而作, 疑先王有以强世也.〉
『본의』에 "예는 세상을 강압하는 것이 아니다"고 하였다. 〈노자가 "예는 세상을 강압한다"고 하였다. ○ 마씨가 말하였다: 예는 밖에서 만들어지니, 선왕이 이것으로 세상을 강압한 듯하다.〉

김상악(金相岳) 『산천역설(山天易說)』

禮順人情, 故和而至, 謙以自卑, 故尊且光. 復則陽微而不亂於群陰, 恒則處雜而常德不厭, 損則先難而後易, 益則充長而不造作, 困則身窮而道通, 井則不動而及物, 巽則稱物之宜而形跡不露也.

예는 인정에 순하기 때문에 화합하면서도 지극하고, 겸손은 스스로 낮추기 때문에 높고도 빛난다. 회복하면 양이 미미하나 여러 음들에게 어지럽힘을 당하지 않으며, 항상하면 섞여있으면서도 떳떳한 덕을 싫어하지 않고, 덜어내면 먼저는 어려우면서도 뒤에는 쉽고, 더하면 채우고 오래하여 조작하지 않으며, 곤궁하면 몸은 궁하나 도는 통하고, 우물이면 움직이지 않으면서도 사물에 미치며, 겸손하면 물건의 마땅함에 맞추면서도 자취가 드러나지 않는다.

---

236) 『주자어류』 32권 61조목에 보인다.

심대윤(沈大允) 『주역상의점법(周易象義占法)』

復道心微而不淫于外物, 恒權正幷行而不忤, 損先與而後取, 益博施而不强作, 巽巽于
賢德而稱其宜, 微婉而无迹.

복괘는 도심이 은미하여 외물에 지나치지 않고, 항괘는 권도와 정도가 나란히 행해져서 어긋
나지 않으며, 손괘(損卦)는 먼저 준 뒤에 취하고, 익괘는 널리 베풀어 억지로 하지 않으며,
손괘(巽卦)는 어진 덕에 공손하여 마땅함에 걸맞게 하고 음미하고 완곡하여 자취가 없다.

오치기(吳致箕) 「주역경전증해(周易經傳增解)」

此言九卦才德之極善也. 禮勝則離, 故以和爲用, 然後方可爲禮之極至, 此履之所以和
而至也. 自卑則愈尊, 自晦則愈光, 此謙之所以尊而光也. 微陽雖居衆陰之下, 而能速
於復善之美, 不陷於群柔之暗, 此復之所以小而辨於物也. 雖處轇轕之地, 而常德不
變, 久遠如一日, 此恒之所以雜而不厭也. 懲忿窒欲, 乃克己之最難, 而先勝其難者, 則
後自勝其易者, 此損之所以先難而後易也. 遷善改過, 則其德日長, 自至有餘, 而非有
以私意設施助長. 此益之所以長裕而不設也. 處困而不變其節, 則身窮道通, 此困之所
以窮而通也. 雖其居所而不動, 乃能養物而不窮, 此井之所以居其所而遷也, 能順事
理, 裁制稱宜, 而又能入伏, 不露形迹, 此巽之所以稱而隱也.

여기에서 아홉 괘의 괘덕이 매우 좋음을 말하였다. 예가 지나치면 마음이 떠나기 때문에
조화로움을 작용으로 삼은 뒤에 예가 지극하게 될 수 있으니, 이것이 리괘가 화합하면서도
지극한 이유이다. 스스로 낮추면 더욱 높아지고 스스로 어둡게 하면 더욱 빛나니, 이것이
겸괘가 높으면서도 빛나는 이유이다. 미미한 양이 비록 여러 음의 아래에 있으나 능히 선의
아름다움을 회복하는데 빨라서, 여러 음의 어두움에 빠지지 않으니, 이것이 복괘가 작으면
서도 사물과 구별되는 이유이다. 비록 시끄럽고 어지러운 데 처하였으나 떳떳한 덕을 변하
지 않고 멀리 오래도록 하루처럼 하니, 이것이 항괘가 섞이면서도 싫어하지 아니하는 이유이
다. 분심을 징계하고 욕심을 막는 것이 곧 사욕을 극복하기에 가장 어려운 것이나, 먼저 어려
운 일을 이겨내면 뒤에 저절로 쉬운 것을 이겨낼 수 있는 것이니, 이것이 손괘가 먼저는 어려
우면서도 뒤에는 쉬움이 되는 이유이다. 선으로 옮기고 허물을 고치면 덕이 날마다 자라나
저절로 넉넉한 데 이를 것이니, 사사로운 뜻으로 조장함을 베풂이 있는 것이 아니다. 이것이
익괘가 길러 넉넉하면서도 조작하지 아니하는 이유이다. 곤궁한데 처해도 그 절개를 변하지
않으면 몸이 곤궁하고 도가 통할 것이니, 이것이 곤괘가 곤궁하면서도 통하는 이유이다. 비
록 제자리에 있으면서 움직이지 않아도, 곧 사물을 길러 다하지 않을 수 있으니, 이것이 정괘
가 제자리에 머무르면시도 옮겨가고, 시리에 따라 제재하고 마땅함에 맞추며, 또 들어가 숨
어 자취가 드러나지 않을 수 있으니, 이것이 손괘가 맞추면서도 은미한 이유이다.

이진상(李震相) 『역학관규(易學管窺)』

第七章本義, 禮非强世.

제 7장의 『본의』에서 말하였다: 세상을 강압하는 것이 아니다.

老子言禮以强世, 强是勉强拘束之意 是不知禮本乎天理者也.

노자는 "예로써 세상을 강압한다"고 말하였다. '강압'은 억지로 하고 구속하는 뜻이니, 예가 천리에 근본함을 모르는 것이다.

○ 小註雲峰說.

소주의 운봉호씨 설.

說九卦弐巧, 非夫子之意.

아홉 괘로 설명한 것이 어긋나고 교묘하니 공자의 뜻이 아니다.

履以和行, 謙以制禮, 復以自知, 恒以一德, 損以遠害, 益以
興利, 困以寡怨, 井以辨義, 巽以行權.

리(履)로 행실을 온화하게 하고, 겸(謙)으로 예를 절제하고, 복(復)으로 스스로 알고, 항(恒)으로 덕을
한결같이 하고, 손(損)으로 해로움을 멀리하고, 익(益)으로 이로움을 일으키고, 곤(困)으로 원망을
적게 하고, 정(井)으로 의리를 분별하고, 손(巽)으로 권도(權道)를 행한다.

┃中國大全┃

小註

程子曰, 巽以行權, 義理所順處, 所以行權.
정자가 말하였다: "손(巽)으로 권도를 행한다"는 의리로 순응하는 것이 권도를 행하는 것이다.

本義

寡怨, 謂少所怨尤, 辨義, 謂安而能慮.
'원망을 적게 함[寡怨]'은 원망하고 탓하는 것을 적게 함을 이르고, '의리를 분별함[辨義]'은 편안하
여 생각할 수 있음을 이른다.

小註

朱子曰 三陳九卦, 初无他意, 觀上面其有憂患一句, 便見得是聖人說處憂患之道. 聖
人去這裏偶然看得這幾卦有這箇道理, 所以就這箇說去. 天下道理只在聖人口頭, 開
口便是道理, 偶說此九卦, 意思自足. 若更添一卦也不妨, 更不說一卦也不妨. 只就此
九卦中, 亦自儘有道理. 且易中儘有處憂患底卦, 非謂九卦之外皆非所以處憂患也. 後
世拘於象數之學者, 以爲九陽數, 聖人之擧九卦, 蓋合此數也, 尤泥而不通. 觀聖人之
經, 正不當如此, 若以困爲處憂患底卦, 則屯蹇非處憂患而何. 又曰, 今之談經者 往往

有四者之病, 本卑也, 而抗之使高, 本淺也, 而鑿之使深, 本近也, 而推之使遠, 本明也, 而必使至於晦.

주자가 말하였다: 아홉 괘를 세 번 진술한 것은 애초에 다른 의도가 없었고, 위의 "우환이 있다"는 구절을 보건대 성인이 우환에 대처하는 도리를 설명한 것임을 알 수 있다. 성인이 여기에서 우연히 저 몇몇의 괘에 이러한 도리가 있음을 보았기에 여기에서 말했던 것이다. 천하의 도리가 단지 성인의 구두(口頭)에 달려 있어서 말을 하면 그대로 도리이니, 우연히 이 아홉 괘를 말했더라도 의미가 자연히 충분하다. 만약 다시 하나의 괘를 첨가하더라도 무방하고, 다시 하나의 괘를 말하지 않았더라도 무방하다. 단지 이 아홉 괘만 말하더라도 자연히 줄곧 도리가 있다. 또한 『주역』에는 줄곧 우환에 대처하는 괘가 있으니, 아홉 괘 이외는 모두 우환에 대처하는 것이 아니라고 하지는 못할 것이다. 후세에 상수(象數)에 몰두하는 학자들이 아홉은 양(陽)의 수(數)로 성인이 아홉 괘를 거론한 것은 이 수에 부합하기 때문이라고 간주하는데, 더욱 막혀서 통하지 않는다. 성인의 경전을 봄에는 반드시 이와 같지 말아야 하니, 만약 곤괘(困卦)를 우환에 대처하는 괘로 여긴다면, 준괘(屯卦)와 건괘(乾卦)는 우환에 대처하는 것이 아니고 무엇이란 말인가?

또 말하였다: 지금 경전을 담론하는 자들이 왕왕 네 가지의 병폐가 있으니, 본래 낮은 것을 들어서 높게 하고, 본래 얕은 것을 뚫어서 깊게 하고, 본래 가까운 것을 밀어서 멀게 하고, 본래 밝은 것을 기필코 어둡게 하는 것이다.

○ 禮主卑下. 履也是邪踐履處, 所行若不由禮, 自是乖戾, 所以曰履以和行. 謙又更卑下, 所以節制乎禮. 又曰, 禮是自家恁地卑下, 謙是應物而言.

예(禮)는 낮춤을 위주로 한다. 리(履)는 또한 실천하는 것이어서 행한 것이 만약 예를 따르지 않는다면 자연히 어그러지기에 "리로 행실을 온화하게 한다"고 한 것이다. 겸(謙)은 다시 낮춤이니, 예를 절제하는 것이다.

또 말하였다: 예(禮)는 스스로 이와 같이 낮추는 것이고, 겸(謙)은 사물에 호응함으로 말한 것이다.

○ 困以寡怨, 是得其處困之道. 无所怨於天, 无所尤於人. 若不得其道, 則有所怨尤矣.

"곤(困)으로 원망을 적게 한다"는 곤궁함에 대처하는 도리를 터득한 것이다. 그러므로 하늘을 원망함이 없고 사람을 탓함이 없다. 만약 그 도리를 터득하지 못하였다면 원망하고 탓함이 있을 것이다.

○ 井以辨義, 辨義謂安而能慮, 蓋守得自家先定, 方能辨事之是非. 若自家心不定, 事到面前, 安能辨其義也.

"정(井)으로 의리를 분별한다"에서 '의리를 분별함'은 편안하여 생각할 수 있음을 말하니, 스스로를 지켜 먼저 안정되어야 비로소 일의 시비를 분별할 수 있는 것이다. 만약 스스로의 마음이 안정되지 않으면, 일이 닥쳤을 때에 어찌 그 의리를 분별할 수 있겠는가?

○ 問, 巽有優游巽入之義, 權是仁精義熟, 於事能優游以入之意. 曰, 是.
물었다: 손(巽)에는 유유자적하며 들어간다는 뜻이 있고, 권(權)은 인의가 무르익어 일에 유유자적하면서 들어갈 수 있다는 뜻입니까?
답하였다: 맞습니다.

○ 巽是入細底意, 說在九卦之後, 是這八卦事了, 方可以行權.
손(巽)은 미세함에 들어간다는 뜻으로 아홉 괘의 뒤에 말하였으니, 여덟 괘의 일을 마쳐야 비로소 권도를 행할 수 있다.

○ 問, 巽以行權. 曰, 權之用, 便是如此. 見得道理精熟後, 於物之精微委曲處, 无處不入, 所以說巽以行權. 又問, 恐是神道. 曰, 不須如此說. 巽只是柔順, 低心下意底氣象. 人至行權處, 不少巽順, 如何行得.
물었다: "손(巽)으로 권도를 행한다"는 무슨 뜻입니까?
답하였다: 권도의 작용은 바로 이와 같습니다. 도리를 터득함이 정밀한 뒤에는 사물의 정밀하고 상세한 곳에 들어가지 못함이 없으니, 그래서 "손으로 권도를 행한다"고 한 것입니다.
또 물었다: 아마도 신묘한 도리인 것 같습니다.
답하였다: 이와 같이 말해서는 안 됩니다. 손(巽)은 단지 유순함일 뿐이니, 마음과 뜻을 낮춘 기상입니다. 사람이 권도를 행하는 곳에서 조금이라도 유순하지 않다면 어떻게 행할 수 있겠습니까?

○ 巽以行權, 兌見而巽伏, 權是隱然做底物事. 若顯然地做, 卻不成行權. 此外八卦, 各有所主, 皆是處憂患之道.
"손(巽)으로 권도를 행한다"에서 '태(兌)'는 드러남이고 '손(巽)'은 엎드림이니, '권(權)'은 은밀하게 하는 일이다. 만약 드러나게 한다면 도리어 권도를 행하는 것이 아니다. 이것 외에 여덟 괘에 각각 주장하는 바가 있지만, 모두가 우환에 대처하는 도리이다.

○ 雲峰胡氏曰, 謙以制禮, 而履以和行, 則禮之至者也. 井以辨義, 而巽以行權, 則義之精者也.
운봉호씨가 말하였다: 겸(謙)으로 예(禮)를 절제하고, 리(履)로 행실을 온화하게 한다면 예

가 지극한 자이다. 정(井)으로 의리를 분별하고, 손(巽)으로 권도를 행한다면 의리가 정밀한 자이다.

○ 邵子曰, 人道不能无怨, 故言寡怨, 所謂怨是用希是也.

소자가 말하였다: 사람의 삶에는 원망이 없을 수 없으므로 "원망을 적게 한다"고 말하였으니, 이른바 "원망함이 이 때문에 드물었다"[237]는 것이다.

○ 柴氏中行曰, 道始於踐履, 而終以知權. 故孔子以可與權爲學之至.

시중행이 말하였다: 도(道)는 실천에서 시작되고 권도를 아는 것으로 마친다. 그러므로 공자는 '함께 권도를 할 수 있는 것'[238]을 학문의 지극함으로 삼았다.

○ 西山眞氏曰, 九卦之義, 更當各就全卦反覆觀之, 以求夫所謂處憂患者, 庶乎得之. 又此章之下云, 易之爲書也不可遠, 又明於憂患與故, 則易之一書, 无非明於憂患而處以道者. 又不特九卦爲然也.

서산진씨가 말하였다: 아홉 괘의 뜻은 다시 각각 전체의 괘를 가지고 반복해서 보아서 이른바 우환에 대처한다는 것을 찾아야만 거의 알 수 있을 것이다. 또 이 장의 뒤에 "『주역』이라는 책은 멀리할 수 없고, 또 우환과 연고에 밝다"고 하였으니, 한 권의 『주역』은 모두 다 우환에 밝아서 도리로 대처한 것이다. 또한 아홉 괘만 특별히 그런 것이 아니다.

○ 雙湖胡氏曰, 三陳九卦, 自有次第. 第一節論九卦之德, 第二節論九卦之材, 第三節方論聖人用九卦, 以處憂患之道. 故皆以以字明之, 亦如六十四卦大象, 必著一以字, 以明用易也. 然文王之聖, 心與易會, 居平時處憂患, 无一非易, 况演易姜里. 卽身是易, 豈待逐卦而以之乎. 夫子亦姑論其處憂患之道, 以其近似者言之, 而爲萬世學易者之法矣. 苟膠焉不通, 則豈所謂易者哉.

쌍호호씨가 말하였다: 아홉 괘를 세 번 펼친 것이 자연히 차례가 있다. 첫째 절에서는 아홉 괘의 덕을 논하였고, 둘째 절에서는 아홉 괘의 재질을 논하였고, 셋째 절에서 비로소 성인이 아홉 괘를 써서 우환에 대처한 도리를 논하였다. 그러므로 모두 '이(以)'자로 밝혔으니, 또한 64괘의 「대상전」에서 반드시 '이(以)'자를 드러내어 역을 썼음을 밝힌 것과 같다. 그러나 성인인 문왕은 마음이 역(易)과 회합하여 평상시 우환에 대처함에도 역이 아님이 없거늘, 하물며 유리에서 역을 펼침에 있어서겠는가? 일신(一身)이 바로 역이거늘, 어찌 괘마다 기

---

237) 『論語 · 公冶長』: 子曰, 伯夷叔齊, 不念舊惡, 怨是用希.
238) 『論語 · 子罕』: 子曰, 可與共學, 未可與適道, 可與適道, 未可與立, 可與立, 未可與權.

다려서 이를 본받겠는가? 공자도 잠시 그 우환에 대처하는 도리를 논함에 비슷한 것으로 말하여 오랜 뒤에 역을 배우는 자들에게 모범을 삼았던 것이다. 진실로 교착되어 통하지 않는다면 어찌 이른바 역이겠는가?

右第七章

이상은 제7장이다.

▌中國大全▌

本義

此章三陳九卦, 以明處憂患之道.

이 장은 아홉 괘를 세 번 펼쳐서 우환에 대처하는 도리를 밝혔다.

小註

雲峰胡氏曰, 此章三陳九德. 雖夫子偶卽九卦言之, 然上經自乾至履九卦, 下經自恒至損益亦九卦. 上經履至謙五卦, 下經益至困井亦五卦. 上經謙至復又九卦, 下經井至巽又九卦. 上經自復而後八卦而爲下經之恒, 下經自巽而未濟亦八卦. 復爲上經之乾, 上下經對待, 又似非偶然者, 或於此可見文王之心焉. 對待凡十卦, 置乾不言, 乾爲君也, 文王常存事君之小心, 而不知其有君民之大德者也. 九卦上下體无離, 文王晦其明者也, 然有互體離在焉, 實未嘗不明也.

운봉호씨가 말하였다: 이 장은 아홉 개의 덕을 세 번에 걸쳐 펼쳤다. 비록 공자가 우연히 아홉 괘를 가지고 말하였지만, 상경의 건괘로부터 리괘(履卦)까지가 아홉 괘이고, 하경의 항괘(恒卦)로부터 손괘(損卦)·익괘(益卦)까지도 아홉 괘이다. 상경의 리괘에서 겸괘(謙卦)까지가 다섯 괘이고, 하경의 익괘에서 곤괘(困卦)·정괘(井卦)까지도 다섯 괘이다. 상경의 겸괘에서 복괘(復卦)까지도 아홉 괘이고, 하경의 정괘(井卦)에서 손괘(巽卦)까지도 아홉 괘이다. 상경의 복괘로부터 뒤로 여덟 번 째의 괘가 하경의 항괘가 되고, 하경의 손괘로부터 미제(未濟)까지도 여덟 괘이니, 다시 상경의 건(乾)이 된다. 상경과 하경을 상대해 놓

음이 더욱 우연이 아닌 듯하니, 혹 여기에서 문왕의 마음을 알 수 있을 것이다. 모두 열개의 괘를 상대해 놓으면서 건괘를 방치하고 말하지 않은 것은 건괘가 임금이 되기 때문이니, 문왕은 항상 임금을 섬기려는 조심스런 마음을 보존하고 그가 임금의 큰 덕이 있음을 알지 못하였다. 아홉 괘의 상괘와 하괘의 몸체에 리괘[☲]가 없음은 문왕이 자신의 밝음을 감춘 것이다. 그러나 호체(互體)인 리괘가 안에 있으니, 실제로는 밝히지 않은 적이 없다.

‖韓國大全‖

송시열(宋時烈)『역설(易說)』

言文王以此九卦當憂患.

문왕이 이 아홉 괘로 우환을 감당했음을 말하였다.

이익(李瀷)『역경질서(易經疾書)』

三陳九卦, 孔子爲文王設此義也. 不獨此也, 如謙明夷升之類, 周公已以文王事, 鋪排爲辭, 孔子亦或證之曰, 文王以之, 可信無疑. 此類皆與九卦, 相表裡也. 一陳則皆下之字, 二[239]陳則皆下而字, 三陳則皆下以字. 之之爲言, 謂此爲彼之要也, 而之爲言, 謂旣如此而又如彼也, 以之爲言, 謂以此爲用也.

아홉괘를 세 차례 펼쳤으니, 공자는 문왕이 이런 뜻을 만들었다고 여겼다. 이 뿐만이 아니라 겸괘(謙卦)·명이괘(明夷卦)·승괘(升卦)의 부류는 주공이 이미 문왕의 일로 배치하여 말하였고, 공자도 때로는 이것을 증명하여 "문왕이 그것을 사용하였다"[240]고 하였으니, 의심의 여지없이 믿을 만하다. 이런 부류는 모두 아홉 괘와 서로 표리가 된다. 첫 번째 펼칠 때에는 모두 '지(之)'자를 썼고, 두 번째 펼칠 때에는 모두 이(而)자를 썼으며, 세 번째 펼칠 때에는 모두 이(以)자를 썼다. '지(之)'라는 말은 이것이 저것의 요점이 됨을 이르고, '이(而)'라는 말은 이미 이와 같고 또 저와 같음을 이르며, '이(以)'라는 말은 이것으로 쓰임을 삼음을 이른다.

---

239) 二: 경학자료집성 DB와 영인본에 모두 '三'으로 되어 있으나, 문맥을 살펴 '二'로 바로잡았다.
240) 『周易·明夷卦』象傳: 內文明而外柔順, 以蒙大難, 文王以之.

上篇三卦, 下篇六卦. 其相去遠近, 則雲峰說似有理.

상경의 3괘와 하경의 6괘이다. 서로간의 차이에 대하여는 운봉호씨의 설이 이치가 있는 듯하다.

李光地云, 自乾至离, 十八宮, 自咸至未濟, 亦十八宮. 咸恒損益困井巽兌, 合爲四宮, 則乾與咸恒相直, 履與損益相直, 謙與困井相直, 復與巽兌相直. 上篇一卦, 必兼下篇兩卦, 而乾咸以始不擧, 兌以終不擧也. 然六十四卦中, 必擧此九者, 何義. 此不但以卦義推之, 以文王事當之, 苟無實跡, 恐不可强言. 今謙卦自謙謙君子, 至利用侵伐, 行師征國, 分明是西伯之事, 而至明夷 又分明說文王以之, 其他亦必有文王常日用力者. 故聖人拈出爲說. 不然, 何必此數卦重言, 而至於三摺耶. 然卦序出於先天. 文王專用後天, 而九卦之序, 卻不違先天, 此與繫象之意同.

이광지가 말하기를 "건괘에서 리괘까지 18궁이고, 함괘에서 미제괘까지도 18궁이다. 함(咸)·항(恒)·손(損)·익(益)·곤(困)·정(井)·손(巽)·태(兌)는 합하면 4궁이 되니, 건괘(乾卦)는 함괘(咸卦)·항괘(恒卦)와 서로 대치하고 리괘(履卦)는 손괘·익괘와 서로 대치하며, 겸괘는 곤괘(困)·정괘(井)와 서로 대치하고, 복괘(復卦)는 손괘(巽卦)·태괘(兌卦)와 서로 대치한다. 상경의 한 괘는 반드시 하경의 두 괘를 겸하나, 건괘·함괘는 시작이라 거론하지 않았고, 태괘는 끝이라 거론하지 않았다"라 하였다. 그런데 64괘 안에 굳이 아홉 괘를 거론한 것은 무슨 뜻인가? 이것은 괘의로 추정했을 뿐만 아니라 문왕의 일로 해당시킨 것이니, 만일 실제의 자취가 없다면 억지로 말할 수 없을 것이다. 지금 겸괘의 "겸손하고 겸손한 군자이니[謙謙君子]"[241]에서부터 "침벌을 씀이 이로우니[利用侵伐]"[242]와 "군사를 행하여 나라를 정벌함[行師征國]"[243]까지는 분명히 서백의 일이고, 명이괘는 또 분명히 "문왕이 그것을 사용하였다[文王以之]"라고 말하였으며, 나머지 괘에서도 분명히 문왕이 일상생활에서 힘쓴 것이 있다. 그러므로 성인이 집어내어 설명한 것이다. 그렇지 않다면 하필이 몇 개의 괘를 거듭 말하여 세 차례 겹쳐 설명했겠는가? 그러나 괘의 순서는 선천역에서 나온 것이다. 문왕이 전적으로 후천역을 사용하였으나 아홉 괘의 순서가 도리어 선천역을 어기지 아니하니, 이것은 단사를 매단 뜻과 같을 것이다.

此章宜橫竪看. 陸象山云, 上天下澤, 尊卑之義. 經禮曲禮, 皆本於此, 故爲德之基. 有而不居爲謙, 謙則德進, 故爲德之柄. 謙然後能復善者, 吾性之固有, 故爲德之本. 復而

---

241) 『周易·謙卦』: 初六, 謙謙君子, 用涉大川, 吉.

242) 『周易·謙卦』: 六五, 不富, 以其鄰, 利用侵伐, 无不利.

243) 『周易·謙卦』: 上六, 鳴謙, 利用行師征邑國.

不恒, 雖得, 必失, 故爲德之固. 修德, 必損去其害德者, 故爲德之修. 善日積, 則寬裕, 故爲德之裕. 不臨患難, 未足以見其德, 故爲德之辨. 井以利物養人爲事, 君子處心, 亦猶是, 故爲德之地. 夫然後可以有爲. 有爲者, 常順時制宜, 故爲德之制. 此橫說也, 須兼竪說始盡.

이 장은 의당 횡과 종으로 보아야 한다. 육상산이 말하기를 "위는 하늘이고 아래는 못이니 높고 낮은 뜻이다. 경례와 곡례가 모두 여기에 근본하기 때문에 '덕의 터전'이 된다. 간직하고 있으면서 자처하지 않는 것을 '겸손'이라 하는데 겸손하면 덕이 진전되기 때문에 '덕의 자루'가 된다. 겸손한 뒤에 선을 회복할 수 있는 것은 나의 본성이 본래 있는 것이기 때문이니 '덕의 근본'이 된다. 회복하였지만 항상하지 않으면 비록 얻더라도 반드시 잃을 것이기 때문에 '덕의 굳음'이 된다. 덕을 닦으면 반드시 덕을 해치는 것을 덜어 없애기 때문에 '덕의 닦음'이 된다. 선이 날마다 쌓여지면 넉넉하기 때문에 '덕의 넉넉함'이 된다. 환난에 임하지 않으면 덕을 보기에 부족하기 때문에 '덕의 분별'이 된다. 우물은 사물을 이롭게 하고 사람을 기르는 것을 일삼으니 군자가 마음을 씀도 이와 같기 때문에 '덕의 대지'가 된다. 무릇 그런 뒤에 큰일을 할 수 있다. 큰일을 할 수 있다는 것은 항상 때를 따라 마땅하게 제재하는 것이기 때문에 '덕의 마름질이 된다'라고 하였다. 이것은 횡으로 설명한 것이니 모름지기 종으로 설명하기를 겸하여야 비로소 극진하다.

禮者, 人事之儀則也. 儀則本於天理, 有儀未必有本也. 復, 如不遠復之復. 有不善, 然後方有復. 復不復, 以天理言, 故爲德之本. 子曰, 有不善, 未嘗不知也, 小帖不遠, 辨於物帖未嘗不知, 故其復也在小, 而已辨其是非也. 物猶事也. 自知者, 自得也, 亦宜帖不知. 〈字省也.〉

예라는 것은 인사의 의칙이다. 의칙은 천리에 근본하나 의칙이 있다고 해서 반드시 근본이 있는 것은 아니다. 복(復)은 "멀리 가지 않고 돌아온다[不遠復]"의 "돌아온다[復]"와 같다. 불선이 있은 뒤에 바야흐로 돌아옴이 있다. 돌아옴과 돌아오지 않음은 천리로 말하였기 때문에 덕의 근본이 된다. 공자가 "불선이 있으면 알지 못한 적이 없었다"고 하였으니, '작으면서도[小]'는 '멀리 가지 않고'에 적용되고, '사물과 구별되고[辨於物]'는 "모른 적이 없었다"에 적용되기 때문에 돌아오는 것이 작은 데 있어도 이미 시비가 분별되는 것이다. 물(物)은 일과 같다. '스스로 앎[自知]'은 스스로 터득함이니, 또한 의당 "모른 적이 없었다"에 적용된다. 〈'미상(未嘗)'이라는 글자가 생략되었다.〉

恒, 常也. 旣復而有恒, 所謂知之未嘗復行也. 恒而習焉, 則德自固. 恒非一事可驗, 萬事萬物, 莫不恒, 固與禪道之厭煩者, 不侔, 事事而有恒, 同歸於一其德也.

항(恒)은 항상함이다. 이미 돌아왔으면 항상함이 있으니 이른바 "알면 일찍이 다시 행한 적이 없다"[244]이다. 항상 하여 익힌다면 덕이 저절로 굳어질 것이다. 항괘는 한 가지 일로 징험할 수 있는 것이 아니니, 온갖 일과 물건이 항상 하지 않음이 없으면 진실로 번다함을 싫어하는 선도(禪道)와 다를 것이고, 일마다 항상 함이 있다면 그 덕을 한결같이 하는 데로 함께 돌아갈 것이다.

雖恒德, 亦須防其誘奪, 方是內外全功. 損, 莫大於嗜欲, 莊周所謂嗜欲深天機淺是也. 故修德莫如損欲. 損欲必先於難處, 始先損難處, 則易處卻是歇, 後如所謂克己, 須從 性偏難克處, 克將去也. 凡害生於逸欲, 旣損矣, 害非所慮.

비록 항상하는 덕이라도 모름지기 유혹과 빼앗김을 방비하여야 바야흐로 안팎이 온전한 공부이다. '덜어짐'은 기호(嗜好)와 욕망(慾望)보다 큰 것이 없으니 장주(莊周)가 말한 "기호와 욕망이 깊으면 천기(天機)가 얕다"는 것이 이것이다. 그러므로 덕을 닦는 것은 욕망을 덜어냄 만 한 것이 없다. 욕망을 덜어내는 것은 반드시 어려운 곳을 먼저 해야 하니, 처음에 먼저 어려운 곳을 덜어내면 쉬운 곳은 곧 다할 수 있어, 뒤에는 마치 이른바 "사욕을 이기는 일은 모름지기 성질이 편벽되어서 이기기 어려운 곳부터 이겨 나가야 한다"[245]와 같을 것이다. 무릇 해로움은 편안함과 욕망에서 생겨나니 이미 덜어냈다면 해로움은 염려할 것이 아니다.

欲旣損則德必益. 裕謂用之足也. 德之長無窮, 如曰吾德已足, 則便是器小也. 設謂陳 設而外示也, 長裕而不外示, 如所謂有若無實若虛也. 利者, 凡易中利往利涉利用之類 是也. 長裕不設, 則何利不興.

욕망이 이미 덜어졌다면 덕이 반드시 더해질 것이다. '넉넉함[裕]'은 쓰임이 풍족함을 이른다. 덕을 기름은 다함이 없으니 만일 내 덕이 이미 풍족하다고 말한다면 곧 그릇이 작은 것이다. 설(設)은 베풀어서 밖으로 보여줌을 이른다. 길러 넉넉하면서도 밖으로 보이지 않는 것은 마치 이른바 "가지고 있으면서 없는 것처럼 하고 채웠으면서 빈 것처럼 한다"는 것이다. 이로움이라는 것은 『주역』안에 있는 "가는 것이 이롭다"·"건너는 것이 이롭다"· "쓰는 것이 이롭다"의 종류가 이것이다. 길러 넉넉하면서도 조작하지 않으면 무슨 이로움인들 일어나지 않겠는가?

德於何辨. 必於困. 不試於困, 則不惟人不能辨, 己亦有不能自知者. 窮故通, 所謂孤 臣孽子其操心也危, 慮患也遠故達也. 旣窮而通, 故寡怨. 怨天尤人者, 於道爲未通也.

---

244) 『周易·繫辭傳』: 子曰, 顔氏之子, 其殆庶幾乎. 有不善未嘗不知, 知之未嘗復行也.
245) 『심경부주(心經附註)』제 1권에 보인다.

덕은 어디에서 분별되는가? 반드시 곤궁한 데일 것이다. 곤궁한 데서 시험하지 않으면 남을 분별할 수 없을 뿐만 아니라 자기도 스스로 알 수 없는 것이 있을 것이다. 곤궁하기 때문에 통한다는 것은 이른 바 "외로운 신하와 서자는 마음가짐이 위태롭고, 환난을 염려함이 원대하기 때문에 통한다"[246]는 것이다. 그러므로 원망이 적다. 하늘을 원망하고 남을 탓하는 자는 도에 통하지 못한 것이다.

井之資, 施于物, 如君子養德不窮也. 夫澤停而不流, 川流而不停. 惟井不動, 而亦無所不遷, 雖遷而不渴. 君子德成於己, 而化被者博, 雖博而吾德自在也. 居而不遷, 則無用, 遷而不居, 則無體, 惟居其所而遷, 故其遷也方能分別事之當否, 而義則遷, 不義則不遷也. 德辨屬己, 辨義屬物也.

우물의 바탕은 사물에게 베푸는 것이니, 군자가 덕을 기름에 다하지 않는 것과 같다. 못은 정지되어 흐르지 않고, 냇물은 흐르고 정지하지 않는다. 오직 우물만이 움직이지 않으면서도 옮겨가지 않는 데가 없고, 옮겨가더라도 고갈되지 않는다. 군자는 자기에게서 덕을 이루나 교화를 입는 자가 광범위하고, 광범위하나 나의 덕은 여전히 있다. 거주하고 옮겨가지 않으면 쓸 수가 없고, 옮겨가나 거주하지 않으면 몸체가 없다. 오직 제자리에 거주하면서도 옮겨가기 때문에 옮겨감에 바야흐로 일이 마땅한지의 여부를 분별할 수 있어서, 의로우면 옮겨가고 의롭지 못하면 옮겨가지 않는다. 덕을 분별하는 것은 나에게 속한 일이고, 의를 분별하는 것은 남에게 속한 일이다.

順理爲巽. 聖人之裁制事物, 非容私智, 莫不順理性而爲之也, 其輕重大小, 千條萬端, 悉皆稱情 而立文. 然其所以然, 則隐而莫之見. 苟不有所謂隐者存, 則亦無所取財, 是謂取之逢原也. 法雖有定, 事情日遷, 故不知時義者, 是謂徒法. 惟聖人行權而不差, 此乃堅說也.

이치를 따르는 것이 손(巽)이다. 성인은 사물을 제재함에 사사로운 지혜를 용납하지 않아 이치와 본성을 따라 그렇게 하지 않음이 없으니, 그 경중과 대소의 천만 가지가 모두 실정에 걸맞아 문장이 된다. 그러나 그렇게 되는 이유는 은미하여 드러남이 없다. 만일 이른바 은미한 것이 보존됨이 없다면 또한 취하여 헤아릴 것이 없을 것이니, 이것은 취하는 데 근원을 만남을 이른다. 법이 정해진 것이 있더라도 일의 실정이 날마다 옮겨가기 때문에 시의를 모르는 자를 "한갓 법대로만 한다"고 한다. 오직 성인만이 권도를 행하여 어긋남이 없으니 이것이 곧 종(縱)으로 말한 것이다.

---

246) 『孟子・盡心』: 獨孤臣孽子, 其操心也危, 其慮患也深, 故達.

九卦之義, 亦嘗思而得之. 上篇首乾坤, 終坎離, 下篇則坎離之互易, 而終於旣未濟. 其
用震艮巽兌爲重, 巽兌承乾, 震艮承坤, 爲履謙姤復四卦, 而其陽承乾, 陰承坤, 則不用
也, 四卦之中, 惟姤爲陰長之卦, 故不擧也. 震巽艮兌, 上下互易, 陰陽之合, 惟咸恒損
益四卦, 其兩陽兩陰, 則不用也, 又咸少男承少女, 悅之過, 故不擧也. 然後坎與巽兌,
上下相易, 爲四卦, 離與震艮, 上下相易, 爲四卦. 其長少得其序者, 惟困井噬嗑賁四
卦. 上篇皆得其序, 下篇惟困井革鼎四卦, 得其序, 而最居十六宮之中, 其義亦不可沒
也. 困井噬嗑賁四卦之中, 用坎而不用離, 故雲峰已有此設也. 然後震艮巽兌重卦, 宜
次之. 然困井之後, 震動艮止, 無所事也, 巽權之後, 兌悅亦無所事也, 此皆循易卦之
序, 故其次亦如此.

아홉 괘의 뜻을 일찍이 생각해 보고 터득하였다. 상경은 첫머리가 건·곤이며 끝이 감·리
이고, 하경은 감·리가 서로 바뀌어 기제·미제에서 마쳤다. 진(震)·간(艮)·손(巽)·태
(兌)를 중첩하였으니 손(巽)·태(兌)는 건(乾)을 잇고, 진(震)·간(艮)은 곤(坤)을 이어 리
(履)·겸(謙)·구(姤)·복(復)의 4괘가 됨에 양이 건을 잇고, 음이 곤을 잇는 것은 쓰지 않
았고, 네 괘 가운데 오직 구(姤)만이 음이 자라는 괘이기 때문에 거론하지 않았다. 진(震)·
손(巽)·간(艮)·태(兌)는 위아래가 바뀌고 음양이 합하니, 함(咸)·항(恒)·손(損)·익
(益)의 네 괘에서 양이 둘인 것과 음이 둘인 것은 쓰지 않았고, 또 함괘는 소남(少男)이
소녀(少女)를 받들어 지나치게 기뻐하기 때문에 거론하지 않았다. 그런 뒤에야 감(坎)이
손(巽)·태(兌)와 위아래가 서로 바뀌어 네 괘가 되고, 리(離)가 진(震)·간(艮)과 위아래가
바뀌어 네 괘가 된다. 연장자와 연소자가 알맞은 순서를 얻은 것은 오직 곤(困)·정(井)·서
합(噬嗑)·비(賁) 네 괘뿐이다. 상경은 모두 순서를 얻고, 하경은 오직 곤(困)·정(井)·혁
(革)·정(鼎) 네 괘만이 순서를 얻어서 16궁의 가장 가운데에 있으니, 그 뜻도 없어서는
안 된다. 곤(困)·정(井)·서합(噬嗑)·비(賁)의 네 괘는 감(坎)을 쓰고 리(離)를 쓰지 않았
기 때문에 운봉호씨가 이미 이러한 가설을 한 것이다. 그런 뒤에야 진(震)·간(艮)·손
(巽)·태(兌)의 중괘가 마땅히 차례를 얻는다. 그러나 곤(困)·정(井)의 뒤에 진(震)의 움직
임과 간(艮)의 그침을 일삼을 데가 없고, 손(巽)의 권도를 행한 뒤에는 태(兌)의 기쁨도 일
삼을 데가 없다. 이것은 모두 『주역』의 괘 순서를 따른 것이기 때문에 차례도 이와 같다.

유정원(柳正源) 『역해참고(易解參攷)』

履以 [至] 行權. 〈案, 辨一作辯.〉

리(履)로 … 권도를 행한다. 〈내가 살펴보았다: 변(辨)은 한 판본에는 변(辯)으로 쓰여 있다.〉

朱子曰, 如睽蹇皆是憂禍患底事, 何故卻不說. 聖人視易, 如雲行水流, 初无定相, 不可

確定也.

주자가 말하였다: 규괘와 건괘는 모두 화와 근심을 걱정하는 일인데 무슨 까닭으로 오히려 말하지 않았는가? 성인이 역을 보는 것이 구름이 가듯 물이 가듯하여 처음에는 정해진 상이 없어서 확정할 수가 없었다.[247]

○ 案, 復以自知, 如顏子有不善, 未嘗不知也, 井以辨義者, 在我有確不拔之德, 如井之不變其所, 然後能辨別義理也. 權非體道者, 不能, 故終於巽以行權.

내가 살펴보았다: "복(復)으로 스스로 알고"는 예컨대 안자가 불선한 것이 있는 것을 모른 적이 없다는 것이고, "정(井)으로 의리를 분별함"은 나에게 있어서 확실히 뽑지 않는 덕이 우물처럼 제 자리를 변하지 않은 뒤에 의리를 분별할 수 있는 것과 같은 것이다. 권도는 도를 체득한 자가 아니면 할 수 없기 때문에 마침내 손(巽)에서 권도를 행하는 것이다

김상악(金相岳) 『산천역설(山天易說)』

和行者, 安其所履也, 制禮者, 致其謙恭也. 自知者, 省之於內也, 一德者, 守之於外也. 損己則人不相害, 益人則己无不利. 困處約而少怨尤之心, 井施博而辨取與之義, 巽以行權, 則斟酌時措, 无不合宜. 蓋履復損困, 治己之道也, 謙恒益井, 接物之方, 而巽則兼之, 故其所行權, 在八卦之終也.

조화롭게 행하는 것은 행하는 것이 편안한 것이고, 예로 제재하는 것은 겸손함과 공손함을 다하는 것이다. 스스로 안다는 것은 내면을 살피는 것이고, 한결 같은 덕이란 밖을 지키는 것이다. 자기를 덜어내면 남이 서로 해치지 않고, 남에게 보태면 자기에게 이롭지 않음이 없다. 곤괘(困卦)는 곤궁함에 처해도 원망하거나 탓하는 마음이 적고, 정괘(井卦)는 베풂이 넓으면서도 취하고 주는 의리를 분별하며, 손괘는 권도를 행하니 때에 맞게 시행할 것을 헤아려서 마땅함에 합치되지 않음이 없다. 대체로 리괘(履卦)·복괘(復卦)·손괘(損卦)·곤괘(困卦)는 자기를 다스리는 방도이고, 겸괘(謙卦)·항괘(恒卦)·익괘·(益卦)·정괘(井卦)는 남과 교제하는 방법인데, 손괘(損卦)는 이를 겸하기 때문에, 권도를 행하는 것이 여덟 괘의 끝에 있는 것이다.

○ 九卦言辨者三. 困德之辨, 復小而辨於物, 井以辨義, 所以先辨其所遇之時, 則无所失矣. 又九卦乾體一, 坤坎艮各二, 震兌各三, 巽體五, 所以巽以行權也. 九卦於三畫, 八卦中七卦有取, 獨无取於離. 以爲聖人晦明之意, 然有互體之離在焉, 實未嘗不明也. 蓋欲行其巽, 而晦其明, 與小畜明夷, 互見其義.

아홉 괘에서 '분별[辨]'을 말한 것이 세 군데이다. 곤괘(困卦)에서는 덕의 분별을, 복괘(復卦)에서는 작으나 물건을 분별함을, 정괘(井卦)에서는 의를 분별함을 말하였으니, 먼저 만난 때를 분별하여 잘못되는 것이 없게 함이다. 또 아홉 괘에서 건괘(乾卦☰)의 몸체는 하나이고, 곤괘(坤卦☷)・감괘(坎卦☵)・간괘(艮卦☶)의 몸체는 각각 둘이며, 진괘(震卦☳)・태괘(兌卦☱)의 몸체는 각각 셋이고, 손괘(巽卦☴)의 몸체는 다섯이니, 이 때문에 손괘로 권도를 행하는 것이다. 삼획괘에서 아홉 괘를 살펴볼 때, 팔괘 가운데 칠괘를 취하고 리괘(離卦☲)에서만 취함이 없다. 이것을 '성인이 밝은 것을 감추는[晦明]' 뜻이라고 하나, 호체로서의 리괘(離卦☲)가 거기에 있으니, 밝지 않은 적이 없다. 대체로 겸손을 행하여 밝음을 감추고자 함은 소축괘・명이괘[248]와 서로 그 의미를 알 수 있다.

雲峰胡氏曰, 上經自乾至履九卦, 下經自恒至損益亦九卦. 上經履至謙五卦, 下經益至困井亦五卦. 上經謙至復又九卦, 下經井至巽又九卦. 上經自復而後八卦而爲下經之恒, 下經自巽而未濟亦八卦, 復爲上經之乾, 上下經對待, 又似非偶然者

운봉호씨가 말하였다: 상경의 건괘로부터 리괘(履卦)까지가 아홉 괘이고, 하경의 항괘(恒卦)로부터 손괘(損卦)・익괘(益卦)까지도 아홉 괘이다. 상경의 리괘에서 겸괘(謙卦)까지가 다섯 괘이고, 하경의 익괘에서 곤괘(困卦)・정괘(井卦)까지도 다섯 괘이다. 상경의 겸괘에서 복괘(復卦)까지도 아홉 괘이고, 하경의 정괘에서 손괘(巽卦)까지도 아홉 괘이다. 상경의 복괘로부터 뒤로 여덟 번째 괘가 하경의 항괘가 되고, 하경의 손괘로부터 미제(未濟)까지도 여덟 괘이니, 다시 상경의 건(乾)이 된다. 상경과 하경을 상대해 놓음이 더욱 우연이 아닌 듯하다.

서유신(徐有臣) 『역의의언(易義擬言)』[249]

巽以行權.

손(巽)으로 권도를 행한다

巽爲進退, 行權之象. 卦形, 下畫如植, 上畫如架, 中畫如衡. 又下畫如一頭懸物, 一頭垂錘之象.

손괘(巽卦)는 나아가고 물러가며 권도를 행하는 상이 된다. 괘의 모양이 아래 획은 심은

---

248) 『周易・明夷卦』: 利艱貞, 晦其明也.
249) 경학자료집성DB에서는 「계사하전」 '통론'으로 분류했으나, 내용에 따라 이 자리로 옮겼다.

것 같고, 위의 획은 시령 같으며, 가운데 획은 저울대 같다. 또 아래 획은 하나의 매달린 물건 같으니, 하나의 추를 드리운 상이다.

박윤원(朴胤源) 『경의(經義)·역경차략(易經箚略)·역계차의(易繫箚疑)』

作易者, 其有憂患, 指文王拘羑里而言也. 以文王之盛德, 其蒙大難也, 必樂天知命而不憂矣, 夫子何以知其有憂患歟. 以卦名之有蹇坎明夷等卦而知之歟, 以下文所謂九卦爲處患難之道而知之歟. 且九卦爲修德之具, 則聖人何待於遇患難而始修德乎. 九卦中惟困卦爲患難之卦, 其他八卦, 孰非可用於平時者歟. 若以處患難之道而言, 則九卦外一卦添不得, 九卦內一卦減不得歟. 巽以行權, 則巽一卦是行權之卦, 而其他八卦, 皆是常經歟. 抑諸卦亦各有經權歟. 巽是順理之謂, 當言於守經, 而必言於行權, 何歟.

"역을 지은 이가 우환이 있었을 것이다"는 문왕이 유리에 구속되었을 때를 가리켜 말한 것이다. 문왕의 성대한 덕으로 큰 환난을 입었으니, 반드시 천명을 알아 순응하여 근심하지 않았을 것인데, 공자가 어떻게 우환이 있었을 줄 알았을까? 괘의 이름에 건(蹇)·감(坎)·명이(明夷) 등의 괘가 있음을 가지고 알았을 것이며, 아래 글에 이른바 아홉 괘가 환난에 대처하는 도가 됨을 가지고 알았을 것이다. 또 아홉 괘가 덕을 수양하는 도구가 된다면 성인이 어찌 환난을 만나기를 기다려서야 비로소 덕을 닦았겠는가? 아홉 괘 안에 오직 곤괘(困卦)만이 환난의 괘가 되니, 그 밖의 여덟 괘가 어찌 평소에 쓸 수 있는 것이 아니겠는가? 만일 환난에 대처하는 도로 말하자면 아홉 괘 밖에서 한 괘라도 더할 수 없고, 아홉 괘 안에서 한 괘라도 뺄 수 없는 것인가? "손(巽)으로 권도를 행함"이라면 손괘 한 괘만이 권도를 행하는 괘이고, 다른 여덟 괘는 모두 상도를 행하는 것인가? 아니면 여러 괘도 각각 권도와 상도가 있는 것인가? '손(巽)'은 이치를 따름을 이르니 마땅히 상도를 지킴을 말해야 하는데 반드시 권도를 행함을 말한 것은 어째서인가?

심취제(沈就濟) 『독역의의(讀易疑義)』

易興之易字, 指伏羲之易也, 作易之易, 指文王繫辭之易也.
"역이 일어난[易興]"의 '역(易)'은 복희씨의 '역'을 가리키고, "역을 지은 이[作易]"의 '역(易)'은 문왕이 말을 단 '역'을 가리킨다.

此言憂患則上言衰世者, 不亦明乎. 處憂患之道, 惟在反身修德也.
이 장에서 말한 우환이 곧 위에서 말한 "쇠락한 세상"이라는 것이 매우 분명하지 아니한가? 우환에 대처한 도는 오직 몸에 돌이켜 덕을 수양하는 데 달려있다.

九德之中, 履謙二卦, 朱夫子立體釋之, 而其下則聯次釋之者, 豈無意乎. 履者, 文王所處也.

아홉 덕 가운데 리괘·겸괘 두 괘는 주자가 몸을 확립하는 것으로 풀고, 그 아래 괘에서는 연달아 차례로 해석한 것이 어찌 의미가 없겠는가? '이행하다[履]'는 것은 문왕이 대처한 것이다.

反履則爲夬, 反謙則爲剝, 夬剝之際, 其無憂患衰世之意乎.

리괘(履卦☱)에서 상하괘가 바뀌면 쾌괘(夬卦☱)가 되고, 겸괘(謙卦☷)에서 상하괘가 바뀌면 박괘가 되니, 쾌괘와 박괘의 즈음이 아마도 쇠락한 세상에 대한 우환이 없는 뜻일 것이다.

履謙體也, 巽之一卦用也. 其中六卦, 參之於乾之文言六節, 庶有可求之道. 此九德之中, 或言體,或言象, 或言德. 時義用, 亦在其中, 周旋致曲而求之可也.

리괘(履卦)와 겸괘(謙卦)는 본체이고, 손괘(巽卦) 한 괘는 작용이다. 그 가운데 여섯 괘는 건괘「문언전」의 여섯 절[六節]이 참여해 있으니, 거의 구할 수 있는 도가 있다. 이 아홉 덕 가운데 어떤 것은 몸체를 말하고, 어떤 것은 상을 말했으며, 어떤 것은 덕을 말하였다. 때·뜻·작용도 그 안에 있으니, 두루 베풀어 곡진히 하여 구하는 것이 옳다.

윤행임(尹行恁) 『신호수필(薪湖隨筆)·계사전(繫辭傳)』

德之基也, 德之本也, 德之地也, 意同而文異, 於其同而求其異, 則亦異焉. 有地而後, 始可以定基矣, 有基而後, 始可以立本矣.

"덕의 터전이요"·"덕의 근본이요"·"덕의 대지요"는 의미는 같으면서 문자가 다른 것이니, 같은 데서 다른 것을 찾으면 또 다르다. 대지가 있은 뒤에 비로소 터전을 정할 수 있고 터전이 있은 뒤에 비로소 근본을 세울 수 있다.

有子曰, 禮之用, 和爲貴, 以禮節之, 蓋出於履和而至, 知和而和, 則非極至之道也. 故下一至字 至爲節之稱也.

유자가 말하기를 "예의 쓰임이 조화로움이 귀하다"라 하니, 예로써 조절함은 "리(履)는 화합하면서도 지극하고"에서 나오나, 조화로움만 알고 조화로우면 지극한 도가 아니다. 그러므로 아래의 '지(至)'자는 조절함을 지극히 함을 칭한다.

九卦三轉, 而其義愈明. 和行者, 文王乎, 制禮者, 周公乎, 自知者, 成王乎, 一德者, 伊尹乎, 遠害者, 微子乎, 興利者, 太公乎, 寡怨者, 伯夷乎, 辨義者, 太伯乎, 行權者, 武王乎.

아홉 괘를 세 번 전환하여 설명하니, 뜻이 더욱 분명하다. 조화를 행한 자는 문왕일 것이며, 예를 제정한 자는 주공일 것이며, 스스로 안 자는 성왕일 것이며, 덕을 한결같이 한 자는 이윤일 것이며, 해로움을 멀리한 자는 미자일 것이며, 이로움을 일으킨 자는 태공일 것이며, 원망이 적은 자는 백이일 것이며, 의를 분별한 자는 태백일 것이며, 권도를 행한 자는 무왕일 것이다.

오희상(吳熙常) 「잡저(雜著)-역(易)」

三陳九卦. 履德之基以下, 主體是卦者言, 履和而至以下, 主卦德言, 履以和行以下, 主行是卦之事而言也.

세 차례 아홉 괘를 진술하였다. "리는 덕의 터전이요[履德之基]" 이하는 이 괘를 체행함을 주로 하여 말하였고, "리는 화합하면서도 지극하고[履和而至]" 이하는 괘의 덕을 주로 말하였으며, "리로 행실을 온화하게 하고[履以和行]" 이하는 이 괘를 행하는 일을 주로 하여 말하였다.

심대윤(沈大允) 『주역상의점법(周易象義占法)』

復, 明我心之本善, 損, 取之有時而无迹以遠害. 若不取而喪其生, 則害之大也. 益之懋施, 爲利己也. 困不怨天尤人, 井仕以行義, 巽權而稱其宜以行事. 巽正也, 正以行權.

복괘(復卦)는 내 마음이 본래 선한 것을 밝히고, 손괘(巽卦)는 취하는 데에 알맞은 때가 있어 자취가 없으면서 해를 멀리한다. 만일 취하지 않아 생을 해친다면 해로움이 클 것이다. 익괘는 베풀기를 힘써 자기를 이롭게 한다. 곤괘(困卦)는 하늘을 원망하지 않고 사람을 탓하지 않으며, 정괘(井卦)는 벼슬하여 의를 행하고 손괘(巽卦)는 권도를 행하여 마땅함에 걸맞아 일을 행한다. '손(巽)'은 바름이니 바름으로써 권도를 행한다.

오치기(吳致箕) 「주역경전증해(周易經傳增解)」

此言聖人用九卦, 而修德也. 德之所行, 恐失于乖, 則用履而和之, 德之品節, 恐失于嚴, 則用謙而制之. 擇善, 乃修德之始事也, 則用復而自知以擇之, 固執, 乃修德之終事也, 則用恒而一德以守之. 人欲者, 吾德之害也, 則用損而遠之, 天理者, 吾德之利也, 則用益而興之. 處乎窮而未免怨尤者, 非所以修德而知命也, 則用困而寡之, 居其所而不能徙義者, 非所以修德而盡性也, 則用井而辨之. 修德行事, 若有不當固執, 而合用通變之權者, 則用巽而行之. 以此九者修德, 則天下有何憂患之不可處哉.

이 글은 성인이 아홉 괘를 써서 덕을 닦음을 말하였다. 덕을 행하는 것이 어긋남에서 잘못될까 두려우니 리괘로써 조화롭게 하고, 덕의 품절이 엄격한 데서 잘못될까 두려우니 겸괘로써 제재한다. 선을 선택하는 것이 곧 덕을 닦는 처음의 일이니 복괘로써 스스로 알아 선택하고, 굳게 지킴은 곧 덕을 닦는 끝의 일이니 항괘로써 덕을 한결같이 하여 지킨다. 인욕이라는 것은 나의 덕을 해치는 것이니 손괘(損卦)로써 멀리하고, 천리라는 것은 나의 덕을 이롭게 하는 것이니 익괘로써 일으킨다. 곤궁함에 처하여 원망하거나 탓함에서 벗어나지 못하는 자는 덕을 닦고 명을 아는 것이 아니니 곤괘(困卦)로써 적게 하고, 제자리에 있으면서 의를 옮길 수 없는 자는 덕을 닦아 본성을 다하는 것이 아니니 정괘(井卦)로써 구별한다. 덕을 닦아 일을 행함에 만일 단단히 잡아 통하여 변하는 권도에 합치해서는 안 되는 것이 있다면 손괘(巽卦)로써 행한다. 이 아홉 가지로 덕을 닦으면 천하에 무슨 대처하지 못할 우환이 있겠는가?

此章言聖人以九卦, 修德而處憂患也.
이장은 성인이 아홉 괘로써 덕을 닦고 우환에 대처함을 말하였다.

이병헌(李炳憲) 『역경금문고통론(易經今文考通論)』[250]

鄭曰, 文王爲中古.
정현이 말하였다: 문왕이 중고이다.

法言曰, 易始八卦而文王六十四.
『법언』에서 말하였다: 역은 팔괘에서 시작되었으나 문왕의 역은 64괘이다.

姚曰, 履者禮也. 基无禮, 則德不成.
요신이 말하였다: 리(履)는 예이다. 터전에 예가 없으면 덕을 이루지 못한다.

干[251]曰, 柄所以持物, 謙所以持禮者也.
간보가 말하였다: '자루'는 물건을 잡아 지키는 것이니, 겸괘는 예를 잡아 지키는 것이다.

---

250) 경학자료집성DB에 「계사하전」 제 5장에 편집되어 있으나 경학자료집성 영인본을 참조하여 「계사하전」 제 7장으로 옮겼다.
251) 干: 경학자료집성DB와 경학자료집성 영인본에 '于'로 되어 있으나, '干寶'를 가리키는 것으로 추정되므로 干으로 바꾸었다.

陸子靜〈名, 九淵, 南宋人.〉曰, 謙則精神收聚於內. 斂其精神, 在內而不在外, 則此²⁵²⁾ 心可得而復.

육자정〈이름은 구연이며, 남송사람이다.〉이 말하였다: 겸손하면 정신이 안으로 수렴되어 모아진다. 정신을 수렴하여 정신이 안에 있고 밖에 있지 않으면 이 마음을 회복할 수 있다.

虞曰, 復初乾之元, 故德之本也. 陽始見, 故小.

우번이 말하였다: 복괘의 초효는 건괘의 '원(元)'이기 때문에 덕의 근본이다. 양이 처음 드러나기 때문에 작다.

鄭曰, 辯別也. 遭困之時, 君子固窮, 小人窮則濫, 德于是別也.

정현이 말하였다: 변은 구별함이다. 곤궁한 때를 만나면, 군자는 본래 곤궁하고, 소인은 곤궁하면 넘치니 덕이 여기에서 구별된다.

虞曰, 凡益之道與時偕行, 故不設也.

우번이 말하였다: 무릇 익괘의 도와 때가 모두 행해지기 때문에 조작하지 않는다.

本義曰, 巽稱物之宜, 而潛隱不露.

『본의』에서 말하였다: '손(巽)'은 사물의 마땅함에 꼭 맞추지만 숨어서 드러내지 않는다.

春秋傳〈桓十一年, 公羊傳文〉曰, 權者, 反於經, 然後有善者也.

춘추전〈환공11년이니, 『공양전』의 글이다.〉에서 말하였다: '권(權)'이라는 것은 상도(常道)로 돌아온 뒤에야 선함이 있는 것이다.

按, 九卦次第, 一依經中卦序, 九卦之策, 略準中數.

내가 살펴보았다: 아홉 괘의 차례는 한결같이 경문 안의 괘의 순서를 따랐고, 아홉 괘의 책수는 대략 중수를 기준으로 하였다.

---

252) 此: 경학자료집성 DB에 '比'로 되어 있으나, 경학자료집성 영인본을 참조하여 '此'로 바로잡았다.

제8장第八章

易之爲書也不可遠, 爲道也屢遷. 變動不居, 周流六虛, 上下无常, 剛柔相易, 不可爲典要, 唯變所適,

『주역』이라는 책은 멀리할 수 없고, 도(道)됨이 자주 옮겨간다. 변동하여 머물지 않아 여섯 빈자리에 두루 흘러서 오르내림이 일정함이 없으며, 강과 유가 서로 바뀌어 정해진 준칙을 삼을 수 없고 오직 변화하여 나아가는 것이니,

║中國大全║

本義

遠, 猶忘也. 周流六虛, 謂陰陽流行於卦之六位.

'멀리함(遠)'은 잊음[忘]과 같다. "여섯 빈자리에 두루 흐름"은 음양이 괘의 여섯 자리에서 유행함을 말한다.

小註

朱子曰, 易不可爲典要, 易不是確定硬本子. 揚雄太玄卻是可爲典要, 他排定三百五十四贊當晝, 三百五十四贊當夜, 晝底吉, 夜底凶, 吉之中又自分輕重, 凶之中又自分輕重. 易卻不然, 有陽居陽爻而吉底, 又有凶底, 有陰居陰爻而吉底, 又有凶底, 有有應而吉底, 有有應而凶底, 是不可爲典要之書也. 是有那許多變, 所以如此.

주자가 말하였다: "역은 정해진 준칙을 삼을 수 없다"는 역은 확정되어 굳어진 책자가 아니라는 것이다. 양웅의 『태현』은 도리어 정해진 준칙을 삼을 수 있으니, 그는 354찬(贊)은 낮에 해당되고 354찬은 밤에 해당된다고 배정하고서, 낮은 길(吉)하고 밤은 흉(凶)하며, 길

한 가운데 다시 경중(輕重)이 자연히 나뉘고, 흉한 가운데 다시 경중이 자연히 나뉜다고 하였다. 『주역』은 그렇지 않아서 양(陽)이 양효의 자리에 있어 길한 것도 있고 또 흉한 것도 있으며, 음(陰)이 음효의 자리에 있어 길한 것도 있고 또 흉한 것도 있으며, 호응함이 있어 길한 것도 있고 호응함이 있어 흉한 것도 있으니, 정해진 준칙을 삼을 수 없는 책이다. 여기에는 수많은 변화가 있기에 이와 같은 것이다.

○ 上下无常, 唯變所適, 便見得易人人可用, 不是死法. 雖道是二五是中, 卻其間有位二五而不吉者, 有當位而吉, 亦有當位而不吉者.
"오르며 내림이 일정함이 없으며, 오직 변화의 나아가는 것이다"에서 『주역』이 사람 사람마다 쓸 수 있음을 알 수 있으니, 죽은 법도가 아니다. 비록 도는 이효와 오효가 중도이지만, 또 그 사이에는 이효와 오효에 자리해도 길하지 않은 것이 있으며, 자리가 마땅하여 길한 것이 있고, 또한 자리가 마땅해도 길하지 않은 것이 있다.

○ 三山林氏曰, 易之所言, 无非天地自然之理, 人生日用之不可須臾離者. 故曰不可遠.
삼산임씨가 말하였다: 『주역』에서 말한 것은 천지의 자연한 이치 아닌 것이 없으니, 사람이 살아가는 일상에서 잠시라도 떠날 수 없는 것이다. 그러므로 "멀리할 수 없다"고 하였다.

○ 張子曰, 心不存之, 是遠也, 不觀其書, 亦是遠也.
장자가 말하였다: 마음에 두지 않은 것이 멀리함이고, 그 책을 보지 않음도 멀리함이다.

○ 白雲郭氏曰, 人之於道, 不可須臾離也, 故於易不可遠. 可離者非道, 可遠者亦非易也.
백운곽씨가 말하였다: 사람은 도(道)에서 잠시라도 떠날 수 없으므로 역(易)을 멀리할 수 없다. 떠날 수 있는 것은 도가 아니고, 멀리할 수 있는 것은 또한 역이 아니다.

○ 節齋蔡氏曰, 屢遷, 謂爲道變通而不滯乎物. 自易之爲書至屢遷, 此總言爲書爲道, 以起下文之意也. 自變動不居至唯變所適, 言易道之屢遷也. 不居猶不止也. 六虛六位也, 位未有爻曰虛. 卦雖六位, 而剛柔爻畫, 往來如寄, 非實有也, 故以虛言. 或自上而降, 或由下而升, 上下无常也. 柔來文剛, 分剛上而文柔, 剛柔相易也. 典常也, 要約也. 其屢變无常, 不可爲典要, 唯變所適而已.
절재채씨가 말하였다: "자주 옮겨감"은 도(道)가 변하고 통하여 사물에 막히지 않음을 말한다. "『주역』이라는 책은"부터 "자주 옮겨간다"까지는 역서(易書)와 역도(易道)의 성격을 전체적으로 말하여 다음 글의 의미를 일으킨 것이다. "변동하여 머물지 않는다"부터 "오직 변화하여 나아가는 것이다"까지는 역도(易道)의 자주 옮겨감을 말한 것이니, "머물지 않음"은

그치지 않음과 같다. '육허(六虛)'는 여섯 자리로, 자리에 아직 효가 있지 않아서 '빈자리[虛]'라고 하였다. 괘가 비록 여섯 자리지만 강과 유의 획이 나그네 같이 오가고 실제로 있는 것이 아니므로 '허(虛)'자로 말한 것이다. 위로부터 내려오기도 하고 아래로부터 올라가기도 함이 '오르며 내림이 일정함이 없음'이다. 부드러운 음이 와서 굳센 양을 문식(文飾)하고, 굳센 양을 나누어 올라가 부드러운 음을 문식함이[253] '강과 유가 서로 바뀜'이다. '전(典)'은 상도이고, '요(要)'는 준칙이다. 자주 옮겨가 일정함이 없으니, '정해진 준칙을 삼을 수 없고 오직 변화의 나아가는 것'일 뿐이다.

○ 鶴山魏氏曰, 六畫六爻六位六虛, 四者相近而不同. 爻者動也, 專指九六, 則父母之策也. 畫者卦也, 兼七八九六, 則包男女之策也. 總而言之, 畫卽爲爻, 析而言之, 爻與畫異. 畫之見者, 又爲位, 爻之變者, 又爲虛. 故曰變動不居, 周流六虛, 位從爻而爲虛也. 曰六畫成卦, 六位成章, 虛從畫而爲位也. 然其實皆自奇耦之畫始, 奇耦則太極之分者也.

학산위씨가 말하였다: 육획(六畫)·육효(六爻)·육위(六位)·육허(六虛) 네 가지는 서로 가깝지만 같지 않다. 효(爻)는 움직임으로 오로지 구(九)와 육(六)을 가리키니 부모의 책수이다. 획(畫)은 괘로서 칠·팔·구·육을 겸비하니 남녀를 포괄하는 책수이다. 합쳐서 말하면 획이 바로 효가 되고, 나누어서 말하면 효는 획과 다르다. 획이 나타난 것은 다시 위(位)가 되고, 효가 변동한 것은 다시 허(虛)가 된다. 그러므로 "변동하여 머물지 아니하여 여섯 빈자리[虛]에 두루 흐른다"고 하였으니, 위(位)는 효의 변동 때문에 허가 된다. "육획이 괘를 이루고 육위가 장을 이룬다"고 하니, 허(虛)는 획의 나타남 때문에 위가 된다. 그러나 실제는 모두 홀[—]과 짝[--]의 획으로부터 시작되니, 홀과 짝은 태극이 나뉜 것이다.

▮韓國大全▮

이익(李瀷) 『역경질서(易經疾書)』

言易則道在其中, 其不可遠者, 以道言也. 如所謂爲道而遠人, 不可以爲道也. 其爲書

---

253) 『周易·賁卦』: 柔來而文剛, 故亨, 分剛, 上而文柔, 故小利有攸往, 天文也.

不越於人倫日用之常, 故不可遠求也. 其所以不可遠者, 道也. 故繼之云, 爲道屢遷也, 變動不居, 卽屢遷之註脚. 虛者, 盛物之稱, 其所盛之物, 卽道也. 卦有六位, 皆虛而盛道, 所謂形而下之器也. 器爲名, 而虛乃其表德也. 周流則道貫于六虛矣. 道上下而無常, 故其虛以盛. 道者, 亦剛柔相易 而不可爲典要, 剛柔, 與道相勘, 相易, 與上下相勘, 不可爲典要, 與無常相勘, 皆以道與六虛相對說. 下典要, 與變動相反, 故惟變所適. 典要, 謂以法之要約者, 撮以遵行, 變動不居, 則惟宜臨事推移, 豈復容如乎.

역(易)을 말하면 도(道)가 그 가운데 있으니, 멀리할 수 없다는 것은 도를 말한 것이다. 예컨대 이른바 도를 실천하면서 사람을 멀리한다면 도를 실천할 수 없다는 것이다. 그 책은 인륜의 일상생활을 넘지 않기 때문에 멀리 구할 수 없는 것이다. 멀리할 수 없다는 것은 도이다. 그러므로 이어서 "도(道)됨이 자주 옮겨간다"고 하였으니 "변동하여 머물지 않는다" 가 바로 자주 옮겨 감의 주석이다. '빈[虛]'이라는 것은 물건을 담는 것의 칭호이니, 담겨진 물건은 바로 도이다. 괘에는 여섯 자리가 있어 모두 비어서 도를 담으니, 이른바 '형이하의 그릇'이라는 것이다. 그릇은 이름이고 '빈[虛]'은 곧 그 덕을 표현한다. 두루 흐르면 도가 여섯 빈자리에 관통한다. 도는 오르내림이 일정함이 없기 때문에 비어서 담긴다. 도라는 것은 굳셈과 부드러움이 서로 바뀌어 정해진 준칙을 삼을 수 없으니, '강유'는 '도'와 서로 견주고, '서로 바뀜'은 '오르내림'과 서로 견주며, '정해진 준칙을 삼을 수 없음'은 '일정함이 없음'과 서로 견주니, 모두 '도(道)'와 '여섯 빈자리'가 서로 상대함을 가지고 말하였다. 아래의 '정해진 준칙'은 '변하여 움직임'과 서로 반대이기 때문에 오직 변화하여 나아가는 것이다. '정해진 준칙[典要]'은 요약된 법칙을 이르니, 잡아서 따라 행하여 변하여, 움직이고 머무르지 않는다면, 마땅히 일에 임하여 옮겨 갈 것이니, 어찌 다시 용납할 것이 있겠는가?

유정원(柳正源) 『역해참고(易解參攷)』

周流六虛.
여섯 빈자리에 두루 흘러서.

正義, 六位言虛者, 位本无體, 因爻始見, 故稱虛也.
『주역정의』에서 말하였다: 여섯 자리를 '빈자리[虛]'라 한 것은 자리는 본래 몸체가 없어서 효로 인하여 비로소 드러나기 때문에 '빈자리'라고 칭한 것이다.

○ 漢上朱氏曰, 位謂之虛者, 虛其位以待變動. 故大玄九位, 亦曰九虛.
한상주씨가 말하였다: '자리[位]'를 '빈자리[虛]'라고 한 것은 자리를 비워 변화하여 움직이는 것을 기다리기 때문이다. 그러므로 『태현경(太玄經)』[254]에서도 아홉 자리를 "아홉 빈자리"

라고 하였다.

○ 案, 卦之六虛, 萬象咸備, 如心之虛靈, 萬理咸具.
내가 살펴보았다: 괘의 여섯 빈자리에 온갖 물상이 다 갖추어 있음은 마치 허령한 마음이 온갖 이치를 다 구비하고 있는 것과 같다.

小註朱子說硬本. 〈猶言鐵定鐵板〉
소주에서 주자가 말한 "굳어진 책자"에 대하여. 〈'확고한 정칙[鐵定]'·'불변의 격식[鐵板]'이라는 말과 같다.〉

三百 [至] 四贊. 〈案, 太玄, 七百二十九贊有奇, 分主晝夜, 以應三百六旬有六之度. 晝夜合三百六十四贊, 此五當作六.〉
"삼백 … 사찬"에 대하여. 〈내가 살펴보았다: 『태현경』에서는 729찬과 나머지 수가 있으니, 낮과 밤을 나누어 맡아 366의 도수에 응한다. 낮과 밤은 364찬을 합한 것이니, 여기에서 '오(五)'는 마땅히 '육(六)'이 되어야 한다.〉

晝吉夜凶. 〈太玄註, 一三五七九爲晝, 而贊辭多吉, 二四六八爲夜, 而贊辭多凶〉
"낮은 길(吉)하고 밤은 흉(凶)하며"에 대하여. 〈『태현경』의 주에, "일(一)·삼(三)·오(五)·칠(七)·구(九)는 낮이니 말을 찬술한 것이 길함이 많고, 이(二)·사(四)·육(六)·팔(八)은 밤이니 말을 찬술한 것이 흉함이 많다"고 하였다.〉

김상악(金相岳) 『산천역설(山天易說)』

遠, 遠之也. 六虛, 六位也, 卦有六位, 而剛柔往來如寄, 非實有也. 故曰周流六虛. 典, 常也, 要, 約也. 上下无常, 剛柔相易, 故曰不可典要, 惟變所適.
'멀대遠]'는 멀리함이다. '여섯 빈자리[六虛]'는 여섯 자리이니 괘에는 여섯 자리가 있으나 강유가 오고 가는 것이 마치 나그네가 붙어 살듯하여 실제로 있는 것이 아니다. 그러므로 "여섯 빈자리에 두루 흐른다"고 하였다. '전(典)'은 일정함(常)이고, '요(要)'는 요약함이니, 오르내림이 일정함이 없으며 굳센 양과 부드러운 음이 서로 바뀌기 때문에 "정해진 준칙을 삼을 수 없고 오직 변화하여 나아가는 것이다"라고 하였다.

---

254) 태현경: 양웅(揚雄:BC53-AD18)의 저술로서 『주역』을 근본으로 하였다.

심취제(沈就濟) 『독역의의(讀易疑義)』

易之爲書也, 此文王之易, 卽周易也. 文王所以處憂患者, 此道也.
"『주역』이라는 책", 이것은 문왕의 역이니 바로『주역』이다. 문왕이 우환에 대처한 것이 이 도(道)이다.

天地者, 六虛也. 卦則六位也.
천지라는 것이 '여섯 빈 자리'이다. 괘는 여섯 자리이다.

심대윤(沈大允) 『주역상의점법(周易象義占法)』

易之道, 不出百姓日用, 事物之常理常情而已, 切近而不可遠也. 聖人亦豈有特異於常情而別出神奇乎哉. 先儒氏常言, 君子不知利害, 而唯務仁義, 以求爲天之孝子, 可謂遠矣. 君子亦人耳. 飢而食, 寒而衣, 猶斯人也, 寧能不知利害耶. 若不計利害, 何爲勤苦. 乃爾縱自能, 天下孰有從之者乎. 其高遠于人情, 而不可用於天下亦必矣.
역의 도는 백성의 일상생활에서 벗어나지 않아 사물의 떳떳한 이치와 떳떳한 실정일 뿐이니, 매우 가까워 멀리할 수 없다. 성인이 또한 어찌 떳떳한 실정과 달라서 별도로 신묘하고 기이한 것이 있겠는가? 선대의 학자들은 언제나 말하기를 "군자는 이로움과 해로움을 알지 못하고 오직 인의에 힘써서 하늘의 효자 되기를 구한다"고 하니, 고원하다고 이를 만하다. 군자도 사람일 뿐이다. 배고프면 먹고, 추우면 옷을 입는 것이 보통사람과 같으니, 어찌 이로움과 해로움을 모르겠는가? 만약 이로움과 해로움을 따지지 않는다면, 어찌하여 부지런히 하고 괴롭게 하겠는가? 곧 네가 비록 스스로 능하더라도 천하에 누가 따르겠는가? 반드시 인정에 고원하여 천하에 쓸 수 없을 것이다.

오치기(吳致箕) 「주역경전증해(周易經傳增解)」

易之書, 謂卦爻之辭也. 不可遠, 言不可離也. 屢遷, 謂變通而不滯也. 不居者, 不居于一也. 六虛謂六位, 而爻以陰陽往來于六位, 故指位謂虛也. 外體爲上, 內體爲下也. 典者, 常也, 要者, 約也. 適謂趣其所變也.
"『주역』이라는 책"은 괘사와 효사를 이르고, "멀리할 수 없음"은 떠날 수 없음을 말한다. "자주 옮겨감"은 변통하여 막히지 않음을 이르고, "머물지 않음"은 한 군데에 있지 않음이다. 여섯 효는 여섯 자리를 이르는데, 효는 여섯 자리에서 음양이 왕래하기 때문에 '자리'를 가리켜 '빈자리'라고 하였다. 바깥의 몸체는 상괘이고, 안의 몸체는 하괘이다. '정해진[典]'은 떳떳함이고, '준칙[要]'은 요약이다. '나아 감[適]'은 변하는 데에 나아감을 이른다.

其出入以度, 外內, 使知懼,

나가며 들어옴을 법도로 하여 밖과 안에 두려움을 알게 하며,

▌中國大全▌

本義

此句未詳, 疑有脫誤.

이 구절은 자세하지 않으니, 빠지거나 잘못됨이 있는 듯하다.

小註

或問, 外內使知懼, 據文勢, 合作使內外知懼, 始得. 朱子曰, 是如此, 不知此兩句是如何. 硬解時也解得去, 但不曉其意是說甚底, 上下文意都不相屬.

어떤 이가 물었다: '외내사지구(外內使知懼)'는 문세로 본다면 응당 '사내외지구(使內外知懼)'로 해야 좋지 않겠습니까?

주자가 답하였다: 그렇습니다만, 이 두 구절은 어떤 뜻인지 알지 못하겠습니다. 억지로 풀이한다면 때때로 풀리지만, 단지 무엇을 말하려는 것인지 알지 못하겠습니다. 위아래로 글의 뜻이 도대체 서로 이어지지 않습니다.

○ 漢上朱氏曰, 出入者, 以卦內外體言, 出者, 自內之外往也, 入者, 自外之內來也. 以是觀消息虛盈之變, 出處進退之理, 使知戒懼, 當出而入, 當入而出, 其患一也.

한상주씨가 말하였다: '나가며 들어옴'은 내괘(內卦)와 외괘(外卦)의 몸체로 말한 것이니, 나감은 안으로부터 밖으로 감이고, 들어옴은 밖으로부터 안으로 옴이다. 이것으로 사라짐과 자라남, 빔과 참의 변화와 나옴과 머무름, 나감과 물러섬의 이치를 살펴서 경계하고 두려워함을 알게 함이니, 나가야 하는데 들어오거나 들어와야 하는데 나가는 것이 근심됨은 같다.

▌韓國大全▐

이익(李瀷) 『역경질서(易經疾書)』

以度外內爲句, 謂以度出外, 以度入內也. 以度, 故知懼. 凡行事, 只有外內二道, 取便是內, 舍便是外, 來便是內, 往便是外也. 下文無有師保一句, 恐當在使知懼之上. 言雖無師保嚴憚, 易書能使知懼也, 知懼, 屬在師保, 不與父母相帖也.

'이도외내(以度外內)'로 한 구절을 삼아야 하니, 법도로써 밖에 나아가고 법도로써 안에 들어감을 이른다. 법도로써 하기 때문에 두려워할 줄 안다. 무릇 일을 행하는 것은 밖과 안의 두 가지 도가 있을 뿐이니, '취함[取]'은 곧 안이고, '버림[舍]'은 곧 밖이며, '옴[來]'은 곧 안이고, '감[往]'은 곧 밖이다. 아래 글의 '무유사보(無有師保)' 한 구절은 '사지구(使知懼)'의 위에 있어야 할 듯하다. 비록 엄하게 삼가도록 하는 스승이 없더라도 『주역』이라는 책이 두려워 할 줄 알게 할 수 있다는 말이니, 두려움을 알게 함은 스승에 속하는 말이지 부모와는 서로 맞지 않기 때문이다.

유정원(柳正源) 『역해참고(易解參攷)』

其出 [至] 知懼.
나가며 들어옴을 … 두려움을 알게 하며.

正義, 出入, 猶行藏也. 言行藏各有其度, 不可違失於時, 是出入有度也. 外內, 猶隱顯. 言欲隱顯之人, 使知畏懼於易也, 若不應隱而隱, 不應顯而顯者, 必有凶咎, 使知畏懼凶咎而不爲也.

『주역정의』에서 말하였다: '나가며 들어옴'은 '행하거나 감춤'과 같다. 행하거나 감춤에는 알맞은 법도가 있어서 때를 어기거나 잃어서는 안 되니, 이것이 나가며 들어옴에 법도가 있다는 것이다. '밖과 안'은 '숨기거나 드러냄'과 같다. 숨기거나 드러내고자 하는 사람에게 '역'을 두려워할 줄 알게 한다는 말이니, 만일 숨겨서는 안 되는데 숨기거나 드러내서는 안 되는데 드러내는 자는 반드시 흉함과 허물이 있으니, 흉함과 허물을 두려워할 줄 알게 하여 하지 않게 하려는 것이다.

○ 涑水司馬氏曰, 自內適外, 爲出, 自外來內, 爲入, 易出入六爻, 爲人內外之法度.
속수사마씨가 말하였다: 안에서 밖으로 가는 것을 '나감[出]'이라 하고 밖에서 안으로 오는 것을 '들어옴[入]'이라 하니, 『주역』에서 여섯 효가 나가며 들어옴은 사람이 행하는 안과 밖의 법도가 된다.

○ 案, 出入以度, 本義謂未詳, 然疑指卦變言也. 如剛上柔下, 柔來文剛之類, 剛或出外入內, 柔或出內入外, 其往來變化, 莫不以自然之度, 而吉凶悔吝, 由是生焉, 要使人畏懼警省也.

내가 살펴보았다: "나가며 들어옴을 법도로 하여[出入以度]"에 대하여 『본의』에서는 "자세하지 않다"고 하였으나, 아마도 괘의 변화를 가리켜 말한 듯하다. "굳센 양이 위에 있고 유순한 음이 아래에 있음"[255]과 "부드러움이 와서 굳셈을 꾸밈"[256]의 부류처럼 어떤 때는 굳센 양이 밖으로 나가 안으로 들어오고, 어떤 때는 부드러운 음이 안에서 나가 밖에서 들어오니, 오고가고 변화함이 저절로 그렇게 되는 법도 아님이 없어서, 길흉회린이 이로 말미암아 생겨나니, 요컨대 사람들에게 두려워하고 경계하게 하여 살피게 하려는 것이다.

김상악(金相岳) 『산천역설(山天易說)』

出入, 以卦內外體言. 出者, 自內而外往也, 入者, 自外而內來也. 爻之三四, 居內外上下之際, 正出處進退之時, 而三多凶, 四多懼, 故曰外內使知懼.

'나가며 들어옴'은 내괘·외괘의 몸체로 말하였다. '나감'은 안에서 밖으로 감이고, '들어옴'은 밖에서 안으로 옴이다. 삼효와 사효는 내괘와 외괘, 상괘와 하괘의 사이에 있어서 출처와 진퇴의 때를 바르게 하더라도 삼효는 흉함이 많고 사효는 두려움이 많기 때문에 "밖과 안에 두려움을 알게 함"이라고 하였다.

심대윤(沈大允) 『주역상의점법(周易象義占法)』

出而施之事業于外, 入而修其身于內, 俱不失其道而敬惕也.

나아가 밖에서 일과 업적을 베풀고, 들어와 안에서 몸을 닦으니, 모두 그 도를 잃지 않아 공경하고 삼간다.

오치기(吳致箕) 「주역경전증해(周易經傳增解)」

卦有內外之體. 自外而應內者爲入, 如蒙六五應九二, 而爲童蒙之吉, 損六四應初九,

---

255) 『周易·恒卦』: 象曰, 恒, 久也, 剛上而柔下, 雷風, 相與, 巽而動, 剛柔皆應恒, 恒亨无咎利貞, 久於其道也.

256) 『周易·賁卦』: 象曰賁亨, 柔來而文剛, 故亨, 分剛上而文柔, 故小利有攸往, 天文也.

而爲損其疾有喜之類. 自內而應外者爲出, 如同人六二應九五, 而爲同人于宗吝, 蒙六三應上九, 而爲勿用取女之類也. 度者, 法度也. 初四相應, 二五相應, 三上相應, 皆有一定之法度也. 故者, 憂患所以然之故也, 如需之九三, 需于泥爲憂患, 而其故, 則在於致寇至之類也. 聖人觀卦爻之或入或出, 或應或否, 或中或不中, 或正或不正, 而繫之以辭, 言其吉凶悔吝於外內卦體者, 皆所以使人知其戒懼. 而又明言憂患與故, 使之趨吉避凶, 故雖无師保之敎訓, 而常如敎訓, 雖非父母之俯臨, 而常如俯臨. 旣懼之而不敢犯, 又愛之而不忍離. 易道如此, 人豈可遠乎.

괘에는 안과 밖의 몸체가 있다. 밖에서 안으로 응하는 것이 들어옴이 되니, 예컨대 몽괘(蒙卦䷃) 구오가 구이와 응하여 "철부지 어린이의 길함"[257]이 되고, 손괘(損卦䷨) 육사가 초구와 응하여 "그 병을 덜어내는데 빨리 하게 하면 기쁨이 있다"[258]가 되는 부류이다. 안에서 밖으로 응하는 것이 '나감'이 되니, 예컨대 동인괘(同人卦䷌) 육이가 구오와 응하여 "사람들과 함께하기를 종친의 무리끼리 하니, 부끄럽다"[259]가 되고, 몽괘(蒙卦䷃) 육삼이 상구와 응하여 "여자를 맞이하지 말 것이다"[260]가 되는 부류이다. 도(度)는 법도이다. 초효와 사효가 서로 응하고, 이효와 오효가 서로 응하며, 삼효와 상효가 서로 응하는 것이 모두 일정한 법도가 있다. 연고[故]라는 것은 우환이 그렇게 된 까닭이니 예컨대 수괘(需卦䷄)의 구삼은 "진흙에서 기다림이 우환이 됨"이나, 그 연고는 "도적이 옴을 초래할 것"[261]이라는 데에 있는 부류이다. 성인은 괘효가 들어오는지 나가는지, 응하는지 아닌지, 가운데 자리에 있는지 그렇지 않은지, 바른 자리인지 아닌지를 살펴서 말을 매달았으니, 내괘 외괘의 몸체에서 길흉회린을 말한 것이 모두 사람들로 하여금 모두 경계하고 두려워할 줄 알게 한 것이다. 또 우환과 연고를 밝게 말하여 사람들에게 길함에 나아가고 흉함을 피하게 하였기 때문에 비록 가르치고 보필하는 이의 교훈이 없어도 항상 교훈이 있는 것 같고, 비록 부모가 굽어 임하는 것이 아닐지라도 항상 굽어 임한 듯하였다. 이미 두려워하여 감히 범하지 않고, 또 사랑하여 차마 떠나지 아니한다. 역의 도가 이와 같으니, 사람이 어찌 멀리할 수 있겠는가?

이진상(李震相) 『역학관규(易學管窺)』

出入以度.

나가며 들어옴을 법도로 하여.

---

257) 『周易·蒙卦』: 六五, 童蒙, 吉.

258) 『周易·損卦』: 六四, 損其疾, 使遄, 有喜, 无咎.

259) 『周易·同人卦』: 六二, 同人于宗, 吝.

260) 『周易·蒙卦』: 六三, 勿用取女, 見金夫, 不有躬, 无攸利.

261) 『周易·需卦』: 九三, 需于泥, 致寇至.

此章是言卦變. 自內往外爲出, 自外來內爲入. 至變之中, 有自然之度, 吉匈悔吝, 由此而生, 使人知所戒懼.

이 장은 괘의 변화를 말하였다. 안에서 밖으로 가는 것이 '나감'이 되고, 밖에서 안으로 오는 것이 '들어옴'이 된다. 지극히 변하는 가운데 본래 그러한 법도가 있으니, 길흉회린이 이것으로 말미암아 생겨서 사람들에게 경계하고 두려워함을 알게 한다.

又明於憂患與故. 无有師保, 如臨父母,

또 우환과 연고에 밝다. 가르치고 보필하는 이가 없어도 부모가 임한 듯하니,

‖中國大全‖

本義

雖无師保, 而常若父母臨之, 戒懼之至.

비록 가르치고 보필하는 사람은 없지만 항상 부모가 임한 것과 같으니, 경계하고 두려워함이 지극한 것이다.

小註

朱子曰, 使知懼, 便是使人有戒懼之意. 易中說如此則吉, 如此則凶, 是也. 旣知懼, 則雖无師保, 一似臨父母相似, 常恁地戒懼.

주자가 말하였다: "두려움을 알게 한다"는 바로 사람들에게 경계하고 두려워하는 뜻을 지니게 하는 것이다. 『주역』에서 "이와 같으면 길(吉)하고 이와 같으면 흉(凶)하다"고 한 것이 이것이다. 이미 두려움을 알았다면 비록 가르치고 보필하는 이가 없어도, 한결같이 부모가 임한 듯해서 항상 이렇게 경계하고 두려워할 것이다.

○ 南軒張氏曰, 師者, 敎之道, 保者, 輔其躬.

남헌장씨가 말하였다: 가르치는 이는 그에게 도리를 가르치고, 보필하는 이는 그의 몸을 보필한다.

○ 節齋蔡氏曰, 故, 所以也. 又明所當之憂患, 與致憂患之所以也, 是雖无師保, 亦如臨乎父母之側, 而愛敬之至. 此言易書之不可遠也.

절재채씨가 말하였다: '연고[故]'는 까닭이다. 또 마주친 우환과 우환에 이른 까닭을 밝혔으니, 비록 가르치고 보필하는 이가 없어도, 부모의 곁으로 임함과 같아서 사랑하고 공경함이

지극할 것이다. 이는 『주역』을 멀리할 수 없음을 말한 것이다.

○ 息齋余氏曰, 上繫, 雖言與民同患, 而必以洗心先之, 又發造化不與聖人同憂之意, 下繫, 則多言憂患矣.
식재여씨가 말하였다: 「계사상전」에서는 비록 "백성과 더불어 근심을 같이 한다"고 했어도 반드시 "마음을 씻음"을 우선하였고,[262] 또 조화가 "성인과 더불어 같이 근심하지 않는다"[263]는 뜻을 펼쳤지만, 「계사하전」에서는 자주 우환을 말하였다.

‖韓國大全‖

이익(李瀷) 『역경질서(易經疾書)』

憂患者, 事或不順理也, 故者, 其當行也. 易皆明於此. 其愛人如此, 故如臨父母. 易之爲書一句貫串來.
'우환'이라는 것은 일이 혹 이치를 따르지 않는 것이고, '연고[故]'라는 것은 마땅히 행해지는 것이다. 역은 모두 이런 일에 밝다. 사람을 사랑하는 것이 이와 같기 때문에 부모가 임한 것과 같다. "역지위서(易之爲書)" 한 구절이 관통하고 있다.

유정원(柳正源) 『역해참고(易解參攷)』

又明 [至] 父母.
또 우환과 연고에 밝다 … 부모가 임한 듯하니.

漢上朱氏曰, 又此書, 明於己之所當憂患, 與所以致憂患之故, 无有師保教訓, 而嚴憚之, 明失得之報也. 有如父母親臨, 而愛敬之.
한상주씨가 말하였다: 또 이 책은 자기가 마땅히 우환해야 할 것과 우환에 이르는 연고에 대해서 밝아서 가르치는 이나 보필하는 이의 가르침이 없어도 엄격히 꺼리고, 잃고 얻는

---

262) 『周易·繫辭傳』: 聖人, 以此洗心, 退藏於密, 吉凶, 與民同患.
263) 『周易·繫辭傳』: 顯諸仁, 藏諸用, 鼓萬物而不與聖人同憂, 盛德大業至矣哉.

보답에 밝은 것이 마치 부모가 친히 임한 듯이 하여 사랑하고 공경하는 것이다.

김상악(金相岳)『산천역설(山天易說)』

故者, 所以也. 旣知戒懼, 又明憂患之故. 所以雖无師保, 常如父母臨之.

'연고[故]'는 이유이다. 이미 경계하고 두려워할 줄 알고 또 우환의 연고에 밝다. 이 때문에 비록 가르치거나 보필하는 이가 없어도 항상 부모가 임한 듯 하는 것이다.

初率其辭, 而揆其方, 旣有典常, 苟非其人, 道不虛行.

처음에 그 말을 따라 그 방도를 헤아려 보면 이미 법칙과 상도(常道)가 있으나, 진실로 그 사람이 아니면 도(道)는 헛되이 행해지지 않는다.

‖中國大全‖

本義

方, 道也. 始由辭以度其理, 則見其有典常矣, 然神而明之, 則存乎其人也.

‘방(方)’은 방도[道]이다. 처음에 말을 말미암아 그 이치를 헤아리면 법칙과 상도가 있음을 알 수 있다. 그러나 신묘하여 밝힘은 그 사람에게 달려 있다.[264]

小註

朱子曰, 旣有典常, 是一定了. 占得他這爻了, 吉凶自定, 這便是有典常.

주자가 말하였다: “이미 법칙과 상도가 있다”는 하나로 고정되어 있다는 것이다. 점쳐서 이 효(爻)를 얻었다면 길흉이 자연히 정해지니, 이것이 바로 법칙과 상도가 있다는 것이다.

○ 凌氏曰, 率其辭之所指, 而揆其方之所向, 則其道雖不可爲典要, 而其書則有典可循, 有常可蹈也. 然非得其人, 亦何以行之哉.

능씨가 말하였다: 그 말이 가리킨 바를 따라 그 방도가 향하는 바를 헤아리면, 그 방도를 비록 정해진 준칙을 삼을 수는 없지만, 그 책은 따를 만한 법칙이 있고 행할 만한 상도가 있다. 그러나 그 사람이 아니라면 또한 어찌 이를 행할 수 있겠는가?

○ 節齋蔡氏曰, 此又合書與道而言也.

절재채씨가 말하였다: 이것은 또한 ‘책으로서의 역(易)’과 ‘도로서의 역(易)’을 합쳐서 말한 것이다.

---

264) 『周易・繫辭傳』: 神而明之 存乎其人

右第八章

이상은 제8장이다.

┃中國大全┃

小註

雙湖胡氏曰, 此章專論玩辭觀變, 爲學易之事, 而深有望於其人也. 書者, 卦爻之辭也, 道之屢遷者, 卦爻之變也, 此二句一章綱領. 變動不居以下, 言其變也, 明於憂患以下, 言其辭也. 自其變觀之, 則九六之爻, 周流於虛位之間, 或上或下而无常, 皆一剛一柔 之相易, 不可爲典要, 而唯變所適. 然其剛柔之, 或上而出於外也, 旣足爲斯人之法度, 使知懼於外, 其剛柔之, 或下而入於內也, 亦足爲斯人之法度, 使知懼於內, 豈徒變之 云乎. 自其辭觀之, 則明於憂患, 而如父母之臨, 率辭揆方, 而有典常之可法. 而後總之 以苟非其人道不虛行, 則玩辭觀變之學, 誠有望於其人也, 聖人之意可見矣.

쌍호호씨가 말하였다: 이 장은 전적으로 말을 음미하고 변화를 살핌이 역을 배우는 일임을 논하고 깊이 사람들에게 바란 것이다. 책은 괘효의 말이고, 도(道)의 '자주 옮겨감'은 괘효의 변화이니, 이 두 구절은 한 장의 강령이다. "변동하여 머물지 않는다"부터는 변화를 말하였고, "우환에 밝다"부터는 말을 말하였다. 변화의 측면에서 본다면, 구(九)와 육(六)의 효가 빈자리의 사이에 두루 흘러서 오르기도 하고 내리기도 하여 일정함이 없는 것은 모두 하나의 강(剛)과 하나의 유(柔)가 서로 바뀜이니, 일정한 준칙을 삼을 수 없고 오직 변화가 나아가는 것이다. 그러나 강(剛)과 유(柔)가 혹 올라가 밖으로 나가도 이미 충분히 사람들의 법도가 되어 밖에 대해 두려움을 알게 하고, 강(剛)과 유(柔)가 혹 내려와 안으로 들어와도 또한 충분히 사람들의 법도가 되어 안에 대해 두려움을 알게 하니, 어찌 한갓 변화라고만 하겠는가? 그 말의 측면에서 본다면, 우환에 밝고 부모가 임함과 같으니, 말을 따라서 방도를 헤아리면 본받을 만한 법칙과 상도가 있다. 뒤에 "진실로 그 사람이 아니면 도는 헛되이 행해지지 않는다"로 총괄한 것은 말을 음미하고 변화를 살피는 학문을 참으로 사람들에게 바란 것이니, 성인의 뜻을 알 수 있을 것이다.

‖韓國大全‖

송시열(宋時烈) 『역설(易說)』

第八章, 言變通趣時, 不可典要, 非率辭揆方者, 所能虛行也. 自此以下, 以易之書言之.

제 8장은 변통하여 때를 따라서 준칙을 정할 수 없으니, 말을 따라 방도를 헤아려보는 자가 헛되이 행할 수 있는 것이 아님을 말하였다. 이 글 이하는 책으로서의 『주역』을 가지고 말하였다.

이익(李瀷) 『역경질서(易經疾書)』

學易者, 先宜玩辭, 後揆其方. 方如藥方, 以道導事, 如以藥方治疾. 疾必有當試之方, 事必有當行之道, 其有典常, 可揆以得也, 然其揆之也, 亦有當揆之人. 不然, 所揆非道矣.

역(易)을 배우는 자는 먼저 '말[辭]'을 완미한 뒤에 그 방도를 헤아려야 한다. 방(方)은 약방문과 같으니, 방도로 일을 인도하는 것은 약방문으로 병을 치료하는 것과 같다. 병에는 반드시 마땅히 시험해야 할 약방문이 있고, 일에는 반드시 마땅히 행하여야 할 방도가 있으니, 법칙과 상도로 헤아려 얻을 수 있으나, 그것을 헤아림에도 헤아리기에 마땅한 사람이 있다. 그렇지 않다면 헤아리는 것이 바른 도가 아닐 것이다.

김상악(金相岳) 『산천역설(山天易說)』

率, 由也. 揆, 度也. 方, 道也. 始由辭以度其理, 則有典可循, 有常可蹈. 然得非其人道, 何以行之哉.

'따름[率]'은 말미암음이다. '헤아림[揆]'은 헤아림[度]이다. '방도[方]'는 방법[道]이다. 처음에 말을 따라 그 이치를 헤아려 보면 법칙이 있어서 따를 만하고 상도가 있어서 실천할 만하다. 그러나 그 사람이 아니면 도를 어찌 행할 수 있겠는가?

박윤원(朴胤源) 『경의(經義)·역경차략(易經箚略)·역계차의(易繫箚疑)』

易之爲書也, 不可遠, 本義曰, 遠, 忘也, 遠者, 親近之反, 疏而遠之也. 疏遠則忘之矣. 夫六經如耒耜陶冶, 不可闕一. 夫子雖於韋編三絶, 而所雅言, 則詩書執禮, 皆雅言也, 則群經之書, 孰非不可疏遠者, 而獨於易言之者, 何歟. 易之爲書, 理義至微奧, 象數極紛雜, 比群經最難曉解, 人易厭看. 故曰不可遠, 是如言天下之至賾而不可惡之意也歟. 旣有典常旣字, 似非旣已之意. 旣字當作終之意, 對上句初字言. 初是始也, 蓋言易之固不可爲典要, 而出入以度, 始而由其辭以揆, 則可循可蹈, 故終是有典常也. 旣, 盡也, 如無窮言無旣是也. 旣字作終字義看, 於上下文勢, 豈不緊着歟, 未知如何.

"『주역』이라는 책은 멀리할 수 없고"에 대하여 『본의』에서 "멀리함(遠)은 잊음[忘]이다"고 하였으니, '멀리함'은 친근함에 상반된 뜻으로 소원하게 한다는 말이다. 소원하면 잊혀진다. 육경은 농사짓거나 그릇 만드는 일과 같아서 하나라도 빠뜨려서는 안 된다. 공자가 비록 가죽으로 묶은 끈이 세 번 끊어질 만큼 『주역』을 많이 읽었으나, "평소에 말씀 하신 것은 『시경』·『서경』과 예를 행하는 것이었으니, 이것이 모두 평소의 말씀이었다"[265]고 하였으니, 여러 경서 중에 어느 것이 소원해서는 안 되는 것이 아니겠는가마는, 유독 『주역』에 대해서만 그런 말을 한 것은 어째서인가? 『주역』이라는 책은 의리가 지극히 은미하고 오묘하며, 상과 수가 매우 어지럽게 섞여 있어서 여러 경서에 비해 매우 이해하기 어려우니, 사람들이 보기 싫어하기 쉽다. 그러므로 멀리해서는 안 된다고 하였으니, 이것은 "천하(天下)의 지극히 잡란(雜亂)함을 말하되 싫어할 수 없음"[266]이라고 말하는 뜻과 같을 것이다. "이미 법칙과 상도가 있다[旣有典常]"의 '기(旣)'는 '이미'의 뜻이 아닌 듯하다. 기(旣)자는 마땅히 마침내[終]의 뜻이 되어야 하니, 윗 구절의 처음에[初]와 상대하여 말한 것이다. '초(初)'는 '처음[始]'이니, 역은 본래 정해진 준칙이 될 수 없으나, 나고 듦을 법도로 하여 처음에 그 말을 따라 헤아려 보면, 따를 수 있고 실천할 수 있기 때문에 마침내 법칙과 상도가 있게 된다는 말이다. 이미[旣]는 다함의 뜻이니, '무궁(無窮)은 무기(無旣)를 말한다고 한 것'과 같은 것이 이것이다. 기(旣)는 종(終)자의 뜻으로 보면 위아래 문맥에 있어서 아마도 긴밀하지 않은 듯하니, 어느 것이 옳은지 모르겠다.

심취제(沈就濟) 『독역의의(讀易疑義)』

苟非其人之人字, 易道之歸結在於人也. 上下傳之易, 都是人一字也.

"진실로 그 사람이 아니면[苟非其人]"의 '사람[人]'은 역도의 귀결이 사람에게 달려있어서이다. 「계사상전」·「계사하전」의 역(易)이 모두 '인(人)' 한 글자와 관련 있다.

上傳首章之中字, 中之體也, 下傳首章之中字, 中之定位也. 用此中者其人, 而其人卽文王也. 此章以上, 可見文王之用中也.

「계사상전」 1장의 '중(中)'자는 가운데의 몸체이고 「계사하전」 1장의 '중(中)'자는 가운데의

---

265) 『논어·술이』에 보인다.
266) 『周易·繫辭傳』: 言天下之至賾, 而不可惡也, 言天下之至動, 而不可亂也.

정해진 자리이다. 이 글에서 '중(中)'을 쓴 것은 '그 사람'이니 그 사람은 바로 문왕이다. 이장 이하에서 문왕이 '중(中)'을 씀을 볼 수 있다.

윤행임(尹行恁) 『신호수필(薪湖隨筆)·계사전(繫辭傳)』

六虛者, 六爻也. 爻之理, 則太極爲其原, 太極者虛也, 故謂之六虛, 以示其理之出於太極焉. 六虛如三極之稱.

여섯 빈자리라는 것은 여섯 효이다. 효의 이치는 태극이 근원이 되니 태극이라는 것은 비어 있기 때문에 그것을 '여섯 빈자리'라고 말하여 이치가 태극에서 나옴을 제시한 것이다. 여섯 빈자리는 천·지·인을 삼극이라고 하는 칭호와 같다.

人與道合而爲一, 然後道可以行. 人自人道自道, 道何以行. 道不遠人, 特人不求之耳, 曰易之爲書也不可遠.

사람과 도가 합하여 하나가 된 뒤에 도를 행할 수 있다. 사람 따로 도 따로라면 도를 어떻게 행할 수 있겠는가? 도는 사람에게서 멀지 않으니, 다만 사람이 그것을 구하지 않을 뿐이므로, "『주역』이라는 책은 멀리 할 수 없다"고 하였다.

오희상(吳熙常) 「잡저(雜著)-역(易)」

上言不可爲典要, 下卻言旣有典常, 蓋象變占, 無方無體, 惟辭有定義, 故率辭揆方, 則雖變動不居, 而自有不易之典常. 典常者, 理也, 聖人之情見乎辭者, 此之謂歟.

위에서 정해진 준칙을 삼을 수 없다고 말하고, 아래에서 이미 법칙과 상도가 있다고 말한 것은 상(象)·변(變)·점(占)은 방도도 없고 몸체도 없어서 오직 말[辭]에만 정해진 뜻이 있기 때문에 말을 따라 방도를 헤아리면 비록 변동하여 머물지 않더라도 본래 바뀌지 않는 '법칙과 상도'가 있는 것이다. '법칙과 상도'라는 것은 이치이니, 성인의 실정이 말[辭]에 드러난 것, 이것을 이름일 것이다.

윤종섭(尹鍾燮) 『경(經)-역(易)』

九六無定位, 而周流六虛. 以是乾曰用九, 坤曰用六, 离用坤之六, 坎用乾之九, 而爲易之機軸, 故多取象於日月.

구(九)·육(六)은 정해진 자리가 없어 여섯 빈자리를 두루 흐른다. 이러므로 건괘는 용구(用九)라 하고 곤괘는 용육(用六)이라 하며, 리괘는 곤괘의 육(六)을 쓰고 감괘는 건괘의 구(九)를 써서 『주역』의 중심이 되기 때문에 대부분 해·달에서 상을 취하였다.

오치기(吳致箕) 「주역경전증해(周易經傳增解)」

初者, 始也. 率, 謂由也. 揆者, 度也. 方, 謂法也. 既者, 終也. 易之爲道, 以陰陽剛柔言之, 則變動周流相易无常, 若不可爲典常之要約矣. 始由所繫之辭, 而揆其法度, 則一如上文所言, 出入以度, 外內知懼, 既其有典而可守, 有常而可踏, 非向之所謂不可典要者也. 然神而明之, 存乎其人, 則典常之道, 亦不以虛僞而行也. 此所以易雖不可遠, 而亦不可以非其人而行之也.

초(初)는 처음이다. 솔(率)은 말미암음이다. 규(揆)는 헤아림이다. 방(方)은 방법이다. 기(既)는 '마침내'이다. 역의 도는 음양과 강유로 말하면 변하여 움직이며 두루 흐르고 일정함이 없어 일정한 규약으로 삼을 수 없는 것과 같다. 처음에 매달린 말로 말미암아 그 법도를 헤아려보면 한결같이 윗글에서 말한 것과 같아서, 나고 듦에 법도로 하여, 밖과 안에 두려움을 알게 하며, 이미 법칙이 있어서 지킬 수 있고, 상도가 있어서 실천할 수 있으니, 앞서의 이른바 "정해진 준칙을 삼을 수 없다"는 것이 아니다. 그러나 신명한 것이 사람에게 보존되면 법칙과 상도가 허위로 행해지지 않는다. 이것이 『주역』을 비록 멀리할 수 없으나 또한 그 사람이 아니면 그것을 행할 수 없다는 것이다.

此章, 言學易之事.
이 장은 역을 배우는 일을 말하였다.

이병헌(李炳憲) 『역경금문고통론(易經今文考通論)』[267]

韓曰, 擬議而動, 不可遠也.
한강백이 말하였다: 헤아리거나 의론하여 움직이는 것이 '멀리할 수 없음'이다.

虞曰, 遷, 從, 六虛, 六位也.
우번이 말하였다: '옮겨감[遷]'은 따름이고, '여섯 빈자리[六虛]'는 여섯 자리이다.

按, 變動不居以下, 就君子執策而言也, 出入以度以下, 就筮者揲[268]四而言也, 明於憂患與故以下, 就神明感應而言也, 初率其辭以下, 就筮者身上而言也. 道不虛行, 可不懼哉.
내가 살펴보았다: "변동하여 머물지 않음[變動不居]" 이하는 군자가 시책을 잡고 있는 것으

---

267) 경학자료집성DB에 「계사하전」 제 6장에 편집되어 있으나 경학자료집성 영인본을 참조하여 「계사하전」 제 8장으로 옮겨 바로잡았다.

268) 揲: 경학자료집성 DB에 '探'으로 되어 있으나, 경학자료집성 영인본을 참조하여 '揲'로 바로잡았다.

로 말하였고, "나고 듦을 법도로 햄[出入以度]" 이하는 점치는 자가 넷씩 세는 것으로 말하였으며, "우환과 연고에 밝음[明於憂患與故]" 이하는 신명이 감응한 것으로 말하였고, "처음에 그 말을 따름[初率其辭]" 이하는 점치는 자의 몸의 일로 말하였다. 도는 헛되이 행해지지 않으니 두려워하지 않을 수 있겠는가?

제9장第九章

易之爲書也, 原始要終, 以爲質也, 六爻相雜, 唯其時物也.

『주역』이라는 책은 시작을 찾아내고 마침을 간추려서 바탕을 삼고, 육효가 서로 섞임은 오직 그 때와 사물이다.

‖中國大全‖

本義

質, 謂卦體. 卦必擧其始終而後成體, 爻則唯其時物而已.

‘바탕[質]’은 괘의 몸체를 말한다. 괘는 반드시 그것의 시작과 마침이 세워진 뒤에야 몸체가 이루어지고, 효(爻)는 다만 그것의 때와 사물일 뿐이다.

小註

進齋徐氏曰, 此總言聖人作易所以立卦生爻之義. 下文又逐爻分說而申明之也. 質, 謂卦體, 時, 謂六位之時, 物, 謂陰陽二物也. 原其事之始, 要其事之終, 以爲一卦之體質, 卦有六爻, 剛柔錯雜, 隨其時辨其物, 言卦雖有全體, 而爻亦无定用也.

진재서씨가 말하였다: 이는 성인이 역을 지음에 괘(卦)를 세우고 효(爻)를 낳은 뜻을 총괄하여 말한 것이다. 아래 글에서 또 효마다 나누어 설명하여 거듭 밝혔다. ‘바탕[質]’은 괘의 몸체를 말하고, ‘때[時]’는 여섯 자리의 때를 말하고, ‘사물[物]’은 음과 양 두 사물을 말한다. 일의 시작을 찾아내고 일의 마침을 간추려서 한 괘의 바탕을 삼았는데, 괘에는 육효가 있어 강유가 뒤섞이며 때를 따르고 사물을 분별하니, 괘에는 비록 온전한 몸체가 있더라도 효에는 또한 정해진 작용이 없음을 말한 것이다.

○ 雲峰胡氏曰, 卦有定體, 故曰質, 爻无定用, 故曰時.

운봉호씨가 말하였다: 괘에는 정해진 몸체가 있으므로 '바탕[質]'이라 하였지만, 효에는 정해진 작용이 없으므로 '때[時]'라 하였다.

○ 錢氏藻曰, 六爻相雜, 唯其時之不同, 而其事物亦異. 如乾之取龍一物也, 或潛或見或躍或飛之不同者, 時也. 如漸之取鴻, 亦一物也, 而于干于磐于陸于木之不同者, 亦時也.

전조가 말하였다: "육효가 서로 섞임"은 그 때가 같지 않고 그 사물도 또한 다르기 때문이다. 예컨대 건괘에서 용이라는 한 사물을 취했지만, 잠기기도 하고 나타나기도 하며 뛰기도 하고 날기도 하는 같지 않음이 때이다. 또한 점괘(漸卦)에서 기러기를 취함도 한 사물이지만, 물가와 반석과 뭍과 나무에 있는 것이 같지 않음이 또한 때이다.

韓國大全

이익(李瀷) 『역경질서(易經疾書)』

始終, 以初上之義言. 要, 猶求也. 必原其始, 而求其終, 合爲一體也. 如剝復之義, 只繫初爻, 然剝六爻, 皆以剝言, 復六爻, 皆以復言, 此始終爲質之義也. 然就其間六爻, 其物各殊, 剝床剝廬, 休復迷復之類是也.

시작과 마침은 초효와 상효의 뜻으로 말하였다. 요(要)는 '찾다[求]'는 말과 같다. 반드시 시작을 근원하고 마침을 찾아 합하여 일체를 삼는다. 예컨대 박괘와 복괘의 뜻은 단지 초효에 매어있으나 박괘 여섯 효가 모두 "깎음"을 말하였고, 복괘 여섯 효가 모두 "돌아옴"으로 말하였으니, 이것이 처음과 마침이 바탕이 되는 뜻이다. 그러나 그 사이의 여섯 효는 물건이 각각 다르니, "평상을 깎음"·"살갗을 깎음", "아름다운 돌아옴"·"돌아옴에 혼미함"의 부류가 이것이다.

유정원(柳正源) 『역해참고(易解參攷)』

易之 [至] 物也.

『주역』이라는 책은 … 사물이다.

正義, 質, 體也. 易之爲書, 原窮其事之初始, 乾初九潛龍勿用, 是原始也, 又要會其事之終末, 若上九亢龍有悔, 是要終也. 言易以原始要終, 以爲體質也. 亦有一爻之中, 原始要終也. 故坤卦之初六履霜堅冰至, 履霜是原始也, 堅冰至是要終也. 物, 事也. 一卦之中, 六爻交相雜錯, 唯各會其時, 唯各主其事, 若屯卦初九盤桓利居貞, 是居貞之時, 有居貞之事, 六二屯如邅如, 是乘陽屯邅之時, 有屯邅之事也. 餘爻倣此.

『주역정의』에서 말하였다: 질(質)은 몸체이다. 『주역』이라는 책은 일의 시초를 근원적으로 궁구하니, 건괘에서 "초구는 잠겨있는 용이니 쓰지 말아야 한다"는 것이 "시작을 찾음"이고, 또 일의 종말을 모아 간추리니, "상구는 끝까지 올라간 용이니 후회가 있을 것이다"가 "마침을 간추리다"이다. 그러니 역(易)은 시작을 찾아내고 마침을 간추려서 바탕을 삼는다는 말이다. 또한 한 효 가운데도 처음을 찾아내고 마침을 간추리는 것이 있다. 그러므로 곤괘의 "초육은 서리를 밟으면 단단한 얼음이 이른다"에서 '서리를 밟음'이 시작을 찾아냄이고, '단단한 얼음이 이름'이 마침을 간추리는 것이다. 물(物)은 일이다. 한 괘 안의 여섯 효가 서로 섞이고 갈마들어 각각 때를 만나고 각각 일을 주관하니, 준괘(屯卦)에서 "초구는 주저함이니 바름에 머물러 있는 것이 이롭다"[269]같은 것은 바름에 머무르는 때에 바름에 머무르는 일이 있는 것이고 "육이는 어려워하고 머뭇거리며"[270]는 양(陽)을 타고 있어 어려워하고 머뭇거리는 때에 어려워하고 머뭇거리는 일이 있는 것이다. 나머지 효도 이와 마찬가지이다.

김상악(金相岳) 『산천역설(山天易說)』

質, 謂卦體, 時, 謂六位之時, 物, 謂陰陽二物也.

바탕[質]은 괘의 몸체를 이르고, 때[時]는 여섯 자리의 때를 이르며, 사물[物]은 음·양 두 사물을 이른다.

심취제(沈就濟) 『독역의의(讀易疑義)』

終始本末, 以卦而言, 則終始也, 以爻而言, 則本末也. 終始包本末, 本末含終始也, 本者始之本也, 末者終之末也. 始言一理中散爲萬事, 末復合爲一理, 則本亦一, 末亦一, 而始終包其本末也. 始終本末, 備言於大學, 而始終本末之分別, 參於孟子之造端托始, 則可見也.

마침과 시작, 근본과 끝은 괘로 말하면 마침과 시작이고, 효로 말하면 근본과 끝이다. 마침

---

269) 『周易·屯卦』: 初九, 磐桓, 利居貞, 利建侯.
270) 『周易·屯卦』: 六二, 屯如邅如, 乘馬班如, 匪寇, 婚媾. 女子貞, 不字, 十年, 乃字.

과 시작은 근본과 끝을 포괄하고, 근본과 끝은 마침과 시작을 포함하니, 근본이라는 것은
시작의 근본이고, 끝이라는 것은 마침의 끝이다. 시작은 하나의 이치 안에서 흩어져 만 가지
일이 됨을 말하고, 끝은 다시 합하여 하나의 이치가 되니, 근본도 하나이고 끝도 하나여서
시작과 마침이 근본과 끝을 포괄한다. 시작과 마침, 근본과 끝은 말이 『대학』에 갖춰있
고,[271] 시작과 마침, 근본과 끝의 분별은 『맹자』의 "단서를 짓고 시작을 의탁한 말"[272]을
참고해 보면 알 수 있다.

此言卦質, 則終始者, 剛柔也, 本末者, 陰陽也. 陰陽剛柔 互相體用 其始終本末也
이 글은 괘의 바탕을 말하였으니, '마침과 시작'이라는 것은 강유이고, '근본과 끝'이라는 것
은 음과 양이다. 강유가 서로 본체와 작용이 됨이 시작과 마침, 근본과 끝이다.

時物云者, 時以開之, 物以成之也. 以龍言之, 則時以潛, 時以見, 此非時物乎.
때와 사물이라고 말하는 것은 때로써 열고 사물로써 이루는 것이다. 용으로 말하자면 때로
잠기고 때로 드러나는 것이니, 이것이 때와 사물이 아니겠는가?

上章言內外, 此章言本末終始, 則無不兼備矣.
「계사하전」 8장에서는 안과 밖을 말하였고, 이 장에서는 '근본과 끝', '마침과 시작'을 말하였
으니 아울러 갖추지 않음이 없다.

윤행임(尹行恁) 『신호수필(薪湖隨筆)·계사전(繫辭傳)』

原始要終, 所以發明六爻之義, 而如焦氏京房之易, 皆因此而變幻者也. 京房布六十四
卦於一歲中, 六日七分, 一卦用事. 卦有陰陽, 氣以升降, 揚雄作三分, 而謂之天地人,
有日星而無月, 皆與易義相舛.
시작을 찾아내고 마침을 간추림은 여섯 효의 뜻을 발명하는 것으로 초연수(焦延壽)와 경방
(京房)[273]의 역(易)과 같으니, 모두 이로 인하여 변환하는 것이다. 경방은 일 년 안에 64괘
를 펼치니, 6일(日) 7분(分)으로 한 괘가 용사한다. 괘에는 음양이 있어 기(氣)로써 오르내
리니, 양웅이 「삼분우주관(三分宇宙觀)」을 만들어 그것을 천·지·인이라 하였으나 해·
별은 있고 달은 없으니, 모두 『주역』의 뜻과 서로 어긋난다.

---

271) 『大學』 經文一章: 物有本末, 事有終始, 知所先後, 則近道矣.
272) 『孟子集注』: 此孟子之書, 所以造端託始之深意, 學者所宜精察而明辨也.
273) 초연수(焦延壽)·경방(京房): 중국 전한(前漢) 때의 사상가로, 경방(BC77-BC37)은 맹희(孟喜)의 문인 초연
     수(焦延壽)에게 『주역』을 배웠고, 금문경씨역학(今文京氏易學)을 개창하였다.

심대윤(沈大允) 『주역상의점법(周易象義占法)』

質, 謂卦體也, 象是也.

바탕[質]은 괘의 몸체를 이르니, 단(象)이 이것이다.

오치기(吳致箕) 「주역경전증해(周易經傳增解)」

原者, 本也, 始, 謂初爻也, 要者, 察也, 終, 謂終爻也, 言其始終, 則二三四五之爻, 自在其中矣. 相雜, 言剛柔之位, 相錯而陰陽變動, 周流无定也. 時, 謂六位之時, 物, 謂陰陽二物也. 卦有定體, 故曰質, 而文王之象辭, 必本乎始, 察乎終, 以爲辭. 如乾曰元亨利貞, 坤曰利牝馬之貞, 皆合其始終而言也. 爻无定用, 故曰時物, 而周公之爻辭, 亦惟取諸時物以爲辭. 如乾以陽物, 而有潛見躍飛不同者, 時也, 坤以陰物, 而履霜括囊之不同者, 時也.

원(原)은 근본함이고, 시(始)는 초효를 이르며, 요(要)는 살핌이고, 종(終)은 상효를 이르니, 초효와 상효를 말하면 이효 · 삼효 · 사효 · 오효는 저절로 그 안에 있다. 서로 섞임[相雜]은 굳센 양과 부드러운 음의 자리가 서로 섞여서 음양이 변동하여 두루 흘러서 정함이 없음을 말한다. 시(時)는 여섯 자리의 때이고 물(物)은 음양 두 물건을 이른다. '괘'는 정해진 몸체가 있기 때문에 바탕[質]이라고 말하였으니, 문왕의 단사는 반드시 초효에 근본하고 상효를 살펴서 말을 만들었다. 예컨대 건괘(乾卦)에서는 "크고 형통하며 이롭고 곧다"고 하였고, 곤괘(坤卦)에서는 "암말의 바름이 이롭다"고 한 것이 모두 처음과 마침을 합하여 말한 것이다. '효'는 정해진 쓰임이 없기 때문에 "때와 사물이다"고 하였으니 주공의 효사도 오직 때와 사물에서 취하여 말을 만들었다. 예컨대 건괘는 양물(陽物)로서 '잠겨있고 나타나고 날고 뛰어오르는'의 같지 않음이 있는 것이 '때'이고, 곤괘는 음물(陰物)로서 '서리를 밟고' · '자루를 묶는'의 같지 않음이 있는 것이 '때'이다.

其初難知, 其上易知, 本末也. 初辭擬之, 卒成之終.

그 처음은 알기 어렵고 그 위는 알기 쉬우니 근본과 끝이다. 처음 말은 헤아리고, 끝마쳐 마침을 이룬다.

‖中國大全‖

本義

此, 言初上二爻.

이것은 초효(初爻)와 상효(上爻) 두 효를 말한 것이다.

小註

節齋蔡氏曰, 初爻者, 卦之本, 本則其質未明, 故難知. 上爻者, 卦之末, 末則其質已著, 故易知. 難知, 則所繫之辭, 必擬議而後得, 易知, 但卒其卦之辭, 而成其卦之終也.

절재채씨가 말하였다: 초효는 괘의 근본이니, 근본은 그 바탕이 분명하지 않으므로 알기 어렵다. 상효는 괘의 끝이니, 끝은 그 바탕이 이미 드러났으므로 알기가 쉽다. 알기 어려우면 매단 말을 반드시 헤아린 뒤에야 알게 되고, 알기 쉬우면 다만 그 괘의 말을 끝마쳐 그 괘의 마침을 이룰 뿐이다.

○ 雲峰胡氏曰, 此承上文原始要終而言也. 原其始, 則初爻爲本, 質未明, 故難知. 要其終, 則上爻爲末, 質已著, 故易知. 故初爻之辭必擬之, 而上爻之辭則成之矣.

운봉호씨가 말하였다: 이것은 위 글의 “시작을 찾아내고 마침을 간추린다”를 이어서 말한 것이다. 그 시작을 찾아냄은 초효가 근본이 되니, 바탕이 분명하지 않으므로 알기 어렵다. 그 마침을 간추림은 상효가 끝이 되니, 바탕이 이미 드러났으므로 알기가 쉽다. 그러므로 초효의 말은 반드시 헤아려야 하고, 상효의 말은 이를 이루는 것이다.

○ 臨川吳氏曰, 初與終爲對, 擬之與卒成之爲對, 兩句文法顚倒相互.

임천오씨가 말하였다: '처음[初]'은 '마침[終]'과 상대가 되고, '헤아림'은 '끝마쳐 이룸'과 상대가 되니, 두 구절의 문법은 서로 뒤집혀 있다.

∥韓國大全∥

이익(李瀷) 『역경질서(易經疾書)』

始終, 事也, 本末, 物也. 物, 以畫言也. 承時物, 故曰本末也. 初辭擬之而未成, 故難知, 至終辭, 則卒歸成就, 故易知.

시작과 마침은 일이고 근본과 끝은 사물이다. 사물은 획으로 말하였다. 때와 사물을 받들기 때문에 근본과 끝이라고 하였다. 처음 말은 헤아리고 마침을 이루지 않았기 때문에 알기 어렵고, 마치는 말에 이르면 마침내 성취함으로 돌아오므로 알기 쉽다.

유정원(柳正源) 『역해참고(易解參攷)』

初辭 [至] 之終.

처음 말은 … 마침을 이룬다.

案, 乾之初擬之龍, 而上九成之龍, 漸之初擬之鴻, 而上九成之鴻, 擬之者, 所謂擬諸其形容也.

내가 살펴보았다: 건괘(乾卦)의 초효는 용을 헤아리고 상구는 용을 이루었으며, 점괘(漸卦)의 초효는 기러기를 헤아리고 상구는 기러기를 이루었으니, 헤아린다는 것은 이른바 "형용을 견줌"[274]이다.

김상악(金相岳) 『산천역설(山天易說)』

此言初上二爻.

이것은 초효와 상효 두 효를 말한다.

---

274) 『周易·繫辭傳』: 聖人, 有以見天下之賾, 而擬諸其形容, 象其物宜, 是故謂之象.

오치기(吳致箕) 「주역경전증해(周易經傳增解)」

此承上文原始要終, 而言初上二爻也. 初爻爲卦之本, 而其質未明, 故曰難知, 上爻爲卦之末, 而其質已著, 故曰易知也. 以其難知, 故聖人繫初爻之辭, 則必詳審其當擬何象何占然後擬之. 以其易知, 故聖人繫上爻之辭, 不過因下爻之辭, 而成其終, 如乾初九曰潛龍, 上九曰亢龍是也.

이 글은 윗글의 "초효를 근원하고 상효를 살핌"을 이어서 초효·상효 두 효를 말하였다. 초효는 괘의 근본이어서 바탕이 밝지 못하기 때문에 "알기 어렵다"고 하였고, 상효는 괘의 끝이어서 바탕이 이미 드러났기 때문에 "알기 쉽다"고 하였다. 알기 어렵기 때문에 성인이 초효의 말을 붙일 때에는 반드시 어떤 상과 어떤 점에 모의해야하는 지를 상세히 살핀 뒤에 헤아렸다. 알기 쉽기 때문에 성인이 상효의 말을 붙임은 아래 효의 말로 인하여 마침을 이룬 것에 불과하니, 예컨대 건괘의 초구에서는 "잠겨있는 용"이라 하였고, 상구에서는 "끝까지 올라간 용"이라 한 것이 이것이다.

若夫雜物撰德, 辨是與非, 則非其中爻不備.

사물을 섞음과 덕(德)을 가려냄과, 옳음과 그름을 분별함 같은 것은 가운데 효가 아니면 갖춰지지 못할 것이다.

‖中國大全‖

本義

此, 謂卦中四爻.

이것은 괘의 가운데 네 효(爻)를 이른 것이다.

小註

朱子曰, 其初難知, 至非其中爻不備, 若解, 也硬解了, 但都曉他意不得. 這下面卻說一箇噫字, 都不成文章, 不知是如何. 後面說二與四同功, 三與五同功, 卻說得好, 但不利遠者, 也曉不得.

주자가 말하였다: "그 처음은 알기 어렵다"부터 "가운데의 효가 아니면 갖춰지지 않을 것이다"까지는 해석하려 한다면 또한 억지로 해석할 수 있겠지만, 도대체 그 의미를 알 수가 없다. 이 아래에서 다시 하나의 '희(噫)'자를 말한 것도 도대체 문장이 되지 않고, 무슨 뜻인지 알지 못하겠다. 뒤에서 "이효가 사효와 일이 같다. 삼효가 오효와 일이 같다"라고 한 것은 도리어 좋지만, "멀리 있는 것이 이롭지 않다"도 알 수가 없다.

○ 問, 雜物撰德, 辨是與非, 則非其中爻不備. 曰, 這樣處曉不得, 某常疑有闕文. 先儒解此多以爲互體, 如屯卦震下坎上, 就中間四爻觀之, 自二至四則爲坤, 自三至五則爲艮. 故曰非其中爻不備. 互體說, 漢儒多用之, 左傳中一處, 說占得觀卦處, 亦擧得分明. 看來此說亦不可廢.

물었다: "사물을 섞음과 덕을 가려냄과 옳음과 그름을 분별함은 가운데의 효가 아니면 갖춰지지 않을 것이다"는 무슨 뜻입니까?

답하였다: 이 곳은 알 수가 없으니, 저는 항상 빠진 글이 있다고 의심합니다. 이전의 유학자가 이를 해석하면서 호체(互體)로 간주함이 많으니, 예컨대 준괘(屯卦䷂)는 진(震☳)이 아래이고 감(坎☵)이 위에 있는데, 중간에 네 효를 가지고 본다면 이효로부터 사효까지는 곤(坤☷)이 되고, 삼효로부터 오효까지는 간(艮☶)이 됩니다. 그러므로 "가운데의 효가 아니면 갖춰지지 않을 것이다"라고 하였습니다. 호체의 설은 한나라 유학자들이 많이 사용했는데 『춘추좌씨전』에서 관괘(觀卦)를 점쳐 얻고 설명하는 곳에서도 분명하게 거론했습니다.[275] 보아하니 이 설명도 또한 폐지할 수는 없을 듯합니다.

○ 問, 易中互體之說, 或以爲雜物撰德, 辨是與非, 則非其中爻不備, 此是說互體. 曰, 今人言互體, 皆以此爲說, 但亦有取不得處, 如頤大過之類是也. 王輔嗣又言納甲飛伏, 尤更難理, 此等不必深泥.

물었다: 역의 호체(互體)의 설을 어떤 이는 "사물을 섞음과 덕을 가려냄과 옳음과 그름을 분별함은 가운데의 효가 아니면 갖춰지지 않을 것이다"로 간주하는데, 이것이 호체를 설명한 것입니까?

답하였다: 지금 사람들이 호체를 말하면 모두 이것으로 설명하지만, 또한 취할 수 없는 것이 있으니, 예컨대 이괘(頤卦)나 대과괘(大過卦)의 따위가 이것입니다. 왕필은 또 "납갑(納甲)·비복(飛伏)[276]은 더욱 이해하기 어려우니, 이러한 것들에 깊이 빠지지 말아야 한다"고 하였습니다.

○ 雲峰胡氏曰, 此承上文六爻相雜而言也, 六爻本自相雜. 二三四五於六爻之中, 又雜物撰德者, 如屯下震物爲雷德爲健, 上坎物爲雲德爲險, 下互坤則雜物爲地, 撰德爲順矣, 上互艮則又雜物爲山, 撰德爲止矣. 亦可以辨是與非而易愈備矣.

운봉호씨가 말하였다: 이것은 위 글의 "육효가 서로 섞임"을 이어서 말한 것이니, 육효는 본래 스스로 서로 섞인다. 육효 가운데 이효·삼효·사효·오효가 또 사물을 섞고 덕을 가리는 것이니, 예컨대 준괘(屯卦䷂)의 하괘인 진(震☳)은 사물로는 우레가 되고 덕으로는 강건함이 되며, 상괘인 감(坎☵)은 사물로는 구름이 되고 덕으로는 험함이 되는데, 아래의 호괘인 곤(坤☷)은 사물을 섞으면 땅이 되고 덕을 가려내면 유순함이 되며, 위의 호괘인 간(艮☶)은 또 사물을 섞으면 산이 되고 덕을 가려내면 그침이 된다. 또한 옳음과 그름도 분별할 수 있으니 역이 더욱 갖춰질 것이다.

---

275) 『春秋左氏傳』 莊公 22年.

276) 납갑(納甲)·비복(飛伏): 납갑은 천간을 나누어 팔괘에 배치해 넣는 것이고, 비복은 괘에 나타난 것을 비(飛), 나타나지 않은 것을 복(伏)으로 간주하고 이에 의하여 길흉을 점치는 것.

○ 容齋洪氏曰, 如坤坎爲師, 而六五之爻, 曰長子帥師, 以正應九二而言, 蓋指二至四爲震也. 坤艮爲謙, 而初六之爻, 曰涉大川, 蓋自二而上, 則六二九三六四爲坎也.

용재홍씨가 말하였다: 만약 곤(坤☷)과 감(坎☵)으로 사괘(師卦䷆)가 될 때에 육오의 효사에 "장자로 군사를 거느린다"고 한 것은 정응인 구이(九二)로 말했으니, 대체로 이효에서 사효까지를 가리키면 장자인 진(震☳)이 되기 때문이다. 또 곤(坤☷)과 간(艮☶)으로 겸괘(謙卦䷎)가 될 때에 초육의 효사에 "큰 내를 건넌다"고 한 것은 대체로 이효로부터 올라가면 육이(六二)·구삼(九三)·육사(六四)가 감(坎☵)이 되기 때문이다.

○ 臨川吳氏曰, 內外旣有二正卦之體, 中四爻又成二互體之卦然後, 其義愈无遺闕, 非以此正體互體竝觀, 則其義猶有不備. 正體則二爲內卦之中, 五爲外卦之中, 互體則三爲內卦之中, 四爲外卦之中. 故皆謂之中爻.

임천오씨가 말하였다: 안팎으로 이미 두 개의 본괘의 몸체가 있어도, 가운데의 네 효로 다시 두 개의 호체의 괘를 이루어야 그 의미가 더욱 빠짐이 없을 것이니, 본괘의 몸체와 호괘의 몸체를 함께 보지 않는다면 그 의미가 오히려 갖춰지지 않을 것이다. 본괘의 몸체는 이효가 내괘의 가운데가 되고 오효가 외괘의 가운데가 되며, 호괘의 몸체는 삼효가 내괘의 가운데가 되고 사효가 외괘의 가운데가 된다. 그러므로 모두 '가운데의 효'라고 하였다.

○ 雙湖胡氏曰, 是非者, 當位不當位, 中不中, 正不正也. 內外卦, 旣足以示人矣, 復自互體而辨之, 則是是非非, 於是乎益可見焉.

쌍호호씨가 말하였다: '옳음과 그름'은 자리에 마땅함과 자리에 마땅치 않음, 가운데 있음과 가운데 있지 않음, 바름과 바르지 않음이다. 내괘와 외괘로 이미 충분이 사람에게 보였지만, 다시 호체로 분별하니 시시비비가 여기에서 더욱 나타날 것이다.

○ 潘氏夢旂曰, 不言吉凶, 而曰辨是與非, 則吉凶可知矣.

반몽기가 말하였다: 길흉을 말하지 않았으나 "옳음과 그름을 분별한다"고 했으니, 길함과 흉함은 알 수 있을 것이다.

┃韓國大全┃

조호익(曺好益)『역상설(易象說)』

註, 左傳中一處說占得觀卦.

소주에서 말한 "『춘추좌씨전』에서 관괘(觀卦)를 점쳐 얻고 설명하는 곳에서"에 대하여.

按, 陳公子完之少也, 周太史以周易筮之, 遇觀之否. 曰是謂觀國之光, 利用賓于王. 此其代陳有國乎. 其言卦體曰, 坤, 土也, 巽, 風也, 乾, 天也, 風爲天於土上山也. 有山之材而照之以天光. 蓋本卦三四五爻爲艮之卦, 二三四爻亦爲艮, 故曰山也. 在莊公二十二年.

내가 살펴보았다: 진(陳)나라의 공자(公子) 완(完)이 젊었을 적에 주(周)나라 태사(太史)가 『주역』으로 점을 치니, 관괘(觀卦)가 비괘(否卦)로 변한 점괘가 나왔다. 태사가 말하기를, "이 괘는 '나라의 빛남을 볼 것이니, 왕의 빈객이 되기에 이롭다' 할 것입니다. 이분이 진(陳)나라 군주를 대신해서 나라를 다스릴 것입니다"라고 하고, 그 괘의 몸체에 대해서 말하기를, "곤(坤)은 흙[土]이고, 손(巽)은 바람[風]이며, 건(乾)은 하늘[天]이니, 바람이 흙 위의 산에서 하늘이 되는 격입니다. 또 산에 재목이 있는데, 하늘의 빛이 그것을 비추는 것입니다"라고 하였다. 대개 본괘는 삼효·사효·오효가 간괘(艮卦☶)의 괘가 되고, 비괘(否卦)는 이효·삼효·사효가 역시 간괘(艮卦☶)가 되기 때문에 산(山)이라고 한 것이다. 이 기사는 『춘추좌씨전』 장공(莊公) 22년조에 있다.

이익(李瀷)『역경질서(易經疾書)』

雜物者, 雜互剛柔之物也. 撰德者, 隨其物, 而撰成吉凶之德也, 吉便爲是, 凶便爲非. 其要在中爻, 故初上, 則先言初上, 二三四五 則先言九六. 已有輕重之別, 此周公意也. 互卦之義, 由是而起. 如渙未濟初爻言拯者, 爲下坎也, 明夷艮二爻, 亦言拯, 豈非互坎一證耶. 卦雖上下兩體, 旣合成六爻, 則初上爲始終, 二三四五爲中. 而又以中爻爲備, 此便有互象也. 上下周流, 渾成一體, 則理宜有此也. 聖人旣云, 四象生八卦, 不曾云八卦生十六, 則加一倍而六畫之說, 吾未敢必信. 若然其第一畫椿定, 爲兩儀之體, 而自此以外, 莫非分歧做出者, 至六畫其輕重之別, 不過三十二分居一. 然而上下敵應, 未見有參差, 何也. 是其六畫莫非四象之一, 而八卦之上, 重加八卦也. 然聖人又謂兼三才而兩之, 故六, 六者非他, 三才之道也. 三畫本有三才之道, 而至六畫, 則初演爲初二屬地, 二演爲三四屬人, 三演爲五六屬天. 所謂引而伸之是也.

"사물을 섞는다"는 것은 굳센 양과 부드러운 음의 물건을 서로 섞음이다. "덕을 가려냄"이라는 것은 사물을 따라 길함과 흉함의 덕을 가려내는 것이니, 길함은 곧 옳음이고, 흉함은 곧 그름이다. 긴요한 것은 가운데 효에 있기 때문에 초효·상효에서는 먼저 초효와 상효를 말하고, 이효·삼효·사효·오효에서는 먼저 '구'인 양과 '육'인 음을 말하였다. 이미 경중의 구별이 있으니, 이것이 주공의 뜻이다. 호괘의 뜻은 이로 말미암아 시작되었다. 예컨대 환괘·미제괘의 초효에서 "건지다"를 말한 것은 하괘인 감괘 때문이니, 명이괘와 간괘 이효에서도 "건지다"를 말한 것이 어찌 호괘인 감괘가 한 증거가 아니겠는가? 괘가 비록 상체와 하체 두 몸체이나 이미 합하여 여섯 효를 이루면 초효와 상효가 처음과 마침이 되고, 이효·삼효·사효·오효는 가운데가 된다. 또 가운데 효로 갖춤을 삼는 것 이것이 곧 호상(互象)이다. 위 아래가 두루 흘러 합하여 일체가 되니, 이치에 의당 이런 것이 있다. 성인이 이미 사상(四象)이 팔괘(八卦)를 낳는다고 하고 팔괘가 십육을 낳는다고 말한 적이 없으니, 한 배를 더하여 여섯 획을 이룬다는 주장을 나는 감히 반드시 믿지만은 않는다. 그러나 처음 한 획을 확정하여 양의(兩儀)의 몸체를 만듦에 이 뒤로 나뉘고 갈라져 나오지 않음이 없는 것은 여섯 획에는 그 경중의 구별이 1/32에 불과해서이다. 그런데도 위아래가 알맞게 응하여 어긋남이 있음을 볼 수 없는 것은 어째서인가? 이것은 여섯 획이 사상(四象) 중에 하나 아님이 없고 팔괘의 위에 팔괘가 거듭 더해져서이다. 그러나 성인이 또 삼재(三才)를 겸하여 둘로 하였기 때문에 여섯이라고 하였으니, 여섯이라는 것은 다름이 아니라 삼재의 도이다. 삼획(三畫)에는 본래 삼재의 도가 있어 육획(六畫)에 이르면, 초효는 부연하여 초효와 이효가 되니 땅에 속하고, 이효는 부연하여 삼효와 사효가 되니 사람에 속하며, 삼효는 부연하여 오효와 상효가 되니 하늘에 속한다. 이른바 당겨서 펼친다는 것이 이것이다.

按, 乾文言, 九三, 上不在天, 下不在田, 其屬人可知. 不然二與五屬人 豈容如是. 三居下卦之上, 四居上卦之下, 本是一畫之演. 而本與上下相連, 故下連於二, 上連於五, 皆成互體. 雖三連於初二, 爲下卦, 四連於五上, 爲上卦. 亦無所不可也.
내가 살펴보았다: 건괘 「문언전」에 "구삼은 위로 하늘에 있지 못하고 아래로 땅에 있지 못하다"라고 하였으니, 사람에 속함을 알 수 있다. 그렇지 않고 이효와 오효가 사람에 속한다면 어찌 이와 같음을 용납하겠는가? 삼효는 하괘의 위에 있고 사효는 상괘의 아래에 있으니 본래 한 획이 부연한 것이다. 본래 위아래와 서로 이어지기 때문에 아래로 이효에 이어지고 위로 오효에 이어지니 모두 호체를 이룬다. 비록 삼효가 초효와 이효에 이어져서 하괘가 되고, 사효가 오효와 상효에 이어져서 상괘가 되는 것도 안 될 것이 없다.

유정원(柳正源) 『역해참고(易解參攷)』
雜物 [至] 不備.

사물을 섞음과 … 갖춰지지 못할 것이다.

雙湖胡氏曰, 物, 謂內外卦陰陽二物, 雜, 謂自其中四爻雜而互之. 又自成兩卦之德也, 故謂之撰.

쌍호호씨가 말하였다: 사물[物]은 내괘·외괘에 있는 음양 두 사물을 이르고, 섞임[雜]은 가운데 네 효가 섞이고 사귀는 것을 이른다. 또 스스로 두 괘의 덕을 이루기 때문에 가려냄[撰]이라고 한다.

○ 案, 初上二爻, 爲卦之終始, 必擧其終始而後, 成卦體. 然逐爻各有時物之不同, 若語其時與物之用, 則非初上之所能盡也. 初上无位, 中四爻有位, 必須於有位之爻求之, 乃見其備. 如下文二與四三與五, 同功異位是也. 若先儒互體之說, 朱子每攻斥之, 而又云此說亦不可廢, 是指中爻而言也. 然豈如漢上雙湖諸儒穿鑿附會哉.

내가 살펴보았다: 초효와 상효 두 효가 괘의 마침과 시작이 되니, 반드시 마침과 시작을 든 뒤에 괘의 몸체를 이룬다. 그러나 매 효는 각각 때와 사물의 같지 않음이 있으니, 만일 때와 사물의 쓰임으로 말한다면 초효와 상효가 다 할 수 있는 것이 아니다. 초효와 상효는 지위가 없고 가운데 네 효는 지위가 있으니, 반드시 지위가 있는 효에서 구한다면 갖춰짐을 볼 것이다. 아래 글의 "이효와 사효, 삼효와 오효가 공효는 같으나 자리가 다르다"는 것이 이것이다. 이전의 유학자들이 주장한 호체설 같은 것은 주자가 매양 공격하여 배척하였으나 또 이 설을 폐지할 수는 없을 듯하다고 하였으니, 이는 가운데 효를 가리켜 말한 것이다. 그러나 주자의 주장이 어찌 한상주씨나 쌍호호씨처럼 천착하고 견강부회한 것이겠는가?

김상악(金相岳) 『산천역설(山天易說)』

此謂卦中四爻分, 而爲互體也. 物者, 爻之剛柔, 雜者, 兩相雜而互之也. 德者, 卦之德, 撰者, 述也. 內外二卦與六爻, 皆有物有德, 如屯之爲卦, 內有震動之德, 外有坎陷之德, 而剛柔雜而互之, 則中爻之二與四, 有坤順之德, 三與五, 有艮止之德, 故辨其物與德之是非. 是者, 得其當也 非者, 不得其當也. 蓋爻有中有不中, 有正有不正, 有應有无應, 有比有无比, 則必有是非矣, 故徒以正卦觀之, 遺其合卦所互之體, 則其義必有不備者矣.

이 글은 괘 가운데 네 효가 나뉘어 호체가 됨을 이른다. 사물[物]은 효의 강유이고, 섞음[雜]은 둘이 섞여서 어울리는 것이다. 덕(德)은 괘의 덕이고, 찬(撰)은 칭술함이다. 내괘와 외괘 두 괘와 여섯 효는 모두 사물이 있고 덕이 있으니, 예컨대 준(屯)이라는 괘는 내괘에 우레가 움직이는 덕이 있고, 외괘에 구덩이에 빠지는 덕이 있어서, 강유가 섞여서 어울리니, 가운데 효인 이효와 사효에 곤괘의 순한 덕이 있고, 삼효와 오효에 간괘의 그치는 덕이 있기 때문에 그 사물과 덕의 옳음과 가름을 분별한다. 옳음이란 마땅함을 얻은 것이고, 그름이란 마땅함을 얻지 못한 것이다. 대개 효에는 중(中)이 있고 부중(不中)이 있으며,[277] 정(正)이 있고 부정(不正)이 있으며,[278] 응(應)이 있고 무응(无應)이 있으며,[279] 비(比)가 있고 무비(无比)가 있으니,[280] 반드시 옳음과 그름이 있기 때문에 한갓 정괘(正卦)로만 살펴서 호체로 합해진 괘를 빠뜨린다면 그 의미를 반드시 갖추지 못함이 있을 것이다.

윤종섭(尹鍾燮) 『경(經)-역(易)』

卦之取象, 亦多變換, 有互變正反之不同, 有伏似錯綜之有異. 隨卦異象, 逐爻隨宜, 大傳曰, 則非其中爻不備者, 蓋以是夫.

괘(卦)가 상(象)을 취하는 것도 변환이 많아, 호(互)·변(變)·정(正)·반(反)의 같지 않음이 있고, 복(伏)·사(似)·착(錯)·종(綜)의 다름이 있는 것도 있다. 괘를 따라 상을 달리하고, 효마다 마땅함을 따르니, 「계사하전」에서 "가운데 효가 아니면 갖춰지지 못할 것이다"라는 것이 대개 이 때문일 것이다.

오치기(吳致箕) 「주역경전증해(周易經傳增解)」

此言卦中四爻也. 雜, 謂錯雜也, 物, 謂陰陽也. 撰者, 述也, 德, 謂健順動止之類也. 辨者, 分別也. 當乎理者曰是, 悖乎理者曰非. 如中正而有理則爲是, 不中正而无理則爲非之類. 中爻者二三四五, 而以全卦言, 則在乎初上兩爻之中, 以內外二卦言, 則二爲內卦之中, 五爲外卦之中, 以互體言, 則三爲內體之中, 四爲外體之中, 故合以言之曰中爻也. 凡卦內外, 旣有本卦之體, 又有互卦之體, 而各有陰陽之相雜焉, 各有其德之可述焉. 如屯之外卦, 是坎有陷之德, 內卦是震有動之德, 此則本體也. 以陰陽雜而互之, 則二四有坤順之德, 三五有艮止之德, 此乃互體也. 但以本體觀之, 而遺其互體, 則其義不備, 徒以互體言之, 而遺其本體, 則其義亦有不備者矣. 故中爻者, 合本體互體而言也.

---

277) 상괘의 가운데인 이효의 자리와 하괘의 가운데인 오효의 자리를 중(中)이라고 하고, 나머지 효의 자리는 부중(不中)이라 한다.
278) 여섯 효에서 양의 자리에 양효가 오면 정(正)이라 하고, 그렇지 않으면 부정(不正)이라 한다.
279) '초효와 사효', '이효와 오효', '삼효와 상효'의 효가 각각 음양의 짝을 이루면 응(應)이라 하고, 그렇지 않으면 무응(无應)이라 한다.
280) 위아래의 효가 음양을 이루고 있으면 비(比)라 하고, 그렇지 않으면 무비(无比)라 한다.

이 글은 괘 가운데 네 효를 말하였다. 잡(雜)은 섞임을 이르고 물(物)은 음양을 이른다. 찬(撰)이라는 것은 칭술함이고, 덕(德)은 강건함·유순함·움직임·그침의 부류를 이른다. 변(辨)이라는 것은 분별함이다. 이치에 마땅한 것을 시(是)라 하고, 이치에 어긋난 것을 비(非)라 한다. 예컨대 중정(中正)하여 이치에 맞음이 있으면 시(是)이고, 중정(中正)하지 못하여 이치에 맞음이 없으면 비(非)가 되는 부류이다. 가운데 효[中爻]라는 것은 이효·삼효·사효·오효이니, 전체의 괘로 말하면 초효·상효 두 효의 가운데 있는 것이고, 내괘·외괘 두 괘로 말하면 이효는 내괘의 가운데이고, 오효는 외괘의 가운데이며, 호체로 말하면 삼효는 내체(內體)의 가운데이고, 사효는 외체(外體)의 가운데이기 때문에, 합하여 말하기를 "가운데 효"라고 하였다. 모든 괘의 안과 밖은 이미 본괘(本卦)의 몸체가 있고, 또 호괘(互卦)의 몸체가 있어서 각각 음양이 서로 섞임이 있고, 각각 칭술할 만한 덕이 있다. 예컨대 준괘(屯卦䷂)의 외괘는 감괘(坎卦☵)의 빠지는 덕이 있고, 내괘는 진괘(震卦☳)의 움직임이 있는 덕이 있으니 이것이 곧 '본체'이다. 음양이 섞여서 어울리면 이효부터 사효까지는 곤괘(坤卦☷)의 순한 덕이 있고 삼효부터 오효까지는 간괘(艮卦☶)의 그치는 덕이 있으니 이것이 바로 '호체'이다. 본체로만 살피고 호체를 빠뜨리면 그 의미가 갖추어지지 않을 것이며, 호체로만 말하고 본체를 빠뜨리면 그 의미가 또한 갖춰지지 못할 것이 있을 것이다. 그러므로 '가운데 효'라는 것은 본체와 호체를 합하여 말한 것이다.

噫. 亦要存亡吉凶, 則居可知矣, 知者觀其象辭, 則思過半矣.

아! 또한 존망과 길흉을 살피고자 하면 가만히 있어도 알 수 있겠지만, 지혜로운 이가 단사(象辭)를 보면 생각이 반을 넘을 것이다.

‖中國大全‖

本義

象, 統論一卦六爻之體.

‘단(象)’은 한 괘(卦) 여섯 효의 전체를 합쳐 논한 것이다.

小註

臨川吳氏曰, 上文旣分言初上二爻及中四爻, 此又總六爻言之. 噫, 嘆美辭. 存亡者, 陰陽之消息, 吉凶者, 事情之得失. 要其存亡吉凶之所歸, 則六爻之義居然易見, 可指掌而知矣. 又謂知者能見事於未形, 雖不觀各爻之義, 但觀卦首之象辭, 則所思已得十分之五六矣. 蓋象辭或論二體, 或論主爻, 或論卦變相易之爻. 是以不待觀六爻而已可見也. 章首第一句言象, 第二句總言六爻, 此一節又總言六爻, 而復歸重於象, 蓋爲結語與章首起語相始終. 下文則又更端而言中四爻也.

임천오씨가 말하였다: 위의 글에서 이미 초효와 상효 두 효 및 가운데 네 효를 나누어 말하고, 여기서 다시 여섯 효를 총괄하여 말하였다. ‘희(噫)’는 감탄사이다. ‘존망(存亡)’은 음양의 사라짐과 자라남이고, ‘길흉(吉凶)’은 사정의 얻음과 잃음이다. 그 존망과 길흉의 귀결을 살피려 한다면 육효의 의미에 가만히 쉽게 나타나니, 손바닥을 가리키듯 알 것이다. 또 지혜로운 이는 일이 이루어지지 않았어도 알 수 있다고 했으니, 비록 각 효의 의미를 보지 않더라도 다만 괘의 첫머리인 단사만 본다면, 생각이 이미 열에 다섯·여섯을 얻을 것이다. 대체로 단사는 괘의 두 몸체를 논하기도 하고, 주된 효를 논하기도 하고, 괘가 변하여 서로 바뀌는 효를 논하기도 한다. 이 때문에 육효를 보지 않더라도 이미 알 수 있는 것이다. 장 첫머리의 첫 구절에서 단사를 말하고, 둘째 구절에서 육효를 총괄하여 말했는데, 이

절에서는 다시 육효를 총괄해서 말하고는 다시 단사로 중점을 돌렸으니, 대체로 결어(結語)가 되어서 장 첫머리의 서언(序言)과 서로 시종이 된다. 아래 글에서는 또다시 자세히 하여 가운데의 네 효를 말하였다.

○ 括蒼龔氏曰, 象者, 原始要終, 以爲質者也. 故智者觀之, 无待於爻. 蓋所要愈約, 則所知愈易. 中四爻者, 六爻之要, 而象者, 又一卦之要也.
괄창공씨가 말하였다: 단사(彖辭)는 시작을 찾아내고 마침을 간추려서 바탕을 삼은 것이다. 그러므로 지혜로운 이는 이것을 보고 효를 의지하지 않는다. 대체로 살피려는 것이 간략할수록 아는 것은 그만큼 쉽다. 가운데의 네 효는 여섯 효의 개요이고, 단사는 다시 한 괘의 개요이다.

‖韓國大全‖

권근(權近) 『주역천견록(周易淺見錄)』

居, 位也. 所居之位, 有正有不正, 而吉凶存亡之象著矣. 後章所謂剛柔雜居, 而吉凶可見是281)也. 吳氏謂坐而可知非矣.
거(居)는 자리이다. 있는 자리에 바르고 바르지 않음이 있어 길흉과 존망의 상이 드러난다. 뒷 장에서 이른바 "굳셈과 부드러움이 섞여 있음에 길과 흉이 정해짐을 볼 수 있을 것이다"고 한 것이 이것이다. 오씨가 "앉아서 알 수 있다"고 한 것은 잘못이다.

이익(李瀷) 『역경질서(易經疾書)』

君子居, 則觀其象, 而玩其辭, 存亡吉凶之理, 不待占而可知. 故繼之云, 知者觀其彖辭, 思過半矣. 此申釋其可知之由也, 非有二事也.
군자가 거처할 때는 상을 살피고 말을 완미하니, 존망과 길흉의 이치를 점치기를 기다리지 않아도 알 수 있다. 그러므로 이어서 "지혜로운 이가 단사를 보면 생각이 반을 넘을 것이다"

---

281) 是: 경학자료집성 DB와 영인본에 定으로 되어 있으나, 「繫辭下傳」 12장에 "八卦以象告, 爻象以情言, 剛柔雜居, 而吉凶可見矣"에 근거하여 '是'로 바로잡았다.

라고 하였다. 이 글은 알 수 있는 이유를 거듭 해석한 것이니 두 가지 일이 있는 것이 아니다.

유정원(柳正源) 『역해참고(易解參攷)』

噫. 亦 [至] 半矣.

아! 또한 … 반을 넘을 것이다.

漢上朱氏曰, 噫, 中卦六爻之意, 亦要諸吉凶存亡之辭而已. 有同位而異物, 同物而異象, 同象而異辭, 要諸辭, 則四者不同, 居然易見, 可指掌而知矣. 六爻變動相錯, 而有吉凶存亡者矣. 象辭者, 合內外二體, 以一爻相變而有者也. 知者, 明於理, 則觀諸象辭, 而爻義已知其過半矣

한상주씨가 말하였다: 아! 괘 안의 여섯 효의 뜻도 길흉과 존망의 말로 살필 수 있을 뿐이다. 지위는 같으나 사물은 다르고, 사물은 같으나 상은 다르며, 상은 같으나 말은 다른 것이 있으니, 말로 살핀다면 네 가지가 같지 않음이 가만히 있어도 쉽게 드러나 손바닥을 가리키는 것처럼 쉽게 알 수 있을 것이다. 여섯 효가 변동하여 서로 갈마들어 길흉과 존망이 있는 것이다. 단사는 내괘·외괘 두 몸체를 합하여 한 효가 서로 변하는 것으로 있게 된 것이다. 지혜로운 이는 이치에 밝으니 단사를 보면 효의에 대하여 이미 아는 것이 반을 넘을 것이다.

○ 開封耿氏曰, 雜物撰德, 辨是與非, 大致所貴, 不出乎存亡吉凶而已. 所以觀是非之要, 在存亡吉凶, 所以觀存亡吉凶之要, 在觀象辭而已.

개봉경씨가 말하였다: 사물을 섞음과 덕을 가려냄과, 옳음과 그름을 분별함은, 대부분 귀하게 여기는 것이 존망과 길흉에서 벗어나지 않을 뿐이다. 이 때문에 옳음과 그름을 보는 요점은 존망과 길흉에 있고, 존망과 길흉을 보는 요점은 단사를 보는 데 있을 뿐이다.

송능상(宋能相) 「계사전질의(繫辭傳質疑)」

噫, 亦要存亡吉凶, 則居可知矣, 此二句, 必有脫誤. 蓋其意, 則似以爲六爻時物, 各因所遇, 而存亡吉凶, 可得知之云爾.

"아! 또한 존망과 길흉을 살피고자 한다면 가만히 있어도 알 수 있겠지만"이라고 한 두 구에 반드시 탈자나 오자가 있을 것이다. 그 뜻은 여섯 효의 때와 사물이 각각 만나는 것으로 인하여 존망과 길흉을 알 수 있을 뿐이라고 여긴 듯하다.

김상악(金相岳) 『산천역설(山天易說)』

象統論一卦六爻之體, 居卽居, 則觀其象之居. 存亡者, 天道之消息, 吉凶者, 人事之得失.

단(象)은 한 괘 여섯 효의 몸체를 통합하여 논한 것이며, 거(居)는 곧 거처함이니 그 상이 거처함을 보는 것이다. 존망이라는 것은 천도(天道)가 사라지고 자라는 것이며, 길흉이라는 것은 인사(人事)가 잘 되고 못되는 것이다.

오치기(吳致箕) 「주역경전증해(周易經傳增解)」

上文旣言卦象及爻辭, 故此又贊歎, 而更端爲言也. 噫者, 歎辭也, 要, 謂察也. 陰陽之消息曰存亡, 事理之得失曰吉凶. 居者猶居然之意, 謂不待深究也, 思, 語辭也, 言欲察一卦之所言存亡吉凶, 則不待細究諸爻之義, 而居然易知. 蓋智者觀聖人所繫之象, 則或論卦體卦德, 或論主爻及變易之體而爲辭, 故未及盡觀六爻, 而卦情已得十分之五六矣. 章首第一句言象, 第二句言六爻, 第二節言初上兩爻, 第三節言二三四五之爻, 此節又總言一卦, 而歸重於象, 以起下文.

윗글에서 이미 괘와 단과 효사에 대하여 말했기 때문에 여기에서는 또 칭찬하고 감탄하여 단서를 바꾸어 말하였다. '희(噫)'는 감탄사이고, '요(要)'는 살핌을 이른다. 음양이 사라지고 자라는 것을 존망(存亡)이라 하고, 일의 이치가 잘되고 못되는 것을 길흉(吉凶)이라 한다. '거(居)'는 거연(居然)의 뜻과 같으니 깊이 탐구하기를 기다리지 않음을 이르고, '사(思)'는 어조사이니, 한 괘가 말하는 존망과 길흉을 살피고자 한다면, 여러 효의 뜻을 자세히 살피지 않아도 거연(居然)히 쉽게 알 수 있다는 말이다. 대체로 지혜로운 자가 성인이 붙인 단(象)을 살피면, 때로는 괘체와 괘덕을 논하고 때로는 주된 효와 변역의 몸체를 논하여 말하기 때문에, 여섯 효를 다 살피기 전에 괘의 실정을 이미 열에 다섯·여섯을 알 수 있다. 9장 앞머리의 첫째 구는 '단'에 대해 말했고, 둘째 구는 여섯 효에 대해 말했으며, 제2절은 초효·상효 두 효에 대해 말했고, 제3절은 이효·삼효·삼효·오효에 대하여 말했으며, 이 절(節)에서는 또 한 괘를 총괄하여 말하여, 중요함을 단(象)에 귀결시켜 아래 글을 제기하였다.

二與四, 同功而異位, 其善不同, 二多譽, 四多懼, 近也. 柔之
爲道, 不利遠者, 其要无咎, 其用柔中也.

이효와 사효는 일은 같으나 자리가 달라서 선(善)함이 같지 않으니, 이효에 칭찬이 많고 사효에
두려움이 많은 것은 오효와 가깝기 때문이다. 부드러운 음의 도(道)는 멀리 있는 것이 이롭지 않으나
그 개요가 허물이 없는 것은 부드러운 음으로 가운데이기 때문이다.

中國大全

本義

此以下, 論中爻. 同功, 謂皆陰位, 異位, 謂遠近不同. 四近君, 故多懼. 柔不利遠
而二多譽者, 以其柔中也.

여기부터는 가운데의 효들을 논했다. '일이 같음'은 모두 음의 자리임을 말하고, '자리가 다름'은 멀
고 가까움이 다름을 말한다. 사효는 임금과 가까우므로 두려움이 많다. 부드러운 음은 멀리 있음이
이롭지 않지만 이효에 칭찬이 많은 것은 그것이 부드러운 음으로 가운데이기 때문이다.

小註

或問, 其要无咎, 其用柔中也, 近君則當柔和, 遠去則當有强毅剛果之象始得, 此二之
所以不利, 然而居中, 所以无咎. 朱子曰, 也是恁地說.
어떤 이가 물었다: "그 개요가 허물이 없음은 부드러운 음으로 가운데이기 때문이다"는, 임
금에 가까우면 부드럽게 화합해야 하고 멀리 떨어지면 굳세고 강건한 상이 있어야만 하는
이것이 이효가 이롭지 않은 까닭이지만 가운데 있기에 허물이 없다는 것입니까?
주자가 답하였다: 또한 그렇게 말한 것입니다.

○ 潘氏夢旂曰, 二與四, 功同乎陰, 而位有內外之異. 二遠於君, 雖在下而多譽, 四近
於君, 雖在上而多懼. 然陰柔之道, 遠則難援. 二之遠而大要无咎者, 以其雖柔而居下
體之中也.

반몽기가 말하였다: 이효와 사효는 일이 음(陰)으로 같지만, 자리에는 안과 밖의 차이가 있다. 이효는 임금에게서 멀리 있으니 비록 밑에 있어도 칭찬이 많고, 사효는 임금에게 가까우니 비록 위에 있어도 두려움이 많다. 그러나 음의 유순한 도는 멀리 있으면 구원하기 어렵다. 이효가 멀리 있어도 대요가 허물이 없는 것은 그것이 비록 유순하여도 하괘(下卦) 몸체의 가운데에 있기 때문이다.

○ 雲峰胡氏曰, 上文雜物撰德, 是謂中爻之互體, 此則論中爻之本體. 二與四爲陰, 陰以降爲用. 故不成乎四, 退而成乎二. 柔雖不利遠者, 二陰成而得中, 故多譽, 四近君, 若陰柔未成而不中, 故多懼.

운봉호씨가 말하였다: 윗글의 '사물을 섞음과 덕을 가려냄'은 가운데 효의 호체를 말하는 것이고, 이것은 가운데 효의 본체를 논한 것이다. 이효와 사효는 음(陰)이 되는데, 음은 내려옴을 작용으로 한다. 그러므로 사효에서는 이루어지지 않고, 물러나 이효에서 이루어진다. 부드러운 음은 비록 멀리 있는 것이 이롭지 않지만, 이효는 음이 이루어지고 가운데를 얻었으므로 칭찬이 많고, 사효는 임금과 가까워도 바로 음의 유순함이 아직 이루어지지 않았고 가운데가 아니므로 두려움이 많은 것이다.

○ 魯齋許氏曰, 二與四, 皆陰位也. 四雖得正, 而猶有不中之累, 況不得其正者乎. 二雖不正, 猶有得中之美, 況正而得中者乎. 四近君之臣也, 二遠君之臣也. 其勢又不同, 此二之所以多譽, 四之所以多懼也.

노재허씨가 말하였다: 이효와 사효는 모두 음의 자리이다. 사효에 비록 음이 오더라도 여전히 가운데가 아니라는 허물이 있거늘, 하물며 음이 오지 않은 것이랴? 이효에 비록 음이 오지 않더라도 그래도 가운데를 얻었다는 아름다움이 있거늘, 하물며 음이 오면서 가운데를 얻은 것이랴? 사효는 임금과 가까운 신하이고, 이효는 임금에게 멀리 있는 신하이다. 그 형세가 또한 같지 않으니, 이것이 이효가 칭찬이 많고 사효가 두려움이 많은 까닭이다.

韓國大全

유정원(柳正源) 『역해참고(易解參攷)』

二與 [至] 多懼.

이효와 … 두려움이 많은 것은.

案, 二四同功, 以陰言也. 二譽四懼, 亦主陰爻言之, 而以剛居之, 亦多譽多懼.

내가 살펴보았다: 이효와 사효가 일이 같다는 것은 음을 가지고 말한 것이다. 이효는 칭찬이 많고 사효는 두려움이 많다는 것도 음효를 위주로 말하였으나, 굳센 양으로서 그 자리에 있는 것도 칭찬이 많고 두려움이 많다.

김상악(金相岳) 『산천역설(山天易說)』

此以下論中爻之二四也. 同功, 謂皆陰位也, 異位, 謂各居內外也. 四多懼者, 以其近君也, 柔不利遠, 而二多譽者, 以其柔中也.

이 글 이하는 가운데 효에서 이효와 사효를 논하였다. '일이 같음'은 모두 음의 자리임을 이르고, '자리가 다름'은 각각 내괘와 외괘에 거함을 이른다. 사효에 두려움이 많은 것은 임금과 가깝기 때문이고, 부드러움은 멀리 있는 것이 이롭지 않으나, 이효에 칭찬이 많은 것은 부드러움이 가운데 있기 때문이다.

심대윤(沈大允) 『주역상의점법(周易象義占法)』

二四, 皆居柔位而人臣也, 故曰柔.

이효와 사효는 모두 부드러운 음의 자리에 있고 신하에 해당하기 때문에 '부드러움[柔]'이라고 하였다.

오치기(吳致箕) 「주역경전증해(周易經傳增解)」

自此以下, 承上文, 而論二三四五之爻位也. 二四皆陰位, 故曰同功, 二居內體, 四居外體, 故曰異位. 二得中, 而四不得中, 故曰其善不同. 多譽者, 謂多贊譽之辭也, 多懼者, 謂多戒懼之辭也. 近, 謂近於君也, 遠, 謂遠於君也. 要者, 大要也, 用者, 功用也. 四, 以柔居陰, 雖得其正, 而以其不中, 而近君, 故猶有其懼, 況以剛居陰而不中不正者乎.

此所以多懼也. 二遠乎君, 殊非以陰從陽之道, 則居二之陰位者, 宜若不利. 然雖以剛居二, 而猶爲无咎者, 以陰位之得中也, 況以柔居陰, 俱得中正者乎. 此所以多譽也.

이 글 이하에서는 윗글을 이어 이효·삼효·사효·오효의 자리에 대해 논하였다. 이효와 사효는 모두 음의 자리이기 때문에 "일이 같다"고 하였고, 이효는 내체(內體)에 있고 사효는 외체(外體)에 있기 때문에 "자리가 다르다"고 하였다. 이효는 가운데 자리를 얻고 사효는 가운데 자리를 얻지 못하였기 때문에 "선함이 같지 않다"고 하였다. 칭찬이 많다는 것은 칭찬의 말이 많음을 이르고, 두려움이 많다는 것은 경계하고 두려워하는 말이 많음을 이른다. 가까움[近]은 임금의 자리에서 가까움을 이르고, 멂[遠]은 임금의 자리에서 멂을 이른다. 요(要)라는 것은 대요이고, 용(用)이라는 것은 공용(功用)이다. 사효는 유(柔)로서 음의 자리에 있으니 비록 바른 자리를 얻었더라도 가운데 자리가 아니면서 임금의 자리와 가깝기 때문에 오히려 두려움이 있는 것이거늘, 하물며 굳센 양으로 음의 자리에 있으면서 가운데 자리도 아니고 바른 자리도 아닌 자는 어떻겠는가? 이것이 두려움이 많은 이유이다. 이효는 임금의 자리에서 멀어 자못 음으로서 양을 따르는 도리가 아니니, 이효의 음의 자리에 있는 것이 의당 이롭지 않을 듯하다. 그러나 굳센 양으로서 이효의 자리에 있는데도 오히려 허물이 없음이 되는 것은 음효의 자리가 가운데를 얻었기 때문이니, 하물며 부드러운 음으로서 음의 자리에 있어서 '가운데'와 '바름'을 갖추어 얻은 자는 어떻겠는가? 이것이 칭찬이 많은 이유이다.

三與五, 同功而異位, 三多凶, 五多功, 貴賤之等也, 其柔危, 其剛勝耶.

삼효와 오효는 공효는 같으나 자리가 달라서 삼효에 흉함이 많고 오효에 공적이 많은 것은 귀하고 천한 등급 때문이니, 부드러운 음은 위태롭고 굳센 양은 이겨낼 것이다.

中國大全

本義

三五, 同陽位而貴賤不同. 然以柔居之則危, 唯剛則能勝之.

삼효와 오효가 똑같이 양의 자리지만 귀하고 천함이 같지 않다. 그러나 부드러운 음이 자리하면 위태롭고, 오직 굳센 양이라야 이겨낼 수 있다.

小註

潘氏夢旂曰, 三與五, 功同乎陽, 而位有貴賤之異. 三以臣之賤, 而居下卦之上, 故多凶, 五以君之貴, 而居上體之中, 故多功. 然五君位也, 柔居之則危, 剛居之則能勝其事. 故六居五多危, 九居五多吉也.

반몽기가 말하였다: 삼효와 오효는 일이 양으로 같지만, 자리에는 귀함과 천함의 차이가 있다. 삼효는 신하의 천함으로 하괘의 위에 있으므로 흉함이 많고, 오효는 임금의 귀함으로 상괘의 가운데에 있으므로 공적이 많다. 그러나 오효는 임금의 자리이니, 부드러운 음이 자리하면 위태하고 굳센 양이 자리하면 그 일을 감당할 수 있다. 그러므로 음(六)이 오효에 자리하면 위태함이 많고, 양(九)이 오효에 자리하면 길함이 많은 것이다.

○ 雲峰胡氏曰, 三與五爲陽, 陽以升爲用. 故不成乎三, 獨進而成乎五. 五爲貴, 又陽剛成而得中, 故多功, 三爲賤, 又陽剛未成而不中, 故多凶. 其柔危, 其剛勝, 專爲三言也. 於四不曰其剛危者, 九居四, 猶爲剛而能柔者. 危者, 六居三, 則才柔而志剛, 所以危也.

운봉호씨가 말하였다: 삼효와 오효는 양(陽)이 되는데, 양은 올라감을 작용으로 한다. 그러므로 삼효에서 이루어지지 않고 홀로 나아가 오효에서 이루어진다. 오효는 귀함이 되는데 또 양의 강건함이 이루어지고 가운데를 얻었으므로 공적이 많으며, 삼효는 천함이 되는데 또 양의 강건함이 이루어지지 않고 가운데가 아니므로 흉함이 많다. "부드러운 음은 위태롭고 굳센 양은 이겨낼 것이다"는 전적으로 삼효 때문에 말한 것이다. 사효에서 '굳센 양이 위태로움'을 말하지 않은 것은 양九이 사효에 있으면 오히려 강하면서도 부드러울 수 있는 것이기 때문이다. 위태한 것은 음六이 삼효에 있는 것이니, 재질이 부드러우면서 뜻은 굳세기에 위태로운 것이다.

○ 魯齋許氏曰, 上卦之中, 乃人君之位也, 一卦之德, 莫精於此. 在乾則剛健而斷, 在坤則重厚而順, 未或有先之者, 至於坎險之孚誠, 離麗之文明, 巽順於理, 艮篤於實, 皆能首出乎庶物, 不問何時, 克濟大事, 傳謂五多功者此也. 獨震忌强輔, 兌比小人, 於君道爲未善, 觀其戒之之辭則可知矣.

노재허씨가 말하였다: 상괘의 가운데는 바로 임금의 자리이니, 한 괘의 덕이 이보다 아름다운 것이 없다. 건괘(乾卦)의 강건하면서 결단함과 곤괘(坤卦)의 중후하면서 순응함은 혹시라도 우선하는 것이 없어서, 감괘(坎卦)의 험난한 중에 믿고 성실함과 리괘(離卦)의 문명한 덕으로 걸려 있음과 손괘(巽卦)의 이치를 따름과 간괘(艮卦)의 실정에 돈독함에까지 모두 만물 중에 으뜸으로 나와 어느 때를 막론하고 큰 일을 구제할 수 있으니, 「계사전」의 "오효는 공적이 많다"는 것이 이것이다. 다만 진괘(震卦)의 구사(九四)의 강한 보필을 시기함과 태괘(兌卦)의 상육(上六)의 소인을 가까이함은 임금의 도에는 좋지 않으니, 그것을 경계시키는 말을 보면 알 수 있을 것이다.

右第九章

이상은 제9장이다.

‖中國大全‖

雙湖胡氏曰, 此章專論爻畫以示人, 首論六爻之始終, 次論爻之初上, 又次論中四爻, 因及彖辭. 末則申論中四爻, 分二四三五, 陰陽而論, 以見遠近貴賤安危之不同, 而剛柔之用亦異. 其致意在中四爻, 而四爻之中所主, 又在二五, 居二體之中也.

쌍호호씨가 말하였다: 이 장은 전적으로 효의 획을 논하여 사람들에게 보였다. 처음에는 육효의 시작과 마침을 논하였고, 다음에는 초효와 상효를 논하였으며, 재차 가운데의 네 효를 논하고는 그대로 바로 단사를 언급하였다. 끝에서는 가운데의 네 효를 거듭 논하였는데, 이효·사효와 삼효·오효를 나누어 음양으로 논하면서 멂과 가까움, 귀함과 천함, 편안함과 위태함이 같지 않고, 강유의 작용도 다름을 드러냈다. 의도한 것은 가운데의 네 효에 있고, 네 효 가운데 주가 되는 것은 다시 이효와 오효에 있으니, 두 몸체의 가운데이기 때문이다.

‖韓國大全‖

송시열(宋時烈) 『역설(易說)』

言觀辭用爻之法, 不言初六爻者, 初者, 事之始, 六者, 事之終, 而不可以主卦故也.

말을 살펴 효를 쓰는 방법을 말함에 초효와 상효를 말하지 않은 것은 초효는 일의 시작이고, 상효는 일의 마침이어서 괘를 주관할 수 없기 때문이다.

이익(李瀷) 『역경질서(易經疾書)』

君子動, 則觀其變, 而玩其占. 二四三五, 卽爻辭之可占者也. 二四陰位, 故惟柔有功, 三五陽位, 故惟剛有功. 故曰同功也. 以文勢相勘, 下云三多凶, 五多功, 貴賤之等也, 此當云二多譽, 四多懼, 遠近之勢也. 四近, 故多懼, 二遠 故多譽, 而不利於遠, 故其要只得旡咎. 鮮有吉占, 其用則又得中也. 下云其柔危其剛勝耶, 此當云其剛危其柔勝也. 三五同功, 而五貴, 故多功, 三賤, 故多凶. 上云其要旡咎其用柔中也, 此當云其要多吉其用則剛中也.

군자가 움직일 때는 변화를 살피고 점을 완미한다. 이효와 사효, 삼효와 오효는 바로 점칠 만한 효사이다. 이효와 사효는 음의 자리이기 때문에 부드러운 음만이 공이 있고, 삼효와 오효는 양의 자리이기 때문에 굳센 양만이 공이 있다. 그러므로 "일이 같다"고 말하였다. 문장의 기세로 헤아려 보면 아래에서 "삼효는 흉함이 많고 오효는 공적이 많은 것은 귀하고 천한 등급 때문이다"라고 하였으니, 이것은 마땅히 "이효는 칭찬이 많고 사효는 두려움이 많으니 임금의 자리와 멀거나 가까운 형세이다."라고 해야 한다. 사효는 가깝기 때문에 두려움이 많고 이효는 멀기 때문에 칭찬이 많으나 원대함에 이롭지 않기 때문에 단지 개요가 허물이 없을 수 있다. 길한 점을 얻기 드물지만 그 쓰임은 또 중도를 얻는다. 아래에 "부드러운 음은 위태롭고 굳센 양은 이겨낼 것이다"라고 하였으니, 이것은 마땅히 "굳센 양은 위태롭고 부드러운 음은 이겨낸다"고 해야 한다. 삼효와 오효는 일은 같으나 오효는 귀하기 때문에 공적이 많고 사효는 천하기 때문에 흉함이 많다. 위에서 "개요가 허물이 없는 것은 부드러운 음으로서 가운데이기 때문이다"고 하였으니, 이것은 마땅히 "개요가 길함이 많은 것은 굳센 양이 가운데이기 때문이다"로 해야 한다.

유정원(柳正源) 『역해참고(易解參攷)』

三與 [至] 勝耶.
삼효와 … 이겨낼 것이다.

案, 三五同功, 以陽言也. 以剛居三, 則雖或有過剛之危, 亦多无咎, 而以柔居之, 則多凶. 以柔居五, 則雖有巽順之吉, 亦難有爲, 而以剛居之, 則多功.
내가 살펴보았다: 삼효와 오효가 공효가 같다는 것은 양을 가지고 말한 것이다. 굳센 양으로서 삼효의 자리에 있으면 비록 굳셈에 지나친 위태로움이 있을 지라도 허물 없음이 많고, 부드러운 음으로서 그 자리에 있으면 흉함이 많다. 부드러움 음으로서 오효의 자리에 있으면 비록 순히 따르는 길함이 있더라도 큰일을 하기 어렵고, 굳센 양으로서 그 자리에 있으면 공적이 많다.

김상악(金相岳) 『산천역설(山天易說)』

三五同陽位, 而三多凶, 五多功, 貴賤之不同也. 然柔危而剛勝者, 正與不正之.
삼효와 오효는 똑같이 양의 자리이나 삼효는 흉함이 많고 오효는 공적이 많은 것은 귀하고 천한 등급이 같지 않아서이다. 그러나 부드러움은 위태롭고 굳셈은 이겨내는 것은, 바르게 함과 바르게 하지 않음의 차이이다.

박윤원(朴胤源) 『경의(經義)·역경차략(易經箚略)·역계차의(易繫箚疑)』

六爻相雜, 是剛柔雜居也. 或謂之六位, 或謂之六虛, 或謂之六畫, 或謂之六爻, 果有先後異同之可言歟. 惟其時物, 以乾卦言之, 則是物也潛見飛躍, 時也六爻變動而時成, 故曰變通者, 趨時者也. 然則中庸所謂君子之時中, 時措之宜, 皆當於易之六爻上取之歟. 其柔危其剛勝耶. 論說不一. 潘氏專屬之五, 胡雲峰專屬之三, 玆二說者, 孰爲優長歟, 本義則竝屬三五, 宜不容他說歟.

여섯 효가 서로 섞여 있는 것은 강과 유가 섞여 있는 것이다. 어떤 이는 그것을 '여섯 자리'라 하고, 어떤 이는 그것을 '여섯 빈자리'라 하며, 어떤 이는 그것을 '여섯 획'이라 하고, 어떤 이는 그것을 '여섯 효'라 하니 과연 이에 대하여 어떤 것이 먼저이고 어떤 것이 나중이며, 무엇이 같고 다른지를 말할 만한 것이 있겠는가? 오직 때와 사물은 건괘로 말하자면 사물은 잠겨있음·나타남·날음[飛]·뛰어오름이고, 때는 여섯 효가 변하여 움직여서 때가 이루어지는 것이다. 그러므로 "변하여 통하는 것은 때에 맞추는 것이다"[282]고 하였다. 그렇다면 『중용』에서 이른 바 "군자의 때에 맞음"[283]이라고 하는 것이나 "때로 둠에 마땅함"[284]이라고 하는 것이 모두 마땅히 역의 여섯 효에서 취하였을 것이다. 부드러움은 위태롭고 굳셈은 이겨내는가? 논하는 말이 한결같지 않다. 반씨는 전적으로 오효에 붙여 설명하였고, 호운봉은 전적으로 삼효에 붙여 설명하였으니, 이 두 주장 중에 어느 것이 우수한가? 『본의』에서는 삼효와 오효에 아울러 붙여 설명하였으니, 의당 다른 주장은 용납하지 않을 것이다.

윤종섭(尹鍾燮) 『경(經)-역(易)』

九章則非中爻不備者, 蓋謂互體也. 其雜物也, 辨物也. 只求乎內外正體, 反體則不備云也. 中爻者, 中四爻, 自二至四, 而互一卦, 自五至三, 而亦互一卦. 如是推究物之當名可詳焉. 易之爲書, 全在乎象, 所謂類萬物之情者, 是象已矣. 象亦只在乎正體乎. 若爾非易也. 易字從日月, 象莫大乎日月, 無隱不見, 無蹟不明.

9장의 "가운데 효가 아니면 갖춰지지 못할 것이다"라는 것은 호체를 이른다. 사물을 섞음은 사물을 분별함이다. 단지 내괘과 외괘의 정체(正體)에서 구하면 반체(反體)가 갖춰지지 못할 것이라고 말하는 것이다. '가운데 효'라는 것은 가운데의 네 효이니, 이효부터 사효까지가 한 호괘(互卦)이고, 오효부터 삼효까지가 또한 한 호괘이다. 이와 같이 하면 사물의 마땅한 이름을 추구하여 상세히 할 수 있다. 『주역』이라는 책은 온전히 상(象)에 달려 있으니, 이른

---

282) 『周易·繫辭傳』: 剛柔者, 立本者也, 變通者, 趣時者也.

283) 『中庸』 2장: 君子之中庸也, 君子而時中, 小人之中庸也, 小人而無忌憚也.

284) 『中庸』 25장: 誠者, 非自成己而已也, 所以成物也, 成己, 仁也, 成物, 知也, 性之德也. 合內外之道也, 故時措之宜也.

바 "만물의 실정을 분류함"285)이라는 것이 이 상(象)일 뿐이다. 상(象)이 또한 정체(正體)에
만 있는 것이겠는가? 이와 같다면 역이 아닐 것이다. '역(易)'이라는 글자는 해[日]와 달[月]
이 합해진 자이다. 상(象)은 해와 달보다 큰 것이 없으니 숨겨도 드러나지 않음이 없으며,
잡란해도 밝지 않음이 없다.

取象亦非一兩端, 可以反與變求之, 可以286)互體似體求之. 如反體變體, 已於卦序見
之, 乾變爲坤, 屯反爲蒙. 如互體已於周公繫辭見之, 賁之鬚, 在互頤之下, 泰之帝乙歸
妹, 自二至五, 互爲歸妹287). 推之而皆然, 後之讀易者, 舍是而安得聖人之意.
상(象)을 취하는 것도 한두 가지 단서가 아니니, 반체(反體)와 변체(變體)로 구할 수 있으
며, 호체(互體)와 사체(似體)로 구할 수 있다. 반체(反體)와 변체(變體) 같은 것은 이미
괘의 순서에 나타나 있으니, 건괘가 변하면 곤괘가 되고 준괘가 거꾸로 뒤집히면 몽괘가
된다. 호체 같은 것은 이미 주공이 말을 붙인 데에 나타나 있으니, 비괘(賁卦䷕)의 수염288)
이 호괘인 이괘(頤卦䷚)의 아래에 있고, 태괘(泰卦䷊)의 "제을이 여동생을 시집보냄"289)은
이효부터 오효까지가 호괘로 귀매괘(歸妹卦䷵)가 된다. 미루어보면 모두 그러하니 후세의
『역』을 읽는 자가 이것을 버려두고 어찌 성인의 뜻을 알 수 있겠는가?

심대윤(沈大允) 『주역상의점법(周易象義占法)』

五, 人君, 曰剛, 三, 諸侯, 曰柔. 此之剛柔, 以道言也.
오효는 임금이니 '굳셈'이라고 하였고, 삼효는 제후이니 '부드러움'이라고 하였다. 여기의 '굳
셈'과 '부드러움'은 도로써 말한 것이다.

오치기(吳致箕) 「주역경전증해(周易經傳增解)」

三五皆陽位, 故曰同功, 三居下體, 五居上體, 故曰異位. 三以臣之賤, 而居下卦之上,
以剛則過剛而不中, 以柔則位不當而失中正, 故多凶. 五以君之貴, 而居上卦之中, 以
剛則剛得中正而克濟大事, 以柔則柔順得中, 而群下服從, 故多功. 此所謂貴賤之等
也. 然三之多凶者, 以其柔居陽位, 則不當位而危, 故爲多凶耶, 亦有以剛居之而凶者

---

285) 『周易・繫辭傳』: 近取諸身, 遠取諸物, 於是, 始作八卦, 以通神明之德, 以類萬物之情.
286) 以: 경학자료집성DB와 영인본에 '似'로 되어 있으나, 문맥을 살펴 '以'로 바로잡았다.
287) 妹: 경학자료집성 DB에 '娣'로 되어 있으나, 경학자료집성 영인본을 참조하여 '妹'로 바로잡았다.
288) 『周易・賁卦』: 六二, 賁其須.
289) 『周易・泰卦』: 六五, 帝乙歸妹, 以祉元吉.

矣. 五之多功者, 以其剛居陽位, 則正當其位, 故爲多功耶, 亦有以柔居之而吉者矣. 此一句, 設爲疑辭, 以結之也.

삼효와 오효는 모두 양의 자리이기 때문에 "공효가 같다"고 하였고, 삼효는 하체(下體)에 있고 오효는 상체(上體)에 있기 때문에 "자리가 다르다"고 하였다. 삼효는 신하의 천함으로 하괘의 위에 있으니 강(剛)이라면 너무 굳세어 중도가 아니고, 유(柔)라면 자리가 마땅하지 아니하여 중정(中正)을 잃은 것이기 때문에 흉함이 많다. 오효는 임금의 귀함으로 상괘의 가운데에 있으니 굳센 양이라면 굳셈이 중정(中正)을 얻어 큰일을 해 낼 수 있고, 부드러운 음이라면 유순함으로 중도를 얻어 여러 아랫사람이 복종하기 때문에 공효가 많다. 이것이 이른바 귀하고 천한 등급이다. 그러나 흉함이 많은 삼효의 자리는 부드러운 음으로서 양의 자리에 있다면 자리가 마땅하지 않아 위태롭기 때문에 흉함이 많게 될 것이고, 또 강(剛)으로서 그 자리에 있어도 흉함이 있게 될 것이다. 공적이 많은 오효의 자리는 강(剛)으로서 양의 자리에 있다면 그 자리에 바르고 마땅하기 때문에 공적이 많을 것이고, 또 유(柔)로 그 자리에 있어도 길함이 있게 될 것이다. 이 한 구절은 의문문을 가설하여 글을 맺었다.

此章, 論六爻剛柔之體.
이 장은 여섯 효의 굳센 양과 부드러운 음의 몸체에 대하여 논하였다.

이병헌(李炳憲) 『역경금문고통론(易經今文考通論)』[290]

姚曰, 終始, 卦畫之終始也. 各以時變, 而成爻之陰陽, 所居而安者, 易之象. 〈京作序, 姚從孟.〉故居可知.

요신이 말하였다: '마침'과 '시작'은 괘획의 마침과 시작이다. 각각 때의 변화로 효의 음양을 이루어 거함에 편안한 것을 『역』의 상이라 한다. 〈경방본에는 서(序)로 되어 있다. 요신은 맹희를 따랐다.〉 그러므로 가만히 있어도 알 수 있다.

按, 經中第一着眼處, 在於象曰二字. 自東漢以後, 貶象爲傳, 則易道何由以明哉. 此乃孔子所係之辭, 易之精蘊, 尤在於此. 二四三五, 卽上文所謂中爻也.

내가 살펴보았다. 경문 안에서 제일 먼저 눈여겨보아야 할 곳은 '단왈(象曰)' 두 글자에 있다. 동한 이래로 '단(象)'을 폄하하여 '전(傳)'을 만들었으니 역의 도가 어디로 말미암아 밝아지겠는가? 이것은 곧 공자가 붙인 말로서 역의 정수가 더욱 여기에 있다. 이효·사효·삼효·오효는 바로 윗글에서 말한 '가운데 효'이다.

---

290) 경학자료집성DB에 「계사하전」 제 7장에 편집되어 있으나 경학자료집성 영인본을 참조하여 「계사하전」 제 9장으로 옮겼다.

제10장第十章

易之爲書也, 廣大悉備, 有天道焉, 有人道焉, 有地道焉, 兼
三才而兩之. 故六, 六者, 非他也, 三才之道也.

『주역』이라는 책은 넓고 크게 모두 갖춰서 하늘의 도가 있으며 사람의 도가 있으며 땅의 도가
있으니, 삼재(三才)를 겸하여 두 번 하였다. 그러므로 여섯이니, 여섯은 다름이 아니라 삼재의 도이다.

▌中國大全▌

本義

三畫已具三才, 重之, 故六, 而以上二爻爲天, 中二爻爲人, 下二爻爲地.
삼획(三畫)으로 이미 삼재(三才)를 갖추고 이를 거듭하였으므로 여섯이니, 위의 두 효는 하늘이 되
고, 가운데 두 효는 사람이 되고, 아래의 두 효는 땅이 된다.

小註

漢上朱氏曰, 天地人三者, 一物而兩體. 陰陽也而謂之天, 剛柔也而謂之地, 仁義也而謂
之人. 故曰三才. 兼三才而兩之, 故六, 兼之者, 天之道兼陰與陽也, 地之道兼柔與剛也,
人之道兼仁與義也, 六者, 非他, 卽三才之道也. 是故三畫有重卦, 六卽三, 三卽一也.
한상주씨가 말하였다: 천·지·인 세 가지는 하나의 사물인데 몸체가 둘이다. 음과 양이면
'하늘'이라 하고, 강과 유라면 '땅'이라 하고, 인과 의라면 '사람'이라 하므로 '삼재'라 한다.
"삼재를 겸하여 두 번 하였다. 그러므로 여섯이다"에서 '겸함'은 하늘의 도가 음과 양을 겸하
고, 땅의 도가 유와 강을 겸하고, 사람의 도가 인과 의를 겸한 것이니, '여섯'은 다름이 아니
라 바로 삼재의 도이다. 이 때문에 세 번 긋고서는 다시 괘를 거듭하였으니, 여섯이 바로
셋이고, 셋이 바로 하나이다.

○ 臨川吳氏曰, 一而不兩, 則獨而无對. 天獨陽而无陰, 地獨陰而无陽, 人之陰陽亦混而不分. 必皆兼而兩之, 天人地各有陰陽然後, 其道全而不偏, 所以重三畫之卦而爲六畫者, 此也.

임천오씨가 말하였다: 하나이면서 둘로 되지 않는다면 홀로여서 상대함이 없다. 하늘은 홀로 양이면서 음이 없고, 땅은 홀로 음이면서 양이 없고, 사람의 음양도 또한 섞여서 나뉘지 않을 것이다. 반드시 모두 겸하여 두 번 하여 천·지·인에 각각 음과 양이 있을 뒤에야 그 도가 온전하여 치우치지 않을 것이니, 삼획의 괘를 거듭하여 육획으로 한 까닭이 이것이다.

○ 誠齋楊氏曰, 重卦之後, 則兼三才而兩之, 是一三才爲兩三才也. 合爲一卦, 則陰或居上, 安知地之不爲天, 陽或居下, 安知天之不爲地. 五爲君, 則天道爲人道矣, 二爲臣, 則地道爲人道矣.

성재양씨가 말하였다: 괘를 거듭한 뒤에는 삼재(三才)를 겸하여 두 번 함이 되니, 하나의 삼재가 두 개의 삼재로 된 것이다. 합하여 하나의 괘로 하면, 음이 혹 위에 있기도 하니 어찌 땅은 하늘이 되지 않는다고 알겠으며, 양이 혹 아래에 있기도 하니 어찌 하늘은 땅이 되지 않는다고 알겠는가? 오효는 임금이 되니 하늘의 도가 사람의 도가 되며, 이효는 신하이니 땅의 도가 사람의 도가 된 것이다.

▌韓國大全▌

이익(李瀷) 『역경질서(易經疾書)』

三才, 已著於上章, 此以設卦言.

삼재(三才)는 이미 위의 장에 나오는데, 여기서는 괘(卦)를 시설하는 것으로 말하였다.

유정원(柳正源) 『역해참고(易解參攷)』

兼三才.

삼재를 겸한다.

案, 天下之數, 起於加一倍法, 自三畫而爲六畫, 以至啓蒙所論十二畫二十四畫, 无有紀極, 而必以三六爲準者, 以兼三才之道也.

내가 살펴보았다: 천하의 수(數)는 하나씩 배가(倍加)하는 방법에서 시작되어 삼획으로부터 육획이 되고『역학계몽』에서 논한 12획과 24획에까지 이르러 끝이 없는데, 반드시 삼(三)과 육(六)을 표준으로 삼는 것은 삼재의 도(道)를 겸하기 때문이다.

김상악(金相岳)『산천역설(山天易說)』

三畫已具三才重之, 故六, 非六則天之陰陽, 地之剛柔, 人之仁義, 不得兼而兩之. 故曰六者, 非他, 三才之道也.

삼획(三畫)에 이미 삼재(三才)를 갖추고 거듭하므로 여섯이니, 여섯이 아니면 하늘의 음양과 땅의 강유와 사람의 인의(仁義)는 겸하여 두 번할 수 없다. 그러므로 "여섯은 다름이 아니라 삼재의 도이다"라고 하였다.

박윤원(朴胤源)『경의(經義)·역경차략(易經箚略)·역계차의(易繫箚疑)』

三才之才, 以理言歟, 以氣言歟. 此才字, 便是良能之能歟. 兩之之之字, 似有力, 非虛字, 夫天道之兼陰陽, 地道之兼剛柔, 人道之兼仁義, 是兩也. 兩在故不測, 是自然之理, 而今曰兩之, 則似涉安排得, 无是嫌歟. 易雖是造化之理, 而畫卦是聖人之所作爲也, 故用之字歟.

삼재(三才)의 '재(才)'는 이치로 말한 것인가, 기운으로 말한 것인가? 이 '재(才)'자는 양능(良能)의 능(能)인가? '양지(兩之)'의 '지(之)'자는 뜻이 있는 듯하고 허사(虛辭)가 아니니, 하늘의 도(道)가 음양을 겸하고, 땅의 도가 강유를 겸하고, 사람의 도가 인의를 겸하는 것이 둘로 한 것이다. 양쪽에 있으므로 헤아릴 수 없음은 자연한 이치인데, 지금 "둘로 하였다"고 한다면 안배할 수 있는 것 같으니, 겸하는 것이 없단 말인가? 역(易)이 비록 조화의 이치이지만, 괘를 그은 것은 성인이 행한 일이기 때문에 '지(之)'자를 쓴 것인가?

심취제(沈就濟)『독역의의(讀易疑義)』

第十章, 三言易之爲書者, 申申[291]言之, 而其意各具也. 下傳人事, 故人立於天地之中也, 三才二字, 始見於此也.

---

291) 申: 경학자료집성DB에는 '甲'으로 되어 있으나, 영인본과 문맥을 살펴서 '申'으로 바로잡았다.

제 10장에서 세 번 '『주역』이라는 책은'이라고 말한 것은 거듭해서 말하여 그 뜻을 각각 갖춘 것이다. 「계사하전」은 사람의 일이기 때문에 사람이 천지(天地)의 가운데 서있으며, '삼재(三才)'라는 말이 여기에서 나타나기 시작한다.

○ 上傳則天地易也, 下傳則天地人也, 人是易, 易是人也.
「계사상전」은 천지(天地)와 역(易)이고, 「계사하전」은 천지와 사람이니, 사람이 역(易)이고 역이 사람이다.

윤행임(尹行恁) 『신호수필(薪湖隨筆)·계사전(繫辭傳)』

三畫蓋象三才, 而兩之爲六焉, 若專屬於天, 則風雲日月雷雨是也, 專屬於地, 則山川人物草木是也, 專屬於人, 則耳目口鼻手足是也.
삼획(三畫)은 대체로 삼재(三才)를 형상하고 두 번 하여 여섯이 되는데, 이를 만약 오로지 하늘에 귀속시킨다면 풍(風)·운(雲)·일(日)·월(月)·뇌(雷)·우(雨)가 이것이고, 오로지 땅에 귀속시킨다면 산(山)·천(川)·인(人)·물(物)·초(草)·목(木)이 이것이고, 오로지 사람에게 귀속시킨다면 이(耳)·목(目)·구(口)·비(鼻)·수(手)·족(足)이 이것이다.

윤종섭(尹鍾燮) 『경(經)-역(易)』

大傳曰, 六者三才之道, 以全卦言之. 初與四地道, 三與上天道, 以二與五爲人道, 而剛柔得中正, 欲其無過不及. 執其兩端, 用其中於民, 以五爲主, 剛健中正, 君道之臨下也, 或以二爲主, 柔順中正, 臣道之從上也.
「계사전」에서 "여섯은 삼재의 도(道)이다"라고 한 것은 전체의 괘(卦)로 말하였다. 초효와 사효는 땅의 도(道)가 되고, 삼효와 상효는 하늘의 도가 되며, 이효와 오효는 사람의 도가 되는데, 강유(剛柔)가 중정(中正)함을 얻어 지나침과 미치지 못함이 없고자 한다. 그 양쪽 끝을 잡아 중도(中道)를 백성에게 씀에 오효가 주인이 되면 강건한 것이 중정(中正)이니 임금의 도(道)가 아래로 임하는 것이고, 혹 이효가 주인이 되면 유순한 것이 중정이니 신하의 도가 위를 따르는 것이다.

十章三才, 以應上傳三極, 以神之謂才, 以道之謂極. 才者, 道之流行於天地人, 而神妙不測也, 極者, 神之統會於天地人, 而純粹其至也. 天地人斯有至善之道, 故亦有妙用之神, 隨處言之, 有才與極之分.
10장의 삼재(三才)는 「계사상전」의 삼극(三極)과 호응하니, 신(神)으로는 '재(才)'라 하고,

도(道)로는 '극(極)'이라 한다. '재(才)'는 도(道)가 천·지·인(天地人)에서 유행하여 헤아
릴 수 없이 신묘한 것이고, '극(極)'은 신(神)이 천·지·인에 합쳐 모여 순수함이 지극한
것이다. 천·지·인에는 지극히 선한 도(道)가 있으므로 또한 묘하게 작용하는 신(神)이 있
는데, 곳에 따라서 말하였기에 재(才)와 극(極)의 나뉨이 있는 것이다.

오치기(吳致箕)「주역경전증해(周易經傳增解)」

此與說卦傳第二章之辭同也.

이것은 「설괘전」 제 2장의 말과 같다.

道有變動, 故曰爻, 爻有等, 故曰物, 物相雜, 故曰文, 文不當, 故吉凶生焉.

도(道)가 변화하며 움직임이 있으므로 효라 하고, 효가 등급이 있으므로 사물[物]이라 하고, 사물이 서로 섞이므로 무늬[文]라 하고, 무늬가 마땅하지 못하므로 길흉이 나오는 것이다.

中國大全

本義

道有變動, 謂卦之一體. 等, 謂遠近貴賤之差, 相雜, 謂剛柔之位相間, 不當, 謂爻不當位.

"도가 변화하며 움직임이 있다"는 괘(卦) 전체를 말한 것이다. '등급[等]'은 멀고 가까우며 귀하고 천한 차이를 말하고, '서로 섞임[相雜]'은 강(剛)과 유(柔)의 자리가 서로 낌을 말하고, '마땅하지 못함[不當]'은 효가 자리에 마땅치 않음을 말한다.

小註

或問, 道有變動, 故曰爻, 爻有等, 故曰物, 物相雜, 故曰文. 朱子曰, 道有變動, 不是指那陰陽老少之變, 是說卦中變動. 如乾卦六畫, 初潛, 二見, 三惕, 四躍, 這箇便是有變動, 所以謂之爻. 爻中自有等差, 或高或低, 或遠或近, 或貴或賤, 皆謂之等, 易中便可見. 如說遠近相取, 而悔吝生, 近而不相得, 則凶, 二與四, 同功而異位, 二多譽, 四多懼, 近也, 三與五, 同功而異位, 三多凶, 五多功, 貴賤之等也. 如列貴賤者存乎位, 皆是等也. 物者, 想見古人占卦, 必有箇物事名爲物, 而今亡矣. 這箇物, 是那列貴賤, 辨尊卑底. 物相雜, 故曰文, 如有君又有臣, 便爲君臣之文. 是兩物相對待在這裏, 故有文, 若相離去不相干, 便不成文矣. 卦中有陰爻, 又有陽爻相間錯, 則爲文. 若有陰无陽, 有陽无陰, 如何得有文.

어떤 이가 물었다: "도(道)가 변화하며 움직임이 있으므로 효라 하고, 효가 등급이 있으므로

사물[物]이라 하고, 사물이 서로 섞이므로 무늬[文]라 한다"는 무슨 뜻입니까?

주자가 답하였다: '도가 변화하여 움직임이 있다'는 음과 양, 노와 소의 변화를 가리킨 것이 아니라, 괘의 변동을 말한 것입니다. 예컨대 건괘의 여섯 획에서 초효는 잠기고 이효는 나타나며 삼효는 두려워하고 사효는 도약하는데, 이것이 바로 변동이 있는 것이니 그래서 '효'라고 하는 것입니다. 효 가운데는 본래 차등이 있어서 높기도 하고 낮기도 하며, 멀기도 하고 가깝기도 하며, 귀하기도 하고 천하기도 한 것을 모두 '등급[等]'이라 하니, 역에서 바로 볼 수 있습니다. 이를테면 "멂과 가까움이 서로 취함에 뉘우침과 인색함이 나온다"292)나 "가깝고 서로 얻지 못하면 흉하다"293)나 "이효가 사효와 일이 같되 자리가 달라서 이효에 기림이 많고 사효에 두려움이 많은 것은 오효와 가깝기 때문이다"294)나 "삼효가 오효와 일이 같되 자리가 달라서 삼효는 흉함이 많고 오효는 공적이 많은 것은 귀하고 천한 등급 때문이다"295)라고 한 것입니다. "귀함과 천함을 벌여놓음은 자리에 있다"296)와 같은 것도 모두 등급입니다. '사물[物]'은 옛사람들의 점괘에서 미루어 알 수 있으니, 반드시 어떤 것이 있으면 사물로 이름 하였는데 지금은 없어졌습니다. 이런 것들이 귀함과 천함을 벌여 놓고 높음과 낮음을 분별한 것입니다. "사물이 서로 섞이므로 무늬라 한다"는 만약 임금이 있고 다시 신하가 있다면 바로 임금과 신하의 무늬가 됩니다. 두 사물이 서로 그 안에서 상대해 있으므로 무늬가 있는 것이지, 만약 서로 떨어져서 상관하지 않는다면 무늬를 이루지 못할 것입니다. 괘에서는 음효가 있고 다시 양효가 있어서 서로 사이에 섞인 것이 무늬가 됩니다. 만약 음만 있고 양이 없거나 양만 있고 음이 없다면 어떻게 무늬가 있겠습니까?

○ 進齋徐氏曰, 卦之全體, 三才之道也. 道則變動不居, 如潛見躍飛之類, 皆道之變通, 而謂之爻. 爻也者, 效天下之動也, 或剛或柔, 而小大有等, 故謂之物, 物卽陰陽二物也. 一不獨立, 二則爲文, 陰陽兩物, 交相錯雜, 故謂之文. 陽居陽位, 陰居陰位, 當也, 陽居陰位, 陰居陽位, 不當也. 吉凶, 由是而生, 則可以觀變玩占, 而見其文之著矣.

진재서씨가 말하였다: 괘의 전체는 삼재의 도(道)이다. 도는 변동하여 머물지 않으니, 잠기고 드러나며 도약하고 나는 부류가 모두 도의 변통으로 '효(爻)'라고 한다. 효는 천하의 움직임을 본받은 것으로 강하기도 하고 부드럽기도 하여 작으며 큼의 등급이 있으므로 '사물'이라 하니, 사물은 음과 양 두 가지이다. 하나는 홀로 서지 못하고 둘이라야 무늬를 이루니, 음과 양 두 사물이 서로서로 섞였으므로 '무늬'라고 한다. 양이 양의 자리에 있거나 음이

---

292) 『周易・繫辭傳』: 遠近相取, 而悔吝生. 情僞相感, 而利害生.

293) 『周易・繫辭傳』: 凡易之情, 近而不相得, 則凶, 或害之, 悔且吝.

294) 『周易・繫辭傳』: 二與四, 同功而異位, 其善不同, 二多譽, 四多懼, 近也.

295) 『周易・繫辭傳』: 三與五, 同功而異位, 三多凶, 五多功, 貴賤之等也, 其柔危, 其剛勝耶.

296) 『周易・繫辭傳』: 是故, 列貴賤者, 存乎位, 齊小大者, 存乎卦, 辨(辯)吉凶者, 存乎辭.

음의 자리에 있는 것이 마땅함이고, 양이 음의 자리에 있거나 음이 양의 자리에 있는 것은 마땅치 않음이다. 길흉은 이로부터 나오니 변화를 살피고 점사를 완미할 수 있어야 그 무늬의 드러남을 알 것이다.

○ 雲峰胡氏曰, 前章始以質言, 此章末以文言. 卦必擧始終而成體, 故曰質, 爻必雜剛柔以爲用, 故曰文.

운봉호씨가 말하였다: 앞장에서는 처음에 바탕[質]을 말하였고, 이 장은 끝에서 무늬[文]를 말하였다. 괘는 반드시 처음과 끝을 들어서 몸체를 이루어야 하므로 '바탕'을 말하였고, 효는 반드시 강과 유를 섞어서 작용을 삼아야 하므로 '무늬'를 말하였다.

韓國大全

송시열(宋時烈) 『역설(易說)』

第十章, 言爻中自有吉凶, 皆自三才之位爻變動而生也.

제 10장은 효(爻)에 본래부터 길흉이 있는 것은 모두 삼재의 자리와 효가 변동함을 따라서 나옴을 말하였다.

이익(李瀷) 『역경질서(易經疾書)』

道有變動, 故畫亦有變動. 爻者, 動畫之稱, 九六是也. 古者只有六十四卦之象, 不足以盡之. 於是衍出九六之義, 故曰爻也. 爻有貴賤遠近之等, 九六不足以盡之. 於是有飛龍見龍之等, 故曰物也. 雖著其物而相與錯雜, 不足以盡之. 於是有在天在淵之辭, 故曰文, 文者辭也, 上文其辭文是也. 雖著其文, 不足以盡之. 於是有吉凶之斷, 是謂當也. 當如亭當句當了當奏當之當, 謂不言吉凶, 猶未足以當其占也. 若謂與位不當之義同, 則凶生可矣, 吉又何從生乎. 生謂斷辭之出也.

도(道)에 변동함이 있으므로 획에도 변동함이 있다. '효(爻)'는 획의 변동을 말하니, 구육(九六)이 이것이다. 옛날에는 64괘의 상(象)만 있을 뿐이어서 다하기에 부족하였다. 이에 구육(九六)의 뜻을 부연해 냈으므로 '효(爻)'라고 하였다. 효에는 귀천(貴賤)이나 원근(遠近)의 등급이 있는데, 구육(九六)으로 다하기에 부족하였다. 이에 '나는 용'이나 '드러난 용'이라는 등급을 두었으므로 '사물[物]'이라 한다. 비록 그 사물을 드러내어 서로 섞더라도 다하기에 부족하였다. 이에 "하늘에 있다"나 "연못에 있다"는 말을 두었으므로 '무늬[文]'라 하였는데, 무늬는 말이니, 윗글의 "그 말이 무늬가 있다"[297]는 것이 이것이다. 비록 그 무늬를 드러냈으나 다하기에 부족하였다. 이에 길흉의 결단을 두었으니, 이를 '마땅함[當]'이라 한다. 마땅함은 정당(亭當)·구당(句當)·료당(了當)·주당(奏當)의 당(當)과 같은데, 길흉을 말하지 않았으니 여전히 그 점(占)을 마땅히 하지 못했음을 말한다. 만약 지위에 마땅하지 않다는 뜻과 같다면 흉함이 나온다고 할 수 있으니, 길함이 또한 어디로부터 나오겠는가? 나옴은 결단하는 말이 나옴을 말한다.

유정원(柳正源) 『역해참고(易解參攷)』

道有 [至] 生焉.

도가 변화하며 … 길흉이 나오는 것이다.

正義, 物類也, 言爻有陰陽貴賤等級, 以象萬物之類, 故謂之物. 萬物遞相錯雜, 若玄黃相間, 故謂之文也.

『주역정의』에서 말하였다: '사물[物]'은 부류니, 효(爻)에는 음양과 귀천의 등급이 있어서 만물의 부류를 형상함을 말하기 때문에 '사물'이라 한다. 만물이 서로 바뀌고 뒤섞여서 검은 것과 누런 것이 서로 사이함과 같기 때문에 이를 '무늬[文]'라 한다.

小註, 朱子說, 古人 [至] 今无.

소주에서 주자가 말하였다: 옛사람들의 … 지금은 없어졌습니다.

案, 古人撲著之時, 必有這樣物, 爲重單交坼之名, 以分陰陽老少. 如洪範撲著十二棊子之類而今无矣.

내가 살펴보았다: 고인이 시초를 헤아리던 때에는 반드시 이러한 모양의 사물이 있는 것으로 겹침(□)·홑(━)·교차함(×)·터짐(╍)의 이름을 삼아서 음양의 노소(老少)를 구분하였다. 홍범에서 시초를 헤아리던 12개의 장기알과 같은 부류인데 지금은 없어졌다.

송능상(宋能相) 「계사전질의(繫辭傳質疑)」

道有變動故曰爻, 正好與六爻之動三極之道也, 爻者言乎變者也, 此二語參看.

"도(道)가 변화하며 움직임이 있으므로 효(爻)라 한다"는 "육효의 움직임은 삼극(三極)의

---

297) 『周易·繫辭傳』: 其旨遠, 其辭文, 其言曲而中, 其事肆而隱...

도이다"와 "효는 변화를 말한다"는 두 구절과 참조하여 보면 아주 좋다.

김상악(金相岳) 『산천역설(山天易說)』

道謂三才之道也, 等謂尊卑貴賤之差也, 物謂陰陽二物也. 一不獨立, 二則爲文, 故剛柔相間而成文也. 不當謂爻位不當也.

'도(道)'는 삼재의 도를 말하고, '등급[等]'은 존비와 귀천의 차별을 말하고, '사물[物]'은 음과 양, 두 사물을 말한다. 하나는 홀로 서지 못하고, 둘이라면 문채 나게 되므로 강과 유가 서로 사이하여 '무늬[文]'를 이룬다. '마땅하지 못함[不當]'은 효의 자리가 마땅하지 못함을 말한다.

심취제(沈就濟) 『독역의의(讀易疑義)』

道者用也. 六位旣成, 則天陰陽人陰陽地陰陽, 道是陰陽之中, 故言其三才之道也.

'도(道)'는 작용이다. 여섯 자리가 이미 이루어졌으면 하늘의 음양(陰陽)과 사람의 음양과 땅의 음양이며, 도는 음양의 중심이기 때문에 삼재의 도(道)를 말한 것이다.

自道之變動, 而曰物曰文, 皆道之所爲. 以物與文言之, 則物者陰陽也, 文者剛柔也, 陰陽而非剛柔, 則不能成其文也, 剛柔而非陰陽, 則不能成其質也. 上章言質, 此章言文, 文質之所以然者, 道也.

"도(道)가 변화하며 움직인다"로부터 "사물이라 한다"와 "무늬라 한다"까지는 모두 도가 하는 일이다. 사물[物]과 무늬[文]로 말하면 사물은 음양이고 무늬는 강유이니, 음양(陰陽)이라도 강유가 아니라면 그 무늬를 이룰 수 없고, 강유(剛柔)라도 음양이 아니라면 그 바탕을 이룰 수 없다. 위의 장에서 바탕[質]을 말하고 이 장에서 무늬[文]를 말했는데, 무늬와 바탕이 그러한 까닭이 도(道)이다.

陰陽剛柔, 每每轉換, 元不相離也.

음양과 강유는 언제나 전환되어 원래 서로 떨어지지 않는다.

此言天地人三才者, 歸結上章之天尊地卑成位于其中之意也.

여기에서 천지인 삼재(三才)를 말한 것은 앞장의 "하늘은 높고 땅은 낮으니 그 가운데 자리를 이룬다"는 뜻으로 결론을 맺은 것이다.

二四三五中四爻, 皆言功者, 乾坤之內, 六子成功之意也.

가운데의 이효와 사효, 삼효와 오효, 네 효(爻)가 모두 공(功)이 있다고 말한 것은 건곤(乾坤)의 안에서 여섯 자식이 공을 이룬다는 뜻이다.

變化功用, 都在於中四爻也.
변화하는 공용은 모두 가운데 네 효(爻)에 달려 있다.

初上爻天地, 中四爻人也, 初上之中, 包始終本末也.
초효와 상효는 천지(天地)이고, 가운데 네 효(爻)는 사람인데, 초효와 상효의 가운데서 시종(始終)과 본말(本末)을 포괄한다.

심대윤(沈大允) 『주역상의점법(周易象義占法)』

爻之爲言, 交也, 文物綜錯成章, 曰文. 象如篆之囬互.
'효(爻)'라는 말은 사귐이고, 문물(文物)이 모여 섞여서 문채를 이룬 것을 '무늬[文]'라 한다. '단(象)'은 전서(篆書)에서 '호(互)'자를 뒤집어 놓은 것과 같다.

오치기(吳致箕) 「주역경전증해(周易經傳增解)」

變動者, 謂隨時而變動, 如乾之潛見躍飛也. 等者, 剛柔貴賤大小遠近之類也, 物者, 陰陽也, 相雜, 謂錯雜也. 一則獨立, 兩[298]則成文, 陰陽兩物, 交相錯雜. 故曰文, 而不當者, 非專指陽居陰位陰居陽位也. 卦情若善, 則位或不當, 而爲吉, 如大有之上九, 訟之九四, 是也. 卦情若不善, 則雖或當位, 而爲凶, 亦如剝之六二, 恒之上六, 是也. 要在隨時見義, 得其當則吉, 不得其當則凶. 只言不當者, 擧一而該二也.
'변동'은 때에 따라서 변동함을 말하니, 건괘(乾卦)의 잠김[潛]과 드러남[見], 뜀[躍]과 낢[飛]과 같다. '등급[等]'은 강유와 귀천, 대소와 원근의 부류이고, '사물[物]'은 음양이고, '서로 섞임[相雜]'은 모여서 섞임을 말한다. 하나이면 홀로 서고 둘이면 무늬를 이루는데, 음양은 두 사물로 서로 사귀어 섞인다. 그러므로 '무늬'라고 하는데, '마땅하지 못함'은 단순히 양(陽)이 음의 자리에 있고, 음(陰)이 양의 자리에 있는 것만을 가리키지는 않는다. 괘의 실정이 선(善)하다면 자리가 혹 마땅하지 못하더라도 길하게 되니, 대유괘(大有卦)의 상구와 송괘(訟卦)의 구사와 같은 것이다. 괘의 실정이 선하지 못하다면 혹 자리가 마땅하여도 흉하게 되니, 또한 박괘(剝卦)의 육이와 항괘(恒卦)의 상육과 같은 것이다. 요점은 때에 따라서 뜻을

---

298) 兩: 경학자료집성DB에는 '雨'로 되어 있으나, 영인본과 문맥을 살펴서 '兩'으로 바로잡았다.

나타냄에 있으니, 마땅함을 얻으면 길하고, 마땅함을 얻지 못하면 흉하다. 그런데 단지 '마땅하지 못함'만을 말한 것은 하나를 들어서 둘을 갖춘 것이다.

이진상(李震相) 『역학관규(易學管窺)』

物相雜.

사물이 서로 섞임.

物有等差, 而爻有物象. 故古人得爻, 必先辨物, 如近世雜占所謂龜蛇蜈蚣等物名, 而今亡之矣.

사물에는 등급의 차이가 있고, 효(爻)에는 사물의 형상이 있다. 그러므로 옛사람들은 효를 얻으면 반드시 먼저 사물에서 밝혔으니, 근세에 혼잡된 점술(占術)에서 말하는 거북이·뱀·지네 등의 사물의 이름과 같은 것이지만 지금은 없어진 것이다.

이병헌(李炳憲) 『역경금문고통론(易經今文考通論)』[299]

陸曰, 聖人設爻, 以效三者, 三才之變動. 故謂之爻也.

육적이 말하였다: 성인이 효(爻)를 펼쳐서 세 가지를 본받은 것은 삼재(三才)의 변동이다. 그러므로 '효'라고 하였다.

虞曰, 陽物入坤, 陰物入乾, 更相雜成六十四卦, 乃有文章. 故曰文.

우번이 말하였다: 양(陽)의 것이 곤(坤)에 들어가고 음(陰)의 것이 건(乾)에 들어가며, 다시 서로 섞여서 64괘를 이루어야 문장이 있게 된다. 그러므로 '무늬'라 하였다.

按, 不當, 謂陰陽未必皆當位也.

내가 살펴보았다: '마땅하지 못함'은 음양이 반드시 모두 자리가 마땅한 것은 아님을 말한다.

右, 第十章.

이상은 제10장이다.

---

299) 경학자료집성DB에서는 「계사하전」 제 8장에 해당하는 것으로 분류했으나, 내용에 따라 이 자리로 옮겨 바로잡았다.

‖中國大全‖

小註

雙湖胡氏曰, 此章論易不徒爻畫, 有天地人之道具焉. 唯其有是道, 所以變動不居, 卽其爲道也屢遷之義. 使徒有是爻, 而非有道寓於其間, 則亦何變動之有. 若物相雜, 則是因六爻中陰陽二物, 自相雜居, 而成文以生吉凶, 而爲人事失得之象耳.

쌍호호씨가 말하였다: 이 장에서는 역(易)은 효(爻)의 획일 뿐만이 아니라, 천지인의 도리를 갖추고 있음을 논하였다. 바로 이 도리가 있기 때문에 변동하여 머물지 않는 것이니, 바로 "그 도(道)됨이 자주 옮겨간다"[300]는 뜻이다. 만약 이 효가 있기만 하고 도리가 그 사이에 깃들지 않는다면 또한 어찌 변동함이 있겠는가? "사물이 서로 섞인다"는 것은 육효 가운데 음양 두 사물로 인하여 원래부터 서로 섞여 있으니, 무늬를 이루어서 길흉이 나오고 인사의 잃고 얻는 상을 이룰 것이다.

‖韓國大全‖

오치기(吳致箕) 「주역경전증해(周易經傳增解)」

此章言易道之廣大悉備也.

이 장은 역(易)의 도(道)가 넓고 크며 모두 갖춤을 말하였다.

---

300) 『周易 · 繫辭傳』: 易之爲書也不可遠, 爲道也屢遷, 變動不居, 周流六虛.

제11장第十一章

易之興也, 其當殷之末世周之盛德邪. 當文王與紂之事邪. 是
故其辭危, 危者使平, 易者使傾. 其道甚大, 百物不廢, 懼以
終始, 其要无咎, 此之謂易之道也.

역(易)의 일어남이 은나라의 말세와 주나라의 덕이 성할 때일 것이다. 문왕(文王)과 주(紂)의 일에
해당될 것이다. 이런 까닭으로 그 말이 위태하여, 위태하다고 하는 자를 편안케 하고, 쉽다고 하는
자를 기울게 한다. 그 도리가 매우 커서 온갖 것을 폐지하지 않지만, 두려워함으로 마치고 시작하면
그 요점이 허물이 없으리니, 이것을 일러서 역의 도리라 한다.

‖中國大全‖

本義

危懼故得平安, 慢易則必傾覆, 易之道也.

위태하다고 두려워하므로 편안함을 얻고, 태만하여 쉽다고 하면 반드시 기울어지는 것이 역의 도리
이다.

小註

朱子曰, 其辭危, 是有危懼之意. 故危懼者, 能使之安平, 慢易者, 能使之傾覆. 易之書,
於萬物之理, 无所不具. 故曰百物不廢. 其要无咎, 若作去聲, 則是要約之義, 若作平
聲, 則是要其歸之意. 又曰, 要去聲, 是要恁地, 要平聲, 是這裏取那裏意思. 又曰, 其
要只欲无咎.

주자가 말하였다: "그 말이 위태하다"는 위태하고 두렵게 하는 뜻이 있다는 것이다. 그러므
로 위태하다고 두려워하는 사람을 편안하게 할 수 있고, 태만하여 쉽다고 하는 사람을 기울

게 할 수 있다. 『주역』은 만물의 이치에 대하여 갖추지 않음이 없다. 그러므로 "온갖 것을
폐지하지 않는다"고 하였다. "그 요점[要]이 허물이 없다"는 만약 거성으로 본다면 요약의
의미이고, 만약 평성으로 본다면 끝을 맺는다는 의미이다.

또 말하였다: '요(要)'는 거성이면 이처럼 요약한다는 것이고, '요'가 평성이면 여기에서 저것
을 취한다는 뜻이다.

또 말하였다: 그 요점은 허물이 없고자 하는 것이다.

○ 柴氏中行曰, 非末世, 則情僞不如是之滋熾也, 非盛德, 則易道无自而傳也, 末世,
紂之事也, 盛德, 文王之事也. 文王之心, 憂患天下後世, 故其辭危懼. 此因文王危辭,
而論易道能使如此, 豈易使之邪. 殖有禮, 覆昏暴, 天之道也.

시중행이 말하였다: 말세가 아니면 진정과 허위가 이와 같이 번성하지 않았고, 성덕이 아니
라면 역의 도리가 전해질 근거가 없었을 것이니, 말세는 주(紂)의 일이고, 성덕은 문왕의
일이다. 문왕의 마음이 천하와 후세를 근심하였으므로 그 말이 위태하면서 두렵게 한다.
이는 문왕의 위태한 말에 의거하여 역의 도리가 이와 같이 할 수 있음을 논한 것이지, 어찌
역이 이를 시키는 것이겠는가? 예(禮)가 있는 이를 봉해주고 어둡고 포악한 이를 전복시킴
이 하늘의 도(道)인 것이다.[301]

○ 節齋蔡氏曰, 易之道大, 百物皆不能廢也. 懼, 卽憂危之謂. 苟能懼以終而猶始焉,
則要其終而无咎矣.

절재채씨가 말하였다: 역도가 거대하여 온갖 일이 모두 폐지되지 않는다. '두려워함[懼]'은
위태함을 근심함을 말한다. 참으로 두려워함으로 마침까지도 처음처럼 할 수 있다면, 끝을
맺어서 허물이 없을 것이다.

○ 進齋徐氏曰, 危者使平, 易者使傾, 然非有使之也. 天之生物, 必因材而篤焉. 故栽
者培之, 傾者覆之, 亦自然之理也.

진재서씨가 말하였다: 위태하다고 하는 자를 편안케 하고, 쉽다고 하는 자를 기울게 하지만,
그리 하도록 시킴이 있는 것이 아니다. 하늘이 만물을 낳음이 반드시 재질을 따라 돈독히
한다. 그러므로 심은 것은 배양하고 기운 것은 엎어뜨림이[302] 또한 자연한 이치이다.

---

301) 『書經·仲虺之誥』: 嗚呼. 愼厥終, 惟其始, 殖有禮, 覆昏暴, 欽崇天道, 永保天命.
302) 『中庸』: 天之生物, 必因其材而篤焉, 故栽者培之, 傾者覆之.

○ 雲峰胡氏曰, 文王以憂患之心作易, 故其辭危. 危懼故安平, 慢易故傾覆. 易之道, 雖廣大悉備, 不過使人懼以終始而已. 懼以始者易, 懼以終而猶始者難. 乾第一卦, 而曰君子終日乾乾, 夕惕若, 厲无咎, 此懼以終始, 其要无咎之說也.

운봉호씨가 말하였다: 문왕이 우환의 마음으로 『주역』을 지었으므로 그 말이 위태하다. 위태하다고 두려워하므로 안정되고 평탄하며, 태만하여 쉽다고 하므로 기울어 넘어진다. 역의 도리는 비록 넓고 크게 모두 갖추었어도, 사람에게 두려워함으로 마치고 시작하게 한 것에 불과하다. 두려워함으로 시작하는 것은 쉽지만, 두려워함으로 마침까지도 처음처럼 하는 것은 어렵다. 건(乾)은 첫 번째의 괘인데도, "군자가 날이 마치도록 굳세고 굳세고도 저녁에 두려워 하니 위태하나 허물이 없다"고 하였으니, 이것이 "두려워함으로 마치고 시작하면 그 요점이 허물이 없다"의 설명이다.

▌韓國大全▐

송시열(宋時烈) 『역설(易說)』

文王之不遇於紂, 其亦萬世之幸也歟.

문왕(文王)이 주(紂)와 맞지 않았던 것 또한 만세의 다행인 것인가?

이익(李瀷) 『역경질서(易經疾書)』

易與傾兩字恐換, 上云其辭危, 危者辭之危, 危者使平者, 卽易書使之然也. 如曰易書能使易者傾, 語脉不著. 危者將傾, 傾者將墜, 聖人立解其危懼者, 不但欲其危者使平, 亦欲其傾者使易也. 皆包在懼以終始之中, 所以爲无咎.

'이(易)'와 '경(傾)' 두 글자는 바꿔야 할 듯하다. 앞에서 "그 말이 위태하다"고 하였으니, '위태한 것'은 말이 위태한 것이고, "위태한 것을 편안케 한다"는 것은 『주역』이라는 책이 그렇게 하는 것이다. 만약 "『주역』이라는 책이 쉬운 것을 기울게 한다"고 한다면, 말의 맥락이 드러나지 않는다. 위태한 것은 장차 기울게 되고 기우는 것은 장차 떨어질 것이기에, 성인이 나와서 위태하며 두려워함을 풀어준 것이니, 다만 위태한 것을 편안케 하려고 할 뿐만 아니라, 또한 그 기우는 것을 쉽게 하려고 하였던 것이다. 모두 두려워함으로 마치고 시작하는 가운데 포함되어 있으니, 그래서 허물이 없게 되는 것이다.

上云303)易興於中古, 此以殷末周盛當之, 上云作易者有憂患, 此以文王當之. 何楷謂此憂患天下也, 聖人處困無此也, 此又未然. 處己豈有反不若處人之理. 其有患難, 必將心裡商量, 要如何應之, 是謂憂患, 非指無益而自擾之也. 然憂患則均, 而其作易, 則爲天下後世也. 其心蓋謂古今事變無窮, 人之愚智相懸, 將何以應之, 遂演之爲書. 凡天地間事事物物, 莫不備具用示避趨之道, 故曰百物不廢.

앞에서는 "역이 중고(中古)의 때에 일어났다"고 했는데, 여기서는 은나라의 말세와 주나라의 성세에 해당시켰으며, 앞에서는 "역을 지은 자가 우환이 있었다"고 했는데, 여기서는 문왕에 해당시켰다. 하해(何楷)304)는 "이는 천하를 근심함이니, 성인은 곤란함에 처하여 근심함이 없다"고 하였는데, 이것은 또한 그렇지 않다. 자기에게 대처하는 것이 어찌 도리어 남들에게 대처하는 것만 못할 리가 있겠는가? 환난이 있으면 반드시 마음속에서 헤아려서 어떻게든 대응하고자 하는 이것을 '근심함'이라 하지, 보탬이 없이 스스로 걱정함을 가리키는 것은 아니다. 그러나 근심함은 같지만, 역(易)을 지은 것은 천하의 후세를 위한 것이다. 그 마음에서 대체로 "고금의 일의 변화는 다함이 없고, 사람의 어리석음과 지혜로움이 서로 현격하니, 장차 무엇으로 대응할까?"라고 하여 드디어 부연하여 책을 만든 것이다. 무릇 천지 사이의 모든 사물은 펼쳐 보이면 피하여 달아나는 도(道)를 갖추지 않음이 없으므로 "온갖 것을 폐지하지 않는다"고 하였다.

유정원(柳正源) 『역해참고(易解參攷)』

危者 [至] 无咎.
위태하다고 하는 자는 … 허물이 없으리니.

正義, 懼以終始者, 言恒能憂懼於終始, 能於始思終, 於終思始也.
『주역정의』에서 말하였다: "두려워함으로 마치고 시작한다"는 것은 마치고 시작함에 항상 두려워할 수 있음을 말하니, 시작할 때에 마침을 생각하고, 마칠 때에 시작을 생각할 수 있다는 것이다.

○ 南軒張氏曰, 文王囚羑里, 以小心翼翼, 而遵夫易, 故危者使平也, 紂貴爲天子, 以殺无辜, 而悖於易, 故易者使傾也.

---

303) 云: 경학자료집성DB와 영인본에는 '三'으로 되어 있으나, 문맥을 살펴서 '云'으로 바로잡았다.
304) 何楷(?-?): 명말청초 때 복건(福建) 장주(漳州) 진해위(鎭海衛) 사람으로 자는 원자(元子) 또는 현자(玄子)이다. 많은 책을 읽어 경학에 밝았으며, 저서에 『고주역정고(古周易訂詁)』와 『시경세본고의(詩經世本古義)』 등이 있다.

남헌장씨가 말하였다: 문왕이 유리에 수감되어 조심하고 삼가서 역(易)을 따랐기 때문에 "위태한 자를 편안케 한다"는 것이고, 주(紂)가 고귀한 천자가 되어 무고한 자를 죽이고 역(易)을 거슬렀기 때문에 "쉽다고 하는 자를 기울게 한다"는 것이다.

○ 案, 乾健之道而危之以亢龍, 泰通之世而危之以復隍. 大凡六十四卦辭, 三百八十四爻辭, 吉小而凶多, 皆危懼惕厲之辭, 故曰其辭危. 有吉有凶, 有悔有吝, 有始吉終凶, 有始凶終吉, 有始悔終吝, 有始吝終悔, 无所不有, 故曰百物不廢. 只懼以終始, 愼終唯始, 則无咎矣, 所謂天下之動貞夫一者也. 若有其始而无其終, 愼於始而忽於終, 則始雖无咎, 終必有凶. 故特以終始懼之, 聖人憂患之意, 其至矣哉.

내가 살펴보았다: 건괘(乾卦)의 강건한 도는 '지나친 용'[305]으로 위태하게 하고, 태괘(泰卦)의 형통한 세상은 '해자로 돌아옴'[306]으로 위태하게 하였다. 모든 64괘의 말과 384효의 말에는 길함은 적고 흉함이 많아서 모두 위태하고 두렵게 하는 말이므로 "그 말이 위태하다"고 하였다. 길함도 있고 흉함도 있으며, 뉘우침도 있고 인색함도 있으며, 길로 시작하여 흉으로 마침도 있고 흉으로 시작하여 길로 마침도 있으며, 뉘우침으로 시작하여 인색함으로 마침도 있고 인색함으로 시작하여 뉘우침으로 마침도 있어서 있지 않은 경우가 없으므로 "온갖 것을 폐지하지 않는다"고 하였다. 두려워함으로 마치고 시작하여 마침을 시작과 같이 삼갈 뿐이면 허물이 없을 것이니, 이른바 "천하의 움직임은 하나에 한결같이 한다"[307]는 것이다. 만약 시작은 있지만 마침이 없으며, 시작은 삼가지만 마침을 소홀히 한다면 시작함에는 비록 허물이 없더라도 마침에는 반드시 흉함이 있다. 그러므로 특별히 마침과 시작함에 두려워하는 것이니, 성인의 근심하는 뜻이 지극하도다!

김상악(金相岳) 『산천역설(山天易說)』

危者平之, 易者傾之, 若有使之者, 易之道也.

위태하다고 하는 자를 편안하게 하고, 쉽다고 하는 자를 기울게 하여 시키는 자가 있는 것 같으니, 역(易)의 도이다.

박윤원(朴胤源) 『경의(經義) · 역경차략(易經箚略) · 역계차의(易繫箚疑)』

百物不廢, 朱子謂易之書, 萬物之理, 無所不具, 故曰百物不廢, 來氏以爲廢字是傾字,

---

305) 『周易 · 乾卦』: 上九, 亢龍有悔.
306) 『周易 · 泰卦』: 上六, 城復于隍, 勿用師, 自邑告命, 貞吝.
307) 『周易 · 繫辭傳』: 天下之動, 貞一者也.

承上句易者使傾而言, 易之道, 使天下百事, 無有慢易而至於傾廢. 此說較有味, 未知如何.

"온갖 것을 폐지하지 않는다"를, 주자는 "역서(易書)가 만물의 이치를 갖추지 않은 것이 없으므로 '온갖 것을 폐지하지 않는다'고 하였다"고 하였는데, 래씨는 "폐지한다는 말은 기울게 한다는 말로서, '쉽다고 하는 자를 기울게 한다'는 앞의 구절을 이어서 말한 것이니, 역의 도가 천하의 온갖 일을 태만하고 안이해서 기울어 폐지됨이 없게 한다는 것"으로 여겼다. 이 설명이 비교적 뜻이 있는데, 어떠한지는 알지 못하겠다.

심취제(沈就濟) 『독역의의(讀易疑義)』

殷之末世, 其非上章所謂衰世耶, 周之盛德, 此非盛世之漸耶. 文王處盛衰之間, 回其衰世而爲盛世者, 非文王之盛德, 孰能與於此哉. 此可見神化之極也.

'은나라의 말세'는 앞의 장에서 말한 '쇠락한 세상'이 아니겠으며, '주나라의 덕이 성할 때'는 여기서 세상이 점차 성대해짐이 아니겠는가? 문왕은 성대하고 쇠락하는 사이에 처하여 그 쇠락한 세상을 되돌려 성대한 세상을 만든 자이니, 문왕의 성대한 덕이 아니라면 누가 여기에 참여할 수 있겠는가? 여기에서 신묘한 조화의 지극함을 찾아 볼 수 있다.

윤행임(尹行恁) 『신호수필(薪湖隨筆)·계사전(繫辭傳)』

安者危之倡也, 失者得之機也. 故文王之象, 其辭危, 而其終則安.

편안함은 위태함을 부르고, 잃음은 얻음의 기틀이다. 그러므로 문왕의 단사가 그 말이 위태해도 마침에는 편안하다.

오희상(吳熙常) 「잡저(雜著)-역(易)」

百物不廢, 來氏以謂廢字卽傾字. 其意蓋謂易之危平易傾, 其道甚大, 使天下百物, 無有慢易而傾廢. 此說緊貼上句, 看來甚好矣.

"온갖 것을 폐지하지 않는다"에 대해, 래씨는 "폐지한다"는 말을 "기울게 한다"는 말로 여겼다. 그 뜻은 대체로 역이 위태하다고 하는 자를 편안케 하고, 쉽다고 하는 자를 기울게 하는 것은 그 도가 매우 커서 천하의 온갖 사물로 하여금 태만하고 안이해서 기울어 폐지됨이 없게 한다고 여긴 것이다. 이 설명은 위의 구절과 긴밀하게 이어지니, 아주 좋은 것 같다.

오치기(吳致箕) 「주역경전증해(周易經傳增解)」

物者事也, 廢卽傾之謂也. 文王當羑里之難而作易, 故章首所言蓋如此也. 象辭往往有危懼警戒之意, 蓋危懼則必得平安, 慢易則必至傾覆, 卽理也. 故易道甚大. 近而一身之言行, 遠而天下之百事, 皆欲使之不傾, 而不傾之道, 惟在乎危懼以終始, 則其要必歸於无咎. 此易道所以其辭危者也.

'온갖 깃百物'의 '물(物)'은 일이고, '폐지함[廢]'은 기울게 함을 말한다. 문왕이 유리에 갇히는 어려움 속에서 역(易)을 지었으므로 장의 첫머리에서 말한 것이 이와 같다. 단사(彖辭)에 왕왕 위협하고 경계시키는 뜻이 있는 것은 위태하여 두려워하면 반드시 편안함을 얻고, 태만하여 소홀히 하면 반드시 전복됨에 이르는 것이 이치이기 때문이다. 그러므로 역의 도(道)가 매우 큰 것이다. 가까이는 한 몸의 언행에서 멀리는 천하의 온갖 일까지 모두 기울어지지 않게 하려 하는데, 기울어지지 않는 도(道)는 오직 위태하고 두려워하여 마치고 시작함에 있을 뿐이니, 결국에는 반드시 허물이 없음으로 돌아간다. 이것이 역의 도가 그 말이 위태로운 까닭인 것이다.

박문호(朴文鎬) 「경설(經說)·주역(周易)」

其要小註諸說中, 惟要其歸者似長.

'기요(其要)'에 대한 소주의 여러 설명에서 오직 "그 끝을 맺는다"는 것이 가장 좋은 듯하다.

이병헌(李炳憲) 『역경금문고통론(易經今文考通論)』[308]

易之興於中古, 則前已言之, 此節於殷周文紂之際. 又以兩邪字設疑辭, 而曰是故其辭危, 其辭乃指卦爻之繇辭, 所謂其衰世之意者此也. 危者使之平, 易者使之傾者, 孔子作經之大義, 託古之微詞, 於是乎反危辭而平之, 易衰世而神化之, 易之道與天地而幷立. 然懼以終始, 則懼之一字, 爲學易之大要也, 可不念哉.

역(易)이 중고(中古)의 시대에 흥했음은 앞에서 이미 말했는데, 이 구절에서는 은나라와 주나라, 문왕과 주(紂)의 즈음이라 하였다. 다시 '야(邪)'자를 붙여 의문문을 만들고는 "이런 까닭으로 그 말이 위태하다"고 하였는데, 그 '말'은 바로 괘효에 달린 말을 가리키니, 이른바 "쇠락한 세상의 뜻이다"라는 것이 이것이다. "위태하다고 하는 자를 편안케 하고, 쉽다고 하는 자를 기울게 한다"는 것은 공자가 경전을 지은 대의이며 옛 것을 의탁한 은미한 말이니, 이로부터 위태한 말을 돌이켜서 편안케 하고, 쇠락한 세상을 바꾸어서 신묘하게 하여

---

308) 경학자료집성DB에서는 「계사하전」 제 9장에 해당하는 것으로 분류했으나, 내용에 따라 이 자리로 옮겼다.

역의 도가 천지와 더불어 나란히 섰다. 그러나 두려워함으로 마치고 시작하니, 두려워한다는 말은 역을 배우는 가장 큰 요점이 된다. 유념하지 않을 수 있겠는가?

姚曰, 百學成數, 廢休之.

요신이 말하였다: '온갖 것[百]'은 일정한 수로 말한 것이고, '폐지[廢]'는 그치게 함이다.

淮南子曰, 輪轉而無廢.

『회남자』에서 말하였다: 바퀴처럼 회전하여 폐지됨이 없다.

右, 第十一章.

이상은 제11장이다.

中國大全

小註

誠齋楊氏曰, 前言易興於中古, 作於憂患, 仲尼之意, 已屬之文王矣, 以爲未足也. 此章又明言易興於殷之末世, 周之盛德, 猶以爲未足也. 又指而名之, 曰當文王與紂之事, 則無復秋毫隱情矣. 嗟夫, 千載之屈, 有幸逢一朝之伸, 一家之私, 有不沒天下之公. 文王无遇於紂, 而有遇於仲尼, 其千載之屈, 一朝之伸歟. 紂殷王也, 仲尼殷後也, 而仲尼貶殷爲末世, 襃周爲盛德, 指紂之名而不諱, 稱文王之王而不抑, 其不以一家之私沒天下之公歟. 大哉, 文王之聖歟. 大哉, 仲尼之公與.

성재양씨가 말하였다: 앞에서 "역의 일어남이 중고의 때이고, 우환 속에 지어졌다"고 하였으니, 공자의 의도는 이미 문왕에게 귀속시킨 것이지만 충분치 못하다고 여겼다. 이 장에서 다시 밝혀 "역의 일어남이 은나라의 말기와 주나라의 덕이 성할 때이다"라고 하였지만, 여전히 충분치 못하다고 여겼다. 다시 지명하여 "문왕과 주(紂)의 일에 해당된다"고 하였으니, 다시는 추호도 실정이 감춰짐이 없을 것이다. 아! 천 년 동안 굽혔던 것이 다행히 하루아침에 펼쳐지고, 한 집안의 사사로운 일로 천하의 공공의 일을 없애지 않았도다. 문왕은 주(紂)와는 뜻이 합치함이 없었지만, 공자와 합치함이 있기에 그 천 년 동안 굽혔던 것이 하루아침에 펼쳐졌도다. 주(紂)는 은나라 왕이고 공자는 은나라 후손인데, 공자가 은나라를 말세라

고 폄하하고 주나라를 성덕으로 기렸으며, 주(紂)의 이름을 가리켜 휘하지 않았고 문왕을 왕으로 칭하여 억제하지 않았으니, 한 집안의 사사로운 일로 천하의 공공의 일을 없애지 않은 것이로다. 크도다! 문왕의 성인됨이여. 크도다! 공자의 공평함이여.

○ 雙湖胡氏曰, 夫子原易之作, 明指伏羲, 原易之興, 明指文王, 曰畫卦因重, 辭危, 可謂萬世之日月. 獨少一言以及周公之爻, 惜哉.
쌍호호씨가 말하였다: 공자는 역(易)이 일어남을 찾아 밝혀 복희라 하고, 역의 중흥을 찾아 밝혀 문왕이라 하여, "괘를 긋고 인하여 거듭했다"고 하고 "말이 위태하다"고 했으니, 영원토록 해와 달과 같다고 할 만하다. 다만 한마디 말로 주공의 효사를 언급함이 결여되었으니, 애석하도다.

韓國大全

오치기(吳致箕) 「주역경전증해(周易經傳增解)」
此章言易道復興於文王也.
이 장은 역(易)의 도가 문왕에게서 부흥하였음을 말하였다.

제12장第十二章

夫乾, 天下之至健也, 德行, 恒易以知險, 夫坤, 天下之至順
也, 德行, 恒簡以知阻,

건(乾)은 천하의 지극한 강건함이니 덕행이 항상 평이해서 험함을 알고, 곤(坤)은 천하의 지극한
유순함이니 덕행이 항상 간결해서 막힘을 아니,

中國大全

本義

至健則所行无難, 故易, 至順則所行不煩, 故簡. 然其於事, 皆有以知其難而不
敢易以處之也. 是以其有憂患, 則健者, 如自高臨下, 而知其險, 順者, 如自下趨
上, 而知其阻. 蓋雖易而能知險, 則不陷於險矣, 旣簡而又知阻, 則不困於阻矣.
所以能危能懼而无易者之傾也.

지극히 강건하면 행하는 것이 어려움이 없으므로 평이하고, 지극히 유순하면 행하는 것이 번거롭지
않으므로 간결하다. 그러나 일에서는 모두 그 어려움을 알아 감히 안이하게 대처하지 않는다. 이 때
문에 우환이 있으면 강건한 사람은 위로부터 내려오듯이 하여 그 험함을 알고, 유순한 사람은 아래서
부터 올라가듯이 하여 그 막힘을 안다. 비록 평이하지만 험함을 알 수 있다면 험함에 빠지지 않을
것이고, 이미 간결하고도 다시 막힘을 안다면 막힘에 곤란하지 않을 것이다. 그래서 위태롭게 여길
수 있고 두려워할 수 있으며, 쉽다고 하는 자의 기울어짐이 없는 것이다.

小註

或問, 乾是至健不息之物, 經歷艱險處多. 雖有險處, 皆不足爲其病, 自然足以進之而
无難否. 朱子曰, 不然. 舊亦嘗如此說, 覺得終是硬說. 易之書本意不如此, 正要人知

險而不進 不說是恃我至健至順了, 凡有險阻, 只認冒進而无難. 如此, 大非聖人作易之意. 觀上文云, 易之興也, 其當殷之末世周之盛德耶. 當文王與紂之事耶. 是故其辭危, 危者使平, 易者使傾. 其道甚大, 百物不廢, 懼以終始, 其要无咎, 此謂易之道也, 看他此語, 但是恐懼危險, 便不敢輕進之意. 乾之道便是如此. 卦中皆然, 所以多說見險而能止, 如需卦之類可見. 易之道, 正是要人知進退存亡之道. 若是冒險前進, 必陷於險, 是知進而不知退, 知存而不知亡, 豈乾之道耶. 唯其至健而知險, 故止於險而不陷於險也, 此是就人事上說. 險與阻不同, 險是自上視下, 見下之險, 故不敢行, 阻是自下觀上, 爲上所阻, 故不敢進. 又曰, 自山下上山爲阻, 故指坤而言, 自山上觀山下爲險, 故指乾而言. 因登山, 而明險阻之義. 又曰, 乾雖至健, 知得險了, 卻不下去, 坤雖至順, 知得阻了, 更不上去.

어떤 이가 물었다: 건은 지극히 강건하여 그치지 않는 것이니, 험난한 곳을 지나옴이 많을 듯합니다. 비록 험한 곳이 있더라도 모두 문제로 여기지 않기에, 자연히 충분히 나아가고 어려움이 없는 것입니까?

주자가 말하였다: 그렇지 않습니다. 옛날에는 또한 이렇게 설명한 적도 있지마는, 끝내는 억지 설명이라고 생각됩니다. 『주역』의 본래 의도는 이와 같지 않으니 바로 사람들에게 험난함을 알아 나아가지 않게 하려는 것이지, 자신의 지극히 강건함과 유순함을 믿고서 험하고 막힘이 있더라도 단지 무릅쓰고 나아갈 줄 알면 험난함은 없다고 말하지는 않습니다. 이와 같다면 성인이 『주역』을 지은 뜻과는 크게 다를 것입니다. 위의 글에서 "역의 일어남이 은나라 말세와 주나라의 덕이 성할 때일 것이다. 문왕과 주의 일에 해당될 것이다. 이런 까닭으로 그 말이 위태하여, 위태하다고 하는 자를 편안케 하고, 쉽다고 하는 자를 기울게 한다. 그 도리가 매우 커서 온갖 것을 폐지하지 않지만, 두려워함으로 마치고 시작하면 그 요점이 허물이 없으리니, 이것을 일러 역의 도라 한다"고 한 것을 살펴야 하니, 이 말을 본다면 위험함을 두려워할 뿐이니 바로 감히 경솔하게 나아가지 않는다는 뜻입니다. 건(乾)의 도리는 바로 이와 같습니다. 괘에서도 모두 그러하니, 험난함을 알아 그칠 수 있어야 함을 자주 말한 까닭은 수괘(需卦)와 같은 부류에서 알 수가 있습니다. 『주역』의 도리는 바로 사람들에게 나아감과 물러섬, 존립함과 없어짐의 도리를 알게 하려는 것입니다. 만약 험난함을 무릅쓰고 앞으로 나아가서 반드시 험난함에 빠진다면, 나아감만 알고 물러섬은 알지 못하고, 존립함만 알고 없어짐을 알지 못하는 것이니, 어찌 건(乾)의 도리이겠습니까? 바로 지극히 강건하면서도 험함을 알기 때문에 험함에 멈춰서 험함에 빠지지 않는 것이니, 이것은 인사를 가지고 말한 것입니다. '험함[險]'과 '막힘[阻]'은 같지 않으니, 험함은 위에서 아래를 내려 본 것으로 아래의 험함을 알기 때문에 함부로 행하지 않는 것이고, 막힘은 아래에서 위를 살펴본 것으로 위가 막혔으므로 함부로 나가지 않는 것입니다.

또 말하였다: 산의 아래에서 산을 오르면 막힘이 되므로 곤(坤)을 가지고 말하였고, 산의

위에서 산의 아래를 살펴본다면 험함이 되므로 건(乾)을 가지고 말하였습니다. 산에 오르는 것으로 험함과 막힘의 의미는 밝혀집니다.

또 말하였다: 건(乾)이 비록 지극히 강건해도 험함을 알았다면 다시 내려가지 않고, 곤(坤)이 비록 지극히 유순해도 막힘을 알았다면 바로 올라가지 않는 것입니다.

○ 此段專是以憂患之際而言. 且如健當憂患之際, 則知險之不可乘, 順當憂患之際, 便知阻之不可越. 這都是知憂患之際, 處憂患之道當如此. 因憂患, 方生那知險知阻. 若止就健順上看, 便不相似. 如上下文說危者使平, 易者使傾, 能說諸心, 能研諸慮, 皆因憂患說. 大要乾坤只是循理而已. 他若知得前有險之不可乘而不去, 則不陷於險, 知得前有阻之不可冒而不去, 則不困於阻. 若人不循理, 以私意行乎其間, 其過乎剛者, 雖知險之不可乘, 卻硬要乘, 則陷於險矣, 雖知阻之不可越, 卻硬要越, 則困於阻矣. 只是順理, 便无事. 又問, 在人固是如此, 以天地言之, 則如何. 曰, 在天地自是无險阻, 這只是大綱說簡乾坤底意思是如此. 又曰, 順自是畏謹, 宜其不越夫阻. 夫健卻疑其不畏險, 然卻知險而不去, 蓋他當憂患之際故也. 又問, 簡易. 曰, 若長是易時, 更有甚麼險, 他便不知險矣. 若長是簡時, 更有甚麼阻, 他便不知阻矣. 只是當憂患之際, 方見得.

이 단락은 전적으로 우환의 때를 말한 것이다. 만일 강건함으로 우환의 때를 만난다면 곧 험함의 편승할 수 없음을 알 것이고, 유순함으로 우환의 때를 만난다면 바로 막힘의 뛰어 넘을 수 없음을 알 것이다. 이 모든 것이 우환의 때를 아는 것이니, 우환에 대처하는 도리는 이와 같아야만 한다. 우환으로 인하여 비로소 험함을 알고 막힘을 알게 된 것이다. 만약 강건함과 유순함만 가지고 본다면 서로 같지 않다. 만약 위아래의 글에서 "위태하다고 하는 자를 편안케 하고, 쉽다고 하는 자를 기울게 한다"나 "마음에 기쁠 수 있으며 생각에 궁구할 수 있다"고 한 것 같으면, 모두 우환으로 인하여 말한 것이다. 대체로 건곤은 단지 이치를 따를 뿐이다. 그가 만약 앞에 편승할 수 없는 험함이 있음을 알아 나가지 않는다면 험함에 빠지지 않고, 앞에 무릅쓸 수 없는 막힘이 있음을 알아서 나가지 않는다면 막힘에 곤란하지 않을 것이다. 만약 사람이 이치를 따르지 않고 그 사이에서 사의(私意)로 행동한다면, 지나치게 강한 자는 비록 험함의 편승할 수 없음을 알더라도 도리어 억지로 편승하려 할 것이니 바로 위험에 빠질 것이고, 비록 막힘의 뛰어 넘을 수 없음을 알더라도 도리어 억지로 뛰어넘으려 할 것이니, 바로 막힘에 곤란할 것이다. 단지 이치를 따라야 무사할 것이다.

또 물었다: 사람에 있어서는 참으로 이와 같겠지만, 천지로 말하면 어떠합니까?

답하였다: 천지에 있어서는 본래 험함과 막힘이 없는 것이니, 이는 단지 건과 곤의 뜻이 이와 같다고 대강 말한 것일 뿐입니다.

또 말하였다: 유순함은 스스로 두려워하고 삼감이니, 막힘을 뛰어 넘지 않는 것이 당연합니

다. 강건함은 도리어 험함을 두려워하지 않는 것으로 생각되지만, 험함을 알아서 나가지 않는 것이니, 대체로 그가 우환의 때를 맞았기 때문입니다.

또 물었다: 간결함과 평이함은 무슨 뜻입니까?

답하였다: 만약 오래도록 평이한 때라면, 다시 어떤 험함이 있더라도 사람들은 험함을 알지 못할 것입니다. 만약 오래도록 간결한 때라면, 다시 어떤 막힘이 있더라도 사람들은 막힘을 알지 못할 것입니다. 단지 우환의 때에 닥쳐서야 비로소 알게 될 것입니다.

○ 南軒張氏曰, 健者, 疑若不知險也, 今乾至健而德行恒易, 故知險而不爲陰所陷. 順者, 疑若不知阻也, 今坤至順而德行恒簡, 故知阻而不爲陽所拒.

남헌장씨가 말하였다: 강건한 것은 험함을 알지 못할 것처럼 생각되지만, 이제 건(乾)은 지극히 강건하면서도 덕행이 항상 평이하므로 험함을 알아 음(陰)에 빠지지 않는다. 유순한 것은 막힘을 알지 못할 것처럼 생각되지만, 이제 곤(坤)은 지극히 유순하면서도 덕행이 항상 간결하므로 막힘을 알아 양(陽)에 막히지 않는다.

○ 漢上朱氏曰, 上繫, 言易簡而天下之理得, 下繫, 終之以易簡而知險阻. 故曰殊塗而同歸, 一致而百慮.

한상주씨가 말하였다: 「계사상」에서는 "평이하고 간결함에 천하의 이치를 얻는다"[309]고 하고, 「계사하」에서는 평이하고 간결하여 험함과 막힘을 아는 것으로 끝마쳤다. 그러므로 "길이 달라도 돌아감은 같으며 이룸이 하나여도 걱정은 갖가지이다"[310]라고 하였다.

○ 雲峰胡氏曰, 前言乾坤之易簡, 此言乾坤之所以爲易簡. 蓋乾之德行, 所以恒易者, 何也. 乾天下之至健也. 坤之德行, 所以恒簡者, 何也, 坤天下之至順也. 乾健而易, 宜无險矣, 坤順而簡, 宜无阻矣, 此復曰險阻者, 爲上文有憂患而言也. 下危曰險, 乾在上也, 上難曰阻, 坤在下也. 以乾坤健順, 而又曰險阻, 易之辭危也. 健而知險, 則其健也不陷, 順而知阻, 則其順也不阻, 此危者之所平也. 不能知險阻, 而或陷焉, 此易者之使傾也, 聖人憂患之意, 至矣哉.

운봉호씨가 말하였다: 앞에서는 건과 곤의 평이함과 간결함을 말하고, 여기서 건곤이 평이하고 간결한 까닭을 말하였다. 대체로 건의 덕행이 항상 평이한 것은 어째서인가? 건은 천하의 지극한 강건함이기 때문이다. 곤의 덕행이 항상 간결한 것은 어째서인가? 곤은 천하의 지극한 유순함이기 때문이다. 건은 강건하면서 평이하니 험함이 없음이 마땅하고, 곤은 유

---

309) 『周易·繫辭傳』: 易簡而天下之理, 得矣, 天下之理得, 而成位乎其中矣.

310) 『周易·繫辭傳』: 子曰, 天下何思何慮, 天下, 同歸而殊塗, 一致而百慮, 天下何思何慮.

순하면서 간결하니 막힘이 없음이 마땅하거늘, 여기에서 재차 '험함과 막힘'을 말한 것은 위의 글에 '우환'이라는 말이 있기 때문에 말한 것이다. 아래가 위험한 것을 '험함'이라 하니 건이 위에 있는 것이고, 위가 어려운 것을 '막힘'이라 하니 곤이 아래에 있는 것이다. 건과 곤의 강건함과 유순함을 따라서 다시 '험함과 막힘'을 말했으니, 『주역』의 말이 위태한 것이다. 강건하면서도 험함을 알면 그 강건함이 빠지지 않고, 유순하면서도 막힘을 알면 그 유순함이 막히지 않으니, 이것이 위태하다 하는 자가 편안해짐이다. 험함과 막힘을 알 수 없어서 혹 빠진다면 이는 쉽다고 하는 자를 기울게 함이니, 성인의 우환의 뜻이 지극하도다!

▌韓國大全▐

이익(李瀷) 『역경질서(易經疾書)』

險阻承憂患說. 苟無險阻, 寧有憂患. 聖人自有乾健坤順之德行, 健故其行之也, 皆平易而無險澁, 順故其處之也, 皆簡約而無礙阻. 然不可以已能而忘之也. 知者忘之, 反不忘, 所以爲憂患後世也.

험함과 막힘은 우환을 이어서 말한 것이다. 험함과 막힘이 없다면 어찌 우환이 있겠는가? 성인은 본래 건의 강건함과 곤의 유순한 덕행을 지니는데, 강건하기 때문에 그 행함에 모든 것이 평이하여 험함이 없고, 유순하기 때문에 그 거처함에 모든 것이 간약하여 장애가 없다. 그러나 이미 그렇게 할 수 있다고 해서 잊어버려서는 안 된다. 지혜로운 자는 잊어버리는 것인데 도리어 잊지 않는 것은 후세를 걱정하기 때문이다.

유정원(柳正源) 『역해참고(易解參攷)』

夫乾 [至] 知阻.

건(乾)은 … 막힘을 아니.

朱子曰, 乾天下之至健, 夐著思量. 看來, 聖人旡冒險之事, 須是知險, 便不盡向前去.

주자가 말하였다: "건은 천하의 지극한 강건함이다"는 말은 다시 생각해 보아야 한다. 성인은 험함을 무릅쓰는 일이 없어서 반드시 험함을 알면 전연 앞으로 나아가지 않는다.

○ 他只是不直撞向前, 自別有一箇路去. 如舜知子之不肖, 則以天下授禹相似.

그는 그저 막무가내로 앞으로 가지 않아 스스로 별도로 갈 길이 있다. 마치 순임금이 자식의 못남을 알자 천하를 우에게 준 것과 비슷하다.

○ 乾健而以易臨下, 故知下之險, 險之意思在下. 坤順而以簡承上, 故知上之阻. 阻是自家低, 他卻高底意思. 自上面來, 下到那去不得處, 便是險. 自下而上, 上到那去不得處, 便是阻.

건은 강건하여 '쉬움'으로 아래에 임하기 때문에 아래의 험함을 아니, 험함의 의미는 아래에 있는 것이다. 곤괘는 순종하여 '간결함'으로 위를 받들기 때문에 위의 막힘을 아는 것이니, 막힘은 자신은 낮고 상대는 도리어 높다는 뜻이다. 위에서 내려와 아래로 더 이상 갈 수 없는 곳에 이르는 것이 '험함'이다. 아래로부터 올라가 위로 더 이상 갈 수 없는 곳에 이르는 것이 '막힘'이다.

○ 案, 陽遇陰陷爲險, 陰遇陽隔爲阻. 凡陽爲高陰爲下, 故陽進而陰虛在前, 則如自高臨下, 前有水澤之險, 陰進而陽剛在前, 則如自下登高, 前有山陵之阻. 故南軒謂不爲陰所陷, 不爲陽所拒. 乾中无陰, 坤中无陽, 而猶曰易而知險, 簡而知阻, 此所謂能危能懼也.

내가 살펴보았다: 양이 음의 구덩이를 만나 험함이 되고, 음이 양의 막아섬을 만나 막힘이 된다. 양은 높음이 되고 음은 낮음이 되므로, 양이 나아감에 비어있는 음이 앞에 있으면 높은데서 낮은 데로 임하는데 앞에 물과 못의 험함이 있는 것과 같고, 음이 나아감에 굳센 양이 앞에 있으면, 낮은데서 높은 데로 올라가는데 앞에 산언덕의 막힘이 있는 것과 같다. 그러므로 남헌은 "음에 의해 빠지지 않고, 양에 의해 막히지 않는다"고 하였다. 건괘에는 음이 없고, 곤괘에는 양이 없는데, 오히려 "평이해서 험함을 알고, 간결해서 막힘을 안다"고 하였으니, 이것이 이른바 위태롭게 여길 수 있고, 두려워 할 수 있는 것이다.

김상악(金相岳) 『산천역설(山天易說)』

下危曰險, 上難曰阻. 乾之德行, 旣易而知險, 坤之德行, 旣簡而知阻. 故能免乎險阻, 而无危也.

아래의 위태함을 '험함[險]'이라 하고, 위의 어려움을 '막힘[阻]'라 한다. 건의 덕행은 이미 평이하여 험함을 알고, 곤의 덕행은 이미 간결하여 막힘을 안다. 그러므로 험함과 막힘에서 벗어날 수 있어서 위태함이 없다.

서유신(徐有臣) 『역의의언(易義擬言)』311)

恒易以知險.

항상 평이하여 험함을 알고.

夬之澤需之坎爲險也

쾌괘(夬卦)의 못과 수괘(需卦)의 감괘(坎卦☵)가 험함이 된다.

恒簡以知阻.

항상 간결해서 막힘을 아니.

剝之山爲阻也.

박괘(剝卦)의 산이 막힘이 된다.

심취제(沈就濟) 『독역의의(讀易疑義)』

健者天也, 順者地也. 乾而至健, 坤而至順, 則與天地準者, 其非乾坤耶. 至健至順之至字, 卽至德至精至變至神之至也. 前章屈伸, 言過此以往, 未之或知也. 其所不知者, 屈之至也, 窮神知化, 乃德盛仁熟, 而自致也. 其所自致者, 信之至也. 乾而至健, 坤而至順, 則不可知者, 乾坤之健順也, 自然致者, 乾坤之健順也. 雖曰有造化之跡而無跡, 雖曰有神妙之地而無地, 到此而性情卽精神, 精神卽性情. 其所謂神明之德, 非此之謂歟.

강건함은 하늘이고, 유순함은 땅이다. 건으로서 지극히 강건하고 곤으로서 지극히 유순하니, '천지와 더불어 같은 것'이 건곤이 아니겠는가? 지극히 강건하고 지극히 유순하다고 할 때의 '지(至)'자는 "지극히 덕스럽다"ㆍ"지극히 정밀하다"ㆍ"지극히 변화 한다"ㆍ"지극히 신묘하다"고 할 때의 '지(至)'이다. 앞 장의 '굽히고 폄[屈伸]'은 "이를 지나간 뒤로는 혹 알지 못한다"를 말한다. 그 알지 못하는 것은 굽힘이 지극한 것이고, '신묘함을 궁구하며 조화를 앎은 덕이 성대하고 어짊이 원숙하여 저절로 이르는 것이다. 그 저절로 이르는 것은 미더움이 지극한 것이다. 건으로서 지극히 강건하고 곤으로서 지극히 유순하니, 알 수 없는 것이 건곤의 강건함과 유순함이고, 자연히 이르는 것도 건곤의 강건함과 유순함이다. 비록 조화의 자취가 있다고 했지만 자취가 없고, 신묘한 곳이 있다고 했지만 장소가 없으니, 이에 이르면 성정(性情)이 바로 정신(精神)이고, 정신이 바로 성정이다. 이른바 신명의 덕스러움이란 이를 말하는 것이 아니겠는가?

天尊地卑, 乾坤居其中, 則人之位, 非乾坤耶. 天地本自健順也, 至不可論也. 中庸曰,

誠者天之道也, 誠之者人之道也, 在人而言至誠, 則乾坤之至健至順, 其非居人之位而然耶. 天地乾坤之際, 可以黙會其至字也, 乾之至健坤之至順, 故爲天地之性情. 天尊地卑者, 畫前之乾坤也, 乾健坤順者, 畫後之天地也.

하늘은 높고 땅은 낮은데 건곤이 그 가운데 자리한다면, 사람의 자리가 건곤이 아니겠는가? 하늘과 땅은 본디 저절로 강건하고 유순하니, 지극함을 논할 수가 없다. 『중용』에서 "정성스러움은 하늘의 도이고, 정성스럽고자 함은 사람의 도이다"라 하여 사람에 대해서 지극한 정성을 말하였으니, 건곤이 지극히 강건하고 지극히 유순한 것이 사람의 자리에 있어서 그러한 것이 아니겠는가? 하늘·땅과 건·곤의 사이에 그 '지(至)'자를 묵묵히 음미해 볼 만하니, 건이 지극히 강건하고 곤이 지극히 유순하기 때문에 하늘과 땅의 성정이 된다. "하늘은 높고 땅은 낮다"는 것은 획을 긋기 전의 건곤이고, "건은 강건하고 곤은 유순하다"는 것은 획을 그은 후의 하늘·땅이다.

○ 德行者, 健順之德行也. 上下傳, 始以道終以道, 則道爲頭尾, 而德居其中. 德本是中也, 道亦是中也. 德行卽中庸也, 中庸卽德行也. 以性情謂之中和, 以德行謂之中庸, 中庸之中, 兼中和之意, 中和之中, 包中庸之義也. 是故, 健順之下, 言德行也.

덕행이란 강건하고 유순한 덕행이다. 「계사전」 상하편이 도로써 시작하고 도로써 마치니, 도는 머리와 꼬리가 되고 덕이 그 가운데 거한다. 덕은 본래 '중'이고 도 역시 '중'이다. 덕행이 바로 중용이고, 중용이 바로 덕행이다. 성정(性情)으로써 중화(中和)를 말하고, 덕행으로써 중용을 말하니, 중용의 중은 중화의 뜻을 겸하고, 중화의 중은 중용의 뜻을 포괄한다. 이런 까닭으로 강건함과 유순함 아래에서 덕행을 말하였다.

恒易恒簡之恒, 卽中庸之庸字, 首章所謂貞勝貞觀之貞字也. 天之所以於穆不已者恒也, 人之所以純亦不已者恒也. 易而不恒, 則非健之易也, 簡而不恒, 則非順之簡也. 能易能簡者, 惟在恒之一字也.

"항상 평이하고 항상 간결하다"고 할 때의 '행[恒, 항상]'은 바로 중용의 '용(庸)'자이고, 첫째 장의 이른바 '늘 이기고[貞勝]', '늘 보여준다[貞觀]'고 할 때의 '정(貞)'자이다. 하늘이 '심원하여 그치지 않는 것'은 항상 되기 때문이고, 사람이 '순수하여 마지않는 것'[312]도 항상 되기 때문이다. 평이하지만 항상 되지 않으면 강건한 평이함이 아니고, 간결하지만 항상 되지 않으면 유순한 간결함이 아니다. 평이할 수 있고 간결할 수 있는 것은 오직 '항상'이라는 이 한 마디에 달려있다.

---

312) 『中庸』 26장.

易簡之對險阻也, 處易簡而不見險阻, 則不知其易簡之道也. 當險阻而不見易簡, 則亦不知其險阻之義也. 易簡險阻, 以陰陽言之, 則易簡陽也, 險阻陰也. 易簡之中有險阻, 險阻之中有易簡, 則通乎易簡險阻, 而不失其正, 而恒久不已者, 其非文王之至精至神耶.

평이하고 간결함은 험하고 막힘과 상대되니, 평이하고 간결함에 처해서 험하고 막힘을 보지 못한다면 그것은 평이하고 간결한 도리를 모르는 것이다. 험하고 막힘을 만났을 때 평이함과 간결함을 보지 못한다면 또한 그 험하고 막힘의 뜻을 모르는 것이다. 평이하고 간결함과 험하고 막힘을 음양으로 말한다면 평이하고 간결함은 양이고, 험하고 막힘은 음이다. 평이하고 간결한 가운데 험하고 막힘이 있고, 험하고 막히는 가운데 평이하고 간결함이 있으니, 평이하고 간결함과 험하고 막히는데 통달해서 그 바름을 잃지 않아 끝없이 항구한 것은 문왕의 지극히 정밀하고 지극히 신묘함이 아니겠는가?

心統性情也. 乾坤之至健至順者, 理與心會而入心之微也. 心說研慮者, 心與理會而致用之幾也.

就說心而言, 則心自明白而通乎理也, 乾之事也, 研慮者, 慮能要約而審乎理也, 坤之事也. 理者妙也, 心用其妙, 則天下之故, 何所不通, 天下之吉凶, 何所不定也. 易之情, 愛惡者, 情也, 論其性情, 故終之以情也. 辭慙辭枝辭屈, 無非情之所發, 聖人之情發乎辭, 則辭以終之, 不亦宜乎. 又以知言終下傳者, 其不合於上傳末之德行乎. 知行二字, 庸學備言也.

마음은 성과 정을 통섭한다. 건곤이 지극히 강건하고 지극히 유순한 것은 이치가 마음과 합해서 마음의 은미한 곳으로 들어가는 것이다. 마음으로 기뻐서 연구하는 자는 마음이 이치와 합하여 작용하는 기미를 이루는 것이다. 기뻐하는 마음에 나아가 말한다면, 마음이 저절로 분명하여 이치에 통하는 것은 건의 일이고, 연구하는 자가 생각을 간추려 이치를 살피는 것은 곤의 일이다. 이치는 오묘한 것이니 마음이 그 오묘함을 쓴다면 천하의 연고를 어떤 것인들 통하지 못하겠으며, 천하의 길흉을 어떤 것인들 판정하지 못하겠는가? 역의 정(情)은 사랑하고 미워하는 것이 정인데, 그 성정을 논하였기 때문에 정(情)으로 끝맺었다. 그 말이 부끄러워하고, 말이 갈라지고, 말이 비굴한 것은 정(情)이 발한 것이 아님이 없으니, 성인의 정이 말에서 발하여 말로써 끝맺은 것이 또한 마땅하지 않은가? 또한 '말을 아는 것'으로써 「계사하전」을 마치는 것이 「계사상전」 끝머리의 '덕행'에 부합하지 않는가? 지행(知行) 두 글자는 『중용』과 『대학』에 말이 갖추어 있다.

上下傳, 首以乾坤, 終以乾坤, 則上下傳, 不過乾坤內事, 而學者知而行之, 則可以成能於乾坤之中也. 在天口命, 在人曰辭, 則明乎天命而能繼文王者, 非夫子繫辭耶. 苟非至神至變至精, 孰能與於此哉.

「계사전」 상하전에서 건곤으로 시작하고 건곤으로 끝맺으니, 상하전이 건곤 안의 일에 지나지 않는다. 공부하는 이가 알아서 행하면 건곤의 가운데에서 이룰 수 있을 것이다. 하늘에 있어서는 명(命)이라 하고, 사람에 있어서는 사(辭)라고 하니, 천명을 잘 알아서 문왕을 계승한 것이 공자의 「계사전」이 아니겠는가? 참으로 지극히 신묘하고 지극히 변화하고 지극히 정밀한 자가 아니라면 누가 여기에 참여할 수 있겠는가?

윤행임(尹行恁) 『신호수필(薪湖隨筆)·계사전(繫辭傳)』

易而知其險, 所以至健也, 簡而知其阻, 所以至順也. 有至健之德則知險, 有至順之行則知阻, 知險知阻, 所以爲至健至順. 心誠好之, 慮以審之, 然後, 可以謂出而成其務, 居而斷其疑.

평이하여 그 험함을 아는 것이 지극히 강건한 까닭이고, 간결하여 그 막힘을 아는 것이 지극히 유순한 까닭이다. 지극히 강건한 덕이 있으면 험함을 알고, 지극히 유순한 행동이 있으면 막힘을 아니, 험함을 알고 막힘을 아는 것이 지극히 강건하고 지극히 유순하게 되는 까닭이다. 마음으로 진실로 좋아하고 생각하여 살핀 연후에 나가서는 그 일을 이루고 거처해서는 그 의심을 결단할 수 있다.

오치기(吳致箕) 「주역경전증해(周易經傳增解)」

此言聖人用易之道, 而章首以健順易簡而知險阻特言之, 以結上下傳首章易簡之義也. 乾之至健, 所行旡難, 而恒易. 然臨事, 則知其險難, 而不敢處之以易. 坤之至順, 所行不煩, 而恒簡. 然臨事, 則知其阻塞, 而不敢處之以簡. 此乃易道所以終始危懼, 而聖人所以成盛德大業者也.

이는 성인이 역을 쓰는 도리를 말한 것으로, 이 장의 첫머리에 강건함과 유순함, 그리고 평이함과 간결함으로써 험함과 막힘을 안다는 것을 특별히 말해서 「계사전」 상하편이 첫 장의 평이함과 간결함의 뜻이라는 것으로 결론지었다. 건의 지극히 강건함은 행하는 바가 어려울 것이 없으니, 항상 평이하게 한다. 그러나 일에 임해서는 그 험난함을 알아 감히 평이함으로 대처하지 않는다. 곤괘의 지극히 유순함은 행하는 바가 번잡하지 않아 항상 간결하다. 그러나 일에 임해서는 그 막힘을 알아 감히 간결함으로 대처하지 않는다. 이것이 역의 도가 위태롭고 두려워함으로 마치고 시작하는 까닭이고, 성인이 성한 덕과 큰 업을 이루는 까닭이다.

이진상(李震相) 『역학관규(易學管窺)』

知險, 知阻.

험함을 알고, 막힘을 안다.

險者, 陰體, 如水澤之險是也. 阻者, 陽體, 如山陵之阻是也. 陽遇陰, 則懼其陷, 故乾
以知險, 陰遇陽, 則懼其隔, 故坤以知阻.

'험함'이란 음의 몸체이니, 강물과 못의 험함이 이것이다. '막힘'이란 양의 몸체이니, 산과
언덕에 막힘이 이것이다. 양이 음을 만나면 거기 빠질 것을 두려워하므로 건으로써 험함을
알고, 음이 양을 만나면 그 막힐 것을 두려워하므로 곤으로써 그 막힘을 안다.

能說諸心, 能研諸侯之慮, 定天下之吉凶, 成天下之亹亹者,

마음에 기쁠 수 있으며 생각에 궁구할 수 있어 천하의 길흉을 정하며, 천하의 부지런히 애씀을 이루는 것이니,

║中國大全║

本義

侯之二字, 衍. 說諸心者, 心與理會, 乾之事也, 研諸慮者, 理因慮審, 坤之事也. 說諸心, 故有以定吉凶, 研諸慮, 故有以成亹亹.

'후지(侯之)' 두 글자는 필요 없는 글이다. "마음에 기쁘다"는 마음이 이치와 맞음이니 건(乾)의 일이고, "생각에 궁구한다"는 이치를 생각에 의하여 살핌이니 곤(坤)의 일이다. 마음에 기쁘므로 길흉을 정할 수 있고, 생각에 궁구하므로 부지런히 애씀을 이룰 수 있다.

小註

朱子曰, 能說諸心, 是凡事見得通透了, 自然歡悅. 旣說諸心, 是理會得了, 於事上更審一審, 便是研諸慮. 研, 是去研磨他.

주자가 말하였다: "마음에 기쁠 수 있다"는 모든 일을 끝까지 알아서 자연히 즐거워하는 것이다. 이미 마음에 기뻐하였다면 완전히 이해한 것이지만, 일에서 다시 한 번 살펴보는 것이 바로 '생각에 궁구함'이다. '궁구[硏]'는 그것을 연마하는 것이다.

○ 能說諸心, 乾也, 能研諸慮, 坤也. 說諸心, 有自然底意思, 故屬陽, 研諸慮, 有作爲底意思, 故屬陰. 定吉凶, 乾也, 成亹亹, 坤也. 事之未定者屬乎陽, 定吉凶所以爲乾, 事之已爲者屬乎陰, 成亹亹所以爲坤. 大抵言語兩端處, 皆有陰陽. 如開物成務, 開物是陽, 成務是陰. 如致知力行, 致知是陽, 力行是陰. 周子之書屢發此意, 推之可見. 又曰, 定吉凶是陽, 成亹亹是陰. 且以做事言之, 吉凶未定時, 人自意思懶散, 不肯做去. 吉凶定了, 他自勉勉做將去, 所以屬陰. 大率輕淸屬陽, 重濁屬陰, 成亹亹, 是做將去,

涉於事爲, 故屬陰.

'마음에 기쁠 수 있음'은 건(乾)이고, '생각에 궁구할 수 있음'은 곤(坤)이다. 마음에 기뻐하는 것은 자연스러운 것이므로 양(陽)에 속하고, 생각에 궁구하는 것은 작위하는 것이므로 음(陰)에 속한다. 길흉을 정함은 건이고, 부지런히 애씀을 이룸은 곤이다. 일이 아직 정해지지 않은 것은 양에 속하니 길흉을 정함이 건이 되는 것이며, 일이 이미 행해지는 것은 음에 속하니 부지런히 애씀을 이룸이 곤이 되는 것이다. 대체로 말이 둘로 끝나는 곳은 모두 음양이 있다. '만물을 열어 일을 이룸'과 같으면 만물을 엶은 양이고 일을 이룸은 음이며, '앎을 다하고 힘써 행함'과 같으면 앎을 다함은 양이고 힘써 행함은 음이다. 주자(周子)의 글에 누차 이 뜻을 밝혔으니, 이를 유추하면 알 수 있을 것이다.

또 말하였다: 길흉을 정함은 양이고, 부지런히 애씀을 이룸은 음이다. 일하는 것으로 말하면, 길흉이 정해지지 않았을 때에는 사람들 스스로의 생각은 나른하게 흩어져 기꺼이 하려하지 않는다. 길흉이 정해지면 그는 스스로 힘쓰고 힘써서 실천해 갈 것이니, 그래서 음에 속하는 것이다. 대체로 가볍고 맑으면 양에 속하고, 무겁고 탁하면 음에 속하니, 부지런히 애씀을 이룸은 실천해 가는 것으로 일함과 관련되므로 음에 속한다.

○ 定天下之吉凶, 是剖判得這事, 成天下之亹亹, 是做得事業.

'천하의 길흉을 정함'은 이 일을 갈라서 판단하는 것이고, '천하의 부지런히 애씀을 이룸'은 사업을 진행하는 것이다.

○ 平庵項氏曰, 唯乾坤知之明, 故能道占者之心使之說, 能因占者之慮爲之硏.

평암항씨가 말하였다: 오직 건곤은 앎이 분명하므로 점치는 사람의 마음을 이끌어 기쁘게 할 수 있고, 점치는 사람의 생각을 따라서 궁구하게 할 수 있다.

○ 漢上朱氏曰, 天下之吉凶, 藏於无形, 至難定也, 天下之亹亹, 來而不已, 至難成也. 定之成之者, 易簡而已.

한상주씨가 말하였다: 천하의 길흉은 숨어서 형체가 없으니 정하기가 지극히 어렵고, 천하의 부지런히 애씀은 끊임없이 초래하니 이루기가 지극히 어렵다. 정하고 이루는 것은 평이함과 간결함일 뿐이다.

○ 雲峰胡氏曰, 理悟而心悅, 乾之事也, 故有以定吉凶, 事來而慮硏, 坤之事也, 故有以成亹亹. 此言易之辭危而能使人如此也.

운봉호씨가 말하였다: 이치를 깨달아 마음으로 기뻐함은 건(乾)의 일이므로 길흉을 정할 수 있고, 일이 닥침에 생각해서 궁구함은 곤(坤)의 일이므로 부지런히 애씀을 이룰 수 있다.

이는 『주역』의 말이 위태하여 사람들에게 이와 같이 할 수 있음을 말한 것이다.

┃韓國大全┃

조호익(曺好益) 『역상설(易象說)』313)

聖人之心, 有乾坤之理, 故能如此.

성인의 마음에는 건곤(乾坤)의 이치가 있으므로 이와 같을 수 있는 것이다.

이익(李瀷) 『역경질서(易經疾書)』

能說諸心, 精神合也, 能硏諸慮, 思度審密也. 聖人作易之功如此, 故能斷定天下之吉凶, 以之傳遠而成後世之亹亹. 亹亹久遠之義. 聖人作易之效如此.

'마음에 기쁨이 있을 수 있는 것'은 정신이 합하는 것이고, '생각에 궁구할 수 있는 것'은 잘 살펴서 헤아리는 것이다. 성인이 역을 지은 공이 이와 같다. 그러므로 천하의 길함과 흉함을 판정할 수 있고, 그것을 멀리까지 전해서 후세의 부지런히 애씀[亹亹]을 이루었다. '미미(亹亹)'는 오래가고 멀다는 뜻이다. 성인이 역을 지은 효험이 이와 같다.

유정원(柳正源) 『역해참고(易解參攷)』

能說 [至] 亹亹.

마음에 기쁠 수 있으며 … 부지런히 애씀을 이루는 것이니.

漢上朱氏曰, 易簡也, 故能說諸心, 知險阻也, 故能硏諸慮. 易簡者, 我心之所固有, 反而得之, 能旡說乎. 以我所有, 慮其不然, 反覆不舍, 能旡硏乎.

한상주씨가 말하였다: 쉽고 간결하기 때문에 마음에 기쁠 수 있고, 험함과 막힘을 알기 때문에 생각에 궁구할 수 있다. 평이함과 간결함은 내 마음에 본디 있는 것인데 돌이켜 구하니

---

313) 경학자료집성DB에 「계사하전」 제 9장에 편집되어 있으나 경학자료집성 영인본의 체제에 의거하여 「계사하전」 제 12장으로 옮겨 바로잡았다.

기쁘지 않을 수 있겠는가! 내가 가진 것으로써 그 그렇지 않은 것을 생각하여 반복해서 버려두지 않아야 하니 궁구함이 없을 수 있겠는가!

○ 朱子曰, 說諸心, 只是見過了便說, 這箇屬陽. 研諸慮, 是研窮到底, 似那安而能慮, 直是子細了, 這箇屬陰.
주자가 말하였다: "마음에 기쁘다"는 것은 단지 보면 바로 기쁜 것이니, 이는 양에 속한다. "생각에 궁구한다"는 것은 철저하게 연구하는 것으로 마음이 안정되어 생각할 수 있어 세밀한 것과 같으니, 이는 음에 속한다.

○ 案, 心與理會, 則其心明白易見, 乾道也. 理因慮審, 則其事纀密便簡, 坤道也.
내가 살펴보았다: 마음이 이치와 맞으면 그 마음이 분명하여 쉽게 보이니 건도이다. 이치를 생각에 의하여 살피면 그 일이 찬찬하고 세밀해서 간결하니 곤도이다.

김상악(金相岳) 『산천역설(山天易說)』

本義, 侯之二字衍. 說諸心者, 心與理會. 研諸慮者, 理因慮審. 定吉凶者, 陽也, 成亹亹者, 陰也.
『본의』에서 말하였다: '후지(侯之)' 두 글자는 필요 없는 글자이다. "마음에 기쁘다"는 마음이 이치와 맞음이다. "생각에 궁구한다"는 이치를 생각하여 살핌이다. 길흉을 정하는 것은 양이고, 애씀을 이루는 것은 음이다.[314]

오치기(吳致箕) 「주역경전증해(周易經傳增解)」

侯之二字, 衍文也, 承上文而言健而知險, 不敢處之以易. 故能理會于心, 而得其相說, 以定天下之吉凶, 此卽開物之道, 乾之事也. 順而知阻, 不敢處之以簡, 故能慮審于理, 而得其精研, 以成天下亹亹之業, 此卽成務之道, 坤之事也.
'후지(侯之)' 두 글자는 필요 없는 글이다. 윗 문장을 이어서 강건하여 험함을 알아 감히 평이함으로 대처하지 않음을 말하였다. 그러므로 이치가 마음에 모일 수 있어서 그 서로 기뻐함을 얻어 천하의 길흉을 정하니, 이것이 바로 만물을 여는 도리로 건의 일이다. 유순해서 막힘을 알아 감히 간결함으로 대처하지 않으므로 이치에 대해 살펴서 그 정밀한 연구를 얻어 천하의 부지런히 애쓰는 사업을 이루니, 이것이 일을 이루는 도리로 곤의 일이다.

---

314) 『본의』의 내용과 소주의 내용이 섞여 있다.

是故, 變化云爲, 吉事有祥. 象事知器, 占事知來,

이런 까닭으로 변(變)하고 화(化)하며 말하고 행함에 길한 일은 상서로움이 있다. 일을 그려내어 기물을 알며, 일을 점쳐서 올 것을 안다.

‖中國大全‖

本義

變化云爲, 故象事可以知器, 吉事有祥, 故占事可以知來.

변하고 화하며 말하고 행하므로 일을 그려내어 기물을 알 수 있고, 길한 일에는 상서로움이 있으므로 일을 점쳐서 올 것을 알 수 있다.

小註

朱子曰, 此節上兩句, 是說理如此, 下兩句, 是人就理上知得. 在陰陽則爲變化, 在人事則爲云爲, 吉事自有祥兆. 唯其理如此, 故於變化云爲, 則象之而知已有之器, 於吉事有祥, 則占之而知未然之事也.

주자가 말하였다: 이 구절의 앞의 두 구는 이치가 이와 같음을 말한 것이고, 뒤의 두 구는 사람이 이치에서 깨닫는 것이다. 음양에 있어서는 변함과 화함이 되고, 인사에 있어서는 말함과 행함이 되며, 길한 일에는 자연 상서로운 조짐이 있다. 오직 이치가 이와 같으므로 '변하고 화하며 말하고 행함'에 대해서는 이를 그려내어 이미 있는 기물을 알며, '길한 일은 상서로움이 있음'에 대해서는 이를 점쳐서 아직 있지 않은 일을 아는 것이다.

○ 問, 凡見於有形之實事者, 皆爲器否. 曰, 易中器字, 是恁此說.
물었다: 모든 형체가 있는 실제의 사물로 드러난 것이 모두 기물이 아닙니까?
답하였다: 『주역』의 기물은 이런 뜻으로 말한 것입니다.

○ 問, 易書之中, 有許多變化云爲, 又吉事皆有休祥之應, 所以象事者於此而知器, 占

事者於此而知來. 曰, 是.

물었다: 『주역』에는 수많은 '변하고 화하며 말하고 행함'이 있고, 다시 길한 일에는 모두 상서로운 반응이 있으니, 일을 그려내는 사람은 이에 근거하여 기물을 알고, 일을 점치는 사람은 이에 근거하여 올 것을 아는 것입니까?

답하였다: 맞습니다.

○ 問, 變化云爲, 主於人而言否. 曰, 變化者, 陰陽之所爲, 云爲者, 人事之所作.

물었다: '변하고 화하며 말하고 행함'은 사람을 위주로 말한 것입니까?

답하였다: 변하고 화함은 음양이 행하는 것이고, 말하고 행함은 사람의 일에 일어나는 것입니다.

○ 變化云爲是明, 吉事有祥是幽. 象事知器是人事, 占事知來是筮. 象事知器, 是人做這事去, 占事知來, 是他方有箇禎祥, 便占得他. 如中庸言必有禎祥, 見乎蓍龜之類. 吉事有祥, 凶事亦有.

'변하고 화하며 말하고 행함'은 밝은 것이고, "길한 일은 상서로움이 있다"는 어두운 것이다. "일을 그려내어 기물을 안다"는 사람의 일이고, "일을 점쳐서 올 것을 안다"는 점치는 것이다. '일을 그려내어 기물을 앎'은 사람이 이 일을 해나가는 것이고, '점쳐서 올 것을 앎'은 저것에 막 상서로운 조짐이 있자마자 바로 그것을 점치는 것이다. 『중용』에서 "반드시 상서로운 조짐이 있어서 시초점과 거북점에 나타난다"[315]고 한 것과 같은 부류이다. 길한 일에도 상서로움이 있고, 흉한 일에도 또한 있다.

○ 息齋余氏曰, 變化云爲, 吉事有祥, 不假象占者也, 象事知器, 占事知來, 求諸象占者也, 不假象占, 百姓之所以與能也.

식재여씨가 말하였다: '변하고 화하며 말하고 행함'과 "길한 일은 상서로움이 있다"는 그려내고 점칠 필요가 없는 것이고, '일을 그려내어 기물을 앎'과 '일을 점쳐서 올 것을 앎'은 그려내고 점쳐서 구하는 것이니, 그려내고 점칠 필요가 없는 것에 백성이 공능에 참여할 수 있는 것이다.

○ 雲峰胡氏曰, 在天道爲變化, 在人事爲云爲. 人事與天道相符, 則吉事有祥矣. 此言易之理如此也. 於變化云爲, 則象之而知其已形之器, 於吉事有祥, 則占之而知其未形之事. 此言人於易之理, 可以知其如此也.

운봉호씨가 말하였다: 천도에 있어서는 변함과 화함이 되고, 인사에 있어서는 말함과 행함

---

315) 『中庸』: 國家將興, 必有禎祥, 國家將亡, 必有妖孽, 見乎蓍龜, 動乎四體.

이 된다. 인사가 천도와 서로 부합하면 '길한 일이 상서로움이 있을 것'이다. 이는『주역』의 이치가 이와 같음을 말한 것이다. '변화고 화하며 말하고 행함'에 대해서는 이를 그려내어 이미 형성된 기물을 알며, "길한 일은 상서로움이 있다"에 대해서는 이를 점쳐서 형성되지 않은 일을 안다. 이는 사람들이『주역』의 이치가 이와 같음을 알 수 있다고 말한 것이다.

韓國大全

유정원(柳正源) 『역해참고(易解參攷)』

變化 [至] 知來.

변하고 화하며 … 올 것을 안다.

平庵項氏曰, 云爲卽言動也. 人之言動, 卽易之變化也. 故曰, 變化云爲, 此四句, 卽上繫之四道也. 變化云爲, 卽尙其事, 尙其變也. 象事占事, 卽尙其象, 尙其占也. 精於變化云爲, 則知動之微見, 吉之先, 有擬議之功, 无諂瀆之禍, 故曰吉事有祥. 此以辭與變, 體之於身也. 精於觀象, 可知制器之理, 如十三卦是也. 精於占卜, 可知方來之事, 如逐知來物是也. 此以占與象, 措於辭也.

평암항씨가 말하였다: 운위(云爲)는 '말함'과 '행함'이다. 사람이 말하고 행동함이니, 바로 역의 '변함'과 '화함'이다. 그러므로 "변하고, 화하며, 말하고, 행한다"는 이 네 구절은 앞에서 말한 네 가지 도이다. "변하고, 화하며, 말하고, 행한다"는 그 일을 숭상함이고, 그 변화를 숭상함이다. "일을 그려내고, 일을 점친다"는 바로 '그 상을 숭상하고, 그 점을 숭상함'이다. 변하고, 화하며, 말하고, 행하기를 정밀하게 하면 움직임이 미묘하게 드러남을 알아차려서, 길한 것에 앞서서 헤아리는 공이 있고, 곤경에 빠지는 화가 없을 것이기 때문에 "길한 일은 상서로움이 있다"고 하였다. 이는 사(辭)와 변(變)으로써 몸에 체득하는 것이다. 상을 관찰하기를 정밀하게 하면 기구를 만드는 이치를 알 수 있으니, 13괘 같은 것이 이것이다. 점치기를 정밀하게 하면 막 올 일을 알 수 있으니, 마침내 올 것을 안다는 것이 이것이다. 이는 점과 상을 가지고 사(辭)에 놓은 것이다.

○ 案, 吉凶見於卦之變化, 妖祥見於人之云爲, 如中庸所謂見乎蓍龜, 動乎四體是也. 只言吉事, 則凶事在其中.

내가 살펴보았다: 길흉은 괘의 변화에서 보이고, 요사함과 상서로움은 사람이 말하고 행하는 데서 보이니, 『중용』에 이른바 "시초점과 거북점에 나타나며, 사지에서 드러난다"[316]는 것이 이것이다. 길한 일만 말하면 흉한 일은 그 가운데 있다.

---

316) 『中庸』24장.

김상악(金相岳) 『산천역설(山天易說)』

在天道則爲變化, 在人事則爲云爲. 人事與天道相符, 則吉事有祥. 所以象事者, 於此而知器, 占事者於此而知來.

천도에 있어서는 변하고 화하며, 인사에 있어서는 말하고 행한다. 인사가 천도와 서로 부합하면 길한 일에는 상서로움이 있다. 따라서 일을 그려내는 자는 여기에서 기물을 알고, 일을 점치는 자는 여기에서 올 것을 안다.

윤행임(尹行恁) 『신호수필(薪湖隨筆)・계사전(繫辭傳)』

中庸曰, 國之將興, 必有禎祥, 此之謂吉事有祥. 伏羲之時, 河而出圖, 大禹之世, 洛而出書, 吉祥也. 如僞周書白魚赤烏, 讖緯之筌也.

『중용』에 "나라가 장차 흥하려 하면 반드시 상서로운 조짐이 있다"고 하였으니, 이것을 길한 일에는 상서로움이 있다고 하는 것이다. 복희씨 시절에 황하에서 「하도」가 나오고, 우임금의 시절에 낙수에서 「낙서」가 나온 것이 길한 상서로움이다. 위서인 『주서』에 나오는 흰 물고기와 붉은 새의 예언 같은 것은 참위의 도구이다.

오치기(吳致箕) 「주역경전증해(周易經傳增解)」

單言吉事, 則凶可推也. 此節承上文定吉凶成亹亹之語, 言辭變象占四者之道也. 變化云爲者, 言陽變陰化之事, 皆有動作而云爲也. 吉事有祥者, 言以吉, 繫辭之事, 皆有禎祥之先見也. 象事知器者, 言尙其象而知制器之事也. 占事知來者, 言尙其占而知未來之事也.

길한 일만 말하면 흉함은 미루어 볼 수 있다. 이 절은 윗 문장의 "길흉을 정하고 부지런히 애씀을 이룬다"는 말을 이어서 사(辭)・변(變)・상(象)・점(占)의 네 가지 도리를 말하였다. "변(變)하고 화(化)하며 말하고 행함"은 음양이 변화하는 일이 모두 움직이고 말하고 행함이 있음을 말한 것이다. "길한 일은 상서로움이 있다"는 길함으로써 말한 것이니 말을 매다는 일은 모두 상서로움을 먼저 보인 것이다. "일을 그려내어 기물을 알며"는 그 상을 숭상하여 기물을 제작하는 일을 앎을 말한 것이고, "일을 점쳐서 올 것을 아니"는 그 점을 숭상하여 미래의 일을 앎을 말한 것이다.

이진상(李震相) 『역학관규(易學管窺)』

吉事有祥.

길한 길에는 상서로움이 있다.

天道變化, 而妖祥著焉. 人事云爲, 而吉凶判焉, 天人相應之妙也. 象是象其變化, 而云爲卽著於器. 占是占其吉凶, 而妖祥以類而來.

천도는 변하고 화함에서 요사스러움과 상서로움이 드러나고, 인사는 말하고 행함에서 길흉이 갈라지니, 하늘과 사람이 서로 호응하는 오묘함이다. 상은 그 변화를 본뜨는 것이고, 말하고 행함은 기물에서 드러난다. 점은 길흉을 점쳐서 요사스러움과 상서로움이 부류대로 오는 것이다.

天地設位, 聖人成能, 人謀鬼謀, 百姓與能.

천지가 자리를 베풂에 성인이 공능[能]을 이루니, 사람에게 도모하며 귀신에게 도모함에 백성이 공능에 참여한다.

中國大全

小註

程子曰, 天地設位, 聖人成能, 且行乎天地之中, 所以爲三才. 天地本一物也, 地亦天也. 只是人爲天地心, 是心之動, 則分了天爲上, 地爲下. 兼三才而兩之, 故六也.

정자가 말하였다: 천지가 자리를 베풂에 성인이 공능을 이루고, 또 천지의 사이에서 시행하니 삼재가 되는 것이다. 천지는 본래 한 물건이니, 땅도 또한 하늘이다. 단지 사람이 천지의 마음이 될 뿐이니, 이 마음이 움직이면 나뉘어져 하늘이 위가 되고 땅이 아래가 된다. 삼재를 겸하여 두 번 하였으므로 여섯이다.

本義

天地設位, 而聖人作易, 以成其功. 於是人謀鬼謀, 雖百姓之愚, 皆得以與其能.

하늘과 땅이 자리를 베풂에 성인이 『주역』을 지어 그 공능(功能)을 이루었다. 이에 사람에게 도모하며 귀신에게 도모하니, 비록 어리석은 백성이라도 모두 그 공능에 참여할 수 있다.

小註

朱子曰, 天地設位四句, 說天人合處, 天地設位, 使聖人成其功能, 人謀鬼謀, 則雖百姓亦可以與其能. 成能與與能, 雖大小不同, 然亦是小小底造化之功用. 然百姓與能, 卻須因蓍龜而方知得, 百姓无知, 因卜筮便會做得事. 人謀鬼謀, 猶洪範之謀及卜筮卿士庶人相似.

주자가 말하였다: '천지가 자리를 베풂에'의 네 구절은 하늘과 사람이 합일하는 곳을 말하니, 천지가 자리를 베풀어 성인에게 그 공능을 이루게 하고, 사람에게 도모하며 귀신에게 도모함에 비록 백성이라도 그 공능에 참여할 수 있다는 것이다. '공능을 이룸[成能]'과 '공능에 참여함[與能]'은 비록 크고 작음이 다르지만, 그러나 역시 큰 차이 없는 조화의 작용인 것이다. 그러나 백성이 공능에 참여함은 도리어 시초점과 거북점에 의거해야만 비로소 알 수 있으니, 백성은 앎이 없어서 점을 의거해야 일을 실행할 수 있는 것이다. '사람에게 도모하며 귀신에게 도모함'은 「홍범」에서 도모함을 복서와 경사와 서인에게 미치라는 것317)과 서로 같다.

○ 雲峰胡氏曰, 天理有此理不能以告人, 聖人作爲卜筮之書, 明則謀諸人, 幽則謀諸鬼. 百姓亦得以與其能, 此聖人所以成天地之能也. 聖人成天地所不能成之能, 百姓得以與聖人所已成之能也.
운봉호씨가 말하였다: 천리(天理)에 이러한 이치가 있어도 사람에게 알려 줄 수 없어서 성인이 점치는 책을 만들고는 밝은 것은 사람에게 도모하고 어두운 것은 귀신에게 도모하였다. 백성도 또한 그 공능에 참여할 수 있었으니, 이것이 성인이 천지의 공능을 이룬 까닭이다. 성인이 천지가 이룰 수 없었던 공능을 이루었기에, 백성이 성인이 이뤄 놓은 공능에 참여할 수 있는 것이다.

○ 臨川吳氏曰, 健順易簡, 知險知阻, 此天地之能說心研慮. 定吉凶, 成亹亹, 此聖人之能而成天地之能也. 云爲之祥, 象占之知, 此百姓之能而與聖人之能者也.
임천오씨가 말하였다: 강건하고 유순하며 평이하고 간결하여 험함을 알고 막힘을 아는 것은 천지가 마음에 기뻐하고 생각에 궁구할 수 있는 것이다. 길흉을 정하고 부지런히 애씀을 이루는 것은 성인의 공능으로 천지의 공능을 이룬 것이다. 말하고 행하는 상서로움과 그려내고 점쳐서 앎은 백성의 공능으로 성인의 공능에 참여한 것이다.

---

317) 『書經·洪範』: 汝則有大疑, 謀及乃心, 謀及卿士, 謀及庶人, 謀及卜筮.

┃韓國大全┃

이익(李瀷) 『역경질서(易經疾書)』

變化云爲, 尙變尙辭也. 云者, 言其理也, 爲者, 爲其事也. 言之者, 將欲行之, 故添一爲字. 此二者, 非値事端而占其吉凶. 卽我自循善一遍行, 故均稱吉事, 祥者, 乃吉之先見, 故從善背惡, 爲吉事之祥也. 下文尙象尙占. 又以例推說, 天地設位, 則鬼謀著矣, 聖人成能, 則人謀具矣, 聖人作易然後, 稽于神明, 故先人而後鬼. 易旣成矣. 衆人亦可以與能[318]也.

"변하고 화하며 말하고 행함"은 변(變)을 숭상하고 사(辭)를 숭상하는 것이다. '말함[云]'은 그 이치를 말하는 것이고, '함[爲]'은 그 일을 하는 것이다. 말하는 자는 하려고 하기 때문에 '위(爲)'자를 덧붙였다. 이 두 가지는 일의 단서에만 해당하는 것이 아니라 그 길흉을 점치는 것이다. 곧 나 스스로 선한 쪽만을 따라서 행하기 때문에 균등하게 '길한 일'이라 하였고, '상서로움'은 길함이 먼저 드러난 것이기 때문에 선을 따르고 악을 등짐이 길한 일의 상서로움이 된다. 아래 문장은 상을 숭상하고 점을 숭상하는 것이다. 또 예로써 미루어 말하면 천지가 자리를 베풂에 귀신에게 도모함이 드러나고, 성인이 공능을 이루면 사람에게 도모함이 갖추어지는데, 성인이 역을 지은 이후에 신명에게 물으므로 사람을 먼저로 하고 귀신을 뒤로 하였다. 역이 이미 이루어졌기에 백성들도 공능에 참여할 수 있다.

유정원(柳正源) 『역해참고(易解參攷)』

天地 [至] 與能.
천지가 … 공능에 참여한다.

韓氏曰, 人謀, 凡問於衆以定得失也. 鬼謀, 凡寄卜筮以考吉凶也. 不役思慮而失得自明, 不勞探討而吉凶自著. 類萬物之情, 通幽明之故. 故百姓與能, 樂推而不厭也.

한강백이 말하였다: 사람에게 도모함은 대중에게 물어 그 득실을 판정함이고, 귀신에게 도모함은 복서에 의지하여 그 길흉을 고찰함이다. 애써 생각하지 않아도 잃고 얻음이 자명하고, 수고롭게 탐구하지 않아도 길흉이 저절로 드러남은 만물의 실정을 분류하고 그윽함과 밝음의 까닭에 통하기 때문이다. 그러므로 백성이 공능에 참여해서 즐거이 미루고 싫증내지 않는다.

---

318) 能: 경학자료집성DB와 영인본에 '有'로 되어 있으나, 경문과 문맥을 살펴 '能'으로 바로잡았다.

○ 南軒張氏曰, 天能天而不能地, 地能地而不能天, 所賴聖人成其能, 其能可謂大矣. 然, 又且明, 謀之人, 幽, 謀之鬼, 不自認以爲能. 故百姓莫不歸美, 以與其能也.

남헌장씨가 말하였다: 하늘은 하늘 노릇은 할 수 있지만 땅 노릇은 할 수 없고, 땅은 땅 노릇은 할 수 있지만 하늘 노릇은 할 수 없어서, 성인이 그 공능을 이루는 데 의지하는 것이니, 그 공능을 크다고 하겠다. 그러나 또한 '밝음'은 사람에게 도모하는 것이고 '그윽함'은 귀신에게 도모하는 것인데 자신도 모르는 채 능하게 하는 것이다. 그러므로 백성이 아름다움으로 돌아가지 않음이 없어서 그 공능에 참여한다.

김상악(金相岳) 『산천역설(山天易說)』

成能者, 聖人作易之功也. 故明而謀諸人, 幽而謀諸鬼, 雖百姓之愚, 亦得以與其能也.

공능을 이룬다는 것은 성인이 역을 지은 공이다. 그러므로 밝은 것은 사람에게 도모하고, 그윽한 것은 귀신에게 도모하여 비록 어리석은 백성이라도 그 공능에 참여할 수 있다.

윤종섭(尹鍾燮) 『경(經)-역(易)』

聖人成能者, 觀象設卦, 行其典禮, 以成天地之能事. 百姓與能者, 觀辭玩占, 趨吉避凶, 以與乎聖人之能事.

'성인이 공능을 이루는 것'은 상을 살피고 괘를 펼쳐 그 전례를 행하여 천지의 능한 일을 이루는 것이고, '백성이 공능에 참여하는 것'은 괘·효사를 살피고 점을 완미하여 길함을 쫓고 흉함을 피하여 성인의 능한 일에 참여하는 것이다.

오치기(吳致箕) 「주역경전증해(周易經傳增解)」

承上文, 而言是皆天地設位于上下, 而聖人參乎其間, 成其功能者也. 故設卦之事, 言乎明, 則人以謀諸蓍策, 言乎幽, 則蓍以謀諸鬼神, 而百姓得以與於聖人所已成之能也. 此下專言卦爻之事.

윗 문장을 이어서 이것이 모두 천지가 위아래에서 자리를 베풀고 성인이 그 사이에 참여하여 그 공능을 이루는 것임을 말하였다. 그러므로 괘를 펼친 일을 밝음[明]으로써 말하면 사람이 시책(蓍策)에서 도모하고, 어두움[幽]으로써 말하면 시초를 가지고 귀신에게 도모하는 것이며, 백성은 성인이 이미 이루어 놓은 공능에 참여 할 수 있는 것이다. 이 아래는 오로지 괘·효의 일만 말하였다.

이병헌(李炳憲) 『역경금문고통론(易經今文考通論)』319)

篇將終, 重述經者乾坤屯蒙之義, 健順險阻, 是320)也. 故建侯以說心, 筮告以定吉凶也.

책이 곧 끝나려 함에 거듭 경전의 건괘(乾卦)·곤괘(坤卦)·준괘(屯卦)·몽괘(蒙卦)의 뜻을 기술하였으니, 강건함[健]·유순함[順]·험함[險]·막힘[阻]이 이것이다. 그러므로 제후를 세워서321) 마음을 기쁘게 하고, 점쳐 알려서 길흉을 정하였다.

姚曰, 剛柔始交出震, 交坎而成屯, 屯利建侯, 謂治國也.

요신이 말하였다: 강유가 처음 사귀어 진괘(☳)가 나오고, 감괘(☵)와 사귀어 준괘(屯卦)를 이루는데, 준괘의 '제후를 세움이 이로움'322)은 나라를 다스림을 말한다.

虞曰, 祥, 幾祥也, 吉之先見者也.

우번이 말하였다: '상서로움[祥]'은 기미의 상서로움이니, 길함이 먼저 나타난 것이다.

韓曰, 人謀, 況議於衆, 以定失得, 鬼謀, 況寄卜筮, 以考吉凶也. 百姓與能, 衆推而不厭也.

한강백이 말하였다: '사람에게 도모함'은 무리와 견주고 의논하여 득실(得失)을 정함이고, '귀신에게 도모함'은 복서(卜筮)에 견주고 의지하여 길흉(吉凶)을 상고함이다. '백성이 공능에 참여함'은 무리가 미루어서 싫어하지 않음이다.

---

319) 경학자료집성DB에서는 「계사하전」 제10장에 해당하는 것으로 분류했으나, 내용에 따라 이 자리로 옮겨 바로잡았다.

320) 是: 경학자료집성DB에는 '疑'로 되어 있으나, 경학자료집성 영인본과 문맥을 살펴서 '是'로 바로잡았다.

321) 『周易·屯卦』: 屯, 元亨, 利貞, 勿用有攸往, 利建侯.

322) 『周易·屯卦』: 屯, 元亨, 利貞, 勿用有攸往, 利建侯.

八卦以象告, 爻彖以情言, 剛柔雜居, 而吉凶可見矣.

팔괘는 상(象)으로 일러주고 효사[爻]와 단사[彖]는 정황[情]으로 말해주니, 굳센 양과 부드러운 음이 섞여 있음에 길과 흉을 볼 수 있을 것이다.

‖中國大全‖

本義

象, 謂卦畫, 爻彖, 謂卦爻辭.

‘상(象)’은 괘의 획을 말하고, ‘효사[爻]’와 ‘단사[彖]’는 괘와 효의 말을 말한다.

小註

朱子曰, 八卦以象告以後, 說得叢雜, 不知如何.

주자가 말하였다: “팔괘는 상으로 일러 준다”부터는 말한 것이 어수선하여 어떤 뜻인지 모르겠다.

○ 張子曰, 八卦有體, 故象在其中, 錯綜爲六十四卦. 爻彖所趨各異, 故曰情言.

장자가 말하였다: 팔괘는 몸체가 있으므로 상이 그 가운데에 있고 뒤섞여서 64괘가 된다. 효사와 단사는 지향하는 것이 각각 다르므로 “정황으로 말해준다”고 하였다.

○ 南軒張氏曰, 八卦成列, 象在其中矣, 此八卦, 所以告人以象. 至於爻者變也, 象者材也, 皆有辭者, 此聖人以情而言於人也. 剛柔雜居, 則交通以趨時, 而或失或得, 故吉凶見焉.

남헌장씨가 말하였다: “팔괘가 줄을 지으니 상이 그 가운데 있다”323)는 것이 팔괘가 사람에게 상으로 일러주는 것이다. “효(爻)는 변화이고 괘[象]는 재질이다”까지에 모두 설명을 두었던 것은 성인이 정황으로 사람에게 말해준 것이다. 강과 유가 섞여 있으면 서로 통하여

---

323) 『周易 · 繫辭傳』: 八卦成列, 象在其中矣, 因而重之, 爻在其中矣.

때를 따라 잃기도 하고 얻기도 하므로 길과 흉이 드러나는 것이다.

○ 雲峰胡氏曰, 以象告者, 先天之易也, 以情言者, 後天之易也. 剛柔雜居, 而吉凶可見, 上古觀之於象可見, 後世非爻象以情言不可也.
운봉호씨가 말하였다: '상으로 일러줌'은 선천의 역이고 '정황으로 말해줌'은 후천의 역이다. '굳센 양과 부드러운 음이 섞여 있음에 길과 흉을 볼 수 있음'은 상고에는 상으로 살펴도 알 수 있었지만, 후세에는 단사와 효사로 정황을 가지고 말해 주지 않는다면 알 수 없다.

▌韓國大全▐

이익(李瀷) 『역경질서(易經疾書)』

八卦以象告, 如乾告剛健之象, 坤告柔順之象. 爻象繫辭之前, 只有象而已. 爻象以情言, 如泰象言內君子而外小人, 否象言內小人而外君子, 及泰爻言拔茅城復等, 否爻言拔茅傾否等是也. 剛柔雜居, 又以爻象言也.
"팔괘는 상으로 알려 준다"는 건괘가 강건한 상으로 알려주고 건괘는 유순한 상으로 알려주는 것과 같으니, 효와 괘는 사(辭)를 붙이기 전에는 단지 상만 있을 뿐이었다. "효사와 단사는 정황으로 말해준다"는 태괘(泰卦) 단사에 "군자가 안에 있고 소인이 밖에 있다"고 한 것과, 비괘(否卦) 단사에 "소인이 안에 있고 군자가 밖에 있다"고 한 말 같은 것과, 태괘 효사에 "띠풀을 뽑는다", "성이 무너져 해자로 돌아온다"고 한 것과 비괘 효사에 "띠풀을 뽑는다", "비색한 것이 기운다"고 한 것 등이 이것이다. '굳센 양과 부드러운 음이 뒤섞여 있음'은 또 효사와 괘사를 가지고 말한 것이다.

유정원(柳正源) 『역해참고(易解參攷)』

八卦 [至] 見矣.
팔괘는 … 볼 수 있을 것이다.

案, 以象告者, 如卦德卦體之類, 以情言者, 如吉凶悔吝之類. 小註雲峯說, 以先後天分言, 恐未然.

내가 살펴보았다: 상으로써 알려주는 것은 괘의 덕, 괘의 몸체 같은 종류이고, 정황으로 알려주는 것은 길·흉·회·린 같은 종류이다. 소주에서 운봉의 설은 선·후천으로 나누어 말하였는데, 그렇지 않은 것 같다.

김상악(金相岳) 『산천역설(山天易說)』

情卽象之情, 陽有陽之情, 陰有陰之情也. 剛柔卽九六也. 相雜則吉凶之理, 自可見矣.

정황[情]은 상의 정황이니, 양에는 양의 정황이 있고 음에는 음의 정황이 있다. 굳센 양과 부드러운 음은 바로 9와 6이다. 서로 뒤섞이면 길흉의 이치를 자연히 볼 수 있다.

오치기(吳致箕) 「주역경전증해(周易經傳增解)」

象者, 卽卦中剛柔之畫及天地雷風之類. 聖人觀此, 以知卦之變化也. 告者, 示也. 爻謂爻辭, 象謂象辭, 而所以言卦爻之情者, 故曰以情言也. 剛柔雜居, 言六爻陰陽錯雜而居也. 此句, 又擧六爻之體, 以起下文之義也.

상이란 괘 가운데 굳센 획과 부드러운 획 및 하늘·땅·우레·바람 같은 부류이다. 성인이 이를 보고 괘의 변화를 안다. '고함[告]'은 보여주는 것이다. 효는 효사를 말하고, 단은 단사를 말하는데, 괘 효의 정황을 말한 것이므로 "정황으로 말해준다"고 하였다. "굳셈과 부드러움이 섞여 있다"는 것은 여섯 효의 음양이 뒤섞여 있는 것을 말한다. 이 구절은 또한 여섯 효의 몸체를 들어서 아래 문장의 뜻을 일으켰다.

이진상(李震相) 『역학관규(易學管窺)』

八卦以象告.

팔괘는 상(象)으로 일러주고.

剛柔雜居, 以象告也. 吉匈無隱, 以情言也. 先天有畫而無文, 故以象告者, 謂之先天. 後天有文而有占, 故以情言者, 謂之後天. 然經之本意, 只就見行易通說之, 非以此分先後天也.

굳센 양과 부드러운 음이 뒤섞여 있음은 상으로써 알려준 것이다. 길함과 흉함을 숨김이 없는 것은 정황으로 말해준 것이다. 선천은 획은 있지만 글자가 없기 때문에 상으로써 알려준 것을 선천이라 한다. 후천은 글도 있고 점도 있기 때문에 정황으로써 말해주는 것을 후천이라 한다. 그러나 경의 본뜻은 단지 드러난 역에서 통설한 것이지, 이것을 가지고 선·후천을 나누려는 것은 아니다.

變動, 以利言, 吉凶, 以情遷. 是故, 愛惡相攻, 而吉凶生, 遠近相取, 而悔吝生, 情僞相感, 而利害生, 凡易之情, 近而不相得, 則凶或害之, 悔且吝.

변동(變動)은 이로움으로 말하고 길흉(吉凶)은 정황[情]으로 옮겨간다. 이런 까닭으로 사랑함과 미워함이 서로 공격함에 길과 흉이 나오며, 멂과 가까움이 서로 취함에 뉘우침과 인색함이 나오며, 진정과 허위가 서로 느낌에 이로움과 해로움이 나오니, 무릇 역의 정황은 가깝고도 서로 얻지 못하면 흉하거나 혹 해치며, 뉘우치면서 또 인색하게 된다.

中國大全

本義

不相得, 謂相惡也, 凶害悔吝, 皆由此生.

'서로 얻지 못함'은 서로 미워함을 말하니, 흉함과 해침, 뉘우침과 인색함이 모두 이로부터 나온다.

小註

或問, 易之情, 近而不相得, 則凶或害之, 悔且吝, 是如何. 朱子曰, 此疑是指占法而言. 想古人占法更多, 今不見得. 蓋遠而不相得, 則安能爲害. 唯切近不相得, 則凶害便能相及. 如一箇凶人在五湖四海之外, 安能害自家. 若與之爲鄰近, 則有害矣. 又問, 此如今人占火珠林課底, 是凶神, 動與世不相干, 則不能爲害, 唯是克世應世, 則能爲害否. 曰, 恐是這樣意思.

어떤 이가 물었다: "역의 정황은 가깝고도 서로 얻지 못하면 흉하거나 혹 해치며, 뉘우치면서 또 인색하게 된 다"는 무슨 뜻입니까?

주자가 답하였다: 이것은 점치는 방법을 가리켜 말한 것 같습니다. 옛 사람들은 점치는 방법이 많았다고 생각되지만, 지금을 알 수가 없습니다. 대체로 멀리하면서 서로 얻지 못한다면 어찌 해가 되겠습니까? 오직 아주 가까이하면서도 서로 얻지 못하기에 흉함과 해침이 서로

미치는 것입니다. 만약 어떤 흉인이 멀리 떨어져 있다면 어찌 나를 해칠 수 있겠습니까? 만약 그와 이웃한다면 해가 될 것입니다.

또 물었다: 이는 지금 사람들이 화주림[324]으로 점쳐 살피는 것과 같으니, 흉신(凶神)이 움직여서 점친 자를 상징하는 세효(世爻)와 상관이 없다면 해가 될 수 없지만, 다만 세효를 해치거나 세효와 호응하면 해가 될 수 있다는 것입니까?

답하였다: 아마도 이러한 뜻인 듯합니다.

○ 平庵項氏曰, 上文言剛柔雜居而吉凶可見, 則象之所以示人者明矣. 變動以利言, 吉凶以情遷, 此再言辭之諭人者殊也. 是故愛惡相攻以下, 皆言吉凶以情遷之事, 而以六爻之情與辭明之. 吉凶悔吝利害之三辭, 分出於相攻相取相感之三情, 而總屬於相近之一情, 此四相者, 爻之情也. 命辭之法, 必各象其爻之情, 故觀其辭, 可以知其情. 利害者, 商略其事宜有利有不利也, 悔吝則有跡矣, 吉凶則其成也. 故總而名之曰吉凶. 相感者, 情之始交, 故以利害言之, 相取則有事矣, 故以悔吝言之, 相攻則其事極矣, 故以吉凶言之. 遠近情僞, 姑就淺深分之, 若錯而總之, 則相攻相取相感之人, 其居皆有遠近, 其行皆有情僞, 其情皆有愛惡也. 故總以相近一條明之. 近而不相得, 則以惡相攻而凶生矣, 以僞相感而害生矣, 不以近相取而悔吝生矣, 是則一近之中備此三條也. 凡爻有比爻, 有應爻, 有一卦之主爻, 皆情之當相得者也. 今稱近者, 止據比爻言之, 反以三隅, 則遠而爲應爲主者, 亦必備此三條矣. 但居之近者, 其吉凶尤多, 故聖人概以近者明之.

평암항씨가 말하였다: 위의 글에서 "강과 유가 섞어 있음에 길과 흉을 볼 수 있다"고 하였으니, 상이 사람들에게 보인 것이 분명하다. "변동은 이로움으로 말하고, 길흉은 정황으로 옮겨간다"는 것은 말로 사람을 깨우침이 뛰어나다고 거듭 말한 것이다. '이런 까닭으로 사랑함과 미워함이 서로 공격함'부터는 모두 길흉이 정황에 따라 옮겨가는 일을 말하면서 육효의 정황과 말로 이를 밝힌 것이다. '길흉(吉凶)'과 '회린(悔吝)'과 '이해(利害)' 세 말은 '서로 공격함'과 '서로 취함'과 '서로 느낌'의 세 가지 정황에서 나뉘어 나왔으나, 총괄하면 "서로 가깝다"는 하나의 정황으로 모여지는데, 이 네 개의 '서로 함'이 효의 정황이다. 말을 붙이는 방법은 반드시 그 효의 정황을 각각 그려냈으므로 그 말을 보면 그 정황을 알 수 있다. '이해'는 그 일이 의당 이로울 것인지 이롭지 않음이 있을지를 헤아린 것이고 '회린'은 여파가 있는 것이고, '길흉'은 그 일이 이루어진 것이다. 그러므로 총괄하여 '길흉'이라 한다. '서로 느낌'은 처음 교류하는 정황이므로 '이해'로 말하였고, '서로 취함'은 일이 있는 것이므로 '회린'으로 말하였고, '서로 공격함'은 그 일을 다 한 것이므로 '길흉'으로 말하였다. 멂과 가까움,

---

324) 화주림: 시초를 대신하여 동전으로 점치는 방법.

진정과 허위는 일단 정도에 따라서 나눈 것이지만, 섞어서 종합한다면 서로 공격하고 서로 취하고 서로 느끼는 사람에게는 머무름에 모두 멂과 가까움이 있고, 행함에 모두 진정과 허위가 있고, 정황에 모두 사랑함과 미워함이 있게 된다. 그러므로 "서로 가깝다"는 한 조목으로 총괄하여 밝혔다. 가까우면서 서로 얻지 못하면 미워함으로 서로 공격하여 '흉'이 나오고, 허위로 서로 느껴 '해'가 나오며, 가까우면서 서로 취하지 않아 '회린(悔吝)'이 나오니, 이것은 곧 하나의 가까움에 이 세 조목이 갖추어진 것이다. 모든 효에는 나란히 하는 효[比爻]가 있고, 호응하는 효[應爻]가 있고, 한 괘의 주효(主爻)가 있는데, 모두 정황에 서로 얻어야만 하는 것이다. 지금 가깝다고 한 것은 단지 나란히 하는 효만을 의거하여 말한 것이지만, 돌이켜 생각한다면 멀리서 호응하거나 주효가 되는 것에도 분명 이 세 조목이 갖추어졌을 것이다. 다만 가까이 머무르는 것에 길흉이 더욱 많으므로 성인이 가까운 것으로 개괄하여 밝힌 것이다.

○ 進齋徐氏曰, 易道變動, 開物成務, 以利言也, 而卦爻之辭, 有吉有凶, 以其情之有所遷耳. 愛惡相攻, 如訟九四不克訟復卽命, 以與初相愛也, 謙六五利用侵伐, 上六利用行師, 以與九三相愛也, 同人九三伏戎于莽, 惡九五也, 九五大師克相遇, 惡三四也. 遠近相取, 如姤九五以杞包瓜, 上九姤其角, 遠取初六也, 解六三負且乘, 近取二四也, 豫六三盱豫, 近取九四也. 情僞相感, 如中孚九二鳴鶴在陰, 以情感乎五也, 屯六四求婚媾往, 以情感乎初也, 蒙六三見金夫不有躬, 以僞感乎二也, 漸九三夫征不復婦孕不育, 以僞感乎四也. 凡此皆以情遷者也.

진재서씨가 말하였다: 역도가 변동하여 만물을 열어 일을 이룸은 이로움으로 말한 것이고, 괘효의 말에 길이 있고 흉이 있음은 그 정황의 옮겨감이 있기 때문이다. '사랑함과 미워함이 서로 공격함'은 예컨대 송괘(訟卦) 구사의 '송사를 이기지 못함이라, 돌아와 명에 나아감'[325]은 초육과 서로 사랑하기 때문이고, 겸괘(謙卦) 육오의 '침벌을 씀이 이로움'[326]과 상육의 '군사를 행하여 읍국을 침이 이로움'[327]은 구삼과 서로 사랑하기 때문이며, 동인괘(同人卦) 구삼의 '군사를 숲에 매복시킴'[328]은 구오를 미워해서이고, 구오의 '큰 군사로 이겨야 서로 만남'[329]은 구삼과 구사를 미워해서이다. '멂과 가까움이 서로 취함'은 예컨대 구괘(姤卦) 구오의 '박달나무로 오이를 쌈'[330]과 상구의 '그 뿔을 만남'[331]은 멀리서 초육을 취한 것이고,

---

325) 『周易·訟卦』: 九四, 不克訟, 復卽命, 渝, 安貞, 吉.

326) 『周易·謙卦』: 六五, 不富以其隣, 利用侵伐, 无不利.

327) 『周易·謙卦』: 上六, 鳴謙, 利用行師, 征邑國.

328) 『周易·同人卦』: 九三, 伏戎于莽, 升其高陵, 三歲不興.

329) 『周易·同人卦』: 九五, 同人, 先號咷而後笑, 大師克, 相遇.

330) 『周易·姤卦』: 九五, 以杞包瓜, 含章, 有隕自天.

해괘(解卦) 육삼의 '짊어져야 할 것이 또 올라탐'[332]은 가까이 육이와 구사를 취한 것이고, 예괘(豫卦) 육삼의 '쳐다보며 즐거워함'[333]은 가까이 육사를 취한 것이다. '진정과 허위가 서로 느낌'은, 예컨대 중부괘(中孚卦) 구이의 '우는 학이 그늘에 있음'[334]은 진정으로 구오와 느끼는 것이고, 준괘(屯卦) 구사의 '청혼을 구하여 나감'[335]은 진정으로 초구와 느끼는 것이며, 몽괘(蒙卦) 육삼의 '돈 많은 사내를 보고 몸을 지키지 못함'[336]은 허위로 구이와 느끼는 것이고, 점괘(漸卦) 구삼의 '지아비가 가면 돌아오지 못하고 지어미가 잉태하면 기르지 못함'[337]은 허위로 육사와 느끼는 것이다. 이러한 모든 것들이 정황으로 옮겨간다는 것이다.

○ 臨川吳氏曰, 爻象以情言, 象與爻皆言情也. 吉凶以情遷, 則情專屬爻而不及象, 何也. 蓋變動以利言, 利亦自情而生也. 象亦有情, 爻亦有利, 互文也. 不相得, 謂惡相攻, 僞相感, 近不相取, 則愛相攻, 情相感, 近相取, 爲相得矣. 不相得, 則凶害悔吝, 其相得, 則吉利悔亡无悔无咎從可知也. 夫子之已言者三, 其未言者三, 總之凡六條. 然此據近之比爻言爾. 若遠之應爻及主爻, 亦當各備六條, 總之爲十八條矣. 愚嘗以此十八條之例考之, 爻辭皆合. 乃知作傳聖人, 以此該括易之辭情, 至爲精密. 而諸家註釋, 唯項氏能究其底蘊焉.

임천오씨가 말하였다: 효사와 단사는 정황으로 말해주니, 단사와 효사가 모두 정황을 말하는 것이다. 그런데 "길흉은 정황으로 옮겨 간다"에서는 정황을 전적으로 효에 귀속시키고 단사를 언급하지 않았으니 어째서인가? 대체로 '변동은 이로움으로 말한다'의 이로움도 또한 정황으로부터 나온다. 단사에도 정황이 있고 효사에도 이로움이 있는 것이니 통용된 글이다. '서로 얻지 못함'은 미워하여 서로 공격하고, 허위로 서로 느끼고, 가까우면서 서로 취하지 않음을 말하니, 사랑하여 서로 공격하고, 진정으로 서로 느끼고, 가까이서 서로 취함은 '서로 얻음'이 될 것이다. 서로 얻지 못하면 흉하고 해치며 뉘우치고 인색하게 되니, 서로 얻으면 길하고 이로우며 뉘우침이 없고 후회가 없고 허물이 없음을 따라서 알 수 있다. 공자가 이미 말한 것이 세 가지이고 말하지 않은 것이 세 가지이니, 합치면 모두 여섯 조목이다. 그러나 이는 가까이서 나란히 하는 효에 의거하여 말하였을 뿐이다. 멀리서 호응하는 효와 주효(主爻)의 경우에도 또한 각각 여섯 조목이 갖추어져야만 하니, 합치면 18조가 된다.

---

331) 『周易·姤卦』: 上九, 姤其角, 吝无咎.

332) 『周易·解卦』: 六三, 負且乘, 致寇至, 貞, 吝.

333) 『周易·豫卦』: 六三, 盱豫. 悔, 遲有, 悔.

334) 『周易·中孚卦』: 九二, 鳴鶴, 在陰, 其子和之. 我有好爵, 吾與爾靡之.

335) 『周易·屯卦』: 六四, 乘馬班如, 求婚媾, 往, 吉, 无不利.

336) 『周易·蒙卦』: 六三, 勿用取女, 見金夫, 不有躬, 无攸利.

337) 『周易·漸卦』: 九三, 鴻漸于陸, 夫征, 不復, 婦孕, 不育, 凶, 利禦寇.

내가 일찍이 이 18조의 범례로 살펴보니 효사에 모두 부합하였다. 이에 역을 만들고 전수한 성인이 이것으로 『주역』의 말과 정황을 개괄한 것이 지극함을 알게 되었다. 여러 학자들의 주석 중에 오직 항씨만이 그 깊은 뜻을 궁구할 수 있었다.

‖韓國大全‖

유정원(柳正源) 『역해참고(易解参攷)』
變動 [至] 且吝.
변동은 … 또 인색하게 된다.

正義, 近謂兩爻相近而不相得, 以各无外應, 則致凶咎. 若各有應, 雖近不相得, 不必皆凶也.
『주역정의』에서 말하였다: ‘가까움’은 두 효가 서로 가깝지만 서로 얻지 못함을 말하니, 각기 밖으로 호응함이 없으면 흉함과 허물에 이르게 된다. 만약 각기 호응이 있다면 비록 가까이에서 서로 얻지 못하더라도 반드시 다 흉할 것은 없다.

○ 雙湖胡氏曰, 變動卽上文爻有變動是已. 以利言者, 爻之變動, 本皆教人趨吉避凶而歸於利耳. 然不免吉凶殊分者, 由情而遷也. 情有善有不善, 善則遷於吉, 不善則遷於凶, 至是不能皆歸於利矣. 是故以下, 愛惡遠近情僞, 所謂情也, 相攻相取相感, 遷之由也. 吉凶悔吝利害, 總名之, 曰吉凶也. 愛惡相攻, 因於遠近相取, 遠近相取, 因於情僞相感, 相感者, 情之始交, 利害之開端也. 相取者, 迹之已著, 悔吝之道分也. 相攻, 則事之已極, 吉凶之不可移也.
쌍호호씨가 말하였다: 변동은 곧 위 문장의 “효에는 변동이 있다”가 이것이다. ‘이로움[利]’을 말한 것은 효의 변동이 본래 모두 사람들에게 길함을 따르고 흉함을 피해 이로움으로 돌아갈 것을 가르쳐줄 뿐이다. 그러나 길흉이 다르게 나뉨을 면하지 못하는 것은 정(情)에 따라 옮겨가기 때문이다. 정에는 선한 것이 있고 선하지 못한 것이 있는데, 선한 것은 길함으로 옮겨가고, 선하지 못한 것은 흉함으로 옮겨가, 이에 이르러 모두 이로움으로 돌아가지는 못하는 것이다. ‘이런 까닭으로[是故]’ 다음의 사랑함과 미워함, 멂과 가까움, 진정과 허위는

이른바 정황[情]이고, 서로 공격하고, 서로 취하고, 서로 느낌은 말미암아 옮겨 가는 것이다. 길흉·회린·이해를 총괄해서 '길흉'이라 부른다. '사랑함과 미워함이 서로 공격함'은 멂과 가까움이 서로 취하는데 기인하고, '멂과 가까움이 서로 취함'은 진정과 허위가 서로 느끼는데 기인하니, '서로 느낌'은 정이 사귀기 시작함이고, 이로움과 해로움이 단서를 여는 것이다. '서로 취함'은 자취가 이미 드러나 후회하고 부끄러운 도리가 나뉘는 것이다. '서로 공격함'은 일이 이미 극에 달해 길흉을 옮길 수 없는 것이다.

此三言皆吉凶以情遷之事. 凡易之情以下, 獨擧近者, 總言之. 近而相取, 其情乃不相得, 此必其初之以僞感, 終至於惡而相攻, 是以凶耳. 旣至於凶, 其於害悔吝可知矣. 卽此一條備三者而明之, 大要欲人警省悔心生, 而吉利隨之, 終歸夫變動之利, 不墜於情遷之凶也.

이 세 가지는 모두 정황이 옮겨가는 일로써 길흉을 말한 것이다. '역의 정황[易之情]' 다음의 내용에서 유독 가까운 것만을 제시한 것은 총괄적으로 말한 것이다. 가까워 서로 취하는데, 그 정을 서로 얻지 못하면 이는 반드시 그 처음에는 어긋나는 감정이지만 끝에 가서는 미워하게 되어 서로 공격하니, 그래서 흉할 뿐이다. 이미 흉함에 이르렀으면 해롭고 후회하고 부끄러울 것을 알만하다. 이 한 조목으로 세 가지를 갖추어 다 밝히니, 요점은 사람들이 경계하여 살피고 후회하는 마음을 내어 길한 이로움이 따르고, 마침내 변동의 이로움으로 돌아가 정황의 옮겨감이 흉함으로 떨어지지 않도록 하려는 것이다.

○ 案, 變動以利言, 言利順也. 如所謂故者以利爲本之利也. 吉凶以情遷, 言情實也, 如所謂物之不齊, 物之情也之情也. 爻之變陰變陽不一, 而其或利或害, 皆自然之理, 不容人之思慮安排, 是利也. 事之或吉或凶不一, 而情則利生, 僞則害生, 皆感應之自然, 而不容人之智巧推移, 是情也. 是以吉凶悔吝利害兼言之, 而終以近不相得凶害悔吝結之, 是所謂其辭危也.

내가 살펴보았다: "변동은 이로움으로 말한다"는 순리로움을 이롭게 여김을 말한다. 이른바 "자취는 순리[利를 근본으로 삼는다"338)라고 할 때의 '리(利)'와 같다. "길흉은 정황으로 옮겨 간다"는 실정을 말한 것이니, 이른바 "사물이 고르지 못한 것은 사물의 실정이다"339)라고 할 때의 '정'과 같다. 효가 음으로 변하기도 하고 양으로 변하기도 해서 일정하지 않아 혹 이롭기도 하고 혹 해롭기도 한 것이 모두 자연한 이치여서, 사람이 생각해서 안배함을 용납하지 않으니, 이것이 '이로움'이다. 일이 길하기도 하고 흉하기도 하여 일정하지 않아,

---

338) 『孟子·離婁』: 孟子曰, 天下之言性也, 則故而已矣, 故者以利爲本.
339) 『孟子·滕文公』: 夫物之不齊, 物之情也.

진정이면 이로움이 생기고 허위면 해로움이 생기는 것이 모두 감응의 자연함이어서 사람의 교묘한 지혜가 미루어 옮김을 용납하지 않으니, 이것이 '정(情)'이다. 그러므로 길함·흉함·후회함·부끄러움·이로움·해로움을 겸해서 말하였지만 끝내 가까운데 서로 얻지 못해 흉하고 해로우며 후회하고 부끄럽다는 것으로 맺으니, 이것이 이른바 말이 위태로운 것이다.

小註, 朱子說世應.
소주에서 주자가 세응(世應)을 말하였다.
案, 世者, 自一爻至六爻, 遞變相承, 如繼世然也. 乾宮, 姤一世, 遯二世之類, 應者, 與世相對也.
내가 살펴보았다: 세(世)란 초효에서 상효까지 번갈아 변하여 서로 이어받음이 세대를 계승하는 것 같다. 건궁(乾宮)에서는 구괘가 1세, 돈괘가 2세가 되는 종류이고, 응(應)이란 세(世)와 서로 짝이 되는 것이다.

김상악(金相岳) 『산천역설(山天易說)』

卦以變爲主, 故以利言, 其言吉者, 固利人也. 其言凶者, 人則避之, 亦利也. 愛惡相攻, 而愛則吉, 惡則凶. 遠近情僞, 亦皆如此, 然凡易之情, 近而不相得, 則凶或害之, 悔且吝也. 此則謂其相比之爻也.
괘는 변화를 위주로 하기 때문에 이로움으로써 말하니, 그 길하다고 한 것은 본래 사람을 이롭게 하는 것이고, 그 흉하다고 한 것도 사람이 피하게 되면 또한 이로운 것이다. 사랑함과 미워함이 서로 공격하는데, 사랑함은 길하지만 미워함은 흉하다. 멀고 가까움, 진정과 허위 역시 모두 이와 같다. 그러나 "역의 정황은 가까이 하지만 서로 얻지 못하면 흉하여 해치기도 하고, 후회스럽거나 부끄럽게 된다"고 하였으니, 이는 서로 나란히 붙어 있는 효를 말한 것이다.

오희상(吳熙常) 「잡저(雜著)-역(易)」

變動以利言, 利字, 傳義俱無明訓. 竊恐此利字, 與孟子故者以利爲本之利, 義相似, 孟子集註云, 利猶順也, 語其自然之勢也.
"변동은 이로움으로 말한다"의 리(利)자에 대해 『정전』과 『본의』 모두 분명한 설명이 없다. 아마도 여기에서의 리(利)자는 『맹자』에서 "자취는 순리[利]를 근본으로 삼는다[340]라 할 때의 리(利)자와 뜻이 서로 비슷하니, 『맹자』집주에서 "이로움은 순리로움과 같다"고 하였으니, 그 자연한 형세를 말한 것이다.

심대윤(沈大允) 『주역상의점법(周易象義占法)』

凡禍敗之端, 多起于親密. 或有自外者, 不足憂也.

대체로 재앙의 실마리는 대부분 친밀한 데에서 일어난다. 혹 밖에서 오는 것은 근심할 것이 못 된다.

오치기(吳致箕) 「주역경전증해(周易經傳增解)」

變動以利言者, 卽所謂功業見乎變者也. 利謂功業, 而變動之吉者, 則人趣之而爲利, 變動之凶者, 則人避之而爲利, 故曰變動以利言. 辭言吉凶, 而言吉者, 以其爻情之遷變者得吉. 言凶者, 以其爻情之遷變者得凶. 故曰吉凶以情遷也. 是故以下四言相者, 卽指情遷者也.

"변동은 이로움으로 말한 것이다"는 이른바 공능과 사업이 변화에서 보인 것이다. 이로움은 공능과 사업을 말하는데, 변동하여 길한 것은 사람이 추구해 이롭게 되고, 변동하여 흉한 것은 사람이 피해 이롭게 된다. 그러므로 "변동은 이로움으로 말한 것이다"라 하였다. 말[辭]은 길흉을 말하는데 길하다고 한 것은 그 효의 정황이 옮겨가서 변한 것으로 길함을 얻기 때문이다. 흉하다고 한 것은 그 효의 정황이 옮겨가서 변한 것으로 흉함을 얻기 때문이다. 그러므로 "길흉은 정황으로 옮겨 간다"고 하였다. '이런 까닭으로[是故]' 아래에서 네 번 '서로[相]'라고 한 것은 바로 정황이 옮겨감을 가리킨 것이다.

攻猶取也. 愛相攻而吉者, 蓋如蒙六五與九二相愛, 屯六四與初九相愛也. 惡相攻而凶者, 如姤之九四與九二相惡, 剝初六與上九相惡也.

'공격함'이란 취함과 같다. 사랑하여 서로 취해서 길한 예로는 몽괘 육오효와 구이효가 서로 사랑하는 것과 준괘 육사효와 초구가 서로 사랑하는 것이 있다. 미워해서 서로 공격해서 흉한 것으로는 구괘의 구사효와 구이효가 서로 미워하고, 박괘의 초육과 상구효가 서로 미워하는 예가 있다.

遠相取而悔吝者, 如同人六二與九五相取, 晉上九與六三相取也. 近相取而悔吝者, 如豫六三與九四相取, 兌九五與上六相取也. 情相感而利者, 如家人九五與六二相感, 泰

---

340) 『孟子・離婁』: 孟子曰, "天下之言性也, 則故而已矣. 故者以利爲本.

之九二與六五相感也. 僞相感而害者, 如蒙六三與上九相感, 隨九四與六三相感也. 遠指應爻, 或主爻, 近指比爻也. 上句, 旣以愛惡遠近情僞三條, 言情遷之不一其道, 而下句又言比爻之不相得者, 亦生凶害悔吝, 如萃九五與九四不相得, 比上六與九五不相得, 小畜九三與六四不相得, 同人六二與九三不相得, 如此之類, 不可盡言也.

멀리 서로 취해서 후회하고 부끄러운 것으로는 동인괘 육이효와 구오효가 서로 취하고, 진괘(晉卦) 상구효와 육삼효가 서로 취한 예가 있다. 가까이 서로 취하여 후회하고 부끄러운 것으로는 예괘 육삼효와 구사효가 서로 취하고, 태괘(兌卦) 구오효와 상육효가 서로 취한 예가 있다. 진정이 서로 감응하여 이로운 것으로 가인괘 구오효와 육이효가 서로 감응하고, 태괘(泰卦) 구이효와 육오효가 서로 감응하는 예가 있다. 거짓이 서로 감응하여 해로운 것으로는 몽괘 육삼효와 상구효가 서로 감응하고, 수괘(隨卦) 구사효와 육삼효가 서로 감응하는 예가 있다. '멀리'는 호응하는 효를 가리키니 혹 주인인 효이고, '가까이'는 비의 관계인 효를 가리킨다. 윗 구절에서 이미 사랑함과 미워함, 멂과 가까움, 진정과 허위 세 조목으로 정황이 옮겨감에 그 길이 한결같이 않음을 말하였고, 아랫 구절에서 또 비의 관계에 있는 효가 서로 얻지 못한 경우에도 흉함과 해로움, 후회함과 부끄러움이 생겨남을 말하였으니, 예컨대 취괘 구오효와 구사효가 서로 얻지 못하고, 비괘(比卦) 상육효와 구오효가 서로 얻지 못하며, 소축괘 구삼효와 육사효가 서로 얻지 못하고, 동인괘 육이효와 구삼효가 서로 얻지 못한 것이다. 이러한 종류는 이루 다 말할 수가 없다.

愛惡之攻, 遠近之取, 情僞之感, 有淺深之分. 相感則情之始動, 故以利害言之, 相取則情之已露, 故以悔吝言之, 相攻則情之至極, 故以吉凶言之. 至若近不相得者, 亦有淺深不同, 故以凶害悔吝之別而言之也.

사랑함과 미워함이 공격함, 멂과 가까움이 취함, 진정과 허위가 감응함에는 얕고 깊은 구별이 있다. 서로 느끼면 정황이 움직이기 시작하므로 이로움과 해로움으로써 말하였고, 서로 취하면 정황이 이미 드러나므로 후회함과 부끄러움으로 말하였으며, 서로 공격하면 정황이 극에 달하므로 길함과 흉함으로 말하였다. 가까운데도 서로 얻지 못하는 경우에도 얕고 깊음이 같지 않으므로 흉함과 해로움, 후회함과 부끄러움의 구별로 말하였다.

將叛者, 其辭慙, 中心疑者, 其辭枝, 吉人之辭寡, 躁人之辭多, 誣善之人, 其辭游, 失其守者, 其辭屈.

장차 배반할 자는 그 말이 부끄러워하고, 속마음이 의혹된 자는 그 말이 갈라지고, 길(吉)한 사람의 말은 적고, 조급한 사람의 말은 많고, 선(善)을 모함하는 사람은 그 말이 겉돌고, 지킴을 잃은 자는 그 말이 비굴하다.

中國大全

本義

卦爻之辭, 亦猶是也.

괘사와 효사도 또한 이와 같다.

小註

朱子曰, 中心疑者, 其辭枝, 中心疑, 故不敢說殺. 其辭枝者, 如木之有枝, 開兩岐去.

주자가 말하였다: "속마음이 의혹된 자는 그 말이 갈라진다"는 속마음이 의혹되므로 감히 말하지 못하는 것이다. "그 말이 갈라진다"는 나무에 가지가 있어서 두 갈래로 벌어짐과 같다.

○ 問, 此章, 切疑自吉凶可見矣而上, 只是總說易書所載如此. 自變動以利言而下, 則專就人占時上說, 如何. 曰, 然.

물었다: 이 장은 가만히 보면, "길과 흉을 볼 수 있을 것이다"까지는 단지 『주역』에 실린 것이 이와 같음을 총괄하여 말한 것이고, "변동은 이로움으로 말한다"부터는 전적으로 사람이 점치는 경우를 가지고 설명한 것으로 생각되는데 어떻습니까?

답하였다: 그렇습니다.

○ 節齋蔡氏曰, 漸三所繫, 將叛者之辭也, 睽上所繫, 中心疑者之辭也, 臨二所繫, 吉人之辭也, 睽三所繫, 躁人之辭也, 中孚三所繫, 誣善之人之辭也, 節上所繫, 失其守者之辭也.

절재채씨가 말하였다: 점괘(漸卦) 구삼에 매단 것[341]은 장차 배반할 자의 말이고, 규괘(睽卦) 상구에 매단 것[342]은 속마음이 의혹된 자의 말이며, 임괘(臨卦) 구이에 매단 것[343]은 길한 사람의 말이고, 규괘(睽卦) 육삼에 매단 것[344]은 조급한 사람의 말이며, 중부괘(中孚卦) 육삼에 매단 것[345]은 선을 모함하는 사람의 말이고, 절괘(節卦) 상육에 매단 것[346]은 지킴을 잃은 자의 말이다.

○ 平庵項氏曰, 六辭之中, 吉一而躁叛疑誣失居其五. 叛, 非叛逆, 但背實棄信皆是也. 言與實相背, 故慙. 吉者靜, 躁者動, 叛者無信, 疑者不自信, 誣者敗人, 失守者自敗, 皆相反對也. 守, 謂其所依據, 吳王失國, 故辭屈於晉, 夷之失對, 故辭屈於孟子, 皆失其所據也. 以類推之, 艮吉也, 震躁也, 兌叛也, 巽疑也, 坎喜陷爲誣善, 離喜麗爲失守. 人情大約不出乎六者, 仁者默, 勇者譁, 能言者寡信, 善巽者少決, 智人多險, 文士罕守. 剛柔之變, 其盡於此矣.

평암항씨가 말하였다: 여섯 개의 말 가운데 길한 것은 하나이고, 조급함, 배반함, 의혹됨, 모함함, 잃음이 다섯을 차지하고 있다. '배반함[叛]'은 반역함이 아니라, 다만 참됨을 등지고 믿음을 저버림이 모두 이것이다. 말과 실질이 서로 등지므로 부끄러워하는 것이다. 길한 자는 고요하고 조급한 자는 움직이며, 배반할 자는 믿음이 없고 의혹된 자는 자신하지 못하며, 모함하는 자는 사람을 망치고 지킴을 잃은 자는 스스로 망치니 모두가 서로 반대 된다. '지킴[守]'은 의거하는 것을 말하니, 오왕은 나라를 잃었으므로 말이 진나라에 비굴하고, 이지가 상대를 잃었으므로 말이 맹자에 비굴하였으니,[347] 모두 그 의거한 바를 잃은 것이다. 좀 더 유추하면, 간(艮)은 길함이고 진(震)은 조급함이며, 태(兌)는 배반함이고 손(巽)은 의혹됨이며, 감(坎)은 빠짐을 기뻐함이니 선을 모함함이 되고, 리(離)는 걸림을 기뻐함이니 지킴을 잃음이 된다. 인정도 대체로 여섯 가지에서 벗어나지 않으니, 어진 자는 침묵하고 용감한 자는 떠들썩하며, 말을 잘하는 자는 믿음이 적고 아주 유순한 자는 결정함이 적으며, 지혜로운 자는 위험이 많고 글하는 선비는 지킴이 드물다. 강과 유의 변화가 여기에서 다할 것이다.

---

341) 『周易 · 漸卦』: 九三, 鴻漸于陸, 夫征, 不復, 婦孕, 不育, 凶, 利禦寇.
342) 『周易 · 睽卦』: 上九, 睽孤, 見豕負塗, 載鬼一車. 先張之弧, 後說之弧, 匪寇. 婚媾, 往遇雨, 則吉.
343) 『周易 · 臨卦』: 九二, 咸臨, 吉, 无不利.
344) 『周易 · 睽卦』: 六三, 見輿曳, 其牛掣, 其人, 天且劓, 无初, 有終.
345) 『周易 · 中孚卦』: 六三, 得敵, 或鼓或罷或泣或歌.
346) 『周易 · 節卦』: 上六, 苦節, 貞, 凶, 悔, 亡.
347) 맹자가 묵가(墨家)인 이지(夷之)를 통하여 묵가의 논리를 비판한 것으로 「등문공상」에 나온다.

○ 雲峰胡氏曰, 末及六辭, 則謂非特象爻之辭可以見其情, 人之辭亦可以占其情, 使人又由易以知言也.

운봉호씨가 말하였다: 끝에서 여섯 가지 말을 언급한 것은, 단사와 효사로 그 정황을 알 수 있을 뿐만이 아니라, 사람들의 말로도 그 정황을 점칠 수 있음을 말하여 사람들에게 또한 『주역』을 말미암아 말을 알도록[知言] 한 것이다.

○ 進齋徐氏曰, 叛, 背叛也, 背叛正理, 其中有歉, 則發於言辭, 自然慚怍也. 枝, 如木之有枝, 開兩岐. 疑者可否未決, 則其辭不直截, 或兩岐也. 誣善者, 謂謗善爲惡, 言語不實, 如物在水上, 浮游不定. 失其守者, 言見理不定, 无所操執, 其辭多屈而不伸也. 言心之聲, 由乎中而見乎外. 孟子詖淫邪遁一章, 意亦如此.

진재서씨가 말하였다: '반(叛)'은 배반함이니, 바른 이치를 배반하여 마음속에 겸연쩍음이 있기에 말로 펼쳐진 것이 자연 부끄러워하는 것이다. '갈라짐[枝]'은 나무에 가지가 있어 두 갈래로 벌어짐과 같다. 의혹된 자가 가부(可否)를 결정하지 못하니, 그 말이 곧바르지 못하고 혹 둘로 갈라지는 것이다. '선을 모함함'은 선을 비방하여 악이라 함을 말하니, 말이 진실되지 못함이 마치 물 위에 있는 것이 이리 저리 떠다님과 같다. '지킴을 잃음'은 이치를 앎이 분명하지 못하여 잡아 지키는 것이 없음을 말하니, 그 말이 움츠러들어 펴지 못함이 많다. 말은 마음의 소리이니, 마음을 말미암아 밖으로 나타난다. 맹자가 말의 편벽됨과 방탕함, 간사함과 도피함을 설명한 장[348]의 뜻도 또한 이와 같다.

○ 臨川吳氏曰, 易之辭, 皆由情而生, 人之辭, 亦由情而生. 故此又以人譬之, 本義云, 卦爻之辭, 亦由是也. 此篇首章云繫辭焉而命之, 又云聖人之情見乎辭. 蓋唯聖人能因易之情而繫易之辭, 是爲一篇始終之脉絡云.

임천오씨가 말하였다: 『주역』의 말은 모두 정황을 따라서 나오고, 사람의 말도 정황을 따라서 나온다. 그러므로 여기에서 다시 사람으로 비유하였고, 『본의』에서 "괘사와 효사도 또한 이와 같다"고 하였다. 하편의 첫 장에서 "말을 달아 분부하였다"[349]고 하고, 또 "성인의 뜻은 말에 나타난다"[350]고 하였다. 대체로 성인이어야만 『주역』의 정황을 따라서 『주역』의 말을 달 수 있다는 것이니, 이는 이 편의 전체적인 맥락이 된다고 할 것이다.

○ 息齋余氏曰, 上繫, 以默而成之不言而信存乎德行爲結, 下繫, 以諸辭之不同者爲

---

348) 맹자가 지언(至言)을 설명하는 가운데 거론되는 내용으로 「공손추상」에 나온다.
349) 『周易·繫辭傳』: 剛柔相推, 變在其中矣, 繫辭焉而命之, 動在其中矣.
350) 『周易·繫辭傳』: 爻象動乎內, 吉凶見乎外, 功業見乎變, 聖人之情見乎辭.

結. 義相發也, 吉人辭寡, 其默成之次歟.

식재여씨가 말하였다: 「계사상전」은 "묵묵히 이루며 말하지 않아도 믿음은 덕행에 있다"[351]로 끝을 맺었고, 「계사하전」은 여러 가지의 말이 같지 않음으로 끝을 맺었다. 뜻이 서로 펼쳐지니, 길한 사람의 말이 적음은 그 묵묵히 이룸의 다음일 것이다.

韓國大全

권근(權近) 『주역천견록(周易淺見錄)』

此乃筮者之辭, 上篇所謂問焉而以言者, 是也. 易不可以占險, 故篇終而發此以見, 占者敬謹其事, 不敢以非道而慢蓍也. 蓍之德通乎神明, 其可慢乎.

이는 점(占)치는 사람의 말로써 「상편」의 이른바 "물어본 다음 말한다"는 것이다. 역(易)은 험난함을 점쳐서는 안 되므로 책을 마치면서 이를 말하여 나타냈으니, 점치는 사람은 그 일을 공경하여 삼가고, 도리가 아닌 것으로 시초를 능멸해서는 안 된다. 시초의 덕은 신명(神明)에 통하니, 능멸할 수 있겠는가?

송시열(宋時烈) 『역설(易說)』

孟子之知言, 蓋出於此史.

맹자의 '지언(知言)'이 대체로 이 장에서 나왔다.

이익(李瀷) 『역경질서(易經疾書)』

變動以利言者, 謂變而通之, 以盡利也. 雖欲盡利, 不能無吉凶之遷者, 因愛惡之情相攻故也. 吉凶字上下相帖也. 易爲憂患作, 故主意在凶害悔吝也. 愛惡相攻, 吉凶生者, 主其惡相攻而凶生也. 遠近相取, 而悔吝生者, 主其近相取而悔吝生也. 情僞相感, 而利害生者, 主其僞相感而害生也. 不相得, 謂惡與僞也. 其近與惡僞三者, 或兼或單, 凶

---

351) 『周易·繫辭傳』: 化而裁之存乎變, 推而行之存乎通, 神而明之存乎其人, 默而成之, 不言而信, 存乎德行.

害悔吝, 随其輕重而生也. 事情之未顯, 須假占筮而避凶害悔吝也. 事情之旣露, 則不必占筮, 可以聽其辭, 而知之其譏枝游屈之辭. 知言者, 自可以先覺, 此又處憂患之要也. 上旣備述, 占筮之道, 終之以此, 俾有以察幾善處, 此君子心易也, 莫非學中事, 其意密矣.

"변동은 이로움으로 말한다"는 변하여 통해서 이로움을 다하는 것을 말한다. 비록 이로움을 다하고자 하지만 길함과 흉함으로 옮겨가지 않을 수 없는 것은 사랑하고 미워하는 정으로 인하여 서로 공격하기 때문이다. '길'자와 '흉'자는 위아래로 서로 붙어있다. 역은 우환 때문에 지은 것이므로 주된 뜻이 흉함과 해로움과 후회함과 부끄러움에 있다. 사랑함과 미워함이 서로 공격하여 길함과 흉함이 생기는 것은 그 미워함이 서로 공격하여 흉함이 생기는 것을 주로 한다. 멀고 가까움이 서로 취해서 후회와 부끄러움이 생기는 것은 그 가까움이 서로 취하여 후회함과 부끄러움이 생기는 것을 주로 한다. 진정과 허위가 서로 느껴 이로움과 해로움이 생기는 것은 그 허위가 서로 느껴 해로움이 생기는 것을 위주로 한다. 서로 얻지 못함은 미워함과 허위를 말한다. 그 가까이 함과 미워함과 허위의 세 가지는 겸하거나 단독으로 흉함과 해로움과 후회함과 부끄러움이 그 경중을 따라 생겨난다. 일의 정황이 아직 드러나지 않았을 때 모름지기 서점을 빌려 흉함·해로움·후회·부끄러움을 피한다. 일의 정황이 이미 드러나면 굳이 점을 칠 필요가 없이 그 말을 듣고서 그 참람하고, 갈라지고, 겉돌고, 비굴한 말을 안다. '말을 아는' 자는 스스로 먼저 깨우칠 수 있으니, 이는 또한 우환에 대처하는 요령이다. 위에서 이미 갖추어 서술하였으니 점치는 도리는 이로써 다 하였고, 이로써 기미를 살피고 잘 대처하도록 한다면, 이것이 군자의 '심역'이고, 배움 가운데의 일이 아님이 없으니, 그 뜻이 정밀하다.

유정원(柳正源) 『역해참고(易解參攷)』

將叛 [至] 辭屈.
장차 배반할 사람은 … 그 말이 비굴하다.

案, 心疑者, 不能曲暢旁通, 故其言枝蔓无實. 誣善者, 只要搆虛捏无, 故其言游蕩不定. 非孟子之知言, 其孰能知之.
내가 살펴보았다: 마음이 의혹된 자는 사방으로 시원하게 통하지 못하므로 그 말이 갈라지고 덩굴져서 충실하지 못하다. 선을 모함하는 자는 그저 없는 것을 얽어 날조하므로 그 말이 겉돌아 안정되지 못하다. 맹자와 같이 말을 아는 이가 아니라면 그 누가 알 수 있겠는가.

김상악(金相岳) 『산천역설(山天易說)』

叛, 背理也. 枝, 兩歧不一也. 凡卦爻之辭, 亦如是矣.

반(叛)은 이치를 어기는 것이다. 지(枝)는 둘로 갈라져 하나가 되지 못하는 것이다. 괘사와 효사 역시 이와 같다.

○ 上傳之首, 言聖人以易簡之德, 成位乎天地之中者, 言其體也. 下傳之終, 言聖人以易簡之德, 知險知阻, 言其用也. 故前以默而成之, 不言而信, 存乎德行, 結之, 此以諸辭之不同, 結之.

「계사상전」의 첫머리에서 성인이 이간한 덕으로 천지 사이에 자리를 이룸을 말한 것은 그 본체를 말한 것이다. 「계사하전」의 끝에서 성인이 이간한 덕으로 험함을 알고 막힘을 안다고 한 것은 그 작용을 말한 것이다. 그러므로 앞에서는 "묵묵히 이루며 말하지 않아도 믿음은 덕행에 있다"로 맺었고, 여기에서는 여러 말들이 같지 않다는 것으로 맺었다.

박윤원(朴胤源) 『경의(經義)·역경차략(易經箚略)·역계차의(易繫箚疑)』

健順與簡易, 有性情體用之分歟. 易繫, 自首章屢言乾坤之簡易, 而至此, 始於簡易上加恒字, 何意歟. 恒是常久之意, 恒易恒簡, 是天地貞觀之意歟. 易而不能常久, 簡而不能常久, 則無以知險阻也. 故於此必言恒也歟. 六辭之不同, 無以知險阻也. 此本立卦爻之辭, 而推之於聽言觀人之道則可, 而本義曰, 卦爻之辭, 亦如是也. 亦字之義, 以聽言觀人爲主, 而以卦爻之辭爲賓, 得非換說歟.

강건·유순함과 간결·평이함은 성과 정, 본체와 작용의 구별이 있는 것이다. 「계사전」에서는 첫 장에서부터 건곤의 간결·평이함을 여러 번 말하였는데, 여기에 이르러 처음으로 간결·평이함 앞에 '항상[恒]'이라는 말을 더한 것은 무슨 뜻인가? '항(恒)'이란 변함없이 오래한다는 뜻이니, 항상 평이하고 항상 간결함은 "천지가 늘 보여준다"는 뜻이다. 평이하지만 변함없이 오래할 수 없고 간결하지만 변함없이 오래할 수 없다면 험함과 막힘을 알지 못할 것이다. 그러므로 여기에서 굳이 '항상'이라고 한 것이다. 여섯 개의 말[352]이 같지 않으니, 그것으로써는 험함과 막힘을 알지 못한다. 이는 본래 괘·효사로 세운 것인데, 그것을 말을 듣고 사람을 관찰하는 도리에 미루어 본다면 옳을 것이니, 『본의』에 "괘사와 효사도 또한 이와 같다"고 하였다. '또한'이라고 한 뜻은 말을 듣고 사람을 관찰하는 것을 주인으로 하고, 괘·효사로써 손님을 삼은 것이니, 바꾸어 말한 것이 아니겠는가?

---

352) 여섯 개의 말: 12장 경문에 제시된 여섯 개의 말을 말한다. 將叛者, 其辭慙, 中心疑者, 其辭枝, 吉人之辭寡, 躁人之辭多, 誣善之人, 其辭游, 失其守者, 其辭屈.

윤행임(尹行恁) 『신호수필(薪湖隨筆)·계사전(繫辭傳)』

自將叛者, 至失其守者, 以六爻而言也. 以此而反觀, 則無一不合於斯者.

'장차 배반할 자는'에서부터 '그 지킴을 잃는 자'까지는 여섯 효로써 말하였다. 이로써 돌이켜 보면 하나도 이에 부합하지 않는 것이 없다.

上下傳, 各十有二章, 而蔽一言曰, 易簡也. 故堯舜之爲君也, 曰易簡而已矣.

「계사전」 상하가 각기 12장인데, 한 마디로 말하면 '평이하고 간결함'이다. 그러므로 요순이 임금노릇한 것도 평이하고 간결함으로 하였을 뿐이다.

余觀繫辭二日, 而如登淸廟而聞筦簫琴瑟之音, 如莅武庫而閱戈矛刀劒之器. 莫曉其節族, 未詳其制度, 只從易知而不難解者, 略有所試筆焉. 若揲�著之法, 啓蒙存焉, 余小子, 何敢叓迷焉. 若說卦之傳八章, 余所不解, 只觀其二章以上.

내가 「계사전」을 본 지 이틀 만에 마치 종묘에 올라 온갖 악기 소리를 듣는듯 하고, 군무를 다스리는 관청에 가서 온갖 무기를 구경하는 듯하였다. 그 요체를 깨닫지 못하고 그 제도도 잘 모르겠지만, 다만 평이하게 아는 것을 따라 이해하기 어렵지 않은 것은 대략 써 본 것이다. 설시하는 법은 『역학계몽』이 있는데, 나같은 사람이 감히 다시 서술하겠는가. 「설괘전」의 여덟 장은 내가 이해하지 못한 것이라서 단지 2장 이상만 보았다.

심대윤(沈大允) 『주역상의점법(周易象義占法)』

孟子曰, 詖辭知其所蔽, 淫辭知其所陷, 邪辭知其所離, 遁辭知其所窮.

맹자가 말하였다: 한편으로 치우친 말에 대해서는 그 은폐한 바를 알며, 과도한 말에 대해서는 그 빠진 바를 알며, 올바르지 못한 말에 대해서는 그 벗어난 바를 알며, 핑계 대는 말에 대해서는 그 궁색한 바를 안다.

오치기(吳致箕) 「주역경전증해(周易經傳增解)」

背理曰叛也, 慙者, 羞愧也. 可否未決, 曰疑也. 枝者, 兩枝不一也. 急迫而不能涵蓄, 曰躁也. 多者, 煩也. 誣善者, 或援正入邪, 或推邪入正, 故游揚無實. 失守者, 無操持也. 屈謂抑而不伸也. 聖人之辭, 以吉凶悔吝, 見其情, 卽聖人之情, 見乎辭者, 而凡人之辭, 亦由情而生. 故此又以六辭之不同者言之, 以結一篇之終也.

이치를 저버리는 것을 '배반'이리 한다. '부끄러움(慙)'은 창피해 하는 것이다. 그런 것인지 그렇지 않은 것인지를 결단하지 못한 것을 '의심'이라 한다. '갈라짐'이란 두 갈래로 일치하지 않는 것이다. 급박해서 머금어 축적하지 못하는 것을 '조급함'이라 한다. '많다'는 번잡한 것이다. 선을 모함하는 사람은 바른 것을 끌어다 잘못된 데로 집어넣기도 하고, 잘못된 것을 미루어 바른 데다 집어넣기도 하므로 겉돌고 내실이 없다. 지킴을 잃은 자는 지조가 없다. '비굴함'은 억눌려 펴지 못함을 말한다. 성인의 말은 길함과 흉함, 후회함과 부끄러움을 가지고 그 진정을 보이니, 성인의 진정은 말에서 드러나는 것이고, 보통사람의 말도 진정에서 생기는 것이다. 그러므로 여기에서 또 여섯 가지 말이 같지 않은 것으로 말하여 이 편의 끝을 맺었다.

此章論聖人之用易, 而尤致詳於卦爻之情也.
이 장에서는 성인이 역을 쓰는 법을 논하였는데, 괘·효의 정황에 대해서 더욱 상세함을 다하였다.

이진상(李震相) 『역학관규(易學管窺)』

其辭屈.
그 말이 비굴하다.

易理玄妙難言, 恐其有穿鑿傅會强卜不已之患. 故乾文言, 修辭立誠, 而上繫之末曰, 黙而成之, 不言而信, 下繫之末, 歷言六辭之失.
역의 이치는 현묘하여 말하기 어려우니, 자칫 천착하고 갖다 붙이고 강변해 마지않는 근심이 있을 수 있다. 그러므로 건괘 「문언전」에서 "말을 닦아 정성스러움을 세운다"고 하였고, 「계사상전」 끝에 "묵묵히 이루고, 말없이 믿는다"고 하였으며, 「계사하전」 끝에서 여섯 가지 말의 잘못됨을 두루 말하였다.

이병헌(李炳憲) 『역경금문고통론(易經今文考通論)』[353]

八卦以象告 … 其辭游, 失其守者, 其辭屈.
팔괘는 상으로 일러주고 … 그 말이 겉돌고, 지킴을 잃은 자는 그 말이 비굴하다.
〈愛惡相攻而吉凶生八字, 古本無之, 是果眞古邪.
"사랑함과 미워함이 서로 공격함에 길과 흉이 나온다"는 말은 옛 판본에는 없으니, 이것이

---

353) 경학자료집성DB에서는 「계사하전」 제 10장에 해당하는 것으로 분류했으나, 내용에 따라 이 자리로 옮겨 바로잡았다.

과연 진짜 고본(古本)인가?)

姚曰, 六十四卦, 皆八卦之象. 故八卦以象告, 告示也. 剛柔立本, 得失已兆, 故吉凶可見, 所謂居可知也. 愛惡, 謂情之得失也. 本得位而欲化者爲將叛, 失位而變化无定者爲疑, 得位不動者爲吉人, 失位妄動者爲躁人, 持一不惑曰守.
요신이 말하였다: 64괘는 모두 팔괘(八卦)의 상(象)이다. 그러므로 "팔괘는 상으로 알려준다"354)는 것이니, 알려줌은 보여줌이다. 강유(剛柔)로 근본이 서면 득실(得失)이 이미 조짐을 나타내므로 길흉을 알 수 있으니, 이른바 머무르며 알 수 있다는 것이다. '사랑함과 미워함'은 정감의 얻고 잃음을 말한다. 본래 지위를 얻었지만 변화하려는 것이 '장차 배반하려 함'이 되고, 자리를 잃고 변화하여 정처가 없는 것이 '의혹됨'이 되고, 지위를 얻어 움직이지 않는 것이 '길한 사람'이 되고, 자리를 잃고서 함부로 움직이는 것이 '조급한 사람'이 되고, 한결같아서 의혹되지 않는 것을 '지킴'이라 한다.

本義曰, 卦爻之辭, 亦猶是也.
『본의』에서 말하였다: 괘사와 효사도 또한 이와 같다.

按, 上篇始以乾坤, 下篇終以乾坤, 乾坤爲諸卦之大父母, 又爲易之門戶者, 宜矣. 細考之, 則上篇之終, 下篇之始, 亦無往而非乾坤也.
내가 살펴보았다: 「상편」을 건곤(乾坤)으로 시작하고 「하편」을 건곤으로 마쳤으니, 건곤이 모든 괘의 큰 부모가 되고, 또 역의 문호(門戶)가 되는 것은 마땅하다. 자세히 살펴보면 「상편」의 끝과 「하편」의 시작도 모두 다 건곤이 아닌 것이 없다.

南齊劉瓛陳周宏, 正始倡分章之說, 本義據周分章, 而或有異同. 然不若任作者之意而分看合看, 則讀者宜自擇焉.
남조 제나라의 유환과 진나라의 주굉이 바로 장구(章句)를 나누는 설을 시작하였고, 『본의』는 주굉이 나눈 장구에 의거했지만 혹 같지 않음이 있었다. 그러나 작자의 뜻에 맡겨서 합쳐 보고 나누어 보는 것만 못하니, 읽는 자가 마땅히 스스로 선택해야 할 것이다.

右第十二章
이상은 제12장이다.

354) 『周易·繫辭傳』: 八卦以象告, 爻象以情言, 剛柔雜居, 而吉凶可見矣.

설괘전

說卦傳

▎中國大全▏

小註

臨川吳氏曰, 說卦者, 備載卦位卦德卦象之說. 蓋自昔有其說, 意者如八索之書所載, 有若此者, 而夫子筆削之以爲傳爾. 首章次章, 則夫子總說聖人作易大意, 以爲說卦傳之發端也.

임천오씨가 말하였다: 「설괘전」은 괘의 자리, 괘의 덕, 괘의 상에 대한 설명을 갖추어 실었다. 예로부터 그러한 설이 있었는데, 아마도 예를 들어 『팔색(八索)』의 책에 실린 내용 가운데 이러한 것들이 있는 것을 공자가 가필하거나 산삭하여 전(傳)으로 만들었을 뿐이다. 첫 장과 다음 장은 공자가 성인이 역을 지은 큰 뜻을 총괄적으로 설명하여 「설괘전」의 발단을 삼았다.

○ 雙湖胡氏曰, 說卦首論幽贊於神明而生著立卦, 次及伏羲文王卦位不同. 次論八卦之象甚備. 其象多是夫子所自取, 不盡同於先聖. 漢儒以來千五百餘年, 未能勘破此義, 以爲夫子只是檃括前聖所取之象, 求之於經又不同, 是以言象者, 多牽合傳會而不得其說. 愚嘗謂數聖人取象, 各有不同, 故說卦言象, 求之於經, 不盡合. 蓋夫子自取之象爲多, 不必盡同於先聖. 若分文王周公之易, 各自求之, 則坦然明白矣.

쌍호호씨가 말하였다: 「설괘전」은 처음에 신명을 그윽히 도와 시초를 내어 괘를 세웠다는 것을 논하고, 다음에 복희와 문왕의 괘의 자리가 같지 않다는 것을 언급하고, 그 다음에 팔괘의 상이 잘 갖추어져 있음을 논하였다. 그 상은 대부분 공자가 스스로 취한 것이고, 이전의 성인들과 다 같지는 않다. 한나라의 유학자들 이래로 천오백여 년 동안 이 뜻을 알아차리지 못하고, 공자가 다만 이전 성인들이 취한 상을 가감했다고 생각하여 경문에 맞추려고 해보다가 또 같지 않았기 때문에 상을 말하는 사람들이 대부분 견강부회하여 제대로 된 설명을 하지 못하였다. 나는 일찍이 여러 성인이 상을 취한 것이 각각 같지 않기 때문에 「설괘전」에서 상을 말한 것을 경문에 맞추려고 해보아도 다 맞지 않는다고 생각하였다. 공자가 스스로 취한 상이 많기 때문에 이전의 성인들과 다 같을 필요는 없다. 문왕과 주공의 역을 나누어 각각 구해본다면 아주 명백할 것이다.

┃韓國大全┃

윤동규(尹東奎) 『경설(經說)-역(易)』

說卦自首章至十章, 先言生著立四象之義. 夫易雖有卦方知之往, 若不知神知來之義, 則易是死易, 不可用矣. 故更立神妙萬物之義, 以明卦以藏往神以知來之道. 天地定位一節, 以況神之所起. 帝出乎震以下, 言四方春夏秋冬之有定, 所以況卦以藏往之意. 故第六章合神而萬物而爲言曰, 神妙萬物而爲言者, 水火相逮, 雷風不相悖, 山澤通氣然後能變化, 旣成萬物. 蓋春夏秋冬東西南北, 雖有定位時行, 然歲月之間, 若無雷風寒暑之流行, 則何以行變化而成萬物耶. 以此言之, 易雖卦以藏往, 若無揲著之法, 何以通生生之易極數知來之法耶. 故以天地定位帝出乎震二節, 相交結如此, 可謂精密矣. 若康節以此分伏羲先天文王後天, 則實未見於讀易有關. 愚不敢從焉.

「설괘전」의 1장부터 10장까지 먼저 시초를 내고 사상을 세운 뜻을 말하였다. 역에서 비록 괘로 과거를 안다고 하더라도 만약 신명으로 미래를 아는 뜻을 알지 못한다면, 역은 죽은 역이어서 쓸 수가 없다. 그러므로 다시 만물을 신묘하게 한다는 뜻을 세워 괘로써 과거를 보존하고 신으로써 미래를 아는 도를 밝혔다. "하늘과 땅이 자리를 정한다"는 한 구절은 신이 일어난 곳을 비겼다. "제가 진괘에서 나왔다"는 이하는 사방과 춘하추동이 정해진 것을 말해서 괘로써 과거를 보존한다는 뜻을 비겼다. 그러므로 제 육장에서 신과 만물을 합하여 말하기를 "신(神)이란 만물을 신묘하게 하는 것을 말한다"고 하였으니, 물과 불이 서로 붙들고, 우레와 바람이 서로 어그러지지 않으며, 산과 연못이 기를 통한 뒤에야 변화하여 만물을 이룬다는 것이다. 춘하추동과 동서남북은 비록 일정한 자리가 있고 때에 맞추어 운행하지만, 세월의 사이에 우레와 바람, 추위와 더위의 유행이 없다면 무엇으로 변화를 행하고 만물을 이루겠는가? 이로써 말한다면 역이 비록 괘로써 과거를 보존하더라도 시초를 헤아리는 법이 없다면 무엇으로 낳고 낳는 역이 수를 지극히 하여 미래를 아는 법에 통하겠는가? 그러므로 하늘과 땅이 자리를 정하고 제가 진괘에서 나온다는 두 구절이 서로 관계를 맺은 것이 이와 같으니, 정밀하다고 말할 수 있다. 소강절처럼 이로써 복희의 선천과 문왕의 후천을 나눈다면, 실로 역을 읽는 것과 관계가 있는지 모르겠다. 나는 감히 따르지 못하겠다.

其他諸章爲言取象之義, 而至第十章言乾坤生六十之法, 以盡其義焉.

다른 여러 장은 상을 취한 뜻을 말했는데, 제10장에 이르러 건과 곤이 육십을 생하는 법을 말해서 그 뜻을 다하였다.

愚謂, 六十四之因重, 未知始於何聖人, 而其非自伏羲因重, 則分明. 何也. 謹按周禮春官三易, 皆曰經卦八其別六十四, 繫辭下傳亦曰, 伏羲之王天下, 仰則觀象於天, 俯則觀法於地, 始畫八卦. 伏羲但畫八卦, 不爲因重, 故三易皆曰經卦八. 若不然, 何必言經卦耶. 且三易皆言其別六十四, 則竊意卦名不必相因也. 何以明其然也. 以下傳九卦言之. 若三易卦名皆同, 則履謙等諸卦, 何獨爲文王憂患之所取名自戒耶. 其名卦自別, 故序卦次第, 以觀卦名之義相率連而爲次第, 非如後世胡雙湖蕭漢中之以八卦往來取義穿鑿也. 而序卦之次, 亦因反對爲義爲始, 又以卦之反對終焉. 而不用序卦之次第, 以雜抽立說而以雜卦名焉, 其義亦可知矣.

내가 살펴보았다: 육십사괘로 겹친 것은 어느 성인 때에 시작되었는지 알 수 없지만, 복희 때부터 겹치지 않았던 것은 분명하다. 왜인가? 『주례·춘관』과 세 역을 삼가 살펴보니, 모두 기본 괘가 여덟이고, 별괘가 육십사라고 하였고, 「계사하전」에서도 "복희가 천하의 왕이 됨에 우러러 하늘에서 상을 살피고 구부려 땅에서 법을 살펴서 비로소 팔괘를 그렸다"고 하였다. 복희는 다만 팔괘를 그렸고 육십사괘로 겹치지 않았기 때문에 세 역에서 모두 기본 괘는 여덟이라고 하였다. 그렇지 않다면 어찌 반드시 기본 괘라고 말했겠는가? 또한 세 역에서 모두 별괘가 육십사라고 하였으니, 내가 생각하건대 괘의 이름은 반드시 서로 연관이 되지는 않는다. 무엇으로 그러한 것을 밝힐 수 있는가? 「계사하전」의 아홉 괘로 말해보자. 세 역의 괘 이름이 모두 같다면, 리괘 겸괘 등의 여러 괘가 어찌 유독 문왕이 근심하여 이름을 취하여 스스로를 경계한 것이 되겠는가? 괘를 이름 지은 것이 저절로 구별되기 때문에 「서괘전」의 차례는 괘명의 뜻이 서로 관련된 것을 보고 차례를 지었으니, 후세의 쌍호호씨나 소한중(蕭漢中)이 팔괘가 왕래하는 것으로 뜻을 취하여 천착한 것과는 같지 않다. 「서괘전」의 차례는 또한 반대되는 것을 따라 뜻을 삼고 시작을 삼았으며, 또한 괘의 반대로 끝으로 삼았다. 그리고 「서괘전」의 차례를 쓰지 않고 섞고 뽑아 설을 세워 「잡괘전」이라고 이름을 지었으니, 그 뜻을 알 수 있다.

大抵繫辭, 讀易之凡例也. 學易者, 湏熟讀繫辭通凡例以求之. 而若不知乾坤爲易之門戶, 而以加倍之法求之, 則易道終不得明矣. 且易本易簡而易知易從者也. 不必深求, 但以象傳象傳之意求之. 以義理言, 則大傳中有七爻十一爻, 文言之例, 以象言, 則有說卦諸說, 依此求之. 而卦爻中辭, 以卦象辭語并驗, 亦略有彷彿, 取義象處, 略略取義, 其不知者, 不必穿鑿用意. 今以一卦一爻易知之者, 一例明之. 如比之一卦九五爲主, 而諸爻皆欲比於五也. 故卦中只言如此比之則吉, 如彼比之則凶, 豈更有難知之義耶. 但欲如孔子之解說義理, 則是宜難知爲宜明也. 故曰神而明之, 存乎其人.

대체로 「계사전」은 『주역』을 읽는 범례이다. 『주역』을 배우는 사람은 반드시 「계사전」을 숙독하고 범례를 통하여 구해야 한다. 건과 곤이 역의 문호가 된다는 것을 알지 못하고 숫자로 계산하는 법을 가지고 구한다면, 역의 도리가 끝내 분명해질 수 없을 것이다. 또한 역이란 본래 쉽고 간단하며, 알기 쉽고 따르기 쉬운 것이다. 반드시 깊이 구할 필요가 없으며, 다만 「단전」과 「상전」의 뜻으로 구하면 된다. 의리로 말하면 「계사전」 가운데 칠효와 십일 효, 「문언전」의 예가 있고, 상으로 말하면 「설괘전」의 여러 설명이 있으니, 여기에 의거하여 구하면 된다. 괘와 효 가운데의 말들은 괘의 상사의 말로 증험해 보면 대략 비슷하며, 뜻과 상을 취한 곳에 대해서는 대략 뜻을 취하면 되고, 알지 못하는 것에 대해서는 꼭 천착하여 마음을 쓸 필요가 없다. 지금 하나의 괘와 하나의 효 가운데 알기 쉬운 것을 하나의 예로 설명해 보자. 예를 들어 비괘(比卦)의 한 괘는 구오를 위주로 하고, 나머지 여러 효들은 모두 오효와 가까이 하고자 한다. 그러므로 괘 가운데 다만 "이와 같이 가까이 하면 길하고, 저와 같이 가까이 하면 흉하다"고 말하였으니, 어찌 더 이상 알기 어려운 뜻이 있겠는가? 다만 공자가 의리를 해설한 것처럼 하고자 한다면, 마땅히 알기 어렵고 마땅히 밝히기 어렵 다. 그러므로 "신묘하여 밝힘은 그 사람에 있다"고 하였다.

若其言語之難知者, 古今言語有異, 象其物宜之處也. 是故朱子論易亦曰, 其中言語亦 統而言之曰, 水火相逮, 雷風不相悖, 山澤通氣然後能變化旣成萬物也, 其義豈不皎然 易知也. 第二章先言山澤通氣者, 風雨霜露, 莫非山澤之通氣, 故先言之. 六章先言水 火者, 凡天地之變, 都係日月陰陽之義, 互取其重而變言, 以爲相發之義耳. 夫雷風水 火山澤天地, 數往者順也, 通氣相薄相逮之神用, 有不可度而知者, 卽所謂知來者逆. 三章所謂八卦相錯者, 莫非象此爻此, 則六十四卦之象辭所著, 豈非數往者順. 觀變玩 占, 豈非知來者逆乎. 是故傳之首篇曰, 皷之以雷霆, 潤之以風雨, 日月運行, 一寒一 暑, 其是之謂歟.

언어 가운데 알기 어려운 것은 옛날과 오늘날의 말이 다르기 때문이니, 만물이 시대에 따라 달라진다는 것을 보여준다고 할 수 있다. 그러므로 주자가 역을 논하여 또한 "그 가운데 언어 또한 통합하여 말하기를 '물과 불이 서로 붙들고, 우레와 바람이 서로 어그러지지 않으 며, 산과 연못이 기를 통한 뒤에야 변화하여 만물을 이룬다'고 하였으니, 그 뜻이 어찌 분명 하게 알기 쉽지 않은가?"라고 하였다. 제2장에서 "산과 연못이 기를 통한다"고 먼저 말한 것은 '바람과 비와 서리와 이슬'이 '산과 연못이 기를 통한 것'이기 때문에 먼저 말한 것이다. 육장에서 물과 불을 먼저 말한 것은 천지의 변화가 모두 해와 달, 음과 양의 뜻과 관련되기 때문에 그 중요한 것을 서로 취하여 말을 변화시켜 서로 밝히는 뜻으로 삼았을 뿐이다. 우 레·바람·물·불·산·연못·하늘·땅은 과거를 헤아리는 것은 순차적으로 하는 것이라는 말이고, 기를 통하고 서로 부딪치고 서로 미치는 신묘한 작용을 헤아려 알 수 없다는 것은 이른바 미래를 아는 것은 거슬러서 하는 것이라는 말이다. 삼장에서 "팔괘가 서로 섞인다"고 말한 것은 모두 이것을 상으로 드러내고 이것을 효로 드러낸 것이니, 육십사괘의 상사가 드러낸 것이 어찌 과거를 헤아리는 것은 순차적으로 하는 것이라는 말이 아니겠는가? 변화를 관찰하고 점을 완미하는 것이 어찌 미래를 아는 것은 거슬러서 하는 것이라는 말이 아니 겠는가? 그러므로 「설괘전」의 첫 편에서 "우레와 번개로써 고동하며, 바람과 비로써 적셔주 며, 해와 달이 운행하며, 한 번 춥고 한 번 더워"라고 말한 것을 아마도 이것을 말한 것이다.

至於第七章, 或以八卦之性情, 近取男女之三索. 而其次第, 第五章四時方向流行之 外, 皆與首章之序參錯相合而互相發. 何以謂雷以動之以上, 先天之卦, 而乾健以下, 後天之序耶. 萬物之生成, 則有一定之方位, 而天地之神用, 則變化無常, 故三章先言 山澤, 四章先言雷風, 六章先言水火相逮以錯綜. 其文上下關鎖而統言, 則合神妙萬物 而言, 以發歸趣, 其旨豈不躍如乎. 至乾健以下, 又用第三章之次第, 以明八卦生出之 次第, 而三索乃其本意. 若無此則何以見易中陰陽剛柔上下往來之義耶. 本義以先天 後天分言爲主, 而分言故第六章統合水火相逮之義, 不無可疑. 姑識此以待後考.

칠장에 이르러 팔괘의 성정으로 남녀가 세 번 구한 것에서 가까이 취하였다. 그 차례는 제 오장의 네 계절의 방향과 유행의 외에는 모두 첫 장의 순서와 뒤섞이고 서로 합하여 서로 밝혀주고 있다. 어찌 우레로 움직인다는 이상은 선천의 괘이고, 건은 강건하다 이하는 후천 의 차례라고 말할 수 있겠는가? 만물의 생성은 일정한 방위가 있고, 천지의 신묘한 작용은 변화무쌍하기 때문에 삼장에서는 산과 연못을 먼저 말하였고, 사장에서는 우레와 바람을 먼저 말하였고, 육장에서는 물과 불이 서로 미쳐 섞이는 것을 먼저 말하였다. 그 문장들의 위아래 관건이 되는 것은 통틀어 말하면 만물을 신묘하게 하는 것을 합하여 말하여 그 결론 을 밝힌 것이니, 그 뜻이 어찌 분명하지 않은가? 건은 강건하다 이하는 또한 제 삼장의 차례 를 써서 팔괘가 생하여 나오는 차례를 밝혔고, 세 번 찾은 것이 그 본래의 뜻이다. 만약 이것이 없다면 무엇을 가지고 역 가운데 음양과 강유가 상하로 왕래하는 뜻을 알겠는가? 『본의』에서는 선천과 후천을 나누어 말하는 것을 위주로 하였고, 나누어 말했기 때문에 제 육장에서 물과 불이 서로 미치는 뜻을 통합하였으니, 의심할 만한 점이 없을 수 없다. 우선 이것을 기록하여 후세의 고찰을 기다린다.

윤동규(尹東奎) 『경설(經說)-역(易)』

讀說卦記疑.

「설괘전」을 읽고 의심나는 점을 기록하다.

若無十一章鋪說, 何以知聖人仰觀俯察近取遠取, 以類萬物之情, 以通神明之德耶. 首 章二章, 先言生著倚數立卦生爻, 以通神明之德. 二章因言仰觀俯察以成六畫之義. 自 第三章至第六章, 上下關鎖錯綜其義, 三章四章, 先言天地之神用也. 故一章首言天地

定位, 二章終言乾君坤藏. 其六子之通氣相薄不相射動散潤暄說止者, 卽天地之神用
也. 五章言萬物生成收藏, 皆係上帝之周行, 四時之相變, 如方位之定向, 四時之流行,
陰陽之變易, 王者之法天, 萬物之生成. 六章備見之而以顯萬物之生成收藏本有定時.
然若無雷風水火說止之神用, 不能變化成物.

십일장의 설명이 없다면, 성인이 우러러 보고 굽어 살피며 가까이에서도 취하고 멀리에서도
취하여 만물의 실정을 분류하고, 신명의 덕에 통한 것을 어떻게 알겠는가? 일장과 이장은
시초를 내고 수를 의지하여 괘를 세우고 효를 생하여 신명의 덕에 통하는 것을 먼저 말하였
다. 이장은 계속해서 우러러 보고 굽어 살펴서 육획을 이루는 뜻을 말하였다. 제 삼장으로부
터 제 육장까지는 위아래를 관련지어 그 뜻을 이리저리 밝혔는데, 삼장과 사장은 천지의
신명의 작용을 먼저 말했다. 그러므로 삼장의 앞에서는 하늘과 땅이 자리를 정한 것을 말하
고, 사장의 끝에서는 건괘가 임금 노릇을 하고 곤괘가 감추는 것을 말하였다. 여섯 괘가
기를 통하고 서로 부딪치고 서로 싫어하지 않으며, 움직이고 흩어지고 적시고 말리고 기뻐
하고 그치는 것은 천지의 신묘한 작용이다. 오장에서 만물의 생성과 수장을 말한 것은 모두
상제의 두루 행함과 사시의 변화에 관계되니, 방위의 정향, 사시의 유행, 음양의 변역, 왕자
의 법천(法天), 만물의 생성과 같은 것들이다. 육장에서는 그것들을 갖추어 드러내어 만물
의 생성과 수장이 본래 일정한 때가 있음을 드러내었다. 그러나 우레와 바람, 물과 불, 기쁨
과 그침의 신묘한 작용이 없다면, 변화하여 만물을 이룰 수 없다.

六章以神妙萬物爲言, 而動撓燥說潤止, 則取四章之義. 雷風火澤水艮之位, 用五章之
次第, 以明萬物之生成收藏. 雖有四時方向之定數, 如五章之序. 而若無天地神用山澤
之通氣雷風之相薄水火之不相射, 則亦無以收其成功. 故天地人之道也. 道非三才而
乃三才之道也. 竊恐, 以標準言之, 謂之三極, 以才能言之, 謂之三才, 以形名言之, 謂
之天地人, 恐無異義. 然則其所謂太極者, 恐不可爲理, 以標準言之也. 太極者, 統三極
而總言也, 兩儀者, 以乾坤爲言也. 四象者, 指乾坤之變生剛柔, 而剛柔三索皆四象, 故
曰兩儀生四象四象生八卦. 又曰乾坤易之門, 其義明矣.

육장에서 만물을 신묘하게 하는 것으로 말하고, 움직이고 흔들고 말리고 기쁘게 하고 적시
고 그치는 것은 사장의 뜻을 취한 것이다. 우레 · 바람 · 불 · 연못 · 물 · 산의 자리는 오장의
차례를 따라서 만물의 생성과 수장을 밝혔다. 비록 사시의 방향에 일정한 수가 있어서 오장
의 차례와 같더라도, 하늘과 땅의 신묘한 작용, 산과 연못의 기운을 통함, 우레와 바람의
서로 부딪침, 물과 불의 서로 싫어하지 않음이 없다면, 또한 이룬 공을 거두어들일 방법이
없다. 그러므로 하늘과 땅과 사람의 도인 것이다. 도가 삼재인 것이 아니라, 삼재의 도인
것이다. 가만히 생각해 보건대, 표준으로 말하면 삼극이라고 하고, 재능으로 말하면 삼재라
고 하고, 형명으로 말하면 천지인이라고 하니, 아마도 다른 뜻이 없을 것이다. 그렇다면 태

극이라는 것은 이(理)라고 할 수 없을 것이며, 표준으로 말한 것이다. 태극이란 삼극을 통틀어 총괄적으로 말한 것이며, 양의란 건곤으로 말한 것이다. 사상이란 건곤의 변화가 강유를 생한 것을 가리키는데, 강유가 세 번 구해서 모두 사상이 되기 때문에 "양의가 사상을 낳고 사상이 팔괘를 낳는다"고 말하였으며, 또한 "건곤은 역의 문이다"라고 말하였으니, 그 뜻이 분명하다.

제1장第一章

昔者聖人之作易也, 幽贊於神明而生著,

옛날에 성인이 역을 지을 적에 신명을 그윽이 도와 시초를 내었다.

‖中國大全‖

小註

程子曰, 幽贊於神明而生著, 用著以求卦, 非謂有著而後畫卦.

정자가 말하였다: "신명을 그윽이 도와 시초를 내었다"는 것은 시초를 사용하여 괘를 구한 것이지, 시초가 있은 다음에 괘를 그렸다는 말은 아니다.

本義

幽贊神明, 猶言贊化育. 龜筴傳曰, 天下和平王道得而著莖長丈, 其叢生滿百莖.

"신명을 그윽이 도왔다"는 것은 화육을 돕는다는 말과 같다. 『사기(史記)』「구책전(龜筴傳)」에 "천하가 화평하고 왕도가 제대로 되면 시초의 줄기가 한 길이 되고, 그 무더기가 백 개까지 찬다"고 하였다.

小註

朱子曰, 能贊化育, 和氣充塞, 所以能出這物.

주자가 말하였다: 화육을 도와 조화로운 기운이 천지에 꽉 찰 수 있기 때문에 이러한 물건을 낼 수 있다.

○ 生蓍, 便是大衍之數五十, 如何恰限生出百莖物事, 敎人做筮用. 到那參天兩地, 方是取數處.

시초를 내는 것은 곧 대연(大衍)의 수 오십인데, 어떻게 백 개의 시초를 한정하여 내어 사람들로 하여금 점치는 데 쓰게 하였는가? 하늘에서 셋을 취하고 땅에서 둘을 취하는 데 이르러서야 바로 숫자를 취한 곳이다.

○ 問, 生蓍, 按本義, 引龜筴傳蓍生滿百莖爲證. 某謂生字, 似只當與下面立卦立字生爻生字同例看. 所謂生蓍者, 猶言立蓍而用之耳. 未知是否. 曰, 卦爻是人所畫, 蓍是天地所生, 不可作一例說. 兼以立蓍而用之爲生蓍, 亦不成文理.

물었다: 시초를 내는 것에 대해『본의』에서는「구책전」의 시초가 생겨나 그 무더기가 백개까지 찬다는 것을 인용하여 증거로 삼았습니다. 저는 '생(生)'이라는 글자는 다만 아래면의 '입괘(立卦)'의 '입(立)'자, '생효(生爻)'의 '생(生)'자와 동일한 예로 보아야 할 것 같다고 생각합니다. 이른바 시초를 낸다는 것은 시초를 세워서 쓴다는 말과 같을 뿐입니다. 옳은지 잘 알지 못하겠습니다.

답하였다: 괘의 효는 사람이 그은 것이고, 시초는 천지가 낳은 것이니, 동일한 예로 설명할 수 없습니다. 아울러 시초를 세워서 쓴다는 말을 시초는 낸다고 하는 것도 문장의 이치를 이루지 못합니다.

○ 陸氏德明曰, 說文云, 蓍蒿屬. 生千歲, 三百莖, 易以爲數. 天子九尺, 諸侯七尺, 大夫五尺, 士三尺. 毛詩草木疏云, 似賴蕭靑色科生.

육덕명이 말하였다:『설문』에 "시초는 쑥의 종류이다. 천년에 삼백 줄기가 나는데, 역에서 그것으로 수를 삼았다. 천자는 구척을 쓰고, 제후는 칠척을 쓰고, 대부는 오척을 쓰고 하급관리는 삼척을 쓴다"고 하였다.『모시초목소(毛詩草木疏)』[1]에서 "큰 쑥과 비슷하고 푸른색이며 무더기로 난다"고 하였다.

○ 建安丘氏曰, 蓍神草所以用筮而求卦者. 贊神明, 猶言贊化育, 言聖人作易, 幽則贊於神明而生蓍, 以爲筮卦之用, 蓍草生, 則易之數有所托, 而易之用行矣.

건안구씨가 말하였다: 시초는 신묘한 풀로서 점을 쳐서 괘를 구하는 도구이다. 신명을 돕는다는 것은 화육을 돕는다는 말과 같으니, 성인이 역을 지음에 그윽하게는 신명을 도와 시초를 내어 점쳐서 괘를 만드는데 쓰고, 시초가 생겨나면 역의 수를 의탁할 곳이 있어서 역의 작용이 행해진다는 말이다.

---

1) 모시초목소(毛詩草木疏): 삼국시대 오나라의 육기(陸璣)가 편찬한 책으로 알려지고 있다.

○ 楊氏曰, 天地生著之靈也, 固可以揲而成卦, 衍而爲數, 不有聖人幽贊於神明, 則混同於區宇之間, 與凡草木俱腐爾. 神明之道何自而通乎.

양씨가 말하였다: 천지가 신령한 시초를 내어 본래 시초를 세어 괘를 이루고 부연하여 수를 이루니, 성인이 신명을 그윽하게 돕지 않는다면 세상의 한 모퉁이에서 섞여서 초목과 함께 썩을 뿐이다. 신명한 도를 어느 곳으로부터 이루겠는가?

‖韓國大全‖

조호익(曺好益) 『역상설(易象說)』

幽贊於神明.

신명을 그윽히 도와.

按, 語類, 朱子以爲爲神明所贊, 與本經小註不同.

내가 살펴보았다: 『주자어류』에서 주자는 신명이 돕는 바가 된다고 여겼는데, 본 경문의 소주와는 같지 않다.

이익(李瀷) 『역경질서(易經疾書)』

贊者, 導人行事之稱, 其神明不能自爲者, 人爲之贊導, 其實神明事, 故曰幽贊也. 著, 筮也. 筮法本合於神明之理, 故聖人得以幽贊而生之也. 若謂著草之生, 則參天兩地之前, 全闕卻揲著一段耳. 又若必對聖人幽贊而後草生, 則聖遠草絶, 其憂患後世之意安在. 著龜同物, 龜旣世有, 則何獨著待幽贊耶. 著筮古人通用, 按周禮筮人之職, 上吉相筮, 鄭玄云, 謂選擇其著, 著龜歲易也. 果非常有, 則雖欲相以易之得乎.

‘찬(贊)’이란 사람을 인도하여 일을 행하도록 하는 것을 가리키니, 신명이 스스로 할 수 없는 것을 사람이 도와 인도하는 것이므로 실제로는 신명의 일이기 때문에 “그윽히 돕는다”고 하였다. ‘시(著)’는 산가지를 헤아려 점치는 것이다. 점치는 법은 본래 신명의 이치에 합하기 때문에 성인이 그윽히 도와서 점이 나오도록 한 것이다. 시초를 내는 것을 말한다면 ‘삼천양지(參天兩地)’의 앞에 산가지를 헤아리는 한 단락이 전혀 빠진 것이다.[2] 또한 반드시 성인이 그윽히 돕기를 기다린 다음에 시초가 나온다면, 성인이 멀리 있을 경우에는 시초가 단절

될 것이니, 후세를 근심하는 뜻이 어디에 있겠는가? 시초와 거북은 같은 사물이고 거북은 대대로 있었는데, 어찌 유독 시초만 그윽히 돕기를 기다린다는 말인가? '시(蓍)'와 '서(筮)'를 옛 사람들이 통용하였으니,『주례(周禮)·서인직(筮人職)』을 살펴보면 "정월에 점치는 것을 선택한다"고 하였고, 정현은 "시초를 선택한 것을 말하니, 시초와 거북은 해마다 바꾼다"고 하였다. 과연 항상 있지 않았다면 비록 보아서 바꾸자 한들 할 수 있었겠는가?

又必曰相筮, 則二字通用可知. 書云, 龜從筮從, 左傳云, 筮短龜長. 夫筮必以蓍, 卜必以龜, 而必以龜筮對稱, 此又可證. 此云生蓍者, 卽亦生筮之謂也. 然則蓍果何物. 一本百莖, 不過攄龜策傳爲說, 彼褚少孫何考而知之. 筮必以蓍, 則字何以從竹. 筮, 諧聲也. 楚人以筳篿爲占, 則竹筳亦可以爲之. 更詳之.
또한 반드시 "점치는 것을 선택한다"고 하였다면 두 글자를 통용한 것을 알 수 있다. 『서경』에서는 "거북이 따르고 시초가 따른다"[3]고 하였고,『좌전』에서는 "시초는 모자라고 거북이 낫다"[4]고 하였다. 시초점은 반드시 시초로 치고 거북점은 반드시 거북으로 쳐서 반드시 거북과 시초를 대칭하는데, 여기에서도 증명을 할 수 있다. 여기에서 "시초를 낸다"고 말한 것은 곧 점을 내는 것을 말한다. 그렇다면 시초는 과연 어떤 식물인가? 한 그루에 백 개의 줄기가 난다고 한 것은『구책전』에 근거하여 설명한 것에 불과한데, 저 저소손(褚少孫)은 무엇을 고찰하여 그것을 알았던가? 시초점을 반드시 시초로 친다면, 글자는 어찌하여 죽(竹)변에 썼는가? '서(筮)'는 해성(諧聲)이다. 초나라 사람들은 정전(筳篿)으로 점을 쳤는데, 죽정(竹筳)으로도 할 수 있었다. 다시 상세히 고찰해야 할 것이다.

유정원(柳正源)『역해참고(易解參攷)』
幽贊於神明.
신명을 그윽히 도와.

韓氏曰, 幽深也, 贊明也.
한강백이 말하였다: '유(幽)'는 깊음이고, '찬(贊)'은 밝음이다.

本義, 龜筴傳, 史記篇名.
『본의』에서 말한「구협전」은『사기』의 편 이름이다.

---

2) '삼천양지(參天兩地)'의 앞에 산가지를 헤아려 점치는 방법에 대한 설명이 있어야 문맥이 통한다는 것이다.
3)『書經·洪範』: 汝則從, 龜從筮從, 卿士從, 庶民從, 是之謂大同, 身其康彊, 子孫其逢吉.
4)『春秋左氏傳·僖公』: 筮短龜長, 不如從長.

김상악(金相岳) 『산천역설(山天易說)』

著本自神明幽贊之而方生.

시초는 본래 신명이 그윽히 돕는 데서 막 생겨난다.

서유신(徐有臣) 『역의의언(易義擬言)』

此原著之生而言也. 聖人作易以通神明之德而著爲之生神明之草也. 其生也, 若或使之, 故曰生著也.

이는 시초가 생겨난 것을 근원하여 말한 것이다. 성인이 역을 만들어 신명의 덕을 통하고, 시초가 그를 위하여 신명한 풀을 내었다. 생겨난 것이 마치 어떤 이가 시킨 것 같기 때문에 "시초를 내었다"고 말하였다.

윤종섭(尹鍾燮) 『경(經)-역(易)』

說卦傳首章, 聖人之幽贊神明, 始於數而終於理. 就作易之序言之, 則河圖大衍之數而以著萬象, 立六十四卦之象而以示萬理也. 數以盡人物之神, 理以窮人物之性, 皆所以發明天命也.

「설괘전」의 첫장에서 성인이 신명을 그윽히 돕는 것은 수에서 시작하여 이치에 마친다. 역을 만든 순서로 말하자면 「하도」의 대연의 수로써 만 가지 사물을 드러내고, 육십사괘의 상을 세워서 만 가지 이치를 보여주었다. 수로써 사람과 사물의 신을 다하고, 이치로써 사람과 사물의 본성을 다하였으니, 모두 천명을 밝힌 것이다.

參天兩地而倚數,

하늘에서 셋을 취하고 땅에서 둘을 취하여 수를 의지하고,

｜中國大全｜

本義

天圓地方, 圓者一而圍三, 三各一奇, 故參天而爲三. 方者一而圍四, 四合二偶, 故兩地而爲二. 數皆倚此而起, 故揲蓍三變之末, 其餘三奇則三三而九, 三偶則三二而六, 兩二一三則爲七, 兩三一二則爲八.

하늘은 둥글고 땅은 네모진데, 둥근 것은 하나에 둘레가 3이니, 3은 각각 한 기(奇)이므로 하늘에서 셋을 취하여 3이 된다. 네모진 것은 하나에 둘레가 4이니, 4는 두 우(偶)를 합한 것이므로 땅에서 둘을 취하여 2가 된다. 수(數)는 모두 이에 의하여 일어기 때문에 시초를 세어 세 번 변한 뒤에 그 나머지가 기(奇)가 셋이면 3이 셋이어서 9이고, 우(偶)가 셋이면 3이 둘이어서 6이며, 2가 둘이고 3이 하나이면 7이고, 3이 둘이고 2가 하나이면 8이다.

小註

朱子曰, 參天兩地而倚數, 此在揲蓍上說. 參者元是箇三數底物事, 自家從而參之, 兩者元是箇兩數底物事, 自家從而兩之. 雖然卻只是說得箇參兩, 未見得成何數. 倚數云者, 似把幾件物事挨放這裏, 如已有三數, 更把箇三數倚在這邊成六, 又把箇三數倚在此成九. 兩亦如之.

주자가 말하였다: "하늘에서 셋을 취하고 땅에서 둘을 취하여 수를 의지한다"는 것은 시초를 세는 것으로 말하였다. '셋'이란 원래 3의 수로 이루어진 사물로 저절로 계속해서 셋씩 헤아려 가는 것이고, '둘'이란 원래 2의 수로 이루어진 사물로 저절로 계속해서 둘씩 헤아려 가는 것이다. 비록 그렇지만 다만 셋과 둘을 말한다면 어떤 수를 이룰지 알 수 없다. "수를 의지한다"고 말한 것은 몇 개의 사물을 여기에 놓아서 이미 3의 수를 갖게 되면 곧 3의 수를 갖고 여기에 의지하여 6을 이루고, 또 3의 수를 갖고 여기에 의지하여 9를 이루는 것이다. '둘도

또한 이와 같다.

○ 問, 參天兩地, 舊說以爲五生數中天三地兩, 不知其說如何. 曰, 此只是三天二地, 不見參兩之意. 參天者, 參之以三, 兩地者, 兩之以二也. 以方圓而言, 則七八九六之數, 都自此而起. 問, 以方圓而言參兩, 如天之圓, 徑一則以圍三而參之, 地之方, 徑一則以圍四而兩之否. 曰, 然.

물었다: "하늘에서 셋을 취하고 땅에서 둘을 취한다"는 것을 옛 설명에서는 다섯 생수(生數) 가운데 하늘에 해당하는 것이 셋이고 땅에 해당하는 것이 둘이라고 말했는데, 그 설명이 어떤지 알지 못하겠습니다.

답하였다: 이것은 다만 3이 하늘이고 2가 땅이라는 것으로, 삼(參)과 양(兩)의 뜻을 볼 수 없습니다. '삼천(三天)'이란 3으로 셋씩 헤아리는 것이고, '양지(兩地)'란 2로 둘씩 헤아리는 것입니다. 네모와 원으로 말하면 칠·팔·구·육의 수가 모두 이로부터 일어납니다.

물었다: 네모와 원으로 삼(參)과 양(兩)을 말하면, 하늘의 원은 지름이 1이면 둘레가 3이어서 삼으로 헤아리고, 땅의 네모는 지름이 1이면 둘레가 4이어서 둘로 헤아리는 것입니까?

답하였다: 그렇습니다.

○ 參天兩地而倚數, 一箇天參之爲三, 一箇地兩之爲二, 三三爲九, 三二爲六. 兩其二一其三爲七, 兩其三一其二爲八. 二老爲陰陽, 二少爲剛柔. 參不是三之數, 是无往參焉之參.

"하늘을 참여시키고 땅을 둘로 나누어 수를 의지한다"는 것은 하나의 하늘이 참여하여 3이 되고 하나의 땅이 둘로 나뉘어 2가 되어, 3 곱하기 3은 9가 되고 3 곱하기 2는 6이 된다. 2가 둘이고 3이 하나이면 7이 되고, 3이 둘이고 2가 하나이면 8이 된다. 노양과 노음 둘은 음양이 되고, 소양과 소음 둘은 굳셈과 부드러움이 된다. '참(參)'은 3의 수가 아니라, "가서 참여함이 없다"고 할 때의 '참여함'이다.

○ 倚數, 倚是靠在那裏. 且如先得箇三, 又得箇三, 只成六, 更得箇三, 方成九. 若得箇二, 卻成八, 恁地倚得數出來. 有人說, 參作三, 謂一三五, 兩謂二四. 一三五固是天數, 二四固是地數. 然而這卻是積數, 不是倚數.

"수를 의지한다"는 말에서 "의지한다"는 것은 저기에 기댄다는 것이다. 또한 예를 들어 먼저 3을 얻고 또 3을 얻어서 6을 이루고, 또 3을 얻어서 9를 이룬다. 6이 2를 얻으면 8이 되니, 그렇게 의지하여 수가 나온다. 어떤 사람은 "삼(參)은 3이 되니 1, 3, 5를 말하고, 양(兩)은 2, 4를 말한다. 1, 3, 5는 하늘의 수이고 2, 4는 땅의 수이다"라고 설명한다. 그러나 이것은 수를 쌓는 것이지 수를 의지하는 것이 아니다.

○ 問, 參天兩地而倚數. 曰, 天圓得數之三, 地方得數之四. 一畫中有三畫, 參之則爲九, 此天數也. 陽道常饒, 陰道常乏, 地之數不能爲三, 止於兩而已. 三而兩之爲六, 故六爲坤.
물었다: “하늘에서 셋을 취하고 땅에서 둘을 취하여 수를 의지한다”는 것은 무슨 뜻입니까? 답하였다: 하늘은 둥글어 수 가운데 3을 얻고, 땅은 네모져 수 가운데 4를 얻습니다. 한 획 가운데 3획이 있어 삼을 곱하면 9가 되니, 이것이 하늘이 수입니다. 양의 도는 항상 풍요롭고, 음의 도는 항상 모자라니, 땅이 수는 3이 되지 못하고 2에서 그칩니다. 3이 둘이면 6이 되기 때문에 6이 곤괘가 됩니다.

○ 一箇天, 參之則三, 一箇地, 兩之則二, 數便從此起. 此與大衍之數五十, 各自說一箇道理, 不須合來看. 然要合也合得, 一箇三, 一箇二, 成五, 衍之則成十, 便是五十.
하나의 하늘이 삼이면 3이 되고 하나의 땅이 둘이면 2가 되니, 수가 여기로부터 일어난다. 이는 대연의 수 오십과 각각 하나의 도리를 설명하고 있으므로 합하여 보아서는 안 된다. 그러나 합하려면 합할 수도 있으니, 하나의 3과 하나의 2가 5를 이루고, 부연하면 10을 이루며, 곱하면 50이 된다.

○ 瓜山潘氏曰, 著數卦爻, 易之粗也, 道德性命, 易之妙也. 參天兩地, 謂五也. 數數者, 必以五, 雖窮乎十百千萬, 必以五數之, 所以倚數也.
과산반씨가 말하였다: 시초의 수와 괘효는 역 가운데 거친 것이고, 도덕과 성명은 역 가운데 오묘한 것이다. “하늘에서 셋을 취하고 땅에서 둘을 취한다”는 것은 5를 말한다. 수를 세는 것은 반드시 다섯으로 하니, 비록 십, 백, 천, 만이라도 반드시 다섯으로 세기 때문에 수를 의지하는 것이다.

○ 建安丘氏曰, 天陽也, 陽象奇, 奇一畫中實, 得三分, 參天之數. 地陰也, 陰象偶, 偶一畫中虛, 比陽闕一分而得二分, 兩地之數. 倚依也, 言卦畫之數, 依此而起也. 故三奇爲乾, 則三其參天之數而爲九, 是謂老陽. 三偶爲坤, 則三其兩地之數而爲六, 是謂老陰. 二奇一偶爲巽離兌, 則二參一兩而爲八, 是謂少陰. 二偶一奇爲震坎艮, 則二兩一參而爲七, 是謂少陽. 因七八九六之數, 以定陰陽老少之畫, 此立卦生爻之本也.
건안구씨가 말하였다: 하늘은 양이고 양의 상은 홀수이니, 홀수의 한 획은 가운데가 차 있어 3분을 얻었으니, 하늘에서 셋을 취한 수이다. 땅은 음이고 음의 상은 짝수이니, 짝수의 한 획은 가운데가 비어 있어 1분이 모자라고 2분을 얻었으니, 땅에서 둘을 취한 수이다. ‘의(倚)’는 의지하는 것이니, 괘획의 수가 이에 의지하여 일어난다는 말이다. 그러므로 세 홀수는 건(乾)이 되니, 하늘에서 셋을 취한 수에 3을 곱하여 9가 되는데, 이것이 노양이다. 세 짝수는 곤(坤)이 되니, 땅에서 둘을 취한 수에 3을 곱하여 6이 되는데, 이것이 노음이다.

홀수가 둘이고 짝수가 하나이면 손괘·리괘·태괘가 되니, 3이 둘이고 2가 하나이면 8이 되는데 이것이 소음이다. 짝수가 둘이고 홀수가 하나이면 진괘·감괘·간괘가 되니, 2가 둘이고 3이 하나이면 7이 되는데 이것이 소양이다. 7·8·9·6의 수를 따라서 음양·노소의 획을 정하니, 이것이 괘를 세우고 효를 낳는 근본이다.

▌韓國大全▌

권근(權近)『주역천견록(周易淺見錄)』

此陰陽老少四象, 所以得九六七八之數者也. 天圓而地方, 圓者徑一而圍三, 方者徑一而圍四. 陽饒故三用其全, 三各一奇, 故參其天而爲三. 陰乏故四用其半, 四合二偶, 故兩其地而爲二. 數皆倚此而起, 故揲著之法, 三爻之後, 餘三奇則三三爲九, 老陽數也. 三偶則三二爲六, 老陰數也. 二偶一奇則爲七, 少陽數也. 二偶一奇則爲八, 少陰數也. 其數之變, 出於自然之妙, 故無所往而不合. 以天地生數之始言之, 則虛去天一爲大極, 其用天三地二. 其數之積, 亦三三爲九, 三二爲六, 二二一三爲七, 二三一二爲八.

이는 노양·소양·노음·소음의 사상(四象)이 9, 6, 7, 8이라는 숫자를 얻게 되는 이유이다. 하늘은 둥글고 땅은 네모인데, 둥근 것은 지름을 1로 보면 둘레는 3이고, 네모난 것은 지름이 1이면 둘레는 4이다. 양은 넉넉하므로 3 그 전체를 쓰는데, 삼이 각각 하나의 홀수이므로 '하늘에서 셋을 취하여' 3이 된다. 음은 궁핍하므로 4에서 그 반을 쓰는데, 4는 두 짝을 합한 것이므로 '땅에서 둘을 취하여' 2가 된다. 수는 모두 이에 의거하여 생기므로 시초점 치는 방법은 3효를 얻은 뒤에 나머지가 3의 세 배이면 3×3하여 9가 되고 이것이 노양의 수이다. 3의 두 배이면 3×2는 6이 노음의 수이다. 짝이 둘이고 홀이 하나면 7이 되니 소양의 수이다. 홀수가 둘이고 짝수가 하나면 8이 되니 소음의 수이다. 그 수의 변화는 자연의 오묘한 작용으로부터 나오므로 합치하지 않는 곳이 없다. 천지 생수(生數)의 시작으로써 말하면 하늘 일을 비워 태극으로 삼고 다만 하늘 삼과 땅 둘을 사용한다. 그 수의 합 또한 3×3은 9, 3×2는 6, 2×2+1×3은 7, 2×3+1×2는 8이다.

愚於上篇已言之者此也. 以五生數言, 則一三五之合爲九, 皆天數, 故爲老陽. 二四之合爲六, 皆地數, 故爲老陰. 一二四之合爲七, 一三四之合爲八. 合生成十數言之, 則生數屬陽, 成數屬陰, 陽居左而進得以兼陰, 故自生數之一, 至成數之九, 則進之極而爲老陽, 至七進未極而爲少陽. 陰居右而退不得兼陽, 故由成數之十反而退, 至於六則退之極而爲老陰, 至八退未極而爲少陰也. 陽之生, 自左而進, 陰之生, 自右而退, 但觀朝夕之影, 亦可見矣.

내가 상편에서 이미 말한 것이 이것이다. 다섯 생수로써 말하면 1, 3, 5의 합은 9로 모두 천수(天數)이므로 노양이 된다. 2와 4의 합은 6으로 모두 지수(地數)이므로 노음이 된다. 1, 2, 4의 합은 7이고, 1, 3, 4의 합은 8이다. 생수와 성수 10개를 합해서 말하면 생수는 양에 속하고 성수는 음에 속하며, 양은 왼쪽에 자리하여 나아가 음을 겸하므로 생수의 1로부터 성수인 9에 이르면 나아감이 극에 이르러 노양이 되고, 7에 이르면 나아감이 아직 극에 이르지 않아 소양이 된다. 음은 오른쪽에 자리하여 물러나 양을 겸하지 못하므로 성수 10에서 거꾸로 물러나 6에 이르면 물러남이 극에 이르러 노음이 되고, 8에 이르면 물러남이 극에 이르지 않아 소음이 된다. 양은 왼쪽에서 생겨나기 시작하여 나아가며 음은 오른쪽에서 생겨나기 시작하여 물러나니, 아침과 저녁의 그림자만 관찰해도 이를 알 수 있다.

陽七少而九老, 猶人之數生齒, 以齒多者爲老也. 陰八少而六老, 猶人之序生齒, 以先生者爲老也. 陽數主生, 自始生進而至於極, 故以齒多爲老. 陰數主成由旣成退而反於初, 故以先生爲老也. 以河圖言, 則一二三四爲四象之位, 六七八九爲四象之數. 二少位於東南, 氣之始也, 二老位於西北, 氣之極也. 數各附位, 以類相從. 洛書則六附老陰之位於北, 九得老陽之位於南, 八附少陰之位於東, 七得少陽之位於西, 方位與數, 各得其正. 以河圖中宮十五言, 則得九則餘六爲二老, 得八則餘七爲二少, 洛書縱橫十五亦然. 以洛書中五言, 則五者參天兩地, 三二之合, 亦生數之極. 旣極則退五退而得四則爲九, 得三則爲八, 得二則爲七, 得一則爲六. 其得數之序, 卽四象生出之序也. 天地之間, 千變萬化, 不出是數之外, 故其變無窮, 而莫不妙合, 其初不過參天兩地而推之爾.

양은 7이 소(少)이고 9가 노(老)이니, 이는 사람들이 생겨난 이빨을 세면서 이빨이 많은 사람을 노(老)라고 여기는 것과 같다. 음은 8이 소(少)이고 6이 노(老)이니, 이는 사람들이 생겨난 이빨의 순서를 정하면서 먼저 생긴 것을 노(老)로 보는 것과 마찬가지다. 양수(陽數)는 생(生)을 주관하여 처음 생길 때부터 나아가 극에 이르므로 이빨이 많은 것이 노(老)가 된다. 음수는 성(成)을 주관하여 이미 완성된 이후에는 물러나 처음으로 돌아가므로 먼저 생긴 것이 노(老)이다. 「하도(河圖)」로써 말하면 1, 2, 3, 4가 사상(四象)의 자리이고, 6, 7, 8, 9가 사상의 수이다. 소(少) 둘이 동남쪽에 자리하니 기(氣)의 시작이고, 노(老) 둘은 서북쪽에 자리하니 기(氣)의 지극함이다. 수는 각각 자리에 붙이되 같은 종류끼리 모은다. 「낙서(洛書)」의 경우는 6이 노음의 자리인 북쪽에 붙어 있고, 9는 노양의 자리를 얻어 남쪽에, 8은 소음의 자리인 동쪽에, 7은 소양의 자리인 서쪽에 붙어 있어, 자리와 수가 각각 그 정도를 얻었다. 「하도」의 중궁(中宮) 10과 5로써 말하면, 9를 얻으면 나머지가 6이 되어 2노가 되고, 8을 얻으면 나머지가 7이 되어 2소가 된다. 「낙서」의 종횡 15 또한 그렇다. 「낙서」의 가운데 5로써 말하면, 5는 하늘에서 3을 취하고 땅에서 2를 취하여 3과 2를 합하니, 또한 생수의 극이다. 이미 극에 이르면 물러나므로 5가 물러나 4를 얻으면 9가 되고, 3을 얻으면 8이 되고, 2를 얻으면 7이 되고, 1을 얻으면 6이 된다. 수를 얻은 순서가 바로 사상(四象)이 생겨나는 순서이다. 천지 사이에 천만 가지 변화가 이 수를 벗어나지 않으므로 그 변화가 무궁하고 오묘하게 합치하지 않는 경우가 없지만, 그 처음은 하늘을 3으로 땅을 2로 하여 미루어 나간 것에 불과하다.

조호익(曺好益) 『역상설(易象說)』

註丘氏說與朱子不同然其說極妙可備一說.

주를 보면, 건안 구씨(建安丘氏)의 설이 주자의 설과는 다르다. 그러나 그 설이 아주 정묘하여 하나의 설이 될 수 있다.

송시열(宋時烈) 『역설(易說)』

參天兩地, 說見篇首. 九六辨, 蓋一三五爲天數, 是參天也, 二四爲地數, 是兩地也. 倚數者, 倚於大衍之數也.

"하늘에서 셋을 취하고 땅에서 둘을 취하였다"는 것에 대한 설명은 편 머리에 나온다. 구와 육의 구분은 일·삼·오는 하늘의 수가 되니 이것이 하늘에서 셋을 취한 것이고, 이·사는 땅의 수가 되니 이것이 땅에서 둘을 취한 것이다. "수를 의지한다"는 것은 대연의 수에 의지한다는 것이다.

이익(李瀷) 『역경질서(易經疾書)』

數倚于參兩, 參兩本于一, 一者數之大原也. 一與一爲兩, 二與一爲參. 一則無迹, 故數必倚于參兩. 陰偶陽奇, 參兩所以立也. 天圓而地方, 圓則一徑, 方則兩合. 一徑則三圍, 兩合則二片. 數不外于此也. 大傳云, 掛一以象三, 揲四以象四. 然則須添三才四時之義, 方成造化. 故三其三爲九, 老陽之數也. 四其九爲三十六, 老陽之策也. 三其二爲六, 老陰之數也. 四其六爲二十四, 老陰之策也. 一其三, 二其二爲七, 少陽之數也. 四其七爲二十八, 少陽之策也. 一其二, 二其三爲八, 少陰之數也. 四其八爲三十二, 少陰之策也. 所謂倚數者如此, 不然謂之奇偶足矣, 何必曰天地乎.

수가 셋과 둘에 의지하는데, 셋과 둘은 하나에 근본하니, 하나는 수의 큰 근원이다. 하나와 하나가 둘이 되고, 둘과 하나가 셋이 된다. 하나는 자취가 없기 때문에 수는 반드시 셋과 둘에 의지한다. 음은 짝수이고 양은 홀수이니, 셋과 둘이 그로써 세워진다. 하늘은 둥글고 땅은 네모진데, 원은 지름이 하나이고 네모는 두 변을 합한다. 지름이 1이면 둘레는 3이고, 두 변을 합하면 두 조각이 된다. 수는 이를 벗어나지 않는다.『계사전』에 "하나를 걸어서 셋을 상징하고, 넷으로 세어서 넷을 상징한다"고 하였다. 그렇다면 반드시 삼재와 사시의 뜻을 덧붙여야 조화를 이룬다. 그러므로 3×3=9이니 노양의 수이다. 4×9=36이니 노양의 책수이다. 3×2는 6이니 노음의 수이다. 4×6=24이니 노음의 책수이다. 1×3=3, 2×2=4, 3+4=7이니 소양의 수이다. 4×7=28이니 소양의 책수이다. 1×2=2, 2×3=6, 2+6=8이니 소음의 수이다. 4×8=32이니 소음의 책수이다. 이른바 수에 의지한다는 것이 이와 같으니, 그렇지 않다면 홀수와 짝수라고 말하면 충분할 것인데, 어찌 반드시 하늘과 땅을 말하겠는가?

天地之形本如此, 故理數所以象之也. 天有八干四隅, 地有十二支, 其脉絡交密若瓜瓣狀, 細思之如目見也. 先甲後甲乾甲, 丁之三合也, 先庚後庚巽庚, 癸之三合也. 後甲爲丁, 則先甲非乾乎. 後庚爲癸, 則先庚非巽乎. 證之以亥卯未之三鍾, 巳酉丑之三呂, 尤可信. 地有二片相合, 故周禮享天神, 黃鐘大呂, 子丑之合也. 享地示, 太簇應鐘, 寅亥之合也. 享四望, 姑洗南呂, 辰酉之合也. 享山川, 蕤賓函鐘, 午未之合也. 享先妣, 夷則小呂, 申巳之合也. 享先祖, 無射夾鐘, 戌卯之合也. 此皆聖人之書, 參天兩地之義, 於是益明, 詳在本卦.

천지의 형체가 본래 이러하기 때문에 이치와 숫자로 상징하였다. 하늘에는 팔간(八干), 사우(四隅)가 있고, 땅에는 십이지(十二支)가 있으니, 그 맥락이 오이씨처럼 조밀하지만 세밀하게 생각해본다면 마치 눈으로 보는 듯하다. 선갑·후갑·건갑은 정(丁)의 세 합이고, 선경·후경·손경은 계(癸)의 세 합이다. 후갑이 정이 된다면 선갑은 건이 아니겠는가? 후경이 계가 된다면, 선경은 손이 아니겠는가? 해(亥)·묘(卯)·미(未)의 세 종(鍾)과 사(巳)·유(酉)·축(丑)의 세 려(呂)에서 더욱 믿을 수 있다. 땅에서는 두 조각이 서로 합쳐지기 때문에 『주례』에서 천신을 제향할 때 황종과 대려로 하는 것은 자(子)와 축(丑)의 합이다. 지신을 제향할 때 태주와 응종으로 하는 것은 인(寅)과 해(亥)의 합이다. 사망(四望)을 제향할 때 고선과 남려로 하는 것은 진(辰)과 유(酉)의 합이다. 산천을 제향할 때 유빈과 함종으로 하는 것은 오(午)와 미(未)의 합이다. 선비(先妣)를 제향할 때 이칙과 소려로 하는 것은 신(申)과 사(巳)의 합이다. 선조를 제향할 때 무역과 협종으로 하는 것은 술(戌)과 묘(卯)의 합이다. 이는 모두 성인의 글로 하늘에서 셋을 취하고 땅에서 둘을 취하는 뜻이 여기에서 더욱 분명하니, 상세한 것을 본 괘에 있다.

유정원(柳正源) 『역해참고(易解參攷)』

案, 陽者動而爲天, 陰者靜而爲地. 天體至圓, 圓者爲三, 地形至方, 方者用二. 大凡陰陽之數皆如此, 而揲蓍三變之末亦只此數.

내가 살펴보았다: 양이 움직여 하늘이 되고, 음이 고요하여 땅이 된다. 하늘의 모습은 지극히 둥그니 둥근 것은 삼이 된다. 땅의 형체는 지극히 네모지니 네모에서는 둘을 쓴다. 대체로 음양의 수가 모두 이와 같으니, 시초를 헤아려 세 번 변한 끝에도 또한 다만 이러한 수이다.

김상악(金相岳) 『산천역설(山天易說)』

陽之象圓, 圓者, 徑一圍三而用其全, 則三三而九. 陰之象方, 方者, 徑一圍四而用其半, 則三二而六. 所以參天而兩地也, 數皆倚此而起也. 來註, 天一依天三, 天三依天五而爲九, 地二依地四而爲六也. 如是則只是三天二地, 不見參兩之義.

양은 원을 상징하니 원은 지름이 1이고 둘레가 3이며, 그 전체를 쓰면 3×3=9이다. 음은 네모를 상징하니 네모는 한 변이 1이고 둘레가 4이며 그 반을 쓰면 3×2=6이다. 그래서 하늘에서 셋을 취하고 땅에서 둘을 취하니, 수는 모두 이에 의지하여 일어난다. 래지덕의 주석에 의하면 천일(天一)은 천삼(天三)에 의거하고 천삼(天三)은 천오(天五)에 의거하여 구가 되며, 지이(地二)는 지사(地四)에 의거하여 육이 된다. 이와 같다면 다만 하늘은 셋이고 땅을 둘 이어서 삼량의 뜻이 보이지 않는다.

서유신(徐有臣) 『역의의언(易義擬言)』

此原數之起而言也. 參天兩地者, 起數之法也. 天體圓而包乎地, 地形方而函于天. 以圓包方, 方之徑二, 圓之徑三. 大衍之數五十, 天數三十, 地數二十, 故參天兩地而倚數也. 倚數者, 筮倚於數而成也. 蓍非數無所施也, 卦非數無以定也. 夫太一無變化, 斷而虛之, 連而實之, 方有變化, 故伏羲氏之畫卦也, 爲耦畫以象地之陰, 爲奇畫以象天之陽. 耦畫者, 兩斷而虛其中也, 奇畫者, 參連而塡其虛也. 故耦數用二, 奇數用三也.

이는 수가 일어난 것을 근원하여 말한 것이다. 하늘에서 셋을 취하고 땅에서 둘을 취하는 것은 수를 일으키는 법이다. 하늘의 모습은 둥글고 땅을 포괄하며, 땅의 형체는 네모지고 하늘을 포함한다. 원은 네모를 포함하는데, 네모의 변은 2이고 원의 지름은 3이다. 대연의 수 50인데 하늘의 수는 30이고 땅의 수는 20이기 때문에, 하늘에서 셋을 취하고 땅에서 둘을 취하여 수를 의지하였다. 수를 의지한다는 것은 점이 수에 의지하여 이루어진다는 것이다. 시초는 수가 아니면 베풀 곳이 없고, 괘는 수가 아니면 정할 방법이 없다. 태일(太一)은 변화가 없지만 끊어져서 비고 연결되어 채워져서야 변화가 있게 되기 때문에, 복희씨가 괘를 그을 적에 짝수 획을 그어 땅의 음을 상징하고, 홀수 획을 그어 하늘의 양을 상징하였다. 짝수 획은 둘이 끊어지고 가운데가 비어 있으며, 홀수 획은 셋이 연결되어 그 빈 곳을 채웠다. 그러므로 짝수는 2를 쓰고, 홀수는 3을 쓴다.

심대윤(沈大允) 『주역상의점법(周易象義占法)』

朱子以方圓徑圍, 圓取全而方取半, 卽陽全陰半, 陽一全而陰二半也, 象數之所由起也. 倚數, 倚此而起數也. 二老二少之爲九六七八者, 陰陽皆具三層也. 小子之說陽一陰二, 而陽統陰爲三, 陰不得統陽而自有其二云云者, 欲明道也, 實與朱說表裏也.

주자는 네모와 원, 지름과 둘레로 말했는데, 원은 전체를 취하고 네모는 반을 취하니, 양은 전체를 쓰고 음은 반을 쓰며, 양이 1인 것은 전체이고 음이 2인 것은 반이니, 상과 수가 그로 말미암아 일어난다. 수에 의지한다는 것은 이에 의지하여 수를 일으킨다는 것이다. 노양, 노음, 소양, 소음이 9ㆍ6ㆍ7ㆍ8이 되는 것은 음양이 모두 세 층을 구비한 것이다. 나의 설명 가운데 양이 1이고 음이 2이며, 양은 음을 통괄하여 3이 되지만 음은 양을 통괄할 수 없어서 그대로 2가 된다고 말한 것은 도를 밝히기 위한 것으로 실제로 주자의 설과 표리관계를 이룬다.

오치기(吳致箕) 「주역경전증해(周易經傳增解)」

聖人作易者, 言文王繫卦象, 周公繫爻辭也. 著者, 神草, 所以撰策者也. 生, 猶出也, 言聖人幽賛神明而出著法定陰陽之爻也. 參天者, 言參箇天之生數, 卽一三五也. 兩地者, 言兩箇地之生數, 卽二四也. 倚者, 依也. 蓋河圖生數有五, 乃天一地二天三地四天五也. 成數有五, 乃地六天七地八天九地十也. 依乎生數, 則成老少陰陽之母數, 而老陽則純用奇, 故參于天數一三五, 而積之則成老陽之九數, 老陰則純用偶, 故兩于地數二四, 而積之則成老陰之六數. 二少則陰之少者, 陽浸多, 陽之少者, 陰浸多, 故分用天地之生數而積地數之四天數之三, 則爲少陽七數, 積天數之一五地數之二, 則爲少陰八數. 故曰六七八九乃二老二少之母數, 而倚乎一二三四五之生數者也.

성인이 역을 지었다는 것은 문황이 괘사를 달고 주공이 효사를 단 것을 말한다. 시초는 신묘한 풀로 책수를 헤아리는 도구이다. '생(生)'은 내는 것과 같으니, 성인이 신명을 그윽히 도와 시초를 헤아리는 법을 내어 음양의 효를 정하는 것을 말한다. 하늘에서 셋을 취한다는 것은 하늘의 생수 셋을 말하니, 곧 1ㆍ3ㆍ5이다. 땅에서 둘을 취한다는 것은 땅의 생수 둘을 말하니, 곧 2ㆍ4이다. '의(倚)'는 의지한다는 것이다. 「하도」의 생수는 다섯이니, 천일ㆍ지이ㆍ천삼ㆍ지사ㆍ천오이다. 성수도 다섯이니, 지육ㆍ천칠ㆍ지팔ㆍ천구ㆍ지십이다. 생수에 의지하면 노·소, 음·양의 모수(母數)를 이루는데, 노양은 순수하게 홀수를 쓰기 때문에 천수 1·3·5 셋을 취하고, 셋을 더하면 노양의 수 9를 이루며, 노음은 순수하게 짝수를 쓰기 때문에 지수 2·4 둘을 취하고, 둘을 더하면 노음의 수를 이룬다. 소양과 소음은 음이 작은 것은 양이 더 많고 양이 작은 것은 음이 더 많기 때문에 천지의 생수를 나누어 쓰고, 지수4와 천수3을 더하면 소양의 수 7이 되고, 천수 1·5와 지수2를 합하면 소음의 수 8이 된다. 그러므로 6·7·8·9는 노양·노음, 소양·소음의 모수이고, 1·2·3·4·5의 생수에 의지한다고 말한다.

此皆天地自然之數, 而其曰參兩者, 不外乎此. 至於徑一圍三而爲參, 徑一圍四而爲兩者, 其理亦出於此也. 揲策定爻之法, 揲之以四, 故參其四則爲十二, 兩其四則爲八. 而每三變爲一爻, 故以十二而三之, 則爲三十六老陽之過揲, 以八而三之, 則爲二十四, 老陰之過揲, 兩其八, 一其十二而三之, 則爲二十八少陽之過揲, 兩其十二, 一其八而三之, 則爲三十二少陰之過揲. 此四者乃二老二少之子數出於參兩者也. 以四乘於二老二少之母數, 則四九爲老陽過揲三十六, 四六爲老陰過揲二十四, 四七爲少陽過揲二十八, 四八爲少陰過揲三十二者. 其法似殊而實本乎參兩也.

이는 모두 천지와 자연의 수이고 삼량이라고 하는 것은 이것을 벗어나지 않는다. 지름1, 둘레 3에 이르러 삼이 되고 변1, 둘레4에서 양이 되는 것은 그 이치가 또한 여기에서 나왔다. 책수를 헤아려 효를 정하는 법은 넷으로 세기 때문에 3×4=12이고 2×4=8이다. 매 세 번의 변화가 한 효가 되기 때문에 12×3=36 노양의 과설이고, 8×3=24 노음의 과설이고, 2×8=16, 1×12=12, 16+12=28 소양의 과설이고, 2×12=24, 1×8=8, 24+8=32 소음의 과설이다. 이 네 가지는 노양·노음, 소양·소음의 자수가 삼량에서 나오는 것이다. 4에 노양·노음, 소양·소음의 모수를 곱하면 4×9=36 노양의 과설이고, 4×6=24 노음의 과설이고, 4×7=28 소양의 과설이고, 4×8=32 소음의 과설이다. 그 법은 다른 것 같지만, 실제로는 삼량에 근본을 두고 있다.

三變而成文, 故一奇爲四而三其四, 則爲老陽歸扐之十二. 一偶爲八而三其八, 則爲老陰歸扐之二十四. 兩其八, 一其四而合三變, 則爲少陽歸扐之二十. 兩其四, 一其八而合三變, 則爲少陰歸扐之十六. 此四者, 以歸扐之數, 定老少陰陽之爻者也. 參兩倚數而定爻, 其法無異. 然老則極而變, 故用二老以觀爻變也. 以參兩之法交互而乘二老二少之策, 則老陽兩其三十六而爲七十二, 老陰三其二十四而爲七十二, 少陽三其十六兩其十二而爲七十二, 少陰兩其二十四三其八而爲七十二. 此二老二少之數, 互相參兩. 八卦之以參兩定四象, 〈見下篇圖書解.〉而終歸于一者也.

세 번 변하여 문장을 이루기 때문에 하나의 기수는 4가 되고 3×4=12는 노양의 남은 책수이다. 하나의 우수는 8이 되고 3×8=24는 노음의 남은 책수이다. 2×8=16, 1×4=4, 16+4=20은 소양의 남은 책수이다. 2×4=8, 1×8=8, 8+8=16은 소양의 남은 책수이다. 이 네 가지는 남은 책수로 노·소, 음·양의 효를 정한다. 삼량이 수에 의지하여 효를 정하니, 그 법이 다름이 없다. 그러나 노양과 노음은 지극하면 변하기 때문에 노양과 노음을 써서 효의 변화를 관찰한다. 삼량의 법으로 서로 사귀고 노양·노음, 소양·소음의 책수를 곱하면 노양 2×36=72가 되고, 노음 3×24=72가 되고, 소양 3×16=48, 2×12=24, 48+24=72가 되고, 소음 2×24=48, 3×8=24, 48+24=72가 된다. 이 노양·노음, 소양·소음의 수는 서로 삼량이 된다. 팔괘는 삼량으로 사상을 정하고〈하편 「도서해」에 보인다.〉끝내는 하나로 돌아간다.

三箇七十二爲二百十有六, 而卽是乾六爻之策, 兩箇七十二爲一百四十有四, 而卽是坤六爻之策. 此乾坤二策之出於參兩者也. 推此而三分乾之爻一百九十二, 則爲六十四, 而乘以乾策三十六, 合爲二千三百四. 兩分坤之爻一百九十二, 則爲九十六, 而乘以坤策二十四, 亦合爲二千三百四. 總而言之, 則乾之策六千九百十二, 乃三箇二千三百四之合也. 坤之策四千六百八, 乃兩箇二千三百四之合也. 此二篇之策, 出於參兩者也. 是皆河圖生數爲參兩之本, 而乃造化自然之妙也.

3×72=216은 곧 건괘 육효의 책수이고, 2×72=144는 곧 곤괘 육효의 책수이다. 이 건·곤 두 책수는 삼량에서 나온 것이다. 이를 미루어 건괘의 효 192를 셋으로 나누면 64이고, 건괘의 책수 36을 곱하면 2,304가 된다. 곤괘의 효 192를 둘로 나누면 96이고, 곤괘의 책수 24를 곱하면 또한 2,304가 된다. 총괄하여 말하면 건괘의 책수 6,912는 2,304에 3을 곱한 것이다. 곤괘의 책수 4,608은 2,304에 2를 곱한 것이다. 이 두 편의 책수는 삼량에서 나온 것이다. 이는 모두 「하도」의 생수가 삼량의 근본이 되고 조화·자연의 오묘함이라는 것이다.

이진상(李震相) 『역학관규(易學管窺)』

參天兩地.

하늘에서 셋을 취하고 땅에서 둘을 취하여.

陽用其全, 故圍三而爲三, 陰用其半, 故圍四而爲二. 陽贏而陰縮, 陽進而陰退故也.

양은 전체를 쓰기 때문에 둘레가 3이어서 3을 쓰고, 음은 반을 쓰기 때문에 둘레가 4인데 2를 쓴다. 양은 남고 음은 모자라며, 양은 나아가고 음은 물러가기 때문이다.

최세학(崔世鶴) 주역단전괘변설(周易彖傳卦變說)」

三天數也, 二地數也. 一者太極之體, 其數不行, 故數行於二三. 起於三以三參之, 則三九七一之數生焉. 起於二以二兩之, 則二四八六之數生焉. 其序列之位, 則天居四, 正取以陽統陰之義. 其三九七一乘數, 則旋而左, 除數則返而右也. 其二四八六乘數, 則旋而右, 除數則返而左也. 二五相合爲十, 十仍歸一. 洛書不用者, 藏其用也.

3은 하늘의 수이고 2는 땅의 수이다. 1은 태극의 본체이고 그 수는 행해지지 않기 때문에 수는 2와 3에서 행해진다. 3에서 일어나서 3을 세 번 하면 3, 9, 7, 1의 수가 생겨난다. 2에서 일어나서 2를 두 번 하면 2, 4, 8, 6의 수가 생겨난다. 그 서열의 자리는 하늘이 4에 거하여 바로 양이 음을 통괄하는 뜻을 취하였다. 3, 9, 7, 1의 승수는 왼쪽으로 돌고 제수는 오른쪽으로 돌이킨다. 2, 4, 8, 6의 승수는 오른쪽으로 돌고 제수는 왼쪽으로 돌이킨다. 2와 5를 곱하면 10이 되고, 10은 1로 돌아간다. 「낙서」에서 쓰지 않는 것은 그 쓰임을 감추는 것이다.

三陽始於東, 自東而南三而三之爲九. 自南而西九而三之爲二十七, 去成數則餘七. 自西而北七而三之爲二十一, 去成數則餘一. 自北而東一而三之爲三. 奇數左旋以參之, 卽天道左行也. 如轉而右行, 以三除之, 仍復其原數焉. 二陰始生西南, 自西南而東南二, 而二之爲四. 自東南而東北四而二之爲八. 自東北而西北八而二之爲十六, 去成數餘六. 自西北而西南六而二之爲十二, 去成數爲二. 偶數右旋而兩之, 卽地道右行之說也. 如轉而左行, 以二除之, 仍復其原數. 此乘除之數, 見於運行者也.

3양은 동쪽에서 시작하여 동으로부터 남쪽 3으로 가는데 3을 곱하면 9이다. 남쪽으로부터 서쪽 9로 가는데 3을 곱하면 27이고 성수를 제하면 나머지는 7이다. 서쪽으로부터 북쪽 7로 가는데 3을 곱하면 21이고 성수를 제하면 나머지는 1이다. 북쪽으로부터 동쪽 1로 가는데 3을 곱하면 3이다. 기수가 왼쪽으로 돌고 3을 곱하는 것은 천도가 왼쪽으로 행하는 것이다. 돌아서 오른쪽으로 간다면 3으로 나누어 원래의 수를 회복한다. 2음은 서남쪽에서 처음 생겨 서남쪽으로부터 동남쪽 2로 가는데 2를 곱하면 4이다. 동남쪽으로부터 동북쪽 4로 가는데 2을 곱하면 8이다. 동북쪽으로부터 서북쪽 8로 가는데 2을 곱하면 16이고 성수를 제하면 나머지는 6이다. 서북쪽으로부터 서남쪽 6으로 가는데 2을 곱하면 12이고 성수를 제하면 2이다. 우수가 오른쪽으로 돌고 2을 곱하는 것은 지도가 오른쪽으로 행한다는 설이다. 돌아서 왼쪽으로 간다면 2로 나누어 원래의 수를 회복한다. 이 곱하고 나누는 수는 운행에 보인다.

若以對待者觀之, 一與九爲對, 一爲數之始, 九爲數之終. 互乘互除, 其數不變. 二與八爲對, 互乘俱得十六, 二除十六得八, 八除十六乃得二, 此二與八之相倚也. 三與七爲對, 互乘皆二十一, 三除二十一得七, 七除二十一得三, 此三與七之相倚也. 四與六爲對, 互乘皆二十四, 四除二十四得六, 六除二十四得四, 此四與六之相倚也. 至五爲三二之合, 位於洛書之中. 河圖考其數, 始於一, 中於五, 終於十. 陽奇陰偶而數之加減, 由是而生焉. 自一而二, 自二而三, 自三而四, 自四而五, 皆遞加一而生, 自五復加一而成六, 自六加一而成七, 自七加一而成八, 自八加一而成九, 自九加一而成十, 十則天地之數全矣.

대대(對待)관계로 살펴보면 1과 9가 대(對)인데, 1은 수의 시작이고 9는 수의 끝이다. 서로 곱하고 서로 나누어도 그 수가 변하지 않는다. 2와 8이 대인데, 서로 곱하면 16을 얻고 16을 2로 나누면 8을 얻으며 16을 8로 나누면 2를 얻으니, 이는 2와 8이 서로 의지하는 것이다. 3과 7이 대인데, 서로 곱하면 21을 얻고 21을 3으로 나누면 7을 얻으며 21을 7로 나누면 3을 얻으니, 이는 3과 7이 서로 의지하는 것이다. 4와 6이 대인데, 서로 곱하면 24를 얻고 24를 4로 나누면 6을 얻으며 24을 6으로 나누면 4를 얻으니, 이는 4와 6이 서로 의지하는 것이다. 5는 3과 2의 합이고, 「낙서」의 가운데에 위치한다. 「하도」에서 그 수를 고찰해보면 1에서 시작하고 5가 가운데이며 10에서 끝난다. 양은 기수이고 음은 우수이니, 수의 가감이 이로부터 생겨난다. 1로부터 2로, 2로부터 3으로, 3으로부터 4로, 4로부터 5로, 모두 차례로 하나를 더하여 생겨나며, 5로부터 다시 1을 더하여 6을 이루고, 6으로부터 1을 더하여 7을 이루고, 7로부터 1을 더하여 8을 이루고, 8로부터 1을 더하여 9를 이루고, 9로부터 1을 더하여 10을 이루니, 10은 천지의 수가 완전해진 것이다.

以陰陽生成論, 則一爲陽, 天一生水而位北, 加一爲二爲陰. 地二生火而位南, 加一爲三爲陽. 天三生木而位東, 加一爲四爲陰. 地四生金而位西, 加一爲五爲陽. 天五生土而位中. 此五行生數之極也. 以五復加一爲六爲陰, 於中五加一, 故與一同位而屬之水. 加一爲七爲陽, 於中五加二, 故與二同位而屬之火. 加一爲八, 於中五加三, 故與三同位而屬木. 加一爲九, 於中五加四, 故與四同位而屬金. 加一爲十, 於中五加五, 故與五同位而屬土. 此成數之極也.

음양의 생성으로 논하면 1은 양이 되니, 천1이 수를 낳고 북쪽에 자리하며, 1을 더하여 2가 되고 음이 된다. 지2가 화를 낳고 남쪽에 자리하며, 1을 더하여 3이 되고 양이 된다. 천3이 목을 낳고 동쪽에 자리하며, 1을 더하여 4가 되고 음이 된다. 지4가 금을 낳고 서쪽에 자리하며, 1을 더하여 5가 되고 양이 된다. 천5가 토를 낳고 가운데 자리한다. 이것이 오행과 생수의 지극함이다. 5에 다시 1을 더하여 6이 되고 음이 되니, 가운데 5에 1을 더하기 때문에 1과 같은 자리로 수에 속한다. 1을 더하여 7이 되고 양이 되니, 가운데 5에 2를 더하기 때문에 2와 같은 자리로 화에 속한다. 1을 더하여 8이 되니, 가운데 5에 3을 더하기 때문에 3과 같은 자리로 목에 속한다. 1을 더하여 9가 되니, 가운데 5에 4를 더하기 때문에 4와 같은 자리로 금에 속한다. 1을 더하여 10이 되니, 가운데 5에 5를 더하기 때문에 5와 같은 자리로 토에 속한다. 이것은 성수의 지극함이다.

參天兩地而倚數者, 圖書中五之數, 凡一三五是天數參也, 二四是地數兩也. 倚數之法, 一三五皆陽, 故爲老陽九數, 二四皆陰, 故爲老陰六數. 一五二陰少, 故爲少陰八數, 三四陽少, 故爲少陽七數. 五指之屈伸, 便見河洛之數. 屈其一指, 則是一與九之象, 屈其二指, 則是二與八之象, 屈其三指, 則是三與七之象, 屈其四指, 則是四與六之象, 屈其五指, 則只有五而無十之象焉. 是洛書四十有五之數也. 伸其一指, 則是一六之象, 伸其二指, 則是二七之象, 伸其三指, 則是三八之象, 伸其四指, 則是四九之象, 伸其五指, 則是五十之象. 是則河圖五十有五之數也.

하늘에서 셋을 취하고 땅에서 둘을 취하여 수에 의지한다는 것은 「하도」와 「낙서」 가운데 5의 수이니, 1, 3, 5는 하늘의 수 셋이고 2, 4는 땅의 수 둘이다. 수에 의지하는 법은 1, 3, 5는 모두 양이기 때문에 노양 9의 수이고, 2, 4는 모두 음이기 때문에 노음 6의 수이다. 1, 5, 2는 음이 적기 때문에 소음 8의 수이고, 3, 4는 양이 적기 때문에 소양 7의 수이다. 다섯 손가락의 굽힘과 폄에서 「하도」와 「낙서」의 수를 볼 수 있다. 한 손가락을 굽히면 1과 9의 상이고, 두 손가락을 굽히면 2와 8의 상이고, 세 손가락을 굽히면 3과 7의 상이고, 네 손가락을 굽히면 4와 6의 상이고, 다섯 손가락을 굽히면 5만 있고 10은 없는 상이다. 이것이 「낙서」 45의 수이다. 한 손가락을 펴면 1과 6의 상이고, 두 손가락을 펴면 2와 7의 상이고, 세 손가락을 펴면 3과 8의 상이고, 네 손가락을 펴면 4와 9의 상이고, 다섯 손가락을 펴면 5와 10의 상이다. 이것이 「하도」 55의 수이다.

박문호(朴文鎬)『경설(經說)-주역(周易)』

叅天兩地, 猶言奇天偶地也.
하늘에서 셋을 취하고 땅에서 둘을 취한다는 것은 기수가 하늘이고 우수가 땅이라고 말하는 것과 같다.

一而圍三, 言徑一而圍三也. 圍四亦然.
하나에 둘레가 셋이라는 것은 지름이 1이고 둘레가 3이라는 말이다. 둘레가 넷이라는 것도 또한 그렇다.

倚數, 註釋作數倚, 而諺解但因其本文之勢釋之, 恐誤矣. 猶言爲倚於數也, 倚數於此也. 理於義, 窮理, 上理當訓以治, 下理當訓以道, 上輕而下重.
'의수(倚數)'를 주석에서는 '수의(數倚)'로 하였고, 언해에서는 다만 본문의 문세를 따라서 해석하였는데, 아마도 잘못인 듯하다. 수에 의지한다고 말하는 것과 같으니, 여기에서 수에 의지한다는 것이다. '리어의(理於義)', '궁리(窮理)'에서 위의 리는 마땅히 다스린다고 풀이해야 하고 아래의 리는 마땅히 도로 풀이해야 하니, 위는 가볍고 아래는 무겁다.

窮天下之理, 言窮天下事物之理也. 在事爲理, 在物爲性, 原其在天, 則謂之命.
천하의 이치를 궁구한다는 것은 천하 사물의 이치를 궁구한다고 말하는 것이다. 일에 있는 것이 '리(理)'가 되고 물건에 있는 것이 '성(性)'이 되며, 하늘에 있는 것의 근원을 찾으면 '명(命)'이라고 말한다.

觀變於陰陽而立卦, 發揮於剛柔而生爻,

음과 양에서 변화를 보아 괘를 세우고, 굳셈과 부드러움에서 발휘하여 효를 낳으니,

┃中國大全┃

小註

或問, 觀變於陰陽而立卦, 是就著數上觀否. 朱子曰, 恐只是就陰陽上觀, 未用說到著數處.

어떤 이가 물었다: "음과 양에서 변화를 보아 괘를 세운다"는 것은 시초의 수에 대해서 보는 것입니까?

주자가 답하였다: 아마도 음양에 대해서 보는 것이지, 아직 시초의 수에 대해서까지는 말하지 않은 듯합니다.

○ 觀變於陰陽, 且統說道有幾畫陰幾畫陽成箇甚卦. 發揮剛柔, 卻是就七八九六上說, 初間做這卦時, 未曉得是變與不變, 及至發揮出剛柔了, 方知這是老陰少陰, 那是老陽少陽.

음과 양에서 변화를 본다는 것은 몇 획의 음과 몇 획의 양이 무슨 괘를 이룬다는 것을 통틀어 말하였다. 굳셈과 부드러움에서 발휘한다는 것은 7·8·9·6에 대해서 말한 것이니, 처음 괘가 이루어질 때에는 변화와 불변을 분명하게 알지 못하다가 굳셈과 부드러움을 발휘하는데 이르러 이것이 노음과 소음이고 저것이 노양과 소양인지를 안다는 것이다.

○ 問, 旣有卦, 則有爻矣, 先言卦而後言爻何也. 曰, 自作易言之, 則有爻而後有卦, 此卻似自後人觀聖人作易而言. 方其立卦時, 只見是卦, 及細別之, 則有六爻. 又問, 陰陽剛柔一也, 而別言之何也. 曰, 觀變於陰陽, 近於造化而言, 發揮剛柔, 近於人事而言. 且如泰卦, 以卦言之, 只見得小往大來陰陽消長之意, 爻裏面便有包荒之類.

물었다: 이미 괘가 있으면 효가 있는 것인데, 먼저 괘를 말하고 나중에 효를 말한 것은 왜입니까?

답하였다: 역을 짓는 것으로부터 말하면 효가 있은 다음에 괘가 있으니, 이는 후세 사람이 성인이 역을 지은 것을 본 것으로부터 말한 듯합니다. 막 괘를 세울 때에는 다만 괘를 보고, 세밀하게 구분하는데 이르면 여섯 효가 있습니다.

물었다: 음과 양, 굳셈과 부드러움은 동일한 것인데, 구별하여 말한 것은 왜입니까?

답하였다: 음과 양에서 변화를 보는 것은 조화(造化)에 가까이 하여 말한 것이고, 굳셈과 부드러움에서 발휘하는 것은 인사(人事)에 가까이 하여 말한 것입니다. 또한 예를 들어 태괘(泰卦)의 경우 괘로 말하면 다만 작은 것이 가고 큰 것이 오며 음양이 소멸하거나 자라는 뜻을 보고, 효의 이면에 곧 거친 것을 포용해 주는 종류가 있습니다.

○ 誠齋楊氏曰, 數旣形矣, 卦斯立焉, 聖人因其變之或九或七而爲陽, 因其變之或六或八而爲陰, 變至十有八而卦成焉. 聖人无與也, 特觀其變而立之爾, 故曰觀變於陰陽而立卦. 卦旣立矣, 爻斯生焉, 聖人因其數之陽而發明其爲爻之剛, 因其數之陰而發明其爲爻之柔. 聖人无與也, 特發揮之爾, 故曰發揮於剛柔而生爻.

성재양씨가 말하였다: 수가 형성이 되면 괘가 이에 세워지는데, 성인은 그 변화가 9나 7인 것을 따라서 양으로 삼고, 그 변화가 6나 8인 것을 따라서 음양으로 삼아서 변화가 18번에 이르면 괘가 이루어진다. 성인은 간섭하지 않고 다만 그 변화를 보고서 괘를 세울 뿐이기 때문에 "음과 양에서 변화를 보아 괘를 세운다"고 말하였다. 괘가 세워지면 효가 이에 생겨나는데, 성인은 그 변화가 양인 것을 따라서 그것이 굳센 효 됨을 밝히고, 그 변화가 음인 것을 따라서 그것이 부드러운 효가 됨을 밝힌다. 성인은 간섭하지 않고 다만 발휘할 뿐이기 때문에 "굳셈과 부드러움에서 발휘하여 효를 낳는다"고 말하였다.

○ 節齋蔡氏曰, 變卽十有八變之變也. 陰陽七八九六也. 觀七八九六之變, 則卦可得而立矣. 陰陽之變, 卽所以爲爻, 復言發揮剛柔而生爻者, 蓋未入用, 則謂之陰陽, 已入用則謂之剛柔也.

절재채씨가 말하였다: 변화란 18번 변화하는 변화이다. 음양은 7·8·9·6이다. 7·8·9·6의 변화를 보면 괘를 세울 수 있다. 음양의 변화는 그로써 효가 되는 것인데, "굳셈과 부드러움에서 발휘하여 효를 낳는다"고 다시 말한 것은 아직 들어가 쓰이지 않으면 음과 양이라고 말하고 이미 들어가 쓰이면 굳셈과 부드러움이라고 말하기 때문이다.

║韓國大全║

조호익(曺好益)『역상설(易象說)』

陰陽氣也, 未成卦, 故指氣而言, 剛柔質也, 已成卦, 故指質而言. 生爻云者, 這是老陽爻, 那是少陽爻, 這是老陰爻, 那是少陰爻, 細別之然後見有六爻也.

음양은 기인데, 아직 괘를 이루지 못하였기 때문에 기를 가리켜서 말한 것이고, 강유는 질인데, 이미 괘를 이루었기 때문에 질을 가리켜서 말한 것이다. 효를 낳는다고 말한 것은 이것은 노양의 효이고, 저것은 소양의 효이며, 이것은 노음의 효이고, 저것은 소음의 효라고 세밀하게 구별한 다음에야 여섯 효가 있음이 보인 것이다.

유정원(柳正源)『역해참고(易解參攷)』

觀變於陰陽.

음과 양에서 변화를 보아.

案, 觀變陰陽, 恐取揲蓍上看.

내가 살펴보았다: 음과 양에서 변화를 본다는 것은 아마도 시초를 헤아린다는 면을 취하여 본 것 같다.

김상악(金相岳)『산천역설(山天易說)』

卦, 謂卦象, 爻, 謂爻辭.

괘는 괘의 상을 말하고, 효는 효의 말을 말한다.

서유신(徐有臣)『역의의언(易義擬言)』

此以占筮所値而言也. 用是蓍焉, 用是數焉, 蓍乃揲矣, 數乃積矣. 陰陽之變, 觀於奇耦, 剛柔之動, 分於老少, 卦所以立爻所以生也. 陰陽剛柔皆爻也, 卦必由爻而成, 故曰觀變於陰陽而立卦也. 卦旣成, 則爻爲是卦之爻, 故曰發揮於剛柔而生爻也. 卽今卜筮家之言, 曰作卦, 曰動爻, 曰解占, 此所謂立卦, 卽是作卦也, 所謂生爻, 卽是動爻也. 所謂三才六位先天後天順數逆數四時八方父母六子, 及其餘爲天爲馬等諸象, 卽是解占之詮訣也.

이는 점쳐서 만난 것을 근원하여 말한 것이다. 이 시초를 쓰고 이 수를 쓰니, 시초는 세고 수는 쌓는다. 음양의 변화는 기수와 우수에서 보고, 강유의 움직임은 노소에서 나누어지니, 괘가 그로써 세워지고 효가 그로써 생겨난다. 음양과 강유는 모두 효이고 괘는 반드시 효로 말미암아 이루어지기 때문에, 음양에서 변화를 관찰하여 괘를 세운다. 괘가 이미 이루어지면 효가 이 괘의 효가 되기 때문에, "굳셈과 부드러움에서 발휘하여 효를 낳는다"고 말하였다. 지금 복서가들의 말에 "괘를 만든다", "효를 움직인다", "점을 해석한다"라고 하는 이것이 이른바 괘를 세우는 것이니 곧 괘를 만드는 것이고, 이른바 효를 낳는 것이니 곧 효를 움직이는 것이다. 이른바 삼재·육위·선천·후천·순수·역수·사시·팔방·부모·육자 및 그 나머지 하늘이 되고 말이 된다는 것 등의 여러 상은 곧 점을 해석하는 비결이다.

이진상(李震相) 『역학관규(易學管窺)』

觀變於陰陽.

음과 양에서 변화를 보아.

諸家皆以揲蓍法言之, 而朱子謂未用說到蓍數處者. 揲法, 先生爻而後成卦, 不可謂立卦之後, 逐旋生爻也. 夫伏羲畫卦之時, 只因陰陽之變, 迭次畫起以立衆卦, 時未有變爻動爻之名也. 卦旣成用以卜筮, 於是乎某爻變爲老陽, 某爻變爲老陰, 某爻不變爲少陽爲少陰, 都就見成卦上發揮出用爻. 所以先言卦而後言爻也. 小註第二條最明.

여러 학자들은 모두 시초를 헤아리는 법으로 말했는데, 주자는 시초와 수를 말하는 데까지는 이르지 않았다고 하였다. 시초를 헤아리는 법은 먼저 효를 내고 난 다음에 괘를 이루는 것이지, 괘를 세운 다음에 그에 따라서 효를 내는 것이라고 말할 수는 없다. 복희가 괘를 그렸을 때에는 다만 음양의 변화를 따라 차례로 획을 그려나가 여러 괘를 세웠는데, 당시에는 변효나 동효라는 이름이 있지 않았다. 괘가 이미 이루어지면 그로써 점을 치니, 이에 어떤 효는 변하여 노양이 되고, 어떤 효는 변하여 음이 되며, 어떤 효는 불변하여 소양과 소음이 되니, 모두 이루어진 괘를 보고서 효를 이용하여 발휘한 것이다. 이것이 먼저 괘를 말하고 다음에 효를 말한 까닭이다. 소주의 제 2조에 가장 분명하다.

和順於道德而理於義, 窮理盡性以至於命.

도덕에 조화하여 따르고 의에 맞게 하며, 이치를 궁구하고 본성을 다하여 명에 이른다.

‖中國大全‖

小註

程子曰, 和順於道德而理於義者, 體用也.
"도덕에 조화하여 따르고 의에 맞게 한다"는 것은 본체와 작용이다.

○ 和順於道德而理於義, 義卽是天道也. 易言理於義一也. 求是卽爲理義, 言理義不如且言求是易曉. 求是之心, 俄頃不可忘. 理於義, 此理云者, 猶人言語之間, 常所謂理者, 非同窮理之理.
"도덕에 조화하여 따르고 의에 맞게 한다"는 말에서 의는 곧 천도이다. 『주역』에서 "의에 맞게 한다"고 말한 것이 한 곳이다. 옳음을 구하면 곧 리의가 되니, 리의라고 말하는 것은 옳음을 구한다고 하는 것이 알기 쉬운 것만 못하다. 옳음을 구하는 마음은 잠시도 잊어서는 안 된다. "의에 맞게 한다[理於義]"고 할 때, 여기에서 리라고 말한 것은 사람들이 말하는 사이에 항상 말하는 '순리'라는 것으로 이치를 궁구한다고 할 때의 리와 같은 것이 아니다.

○ 所務於窮理者, 非道須盡窮了天下萬物之理, 又不道是窮得一理便到, 只是要積累多後自然見去.
이치를 궁구하는데 힘쓴다는 것은 천하·만물의 이치를 다 궁구해야 한다는 말도 아니고, 또한 하나의 이치를 끝까지 궁구해야 한다는 말도 아니니, 다만 많이 쌓은 후에 저절로 보게 되는 것이다.

○ 窮理盡性矣. 曰以至於命, 則全无着力處, 如成於樂, 樂則生矣之意同.
이치를 궁구하고 본성을 다한다. "명에 이른다"는 것은 전혀 힘을 쓸 곳이 없으니, "음악에서 완성한다"[5])거나 "즐거우면 생겨난다"[6)는 뜻과 같다.

○ 窮理盡性以至於命, 三事一時竝了, 元无次序, 不可將窮理作知之事, 若實窮得理, 卽性命亦可了.
'이치를 궁구하고 본성을 다하여 명에 이르는 것'은 세 일이 한꺼번에 진행되어 원래 차서가 없으므로, 궁리를 앎의 일로 해서는 안 되니 만약 실제로 이치를 궁구할 수 있다면 성과 명도 가능하다.

○ 如言窮理以至於命, 以序言之, 不得不然, 其實只是窮理, 便能盡性至命也.
만일 "이치를 궁구하여 명에 이른다"고 말한다면, 순서로 말하자면 그렇지 않을 수 없지만, 실제로는 이치를 궁구하면 곧 본성을 다하고 명에 이른다.

○ 窮理盡性至命, 一事也. 才窮理便盡性, 盡性便至命. 如木可以爲柱理也, 其曲直者性也, 其所以曲直者命也. 理性命, 一而已.
이치를 궁구하고 본성을 다하고 명에 이르는 것은 한 가지 일이다. 이치를 궁구하면 곧 본성을 다하고, 본성을 다하면 명에 이른다. 예를 들어 나무가 기둥이 될 수 있는 것은 이치이고, 굽거나 곧은 것은 본성이고, 굽거나 곧게 될 수 있는 까닭은 명이다. 이치와 본성과 명은 하나일 뿐이다.

○ 理也性也命也三者, 未嘗有異, 窮理則盡性, 盡性則知天命矣. 天命猶天道也, 以其用言之, 則謂之命, 命者, 造化之謂也.
이치와 본성과 명, 세 가지는 다른 적이 없으니, 이치를 궁구하면 본성을 다하고, 본성을 다하면 천명을 안다. 천명은 천도와 같다. 작용으로 말하면 명이라고 말하니, 명이란 조화(造化)를 말한다.

○ 理則須窮, 性則須盡, 命則不可言窮與盡, 只是至於命也.
이치는 궁구해야 하고 본성은 다해야 하며, 명은 궁구하거나 다한다고 할 수 없고 다만 명에 이른다.

○ 張子曰, 程子說, 只窮理便是至於命, 亦是失於大快. 此義儘有次序, 須是窮理便能

---

5)『論語・泰伯』: 子曰, 興於詩, 立於禮, 成於樂.
6)『孟子・離婁』: 樂則生矣, 生則惡可已也, 惡可已, 則不知足之蹈之手之舞之.

盡得已之性, 則推類又盡人之性, 旣盡得人之性, 須盡倂萬物之性, 一齊盡得如此, 然後至於天道也. 其間煞有事, 豈有當下, 便理會了. 學者須是窮理爲先, 如此則方有學. 今言知命與至於命, 儘有遠近, 豈可以知, 便謂之至也.

장자가 말하였다: 정자는 궁리하면 곧 명에 이른다고 설명했는데, 너무 빨리 연결 지은 데에서 잘못하였다. 이 뜻은 차서가 있는 듯한데, 반드시 궁리를 하면 곧 자기의 본성을 다 할 수 있고, 같은 종류를 추론하여 또한 다른 사람의 본성도 다하며, 이미 다른 사람의 본성을 다했다면 반드시 만물의 본성도 아울러 다하여 한결같이 이와 같이 다한 다음에 천도에 이른다. 그 사이에도 많은 일들이 있는데 어찌 곧장 바로 이해하겠는가? 배우는 사람은 반드시 이치를 궁구하는 것을 우선으로 삼아야 하니, 이와 같이 하면 배울 수 있다. 명을 아는 것과 명에 이르는 것은 멀고 가까운 차이가 있는데, 어떻게 안다고 해서 곧 이른다고 말할 수 있겠는가?

○ 或問, 窮理盡性以至於命, 程張之說孰是. 朱子曰, 各是一說, 程子皆以見言, 不如張子有作用. 窮理是知, 盡性是行, 覺程子是說得快了. 如爲子知所以爲孝, 爲臣知所以爲忠, 此窮理也. 爲子能孝, 爲臣能忠, 此盡性也. 能窮其理而充其性之所有, 方謂之盡. 以至於命, 是拖脚, 說得於天者. 蓋性是我之所至者, 命是天之所以與我者也. 如舜盡事親之道, 至天下之爲父子者定. 知此者, 窮理者也, 能此者, 盡性者也.

어떤 이가 물었다: '이치를 궁구하고 본성을 다하여 명에 이르는 것'에 대해 정자와 장자의 설이 어느 것이 옳습니까?

주자가 말하였다: 각각 하나의 설이지만, 정자는 모두 보는 것으로 말하였으니, 장자가 작용을 말한 것만 못하다. 이치를 궁구하는 것은 앎이고 본성을 다하는 것은 행함인데, 정자가 너무 빨리 연결 지어 설명한 것으로 생각된다. 예를 들어서 자식이 되어서는 효도해야 하는 까닭을 알고, 신하가 되어서는 충성을 하는 까닭을 아는 이것이 이치를 궁구하는 것이다. 자식이 되어서는 효도할 수 있고 신하가 되어서는 충성할 수 있는 이것이 본성을 다하는 것이다. 이치를 궁구하여 본성에 있는 것을 확충할 수 있어야 다했다고 말할 수 있다. 명에 이르는 것은 시간이 걸리는 일로 하늘에서 얻는 것을 말한다. 본성은 내가 이르는 것이고, 명은 하늘이 나에게 부여해준 것이다. 예를 들어 순임금이 부모를 섬긴 도리는 천하의 부모와 자식이 안정되는데 이르렀다. 이를 아는 것은 이치를 궁구하는 것이고, 이것을 할 수 있는 것은 본성을 다하는 것이다.

本義

和順, 從容无所乖逆, 統言之也. 理, 謂隨事得其條理, 析言之也. 窮天下之理, 盡人物之性, 而合於天道, 此聖人作易之極功也.

조화하여 따르는 것은 자연스러워 어그러지고 거스르는 바가 없는 것이니 통틀어 말한 것이다. 이치는 일에 따라 그 조리에 맞음을 이르니 나누어 말한 것이다. 천하의 이치를 궁구하고 사람과 사물의 본성을 다하여 천도에 합하니, 이는 성인이 『주역』을 지은 지극한 공이다.

小註

或問, 和順於道德而理於義, 是就聖人上說, 是就易上說. 朱子曰, 是說易. 又問, 和順是聖人和順否. 曰, 是易之和順道德而理於義. 如吉凶消長之道, 順而无逆, 是和順道德也. 理於義, 又極其細而言, 隨事各得其宜之謂也. 和順道德, 如極高明, 理於義, 如道中庸.

어떤 이가 물었다: "도덕에 조화하여 따르고 의에 맞게 한다"는 것은 성인에 대해 말한 것입니까, 역에 대해 말한 것입니까?

주자가 답하였다: 역에 대해 말한 것입니다.

또 물었다: 조화하여 따르는 것은 성인이 조화하여 따르는 것입니까?

답하였다: 이는 역이 도덕에 조화하여 따르고 의에 맞게 하는 것입니다. 예를 들어 길흉(吉凶)·소장(消長)의 도를 따라서 거스르지 않는 것이 도덕에 조화하여 따르는 것입니다. "의에 맞게 한다"는 것은 또한 가장 세밀하게 말한 것이니, 일에 따라 그 마땅함을 얻는다는 말입니다. "도덕에 조화하여 따른다"는 것은 지극히 높고 밝게 하는 것이고 "의에 맞게 한다"는 것은 중용을 따르는 것입니다.[7]

○ 和順道德而理於義, 是統說底, 窮理盡性至命, 是分說底. 上一句是離合言之, 下一句以淺深言之. 凡卦中所說, 莫非和順那道德, 不悖了他. 理於義, 是細分他, 逐事上, 各有箇義理. 和順字理字最好看, 聖人這般字, 改移不得.

"도덕에 조화하여 따르고 의에 맞게 한다"는 것은 통틀어 말한 것이고, "이치를 궁구하고 본성을 다하여 명에 이른다"는 것은 나누어 말한 것이다. 위의 한 구절은 나누고 합하는 것으로 말하였고, 아래 한 구절은 얕고 깊은 것으로 말하였다. 괘 가운데서 말하는 것은 모두 도덕에 조화하고 따라서 그것을 어기지 않는 것이다. "의에 맞게 한다"는 것은 그것을

---

7) 『中庸』: 君子尊德性而道問學, 致廣大而盡精微, 極高明而道中庸.

세분하여 일에 따라 각각 의리가 있게 하는 것이다. '화순(和順)'이라는 글자와 '리(理)'라는 글자가 보기에 가장 좋으니, 성인의 이러한 글자는 바꿀 수 없다.

○ 和順於道德, 是默契本原處, 理於義, 是應變合宜處. 物物皆有理, 須一一推窮. 性則是理之極處, 故云盡, 命則性之所自來處, 故云至.
'도덕에 조화하여 따르는 것'은 본원에 맞는 것이고, '의에 맞게 하는 것'은 변화에 응하여 마땅한 것이다. 사물마다 모두 이치를 갖고 있으니 하나하나 미루어 궁구해야 한다. 본성은 이치의 지극한 곳이므로 다한다고 하였고, 명은 본성이 그로부터 나온 곳이기 때문에 이른다고 하였다.

○ 窮理, 是理會得道理窮盡, 盡性, 是做到盡處. 如能事父然後盡仁之性, 能事君然後盡義之性.
'이치를 궁구하는 것'은 도리를 이해하여 다 궁구하는 것이고, '본성을 다하는 것'은 행해서 지극한 곳에 이르는 것이다. 예를 들어 부모를 섬길 수 있은 다음에 '인'이라는 본성을 다할 수 있고, 임금을 섬길 수 있은 다음에 '의'라는 본성을 다할 수 있다.

○ 窮理, 是知上說, 盡性, 是仁上說, 言能造其極也. 至於範圍天地, 是至命, 言與造化一般. 又問, 窮理盡性至於命. 曰, 此本是就易上說, 易上盡具許多道理, 直是窮得物理, 盡得人性, 到得那天命. 所以通書說, 易者性命之原, 此只言作易者如此, 後來不合將做學者事看.
'이치를 궁구하는 것'은 앎의 측면에서 말한 것이고, '본성을 다하는 것'은 인의 측면에서 말한 것이니, 그 지극함에 나아갈 수 있다는 말이다. 천지를 아우르는데 이르는 것이 '명에 이르는 것'이니, 조화(造化)와 일반이라는 말이다.
물었다: "이치를 궁구하고 본성을 다하여 명에 이른다"는 것은 무슨 뜻입니까?
답하였다: 이는 본래 역에 대해 말한 것이니, 역에는 허다한 도리가 다 갖추어져 있는데, 다만 만물의 이치를 궁구하고 사람의 본성을 다하여 천명에 이를 수 있는 것입니다. 그러므로 『통서』에서 역이란 성명(性命)의 근원이라고 했으니, 이것은 다만 역을 지은 것이 이와 같다는 말이고, 후세에 배우는 사람의 일로 보아서는 안 됩니다.

○ 窮理盡性至命, 本是就易上說, 易上皆說物理, 便是窮理盡性, 卽此便是至命也. 諸先生把來就人上說, 能窮理了, 方至於命. 聖人作易時, 固是其得許多道理, 人能體之而盡, 則便似那易. 他說邪吉凶悔吝處, 莫非和順道德, 理於義, 窮理盡性之事. 這一句本是說易之書如此, 後人說去學問上, 卻是借他底. 然這上也有這意思, 皆是自淺至深.

이치를 궁구하고 본성을 다하고 명에 이르는 것은 본래 역에 대해 말한 것이니, 역에서 만물의 이치를 설명하고 있는데 이치를 궁구하고 본성을 다하면 곧 이것이 명에 이르는 것이다. 여러 선생들이 그것을 사람에 대한 것으로 하여 이치를 궁구할 수 있으면 곧 명에 이른다고 설명하고 있다. 성인이 역을 지을 때 본래 허다한 도리를 얻었으니, 사람이 그것을 체득하여 다할 수 있으면 그 역과 같다. 거기에서 설명하는 길흉회린이란 도덕에 조화하여 따르고 의에 맞게 하며 이치를 궁구하고 본성을 다하는 일이 아닌 게 없다. 이 한 구절은 본래 역의 책이 이와 같다는 것인데, 후세 사람들이 학문에 대한 설명으로 삼아 빌려 쓴 것이다. 그러나 이 구절에는 그러한 뜻도 있으니, 모두 옅은 곳으로부터 깊은 곳에 이른 것이다.

○ 雲峰胡氏曰, 蓍本自神明, 聖人幽贊之而已. 天圓地方之象, 自具一二之數, 聖人不過參之兩之而已. 其爲數也, 自有陰陽之變, 其爲變也, 自成剛柔之爻, 聖人不過觀其變而發揮之爾. 於蓍卦之德, 則和順之而一无所逆, 於六爻之義, 則條理之而各有其序. 窮天地之理, 盡人物之性, 聖人作易之功, 至是與天命爲一矣. 天命自然而然, 聖人之易, 亦非心思智慮之所爲也.
운봉호씨가 말하였다: 시초는 본래 신명으로부터 온 것이고, 성인은 그윽하게 찬미하였을 뿐이다. 하늘은 둥글고 땅은 네모진 상은 저절로 1과 2의 수를 갖추고 있는데, 성인은 셋을 취하고 둘을 취했을 뿐이다. 그 수는 저절로 음양의 변화를 갖고 있고 변화는 저절로 굳세거나 부드러운 효를 이루는데, 성인은 그 변화를 보고서 발휘하였을 뿐이다. 시초와 괘의 덕에 대해서는 조화하고 따라서 전혀 거스르지 않고, 여섯 효의 뜻에 대해서는 조리를 세워 각각 차례를 지운다. 천지의 이치를 궁구하고 사람과 사물의 본성을 다하니, 성인이 역을 지은 공이 여기에 이르러 천명과 하나가 된다. 천명이란 저절로 그러한 것이고, 성인의 역 또한 생각과 지혜로 한 것이 아니다.

○ 進齋徐氏曰, 如乾爲天道而象之元亨利貞則其德, 爻之潛見躍飛則其義. 以一卦而統言之, 所謂和順也, 就六爻而言之, 所謂理也. 善觀易者, 推爻義以窮天下之理, 明卦德以盡一已之性. 窮理盡性, 則進退存亡得喪之天道, 可以知而天命在我矣.
진재서씨가 말하였다: 예를 들어 건괘가 천도가 되는데 단사에서 원형이정이라고 한 것이 덕을 말한 것이고, 효에서 잠기고 드러나고 뛰고 나른다고 한 것은 그 뜻을 말한 것이다. 한 괘를 통틀어서 말하면 이른바 조화하여 따르는 것이고, 여섯 효에 대해 말하면 이른바 이치이다. 역을 잘 보는 사람은 효의 뜻을 미루어 천하의 이치를 궁구하고, 괘의 덕을 밝혀서 자기 한 사람의 본성을 다한다. 이치를 궁구하고 본성을 다하면 진퇴·존망·득실의 천도를 알아서 천명이 나에게 있게 된다.

○ 勉齋黃氏曰, 性命一也, 天所賦爲命, 物所受爲性. 性命係於氣, 則天之所賦吾之所受者, 剛柔通塞受制於不齊. 性命純乎德, 則天之所賦吾之所受者, 中正純粹, 皆原於固有之德. 窮理盡性, 則不但德勝其氣而已, 且將性命於天矣. 天德天理, 德以所得者而言, 理以本然者而言. 故性曰天德, 命曰天理, 亦一而已, 非二物也. 如此則氣之偏者, 變而正, 柔者變而强, 昏者變而明矣. 其不可變者, 死生壽夭, 有定數也.

면재황씨가 말하였다: 본성과 명은 하나이니, 하늘이 부여한 것은 명이 되고 만물이 받은 것은 성이 된다. 성명이 기와 연관되면 하늘이 부여한 것과 내가 받은 것이 가지런하지 않은 기에 제어되어 굳셈과 부드러움, 통하고 막힘이 있고, 성명이 덕에 순수하면 하늘이 부여한 것과 내가 받은 것이 중정하고 순수하여 모두 본래 가진 덕에 근원을 둔다. 이치를 궁구하고 본성은 다하는 것은 덕이 기를 이기는 것일 뿐만 아니라, 본성이 하늘에게 명을 받는 것이다. 천덕과 천리란 덕은 얻은 것으로 말한 것이고 리는 본연으로 말한 것이다. 그러므로 본성을 천덕이라고 말하고 명을 천리라고 말하니, 또한 하나일 뿐이지 둘이 아니다. 이와 같다면 기가 치우친 것도 변하여 바르게 되고 유약한 것도 변하여 강하게 되며 어두운 것도 변하여 밝게 된다. 변할 수 없는 것은 삶과 죽음, 장수와 요절로서 일정한 운수가 있는 것이다.

○ 南軒張氏曰, 義在我也, 命在天也. 天下之人, 皆知義命, 則聖人之易不作矣. 惟夫不知義不知命, 此聖人不得已而生蓍倚數立卦生爻, 凡以爲天下不知義命者設也.

남헌장씨가 말하였다: 의는 나에게 있고 명은 하늘에 있다. 천하 사람들이 모두 의와 명을 안다면 성인이 역을 짓지 않았을 것이다. 의를 알지 못하고 명을 알지 못하기 때문에 성인이 부득이하게 시초를 내고 수를 의지하여 괘를 세우고 효를 내었으니, 천하의 의와 명을 알지 못하는 사람들을 위하여 만든 것이다.

‖韓國大全‖

이만부(李萬敷) 「역통(易統)·역대상편람(易大象便覽)·잡서변(雜書辨)」

窮理盡性以至于命.

이치를 궁구하고 본성을 다하여 명에 이른다.

朱曰, 窮理者, 窮其理以至無理, 盡性者, 盡其性以至無性. 理窮處便盡性, 盡性處便至命, 至命者與道一也. 與道一, 則理性皆剩語矣. 乃爲說曰, 理窮無理, 性盡無性, 性理俱盡, 方至于命.

주씨가 "이치를 궁구하는 것은 이치를 궁구하여 리가 없는 데 이르는 것이고, 본성을 다한다는 것은 본성을 다하여 본성이 없는 데 이르는 것이다. 이치가 궁구된 곳에서 곧 본성을 다하고, 본성을 다하는 곳에서 곧 명에 이르니, 명에 이르는 것은 도와 하나가 되는 것이다. 도와 하나가 되면 이치와 본성은 모두 군더더기 말이 된다"고 말하였다. 그리하여 설을 세워 말하기를 "이치가 궁구되면 이치가 없고, 본성이 다하면 성이 없으니, 본성과 이치가 모두 다하면 명에 이른다"고 한다.

愚按, 散在事物曰理, 總會一心曰性. 自天所賦曰命, 循性命之理而無違曰道, 其實一理而異目者也. 然理云窮者, 欲不迷於事物所以然與所當然也, 性云盡者, 旣明乎理, 則其於總會之體, 可以無不察無不由也. 命云至者, 理旣明性旣盡, 則天賦之本然者, 卽是而存, 無所假借也. 故大學言物格知至, 中庸言盡己之性, 盡人物之性. 物格知止, 則天下之理益著顯矣, 何可謂無理. 盡己盡人盡物, 則天下之性益立定矣, 何可謂無性. 苟無理無性, 則天命當益晦矣, 又何以至命. 性命之理旣晦, 則所行皆背道之事, 又何以與道爲一也. 果無理無性而方至於命, 亦何必窮理盡性爲哉.

내가 살펴보았다: 사물에 흩어져 있는 것을 이치라고 하고, 한 마음에 모여 있는 것을 본성이라고 하고, 하늘로부터 부여된 것을 명이라고 하고, 성명의 이치를 따라서 어김이 없는 것을 도라고 하니, 실제로는 하나의 이치로서 명목이 다른 것이다. 그러나 이치에 대해서 궁구한다고 한 것은 사물의 소이연과 소당연에 대해서 미혹되지 않도록 하려는 것이고, 본성에 대해서 다한다고 한 것은 이미 이치에 밝으면 모여 있는 몸체에 대해서 살피지 않음이 없고 따르지 않음이 없을 수 있기 때문이다. 명에 대해서 이른다고 한 것은 이치가 이미 밝고 본성이 이미 다하면 하늘이 부여한 본연이 명에 의해 보존되고 다른 데서 빌릴 필요가 없기 때문이다. 그러므로 『대학』에서 격물·치지를 말했고 『중용』에서 자기의 본성을 다하고 사람과 만물의 본성을 다할 것을 말했다. 사물이 궁구되고 앎이 지극해지면 천하의 이치가 더욱 드러나는데, 어찌 이치가 없다고 말할 수 있겠는가? 자기를 다하고 사람을 다하고 만물을 다하면 천하의 본성이 더욱 세워지고 정해지는데, 어찌 본성이 없다고 말할 수 있겠는가? 만일 이치가 없고 본성이 없다면 천명이 마땅히 더욱 어두워졌을 것인데, 또한 어떻게 지극한 천명이라고 할 수 있겠는가? 성명의 이치가 이미 어두워졌다면 행동이 도를 위배하는 일일 텐데, 또한 어떻게 도와 하나가 되겠는가? 과연 이치가 없고 본성이 없어야 명이 이른다고 말한다면, 어찌 반드시 이치를 궁구하고 본성을 다하겠는가?

이익(李瀷) 『역경질서(易經疾書)』

觀變於數之陰陽而八卦立焉, 發揮於畫之剛柔而九六生焉. 包犧之始畫, 未必資於蓍, 而筮之揲蓍, 亦須有立卦, 方有吉凶之占. 一陰一陽之謂道, 天地之大德曰生, 和順於 道德者謂易, 與此和調而不違逆, 如所謂範圍天地之道而不違也. 理如理財之理, 正其 條貫也, 義卽禁民爲非之義. 理於義者謂易, 雖因避趨而作, 爲君子謀不爲小人謀, 其 用求合乎天理之正也. 理者, 當行之道, 帖上道字, 性卽繼善而成者, 帖上德字. 窮之盡 之, 則不止於和順也, 繼善成性, 則命在其中也. 至者, 如文言知至之至, 如人向一邊 去, 更無可去之地, 方始爲至也. 至命者, 謂至到於所以命者也, 如人臣受命于君. 究極 其事理者, 窮理也, 殫己而行不容餘憾者, 盡性也. 然而其心惴惴於所以命, 而惟恐失 墜者, 至命也. 聖人之於天命亦如此.

수의 음양에서 변화를 관찰하여 팔괘가 세워지고, 획의 강유에서 발휘하여 구와 육이 생겨 난다. 복희가 처음 획을 그릴 적에 반드시 시초에 힘입지 않았고, 점에서 시초를 세는 것도 또한 반드시 괘를 세우기를 기다려 길흉의 점이 있는 것이다. "한 번은 음이 되고 한 번은 양이 되는 것을 도라 이르며", "천지의 큰 덕을 낳음이라 하며", "도덕에 조화하여 따르는 것을 역이라고 하니" 이와 조화하여 어기지 않는 것이 이른바 "천지의 조화를 범위(範圍) 짓는 도로서 어기지 않는다"는 것과 같다. '리(理)'는 '이재(理財)'의 '리(理)'이니, 바로 그 조리가 꿰뚫는 것이고, '의(義)'는 곧 백성들이 잘못을 하지 않도록 금한다는 뜻이다. "의에 맞게 하는 것을 역이라고 하니" 비록 피하였다 일어나더라도 군자를 위하여 도모하지 소인 을 위하여 도모하지 않으며, 그 작용은 천리의 바름에 합하기를 구한다. '리(理)'란 마땅히 행해야 할 도이므로 위에 '도(道)'라는 글자를 붙였고, 성은 선은 이어서 이루어지므로 위에 덕이라는 글자를 붙였다. 궁구하고 다하면 조화하여 따르는데 그치지 않고, 선을 이어서 성을 이루면 명이 그 가운데 있다. 이를 데란 「문언」에서 이를 데를 안다고 할 때의 이를 데와 같으니, 사람이 한 쪽으로 가서 더 이상 갈 데가 없는 곳이라야 비로소 이를 데라고 할 수 있다. 명에 이른다는 것은 명령 받은 바에 이르는 것이니, 신하가 임금에게 명령을 받는 것과 같다. 일의 이치를 다 궁구하는 것이 '궁리'이고, 자기를 다해서 행하여 유감이 없는 것이 '진성'이다. 그러나 그 마음이 명령 받은 것에 대해 두려워하여 실추시킬 것을 걱정하는 것이 '지명'이다. 성인이 천명에 대해서도 또한 이와 같다.

유정원(柳正源) 『역해참고(易解參攷)』

窮理 [止] 至於命.

이치를 궁구하고 … 명에 이른다.

五峯胡氏曰, 命有窮通, 性無加損, 盡其性則至於命.

오봉호씨가 말하였다: 명에는 궁하고 통하는 것이 있지만 성에는 더하고 더는 것이 없으니, 성을 다하면 명에 이른다.

小註, 張子說程子至太快.

소주에서 장재는 정자가 너무 빠른 데서 실수했다고 설명하였다.

案, 會通載程子說云云, 窮理, 便是至於命, 子厚亦是失於太快, 小註載張子說云, 程子失於太快, 二說不同. 今考二程全書第十一卷有曰, 二程解窮理盡性以至於命, 只窮理便是至於命, 子厚謂亦是失於太快, 小註實本於此. 朱子又有程子說得快了, 不如張子有作用之訓, 恐小註爲是.

내가 살펴보았다: 『회통』에 "정자가 '궁리하면 곧 명에 이른다'고 하였는데, 장재 또한 너무 빠른 데서 실수했다"는 내용을 실었고, 소주에서는 "정자가 너무 빠른 데서 실수했다"는 장재의 설명을 실었으니, 두 설이 같지 않다. 지금 『이정전서』 11권을 고찰해보면, 두 정씨가 "이치를 궁구하고 본성을 다하여 명에 이른다"는 말을 해석하면서 단지 궁리하면 곧 명에 이른다고 하였는데, 장재 또한 "또한 너무 빠른 데서 실수했다"고 말했다. 소주는 실로 여기에 근본하고, 주자 또한 정자가 빨리 말하여 장재가 작용으로 풀이한 것만 못하다고 하였으니, 아마도 소주가 옳은 것 같다.

김상악(金相岳) 『산천역설(山天易說)』

和於道, 順於德, 卦所以立, 理於義, 爻所以生也. 性者, 理之極處, 故曰盡, 命者, 性之所自處, 故曰至.

도에 조화하고 덕에 따르는 것이 괘가 세워지는 방법이며, 의에 맞게 하는 것이 효가 세워지는 방법이다. 성이란 리의 지극한 곳이기 때문에 다한다고 하였고, 명이란 성이 거기에 근거하기 때문에 이른다고 하였다.

서유신(徐有臣) 『역의의언(易義擬言)』

此以占筮所用而言也. 卦爻旣定, 以之觀象玩辭, 觀變玩占而順其義命也. 和順處則是義, 義者道德之所由生也. 窮盡處則是命, 命者性理之所自來也. 義在人也, 命在天也.

이는 점쳐서 쓴 것을 근원하여 말한 것이다. 괘와 효가 이미 정해지고 그로써 상을 보고 말을 음미하며, 변화를 관찰하고 점을 음미하여 의와 명을 따른다. 조화하여 따르는 것은 의이니, 의는 도덕이 그로부터 나오는 것이다. 궁구하고 다하는 것은 명이니, 명은 성과 리가 유래하는 곳이다. 의는 사람에게 있고, 명은 하늘에 있다.

윤종섭(尹鍾燮) 『경(經)-역(易)』

或謂, 理字經書無稱焉. 謂之不多稱則近可, 謂之無稱可乎. 易大傳曰, 窮理盡性, 又曰順性命之理, 又曰易簡而天下之理得. 此大頭腦也. 何必橫言竪說紛紜錯綜, 然後爲理字之稱耶. 是以洛建諸賢說理, 皆原於易傳.

어떤 이는 '리(理)'라는 글자를 경서에서 칭한 것이 없다고 하는데, 많이 칭하지 않았다고 하면 그런대로 말이 되지만, 칭한 것이 없다고 하면 되겠는가?『주역대전』에 "이치를 궁구하고 본성을 다한다"고 하였고, 또 "성명의 이치를 따른다"고 하였고, 또 "쉽고 간략함에 천하의 이치가 얻어진다"고 하였으니, 이것이 가장 핵심적인 곳이다. 어찌 반드시 이리저리 말한 다음에야 '리(理)'라는 글자를 칭했다고 하겠는가? 그러므로 성리학자들이 리를 말한 것은 모두『역전』에 근원을 두고 있다.

심대윤(沈大允) 『주역상의점법(周易象義占法)』

窮, 窮盡也. 窮理, 格致之極而至明也, 盡性, 誠意之極而至誠也. 先儒以窮理爲初學之事錯矣. 命, 才位時之有定數者也, 不可爲也, 故曰至.

'궁(窮)'은 다한다는 것이다. 궁리는 격물치지가 극에 이르러 지극히 밝은 것이고, 진성은 성의가 극에 이르러 지극히 정성스러운 것이다. 이전의 학자들이 궁리를 처음 배우는 사람의 일로 삼은 것은 잘못이다. '명(命)'은 재능과 지위와 때에 일정한 수가 있어서 인위적으로 할 수 없는 것이므로 이른다고 하였다.

오치기(吳致箕) 「주역경전증해(周易經傳增解)」

觀變於陰陽而立卦發揮於剛柔而生爻者, 卽言揲蓍而筮卦者也. 筮卦之法, 以老少陰陽, 定六爻之剛柔, 而以不變之爻言之, 則少陽進而不極, 少陰退而不極. 此二少陰陽所以不變其剛柔者也. 以互變之爻言之, 則陽進而極, 進極必變, 故老陽變爲少陰之爻, 陰退而極, 退極必變, 故老陰變爲少陽之爻, 此二老陰陽極於進退而互變爲動爻者也. 故以策數言之, 則百九十二陽爻, 皆得乾三十六之策而用九, 百九十二陰爻, 皆得坤二十四之策而用六. 此皆立卦生爻, 皆出於乾坤之門, 而无非參天兩地者也. 和者, 言不乖也, 順者, 言不逆也. 道德者, 卽所謂顯道神德行也. 理者, 言不亂也, 義者, 卽所謂陰陽之義也. 窮理者, 卽所謂通神明之德類萬物之情也. 盡性者, 卽所謂與天地相似者也, 至命者, 卽所謂範圍曲成者也.

"음과 양에서 변화를 보아 괘를 세우고, 굳셈과 부드러움에서 발휘하여 효를 낳는다"는 것은 시초를 세워서 괘를 점치는 것이다. 괘를 점치는 방법은 노·소, 음·양으로 육효의 강·유를 정하는데, 변하지 않는 효로 말하면 소양은 나아가도 지극함에 이르지 않고 소음은 물러나도 극에 이르지 않는다. 그래서 이 두 소음과 소양은 그 굳셈과 부드러움을 변하지 않는다. 변하는 효로 말한다면 양은 나아가 지극함에 이르는데, 나아감이 지극함에 이르면 반드시 변하기 때문에 노양이 변하여 소음의 효가 되고, 음은 물러나 지극함에 이르는데 물러남이 지극함에 이르면 반드시 변하기 때문에 노음이 변하여 소양의 효가 된다. 이 두 노음과 노양은 나아가고 물러남을 지극히 하여 서로 변하여 움직이는 효가 되는 것이다. 그러므로 책수로 말하면 192양효는 모두 건괘 36책을 얻어 9를 쓰고, 192음효는 모두 곤괘 24책을 얻어 6을 쓴다. 이는 모두 괘를 세우고 효를 낳으니, 모두 건과 곤의 문에서 나오고, 하늘에서 셋을 취하고 땅에서 둘을 취하지 않음이 없다. 조화는 어긋나지 않음을 말하고, 따름은 거스르지 않음을 말한다. 도덕은 곧 이른바 도를 드러내고 덕행을 신묘하게 하는 것이다. 이치는 어지럽지 않음을 말하고, 의는 이른바 음양의 의이다. 이치를 궁구한다는 것은 이른바 신명의 덕에 통하고 만물의 실정을 분류하는 것이다. 본성을 다한다는 것은 이른바 천지와 비슷하다는 것이다. 명에 이른다는 것은 이른바 넓게 포괄하고 세세하게 이룬다는 것이다.

채종식(蔡鍾植) 「주역전의동귀해(周易傳義同歸解)」

窮理盡性以至於命.

이치를 궁구하고 본성을 다하여 명에 이른다.

程子曰, 窮理盡性至命一事也. 才窮理便盡性, 盡性便至命.

이치를 궁구하고 본성을 다하고 명에 이르는 것은 한 가지 일이다. 이치를 궁구하면 곧 본성을 다하고, 본성을 다하면 명에 이른다.

朱子曰, 窮天下之理, 盡人物之性, 而合於天道.

천하의 이치를 궁구하고 사람과 사물의 본성을 다하여 천도에 합한다.

蓋程子无論知行以實見得言之. 若窮得此理實見得, 是則便是盡性至命. 如爲子實見得孝之理, 爲臣實見得忠之理, 則便是盡孝盡忠, 而以至於天之所以命我也. 朱子以窮理作知上說, 以盡性作行上說. 如爲子知孝爲臣知忠, 此窮吾之理, 而推以窮天下之理. 爲子能孝爲臣能忠, 此盡己之性, 而推以盡人物之性, 以至於天之命物之道也. 然則兩說只是一而已也.

정자는 지와 행을 막론하고 실제로 터득한 것으로 말하였다. 이 이치를 궁구하는 것을 실제로 터득한다면 곧 성을 다하여 명에 이르는 것이다. 예를 들어 자식이 효의 이치를 실제로 터득하고 신하가 충의 이치를 실제로 터득한다면, 그것이 곧 효를 다하고 충을 다하는 것이며, 하늘이 나에게 명한 데에 이르는 것이다. 주자는 궁리를 지의 측면에서 설명하였고 진성을 행의 측면에서 설명하였다. 예를 들어 자식이 효를 알고 신하가 충을 아는 것은 나의 리를 궁구하고 미루어 천하의 리를 궁구하는 것이다. 자식이 효도할 수 있고 신하가 충성할 수 있는 것은 자기의 성을 다하고 미루어 사람과 만물의 성을 다하여 하늘이 만물에게 명한 도에 이르는 것이다. 그렇다면 두 설은 다만 하나일 뿐이다.

이병헌(李炳憲) 『역경금문고통론(易經今文考通論)』

鄭曰, 昔者聖人, 謂伏羲文王也.

정현이 말하였다: 옛날의 성인이란 복희와 문왕을 말한다.

按, 以此篇爲孔子託古之辭, 則誠如所喩, 如係述大傳者據實之辭, 則當指孔子而言也. 蓋作易者實孔子而撰著之法始於孔子. 孟曰, 著蒿屬, 生千歲三百莖. 龜策傳曰, 著根一叢百莖. 凡天地之數五十有五, 而著莖自應其數. 著如三百, 則爲五十者六, 而虛五取一, 可衍爲五十之數, 一百莖, 則爲五十者兩, 而虛五取五, 可衍爲五十之數矣. 分之則五也, 合之則一也. 虛而不用, 以象昊天共公之太極. 大衍之數五十, 虛一而不用, 則以象地之太極. 其用四十有九, 初次掛一者, 無與於奇偶之分, 則留一而不數, 以象人之太極. 三極之道立而四營之道可行, 故曰六爻之動三極之道也. 參天, 謂一三五爲九, 兩地, 謂二四爲六, 皆以生數言之也. 馬曰, 倚, 依也.

내가 살펴보았다: 이 편이 공자가 옛날에 가탁한 말이라고 한다면 참으로 깨우쳐준 바와 같이 정현이 말한 바와 같겠지만, 「계사전」을 이어서 서술한 실제에 근거한 말이라고 한다면 마땅히 공자를 가리켜서 말한 것이다. 『주역』은 지은 사람은 실제로 공자이고, 시초를 헤아리는 법도 공자에게서 시작되었다. 맹희는 "시초는 쑥의 일종이고 천 년에 삼 백 줄기를 낸다"고 하였고, 『구책전』에는 "시초는 뿌리 하나에 백 개의 줄기가 난다"고 하였다. 천지의 수는 55이고 시초의 줄기도 저절로 그 수에 응한다. 시초가 삼백이라면 50이 여섯인데, 다섯을 비우고 하나를 취하여, 부연할 수 있는 것은 50의 수가 된다. 일백 줄기라면 50이 둘인데, 다섯을 비우고 다섯을 취하여 부연할 수 있는 것은 50의 수가 된다. 나누면 다섯이 되고 합하면 하나가 된다. 비우고 쓰지 않는 것은 하늘의 공적인 태극을 상징한 것이다. 대연의 수 50에서 하나를 비우고 쓰지 않는 것은 땅의 태극을 상징한 것이다. 49를 쓰는데, 처음과

두 번째에 하나를 걸어 기수, 우수의 구분에 들지 않는 것은 하나를 남겨 두어 세지 않아서 사람의 태극을 상징하는 것이다. 삼극의 도가 세워져서 네 번 헤아리는 도가 행해질 수 있기 때문에 "여섯 효의 움직임은 삼극의 도이다"라고 하였다. 하늘에서 셋을 취한다는 것은 1, 3, 5가 9가 되는 것을 말하고, 땅에서 둘을 취한다는 것은 2, 4가 6이 되는 것을 말하니, 모두 생수로 말한 것이다. 마융은 "'의(倚)'는 의지하는 것이다"라고 하였다.

右 第一章

이상은 제1장이다.

┃中國大全┃

小註

漢上朱氏曰, 此章自昔者聖人 [止] 倚數, 說策數也, 觀變於陰陽而立卦, 說揲蓍分卦也, 發揮於剛柔而生爻, 說爻有變動也. 和順 [止] 至於命, 說所係爻象之辭也.

한상주씨가 말하였다: 이 장은 '옛날에 성인이'부터 '수에 의지하여'까지는 책수(策數)를 설명하고, "음과 양에서 변화를 보아 괘를 세운다"는 말은 시초를 헤아려 괘를 나누는 것을 설명하고, "굳셈과 부드러움에서 발휘하여 효를 낸다"고 한 것은 효에 변동이 있음을 설명하고, '도덕에 조화하여 따르고'부터 '명에 이른다'까지는 관련된 효사와 단사를 설명하였다.

○ 雙湖胡氏曰, 此章大抵論伏羲作易後, 欲敎天下後世用易, 故示人以因蓍求卦之法, 无非欲使斯人安於義命之天而已. 聖人雖專指伏羲, 然文王周公繫辭, 初不出義命之敎, 亦在其中矣.

쌍호호씨가 말하였다: 이 장은 대체로 복희가 역을 지은 후 천하 후세 사람들에게 역을 쓰는 방법을 가르치고자 하였기 때문에 사람들에게 시초를 따라 괘를 구하는 방법을 보여주었으니, 모두 사람들로 하여금 의와 명의 하늘에 편안하도록 하고자 한 것뿐임을 논하였다. 성인이 비록 복희만 오로지 지칭하였지만, 문왕과 주공이 글을 붙인 것도 애초에 의와 명의 가르침을 벗어나지 않고 또한 그 가운데 있다.

‖ 韓國大全 ‖

조호익(曺好益) 『역상설(易象說)』

第一章章下註漢上朱氏說, 揲著分卦之卦疑掛.

‘제 1장’의 장 아래에 있는 주석에 나오는 한상주씨(漢上朱氏)의 말 가운데, ‘설설시분괘(說揲著分卦)’라고 한 곳에서의 ‘괘(卦)’자는 ‘괘(掛)’자의 오자인 듯하다.

오치기(吳致箕) 「주역경전증해(周易經傳增解)」

右第一章, 言文王周公用著筮卦之義, 而極贊易之功用也.

이상의 제 1장은 문왕과 주공이 시초를 써서 괘를 헤아린 뜻을 말하고, 역의 공용을 지극히 찬미하였다.

제2장第二章

昔者聖人之作易也, 將以順性命之理, 是以立天之道曰陰與陽, 立地之道曰柔與剛, 立人之道曰仁與義, 兼三才而兩之, 故易, 六畫而成卦, 分陰分陽, 迭用柔剛. 故易, 六位而成章.

옛날에 성인이 『주역』을 지음은 장차 성명(性命)의 이치를 순종하려고 한 것이니, 이 때문에 하늘의 도를 세움은 음과 양이라고 말하고, 땅의 도를 세움은 유순함과 굳셈이라고 말하고, 사람의 도를 세움은 인(仁)과 의(義)라고 말하니, 삼재(三才)를 겸해서 두 번 하였기 때문에 역(易)이 획을 여섯으로 하여 괘를 이루었고, 음으로 나누고 양으로 나누며 유순함과 굳셈을 차례로 썼기 때문에 역(易)이 자리를 여섯으로 하여 문장을 이룬 것이다.

┃中國大全┃

小註

程子曰, 立天之道, 曰陰與陽, 立地之道, 曰柔與剛, 立人之道, 曰仁與義, 兼三才而兩之, 不兩則无用. 又曰, 陰陽剛柔仁義, 只是一箇道理.

정자가 말하였다: "하늘의 도를 세움은 음과 양이라고 말하고, 땅의 도를 세움은 유순함과 굳셈이라고 말하고, 사람의 도를 세움은 인(仁)과 의(義)라고 말하니, 삼재(三才)를 겸해서 두 번 하였다"고 하였으니, 두 번하지 않는다면 소용이 없기 때문이다.

또 말하였다: 음양과 강유(剛柔)와 인의는 단지 도리일 뿐이다.

○ 仲尼言仁未嘗兼義, 於易曰, 立人之道曰仁與義, 而孟子言仁必以義配. 蓋仁者體也, 義者用也. 知義之爲用而不外焉者, 可與語道矣. 世之所論於義者多外之, 不然則混而无別, 非知仁義之說也.

공자는 인(仁)을 말하면서 의(義)를 겸하여 말하지 않다가 『주역』에서는 "사람의 도를 세움은 인(仁)과 의(義)라고 말한다"고 하였고, 맹자는 인을 말할 때에는 반드시 의(義)를 짝지어 말하였다. 인이란 체(體)이며 의란 용(用)이다. 의가 용이 됨을 알아 여기서 벗어나지 않는 자라면 더불어 도를 말할 수 있다. 세상에 의에 대하여 의론하는 자는 대부분 여기서 벗어나거나 그렇지 않으면 뒤섞어 분별이 없으니, 인과 의를 알고 하는 말이 아니다.

○ 立人之道, 曰仁與義, 據今日, 合人道廢則是, 今尙不廢者, 猶只是有那些秉彝, 卒殄滅不得.

"사람의 도를 세움은 인(仁)과 의(義)라고 말한다"고 한 것은 오늘날에 근거하여 보면 인도(人道)가 폐하여졌다고 보면 옳지만, 오늘날에도 오히려 폐하여지지 않은 것은 여전히 저 타고난 본성[秉彝]이니, 끝내 멸하여 없앨 수 없다.

本義

兼三才而兩之, 總言六畫, 又細分之, 則陰陽之位, 間雜而成文章也.

"삼재를 겸하여 두 번 한다"고 함은 여섯 획을 총괄하여 말한 것이고, 또 세세하게 나누면 음양의 자리가 사이에 섞여 문장을 이룬다.

小註

朱子曰, 聖人作易, 只是要發揮性命之理, 模寫那箇物事. 下文所說陰陽剛柔仁義, 便是性中有這箇物事.

주자가 말하였다: 성인이 『주역』을 지음은 성명(性命)의 이치를 발휘하고자 해서, 저 사물을 모사한 것이다. 아래 문장에서 말한 '음양'·'강유'·'인의'는 곧 성(性) 가운데에 있는 것들이다.

○ 問, 將以順性命之理而下, 言立天地人之道, 乃繼之以兼三才而兩之, 此恐是言聖人作易之由, 如觀鳥獸之文, 與地之宜, 始作八卦相似. 蓋聖人見得三才之理, 只是陰陽剛柔仁義, 故爲兩儀四象八卦, 也祗是這道理, 六畫而成卦, 也祗是這道理, 不知如何. 曰, 聖人見得天下只是這兩箇物事, 故作易只是模寫出這底. 問, 模寫出來, 便所謂性命之理, 性命之理, 便是陰陽剛柔仁義否. 曰, 便是.

물었다: "장차 성명(性命)의 이치를 순종하려고 하다"고 한 아래에 하늘과 땅과 사람의 도를 세운다고 말하고 이어서 "삼재(三才)를 겸해서 두 번 하였다"고 하였으니, 이것은 아마도

성인이 『주역』을 지은 까닭을 말하는 듯하니, 『계사전』에서 "새와 짐승의 문양과 땅의 마땅함을 관찰하여 비로소 팔괘를 만들었다"[8]고 한 것과 유사한 듯합니다. 성인은 삼재의 이치가 단지 음양과 강유와 인의임을 볼 수 있었기 때문에, 양의와 사상과 팔괘를 만든 것도 또한 다만 이 도리이고 획을 여섯으로 하여 괘를 이룬 것도 또한 다만 이 도리인 듯하니, 어떠한지 모르겠습니다.

답하였다: 성인은 천하가 다만 저 두 가지 사물임을 볼 수 있었기 때문에 『주역』을 지음도 단지 저것들을 모사해 내는 것이었습니다.

물었다: 모사해 냈던 것은 곧 이른바 '성명의 이치'이며, '성명의 이치'는 곧 음양과 강유와 인의입니까?

답하였다: 그렇습니다.

○ 立天之道曰陰與陽, 是以氣言, 立地之道曰柔與剛, 是以質言, 立人之道曰仁與義, 是以理言.

"하늘의 도를 세움은 음과 양이라고 말한다"고 한 것은 기를 가지고 말한 것이며, "땅의 도를 세움은 유순함과 굳셈이라고 말한다"고 한 것은 재질을 가지고 말한 것이고, "사람의 도를 세움은 인(仁)과 의(義)라고 말한다"고 한 것은 이치를 가지고 말한 것이다.

○ 陰陽成象, 天道之所以立也. 剛柔成質, 地道之所以立也. 仁義成德, 人道之所以立也. 道一而已, 隨事著見, 故有三才之別, 而於其中又各有體用之分焉. 其實則一, 太極也.

음과 양이 상(象)을 이루니, 천도가 이로써 세워진다. 굳셈과 유순함이 성질을 이루니, 땅의 도가 이로써 세워진다. 인과 의가 덕을 이루니, 사람의 도가 이로써 세워진다. 도는 한 가지일 뿐이지만 일에 따라 드러나기 때문에 삼재의 구별이 있고, 그 가운데에 또한 각각 체와 용의 구분이 있다. 그러나 그 실제로는 한 가지이니, 태극이다.

○ 陰陽, 是陽中之陰陽, 剛柔, 是陰中之陰陽. 剛柔以質言, 是有箇物了見得是剛底柔底. 陰陽以氣言.

음양은 양 가운데의 음양이고, 굳셈과 부드러움[剛柔]는 음 가운데의 음양이다. 굳셈과 부드러움은 성질로써 말한 것이니, 어떤 사물이 있으면 굳센지 부드러운지를 알 수가 있다. 음양은 기로써 말한 것이다.

---

8) 『周易 · 繫辭傳』: 古者包犧氏之王天下也, 仰則觀象於天, 俯則觀法於地, 觀鳥獸之文, 與地之宜, 近取諸身, 遠取諸物, 於是, 始作八卦, 以通神明之德, 以類萬物之情.

○ 仁義, 看來當作義與仁, 當以仁對陽. 仁若不是陽剛, 如何做得許多造化. 義雖剛, 卻主於收斂, 仁卻主發舒, 這也是陽中之陰, 陰中之陽, 互藏其根之意. 且如今人用賞罰, 到得與人, 自是无疑, 便做將去. 若是刑殺時, 便遲疑不肯果決做, 這見得陽舒陰歛, 仁屬陽義屬陰處.

인의(仁義)는 마땅히 의와 인의 순서로 되어 인으로 양에 대응하여야 할 듯이 보인다. 인이 만약 굳센 양이 아니라면 어떻게 허다한 조화를 만들어 낼 수 있는가? 의가 비록 굳세지만 도리어 거두어들임을 위주로 하고 인은 도리어 일으켜 폄을 위주로 하니, 이 또한 양 가운데의 음이며 음 가운데의 양이므로, 서로 그 뿌리를 감춘다는 뜻이다. 또 요즘 사람들이 상과 벌을 쓰는 경우라면, 다른 사람들에 주는 데에 본래 아무런 의심도 없어서 계속해 가는 데에 까지 이를 수 있다. 만약 형벌로써 죽이는 때라면 망설이고 주저하면서 기꺼이 결단력 있게 하지 못하니, 여기서 양은 폄이고 음은 거두어들임이며, 인은 양에 속하고 의는 음에 속하는 곳을 볼 수가 있다.

○ 問, 仁如何比剛. 曰, 如春生則氣舒, 自是剛. 秋殺則氣收斂而漸衰, 自是柔.

물었다: 인은 어째서 굳센 양과 견주게 됩니까?

답하였다: 마치 봄이 만물을 낳는 때라면 기가 퍼지니 본래 굳센 양입니다. 가을이 만물을 죽이는 때라면 기가 수렴하여 점차 쇠하니 본래 유순한 음입니다.

○ 問, 揚子雲謂君子於仁也柔, 於義也剛. 曰, 仁體剛而用柔, 義體柔而用剛. 又曰, 於仁也柔, 於義也剛, 又自是一義, 便是這箇物事不可以一定名之, 看他用處如何.

물었다: 양자운이 말하기를 "군자는 인(仁)에 대해서는 부드럽고, 의에 대해서는 굳세다"고 하였으니, 무슨 뜻입니까?

답하였다: 인은 굳셈이 체(體)이고 부드러움이 용(用)이며, 의는 부드러움이 체이고 굳셈이 용이라는 뜻입니다.

또 말하였다: "군자는 인(仁)에 대해서는 부드럽고, 의에 대해서는 굳세다"란 또 본래 하나의 뜻이니, 곧 이것은 한 가지로 정하여 이름을 지을 수가 없고 쓰이는 곳이 어떠한가를 보아야 합니다.

○ 問, 兼三才而兩之如何分. 曰, 以一卦言之, 上兩畫是天, 中兩畫是人, 下兩畫是地. 兩卦各自看, 則上與三爲天. 五與二爲人, 四與初爲地. 問, 以八卦言之, 則九三者天之陽, 六三者天之陰, 九二者人之仁, 六二者人之義, 初九者地之剛, 初六者地之柔, 不知是否. 曰, 恁地看也得, 如上便是天之陰, 三便是天之陽, 五便是人之仁, 二便是人之義, 四便是地之柔, 初便是地之剛.

물었다: "삼재(三才)를 겸해서 두 번 한다"란 어떻게 나누는 것입니까?

답하였다: 한 괘를 가지고 말한다면 위의 두 획은 하늘이고 가운데 두 획은 사람이며 아래 두 획은 땅입니다. 두 개인 삼획괘에서 각각 본다면 상효와 삼효는 하늘이 되고, 오효와 이효는 사람이 되며 사효와 초효는 땅이 됩니다.

물었다: 팔괘를 가지고서 말한다면 구삼(九三)이란 하늘의 양이고 육삼(六三)이란 하늘의 음이며 구이(九二)란 사람의 인이고 육이(六二)란 사람의 의이며 초구(初九)란 땅의 굳셈이고 초육(初六)이란 땅의 부드러움이라고 하니, 옳은지 알지 못하겠습니다.

답하였다. 그렇게 볼 수 있으니, 예를 들어 상효는 하늘의 음이고 삼효는 하늘의 양이며 오효는 사람의 인이고 이효는 사람의 의이며 사효는 땅의 부드러움이고 초효는 땅의 굳셈입니다.

○ 兼三才而兩之, 初剛而二柔, 三仁而四義, 五陽而上陰, 兩之. 如言加一倍, 本是一箇, 各加一箇爲兩.

"삼재(三才)를 겸해서 두 번 한다"란 초효는 굳셈이고 이효는 부드러움이며 삼효는 인이고 사효는 의이며 오효는 양이고 상효는 음인 것이다. "두 번 한다"는 것은 한 배를 더한다고 말 하는 것과 같으니, 본래는 하나지만 각각 하나를 더하여 둘이 된다.

○ 問, 分陰分陽, 迭用柔剛, 陰陽剛柔只是一理, 兼而擧之否. 曰, 然.

물었다: "음으로 나누고 양으로 나누며 유순함과 굳셈을 차례로 썼다"란 음양과 강유(剛柔)는 다만 하나의 이치일 뿐이라서 겸하여 든다고 하면 옳겠습니까?

답하였다: 그렇습니다.

○ 勉齋黃氏曰, 天之道不外乎陰陽, 寒暑往來之類, 是也. 地之道不外乎剛柔, 山川流峙之類, 是也. 人之道不外乎仁義, 事親從兄之類, 是也. 陰陽以氣言, 剛柔以質言, 仁義以理言, 雖若有所不同, 然仁者陽剛之理也, 義者陰柔之理也, 其實則一而已.

면재황씨가 말하였다: 하늘의 도가 음양에서 벗어나지 않으니, 추위와 더위가 가고 오는 류가 이것이다. 땅의 도가 굳셈과 부드러움에서 벗어나지 않으니, 산과 내가 흐르고 멈추는 류가 이것이다. 사람의 도가 인의에서 벗어나지 않으니, 부모를 섬김과 형을 따르는 류가 이것이다. 음양은 기로써 말하였고, 굳셈과 부드러움은 재질로 말하였고, 인의는 이치로 말하였으니, 비록 같지 않는 바가 있다고 하더라도 인이란 굳센 양의 이치이고, 의란 부드러운 음의 이치라서, 그 실제에서는 한 가지일 뿐이다.

○ 建安丘氏曰, 上言窮理盡性至命, 此言順性命之理, 則易中所言之理, 皆性命也. 然所謂性命之理, 卽陰陽剛柔仁義, 是也. 以爻分之, 則上二爻爲天之陰陽, 下二爻爲地之柔剛, 中二爻爲人之仁義. 兼三才而兩之, 謂重卦也. 方卦之小成, 三畫已具三才之道, 至重而六, 則天地人之道各兩, 所謂六畫成卦也. 分陰分陽, 以位言. 凡卦初三五位爲陽, 二四上位爲陰, 自初至上, 陰陽各半, 故曰分. 迭用剛柔, 以爻言, 柔謂六, 剛謂九也. 位之陽者, 剛居之, 柔亦居之, 位之陰者, 柔居之, 剛亦居之, 或柔或剛, 更相爲用, 故曰迭. 分之以示其經, 迭用以爲之緯, 經緯錯綜, 粲然有文, 所謂六位成章也.

건안구씨가 말하였다: 앞에서는 "이치를 궁구한다"고 하고 "성(性)을 다한다"고 하며 "명(命)에 이른다"[9]고 하였으며, 여기서는 "성명(性命)의 이치를 순종하려고 한다"고 하였으니, 『주역』 가운데서 말하는 이치란 모두 성명(性命)이다. 그러나 이른바 성명의 이치란 음양, 굳셈과 부드러움, 인의가 이것이다. 효로써 나누어 본다면 위로 두 효는 하늘의 음과 양이 되고, 아래로 두 효는 땅의 부드러움과 굳셈이 되며, 가운데 두 효는 사람의 인과 의가 된다. "삼재(三才)를 겸해서 두 번 한다"란 대성괘[重卦]를 말한다. 이제 소성괘는 삼획에 이미 삼재의 도가 갖추어져 있고, 소성괘를 거듭 쌓아 육획괘에 이르면 하늘과 땅과 사람의 도가 각각 둘이 되니, 이른바 "획을 여섯으로 하여 괘를 이루었다"는 것이다. "음으로 나누고 양으로 나눈다"란 자리로써 말하였다. 괘에서 초효와 삼효와 오효의 자리는 양이 되고 이효와 사효와 상효의 자리는 음이 되어, 초효로부터 상효에 이르기까지 음과 양이 각각 반이기 때문에 "나눈다[分]"고 하였다. "유순함과 굳셈을 차례로 썼다"란 효로써 말하였으니, 부드러운 음은 육(六)이라 하고 굳센 양은 구(九)라고 한다. 양의 자리에는 굳센 양이 있기도 하고 부드러운 음이 있기도 하며, 음의 자리에는 부드러운 음이 있기도 하고 굳센 양이 있기도 하므로 혹 부드러운 음이기도 하고 혹 굳센 양이기도 하여 곧 서로의 쓰임이 되기 때문에 '차례[迭]'라고 하였다. 나누어서 경(經)을 보이고 차례로 써서 위(緯)로 삼아 경과 위가 뒤섞여 명백하고 또렷하게 문장(文章)이 있으니, 이른바 "자리를 여섯으로 하여 문장을 이룬다"는 것이다.

○ 雲峰胡氏曰, 上章和順於道德, 統言之也, 理於義, 析言之也. 此章六畫而成卦, 統言之也, 分陰分陽, 迭用剛柔, 六位而成章, 又析言之也.

운봉호씨가 말하였다: 윗 장에서 "도덕에 화순(和順)한다"란 통틀어서 말한 것이고, "의에 맞게 한다"란 나누어서 말한 것이다. 이 장에서 "획을 여섯으로 하여 괘를 이루었다"란 통틀어 말한 것이고, "음으로 나누고 양으로 나누며 유순함과 굳셈을 차례로 썼기 때문에 역(易)이 자리를 여섯으로 하여 문장을 이룬 것이다"란 또한 나누어 말한 것이다.

---

9) 『周易·說卦傳』: 和順於道德而理於義, 窮理盡性, 以至於命.

○ 雙湖胡氏曰, 易爲斯人作也. 性命之理, 天所賦於人, 人所受於天之理也. 聖人將以順人心性命之理, 是以兼三而兩, 六畫成卦, 以立天地人之道. 三才之道, 雖有陰陽剛柔仁義之殊, 大抵以立人道仁義爲主, 蓋人負陰陽之氣以有生, 肖剛柔之質以有形, 具仁義之理以成性, 莫不有三才之道焉. 仁義之道立, 卽所以使之陰陽合德, 剛柔有體以順性命之理也. 故下文惟曰, 分陰分陽, 迭用柔剛, 以成六位之章, 而不復言仁義者, 豈不以使斯人皆得以揲蓍求卦. 分陰陽, 用柔剛, 以斷吉凶而成亹亹, 則仁義之道, 固在其中矣.

쌍호호씨가 말하였다: 『주역』은 이 사람을 위하여 만들어졌다. '성명의 이치'는 하늘이 사람에게 부여하고 사람이 하늘에게서 받은 이치이다. 성인이 장차 인심(人心)과 성명의 이치를 순종하려고 하니, 이 때문에 삼재를 겸해서 두 번 함으로써 획을 여섯으로 하여 괘를 이루어 하늘과 땅과 사람의 도를 세웠다. 삼재의 도는 비록 음양과 강유(剛柔)와 인의(仁義)의 다름이 있더라도 대체로 사람의 도를 세움인 인의를 위주로 하니, 사람이란 음양의 기를 짊어지며 태어나고, 굳셈과 부드러움의 자질을 닮아 형체를 가지며, 인의의 이치를 갖추어 성(性)을 이루므로, 삼재의 도를 가지고 있지 않는 자가 없다. 인의의 도가 서는 것은 곧 "음과 양이 덕을 합하여 굳셈과 부드러움이 몸체가 있어서"[10] 성명의 이치를 순종하게 하는 바이다. 그러므로 아래 문장에서 오직 음으로 나누고 양으로 나누며 유순함과 굳셈을 차례로 써서 여섯 자리의 문장을 이루었다고 말하고 다시 인의를 말하지 않은 것이 어찌 이로써 이러한 사람들에게 모두 시초점을 쳐서 괘를 구할 수 있도록 하는 것이 아니겠는가? 음과 양을 나누고 부드러움과 굳셈을 사용하여 길흉을 판단하고 부지런함을 이룬다면 인의의 도가 진실로 그 가운데에 있게 된다.

‖韓國大全‖

권근(權近) 『주역천견록(周易淺見錄)』

兼三材而兩之 [止] 六位而成章.

삼재(三才)를 겸해서 두 번 하였기 때문에 … 자리를 여섯으로 하여 문장을 이룬 것이다.

---

10) 『周易·繫辭傳』: 子曰 乾坤, 其易之門邪. 乾, 陽物也, 坤, 陰物也, 陰陽合德, 而剛柔有體. 以體天地之撰, 以通神明之德, 其稱名也, 雜而不越, 於稽其類, 其衰世之意邪.

分三而兩之者, 卦爻初二爲地, 三四爲人, 五上爲天也. 分陰分陽者, 初三五爲陽, 二四上爲陰也. 迭用剛柔者, 剛居陽位, 柔居陰位, 則得其正, 剛居陰位, 柔居陽位, 則失其正. 陰陽剛柔, 交相雜錯, 故曰迭用也. 成章者, 陰陽相錯而有文也.

"셋으로 나누어 두 번 하였다"는 것은 괘효의 경우 초효와 이효는 땅이고, 삼효와 사효는 사람이고, 오효와 상효는 하늘이 되는 것이다. "음으로 나누고 양으로 나눈다"는 것은 초효, 삼효, 오효는 양이고, 이효, 사효, 상효는 음이 되는 것이다. "유순함과 굳셈을 차례로 썼다"는 것은 굳셈이 양의 자리에 거하고 부드러움이 음의 자리에 거하면 그 바른 자리를 얻은 것이 되고, 굳셈이 음의 자리에 거하고 부드러움이 양의 자리에 거하면 그 바른 자리를 잃은 것이 되는 것이다. 음과 양, 굳셈과 부드러움이 서로 뒤섞이므로 "차례로 썼다"고 하였다. "문장을 이룬다"는 것은 음양이 서로 섞여서 문채가 있다는 것이다.

조호익(曺好益) 『역상설(易象說)』

昔者聖人之作易也, 將以順性命之理.
옛날에 성인이 『주역』을 지음은 장차 성명(性命)의 이치를 순종하려고 한 것이니.

註丘氏說極分曉.
주석에 나오는 구씨의 설이 지극히 분명하다.

○ 雙湖說極妙.
쌍호호씨의 설명이 지극히 오묘하다.

○ 順性命, 卽和順於道德之義.
"성명의 이치에 순종한다"는 것은 도덕에 조화롭게 따른다는 뜻이다.

故易六位而成章.
역(易)이 자리를 여섯으로 하여 문장을 이룬 것이다.
朱子之意, 但謂陰陽之位畫相間, 以成文章而已, 初不及揲蓍求卦之事.
주자의 뜻은 단지 음과 양의 자리와 획이 서로 섞여서 문장을 이룬 것을 말하였을 뿐으로, 애초에 시초를 세어 괘를 구하는 일은 언급하지 않았다.

이익(李瀷) 『역경질서(易經疾書)』

此章主意在順性命之人道, 承和順道德一節而言也. 陰陽剛柔仁義, 乃聖人作易時, 分而命名如此. 立猶定也. 將以順性命之理, 故如是區別, 然後分陰陽而迭剛柔, 使人道不違於天地之理, 方始順於性命也. 初三五爲陽, 二四上爲陰, 天之道也. 七九爲剛, 六八爲柔, 地之道也. 就其間秉仁守義順性命之理, 人之道也. 五上屬天, 三四屬人, 初二屬地, 三才之道也. 畫, 以剛柔言, 位, 以陰陽言. 剛居陽柔居陰爲正, 剛居陰柔居陽爲失正. 二五爲中, 初三四上爲失中. 陰陽有正位, 而剛柔則迭居所以成章也.

이 장의 주요한 뜻은 성명을 따르는 인도에 있는데, "도덕에 조화하여 따른다"는 한 구절을 이어서 말한 것이다. 음양·강유·인의는 성인이 『주역』을 지을 때에 나누어 명명한 것이 이와 같다. '입(立)'은 정하는 것과 같다. 장차 성명의 리를 따를 것이기 때문에 이처럼 구별한 다음에 음과 양을 나누어 번갈아 굳세고 부드러워 인도로 하여금 천지의 리에 어긋나지 않도록 해야 바야흐로 비로소 성명에 따르는 것이다. 초효·삼효·오효는 양이 되고 이효·사효·상효는 음이 되니, 하늘의 도이다. 칠과 구는 굳셈이 되고 육과 팔은 부드러움이 되는 것이 땅의 도이다. 그 사이에 나아가 인을 잡고 의를 지키며 성명의 리를 따르는 것은 사람의 도이다. 오효와 상효는 하늘에 속하고 삼효와 사효는 사람에 속하여 초효와 이효는 땅에 속하니, 삼재의 도이다. 획은 굳셈과 부드러움으로 말한 것이고, 자리는 음과 양으로 말한 것이다. 굳셈이 양에 거하고 부드러움이 음에 거하는 것은 바름이 되고, 굳셈이 음에 거하고 부드러움이 양에 거하는 것은 바름을 잃는 것이 된다. 이효와 오효는 중도가 되고, 초효·삼효·사효·상효는 중도를 잃는 것이 된다. 음과 양에는 바른 위치가 있고, 굳셈과 부드러움은 번갈아 거하여 문장을 이룬다.

유정원(柳正源) 『역해참고(易解參攷)』

問, 立天之道曰陰陽道理也. 陰陽氣也, 何故以陰陽爲道.

朱子曰, 形而上者謂之道, 形而下者謂之器. 明道以爲須著如此說. 然器亦道, 道亦器也, 道未嘗離乎器. 道只是器之理, 如這交椅是器, 可坐便是交椅之理. 如這人身是器, 語言動作便是人之理. 理只在器上, 理與器未嘗相離, 所以一陰一陽之謂道.

물었다: 하늘의 도를 세움은 음과 양이라고 말했으니, 음양이 도리라고 한 것입니다. 음양은 기인데, 무슨 까닭으로 음양을 도로 여긴 것입니까?

주자가 답하였다: 형이상자를 도(道)라고 하고 형이하자를 기(器)라고 합니다. 명도는 반드시 이와 같이 말해야 한다고 했습니다. 그러나 기도 또한 도이고 도도 또한 기이니, 도는 기를 떠난 적이 없습니다. 도는 다만 기의 리이니, 의자는 기이고 앉을 수 있는 것이 의자의 리인 것과 같습니다. 또한 사람의 몸은 기이고, 말하고 움직이는 것은 곧 사람의 리인 것과 같습니다. 리는 기에 있으니, 리와 기는 서로 떨어진 적이 없기 때문에 한 번 음이 되고 한 번 양이 되는 것을 도라고 하는 것입니다.

○ 仁禮屬陽, 義知屬陰. 袁機仲卻說義是剛之物合屬陽, 仁是柔底物合屬陰, 殊不知舒暢發達便是那剛底意思, 收斂藏縮便是那柔底意思. 它只念得於仁也柔於義也剛兩句, 便如此說, 殊不知正不如此. 又云, 以氣之呼吸言之, 則呼爲陽, 吸爲陰, 吸便是收斂之意. 鄕飮酒義云, 溫厚之氣盛於東南, 此天地之仁氣也, 嚴凝之氣盛於西北, 此天地之義氣也.

인과 예는 양에 속하고 의와 지는 음에 속한다. 원기중(袁機仲)은 의는 굳센 것으로서 양에 속하고, 인은 부드러운 것으로서 음에 속한다고 하였는데, 이는 펴지고 발달하는 것은 굳센 뜻이고 수렴하고 저장하는 것은 부드러운 뜻이라는 점을 전혀 알지 못한 것이다. 그는 다만 인은 부드럽고 의는 굳세다는 두 구절을 생각하고 이처럼 말했지만, 바로 이와 같지 않다는 점을 전혀 알지 못한 것이다. 또한 기의 호흡으로 말하면 호는 양이 되고 흡은 음이 되니, 흡은 곧 수렴의 뜻이라고 말하였다. 『예기·향음주의』에 "온후한 기운은 동·남에서 성하니 이는 천지의 인한 기운이고, 엄하고 응결하는 기운은 서·북에서 성하니 이는 천지의 의로운 기운이다"라고 하였다.

○ 陽主進而陰主退, 陽主息而陰主消. 進而息者其氣强, 退而消者其氣弱, 此陰陽之所以爲柔剛也. 陽剛溫厚居東南主春夏而以作長爲事, 陰柔嚴凝居西北主秋冬而以斂藏爲事. 作長爲生, 斂藏爲殺, 此剛柔之所以爲仁義也. 以此觀之, 則陰陽剛柔仁義之位, 豈不曉然. 而楊子雲之所謂於仁也柔於義也剛者, 乃自其用處之末流言之. 蓋亦所謂陽中之陰, 陰中之陽, 固不妨自爲一義. 但不可以雜乎此而論之耳.

양은 나아감을 주로 하고 음은 물러감은 주로 하며, 양은 자람을 주로 하고, 음은 소멸을 주로 한다. 나아가고 자라는 것은 기가 강하고, 물러나고 소멸하는 것은 기가 약하니, 이는 음양이 강유가 되는 까닭이다. 양은 굳세고 온후하여 동·남에 거하고 봄·여름을 주관하여 자라는 것을 일로 삼으며, 음은 부드럽고 응결하여 서·북에 거하고 가을·겨울을 주관하여 수렴하는 것을 일로 삼는다. 자라는 것은 생하고 수렴하는 것은 죽이니, 강유가 인의가 되는 까닭이다. 이로써 본다면 음양·강의·인의의 지위가 어찌 분명하지 않은가? 양자운이 말한 인은 부드럽고 의가 굳세다는 것은 쓰이는 곳의 말류로부터 말한 것이다. 이른바 양 가운데의 음과 음 가운데의 양은 본래 저절로 하나의 뜻이 되는데 방해가 되지 않는다. 다만 이에 섞어서 논해서는 안 될 뿐이다.

○ 仁義禮智旣知得界限分曉, 又須知四者之中仁義是箇對立底關鍵. 蓋仁仁也, 而禮則仁之著, 義義也, 而知則義之藏. 春夏秋冬雖爲四時, 然春夏皆陽之屬也, 秋冬皆陰之屬也. 故曰立天之道曰陰與陽, 立地之道曰柔與剛, 立人之道曰仁與義. 是知天地之道不兩則不能以立, 故端雖有四而立之者則兩耳.

인·의·예·지에 대해서 한계를 분명하게 알아야 하고, 또한 네 가지 가운데 인·의는 대립하는 관건이라는 것을 반드시 알아야 한다. 인은 인이고 의는 인이 드러난 것이며, 의는 의이고 지는 의가 저장된 것이다. 춘·하·추·동은 비록 네 계절이 되지만, 춘·하는 양의 등속이고 추·동은 음의 등속이다. 그러므로 "하늘의 도를 세움은 음과 양이라고 말하고, 땅의 도를 세움은 유순함과 굳셈이라고 말하고, 사람의 도를 세움은 인(仁)과 의(義)라고 말한다"고 하였다. 이로써 천지의 도는 둘이 아니면 세워지지 않기 때문에, 단서는 비록 넷이지만 세우는 것은 둘임을 알 수 있다.

○ 程氏珙曰, 範圍成化上下同流, 蓋原於至理之自然而然者也. 謂如天, 經星著天體之廣運而旡外, 日月運行次之, 五緯旋次於內, 天道健行生生化化, 此陰陽卦象之所以立也. 謂如地, 山嶽峻峙原野坦夷河海汙下, 地道承天時行, 此剛柔之所以立也. 謂如人, 天覆於上, 地載於下, 人生其間而父子君臣彝倫攸敍, 此人道之所以立也.

정공이 말하였다: 이룸과 변화를 포괄하여 위아래로 함께 흐르니, 지극한 이치가 저절로 그러해서 그러한 것에 근원을 두고 있다. 하늘과 같다고 말한 것은 널리 움직이고 밖이 없는 천체에 경성(經星)이 붙어 있고, 해와 달의 운행이 그 다음이며, 오위(五緯)가 안에서 돌아서 천도가 굳건히 행하여 낳고 낳으며 변화하고 변화하니, 이것이 음양의 괘상이 세워지는 까닭이다. 땅과 같다고 말한 것은 높은 산악과 넓은 평야, 아래로 흐르는 황하와 바다인데, 지도가 천시를 받들어 행해지니, 이것이 강유가 세워지는 까닭이다. 사람과 같다고 말한 것은 하늘이 위에서 덮고 땅이 아래서 실어주는데, 사람이 그 사이에서 태어나 부자·군신의 윤리가 펴지니, 이것이 인도가 세워지는 까닭이다.

김상악(金相岳) 『산천역설(山天易說)』

性命之理, 卽天地人三才之道也. 爻以位爲用, 陰位用柔, 陽位用剛. 而位必相間迭用柔剛, 故六位成章.

성명의 이치는 천·지·인 삼재의 도이다. 효는 자리를 쓰임으로 삼으니, 음의 자리는 부드러움을 쓰고 양의 자리는 굳셈을 쓴다. 그리고 자리는 반드시 서로 부드러움과 굳셈을 번갈아 쓰기 때문에 여섯 자리가 문장을 이룬다.

윤종섭(尹鍾燮) 『경(經)-역(易)』

聖人之順性命, 始於理而終於數. 以推本言之, 卽天命之流行而以分三才, 就人本之分而以成六位, 所以發明太極是生生八卦也. 上下章順字, 非勉强假借之謂, 合乎自然者也. 道德卽性命, 天之道是人之德, 天之命是人之性.

성인이 성명을 따르는 것은 리에서 시작하여 수에서 끝난다. 근본을 미루는 것으로 말하면 천명의 유행에 나아가 삼재를 나누고, 대본의 나누임에 나아가 여섯 자리를 이루니, 그로써 태극이 팔괘를 낳고 낳는 것을 밝힌 것이다. 위 아래의 '순(順)'이라는 글자는 힘쓰고 빌린다는 말이 아니라, 자연에 합하는 것이다. 도덕은 곧 성명이고, 하늘의 도는 사람의 덕이며, 하늘의 명은 사람의 성이다.

오치기(吳致箕) 「주역경전증해(周易經傳增解)」

在人之理曰性, 在天之理曰命也. 陰陽以氣言, 而如寒暑往來之類也. 剛柔以質言, 而如山峙川流之類也. 仁義以德言, 而如事親從兄之類也. 合而言之, 則曰陽曰剛曰仁爲一理, 曰陰曰柔曰義爲一理也. 天无陰陽, 則氣機息, 地无剛柔, 則地維墜, 人无仁義, 則人道滅. 故曰, 立天立地立人也. 一卦之中, 五與上爲天位, 三與四爲人位, 初與二爲地位, 是乃三才. 而初剛二柔, 地之剛柔也, 三剛四柔, 人之仁義也, 五剛上柔, 天之陰陽也. 故曰兼三才而兩之也. 以六位言, 則有此剛柔之分, 而以六爻言, 則或以陰居柔以陽居剛者爲當位, 或以陰居剛以陽居柔者爲不當位. 故曰, 分陰分陽迭用柔剛, 六位雜而成章也.

사람에게 있는 이치를 성이라고 하고, 하늘에 있는 이치를 명이라고 한다. 음양은 기로 말한 것이니, 한서·왕래와 같은 종류이다. 강유는 질로 말한 것이니, 산이나 강과 같은 종류이다. 인의는 덕으로 말한 것이니, 사친·종형과 같은 종류이다. 합해서 말하면 양·강·인이 하나의 이치가 되고, 음·유·의가 하나의 이치가 된다. 하늘에 음양이 없으면 기의 기틀이 멈추고, 땅에 강유가 없으면 땅의 사방이 떨어지며, 사람에게 인의가 없으면 인도가 없어진다. 그러므로 하늘을 세우고 땅을 세우고 사람을 세운다고 하였다. 한 괘의 가운데 오효와 상효는 하늘의 자리가 되고, 삼효와 사효는 사람의 자리가 되며, 초효와 이효는 땅의 자리가 되니, 이것이 삼재이다. 초효가 굳세고 이효가 부드러운 것은 땅의 강유이고, 삼효가 굳세고 사효가 부드러운 것은 사람의 인의이며, 오효가 굳세고 상효가 부드러운 것은 하늘의 음양이다. 그러므로 "삼재를 겸해서 두 번 한다"고 말하였다. 여섯 자리로 말하면 이 강유의 구분이 있고, 여섯 효로 말하면 혹 음으로서 부드러운 음의 자리에 거하고 양으로서 굳센 양의 자리에 거하는 것은 마땅한 자리가 되고, 혹 음으로 굳센 양의 자리에 거하고 양으로서 부드러운 음의 자리에 거하는 것은 마땅하지 않은 자리가 된다. 그러므로 "음으로 나누고 양으로 나누며 유순함과 굳셈을 차례로 썼기 때문에 자리를 여섯으로 하여 문장을 이룬 것이다"라고 말하였다.

이진상(李震相) 『역학관규(易學管窺)』

順性命之理.

성명의 이치에 순종한다.

繫辭首言天下之理, 以揭主理之旨, 而上文言窮理, 知之事也, 此言順理, 行之事也. 窮理而順理, 則天下之理得矣. 聖學之要, 其在斯乎.

「계사전」은 천하의 이치를 먼저 말해서 이치를 주로 하는 뜻을 내걸었는데, 위 문장에서 궁리를 말한 것은 앎의 일이고, 여기에서 순리를 말한 것은 행동의 일이다. 이치를 궁구하고 이치를 따르면, 천하의 이치를 얻는다. 성학의 요체는 아마도 여기에 있을 것이다.

○ 立天之道.

하늘의 도를 세운다.

天道體陰而用陽, 地道體柔而用剛, 故因其自然之勢而先言陰柔. 人道有爲體天地而致用, 故先仁而後義. 以爻體言之, 上爲天之陰, 三爲天之陽, 陰上而陽下也. 四是地之柔, 初是地之剛, 柔上而剛下也. 五爲人之仁, 二爲人之義, 仁上而義下. 故其序如此. 若以上二爻爲天, 中二爻爲人, 下二爻爲地, 則殊非兼三才而兩之之義也.

천도는 음을 본체로 하고 양을 작용으로 하며, 지도는 부드러움을 본체로 하고 굳셈을 작용으로 하기 때문에, 자연의 형세를 따라서 먼저 음의 부드러움을 말하였다. 인도는 행함이 있어서 천지를 본체로 하여 작용을 이루기 때문에, 인을 앞세우고 의를 뒤로 하였다. 효의 몸체로 말하면 상효는 하늘의 음이 되고, 삼효는 하늘의 양이 되니, 음이 위이고 양이 아래이다. 사효는 땅의 부드러움이고 초효는 땅의 굳셈이니, 부드러움이 위이고 굳셈이 아래이다. 오효는 사람의 인이 되고 이효는 사람의 의가 되니, 인이 위이고 의가 아래이다. 그러므로 그 차례가 이와 같다. 위 두 효가 하늘이 되고 가운데 두 효가 사람이 되며 아래 두 효가 땅이 되는 것은 "삼재를 겸해서 두 번 한다"는 것이 전혀 아니다.

右 第二章

이상은 제2장이다.

║韓國大全║

심대윤(沈大允) 『주역상의점법(周易象義占法)』

仁以生之, 義以成之, 義者利也.

인으로 생하고 의로 이루니, 의는 리(利)이다.

오치기(吳致箕) 「주역경전증해(周易經傳增解)」

言卦以陰陽剛柔分三才六爻之位, 而順性命之理也.

이 장은 음양·강유로 삼재·육효의 자리를 나누고, 성명의 이치를 따르는 것을 말하였다.

박문호(朴文鎬) 「경설(經說)·주역(周易)」

朱子於易主邵子先天之學, 而不甚取文王後天之學. 故於此二章註再云未詳. 且大全集有曰, 姑闕之以俟知者. 然則卷首猶存文王方位圖者, 亦傳疑之意也. 蓋卦畫是先天也, 彖象是後天也, 而方位亦其一也.

주자는 『주역』에 대해서 소옹의 선천의 학을 주로 하고, 문왕의 후천의 학을 그리 많이 취하지 않았다. 그러므로 이 2장의 주석에서 두 번이나 "상세하지 않다"고 말하였다. 또한 『주자대전』에도 "우선 놓아두고 아는 사람을 기다린다"는 말이 있다. 그렇다면 권의 앞머리에 문왕의 「방위도」를 놓아둔 것은 의심스러운 것을 전해준다는 뜻이다. 괘의 획은 선천이고 단(彖)과 상(象)은 후천이며, 방위는 또한 그 가운데 하나이다.

제3장第三章

天地定位, 山澤通氣, 雷風相薄, 水火不相射, 八卦相錯,

하늘과 땅이 자리를 정하며, 산과 못이 기를 통하며, 우레와 바람이 서로 부딪히며, 물과 불이 서로 쏘아 맞히지 않아서 팔괘가 서로 섞이니,

‖中國大全‖

本義

邵子曰, 此伏羲八卦之位, 乾南坤北, 離東坎西, 兌居東南, 震居東北, 巽居西南, 艮居西北. 於是, 八卦相交而成六十四卦, 所謂先天之學也.

소강절이 말하였다: 이는 복희 팔괘의 자리이니, 건괘(乾卦)는 남쪽이고 곤괘(坤卦)는 북이며, 리괘(離卦)는 동쪽이고 감괘(坎卦)는 서쪽이며, 태괘(兌卦)는 동남쪽에 있고 진괘(震卦)는 동북쪽에 있으며, 손괘(巽卦)는 서남쪽에 있고 간괘(艮卦)는 서북쪽에 있다. 이에 팔괘가 서로 교류하여 육십사괘를 이루었으니, 이른바 선천(先天)의 학문이다.

小註

朱子曰, 先天圖更不可易. 以象言之, 天居上, 地居下, 艮爲山, 故居西北, 兌爲澤, 故居東南, 離爲日, 故居于東, 坎爲月, 故居于西, 震爲雷, 居東北, 巽爲風, 居西南.

주자가 말하였다: 「선천도」는 바꿔서는 안 된다. 상(象)으로 말한다면 하늘은 위에 있고 땅은 아래에 있으며, 간괘(艮卦)는 산이 되기 때문에 서북쪽에 있고, 태괘(兌卦)는 못이 되기 때문에 동남쪽에 있으며, 리괘(離卦)는 해가 되기 때문에 동쪽에 있고, 감괘(坎卦)는 달이 되기 때문에 서쪽에 있으며, 진괘(震卦)는 우레가 되어 동북쪽에 있고, 손괘(巽卦)는 바람이 되어 서남쪽에 있다.

○ 問, 山澤通氣, 只爲兩卦相對, 所以氣通, 曰, 澤氣之升於山, 爲雲爲雨, 是山通澤之氣. 山之泉脉流於澤, 爲泉爲水, 是澤通山之氣. 是兩箇之氣相通.

물었다: "산과 못이 기를 통한다"는 단지 두 괘가 상대가 되기 때문에 기가 통하는 것입니까? 답하였다: 못의 기운이 산에 올라가 구름이 되고 비가 되니, 이것이 산이 못에 통하는 기운입니다. 산의 땅 속에 있는 물줄기가 못에 흘러 샘이 되고 물이 되니, 이것이 못이 산에 통하는 기운입니다. 이것이 두 개의 기운이 서로 통하는 것입니다.

○ 山澤一高一下, 而水脉相爲灌輸也. 水火下然上沸, 而不相滅息也. 射音食, 犯也, 是不相害, 音斁, 是不相厭, 二義皆通.

산과 못은 하나는 높고 하나는 낮아서 수맥이 서로 물을 댄다. 물과 불은 아래에서 불타면 위에서 끓어 서로 소멸하지 않는다. '사(射)'의 음이 '사(食)'이면 '범(犯)'의 뜻이니 이것은 서로 해치지 않는다는 뜻이고, 음이 '역(斁)'이면 이것은 서로 싫어하지 않는다는 뜻이니, 두 뜻이 모두 통한다.

○ 問, 射二音孰是. 曰, 音石是. 水火與風雷山澤不相類. 水火本是相尅底物事, 今卻相應而不相害. 問, 若以不相厭射而言, 則與上文通氣相薄之文相類, 不知如何. 曰, 不相射, 乃下文不相悖之意, 不相悖, 乃不相害也. 水火本相害之物, 便如未濟之水火, 亦是中間有物隔之, 卻相爲用. 若无物隔之, 則相害矣. 此乃以其不相害, 而明其相應也.

물었다: '射'는 두 가지 음이 있는데, 어느 뜻이 옳습니까? 답하였다: '석(石)'으로 읽는 것이 옳습니다. 물과 불은 바람과 우레, 산과 못과 서로 같은 류가 아닙니다. 물과 불은 본래 상극인 사물이지만, 이제 도리어 서로 호응하여 해치지 않습니다.

물었다: 만약 서로 싫어하지 않는다는 뜻으로 말하면, 위 문장의 "기를 통한다"와 "서로 부딪힌다"라는 문장과 서로 유사한데, 어떠한지 알지 못하겠습니다.

답하였다: "불상석(不相射)"은 아래 글에 있는 "서로 어그러지지 않는다[不相悖]"[11]는 뜻이고, "서로 어그러지지 않는다[不相悖]"는 서로 해치지 않는다는 뜻입니다. 물과 불은 본래 서로 해치는 물건이지만, 곧 미제괘(未濟卦)에서의 물과 불 같은 경우는 또한 중간에 사물이 있어 서로를 떨어뜨리고 있어서 도리어 서로 쓰임이 됩니다. 만약 서로를 떨어뜨리는 물건이 없다면 서로를 해치게 됩니다. 이것이 서로를 해치지 않는다는 뜻으로써 서로를 호

---

11) 『周易・說卦傳』: 神也者, 妙萬物而爲言者也, 動萬物者莫疾乎雷, 撓萬物者莫疾乎風, 燥萬物者莫熯乎火, 說萬物者莫說乎澤, 潤萬物者莫潤乎水, 終萬物始萬物者莫盛乎艮, 故, 水火相逮, 雷風不相悖, 山澤通氣然後, 能變化, 旣成萬物也.

응함을 밝힌 것입니다.

○ 問, 八卦相錯. 曰, 乾坤自是箇不動底物事. 動是陰陽, 如一陰對一陽, 一陽對一陰.
六十四卦圓轉皆如此相錯.
물었다: "팔괘가 서로 섞인다"는 말은 무슨 뜻입니까?
답하였다: 건(乾)과 곤(坤)은 본래 움직이지 않는 사물입니다. 움직이는 것은 음과 양이니,
한 번 음이 되면 대하여 한 번 양이 되고, 한 번 양이 되면 대하여 한 번 음이 되는 것과
같습니다. 육십사괘가 원으로 전개된 것은 모두 이와 같이 서로 섞여 있습니다.

○ 平庵項氏曰, 八卦旣成, 按而數之, 天地以上下直對, 水火以東西橫對, 雷風山澤以
四角斜對, 八卦相錯, 粲然有倫也.
평암항씨가 말하였다: 팔괘가 이미 이루어진 것을 살펴 헤아려 보면, 「팔괘도」에서 하늘과
땅은 위와 아래인 세로로 마주하고 있고, 물과 불은 동과 서인 가로로 마주하고 있으며,
우레와 바람과 산과 못은 네 모퉁이에서 비스듬히 마주하고 있어서 팔괘가 서로 섞여 있으
니, 분명하게 질서가 있다.

○ 臨川吳氏曰, 天地定位者, 乾南坤北, 上天下地, 定其尊卑之位也. 山澤通氣者, 艮
西北, 兌東南, 山根著於地, 澤連接於天, 通乎天地之氣也. 雷風相薄者, 震東北, 巽西
南, 雷從地而起, 風自天而行, 互相衝激也. 水火不相射者, 坎西離東, 一左一右, 不相
侵克也.
임천오씨가 말하였다: "하늘과 땅이 자리를 정한다"는 것은 건괘는 남쪽이고 곤괘는 북쪽이
며 위로는 하늘이고 아래로는 땅이니 그 높고 낮은 자리를 정하는 것이다. "산과 못이 기를
통한다"는 것은 간괘는 서북쪽이고 태괘는 동남쪽이며 산은 땅에 뿌리를 두어 붙어 있고
못은 하늘에 잇달아 닿아 있으니 하늘과 땅의 기(氣)에 통한다는 것이다. "우레와 바람이
서로 부딪힌다"는 것은 진괘는 동북쪽이고 손괘는 서남쪽이며 우레는 땅을 따라서 일어나고
바람은 하늘로부터 움직이니 서로 서로 부딪쳐 흐르는 것이다. "물과 불이 서로 쏘아 맞히지
않는다"는 것은 감괘는 서쪽이고 리괘는 동쪽이며 한 번 왼쪽으로 하고 한 번 오른쪽으로
하니 서로 침범하여 이기지 않는 것이다.

○ 雲峰胡氏曰, 八卦錯而爲六十四卦, 其位亦然. 觀之圓圖, 可見矣.
운봉호씨가 말하였다: 팔괘가 섞여 육십사괘가 되고, 그 자리도 또한 그러하다. 원도(圓圖)
를 살펴보면 알 수가 있다.

○ 柴氏中行曰, 不言八卦而言八物, 非物, 无以見相與變化之理也.

시중행이 말하였다: 팔괘를 말하지 않고 여덟 가지의 사물을 말한 것은 사물이 아니면 서로 관여하여 변화하는 이치를 볼 수가 없기 때문이다.

‖韓國大全‖

권근(權近) 『주역천견록(周易淺見錄)』

天地定位 [止] 水火不相射.

하늘과 땅이 자리를 정하며 … 물과 불이 서로 쏘아 맞히지 않아서.

此伏羲先天八卦之方位也. 吳氏謂以圓圖言.

이는 복희 선천팔괘의 방위이다. 오징은 「원도(圓圖)」로써 말한 것이라고 하였다.

유정원(柳正源) 『역해참고(易解參攷)』

程子曰, 易八卦之位, 元不曾有說. 先儒以爲乾位西北, 坤位西南, 乾坤任六子而自處无位之地. 此大故无義理. 雷風山澤之類, 便是天地之用, 豈天地外別有六子. 如人生六子, 則有各任其事, 而父母自閑. 雷風之類, 於天地間, 如人身之有耳目手足, 便是人之用也. 豈可謂手足耳目皆用而身无爲乎.

정자가 말하였다: 『주역』의 팔괘의 위치는 원래 그에 대한 설명이 없었다. 이전의 학자들은 건의 자리는 서북이고 곤의 자리는 서남인데, 건곤은 여섯 자식에 해당하는 괘에 맡기고 스스로는 자리가 없는 곳에 처한다고 하였다. 이는 커다란 잘못으로 그러한 의리는 없다. 우레 · 바람 · 산 · 못의 종류는 곧 천지의 작용인데, 천지 이외에 따로 여섯 자식이 있겠는가? 그것은 사람이 여섯 자식을 낳아서 각각 일을 맡기고 부모는 스스로 한가한 것과 같다. 우레 · 바람의 종류가 천지의 사이에서 작용하는 것은 사람의 몸이 이목과 수족을 갖는 것이 곧 사람의 작용인 것과 같다. 어찌 수족과 이목은 모두 작용이고 몸은 작용이 없다고 말할 수 있겠는가?

○ 案, 夫子之後先天之學, 只傳於修養家, 陰相付受, 程子不之聞焉. 故只以後天解此節, 與邵朱說不同. 然此一段爲程易之肯綮, 故竝錄而不敢泯焉. 下章倣此.

내가 살펴보았다: 공자 이후 선천의 학은 수양가에게만 전해져서 몰래 서로 주고받았기 때문에 정자가 그것을 듣지 못하였다. 그러므로 다만 후천으로 이 구절을 해석했기 때문에, 소옹이나 주자의 설과는 같지 않다. 그러나 이 한 단락은 정자의 주역 해석의 핵심이기 때문에, 아울러 기록하고 감히 없애지 않는다. 아래 장도 이와 같다.

小註朱子說, 未濟 [至] 隔之.
소주에서 주자가 말하였다: 미제괘(未濟卦)에서 … 서로를 떨어뜨리고 있다.
案, 未濟, 非有隔物之象, 而推水火之相爲用, 必由於隔物. 邵子有云, 水克火, 撟而克之, 小人用力也. 火克水, 必隔物焉, 君子用知也, 亦足以明隔物之意也.
내가 살펴보았다: 미제괘는 중간에 사물이 있어 서로를 떨어뜨리고 있는 상이 아닌데, 물과 불이 서로 쓰임이 되는 것이 반드시 중간에 사물이 있어 서로를 떨어뜨리고 있는 것으로 말미암는다는 것을 추론한 것이다. 소옹은 "물이 불을 이기는 것은 덮어서 이기는 것이니, 소인이 힘을 쓰는 것이다. 불이 물을 이기는 것은 반드시 중간에 사물이 있어 서로를 떨어뜨리고 있기 때문이다"라고 하였으니, 또한 중간에 사물이 있어 서로를 떨어뜨리고 있다는 뜻을 충분히 밝히고 있다.

김상악(金相岳) 『산천역설(山天易說)』

此言伏羲八卦之位相錯, 謂位皆相對爻皆相反也.
이는 복희 팔괘의 자리가 서로 섞인 것이니, 자리가 모두 상대하고 효가 모두 상반됨을 말한다.

서유신(徐有臣) 『역의의언(易義擬言)』

此以下言象數所以爲觀變玩占之方也. 天地山澤雷風水火八者, 八卦之立象者也. 伏羲畫卦之序, 一坤二乾三兌四艮九震八巽七坎六離, 而坤下乾上, 天地定位之象也. 艮兌相當, 山澤通氣之象也. 震巽有相薄之象, 坎離有不相厭射之象. 或順或逆已相錯糅, 而其取數於河圖, 分位於先天, 又必相對相錯也. 詳妙研篇.
이 이하는 상과 수가 변화를 관찰하고 점을 음미하는 방법이라는 것을 말하였다. 하늘·땅·산·못·우레·바람·물·불, 여덟 가지는 팔괘가 상을 세운 것이다. 복희가 괘를 그은 차례는 1곤·2건·3태·4간·9진·8손·7감·6리인데, 곤이 아래에 있고 건이 위에 있는 것은 하늘과 땅이 자리를 정한 상이다. 간괘와 태괘가 마주하고 있는 것은 산과 못이 기를 통한 상이다. 진괘와 손괘에는 서로 부딪치는 상이 있고, 감괘와 리괘는 서로 싫어하지 않는 상이 있다. 혹은 따르고 혹은 거슬러서 이미 서로 섞이고, 「하도」에서 수를 취하며 「선천도」에서 자리를 나눈 것도 또한 반드시 서로 대하고 서로 섞인 것이다. 「묘연편(妙研篇)」에 상세하다.

심대윤(沈大允) 『주역상의점법(周易象義占法)』

邵子曰, 此伏羲八卦之位也, 所謂先天之學也.

소옹이 말하였다: 이것은 복희 팔괘의 자리이니, 이른바 선천의 학이다.

○ 乾坤咸恒爲上下經之首, 坎离爲上下經之終. 後天未嘗背先天而獨行也.

건·곤·함·항은 상하경의 머리가 되고, 감·리는 상하경의 마지막이 된다. 후천은 선천을 등지고 홀로 행해진 적이 없다.

數往者, 順, 知來者, 逆, 是故, 易, 逆數也.

지나간 것을 셈은 따르는 것이고, 올 것을 앎은 거스르는 것이니, 이 때문에 역(易)은 거슬러서 세는 것이다.

┃中國大全┃

本義

起震而歷離兌, 以至於乾, 數已生之卦也, 自巽而歷坎艮, 以至於坤, 推未生之 卦也. 易之生卦, 則以乾兌離震巽坎艮坤爲次, 故皆逆數也.

진괘(震卦)에서 일어나서 리괘(離卦)와 태괘(兌卦)를 지나 건괘(乾卦)에 이름은 이미 생겨난 괘를 세는 것이며, 손괘(巽卦)로부터 감괘(坎卦)와 간괘(艮卦)를 지나 곤괘(坤卦)에 이름은 아직 생겨나지 않은 괘를 미루어 보는 것이다. 역(易)이 괘를 낳음은 건괘(乾卦)·태괘(兌卦)·리괘(離卦)·진괘(震卦)·손괘(巽卦)·감괘(坎卦)·간괘(艮卦)·곤괘(坤卦)로 차례를 삼기 때문에 모두 거슬러서 센다.

小註

朱子曰, 數往者順, 知來者逆, 這一段是從卦氣上看來, 也是從卦畫生處看來. 恁地方 交錯, 成六十四卦.

주자가 말하였다: 지나간 것을 세는 것을 '따름[順]'이라고 하고, 올 것을 아는 것을 '거스름 [逆]'이라고 하였으니, 이 단락은 괘의 기(氣) 상에서 본 것이며, 또한 괘의 획이 생겨나는 곳에서 본 것이다. 이와 같이 이제 막 서로 교차하여 섞여서 육십사괘를 만들었다.

○ 潛室陳氏曰, 易本逆數也. 有一便有二, 有二便有四, 有四便有十六, 以至于六十 四, 皆由此可以知彼, 由今可以知來, 故自乾一以至于坤八, 皆循序而生, 一如橫圖之 次. 今欲以圓圖象, 渾天之形, 若一依此序, 則乾坤相竝, 寒暑不分, 故伏羲取天地定 位, 山澤通氣, 雷風相薄, 水火不相射之義, 以乾坤定上下之位. 坎離列左右之門, 艮兌 震巽, 皆相對而立. 蓋乾兌震離皆屬陽, 巽坎艮坤皆屬陰, 悉以陰陽相配. 圖必從中起者, 蓋萬事從心出之義, 卦必從復起者, 蓋天開於子之義. 自一陽始生之復起冬至節, 歷離兌之間爲春分, 以至于乾爲純陽, 是進而得其已生之卦, 如今日覆數昨日, 故曰數往者順. 自一陰始生之姤起夏至節, 歷坎艮之間爲秋分. 以至于坤爲純陰, 是進而能推其未生之卦, 如今日逆計來日, 故曰知來者逆. 然本其易之所成, 只是自乾一而兌二, 離三而震四, 巽五而坎六, 艮七而坤八, 如橫圖之序與圓圖之右方而已. 故曰易逆數也.

잠실진씨가 말하였다: 역(易)은 본래 거슬러서 세는 것이다. 하나가 있으면 곧 둘이 있게 되고, 둘이 있으면 곧 넷이 있게 되며, 넷이 있으면 열여섯이 있게 되어 육십 넷에 이르게 되니, 모두 이것을 말미암아서 저것을 알 수 있으며 지금을 말미암아서 미래를 알 수 있기 때문에 건괘(乾卦) 일로부터 곤괘(坤卦) 팔에 이르기까지 모두 순서를 따라서 생겨나므로 횡도(橫道)의 차례와 일치한다. 이제 원(圓)으로 상(象)을 그리고자 할 때에 둥근 하늘[渾天]의 형태를 만약 이러한 순서에 한결같이 의지한다면 건(乾)과 곤(坤)은 서로 나란히 할 것이며 추위와 더위도 나뉘지 않을 것이기 때문에 복희가 하늘과 땅이 자리를 정하고 산과 못이 기를 통하며 우레와 바람이 서로 부딪히고 물과 불이 서로 쏘아 맞지 않는 뜻을 취하여, 건괘와 곤괘로 위와 아래의 자리를 정하고 감괘와 리괘로 왼쪽과 오른쪽 문(門)에 배열하였으며 간괘(艮卦)·태괘(兌卦)·진괘(震卦)·손괘로 서로 상대하여 세웠다. 건괘·태괘·진괘·리괘는 모두 양에 속하고 손괘·감괘·간괘·곤괘는 모두 음에 속하니, 모두 음양으로써 서로 짝한다. 그림이 반드시 가운데에서 일어나는 것은 모든 일이 마음을 쫓아 나온다는 뜻이며, 괘가 반드시 복괘(復卦)로부터 일어나는 것은 하늘이 자시(子時)에서 열린다는 뜻이다. 하나의 양이 처음 생기는 복괘는 동지의 절기에 일어나 리괘와 태괘의 사이를 자나 춘분이 되고 건괘에 이르러 순수한 양이 되니, 이는 나아가면서 이미 생겨난 괘를 얻은 것이므로, 마치 오늘에 돌이켜 어제를 세어보는 것과 같기 때문에 "지나간 것을 셈은 따르는 것이다"고 하였다. 하나의 음이 처음 생기는 구괘(姤卦)는 하지의 절기에 일어나 감괘와 간괘를 지나 곤괘에 이르러 순수한 음이 되니, 이는 나아가면서 아직 생기지 않은 괘를 미루어 볼 수 있는 것이므로, 마치 오늘에 내일을 거슬러 헤아려 보는 것과 같기 때문에 "올 것을 앎은 거스르는 것이다"고 하였다. 그러나 본래 『주역』이 이루어짐은 다만 본디 건괘는 일이고 태괘는 이이며 리괘는 삼이고 진괘는 사이며 손괘는 오이고 감괘는 육이며 간괘는 칠이고 곤괘는 팔이니, 마치 횡도의 순서가 원도의 오른쪽과 같을 뿐이기 때문에 "역(易)은 거슬러서 세는 것이다"라고 하였다.

○ 雲峰胡氏曰, 諸儒訓釋此, 皆謂已往而易見爲順, 未來而前知爲逆. 易主於前民用, 故曰易逆數也. 惟本義依邵子以數往者順一段爲指圓圖, 而言卦氣之所以行, 易逆數一段爲指橫圖, 而言卦畫之所以生, 非本義發邵子之蘊, 則學者孰知此所謂先天之學哉. 此本義之功所以爲大也.

운봉호씨가 말하였다: 여러 유학자들은 여기를 풀이하면서 모두 이미 가서 쉽게 보는 것이 '따름[順]'이라고 하고 아직 오지 않아도 앞서 아는 것이 '거스름[逆]'이라고 하였다. 『주역』은 "백성들의 씀을 이끌게 함"[12]을 위주로 하기 때문에 "역(易)은 거슬러서 세는 것이다"라고 하였다. 오직 『본의』에서는 소옹에 의거하여 "지나간 것을 셈은 따르는 것이다"라는 한 단락을 원도(圓圖)를 가리킨다고 여겨 괘의 기가 움직이는 바를 말하였고, "역(易)은 거슬러서 세는 것이다"라는 한 단락을 횡도(橫圖)를 가리킨다고 여겨 괘의 획이 생기는 바를 말하였으니, 『본의』가 소옹의 깊은 뜻을 드러내지 않았다면 학자들 중에서 어느 누가 이것이 이른바 선천(先天)의 학문임을 알겠는가? 이것이 『본의』의 공이 위대한 까닭이다.

▌韓國大全▐

권근(權近) 『주역천견록(周易淺見錄)』

八卦相錯 [止] 易逆數也.

팔괘가 서로 섞이니 … 역은 거슬러서 세는 것이다.

吳氏謂以方圖言. 朱子以此節連上文, 皆以先天八卦言, 故本義曰, 起震而歷離兌, 以至於乾, 數已生之卦也, 自巽而歷坎艮, 以至於坤, 推未生之卦也, 易之生卦, 乾兌離震巽坎艮坤爲次, 故皆逆數也, 又曰, 數往者, 猶自今日而逆數昨日也, 知來者猶自今日而逆計來日也, 吳氏謂方圖, 自左而右則以坤艮坎巽震離兌乾爲坎坎當作次皆數其已往所生之卦, 故順, 自右而左, 則以乾兌離震巽坎艮坤爲次, 皆推其未來所生之卦, 故逆, 凡易卦生出之先後卽自右至左之序, 故曰逆數,

오징은 「방도(方圖)」로써 말한 것이라고 보았다. 주자는 이 절을 윗 문장과 연결시켜 모두 선천팔괘를 설명하는 것이라 보았으므로 『본의』에는 다음과 같이 말하였다. "진괘(震卦)에서 일어나서 리괘(離卦)와 태괘(兌卦)를 지나 건괘(乾卦)에 이름은 이미 생겨난 괘를 세는 것이며, 손괘(巽卦)로부터 감괘(坎卦)와 간괘(艮卦)를 지나 곤괘(坤卦)에 이름은 아직 생겨나지 않은 괘를 미루어 보는 것이다. 역(易)이 괘를 낳음은 건괘(乾卦)·태괘(兌卦)·리괘(離卦)·진괘(震卦)·손괘(巽卦)·감괘(坎卦)·간괘(艮卦)·곤괘(坤卦)로 차례를 삼기 때문에 모두 거슬러서 센다." 또 다음과 같이 말했다. "'간 것을 센다'는 것은 오늘로부터

---

12) 『周易·繫辭傳』: 是以明於天之道, 而察於民之故, 是興神物, 以前民用, 聖人, 以此齋戒, 以神明其德夫.

거슬러서 어제를 세는 것이다. '오는 것을 안다'는 것은 오늘로부터 거슬러서 올 날을 계산하는 것이다." 오징은 다음과 같이 말했다. 「방도」는 왼쪽에서 오른쪽으로 가면 곤·간·감·손·진·리·태·건의 순서로 모두 이미 생겨난 괘를 세는 것이므로 '순(順)'이다. 오른쪽에서 왼쪽으로 가면 건·태·리·진·손·감·간·곤의 순서로 모두 앞으로 생겨날 괘를 미루어 간 것이므로 '역(逆)'이다. 역에서 괘가 생겨나는 차례는 바로 오른쪽에서 왼쪽으로 나가는 순서이므로 '거슬러서 센다'고 한다."

愚按, 上節但言八卦之象, 是專以八卦言, 其下方言八卦相錯, 始以六十四卦言也. 吳氏以上節言方圖未安. 此節之上, 旣言八卦相錯, 朱子連上節, 皆以八卦言者, 亦未安. 圓圖有逆有順, 方圖有逆無順. 此節備擧逆順而言, 吳氏以此節專言方圖, 亦爲未得切. 恐上節只言八卦, 此節兼言六十四卦, 而包方圓二圖也. 故以先天八卦位次言, 則如朱子之說. 以方圓二圖言, 則圓者動而爲天, 其氣之行, 自左而右, 故左方一截自復至乾, 卽八卦起震, 而歷離兌, 以至於乾之序, 數往而順者也.

내가 살펴보았다: 윗 절에서는 팔괘의 상(象)만을 언급하고, 여기서는 오로지 팔괘만을 말하였으며, 그 밑에서야 비로소 "팔괘가 서로 섞인다"고 하여 64괘로 언급하기 시작하였다. 오징은 윗 절이 「방도」를 가리킨다고 보았는데, 타당하지 않다. 이 절의 위에서 이미 "팔괘가 서로 섞인다"고 하였으니, 주자가 윗 절과 연결시키고 모두 팔괘로써 설명한 것 역시 타당하지 않다. 「원도」에는 역(逆)도 있고 순(順)도 있지만, 「방도」에는 역(逆)은 있으나 순(順)은 없다. 이 절에는 역과 순을 갖추어 언급하고 있으니, 오징이 구절을 오로지 「방도」만을 언급하는 것으로 본 것은 딱 들어맞지 않는다. 아마도 윗 절에서는 팔괘만을 언급하고 이 절에서는 64괘를 아울러 언급하여 「방도」와 「원도」를 포괄하고 있는 듯하다. 그러므로 선천 팔괘의 방위와 순서로 말하면 주자의 설과 같다. 「방도」와 「원도」두 도로 말하면 둥근 것은 움직여 하늘이 되고 그 기의 운행은 왼쪽에서 오른쪽으로 움직이므로 왼쪽 부분의 복에서 건에 이르기까지는 바로 팔괘가 진에서 일어나 리·태를 거쳐 건에 이르는 순서로 이미 생겨난 것을 세는 순한 것이다.

右方一截, 由姤至坤, 卽八卦自巽而歷坎艮, 以至於坤之序, 知來而逆者也. 是有順而有逆也. 方者靜而爲地, 其勢之傾, 自右而左, 乾居西北之高, 次兌次離次震次巽次坎次艮以次而下, 坤居東南之卑而終焉. 其序皆逆而無順. 吳氏謂自左而右則爲順, 其說雖當, 非方圖之本旨也. 苟不探其本而互言之, 則圓圖亦可以右轉, 左方爲逆而右方順矣. 然戾於天道而不可以言也.

오른쪽 부분의 구에서 곤에 이르기까지는 바로 팔괘가 손에서부터 감·간을 거쳐 곤에 이르는 순서로 오는 것을 알고 거스르는 것이다. 이것이 순이 있고 역이 있다는 의미이다. 네모난 것은 고요하여 땅이 되고, 그 기세가 기울면 오른쪽에서 왼쪽으로 움직이는데, 건은 서북쪽 높은 곳에 자리하고 태, 리, 진, 손, 감, 간의 순서에 따라 내려오고, 곤은 동남쪽 낮은 곳에 자리하여 마친다. 그 순서는 모두 역이고 순이 없다. 오징은 "왼쪽에서 오른쪽으로 간다면 순이다"라고 하였는데, 그 설이 타당하기는 하지만 「방도」의 본래의 뜻은 아니다. 그 근본을 탐구하지 않고 한쪽으로만 말한다면, 「원도」 역시 오른쪽으로 돌 수 있어 왼쪽 부분이 역이 되고 오른쪽 부분이 순이 된다. 그러나 이는 천도에 어긋나니, 그렇게 말할 수는 없다.

유정원(柳正源) 『역해참고(易解參攷)』

雙湖胡氏曰, 一逆一順, 此是從卦氣上看, 有逆无順, 此是從卦畫生處看. 數往者順, 知來者逆, 此兩句說先天圓圖, 且以卦畫初生之序而觀, 本自乾一而兌二離三震四, 以至巽五坎六艮七坤八. 今卽圓圖左方之序而觀之, 則自震北當冬至子半, 離東當春分卯半, 乾南當夏至午半, 是順天而左旋, 皆已生之卦也. 所以數其生之已往者, 豈非順乎. 又卽圓圖右方之序而觀之, 則自巽南當夏至午半, 坎西當秋分酉半, 坤北當冬至子半, 是逆天而右轉, 皆未生之卦也. 所以知其生之方來者, 豈非逆乎. 是故易逆數也一句, 是說先天橫圖, 自太極生兩儀四象八卦, 以至六十四卦, 由乾一至坤八, 則皆以逆而數矣.
쌍호호씨가 말하였다: 한 번 거스르고 한 번 따르는 것은 괘기로부터 본 것이고, 거스름만 있고 따름은 없는 것은 괘획이 생겨난 곳으로부터 본 것이다. "지나간 것을 셈은 따르는 것이고, 올 것을 앎은 거스르는 것이다"라는 이 두 구절은 「선천원도」를 설명한 것이고, 또한 괘획이 처음 생겨난 순서로 본 것으로, 본래 건1로부터 태2·리3·진4로부터 손5·감6·간7·곤8에 이르는 것이다. 지금 「원도」 왼쪽의 순서로 본다면 북쪽의 진괘는 동지 자반(子半)에 해당하고, 동쪽의 리괘는 춘분 묘반(卯半)에 해당하고, 남쪽의 건괘는 하지 오반(午半)에 해당하니, 이것은 하늘을 따라 왼쪽으로 도는 것으로 모두 이미 생겨난 괘이다. 그래서 생겨나 이미 가는 것을 세는 것이니, 어찌 따르는 것이 아니겠는가? 또한 「원도」 오른쪽의 순서로 본다면 남쪽의 손괘는 하지 오반(午半)에 해당하고, 서쪽의 감괘는 추분 유반(酉半)에 해당하고, 북쪽의 곤괘는 동지 자반(子半)에 해당하니, 이것은 하늘을 거슬러 오른쪽으로 도는 것으로 모두 아직 생겨나지 않은 괘이다. 그래서 생겨나 막 오는 것을 아는 것이니, 어찌 거스르는 것이 아니겠는가? "그러므로 역은 거슬러서 세는 것이다"라는 한 구절은 「선천횡도」를 설명한 것인데, 태극이 양의·사상·팔괘를 낳음으로부터 육십사괘에 이르기까지, 건1로부터 곤8에 이르기까지 모두 거슬러서 세는 것이다.

○ 案, 朱子每以已往屬陰, 方來屬陽, 則數往, 疑是陰, 知來疑是陽也. 而此指卦位之已生未生者而言也. 自二而向一爲往, 自二而向三爲來. 往者其已然也故順, 來者其未然也故逆. 自震四至乾一, 爲已生之故順, 自巽五至坤八爲未生之卦故逆. 然總而言之, 自乾一至坤八, 皆是逆數未生之卦, 故曰易逆數也.

내가 살펴보았다: 주자는 매양 이미 지나간 것을 음에 속하게 하고, 막 오는 것을 양에 속하게 했으니, 가는 것을 셈은 아마도 음이고, 오는 것을 앎은 아마도 양일 것이다. 이것은 괘의 자리가 이미 생긴 것과 아직 생기지 않은 것을 가리켜 말한 것이다. 2로부터 1로 향하는 것은 가는 것이 되고, 2로부터 3으로 향하는 것은 오는 것이 된다. 가는 것은 이미 그러한 것이기 때문에 따르는 것이고, 오는 것은 아직 그렇지 않기 때문에 거스르는 것이다. 진4로부터 건1에 이르는 것은 이미 생한 것이기 때문에 따르는 것이고, 손5로부터 곤8에 이르는 것은 아직 생하지 않은 것이기 때문에 거스르는 것이다. 그러나 총괄하여 말하면 건1로부터 곤8까지 모두 거스르는 수로서 아직 생하지 않은 괘이기 때문에, 역은 거슬러서 세는 것이다"라고 말하였다.

小註雲峯說諸儒訓釋.

소주의 운봉설에 대한 여러 유학자들의 풀이.

案, 尹和靖言, 易之爲書, 要知測未萌事未到. 泰之上六, 便知泰將極未到, 否之上九, 便知否欲傾. 張南軒言, 易之天下, 皆逆數而察其來. 逆如逆暑逆寒, 預爲之主者也. 丘建安言, 易之占筮爲知來設, 如占事知來, 邃知來物前民用, 皆逆數之謂. 此諸說與本義不合者, 皆不主先天說故也.

내가 살펴보았다:

윤화정이 말하였다: 『주역』이라는 책은 예측이 아직 싹트지 않은 것과 일이 아직 도달하지 않은 것을 알아야 한다. 태괘의 상육에서는 곧 태평함이 장차 지극함에 이르지 않게 할 줄 알아야 하고, 비괘의 상구에서는 비색함이 기울어질 것을 알아야 한다.

장남헌이 말하였다: 역의 천하는 모두 수를 거슬러 그 올 것을 살피는 것이다. '역(逆)'은 '역서(逆暑)', '역한(逆寒)'의 '역(逆)'과 같으니, 미리 하는 것을 위주로 한다.

구건안이 말하였다: 역의 점서는 오는 것을 알기 위해 설정하였으니, 예를 들어 점치는 일은 오는 것을 알아서 드디어 오늘 일을 알고 백성들의 씀을 이끄는 것으로, 모두 수를 거스르는 것을 말한다.

위의 여러 설들은 『본의』와 합치하지 않는 것으로, 모두 선천설을 주로 하지 않았기 때문이다.

김상악(金相岳) 『산천역설(山天易說)』

數往者順, 謂順其一二三四之次, 得乾兌離震之位也. 知來者逆, 謂逆推八七六五之次, 知坤艮坎巽之位也. 蓋易之數, 不過一陰一陽交錯以成對待者也. 故順數而得乾, 則逆知而得坤, 兌艮離坎震巽亦皆如此, 故曰易逆數也. 以六十四卦言之, 自復至乾,自姤至坤, 陰陽對待互相交易, 陽之位數, 陰之位數, 分以左右, 正齊无贏縮, 復乾一邊之卦, 皆可以順數以往也. 故雖无姤坤一邊之卦, 亦可以逆推以知來也.

'지나간 것을 셈은 따르는 것'은 일·이·삼·사의 차례를 따라서 건·태·리·진의 자리를 얻는 것이고, '올 것을 앎은 거스르는 것'은 팔·칠·육·오의 차례를 거슬러 헤아려서 곤·간·감·손의 자리를 아는 것이다. 역의 수는 한 음과 한 양이 교착하여 대대를 이루는 것에 지나지 않는다. 그러므로 수를 따라서 건을 얻으면 거슬러 알아 곤을 얻으며, 태·간·리·감·진·손도 모두 이와 같기 때문에 "역은 거슬러서 세는 것이다"라고 말하였다. 육십사괘로 말하면 복괘로부터 건괘까지, 구괘로부터 곤괘까지 음양이 대대하고 서로 교역하여, 양의 자리와 수, 음의 자리와 수를 좌우로 나누어 가지런하여 남거나 모자라는 것이 없어 복괘로부터 건괘까지의 한 변의 괘들은 모두 수를 따라서 간다. 그러므로 비록 구괘로부터 곤괘까지의 한 변이 없더라도 또한 거슬러 헤아려 올 것을 안다.

서유신(徐有臣) 『역의의언(易義擬言)』

一二三四順也, 旣一而二, 旣二而三, 旣三而四, 自旣往而起數也. 四三二一逆也, 未三而四, 未二而三, 未一而二, 推未來而先知也. 旣往在先, 是爲順數, 未來在先, 是爲逆知也. 天下之數, 皆順數, 而獨易用逆數, 故曰易逆數也. 然易數兼用順逆也.

일·이·삼·사는 따르는 것이니, 일로부터 이로, 이로부터 삼으로, 삼으로 사로, 이미 지나간 것으로부터 수를 일으킨다. 사·삼·이·일은 거스르는 것이니, 아직 삼이 아니고 사이고, 아직 이가 아니고 삼이고, 아직 일이 아니고 이이니, 아직 오지 않은 것을 미루어 먼저 안다. 이미 지나간 것이 앞에 있으면 이것이 따르는 수가 되고, 아직 오지 않은 것이 앞에 있으면 이것이 거슬러 아는 것이 된다. 천하의 수는 모두 따르는 수인데, 오직 역에서 거스르는 수를 쓰기 때문에 "역은 거슬러서 세는 것이다"라고 말하였다. 그러나 역의 수는 따르는 수와 거스르는 수를 겸하여 쓴다.

윤종섭(尹鍾燮) 『경(經)-역(易)』

三章天地定位, 先言體而後言用, 主先天有是道而後動以氣也. 五章帝出乎震, 先言用而後言體, 主後天卽流行而指其本體也. 上章數往者順, 傳十一章知以藏往也, 知來者逆, 十一章神以知來也.

삼장의 하늘과 땅이 자리를 정한 것은 본체를 먼저 말하고 작용을 나중에 말했는데, 선천을 주로 하여 이 도가 있은 다음에 기로 움직이기 때문이다. 오장의 "제가 진괘에서 나온다"는 것은 먼저 작용을 말하고 본체를 나중에 말했는데, 후천을 주로 하여 유행을 따라 본체를 가리켰기 때문이다. 이 장의 '지나간 것을 셈은 따르는 것'은 「계사상전」 십일장의 '지혜로 간 것을 간직하는 것'이고, '올 것을 앎은 거스르는 것'은 「계사상전」 십일장의 '신묘함으로 올 것을 아는 것'이다.

심대윤(沈大允) 『주역상의점법(周易象義占法)』

數往者, 自古而今順也, 數來者, 自今而後逆也. 一順一逆而大體則順而已矣, 其爲自 上而下一也. 先天乾居南, 兌居東南, 离居東, 震居東北, 坤居北, 艮居西北, 坎居西, 巽居西南. 乾兌离震坤艮坎巽, 伏羲畫卦生生之序也, 其數則一乾二兌三离四震, 順其 序也, 五巽六坎七艮八坤, 逆其序也. 一順一逆而自其方位右旋, 則順而已矣. 大順之 中, 兼逆數者, 先天統後天也. 卦氣則起震而离兌以至乾, 自巽而坎艮以至坤, 皆逆數 而左旋也. 生生者, 先天也, 序順而方逆, 行以右旋. 卦氣克用者, 後天也, 序逆而行順, 就以左旋也. 易後天也, 故數自下以上.

'지나간 것을 세는 것'은 옛날부터 오늘날까지 순서대로 세는 것이고, '오는 것을 세는 것'은 지금부터 후일까지 거슬러 세는 것이다. 한 번 따르고 한 번 거스르지만 대체는 따르는 것일 뿐이니, 위로부터 아래로 가는 것은 동일하다. 「선천도」에서 건은 남쪽에 거하고 태는 동남에 거하고 리는 동에 거하고 진은 동북에 거하고 곤은 북에 거하고 간은 서북에 거하고 감은 서에 거하고 손은 서남에 거한다. 건·태·리·진·곤·간·감·손은 복희가 괘를 그은 생생하는 순서이고, 그 수는 1건·2태·3리·4진은 순서를 따르는 것이고, 5손·6감·7 간·8곤은 순서를 거스르는 것이다. 한 번 따르고 한 번 거슬러 방위로부터 오른쪽으로 돌면 따르는 것일 뿐이다. 크게 따르는 중도는 거스르는 수를 겸하고 선천은 후천을 통괄한다. 괘의 기는 진괘에서 일어나 리괘·태괘를 거쳐 건괘에 이르고, 손괘로부터 감괘·간괘를 거쳐 곤괘에 이르니, 모두 거스르는 수로서 왼쪽으로 돈다. 낳고 낳는 것은 선천인데, 순서는 따르는 순서이고 방향은 거스르는 방향이며 행하여 오른쪽으로 돈다. 괘의 기가 쓰일 수 있다는 것은 후천인데, 순서는 거스르는 순서이고 행하는 것은 따라 행하는 것이며 나아가 왼쪽으로 돈다. 역은 후천이기 때문에 수는 아래로부터 올라간다.

오치기(吳致箕) 「주역경전증해(周易經傳增解)」

天地山澤雷風水火, 卽所謂卦象也. 定位者, 定上天下地之位也. 通氣者, 往來相感也. 相薄者, 薄激而相助也. 不相射者, 不相射害也. 相錯, 言陰陽之交錯也. 數往者順, 謂 以已生之卦數之則順. 如乾三陽爲已生, 而自乾歷兌离二陽至震一陽, 則爲順. 如坤三 陰爲已生而歷艮坎二陰至巽一陰, 則亦爲順也. 知來者逆, 謂以未生之卦數之則逆. 如

震一陽爲始生, 而自震歷離兌二陽至乾三陽, 則爲逆. 如巽一陰爲始生, 而自巽歷坎艮
二陰至坤三陰, 則亦爲逆也. 蓋八卦俱從右起數而至左則順, 俱從左起數而至右則逆.
而易本自一陰一陽, 歷二陰二陽至三陰三陽皆爲逆數, 故曰易逆數也. 此言先天卦位
之體, 而及於後天之用也.

하늘·땅·산·못·우레·바람·물·불은 모두 괘의 상이다. 자리를 정한다는 것은 위가
하늘이고 아래가 땅인 자리를 정한다는 것이다. 기를 통한다는 것은 왕래하여 서로 감응하
는 것이다. 서로 부딪치는 것은 부딪쳐서 서로 돕는 것이다. 서로 쏘아 맞히지 않는다는
것은 서로 쏘거나 해롭게 하지 않는 것이다. 서로 섞이는 것은 음과 양이 교착하는 것이다.
'지나간 것을 셈은 따르는 것'은 이미 생겨난 괘로 세면 따르는 것이다. 예를 들어 세 양인
건괘가 이미 생겨나고, 건괘로부터 두 양인 태괘·리괘를 거쳐 한 양인 진괘에 이르면 따르
는 것이 된다. 또 예를 들어 세 음인 곤괘가 이미 생겨나고, 두 음인 간괘·감괘를 거쳐
한 음인 손괘에 이르면 또한 따르는 것이 된다. '오는 것을 앎은 거스르는 것'은 아직 생겨나
지 않은 괘로 세면 거스르는 것이다. 예를 들어 한 양인 진괘가 처음으로 생겨나고, 진괘로
부터 두 양인 리괘·태괘를 거쳐 세 양인 진괘에 이르면 거스르는 것이 된다. 또 예를 들어
한 음인 손괘가 처음 생겨나고, 손괘로부터 두 음인 감괘·간괘를 거쳐 세 음인 곤괘에 이르
면 또한 거스르는 것이 된다. 팔괘가 모두 오른쪽을 따르고 수를 일으켜 왼쪽에 이르면 따르
는 것이고, 모두 왼쪽을 따르고 수를 일으켜 오른쪽에 이르면 거스르는 것이다. 역은 본래
한 음과 한양으로부터 두 음과 두 음을 거쳐 세 음과 세 양이 이르는 것이 모두 거스르는
수가 되기 때문에 "역은 거슬러서 세는 것이다"라고 말하였다. 이것은 선천괘의 자리의 본체
를 말하고 후천의 작용을 언급하였다.

○ 以此章之言推之, 則乾南坤北而定天地尊卑之位. 離東坎西而開日月往來之門. 兌
東南艮西北而山澤相感. 震東北巽西南而雷風相薄. 蓋乾坤坎離, 則以四正之卦, 分居
于上下左右之位, 故首言天地, 終言水火, 以表其四正也. 震巽艮兌, 則以四偏之卦, 厠
居于乾坤坎離之間, 故中言山澤雷風, 以表其四隅也. 餘見伏羲八卦方位圖解.

이 장의 말로 추론하면 건괘는 남쪽이고 곤괘는 북쪽이어서 하늘과 땅이 높고 낮은 자리를
정한다. 리괘는 동쪽이고 감괘는 서쪽이어서 해와 달이 왕래하는 문을 연다. 태괘는 동쪽이
고 간괘는 서북쪽이어서 산과 못이 서로 감응한다. 진괘는 동북쪽이고 손괘는 서남쪽이어서
우레와 바람이 서로 부딪친다. 건·곤·감·리는 네 가지 바른 자리의 괘로서 상하·좌우의
자리에 나누어 거하기 때문에 천지를 먼저 말하고 수화를 나중에 말하여 네 가지 바름을
표시하였다. 진·손·간·태는 네 가지 치우친 자리의 괘로서 건·곤·감·리의 사이에 치
우치게 거하기 때문에 산택·뇌풍을 중간에 말하여 네 모퉁이를 표시하였다. 나머지는 「복
희팔괘방위도해」에 보인다.

이진상(李震相) 『역학관규(易學管窺)』

天地定位.

하늘과 땅이 자리를 정한다.

乾以太陽而位南, 坤以太陰而位北, 天地定位也. 艮生於太陰, 故從坤而間於西北, 兌
生於太陽, 故從乾而間於東南. 澤興雲騰于山, 山出泉注于澤, 山澤通氣也. 震之一陽,
生於太陰之下, 故由坤而間於東北. 巽之一陰, 生於太陽之下, 故由乾而間於西南. 雷以
風發, 風以雷厲, 雷風相薄也. 坎以太陰之精得乾中氣, 故次巽而位西. 離以太陽之精得
坤中氣, 故次震而位東. 日生於東, 月生於西, 錯行代明, 故曰不相射. 天地全體也, 故
言於始, 水火妙用也, 故言於終. 此一節卽伏羲所定卦位, 而文王作易因以爲卦序.

건괘는 태양으로 남쪽에 자리하고 곤괘는 태음으로 북쪽에 자리하는 것이 하늘과 땅이 자리
를 정하는 것이다. 간괘는 태음에서 생겨나기 때문에 곤괘를 따라 서쪽과 북쪽 사이에 끼어
있고, 태괘는 태양에서 생겨나기 때문에 건괘를 따라 동쪽과 남쪽 사이에 끼어 있다. 못이
구름을 일으켜 구름이 산에 올라가며, 산에서 샘이 솟아나와 못에 들어가는 것이 산과 못이
기를 통하는 것이다. 진괘의 한 양이 태음의 아래에서 생겨나기 때문에 곤을 따라 동쪽과
북쪽 사이에 끼어 있다. 손괘의 한 음이 태양의 아래에서 생겨나기 때문에 건을 따라 서쪽과
남쪽 사이에 끼어 있다. 우레는 바람으로 일어나고 바람은 우레로 사나워지는 것이 우레와
바람이 서로 부딪치는 것이다. 감괘는 태음의 정기로 건괘의 중정한 기를 얻기 때문에 손괘
다음에 있고 서쪽에 자리한다. 리괘는 태양의 정기로 곤괘의 중정한 기를 얻기 때문에 진괘
다음에 있고 동쪽에 자리한다. 해는 동쪽에서 생겨나고 달은 서쪽에서 생겨나 번갈아 행하
면서 밝음을 교대하기 때문에 "물과 불이 서로 쏘아 맞히지 않는다"고 말하였다. 하늘과 땅
은 온전한 본체이기 때문에 처음에 말하였고, 물과 불은 오묘한 작용이기 때문에 끝에 말하
였다. 이 한 절은 곧 복희가 정한 괘의 자리이고, 문왕이 역을 만들 때 그것을 따라서 괘의
순서를 정하였다.

乾坤爲上經之首, 天地定位也. 咸恒爲下經之首, 山澤通氣雷風相薄也. 上經之終以坎
離, 下經之終以旣未濟, 水火不相射也. 苟只是伏羲卦位, 則水火不應在最下. 就其中
細分, 則坎離之前, 便有頤大過, 旣未濟之前, 便有中孚小過, 而上經之中便有否泰, 下
經之中便有損益, 皆此義也. 先儒於此只舉伏羲卦位者, 拘於後天之說故也. 八卦之氣
相交而成六十四卦, 八卦之序相錯而成文王易卦, 一部周易之要旨不外於此.

건괘와 곤괘가 상경의 머리가 되는 것이 하늘과 땅이 자리를 정하는 것이다. 함괘와 항괘가
하경의 머리가 되는 것이 산과 못이 기를 통하고 우레와 바람이 서로 부딪치는 것이다. 상경
이 감괘와 리괘로 끝나고 하경이 기제괘와 미제괘로 끝나는 것이 물과 불이 서로 쏘아 맞히

지 않는 것이다. 만일 다만 복희가 그린 괘의 자리라면 수·화가 가장 아래에 있는 것은
마땅하지 않다. 그 가운데 나아가 세분하면 감·리의 앞에 곧 이괘와 대과괘가 있고, 기제·
미제의 앞에 중부괘와 소과괘가 있으며, 상경의 가운데 비괘과 태괘가 있고 하경의 가운데
손괘와 익괘가 있는 것이 모두 이 뜻이다. 이전의 학자가 여기에서 다만 복희가 그린 괘의
자리를 든 것은 후천의 설에 얽매였기 때문이다. 팔괘의 기가 서로 사귀어 육십사괘를 이루
고, 팔괘의 순서가 서로 섞이어 문왕의 역괘를 이루니, 한 부 『주역』의 요지가 이를 벗어나
지 않는다.

○ 小註有物隔之.
소주에서 말하였다: 사물이 있어 서로를 떨어뜨리고 있다.
旣濟之水火, 陰陽皆得位, 而水克火之勢順, 故不待隔物. 未濟之水火, 陰陽皆失位, 而
火克水之勢逆, 故必待隔物. 未濟無隔物之象, 故所以爲未濟.
기제괘의 수·화는 음양이 모두 자리를 얻고, 물이 불을 이기는 형세가 순조롭기 때문에
사물이 서로를 떨어뜨릴 것을 기다리지 않는다. 미제괘의 수·화는 음양이 모두 자리를 잃
고, 불이 물을 이기는 형세가 거스르기 때문에 반드시 사물이 서로를 떨어뜨릴 것을 기다린
다. 그런데 미제괘에는 사물이 서로 떨어뜨리는 상이 없기 때문에 미제괘가 되었다.

○ 數往者順.
지나간 것을 셈은 따르는 것이다.

易以上進爲往, 下行爲來. 往者已然之迹也, 來者未然之幾也. 乾兌離震巽坎艮坤,
生卦之序而數, 卦氣者, 起震而歷離兌以至於乾, 皆已然之迹也. 如踏熟路, 故謂之
順. 由巽而歷坎艮以至於坤, 皆未然之幾也. 如行初程, 故謂之逆. 此以圓圖言也. 若
橫圖, 則一直用生卦之序, 而橫圖之序, 實具於圓圖, 故曰易逆數也. 蓋以易而言, 則
卦畫爲主而節氣爲賓, 乾爲主而衆卦爲賓, 故向我而上進者, 謂之順, 舍我而下行者,
謂之逆耳.
역은 위로 나아가는 것이 가는 것이 되고, 아래로 행하는 것이 오는 것이 된다. 가는 것은
이미 그러한 자취이고, 오는 것은 아직 그렇지 않은 기미이다. 건·태·리·진·손·감·
간·곤은 괘를 낳는 순서로서 헤아린 것이고, 괘의 기는 진괘에서 일어나 리괘와 태괘를
거쳐 건괘에 이르니, 이미 그러한 자취이다. 마치 익숙한 길을 밟는 것과 같기 때문에
따른다고 하였다. 손괘로부터 감괘와 간괘를 거쳐 곤괘에 이르니, 모두 아직 그렇지 않은
기미이다. 마치 처음 길을 가는 것과 같기 때문에 거스른다고 하였다. 이는 원도로 말한
것이다. 횡도라면 곧바로 괘를 낳는 순서를 쓰지만, 횡도의 순서는 실제로 원도에 갖추어

져 있기 때문에 "역은 거슬러서 세는 것이다"라고 말하였다. 역으로 말하면 괘획이 주인이 되고 절기가 손님이 되며, 건괘가 주인이 되고 다른 괘들이 손님이 되기 때문에, 나를 향하여 위로 나아가는 것을 따른다고 하고, 나를 버리고 아래로 행하는 것을 거스른다고 하였다.

或謂, 數往者, 節氣之順布者也, 知來者, 卦畫之逆推者也. 以圓圖言, 自復一陽至乾六陽, 姤一陰至坤六陰, 節節皆順, 而乾兌離震, 逆氣而下生, 巽坎艮坤, 逆天而下行. 數到震四便改, 從西南角起數便是逆, 所以爲逆數也. 節氣, 則相配而已. 易道專主乎知來, 故曰易逆數.

어떤 이가 말하였다: 가는 것을 세는 것은 절기가 순서대로 펴진 것이고, 오는 것을 아는 것은 괘획을 거슬러 미룬 것이다. 원도로 말하면 한 양인 복괘로부터 여섯 양인 건괘에 이르기까지, 한 음인 구괘로부터 여섯 음인 곤괘 이르기까지는 절절마다 모두 따르며, 건·태·리·진은 기를 거슬러 아래로 생겨나고 손·감·간·곤은 하늘을 거슬러 아래로 행한다. 수가 진괘인 4에 이르면 곧 바뀌는데, 서남의 모서리로부터 수를 일으키는 것이 곧 거스르는 것이기 때문에 거스르는 수가 된다. 절기는 서로 짝할 뿐이다. 역의 도리는 오는 것을 아는 것을 오로지 주로 하기 때문에 "역은 거슬러서 세는 것이다"라고 말하였다.

其說甚新, 更詳之.
이 설이 매우 새로우니, 다시 자세히 살펴보아야 한다.

右 第三章
이상은 제3장이다.

▌韓國大全▌

오치기(吳致箕) 「주역경전증해(周易經傳增解)」

右第三章, 推本於先天卦序, 而言陰陽對待之體順逆往來之理, 以起下章之言後天功用也.

이상의 제 3장은 선천의 괘의 순서에 대해 근본을 미루어 음양이 대대하는 몸체가 따르고 거스르며 오고 가는 이치를 말해서, 아래 장에서 후천의 공용을 말하는 것을 일으켰다.

제4장第四章

雷以動之, 風以散之, 雨以潤之, 日以晅之, 艮以止之, 兌以
說之, 乾以君之, 坤以藏之.

우레로써 움직이고, 바람으로써 흩뜨리고, 비로써 적시고, 해로써 말리고, 간괘(艮卦)로써 그치고,
태괘(兌卦)로써 기쁘게 하고, 건괘(乾卦)로써 임금노릇 하고, 곤괘(坤卦)로써 감춘다.

中國大全

本義

此, 卦位相對, 與上章同.

여기에서 괘의 자리가 서로 마주함이 윗 장과 같다.

小註

朱子曰, 雷以動之以下四句, 取象義多, 故以象言. 艮以止之以下四句, 取卦義多, 故以
卦言. 乾以君之坤以藏之兩句, 恁地說得好.

주자가 말하였다: "우레로써 움직이고" 이하 네 구절은 상의 뜻을 취한 것이 많으므로 상으로
써 말하였다. "간괘로써 그치고" 이하 네 구절은 괘의 뜻을 취한 것이 많으므로 괘로써 말하
였다. "건괘로써 임금노릇 하고, 곤괘로써 감춘다"는 두 구절은 이렇게 설명한 것이 좋다.

○ 節齋蔡氏曰, 動則物萌, 散則物具, 二者言生物之功也. 潤則物滋, 晅則物舒, 二者
言長物之功也. 止則物成, 說則物遂, 二者言收物之功也. 君則物有所歸, 藏則物有所
息, 二者言藏物之功也. 此章, 卦位相對與上章同, 而上章則言卦象, 自相爲用, 此章,

則言八卦造物流行, 有生長收藏之事也.

절재채씨가 말하였다: 우레가 움직이면 만물이 싹트고, 바람이 흩뜨리면 만물이 갖추어지니, 두 가지는 만물을 낳는 공을 말한다. 비로 적시면 만물이 번성하고 해로써 말리면 만물이 펴지니, 두 가지는 만물을 기르는 공을 말한다. 산으로써 그치면 만물이 이루어지고, 못으로써 기쁘게 하면 만물이 완성되니, 두 가지는 만물을 수렴하는 공을 말한다. 임금노릇을 하면 만물이 귀의할 곳이 있고, 곤으로써 감추면 만물이 쉴 곳이 있으니, 두 가지는 만물을 간직하는 공을 말한 것이다. 이 장은 괘의 자리가 마주함이 윗 장과 같고, 윗 장에서는 괘상을 말하였으니 서로 쓰임이 되는데, 이 장에서는 팔괘가 만물을 만들고 유행하여 낳고, 기르고, 거두고, 저장하는 일이 있음을 말하였다.

○ 建安丘氏曰, 雷動風散, 乾坤初爻相易而爲震巽也. 雨潤日晅, 乾坤中爻相易而爲坎離也. 止之說之, 乾坤終爻相易而爲艮兌也. 此六子生物之序也. 然六子致用, 主於乾而動, 歸於坤而藏, 此又父母之功也, 故以乾坤終之.

건안구씨가 말하였다: '우레로써 움직이고 바람이 흩뜨린다'는 것은 건괘와 곤괘의 초효가 서로 바뀌어 진괘와 손괘가 되는 것이다. 비로써 적시고 해로써 말린다는 것은 건괘와 곤괘의 가운데 효가 서로 바뀌어 감괘와 리괘가 되는 것이다. '산으로써 멈추고 못으로써 기쁘게 한다'는 것은 건괘와 곤괘의 끝 효가 서로 바뀌어 간괘와 태괘가 되는 것이다. 이 여섯 자식은 만물이 생기는 순서이다. 그러나 여섯 자식의 쓰임은 건괘에 의해 주관되어 움직이다가 곤괘로 돌아가 저장되니, 이 또한 부모의 공이기 때문에 건괘와 곤괘로써 마쳤다.

○ 雲峰胡氏曰, 自動至晅, 物之出機, 自止至藏, 物之入機. 出无於有, 氣之行也, 故以象言, 入有於无, 質之具也, 故以卦言.

운봉호씨가 말하였다: '움직임'으로부터 '말림'에 이르기까지는 만물의 나아가는 기틀이고, '그침'으로부터 '저장함'까지는 만물의 들어가는 기틀이다. 있음으로부터 없음으로 나가는 것은 기의 운행이기 때문에 상으로써 말하였고, 없음으로부터 있음으로 들어가는 것은 형질의 도구이기 괘로써 말하였다.

右 第四章

이상은 제4장이다.

▌中國大全▌

雲峰胡氏曰, 此章卦位相對, 與上章同, 特上章先之以乾坤, 此章則終之以乾坤也.
운봉호씨가 말하였다: 이 장에서 괘의 자리가 서로 마주함이 윗 장과 같은데, 다만 윗 장에서는 건곤으로 시작하였고, 이 장에서는 건곤으로 마쳤다.

○ 潘氏夢旅曰, 上章, 先言乎天地之无爲, 後言乎六子之相爲用, 言天地之用六子也. 此章, 先言乎六子之職, 後言乎乾坤之道, 言六子非乾坤无以主之藏之也.
반몽기가 말하였다: 윗 장에서는 먼저 천지는 무위함을 말하고 뒤에 여섯 자식이 서로 작용함을 말하였으니, 천지가 여섯 자식을 씀을 말한 것이다. 이 장에서는 먼저 여섯 자식의 직분을 말하고 뒤에 건곤의 도를 말하였으니, 여섯 자식은 건곤이 아니면 주관하고 간직할 수 있는 것이 없음을 말한 것이다.

▌韓國大全▌

송시열(宋時烈) 『역설(易說)』

康節云, 自三陽三陰, 至一陰一陽, 處爲順, 自一陰一陽, 至三陽三陰, 處爲逆.
소옹이 말하였다: 세 양, 세음으로부터 한 음, 한 양에 이르기까지, 처한 것이 따르는 것이 되고, 한 음, 한 양으로부터 세 양, 세 음에 이르기까지, 처한 것이 거스르는 것이 된다.

與本義異, 未詳.
『본의』와 다르니, 상세하지 않다.

第二章三章言先天之體, 而自天地而言, 爲順數, 自雷風而言, 爲逆數. 此說見於折中, 然未知是否.
이장과 삼장은 선천의 본체를 먼저 말했는데, 하늘과 땅으로부터 말하면 따르는 수가 되고, 우레와 바람으로부터 말하면 거스르는 수가 된다. 이 설명은 『주역절중』에 나오는데, 옳은

지는 알 수 없다.

이익(李瀷) 『역경질서(易經疾書)』

天尊地卑而乾南坤北何也. 夫天極静而腹寬, 腹者赤道也. 日月運行於南北, 造化之所
從出. 若指天道之尊, 宜以此爲言. 人文之盛, 惟在赤道之北, 故曰南面而聽天下也.
然則乾南坤北, 其義當然. 澤者, 恐指雨澤也. 薄亦恐相随之義, 下文雷風不相悖.

하늘은 높고 땅은 낮으며, 건괘는 남쪽이고 곤괘는 북쪽인 것은 왜인가? 하늘은 지극히 고요
하고 배는 넓은데, 배는 적도이다. 해와 달은 남쪽과 북쪽에서 운행하니, 조화가 그로부터
나온다. 천도의 높음을 가리킨다면 마땅히 이로써 말해야 한다. 인문의 성대함은 오직 적도
의 북쪽에 있기 때문에, 남면해서 천하 사람들의 말을 듣는다고 말한다. 그렇다면 건괘가
남쪽이고 곤괘가 북쪽인 것은 그 뜻이 당연히 그러하다. '택(澤)'은 아마도 비와 못을 가리킬
것이다. 부딪친다는 것은 또한 아마도 서로 따른다는 뜻이고, 아래 문장의 우레와 바람은
서로 어긋나지 않는다.

先天圓圖, 左則右旋, 右則左旋, 其序與兩儀四象八卦橫圖合. 然兩儀之不與於卦畫,
已詳辨于上也. 八卦之三畫, 莫非四象之一, 而三積其四象成一卦, 則二老二少理宜皆
具. 若如舊說, 四象之目, 惟中畫當之矣. 然理既皆具, 則排作橫圖如此亦可. 但非因
兩而加四, 因四而加八也. 朱子蓋合兩圖而爲說. 然易既逆數, 則數往之非與於易可
知. 其震離兌乾之爲順數者, 恐無意義, 況六子皆乾坤三索而生, 寧有已生未生之別.
此承八卦相錯而言, 八象之相錯而未來之吉凶可以推知也. 上篇云, 極數知來之謂占,
非逆數之謂乎. 又云, 極其數, 遂定天下之象, 八象非極數之所定乎. 極數而定象, 定象
而知來, 逆數之義, 如斯而已. 愚恐, 數往一句, 不過反言以引發, 非有深意耳.

선천원도에서 왼쪽은 오른쪽으로 돌고 오른쪽은 왼쪽으로 도는데, 그 순서는 양의·사상·
팔괘의 횡도와 합한다. 그러나 양의가 괘획에 들어가지 않는다는 것은 위에서 이미 상세하
게 설명하였다. 팔괘의 삼획은 모두 사상의 하나이고, 사상을 세 번 더하여 한 괘를 이루면,
노음·노양·소음·소양의 이치가 모두 갖추어진다. 옛 설명과 같다면 사상이라는 이름은
오직 가운데 획이 거기에 해당한다. 그러나 이치를 모두 갖추고 있다면 배열하여 횡도를
이처럼 만들어도 된다. 다만 둘을 따라 넷이 되고 넷을 따라 여덟이 되는 것은 아니다. 주자
는 두 도를 합하여 설을 만들었다. 그러나 역이 이미 거스르는 수라면 가는 것을 세는 것이
역에 포함되지 않는 것을 알 수 있다. 진·리·태·건이 따르는 수가 되는 것은 아마도 의의
가 없을 것인데, 하물며 여섯 괘는 모두 건곤이 세 번 구해서 생기는 것인데, 어찌 이미
생겼다든가 아직 생기지 않았다는 구별이 있겠는가? 이것은 팔괘가 서로 섞이는 것을 이어

말한 것으로, 여덟 상이 서로 섞여 미래의 길흉을 미루어 알 수 있다. 「계사상전」에서 "수(數)를 지극히 하여 미래를 앎을 점(占)이라고 한다"고 했으니, 거스르는 수를 말한 것이 아니겠는가? 또 "수를 지극히 하여 드디어 천하의 상을 정한다"고 했으니, 팔괘의 상은 수를 지극히 하여 정한 것이 아니겠는가? 수를 지극히 해서 상을 정하고 상을 정해서 오는 것을 아니, 거슬러 세는 뜻은 이와 같을 뿐이다. 내가 생각하건대, "가는 것을 센다"는 한 구절은 반어로 말을 이끌어 낸 것에 불과하지 깊은 뜻이 있는 것은 아니다.

邵子大易吟云, 天地定位, 否泰反類. 山澤通氣, 損咸見義. 雷風相薄, 恒益起意. 水火相射, 旣濟未濟. 四象相交, 成十六事. 八卦相蕩, 爲六十四.
소옹의 「대역음」에서 말하였다: 하늘과 땅이 자리를 잡으니 비괘와 태괘는 반대의 종류이네. 산과 못이 기를 통하니 손괘와 함괘가 뜻을 드러내네. 우레와 바람이 서로 부딪치니 항괘와 익괘가 뜻을 일으키네. 물과 불이 서로 쏘아 맞히지 않으니 기제괘와 미제괘이네. 사상이 서로 사귀니 십육사를 이루네. 팔괘가 서로 섞이니 육십사괘가 되네.

按, 先天六十四卦方圖, 乾坤否泰居四隅. 若旋轉以乾坤定上下之位, 則否泰居左右之角, 而爲外一周. 又兌艮上下, 而損咸左右爲次內一周. 離坎上下而旣未濟左右爲次內一周. 震巽上下而恒益左右爲最內一圈. 其居中直行爲先天之序, 而否泰損咸旣未濟恒益, 左右橫貫. 邵子蓋依此爲言, 而第三章雷風先於水火, 故其序如此. 然八卦之序, 則先離而後震, 故與此圖不同也. 第四章先震巽次坎離, 次艮兌次乾坤, 則卽於方圖爲自內推外之序, 無不泐合. 易擧正, 君作居.
내가 살펴보았다: 「선천육십사괘방도」에서 건·곤·비·태는 네 모퉁이에 거한다. 만약 돌아서 건·곤으로 상·하의 자리를 정한다면 비괘와 태괘가 좌·우의 모서리에 거하여 밖으로 한 바퀴 도는 것이 된다. 또 태괘와 간괘가 상·하가 되고 손괘와 함괘가 좌·우가 되어 다음 안으로 한 바퀴 돈다. 리괘와 감괘가 상·하가 되고 기제괘와 미제괘가 좌·우가 되어 다음 안으로 한 바퀴 돈다. 진괘와 손괘가 상·하가 되고 항괘와 익괘가 좌·우가 되어 가장 안에 있는 하나의 원이 된다. 가운데 거하여 바로 행하는 것이 선천의 차례가 되고, 비·태·손·함·기제·미제·항·익이 좌우로 횡으로 꿰뚫는다. 소옹은 이에 의거하여 말했고, 삼장의 우레와 바람은 물과 불보다 앞서기 때문에 그 차례가 이와 같다. 그러나 팔괘의 차례는 리괘가 앞이고 진괘가 뒤이기 때문에 이 도와 같지 않다. 사장은 진·손이 앞이고 다음이 감·리이고 다음이 간·태이고 다음이 건·곤이니, 방도에서 안으로부터 밖으로 미루어가는 차례와 맞지 않음이 없다. 『주역거정』에는 '군(君)'이 '거(居)'로 되어 있다.

유정원(柳正源) 『역해참고(易解參攷)』

程子曰, 古言乾坤退處不用之地而用六子. 若人則便分君道无爲臣道有爲, 若天則誰與安排他如是須有道理.

정자가 말하였다: 옛 말에 건·곤은 쓰지 않는 곳으로 물러나 처하고 여섯 괘를 쓴다고 하였다. 사람의 경우에는 임금의 도는 무위이고 신하의 도는 유위라고 하지만, 하늘의 경우에는 이처럼 반드시 도리를 갖는다고 누가 나누어 말할 수 있겠는가?

案, 此亦以後天言.

내가 살펴보았다: 이 또한 후천으로 말한 것이다.

本義, 卦位相對爲案. 南方陽盛, 故乾在南, 夏至陽長也. 北方陰盛, 故坤在北, 冬至陰長也. 大明出東, 故離在東, 仲春日中而氣始煖. 月生於西, 故坎在西, 仲秋月盛而氣始寒. 東南勢下水澤就焉, 故兌在東南, 春夏陽之漸長也. 西北勢高山脈起焉, 故艮在西北, 秋冬陰之漸長也. 陽生於北而漸進於東, 故震在東北, 冬至陽生而雷動地下. 陰生於南而漸進於西, 故巽在西南, 夏至陰生而風自火出. 蓋後天西南是坤土之位, 而先天則火生金, 故巽不言土. 然洪範庶徵風屬土, 莊子風起於土囊, 噫於大塊, 則巽之屬土可見矣.

『본의』는 괘의 자리를 상대하여 안(案)을 만들었다. 남방은 양이 성하기 때문에 건괘가 남쪽에 있고 하지에 양이 자라난다. 북방은 음이 성하기 때문에 곤괘가 북쪽에 있고 동지에 음이 자라난다. 큰 밝음은 동쪽에서 나오기 때문에 리괘가 동쪽에 있고 중춘에 해가 정남에 오며 기후가 비로소 따뜻해진다. 달은 서쪽에서 나오기 때문에 감괘가 서쪽에 있고 중추에 달이 성하며 기후가 비로소 추워진다. 동남쪽은 지세가 낮아서 물과 못이 그리로 나아가기 때문에 태괘가 동남쪽에 있고 봄과 여름에 양이 점차 자란다. 서북쪽은 지세가 높아서 산맥이 일어나기 때문에 간괘가 서북쪽에 있고 가을과 겨울에 음이 점차 자란다. 양은 북쪽에서 생겨나 점차로 동쪽으로 나아가기 때문에 진괘가 동북에 있고, 동지에 양이 생겨나고 우레가 땅 아래에서 움직인다. 음은 남쪽에서 생겨나 점차로 서쪽으로 나아가기 때문에 손괘가 서남에 있고, 하지에 음이 생겨나고 바람이 불로부터 나온다. 후천의 서남은 곤인 토의 자리이고 선천에서는 화가 금을 생하기 때문에 손괘에서 토를 말하지 않았다. 그러나 「홍범」의 서징(庶徵)에서 바람은 토에 속하고, 『장자』에서는 바람이 토양에서 일어나고 큰 흙덩이에서 기가 불어온다고 하였으니, 손괘가 토에 속하는 것을 볼 수 있다.

김상악(金相岳) 『산천역설(山天易說)』

此言對待生成之功. 乾爲造物之主而於物无所不通, 坤爲養物之府而於物无所不容.

故動而散之, 潤而烜之, 止而說之, 无所不統於乾坤也.

이는 대대하여 생성하는 공을 말하였다. 건은 만물을 낳는 주인이 되어 만물에 통하지 않음이 없고, 곤은 만물을 기르는 창고가 되어 만물에 용납되지 않음이 없다. 그러므로 움직여 흩어지고 젖어서 빛나고 머물러 기뻐하는 것이 건·곤에 통합되지 않는 것이 없다.

서유신(徐有臣) 『역의의언(易義擬言)』

此爲逆數之法也. 其位則先天之乾兌離震坤艮坎巽也, 其數則河圖之一四七八二三六九也. 起於震九, 歸於坤一, 是爲逆數也. 圓圖八位之序, 乾爲總首, 故曰君之, 坤爲歸原, 故曰藏之也.

이는 거슬러 세는 법이다. 그 자리는 선천의 건·태·리·진·곤·간·감·손이고, 그 수는 「하도」의 일·사·칠·팔·이·삼·육·구이다. 진9에서 일어나 곤1로 돌아가는 것이 거스르는 수이다. 원도의 여덟 자리의 순서는 건이 머리가 되기 때문에 "임금노릇 한다"고 하였고, 곤이 근원으로 돌아가는 것이 되기 때문에 "감춘다"고 하였다.

심대윤(沈大允) 『주역상의점법(周易象義占法)』

以言政事, 故先六子而後乾坤.

정사를 말하였기 때문에 여섯 괘를 앞세우고 건곤을 뒤로 하였다.

오치기(吳致箕) 「주역경전증해(周易經傳增解)」

上章則以先天對待之位, 言八卦之體, 故乾坤爲首, 六子亦以對體列于下. 此章則言後天六子聽命於乾坤而生成萬物, 故乾坤始交爲震巽而雷動則物萌, 風散則物解, 此言生物之功也. 中交爲坎離而雨潤則物滋, 日烜則物舒, 此言長物之功也. 終交爲艮兌而艮止則物成, 兌說則物遂, 此言成物之功也. 若乾則統率六子而爲造物之主, 坤則包容六子而爲養物之府, 故居于終而總括生成之功也. 蓋動散潤烜, 以氣而言其生長, 止說君藏, 以質而言其收藏也.

윗 장은 선천의 대대의 자리로 팔괘의 본체를 말했기 때문에 건·곤을 머리로 삼았고, 여섯 괘 또한 짝이 되는 몸체로 아래에 나열하였다. 이 장은 후천의 여섯 괘가 건·곤에게 명을 받아 만물을 생성하기 때문에 건·곤의 처음 효가 사귀어 진괘와 손괘가 되는데, 우레가 움직이면 만물이 싹트고 바람이 흩어지면 만물이 해체되니, 이것은 만물을 낳는 공을 말하였다. 건·곤의 가운데 효가 사귀어 감괘와 리괘기 되는데, 비가 적시면 만물이 자라나고 해가 빛나면 만물이 펴지니, 이는 만물을 자라게 하는 공을 말하였다. 건·곤의 마지막 효가 사귀어 간괘가 태괘가 되는데, 산이 그치면 만물이 이루어지고 기쁘면 만물이 완수되니, 이것은 만물을 이루는 공을 말하였다. 건괘는 여섯 괘를 통솔하고 만물을 만드는 주인이 되고, 곤괘는 여섯 괘를 포용하고 만물을 기르는 창고가 되기 때문에, 끝에 거하여 생성하는 공을 총괄한다. 움직여 흩어지고 적셔 빛나는 것은 기를 가지고 생겨나고 자라는 것을 말하였고, 그쳐서 기쁘고 임금노릇 하고 감추는 것은 질을 가지고 거두고 감추는 것을 말하였다.

右第四章, 言後天八卦之功用, 而先六子後乾坤者, 以陰陽之始終爲序也.
이상의 제 4장은 후천 팔괘의 공용을 말했는데, 여섯 괘를 앞세우고 건곤을 뒤로 한 것은 음양의 시종을 차례로 삼았기 때문이다.

이진상(李震相)『역학관규(易學管窺)』

雷以動之.
우레로써 움직인다.

承上逆數二字而言. 以卦體言, 則震坎艮乾, 陽之自下而上, 巽離兌坤, 陰之自下而上. 以節氣言, 則陽本在上乾, 陰本在下坤, 而震離兌乾, 陽自下而上, 巽坎艮坤, 陰自上而下, 皆逆也. 以圖象言, 則震巽相薄於中, 方橫二圖坎離次之, 艮兌次之, 乾坤列於兩外, 由用而見體, 自少而至老, 皆逆數也. 但雷風雨日, 以象言, 有致用之義, 艮兌乾坤, 以卦言, 有定體之象. 坤以藏之一語, 又有歸藏之意, 抑亦商易之所祖, 而方位亦有所變歟. 詳見三易攷.
위의 '역수(逆數)'라는 두 글자를 이어서 말하였다. 괘의 몸체로 말하면 진·감·간·건은 양이 아래로부터 위로 가는 것이고, 손·리·태·곤은 음이 아래로부터 위로 가는 것이다. 절기로 말하면 양은 본래 위에 있는 건이고 음은 본래 아래에 있는 곤인데, 진·리·태·건은 양이 아래로부터 위로 가는 것이고, 손·감·간·곤은 음이 아래로부터 위로 가는 것이니, 모두 거스르는 것이다. 도상으로 말하면 진괘와 손괘는 가운데서 서로 부딪치고 방도와 횡도에서 감괘와 리괘가 그 다음이고 간괘와 태괘가 그 다음이며 건괘와 곤괘는 두 밖에 나열되어, 작용으로부터 본체를 드러내고 소음·소양으로부터 노음·노양에 이르니 모두 거스르는 수이다. 다만 우레·바람·비·해는 상으로 말하여 작용을 이루는 뜻이 있고, 간·태·건·곤은 괘로 말하여 일정한 본체의 상이 있다. "곤괘로써 감춘다"는 한 마디는 또한 '돌아가 감춘다[歸藏]'는 뜻이 있으니, 또한 상나라 역의 시조이고 방위도 또한 변한 것 같다.『삼역고(三易攷)』에 상세하게 보인다.

제5장第五章

帝出乎震, 齊乎巽, 相見乎離, 致役乎坤, 說言乎兌, 戰乎乾, 勞乎坎, 成言乎艮.

상제가 진괘(震卦)에서 나와 손괘(巽卦)에서 가지런하고, 리괘(離卦)에서 서로 만나보고 곤괘(坤卦)에 일을 이루고, 태괘(兌卦)에서 기뻐하고, 건괘(乾卦)에서 싸우고, 감괘(坎卦)에서 수고롭고, 간괘(艮卦)에서 이룬다.

| 中國大全 |

本義

帝者, 天之主宰. 邵子曰, 此卦位乃文王所定, 所謂後天之學也.

상제는 하늘의 주재자이다. 소자(邵子)가 "이 괘의 자리는 문왕이 정한 것이니, 이른바 후천의 학문이다"라 하였다.

小註

朱子曰, 帝出乎震, 與萬物出乎震, 只這兩段說文王卦.

주자가 말하였다: "상제가 진괘에서 나온다"와 "만물이 진괘에서 나온다"고 한 두 구절은 문왕괘를 설명한 것이다.

○ 帝出乎震, 萬物發生, 便是他主宰, 從這裏出. 齊乎巽, 曉不得. 離中虛明, 可以爲南方之卦. 坤安在西南, 不成西北方, 无地. 西方肅殺之地, 如何云萬物之所說. 乾西北, 也不可曉, 如何陰陽只來這裏相薄. 勞乎坎, 勞字去聲, 似乎慰勞之意, 言萬物皆歸藏乎此, 去安存慰勞他.

"상제가 진괘에서 나온다"는 것은 만물이 발생함에 그가 주재함이 여기로부터 나온다는 것이다. "손괘에서 가지런하다"는 잘 모르겠다. 리괘는 가운데가 비고 밝으니 남방의 괘가 될 수 있다. 곤괘가 서남쪽에 자리잡고 서북방이 되지 않는 것은 땅이 없어서이다. 서방은 숙살하는 땅인데 어째서 "만물이 기뻐하는 바"라고 하였는가? 건괘가 서북방인 것도 분명치 않으니, 어째서 음양이 여기에 이르러 서로 부딪히는가? "감괘에서 위로한다"에서 로(勞)자는 거성이니 위로한다는 뜻과 같아서, 만물이 모두 여기로 돌아와 저장되므로 그들을 편안히 있도록 하고 위로한다는 말이다.

○ 問, 戰乎乾何也. 曰, 此恐是箇肅殺收成底時節, 故曰, 戰乎乾. 問, 何以謂之陰陽相薄. 曰, 乾陽也, 乃居西北, 故曰, 陰陽相薄, 恐是如此也, 見端的未得.

물었다: "건괘에서 싸움"은 무슨 뜻입니까?

답하였다: 이는 숙살하고 거두는 시기이므로 "건괘에서 싸운다"고 하였을 것입니다.

물었다: 어째서 "음양이 서로 부딪힌다"고 합니까?

답하였다: 건괘는 양인데 서북방에 있으므로 음양이 서로 부딪힌다고 한 듯한데, 확실한지는 모르겠습니다.

○ 勞乎坎, 是說萬物休息底意. 成言乎艮, 在東北, 是說萬物終始處. 又曰艮者, 萬物之所以成終而成始也, 猶春冬之交, 故其位在東北.

"감괘에서 위로함"은 만물이 휴식한다는 뜻이다. "간괘에서 이룸"은 동북방에 있으니, 만물이 마치고 시작하는 곳임을 말한다. 또한 간괘는 "만물이 마침을 이루고 시작을 이루는 것"이라 하였으니, 봄과 겨울의 교차함과 같으므로 그 자리가 동북방에 있다.

○ 節齋蔡氏曰, 帝者以主宰乎物爲言也. 出者發露之謂, 震居東方, 於時爲春. 齊者, 畢達之謂, 巽居東南, 於時爲春夏之交也. 相見, 物形明盛, 皆相見也. 離居南方, 於時爲夏. 致猶委也, 委致於萬物, 无不養也. 坤居西南, 於時爲秋夏之交也. 說言者, 物形至此充足而說也. 兌居西方, 於時爲秋. 戰者, 陽氣始萌, 陰疑而戰也. 乾居西北, 於時爲秋冬之交也. 勞者, 萬物歸藏於內而休息也. 坎居北方, 於時爲冬. 成言者, 陽氣至北, 物之所成終而成始也. 艮居東北, 於時爲冬春之交也.

절재채씨가 말하였다: 상제는 만물을 주재함으로써 말한 것이다. 출(出)이란 드러난다[發露]는 말로서, 진괘가 동방에 있으니 계절로는 봄이 된다. 가지런함[齊]은 '다하여 이른다[畢達]'는 말로서 손괘가 동남방에 있으니 계절로는 봄과 여름이 교차하는 시기이다. '서로 만나 본다[相見]'란 만물이 형성되고 밝아지고 왕성해져서 모두 서로 보는 것이다. 리괘는 남방에 있으니 계절로는 여름이 된다. 치(致)는 맡김[委]과 같으니, 만물을 맡겨 기르지 않음이 없는

것이다. 곤괘는 서남방에 있으니 계절로는 여름과 가을이 교차하는 시기이다. 기뻐함[說言]
은 만물의 형체가 여기에 이르러 충족하여서 기뻐하는 것이다. 태괘는 서방에 있고 계절로
는 가을이 된다. 싸움[戰]은 양기가 싹트기 시작하자 음이 의심하여 싸우는 것이다. 건괘는
서북방에 있으니 계절로는 가을과 겨울이 교차하는 시기이다. 위로함[勞]이란 만물이 속으
로 돌아가 간직되어 휴식하는 것이다. 감괘는 북방에 있고 계절로는 겨울이 된다. 이룸[成
言]은 양기가 북쪽에 이르니 만물이 마치고 시작하는 것이다. 간괘는 동북방에 있으니 계절
로는 겨울과 봄이 교차하는 시기이다.

○ 雙湖胡氏曰, 自巽至兌, 皆陰卦, 忽與乾遇, 陰疑於陽, 必戰, 故曰戰乎乾.
쌍호호씨가 말하였다: 손괘로부터 태괘까지가 모두 음괘인데 갑자기 건괘를 만나니, 음이
양을 의심하여 싸우게 되므로 "건괘에서 싸운다"고 하였다.

○ 龜山楊氏曰, 成言乎艮, 艮者萬物之所成終而成始, 止如此矣. 復出乎震, 不終止
也, 故艮曰, 時止則止, 時行則行.
구산양씨가 말하였다: "간괘에서 이룬다"는 것은 간(艮)이란 만물이 마치고 시작하는 곳이
어서 이처럼 그치는 것이다. 다시 진괘에서 나오므로 완전히 그치는 것이 아니기 때문에,
간괘에서 "그칠만하면 그치고, 행할만하면 행한다"고 하였다.

○ 榕臺林氏曰, 出而齊, 齊而相見, 見而致養, 養而後說, 說而後戰, 戰而後勞, 勞而後
成, 成而復出, 自然之序也.
용대임씨가 말하였다: 나와서 가지런하고, 가지런하여 서로 만나보며, 만나서 기르고, 기른
뒤에 기쁘며, 기쁜 뒤에 싸우고, 싸운 뒤에 위로하며, 위로한 뒤에 이루고, 이룬 뒤에 다시
나오는 것은 자연한 순서이다.

○ 雲峰胡氏曰, 自出震以至成言乎艮, 萬物生成之序也. 然孰生孰成之. 必有爲之主
宰者, 故謂之帝. 邵子曰, 此卦位乃文王所定, 所謂後天之學也. 蓋以象辭坤西南得朋,
蹇不利艮之東北, 而知之也.
운봉호씨가 말하였다: "진괘에서 나와서"로부터 "간괘에서 이룬다"에 이르기까지는 만물이
생성하는 순서이다. 그러나 누가 낳고 누가 이루는가? 반드시 주재하는 자가 있으므로 상제
라고 하였다. 소자가 "이 괘의 자리는 문왕이 정한 것으로 이른바 후천의 학문이다"라고 하
였으니, 곤괘 단사에 "서남쪽에서 벗을 얻는다"[13]고 하고, 건괘(蹇卦) 단사에 "간괘의 동북

---

13) 『周易·坤卦』卦辭: 坤, 元亨利牝馬之貞, 君子有攸往. 先迷後得, 主利. 西南得朋, 東北喪朋, 安貞, 吉.

쪽은 이롭지 않다"[14]고 한 데에서 알 수 있다.

┃韓國大全┃

유정원(柳正源) 『역해참고(易解參攷)』

案, 帝字當句, 統八卦言也. 出者, 猶顯諸仁也. 巽爲春夏之交, 是生意之物, 物齊平也. 離爲日爲目, 物之能照而能見者, 以有日之中天而目之明視也. 坤爲衆物之繁衆者, 皆能有養於地, 則能无役乎. 相役者, 所以相養也, 相養則能无說乎. 西北是九十月之交, 疑於无陽, 故置乾於西北. 以卦言, 則陽盛也, 以時言, 則陰盛也. 陰陽相薄, 能无戰乎.

내가 살펴보았다: '제(帝)'자에서 구절을 끊어야 하니, 팔괘를 통틀어 말하였다. 나온다는 것은 "인을 드러낸다"[15]는 것과 같다. 손괘는 봄과 여름이 바뀌는 때이니, 낳는 뜻을 갖고 있고 만물은 가지런하다. 리괘는 해가 되고 눈이 되어 만물이 살펴 볼 수 있는 것이니, 해가 하늘 가운데 떠서 눈으로 분명하게 볼 수 있기 때문이다. 곤괘는 여러 만물이 번성하여 많은 것이니, 모두 땅에 의해 길러질 수 있으면 하는 일이 없을 수 있겠는가? 서로 일을 하는 것은 서로 길러주는 것이니, 서로 길러줄 수 있으면 기쁨이 없을 수 있겠는가? 서북은 구월과 시월이 바뀌는 때이니, 양이 없다고 의심하기 때문에 건괘를 서북에 두었다. 괘로 말하면 양이 성하고, 계절로 말하면 음이 성하다. 음과 양이 서로 부딪치니, 싸움이 없을 수 있겠는가?

김상악(金相岳) 『산천역설(山天易說)』

此文王卦位. 帝者天之主宰也, 齊卽畢達之意也. 相見, 言其明盛也. 致猶委也. 說者, 充足之謂也. 戰者, 陰陽相薄也. 勞者, 慰勞之意也, 成者, 成終而成始也.

이는 문왕의 괘의 자리이다. 상제란 하늘의 주재이고, 가지런하다는 것은 다 도달한다는 뜻이다. 서로 만나보는 것은 밝고 성대함을 말한다. 이룬다는 것은 맡기는 것이다. 기뻐한다는 것은 충족함을 말한다. 싸운다는 것은 음과 양이 서로 부딪치는 것이다. 수고롭다는 것은 위로하는 뜻이다. 이룬다는 것은 마침을 이루고 시작을 이루는 것이다.

---

14) 『周易·蹇卦』卦辭: 蹇, 利西南, 不利東北, 利見大人, 貞, 吉.

15) 『周易·繫辭傳』: 顯諸仁, 藏諸用, 鼓萬物而不與聖人同憂.

서유신(徐有臣) 『역의의언(易義擬言)』

後天之卦, 震東三, 巽東南四, 離南九, 坤西南二, 兌西七, 乾西北六, 坎北一, 艮東北八, 聖人則之. 洛書錯綜先天之卦, 分配後天之數, 而妙合乎五行四時流幹之序也. 然其參錯, 自是一段造化, 又不專出於洛書也.

후천의 괘는 진괘가 동쪽 3이고, 손괘가 동남쪽 4이고, 리괘가 남쪽 9이고, 곤괘가 서남쪽 2이고, 건괘가 서북쪽 6이고, 감괘가 북쪽 1이고, 간괘가 동북쪽 8인데, 성인이 그것을 본받았다. 「낙서」는 선천의 괘를 착종하고 후천의 수를 분배하여 오행과 사시가 흐르고 도는 순서에 오묘하게 합하였다. 그러나 착종된 것이 저절로 한 단락의 조화이고, 또한 오로지 「낙서」에서만 나오지는 않았다.

심대윤(沈大允) 『주역상의점법(周易象義占法)』

〈乾在先天之正南, 左旋遇坤之本位而止. 坤之本位在正北, 右旋遇乾之本位而止. 是以乾居西北而坤居西南也.

건괘는 선천의 정남에 있고 왼쪽으로 돌아 곤괘의 본래 자리를 만나 그친다. 곤괘의 본래 자리는 정북인데 오른쪽으로 돌아 건괘의 본래 자리를 만나 그친다. 그러므로 건괘는 서북쪽이 거하고 곤괘는 서남쪽에 거한다.〉

邵子曰, 此文王後天之學入用之位也.
소옹이 말하였다: 이는 문왕의 후천의 학문에서 작용의 위치에 들어가는 것이다.

오치기(吳致箕) 「주역경전증해(周易經傳增解)」

此章以文王八卦方位, 言流行之功用也. 帝以主宰言, 乾爲君, 而震陽代乾用事主宰生物之功, 故曰帝也. 兩言字語辭也. 餘見下文.

이 장은 문왕 팔괘의 방위이니, 유행하는 공용을 말하였다. 상제는 주재로 말한 것이니, 건괘가 임금이 되고 진괘가 건괘를 대신하여 일을 하여 만물을 낳는 공을 주재하기 때문에 상제라고 말하였다. 두 '언(言)'자는 어조사이다. 나머지는 아래 문장에 보인다.

이진상(李震相) 『역학관규(易學管窺)』

帝出乎震.
상제가 진괘에서 나온다.

此卦位相傳以爲文王所定, 果是文王所定, 則經文中必詳著此義. 而震卦無首出庶物之意, 艮卦無成始成終之意, 巽未有齊意, 乾未有戰意. 乾坤二卦揭在上頭, 亦未可謂退處不用之地. 而經文則專主對待, 卦位則不用對待. 程朱二先生, 蓋屢疑之, 特以相傳已久, 不得判舍之也. 細翫經文, 第三章始乾坤而終坎離, 斷然是周易卦序, 第四章坤以藏之有商易歸藏之意, 此章成言乎艮, 有夏易連山之意. 卦首之居終, 特以明逆數之妙耳.

이 괘의 자리는 문왕이 정한 것이라고 전해지는데, 과연 문왕이 정한 것이라면 경문 가운데서 반드시 이 뜻을 상세하게 드러내었을 것이다. 진괘는 뭇 사물보다 먼저 나오는 뜻이 없고 간괘는 시작을 이루고 마침을 이루는 뜻이 없으며, 손괘에는 가지런하다는 뜻이 없고 건괘에는 싸운다는 뜻이 없다. 건과 곤 두 괘를 맨 앞에 내건 것도 또한 물러가 쓰지 않는 곳에 처한 것이라고 할 수 없다. 경문은 오로지 대대를 주로 하였고, 괘의 자리는 대대를 쓰지 않았다. 정자와 주자 두 선생이 그것을 여러 차례 의심하였지만, 다만 전해 온 지가 이미 오래 되어 갈라 내버릴 수 없었을 뿐이다. 경문을 자세히 음미해 보면, 제 삼장에서 건곤으로 시작하고 감리로 마친 것은 분명히 『주역』의 괘의 차례이고, 제 사장에서 곤으로 감춘 것은 상나라의 역인 귀장역의 뜻이 있고, 이 장에서 간괘에서 이룬다고 한 것은 하나라의 역인 연산역의 뜻이 있다. 괘의 머리가 끝에 거하는 것은 다만 역수의 오묘함을 밝힌 것일 뿐이다.

今以文勢推之, 則其序當曰, 帝出乎震, 齊乎巽, 勞乎坎, 相見乎離, 戰乎乾, 致役乎坤, 悅言乎兌, 成言乎艮. 蓋就方圖中, 析開定方位, 震巽相對於中, 故析爲東西, 坎離次之, 故析爲南北. 乾本在西北角, 坤本在東南角, 故仍位之. 夏秋之間, 萬物之所悅, 故兌居西南, 冬春之際, 萬物之終始, 故艮居東北. 二少居中用事, 而二老并退間方者也. 說卦之出, 託之女子之發老屋, 與汲冢之書, 淹中之禮, 均之爲可疑, 安知其錯簡倒文. 如舜典之五玉三帛, 孝經之許多可判耶.

지금 문세로 미루어 보면, 그 차례는 마땅히 "상제가 진괘(震卦)에서 나와 손괘(巽卦)에서 가지런하고, 감괘(坎卦)에서 수고롭고, 리괘(離卦)에서 서로 만나보고, 건괘(乾卦)에서 싸우고, 곤괘(坤卦)에 일을 이루고, 태괘(兌卦)에서 기뻐하고, 간괘(艮卦)에서 이룬다"고 말해야 한다. 방도 가운데 나아가 방위를 나누어 정하면 진괘와 손괘가 가운데서 상대하기 때문에 동서로 나누었고, 감괘와 리괘가 그 다음이기 때문에 남북으로 나누었다. 건괘는 본래 서북 모서리에 있고 곤은 본래 동남 모서리에 있기 때문에 그대로 자리하였다. 여름과 가을 사이는 만물이 기뻐하기 때문에 태괘가 서남에 거하고, 겨울과 봄의 사이는 만물의 마침과 시작이기 때문에 간괘가 동북에 거한다. 소양과 소음은 가운데 거하여 일을 하고, 노양과 노음은 모두 물러나 사이 방위에 거한다. 설괘가 나온 것은 여자가 낡은 집에서 발견

했다고 하는데 급총(汲冢)에서 나온 책들이나, 엄중(淹中)[16]의 예경과 똑같이 의심스러우니, 착간과 거꾸로 된 문장이 있는 줄 어떻게 알겠는가? 예를 들어 『서경·순전』의 오옥(五玉)·삼백(三帛)과 『효경』의 허다한 것들을 구별할 수 있겠는가?

○ 小註, 齊乎巽曉不得.

소주에서 말하였다: 손괘에서 가지런히 한다는 것은 알 수 없다.

巽果在東南, 則萬物之方長而未盛者, 如何有潔齊之意. 但以巽爲西, 則物成之後, 自有潔齊之象. 說文曰, 齊禾上平也, 又有陰中殷齊之意.

손괘가 과연 동남에 있다면 만물이 막 자라서 성대하지 않은 것인데, 어떻게 깨끗하고 가지런하다는 뜻이 있겠는가? 다만 손괘를 서쪽으로 한다면 만물이 이루어진 뒤에 저절로 깨끗하고 가지런하다는 상이 있다.

○ 坤安在西南.

곤괘가 어찌 서남쪽에 있겠는가?

西南, 非太陰之地, 偏處不用之地, 不得管領四方, 故云也. 若在東南, 則正是地道之所傾, 而爲長養萬物之地耳.

서남은 태음의 땅이 아닌데, 쓰이지 않는 땅에 치우치게 처해서는 사방을 관할할 수 없기 때문에 그렇게 말한 것이다. 동남에 있다면 바로 지도(地道)가 기울어 만물을 키우고 기르는 땅이 될 뿐이다.

○ 乾西北也不可曉.

건괘가 서북이라는 것도 알 수 없다.

西北, 非太陽之地, 正是天道之不足, 而以方圖言, 則西北爲陽, 正宜乾道之所降, 此取方圖義故也.

서북은 태양의 땅이 아니고 바로 천도가 부족한 곳인데, 방도로 말하면 서북은 양이고 바로 건도가 내리는 곳이어야 하니, 여기서는 방도의 뜻을 취하였기 때문이다.

이병헌(李炳憲) 『역경금문고통론(易經今文考通論)』

按, 說卦自昔者聖人之作易, 至成言乎艮, 當爲一篇. 其說之散見於繫辭中者亦多. 如上繫中, 鳴鶴在陰, 止盜之招也, 下繫中伏羲氏之王天下, 止蓋取諸夬, 自易曰憧憧往

來, 止立心勿恒凶, 及三陳九卦之類, 略如文言之體, 而或說爻義或說卦義. 迨夫子之作經也, 序象繫象于逐卦逐爻之下, 而乾坤二卦, 各有文言. 其餘文言說卦之屬, 爲其微言, 多入于大傳. 惟此一篇, 獨保說卦之名, 太史公所謂說卦者, 抑合而并指耶. 京房易傳引此節戰于乾一句, 而直稱易曰, 此節以上當奉以爲經, 此節以下所以解此節之義, 而末段則文漸煩碎, 善讀者觀其氣象而求焉可也.

내가 살펴보았다: 「설괘전」은 "옛날에 성인이 역을 지을 적에"로부터 "간괘에서 이룬다"까지가 마땅히 한 편이 되어야 한다. 그러한 설이 「계사전」 가운데 산견되는 것이 또한 많다. 예를 들어 「계사상전」 가운데 "우는 학이 그늘에 있으니"로부터 "도적을 불러들이는 것이다"까지, 「계사하전」 가운데 "복희씨가 천하의 왕이 됨에"부터 "쾌괘에서 취하였다"까지, "『주역』에서 말하였다: 동동대며 오가면"으로부터 "마음 세우기를 항구히 하지 말라. 흉(凶)하다"까지, 그리고 "세 번 아홉 괘를 말하여"와 같은 종류는 대략 「문언」의 문체와 같아서 혹은 효의 뜻을 말하고 혹은 괘의 뜻을 말하였다. 공자가 경을 만드는 데 미쳐서 괘와 효의 아래에 단(彖)을 차례 짓고 상(象)을 달며, 건괘와 곤괘에는 각각 「문언」을 두었다. 그 나머지 「문언」과 「설괘」 등속은 은미한 말이 되는데, 대부분 대전(大傳)에 들어있다. 오직 이 한편은 유독 「설괘」의 이름을 보존하고 있는데, 태사공이 「설괘」라고 말한 것은 합하여 아울러 가리킨 것 같다. 경방의 『역전』은 "건에서 싸운다"는 이 한 구절을 인용하여 역이라고 칭하고, "이 절 이상은 마땅히 받들어 경으로 삼아야 하고, 이 절 이하는 이 절의 뜻을 해설한 것이며, 마지막 단락은 문장이 점차 번쇄하니, 잘 읽는 사람은 그 기상을 보고 구하는 것이 옳을 것이다"라고 하였다.

萬物出乎震, 震東方也. 齊乎巽, 巽東南也, 齊也者, 言萬物
之潔齊也. 離也者, 明也, 萬物皆相見, 南方之卦也. 聖人南
面, 而聽天下嚮明而治, 蓋取諸此也. 坤也者, 地也, 萬物皆
致養焉, 故曰致役乎坤. 兌正秋也, 萬物之所說也, 故曰說言
乎兌. 戰乎乾, 乾西北之卦也, 言陰陽相薄也. 坎者水也, 正
北方之卦也, 勞卦也, 萬物之所歸也, 故曰勞乎坎. 艮東北之
卦也, 萬物之所成終而所成始也, 故曰成言乎艮.

만물이 진괘(震卦)에서 나오니, 진괘는 동방이다. 손괘(巽卦)에서 가지런한다는 것은 손괘(巽卦)는
동남이니, 제(齊)는 만물이 깨끗하여 가지런함을 말한다. 리괘(離卦)는 밝음으로, 만물이 모두 서로
보기 때문이니, 남방의 괘이다. 성인이 남면(南面)하여 천하의 말을 들어 밝은 곳을 향해 다스림은
여기에서 취하였다. 곤괘(坤卦)는 땅이니, 만물이 모두 기름을 이루므로 "곤괘에서 일을 이룬다"고
하였다. 태괘(兌卦)는 바로 가을이니, 만물이 기뻐하는 바이므로 "태괘에서 기뻐한다"고 하였다.
건괘(乾卦)에서 싸운다는 것은 건괘는 서북방의 괘이니, 음양이 서로 부딪침을 말한다. 감괘는 물이
니, 바로 북방의 괘로서 수고로운 괘이니, 만물이 돌아가므로 "감괘에서 수고롭다"고 하였다. 간괘
(艮卦)은 동북방의 괘이니, 만물이 마침을 이루고 시작을 이루므로 "간괘에서 이룬다"고 하였다.

‖中國大全‖

小註

程子曰, 南北之位, 所以定者, 在坎離也. 坎離, 又不是人安排得來, 莫非自然也.
정자가 말하였다: 남북의 자리가 정해진 것이 감괘와 리괘에 있으니, 감괘와 리괘는 또한
사람이 안배한 것이 아니어서 저절로 그렇지 않은 것이 없다.

○ 艮止也, 生也, 止則便生, 不止則不生, 此艮終始萬物. 又曰, 陰陽消長之際, 无截然
斷絶之理, 故相纏掩過, 終始萬物, 萬物盛乎艮. 此儘神妙, 須研窮這箇理.

간은 멈춤이고, 생겨남이다. 멈추면 곧 생겨나게 되고 멈추지 않으면 생겨나지 못하니, 이것이 간괘가 만물을 마치고 시작하는 것이다.

또 말하였다: 음양이 소장(消長)할 때에 확연하게 단절하는 이치가 없기 때문에 서로 이어 덮어 만물을 마치고 시작하니, 만물은 간괘에서 왕성하다. 이것이 신묘함을 다함이니, 반드시 이 이치를 잘 연구해야 한다.

本義

上言帝, 此言萬物之隨帝, 以出入也.

위에서는 상제를 말하였고, 여기서는 만물이 상제를 따라 들고 나는 것을 말하였다.

小註

柴氏中行曰, 此言八卦見於一歲之造化.

시중행이 말하였다: 이는 팔괘가 한 해의 조화에서 나타난 것을 말하였다.

○ 節齋蔡氏曰, 帝之出入不可見, 而爲物者可見, 故又以物言焉. 氣无物不行, 物无氣不生. 然氣之生也, 有漸不能遽遍乎物. 自帝出乎震, 至成言乎艮, 一氣流行之漸, 萬物生成之功也. 震巽離乾坎艮皆以方言, 兌以時言, 坤以地言, 所以然者, 夫子欲備三者之義, 互言之耳. 是雖有三, 又足以見其未嘗相離之義.

절재채씨가 말하였다: 제(帝)가 출입하는 것은 볼 수 없지만 만물이 된 것은 볼 수가 있으므로 사물로써 말하였다. 기운은 사물이 없으면 운행할 수 없고, 사물은 기운이 없으면 생겨날 수 없다. 그러나 기운이 생겨남에 점진적으로 하지 갑자기 만물에 두루 펼칠 수는 없다. "상제가 진괘에서 나와서"로부터 "간괘에서 이룬다"에 이르기까지는 한 기가 점진적으로 유행하여 만물이 생기고 이루어지는 공이다. 진괘·손괘·리괘·건괘·감괘·간괘는 모두 방위로써 말하였고, 태괘는 때로써 말하였으며, 곤괘는 땅으로써 말했는데, 그 이유는 공자가 세 가지의 뜻을 함께 말하려 했기 때문이다. 비록 세 가지가 있으나 또한 서로 떨어진 적이 없다는 뜻을 나타내기에 충분하다.

○ 雲峰胡氏曰, 離明, 以德言, 八卦之德可推. 坤地坎水, 以象言, 八卦之象可推. 兌秋, 以時言, 八卦之時可推, 以互見也. 坤於方獨不言西南, 坤土之用, 不止於西南也. 蓋春屬木, 夏屬火, 夏而秋, 火克金者也. 火金之交, 有坤土焉, 則火生土, 土生金. 克者, 又順以相生, 秋屬金, 冬屬水, 冬而春, 水生木者也. 水木之交, 有艮土焉, 木克土, 土克水. 生者, 又逆以相克, 土金順以相生, 所以爲秋之克, 木土逆以相克, 所以爲春之生. 生生克克, 變化无窮, 孰主宰之, 曰帝是也.

운봉호씨가 말하였다: '리괘는 밝음이다'라 한 것은 덕으로 말했으니 팔괘의 덕을 미룰 수 있고, '곤괘는 땅이고 감괘는 물이다'라 한 것은 상으로 말했으니, 팔괘의 상을 미룰 수 있으며, '태괘는 가을이다'라 한 것은 계절로써 말했으니, 팔괘의 계절을 미룰 수 있음을 말한 것으로, 서로 보완해서 보인 것이다. 곤괘는 방위에 대해 유독 서남방이라고 하지 않았으니, 곤괘 땅의 작용이 서남방에만 그치지 않기 때문이다. 봄은 목에 속하고, 여름은 화에 속하는데 여름에서 가을이 되는 것은 화가 금을 극하는 것이다. 화와 금이 교섭함은 곤괘 땅이 있어서이니 화가 토를 낳고, 토가 금을 낳아서, '극'이라는 것이 순서대로 서로 낳은 것이다. 가을은 금에 속하고, 겨울은 수에 속하는데, 겨울에서 봄이 됨은 수가 목을 낳는 것이다. 수와 목이 교섭함은 간괘인 땅이 있어서이니, 목이 토를 극하고, 토가 수를 극해서 낳는 것이 거꾸로 서로 극한 것이다. 토와 금이 순서대로 서로 낳기 때문에 가을의 극함이 되고, 목과 토가 거꾸로 서로 극하기 때문에, 봄의 낳음이 된다. 낳고 낳으며 극하고 극하여 변화가 무궁하니 누가 주재하는가? 상제가 이것이다.

○ 誠齋楊氏曰, 由帝出乎震, 至于成言乎艮者, 帝之所乘也. 由萬物出乎震, 而至于成言乎艮者, 又萬物之所主也. 帝乘之萬物, 主之者, 悉皆由乎八卦也. 聖人象八卦而爲治, 故南面而治, 取諸離, 離者陽明之卦, 萬物交, 相見之時. 其象曰, 大人以繼明, 照四方, 以之而垂拱, 豈不宜哉. 然聖人不獨取諸離以爲治, 至于握乾符, 闓坤維, 興震巽坎兌之治, 无非取之也. 易取其一, 則其他可以類推矣.

성재양씨가 말하였다: "상제가 진괘에서 나와서"로부터 "간괘에서 이룬다"에 이르기까지 상제가 올라탄 것이다. "만물이 진괘로부터 나와서"로부터 "간괘에서 이룬다"까지는 또한 만물이 중심이 된 것이다. 제가 만물을 올라타서 주관하는 것은 모두 팔괘로부터 말미암았다. 성인이 팔괘를 본받아 다스리므로 남면하여 다스림을 리괘에서 취하였으니, 리괘는 양이 밝은 괘로서 만물이 교섭하여 서로 만나보는 때이다. 그 「대상전」에 "대인이 그것을 본받아 밝음을 이어 사방을 비춘다"라 하였으니, 이를 본받아 공수(拱手)하고 앉아 있는 것이 어찌 마땅하지 않겠는가? 그러나 성인이 리괘에서만 취하여 다스리지 않고, 건곤의 상서로운 표징을 받아 천명하여,[17] 진괘ㆍ손괘ㆍ감괘ㆍ태괘의 다스림을 흥기하는데 이르렀으니, 취하지 않음이 없는 것이다. 역에서는 한 가지를 취하면 다른 것도 미루어 볼 수 있는 것이다.

---

17) 건부곤진(乾符坤珍): 제왕이 하늘에서 받는 성스러운 표징.

抑嘗觀之, 帝與萬物所乘者, 皆八卦也. 於帝獨言致役乎坤, 而萬物言致養, 何耶. 曾不知坤於帝言致役者, 蓋坤臣也, 帝君也, 君之於臣役之而已. 於萬物言致養者, 蓋坤母也, 萬物子也, 母之於子, 養之而已. 至于他卦, 不言戰, 而乾言戰, 則乾西北之卦, 九十月之交, 陰盛陽微之時, 故不能无戰, 何則. 陰疑於陽必戰. 不然則坤之上六十月之卦也, 何以言龍戰於野. 由此而觀, 則言陰陽相薄之語, 不爲虛設矣.

한편 살펴보면, 제(帝)와 만물이 올라탄 것은 모두 팔괘이다. 제에 대하여서는 "곤괘에서 일을 이룬다"고만 하였고, 만물에서 "기름을 이룬다"고 한 것은 왜 그런 것인가? 잘 모르겠지만, 곤괘가 제(帝)에 대해 "일을 이룬다"고 한 것은 곤괘는 신하이고, 제(帝)는 임금이기 때문이니, 임금은 신하를 부릴 뿐이다. 만물에 대하여 "기름을 이룬다"고 한 것은 곤괘가 어미이고 만물은 자식이기 때문이니, 어미는 자식을 기를 뿐이다. 다른 괘에서는 싸운다고 하지 않았는데 건괘에서는 싸운다고 하였으니, 건괘는 서북방의 괘로 구월과 시월이 교차하는 지점으로 음이 성하고 양이 미미한 때이므로 싸우지 않을 수 없다. 왜 그런가? 음이 양을 의심하여 싸울 수밖에 없다. 그렇지 않다면, 곤괘의 상육은 시월의 괘인데 어째서 용이 들에서 싸운다고 하였겠는가? 이로부터 본다면 "음양이 서로 부딪친다"는 말은 헛되이 한 말이 아니다.

右 第五章

이상은 제5장이다.

▌中國大全▌

本義

此章所推, 卦位之說, 多未詳者.

이 장에서 미루어 본 괘의 자리에 대한 설명은 자세히 알 수 없는 것이 많다.

小註

朱子曰, 文王八卦不可曉處多. 如離南坎北, 離坎卻不應在南北, 且做水火居南北, 兌也不屬金. 如今只是見他底慣了, 一似合當恁地相似.

주자가 말하였다: 문왕팔괘는 알 수 없는 곳이 많다. 예컨대 리괘는 남, 감괘는 북이라 하였는데, 리괘와 감괘는 남과 북에 있어서는 안 되고, 물과 불을 남과 북에 놓이도록 하여야 한다. 태괘도 금에 속하지 않는다. 지금처럼 된 것은 단지 그렇게 보는 것이 습관이 되어서 합당한 듯이 여기게 된 것 같다.

○ 文王八卦, 坎艮震在東北, 離坤兌在西南, 所以分陰方陽方.

문왕팔괘에서 감괘·간괘·진괘는 동방·북방에 있고, 리괘·곤괘·태괘는 서방·남방에 있으니 음의 방위와 양의 방위를 나눈 것이다.

○ 文王八卦, 有些似京房卦氣, 不取卦畫, 只取卦名. 京房卦氣, 以復中孚屯爲次. 復, 陽氣之始也, 中孚, 陽實在內而未發也, 屯始發而艱難也. 只取名義, 文王八卦配四方四時, 離南坎北, 震東兌西. 若卦畫, 則不可移換.

문왕팔괘에는 경방의 괘기설이 좀 있는 듯한데, 괘의 획은 취하지 않고, 괘의 이름만 취하였다. 경방의 괘기설은 복괘·중부괘·준괘의 순서로 되어 있다. 복괘는 양기의 시작이고, 중부괘는 충실한 양이 안에 있어서 아직 피어나지 않은 것이며, 준괘는 피어나기 시작하였으나 험난한 것이다. 괘의 이름만을 취하여 문왕팔괘에 네 방위와 네 계절을 배치하였으니 리괘는 남방, 감괘는 북방, 진괘는 동방, 태괘는 서방이라 하였다. 괘획의 경우는 옮겨 바꿀 수가 없다.

○ 進齋徐氏曰, 坎離天地之大用也, 得乾坤之中氣, 故離火居南, 坎水居北也. 震動也, 物生之初也, 故居東. 兌悅也, 物成之後也, 故居西. 此四者, 各居正位也. 震屬木, 巽亦屬木, 震陽木也, 巽陰木也, 故巽居東南, 巳之位也. 兌屬金, 乾亦屬金, 兌陰金也, 乾陽金也, 故乾居西北, 亥之方也. 坤艮皆土也, 坤陰土, 艮陽土. 坤居西南, 艮居東北者, 所以均旺乎四時也. 此四者, 分居四隅也. 後天八卦, 以震巽離坤兌乾坎艮爲次者. 震巽屬木, 木生火, 故離次之. 離火生土, 故坤次之. 坤土生金, 故兌乾次之. 金生水, 故坎次之. 水非土亦不能以生木, 故艮次之. 水土又生木, 木又生火. 八卦之用, 五行之生, 循環无窮, 此所以爲造化流行之序也.

진재서씨가 말하였다: 감괘·리괘는 천지의 큰 작용으로 건곤의 알맞은 기운을 얻었기 때문에 리괘의 불은 남방에 감괘의 물은 북방에 놓는다. 진괘는 움직임으로서 사물이 생기는 시초이기 때문에 동방에 놓는다. 태괘는 기뻐함으로서 만물이 이루어진 뒤이기 때문에 서방에 놓는다. 이 네 괘는 각기 정방위에 놓인다. 진괘는 목에 속하고, 손괘도 목에 속하는데 진괘는 양목이고, 손괘는 음목이므로 손괘는 동남방, 사(巳)의 자리에 있다. 태괘는 금에 속하고 건괘도 금에 속하는데, 태괘는 음금이고, 건괘는 양금이므로 건괘는 서북방에 있으

니 해(亥)의 방위이다. 곤괘·간괘는 모두 토인데, 곤괘는 음토이고 간괘는 양토이다. 곤괘는 서남방에 있고 간괘는 동북방에 있어서 네 계절을 고르게 왕성하게 하는 것이다. 이 네괘는 네 모퉁이에 나뉘어 있다. 후천팔괘는 진괘·손괘·리괘·곤괘·태괘·건괘·간괘의 순서로 되어 있다. 진괘·손괘는 목에 속하는데, 목은 화를 낳으므로 리괘가 다음에 온다. 리괘의 화는 토를 낳으므로 곤괘가 다음에 온다. 곤괘의 토는 금을 낳으므로 태괘와 건괘가 다음에 온다. 금은 수를 낳으므로 감괘가 다음에 온다. 수는 토가 아니면 또한 목을 낳을 수 없으므로 간괘가 다음에 온다. 수토는 또한 목을 낳고, 목은 또한 화를 낳는다. 팔괘의 작용과 오행의 낳음[生]이 끝없이 순환하니, 이것이 조화하고 유행하는 순서가 되는 것이다.

○ 雙湖胡氏曰, 邵子以此章, 屬之文王八卦, 意其本之文王卦辭, 坤卦西南得朋, 東北喪朋, 正此章之方位也. 蹇解卦辭亦然. 竊嘗謂帝出乎震, 至成言乎艮八句, 疑似八卦圓圖之題目, 萬物出乎震以下, 皆是解說. 或如朱子論天一地二章, 未可知也.
쌍호호씨가 말하였다: 소자(邵子)는 이 장이 문왕팔괘에 속한다고 보았는데, 아마도 문왕괘사에 근거한 듯 한데, 곤괘의 '서남방에서 벗을 얻고 동북방에서 벗을 잃음'은 바로 이 장의 방위이다. 건괘·해괘의 괘사[18] 역시 그러하다. '상제가 진괘로부터 나온다'라 한 데부터 '간괘에서 이룬다'고 한 구절까지를 가만히 살펴보면, 팔괘원도의 제목과 같고, '만물이 진괘에서 나온다' 아래는 모두 해설이다. 어떤 이는 주자가 「계사전」에서 '천(天)이 1이고 지(地)가 2이며'라고 한 장과 같다고 하는데, 알 수 없다.

‖韓國大全‖

권근(權近) 『주역천견록(周易淺見錄)』

此言文王所定後天八卦也.
이는 문왕이 정한 후천 팔괘를 말한다.

熊氏曰, 先天方位, 待對之體也, 故天上地下, 日東月西, 山鎮西北, 澤注東南, 雷動東

---

18) 『周易·蹇卦』: 蹇, 利西南, 不利東北, 利見大人, 貞, 吉.
　　『周易·解卦』: 解, 利西南, 无所往. 其來復, 吉, 有攸往, 夙, 吉.

北風起西南乃質之一定而不可易者也. 後天方位, 流行之用也, 故春而夏夏而秋秋而冬, 冬而復春, 乃氣之相推而不可窮者也.

웅씨가 말하였다: 선천의 방위는 대대(待對)하는 본체이므로 하늘은 위에 있고 땅은 아래 있으며, 해는 동쪽에 달은 서쪽에 있으며, 산은 서북쪽에 진을 치고 못은 동남쪽으로 흐르며, 우레는 동북쪽에서 움직이고 바람은 서남쪽에서 일어나니, 바로 질이 한 번 정해져 바꿀 수 없는 것이다. 후천의 방위는 유행(流行)하는 작용이므로 봄에서 여름으로, 여름에서 가을로, 가을에서 겨울로, 겨울에서 다시 봄으로 움직이니, 바로 기가 서로 미루어 다할 수 없는 것이다.

愚謂, 先天待對之體, 而包流行之用, 故一陽生於東北之震, 而盛於南方午之乾, 一陰始於西南之巽, 而窮於北方子之坤. 此非流行之用乎. 後天流行之用, 而包待對之體. 坎水在北, 離火在南, 震巽木居東, 乾兌金居西, 水在北, 坤爲陰土, 而在西南之中, 艮爲陽土, 而在東北之中, 五行方位, 各得其正, 此非待對之體乎. 先天八卦卽圓圖六十四卦之體圓圖, 卽八卦之推衍也, 故其方位皆同. 方圖, 乾居西北, 坤居西北.[19] 後天八卦, 亦乾居西北, 坤居西南. 圓圖在天之陰陽, 天道之流行也, 故自左而右. 方圖在地之剛柔, 地勢之高卑也, 故自右而左. 後天八卦入用之數, 先儒謂乾坤任六子處於無爲之位, 程子已嘗非之矣. 以經觀之, 則曰致役乎坤戰乎乾坤養萬物乾陰陽相薄, 則乾坤之用, 視乾卦爲尤大, 豈無爲乎.

내가 살펴보았다: 선천의 대대하는 본체는 유행하는 작용을 포함하므로 하나의 양이 동북쪽 진에서 생겨 남쪽 오(午)의 방향인 건에서 장성하고, 하나의 음이 서남쪽 손에서 생겨 북쪽 자(子)의 방향인 곤에서 막힌다. 이것이 유행하는 작용이 아니겠는가? 후천의 유행하는 작용은 대대하는 본체를 포함한다. 물인 감은 북쪽에 있고, 불인 이는 남쪽에 있고, 진과 나무인 손은 동쪽에 자리하고, 건과 쇠인 태는 서쪽에 자리하고, 물은 북쪽에, 곤은 음토가 되어 서남의 중앙에 있고, 간은 양토가 되어 동북쪽 중앙에 있어 오행의 방위가 각각 바른 자리를 얻으니, 이것이 대대의 본체가 아닌가? 선천의 팔괘는 바로 원도 육십사괘의 본체이고, 원도는 바로 팔괘를 미루어 연역한 것이므로 그 방위가 모두 같다. 방도는 건은 서북쪽에 자리하고 곤은 서남쪽에 자리한다. 후천의 팔괘는 건이 서북쪽에 자리하고 곤이 서남쪽에 자리한다. 원도는 천에 있는 음양으로 천도의 유행이므로 왼쪽에서 오른쪽으로 간다. 방도는 땅에 있는 강유로 지세의 높고 낮음이므로 오른쪽에서 왼쪽으로 간다. 후천의 팔괘에서 작용으로 들어가는 수에 관해서 이전의 학자는 "건곤이 여섯 자식에게 맡기고 무위의 자리에 처한다"고 하였는데, 정자가 이미 잘못이라고 하였다. 경에 근거해 보면 '곤에서 역사를 이루고',

---

19) 南: 목판본에는 '北'으로 되어 있으나 '南'자의 오자인 듯하다.

'건에서 싸우고', '곤은 만물을 기르고', '건은 음양이 서로 부딪힌다'라고 하였으니, 건곤의 작용을 다른 어떤 괘보다도 더욱 크게 보았는데, 어찌 작위함이 없다는 것인가?

嘗僭爲之說曰, 乾兌皆金兌陰金, 故居正西乾陽金故居西北. 所以終金而復生水, 統終始也. 艮坤皆土, 艮陽土, 故居東北之陽方, 坤陰土, 故居西南之陰方. 艮之終始以形言也故曰成, 乾之終始, 以氣言也, 乾居西北而接北方之坎, 是天一生水而造化之始也. 乾之終始, 聖人不特言, 然曰戰曰陰陽相薄. 戰, 如坤上六龍戰于野之意. 陰將窮而陽已生貞而復元之意, 自可見矣. 先儒蓋因下文言六子而不言乾坤, 不知所謂神也者妙萬物, 是指乾坤而言, 乃謂乾坤無爲也. 然前則與六子幷列, 後則但言六子, 而以神之下字包之, 以見六子之用皆乾坤神氣之所爲也. 水火不相逮[20]以下, 又以先天結之者, 亦以見後天之用皆出於先天之體也.

일찍이 가만히 설명해 보았다: 건과 태가 모두 쇠이지만 태는 음금이므로 정서쪽에 자리하고 건은 양금이므로 서북쪽에 자리한다. 그래서 금으로 끝나고 다시 물을 낳으니, 끝과 처음을 통솔하는 것이다. 간과 곤은 모두 흙인데, 간은 양토이므로 동북쪽 양의 방위에 자리하고 곤은 음토이므로 서남쪽 음의 방위에 자리한다. 간의 시종은 형체로써 말하는 것이므로 '이룬다'고 말하였고, 건의 시종은 기로써 말한 것이다. 건은 서북쪽에 자리하여 북쪽의 감과 인접하는데, 이는 하늘 하나가 물을 낳는 조화의 시작이다. 건의 종시에 대해 성인이 특별히 언급하지는 않았지만, '싸운다', '음양이 서로 부딪힌다'고 하였다. '싸운다'는 것은 곤 상육 "용이 들에서 싸운다"고 할 때의 의미와 같다. 음이 다하고 양은 이미 생겼으니, 정(貞)에서 원(元)이 회복되는 의미를 저절로 볼 수 있다. 이전의 학자는 아래 문장에서 여섯 자식을 언급하고 건곤을 언급하지 않은 것 때문에 "신이란 만물을 영묘하게 하는 것"이 건곤을 가리키는 것임을 알지 못하여 건곤은 작위가 없다고 하였다. 그러나 앞에서는 여섯 자식과 병렬하고 뒤에서는 다만 여섯 자식만을 언급하면서 신이라는 글자를 써서 포함시켜 여섯 자식의 작용이 모두 건곤이라는 신묘한 기운이 하는 일임을 보였다. "물과 불이 서로 따른다" 이하에서 다시 「선천도」로 결론지은 것 또한 「후천도」의 작용이 모두 선천의 본체에서 나온 것임을 보이고자 한 것이다.

송시열(宋時烈) 『역설(易說)』

帝出乎震以下, 言後天之用. 帝者, 以主宰而言也. 萬物皆出震, 猶卦中一陽起於初爻也. 以變言, 則震錯巽, 巽方陰方生於下, 猶震之生陽也. 以方位言震, 震爲旺木居東,

---

20) 『주역천견록』 원문에는 '不相逮'로 되어 있으나 『주역』 본문에는 '相逮'로 되어 있다.

而巽爲相木在左, 且木之生於東, 始有差池先後之不齊, 此月之在寅卯也. 至于辰巳之間, 物物皆長而齊苗, 此巽之時也, 故曰齊乎巽. 鄭康成玄曰, 震雷發聲而生之, 巽風橈動而齊之. 蓋離中虛爲目爲明爲南方爲日, 此相見之義, 夏之時也, 太陽下照之謂也. 坤母也, 母之於子, 養之而已. 坤土也, 土之於物育之而已. 養之育之, 若役於物而致之, 故曰致役乎坤.

"상제가 진괘에서 나와" 이하는 후천의 작용을 말하였다. '상제'란 주재로 말한 것이다. 만물이 모두 진괘에서 나오는 것은 괘 가운데 한 양이 초효에서 일어나는 것과 같다. 변화로 말하면 진괘의 음양이 바뀐 것이 손괘이고, 손괘는 음이 아래에서 막 생겨나는 것이 진괘가 양을 낳는 것과 같다. 방위로 진괘를 말하면 진괘는 왕목(旺木)이 동쪽에 거하고 손괘는 상목(相木)이 왼쪽에 있으며, 또한 목이 동쪽에서 생하여 비로소 어긋나 선후가 가지런하지 않음이 있게 되니, 이것이 달이 인(寅)과 묘(卯)에 있는 것이다. 진(辰)과 사(巳)의 사이에 이르면 만물이 모두 자라서 가지런하게 되니, 이것이 손괘의 때이므로 "손괘에서 가지런하다"고 말하였다. 강성 정현은 "진괘의 우레는 소리를 내면서 생기고, 손괘의 바람은 움직여서 가지런해진다"고 말하였다. 리괘(離卦☲)의 가운데가 빈 것이 눈이 되고 밝음이 되고 남방이 되고 해가 되니, 이것이 서로 본다는 뜻으로 여름의 때에 태양이 아래로 비추는 것을 말한다. 곤괘는 어머니이니, 어머니는 자식에 대해서 기를 뿐이다. 곤괘는 땅이니, 땅은 만물에 대해서 기를 뿐이다. 기르는 것은 만물에 대해 일을 해서 이루는 것과 같기 때문에 "곤괘에서 일을 이룬다"고 하였다.

兌者澤也, 澤之及物, 物皆說之. 兌者口也, 口之發言, 人皆說之. 兌者秋也, 萬物及秋之時, 成者成熟者熟. 物皆期於成熟, 而今旣成熟, 則此說之道也, 故曰說言乎兌. 乾西北之位, 戌亥之間也, 九月十月之交也. 陰氣薄於陽, 薄者, 如書之薄于海隅之薄, 言至於其極也. 其交接之時, 猶相抗相敵之義, 故曰戰. 然非謂攻擊相鬪屠戮出血之意, 見坤之上六註. 坎者水也, 水之性就下, 河海不擇細流而受之. 來者來之, 若人之勞來而不怠爲勞. 卦又屬冬, 冬者萬物之收藏也, 故曰勞乎坎, 又曰萬物之所歸也. 艮者, 東北之間也. 艮爲土, 故其德敦實. 艮爲陽方, 故其德光輝. 萬物歸於坎, 則艮成其終, 萬物出乎震, 則艮成其始, 所謂成終而成始也. 兌爲言而艮配之而通氣, 故曰成言乎艮也.

태(兌)는 못이니, 못이 만물에 미치면 만물이 모두 기뻐한다. 태는 입이니, 입이 말을 내면 사람들이 모두 기뻐한다. 태는 가을이니, 만물이 가을의 계절에 이르면 완성될 것은 완성되고 익을 것은 익는다. 만물이 모두 성숙하기를 기대하는데 지금 이미 성숙했으니, 이것이 기뻐하는 도이기 때문에 "태괘에서 기뻐한다"고 하였다. 건괘는 서북의 자리이고 술(戌)과 해(亥)의 사이이며 구월과 시월의 사이이다. 음기가 양에 이르는데 이른다는 것은 『서경』에 바다 모퉁이에 이른다고 할 때의 이른다는 것과 같으니, 그 극함에 이르는 것을 말한다.

교접할 때에는 오히려 서로 저항하고 서로 적이 되는 뜻이 있기 때문에 싸운다고 말하였다. 그러나 공격하고 서로 싸우며 도륙하고 피를 흘린다는 뜻을 말하는 것이 아니니, 곤괘 상육의 주석에 보인다. 감괘는 물이고 물의 성질은 아래로 내려가는데, 강과 바다는 가느다란 물줄기도 가리지 않고 받아들인다. 오는 자가 오는 것은 마치 사람이 수고롭게 와서 게으르지 않은 것을 수고로움으로 여기는 것과 같다. 괘는 또한 겨울에 속하는데, 겨울은 만물을 거두어 저장하는 것이기 때문에 "감괘에서 수고롭다"고 하였고, 또 "만물이 돌아가는 곳이다"라고 말하였다. 간괘는 동쪽과 북쪽의 사이이다. 간괘는 토(土)이기 때문에 그 덕이 돈독하고실질적이다. 간괘는 양의 방향이기 때문에 그 덕이 빛난다. 만물이 감괘로 돌아가면 간괘가 그 마침을 이루고, 만물이 진괘에서 나오면 간괘가 그 시작을 이루니, 이른바 마침을 이루고 시작을 이룬다는 것이다. 태괘는 말이 되고 간괘가 짝하여 기를 통하기 때문에 "간괘에서 이룬다"고 하였다.

이익(李瀷) 『역경질서(易經疾書)』

天有四方, 歲有四時, 五行由是而順布, 萬物由是而生遂. 夫離南坎北震東兌西, 後天之序, 而天地間元有此理, 不可闕也. 豈可謂伏羲時無有而文王時始作乎. 試以一卦言, 坤之得朋喪朋, 伏羲以來其占有不然, 而東北西南之吉凶, 自文王始驗乎. 若然羲文之占兩相矛盾, 無可適從耳. 愚謂, 後天位次古無可考, 至文王始著, 故屬之文王. 詳在上.

하늘에는 네 방향이 있고 한 해에는 네 계절이 있으니, 오행이 이로 말미암아 순조롭게 펼쳐지고 만물이 이로 말미암아 생겨나고 이루어진다. 리괘는 남쪽이고 감괘는 북쪽이고 진괘는 동쪽이고 태괘는 서쪽인 것이 후천의 순서인데, 하늘과 땅 사이에 원래 이러한 이치가 있어서 빠뜨릴 수 없다. 어찌 복희의 때에는 없다가 문왕의 때에 비로소 생겼다고 말할 수 있겠는가? 시험 삼아 한 괘로 말해보면 곤괘가 벗을 얻고 벗을 잃는 것은 복희 이래로 그 점이 그렇지 않은 것이 있다가 동북서남의 길흉이 문왕으로부터 비로소 징험되었겠는가? 그렇다고 한다면 복희와 문왕의 점은 둘이 서로 모순되어 따를 수 없을 뿐이다. 나는 생각하건대 후천의 자리와 차례를 옛날에는 고찰할 수 없다가 문왕에 이르러 비로소 드러났기 때문에 문왕에게 속하게 한 것이다. 상세한 것은 위에 있다.

卦氣直日, 先儒皆以先天圖當之. 惟乾坤剝復之外, 都無著落, 從何處考其中否乎. 聖人分明說兌正秋, 秋非四時之一乎. 其序列四方, 非四時之序乎. 八卦如此, 則雖演至六十四, 豈有異義. 韓愈詩云, 時卦轉習坎, 北以冬至言者也. 退之恐非突然有此, 必有其所本. 或先儒有此說, 而今不存矣. 然則以八純卦當八節氣, 立冬直乾, 冬至直坎, 立春直艮, 春分直震, 立夏直巽, 夏至直離, 立秋直坤, 秋分直兌. 先以乾之八卦爲圓圖, 以重乾當立冬, 左右分開, 則小畜大有泰夬在右, 需大畜大壯在左. 又以坎八卦作圓圖, 以重坎當冬至, 左右分開, 則未濟師困訟在右, 蒙解渙在左. 餘可例推也. 其兩節間二小氣各有分劑, 則大畜五爻當小雪, 師三爻當大雪, 解五爻當小寒, 咸三爻當大寒. 餘可例推也.

괘의 기운이 날을 담당하는 것에 대해 이전의 학자들은 모두 「선천도」가 거기에 해당한다고 여겼다. 그러나 건괘·곤괘·박괘·복괘의 이외에는 맞지 않는데, 어떻게 그것이 맞는지를 고찰하겠는가? 성인이 분명하게 태괘(兌卦)가 바로 가을이라고 말했는데, 가을이 네 계절의 하나가 아닌가? 네 방위를 차례로 나열한 것이 네 계절의 순서가 아닌가? 팔괘가 이와 같다면 비록 부연하여 육십사괘에 이르더라도 어찌 다른 뜻이 있겠는가? 한유의 시에 "이 때의 괘는 감괘로 바뀐다"고 했는데, 북쪽으로서 동지로 말한 것이다. 한유가 갑자기 이런 말을 한 것은 아닐 것이고, 반드시 근거한 바가 있을 것이다. 혹 이전의 학자들에게는 이러한 설이 있었는데, 지금은 존재하지 않는지도 모르겠다. 그렇다면 여덟 순괘를 여덟 절기에 배당하여 입동은 건이 담당하고 동지는 감이 담당하고 입춘은 간이 담당하고 춘분은 진이 담당하고 입하는 손이 담당하고 하지는 리가 담당하고 입추는 곤이 담당하고 추분을 태가 담당한다. 우선 건의 팔괘로 원도를 삼아 건괘가 입동을 담당하고 좌우로 나누어 벌리면, 소축·대유·태·쾌가 오른쪽에 있고 수·대축·대장이 왼쪽에 있다. 또한 감의 팔괘로 원도를 그려 감괘가 동지를 담당하고 좌우로 벌리면, 미제·사·곤·손이 오른쪽에 있고 몽·해·환이 왼쪽에 있다. 나머지는 예로 미루어 볼 수 있다. 두 절기 사이에 두 작은 기를 각각 나누어 배열하면, 대축 오효가 소설에 해당하고 사괘의 삼효가 대설에 해당하며, 해괘의 오효가 소한에 해당하고 함괘의 삼효가 대한에 해당한다. 나머지는 예로 미루어 볼 수 있다.

유정원(柳正源) 『역해참고(易解參攷)』

沙隨程氏曰, 言兌正秋, 則四時可推, 言坎正北方, 則四方可推, 言坎者水也坤者地也, 則八物可推. 坤不言西南, 坤之用不止於西南也. 乾不言萬物, 陰陽不止於在物者也. 聖人於離有所取, 則他卦可以通其類焉.

사수정씨가 말하였다: 태가 바로 가을이라고 말했다면 네 계절을 미룰 수 있고, 감괘가 정북방이라고 말했다면 네 방향을 미룰 수 있으며, 감괘가 물이고 곤괘가 땅이라고 말했다면 여덟 사물을 미룰 수 있다. 곤괘에서 서남을 말하지 않은 것은 곤괘의 작용이 서남에 그치지 않기 때문이다. 건괘에서 만물을 말하지 않은 것은 음양이 만물에 있는 데 그치지 않기 때문이다. 성인이 리괘에 대해서 취한 바가 있으니, 다른 괘는 그 종류를 통해볼 수 있다.

小註, 朱子說京房卦氣.

소주에서 주자가 경방의 괘기설을 말하였다.

〈漢書京房傳, 分六十四卦, 更直日用事, 以風雨寒暑爲候, 各有占驗.

『한서·경방전』에서 말하였다: 육십사괘를 나누어 날을 맡아 일을 하는데, 바람·비·추위·더위를 기후로 삼아 각각 헤아려 징험함이 있다.

孟康曰, 分卦直日之法, 一爻主一日, 六十卦爲三百六十日. 餘四卦, 爲方伯監司之官, 是二分二至用事之日. 又四時各專主之氣, 各卦主時, 其占法各以其日觀其善惡.

맹강이 말하였다: 괘를 나누어 날을 맡는 법은 한 효가 하루를 주관하고, 육십사괘가 삼백육십일이 된다. 나머지 네 괘는 방백과 감사의 관직이 되는데, 이것이 이분(二分)과 이지(二至)가 작용하는 날이다. 일을 하는 날에 이르러 또한 네 계절에 각각 오로지 주관하는 기가 있고, 각 괘는 계절을 주관하며, 그 점법은 각각 그 날로써 그 선악을 본다.

朱子曰, 京房卦氣, 用六日七分.

주자가 말하였다: 경방의 괘기는 육일 칠분을 썼다.

○ 案, 卦氣冬至起於中孚, 一年三百六十日, 六十卦各主六日, 又有五日四分日之一, 每日分爲八十分, 通爲四百二十分, 則六十卦各得七分.

내가 살펴보았다: 괘기는 동지가 중부괘에서 일어나 일년 삼백육십오일에 육십괘가 각각 육일을 주관하고, 또한 5일 4분의 1이 있어 매일의 분이 팔십분이 되며, 통틀어 사백이십분이 되면 육십괘가 각각 칠분을 얻는다.〉

김상악(金相岳) 『산천역설(山天易說)』

虞翻云, 成始者乾甲, 成終者坤癸. 艮居東北, 是甲癸之間, 故云成終成始. 此章言八卦流行生成之功, 故春夏秋冬五行相生, 皆有其序. 水非土亦不能生木, 艮所以終始萬物也.

우번이 말하였다: 시작을 이루는 것은 건의 갑이고 마침을 이루는 것은 곤의 계이니, 이것이 갑과 계의 사이에 있기 때문에 마침을 이루고 시작을 이룬다. 이 장은 팔괘가 유행하고 생성하는 공을 말했기 때문에 춘하추동과 오행의 상생이 모두 차례가 있다. 수는 토가 아니면 목을 낳을 수 없기 때문에 간괘가 만물을 마치고 시작한다.

서유신(徐有臣) 『역의의언(易義擬言)』

竊疑, 上段爲古文, 而孔子釋其義如此也. 東方東南南方西北正北方東北云者, 明其爲後天方位也. 獨西方西南不言之, 然兌曰正秋, 則可知其爲西方之卦, 而坤自歸於西南

也. 兌正秋也云者, 明其爲四時之序也, 震之爲春, 可究也. 坎者水也云者, 明其爲五行
之運也, 離之爲火, 可究也. 萬物生於土, 養於土, 終歸於土. 艮成始成終而坤爲始終之
中, 故萬物致養焉. 戰乎乾者, 龍戰于野也, 故曰陰陽相薄也. 萬物出乎震, 非出於出
處, 必有所始之, 萬物歸於坎, 非歸於歸處, 必有所終之. 故其終之始之則艮也.

내가 살펴보았다: 상단은 고문인데 공자가 그 뜻을 해석한 것이 이와 같다. 동방·동남·남
방·서북·정북방·동북이라고 말한 것은 후천의 방위가 되는 것을 분명하게 밝힌 것이다.
유독 서방·서남을 말하지 않았지만, 태괘는 바로 가을이라고 말했다면 서방의 괘가 되는
것을 알 수 있고, 곤은 저절로 서남으로 돌아간다. 태괘에 대해서 바로 가을이라고 말한
것은 네 계절의 순서가 되는 것을 밝힌 것이니, 진괘가 봄이 되는 것을 추구할 수 있다.
감괘가 물이라고 말한 것은 오행의 운행을 밝힌 것이니, 리괘가 불이 되는 것을 추구할 수
있다. 만물은 흙에서 생겨나고 흙에서 자라 흙으로 돌아간다. 간괘가 시작을 이루고 마침을
이루며, 곤괘가 시작과 마침의 중간에 있기 때문에 만물이 기름을 이룬다. 건괘에서 싸우는
것은 용이 들에서 싸우는 것이기 때문에 음양이 서로 부딪친다고 말하였다. 만물은 진괘에
서 나오는데 나오는 바로 그곳에서 나오는 것이 아니라 반드시 시작하는 곳이 있고, 만물은
감괘로 돌아가는데 돌아가는 바로 그곳으로 돌아가는 것이 아니라 반드시 마치는 곳이 있
다. 그러므로 마치고 시작하는 것은 간괘이다.

윤종섭(尹鍾燮)『경(經)-역(易)』

理最難見, 苟於神之妙萬物上, 有所推究, 可以知實理之不可掩處. 先言帝出, 繼以神
之妙, 則理雖無形無爲, 而爲有形有爲之主宰也. 神是形而下者, 人所易見, 從其妙處,
見其實體. 成變化而行鬼神者, 非帝而誰耶.

이치는 가장 보기 어려우니, 만일 신이 만물을 묘하게 하는 위에서 추구한다면 가릴 수 없는
실제적인 이치를 알 수 있다. 먼저 상제가 나온다고 말하고 이어서 신의 오묘함을 말했으니,
이치는 비록 형체가 없고 인위가 없지만 형체가 있고 인위가 있는 것의 주재가 된다. 신은
형이하자로 쉽게 보는 것이므로 오묘한 곳을 따라 실체를 본다. 변화를 이루어 귀신을 행하
게 하는 것이 상제가 아니면 누구이겠는가?

심대윤(沈大允)『주역상의점법(周易象義占法)』

坎子艮丑寅震卯巽辰巳離午坤未申兌酉乾戌亥, 此通言方位及月令也.

감괘는 자(子)이고, 간괘는 축(丑)·인(寅)이고, 진괘는 묘(卯)·손(巽)·진(辰)·시(巳)이
고, 리괘는 오(午)이고, 곤괘는 미(未)·신(申)이고 태괘는 유(酉)이고, 건괘는 술(戌)·해

(亥)이니, 이는 방위와 월령을 통틀어 말한 것이다.

오치기(吳致箕) 「주역경전증해(周易經傳增解)」

此節即解上節之義, 而或以方位言, 或以時序言, 或以卦象言, 或以卦德言, 欲使學者
粲互而通之也. 上文言帝者, 以震陽之首出而言其主宰, 此節言萬物者, 以萬物之發生
而言其功用, 以明上文主宰之意也. 震居東方而爲正春, 故指其發生而曰出也. 潔者光
鮮也, 齊者畢達也. 巽居東南之方而爲春夏之交, 故言萬物光鮮而畢達也. 見者, 明盛
而宣著也.

이 절은 윗 절의 뜻을 해석하였는데, 혹은 방위로 말하고 혹은 계절의 순서로 말하고, 혹은
괘의 상으로 말하고, 혹은 괘의 덕으로 말하여, 배우는 사람들로 하여금 상호 참고하여 통하
도록 하였다. 윗 문장에서 상제를 말한 것은 진괘의 양이 처음으로 나온 것으로 주재를 말하
였고, 이 절에서 만물을 말한 것은 만물의 발생으로 그 공용을 말하여 윗 문장의 주재의
뜻을 밝힌 것이기 때문이다. 진괘는 동쪽에 거하고 정춘이 되기 때문에 그 발생하는 것을
가리켜 나온다고 하였다. 깨끗한 것은 빛나고 신선한 것이고, 가지런하다는 것은 모두 도달
하는 것이다. 손괘는 동남의 방위에 거하고 봄과 여름의 사이가 되기 때문에 만물이 빛나고
신선하며 모두 도달한다고 말하였다. 보는 것은 밝고 성대하며 펴지고 드러나는 것이다.

離居南方而爲正夏, 故言萬物明盛而宣著也. 致者委也, 役謂育養之功也. 坤在西南之
方而爲夏秋之交, 故言委功於育養萬物也. 說者, 內實而說見于外也. 兌居西方而爲正
秋, 故言萬物遂實而相說也. 戰者, 陰陽相薄而戰也. 乾居西北之方而爲秋冬之交, 故
言陰出陽入而相薄也. 勞者, 成功而歸息之謂也. 坎居北方而爲正冬, 故言萬物成功而
歸息也. 成者, 成終成始之謂也. 艮居東北之方而爲冬春之交, 故言成終于冬而成始于
春也.

리괘는 남방에 거하고 정하가 되기 때문에 만물이 밝고 성대하며 펴지고 드러난다. 이루는
것은 맡기는 것이고, 일은 기르는 공이다. 곤괘가 서남의 방위에 있어서 여름과 가을의 사이
가 되기 때문에 만물을 기르는데 공을 맡기는 것을 말하였다. 기쁨이란 안이 충실하여 기쁨
이 밖에 드러나는 것이다. 태괘는 서방에 거하고 정추가 되기 때문에 만물이 완수되어 결실
하여 서로 기뻐하는 것을 말하였다. 싸움이란 음과 양이 서로 부딪쳐 싸우는 것이다. 건괘는
서북의 방위에 거하여 가을과 겨울의 사이가 되기 때문에 음이 나가고 양이 들어와 서로
부딪친다고 말하였다. 수고로움은 공을 이루어 돌아와 쉬는 것을 말한다. 감괘는 북방에
거하여 정동이 되기 때문에 만물이 공을 이루어 돌아가 쉬는 것을 말하였다. 이루는 것은
마침을 이루고 시작을 이루는 것을 말한다. 간괘는 동북의 방위에 거하여 겨울과 봄의 사이

가 되기 때문에 겨울에 마침을 이루고 봄에 시작을 이룬다고 말하였다.

右第五章, 言文王八卦流行生成之功也.
이상의 제 5장은 문왕 팔괘가 유행하고 생성하는 공을 말하였다.

이진상(李震相) 『역학관규(易學管窺)』

萬物出乎震.
만물이 진괘(震卦)에서 나오니.

此一段全不類夫子文章, 疑涉註疏之體. 然姑卽上段而推之, 當曰, 萬物出乎震, 震東方也. 齊乎巽, 巽正秋也, 齊也者, 言萬物之潔齊. 坎者水也, 正北方之卦也, 勞卦也, 萬物之所歸也. 離也者明也, 萬物皆相見, 南方之卦也. 聖人南面而聽天下嚮明而治, 蓋取諸此也. 戰乎乾, 乾西北之卦也, 言陰陽相薄也. 坤也者地也, 萬物皆致養焉. 兌西南也, 萬物之所說也. 艮東北之卦也, 萬物之所成終而成始者也, 故曰成言乎艮.
이 한 단락은 전혀 공자의 문장 같지 않으니, 아마도 주석의 문체인 듯하다. 그러나 우선 상단에 나아가 미루어 보면 마땅히 다음과 같이 말해야 한다: 만물이 진괘(震卦)에서 나오니, 진괘는 동방이다. 손괘(巽卦)에서 가지런하다는 것은 손괘는 정추이니, 제(齊)는 만물이 깨끗하여 가지런함을 말한다. 감괘(坎卦)는 정북방의 괘로서 수고로운 괘이니, 만물이 돌아감이다. 리괘(離卦)는 밝음으로, 만물이 모두 서로 보기 때문이니, 남방의 괘이다. 성인이 남면(南面)하여 천하의 말을 들어 밝은 곳을 향해 다스림은 여기에서 취하였다. 건괘(乾卦)에서 싸운다는 것은 건괘는 서북방의 괘이니, 음양이 서로 부딪힘을 말한다. 곤괘(坤卦)는 땅이니, 만물이 모두 기름을 이룬다. 태괘(兌卦)는 서남이니, 만물이 기뻐하는 바이다. 간괘(艮卦)은 동북방의 괘이니, 만물이 마침을 이루고 시작을 이루므로 "간괘에서 이룬다"고 하였다.

○ 小註, 雲峰說.
소주에서 운봉이 말하였다.

易以四象節次推去方位之間, 幷不用五行之說. 先天方位坎離爲水火, 坎前有艮土克水, 離前有兌火克金. 坤次有震木克土, 乾次有巽金克木, 皆無相生之妙. 況東之爲火, 西之爲水, 南之爲金, 北之爲土, 皆非其鄉, 則後天之獨取五行, 果何義也. 況艮之於震, 獨不生之, 有所難通也耶.
역은 사상의 절차로 방위의 사이를 미루어가고, 오행의 설을 쓰지 않는나. 선천의 방위는 감리가 물불이 되고, 감괘 앞에 간괘가 있어 토가 수를 이기며, 리괘 앞에 태괘가 있어 화가 금을 이긴다. 곤괘 다음에 진괘가 있어 목이 토를 이기고, 건괘 다음에 손괘가 있어 금이 목을 이기니, 모두 상생의 묘가 없다. 하물며 동쪽이 화가 되고 서쪽이 물이 되며, 남쪽이 금이 되고 북쪽이 토가 되는 것이 모두 그 본래의 자리가 아니니, 후천에서 유독 오행을 취한 것은 과연 무슨 뜻인가? 하물며 간괘는 진괘에 대해서 유독 낳지 않아서 통하기 어려운 것이 있는가?

○ 雙湖說.

쌍호호씨가 말하였다.

雙湖致疑於此, 而八卦圓圖, 則亦未有乾戰艮成等意.

쌍호호씨는 이에 대해서 의심하였는데, 팔괘의 원도에서는 건이 싸운다든가 간괘가 이룬다는 등의 뜻이 있지 않다.

○ 通按, 此章如果經文, 則第二第三章之下, 疑各有闕文而不可考.

내가 통틀어 살펴보았다: 이 장이 과연 경문과 같다면, 제 이장과 제 삼장의 아래에 아마도 각각 빠진 문장이 있을 것이지만, 고찰할 수 없다.

이병헌(李炳憲) 『역경금문고통론(易經今文考通論)』

鄭曰, 坤不言方者, 以言地之養物不專一也, 言不專主一方.

정현이 말하였다: 곤괘에서 방위를 말하지 않은 것은 땅이 만물을 기르는 것이 전일하지 않음을 말하니, 한 방위를 오로지 주로 하지 않음을 말한다.

제6장第六章

神也者, 妙萬物而爲言者也, 動萬物者, 莫疾乎雷, 橈萬物者,
莫疾乎風. 燥萬物者, 莫熯乎火, 說萬物者, 莫說乎澤, 潤萬
物者, 莫潤乎水, 終萬物始萬物者, 莫盛乎艮. 故水火相逮,
雷風不相悖, 山澤通氣然後, 能變化, 旣成萬物也.

신(神)이란 만물을 신묘하게 하는 것을 말하니, 만물을 움직이는 것은 우레보다 빠른 것이 없고,
만물을 흔드는 것은 바람보다 빠른 것이 없고, 만물을 말리는 것은 불보다 더한 것이 없고, 만물을
기쁘게 하는 것은 못보다 더한 것이 없으며, 만물을 적시는 것은 물보다 더한 것이 없고, 만물을
마치고 만물을 시작하는 것은 간괘보다 성(盛)한 것이 없다. 그러므로 물과 불이 서로 붙들고, 우레와
바람이 서로 어그러지지 않으며, 산과 못이 기(氣)를 통한 뒤에야 변화하여 만물을 이룬다.

中國大全

小註

程子曰, 神是極妙之語.
정자가 말하였다: 신(神)은 지극히 묘하다는 말이다.

○ 天者, 理也. 神者, 妙萬物而爲言者也. 帝者, 以主宰事而名.
천(天)이란 리이다. 신(神)이란 만물을 신묘하게 함을 말하는 것이다. 제(帝)란 일을 주재함
으로써 이름지은 것이다.

本義

此去乾坤而專言六子, 以見神之所爲. 然其位序, 亦用上章之說, 未詳其義.

여기에서는 건곤을 제외하고 여섯 자식만을 말해서 신(神)이 하는 바를 나타내었다. 그러나 그 방위의 순서는 또한 윗 장의 설명을 썼는데, 그 뜻이 자세하지 않다.

小註

朱子曰, 水火相逮一段, 又似與上面水火不相射同, 又似是伏羲卦.

주자가 말하였다: '물과 불이 서로 붙들고'라고 한 단락은 또한 위에서 '물과 불이 서로 쏘지 않아서'라 한 것과 같으니, 복희괘인 듯하다.

○ 問, 前兩段說伏羲卦位, 後兩段, 自帝出乎震以下說文王卦位. 自神也者妙萬物而爲言下有兩段, 前一段乃文王卦位, 後段乃伏羲底. 恐夫子之意, 以爲伏羲文王所定方位不同如此. 然生育萬物旣如文王所次, 則其方位非如伏羲所定, 亦不能變化. 旣成萬物也, 无伏羲底, 則做文王底不出. 竊恐文義如此說, 較分明. 曰, 如是, 則其歸卻主在伏羲上, 恁地說也好. 又曰, 此兩段, 卻除了乾坤, 著一句神者妙萬物而爲言引起, 則乾坤在其中矣. 且如雷風水火山澤自不可喚做神, 神者乃其所以動, 所以橈者, 是也.

물었다: 앞의 두 단락은 복희괘의 방위를 말한 것이고, 뒤의 두 단락에서 '상제가 진괘에서 나오니' 이하는 문왕괘의 방위를 말한 것입니다. '신(神)이란 만물을 오묘하게 하는 것을 말한다' 아래에 두 단락이 있는데, 앞 단락은 문왕괘의 방위이고, 뒷 단락은 복희괘의 방위입니다. 아마도 공자의 뜻은 복희와 문왕이 정한 방위가 이처럼 같지 않다고 여긴 것 같습니다. 그러나 만물을 낳고 기름에 이미 문왕이 순서지은 것과 같다면, 그 방위는 복희가 정한 것과 같지 않아서 또한 변화할 수 없습니다. 이미 만물이 완성되었더라도 복희괘가 없다면 문왕괘가 나올 수 없을 것입니다. 아마도 문장의 뜻을 이처럼 말한다면 비교적 분명하지 않겠습니까?

답하였다: 그렇다면 그 귀결은 도리어 복희괘에 중점이 놓이게 되는데, 그렇게 말해도 좋습니다.

또 말하였다: 이 두 단락에서는 건곤을 제외하였는데, '신이란 만물을 신묘하게 하는 것을 말한다'고 한 구절을 이끌어 보면 건괘와 곤괘는 그 가운데 있습니다. 또한 우레·바람·물·불·산·못 등은 본디 신이라 부를 수는 없습니다만, 신이란 그것을 움직이게 하고, 흔들리게 하는 것입니다.[21]

---

21) 위의 글은 『주자어류』 권77의 다음과 같은 문답을 요약하여 수록한 것이다. 曰: "如是, 則其歸卻主在伏羲上. 恁地說也好. 但後兩段卻除了乾坤, 何也?" 曰: "竊恐著一句'神者妙萬物而爲言'引起, 則乾坤在其中矣." 曰: "恐是如此." 問: "且如雷風·水火·山澤, 自不可喚做神." 曰: "神者, 乃其所以動, 所以橈者是也."

○ 文王八卦, 則兌震以長男而合少女, 艮巽以長女而合少男, 皆非其偶, 故自動萬物者莫疾乎雷, 至終萬物始萬物者, 莫盛乎艮, 皆別言六子之用. 故以四時之序次言之, 而用文王八卦之序. 下則推其所以成, 用在於陰陽各得其偶, 故用伏羲八卦之序. 若上用伏羲卦序, 則四時失其序, 下用文王八卦, 則兌震艮巽, 皆非其偶矣.

문왕팔괘에서 태괘·진괘는 맏아들이 막내딸과 합하는 것이고, 간괘·손괘는 맏딸이 막내아들과 합하는 것이니 모두 그 짝이 아니다. 그러므로 "만물을 움직이는 것은 우레보다 빠른 것이 없고"로부터 "만물을 마치고 만물을 시작하는 것은 간괘보다 성(盛)한 것이 없다"까지는 모두 여섯 자식의 작용을 개별적으로 말한 것이다. 따라서 네 계절의 순서로써 말하였으니 문왕팔괘의 순서를 쓴 것이다. 아래 단락에서는 그 이루어지는 근거를 미루었으니 쓰임이 음양이 각기 그 짝을 얻음에 있기 때문에 복희팔괘의 순서를 썼다. 만약 윗 단락에서 복희괘의 순서를 썼다면 네 계절이 그 질서를 잃을 것이고, 아랫 단락에서 문왕팔괘를 썼다면 태괘·진괘·간괘·손괘가 모두 그 짝이 아닐 것이다.

○ 漢上朱氏曰, 上說天地定位六子致用, 此說六子合而爲乾坤, 乾坤合而生. 神妙萬物而爲言者, 物物自妙也. 鄭康成曰, 共成萬物, 不可得而分, 故合謂之神. 橫渠曰, 一則神, 兩則化, 妙萬物者一, 則神也.

한상주씨가 말하였다: 위에서는 천지의 자리잡음과 여섯 자식의 쓰임에 대해 말하였고, 여기에서는 여섯 자식이 합하여 건곤이 됨을 말하였으니, 건곤이 합하여 낳는다. '신이란 만물을 신묘하게 하는 것을 말한다'는 사물마다 저절로 묘한 것이다. 정강성이 "함께 만물을 이루니 나눌 수 없어서 합해서 신이라 하였다"고 하였다. 횡거가 "하나면 신묘하고, 둘이면 변화하는데, 만물을 오묘하게 하는 자는 하나이니 신(神)이다"라 하였다.

○ 南軒張氏曰, 八卦各有所在也, 而神則无在而无不在. 八卦各有所爲也, 而神則无爲而无不爲, 强名之曰神者, 卽其妙萬物而爲言也.

남헌장씨가 말하였다: 팔괘는 각기 있는 곳이 있으나 신은 있지 않으면서도 있지 않음이 없다. 팔괘는 각기 하는 것이 있지만, 신은 하는 것이 없으면서도 하지 않는 것이 없어서 억지로 이름하여 '신'이라 하였으니 곧 그것이 만물을 신묘하게 함으로 말하는 것이다.

○ 龜山楊氏曰, 離帝而爲神, 則其運无方, 其居无迹. 非妙萬物者, 能如是乎. 前論震離坎兌艮巽之屬, 則兼乾坤而言之, 此不言乾坤而言六子者, 豈非乾坤其始任六子以成功, 及其終也. 六子成其功, 以歸於乾坤, 乾坤則有不與者乎.

구산양씨가 말하였다: 리괘 상제가 신이 되니 그 운행은 장소가 따로 없고, 그 기거함은 자취가 없다. 만물을 오묘하게 하는 자가 아니라면 이렇게 할 수 있겠는가? 앞에서 진괘·리

괘·감괘·태괘·간괘·손괘 등을 논할 때에는 건괘·곤괘를 겸하여 말하였고 여기에서는 건괘·곤괘는 말하지 않고 여섯 자식만을 말하였으니, 건괘·곤괘가 그 시작에 여섯 자식에게 맡겨 공을 이루고 그 마침에 미쳐서 여섯 자식은 그 공을 이루어 건괘·곤괘로 돌아가니 건괘·곤괘가 함께 하지 않음이 있겠는가?

○ 沙隨程氏曰, 始言六子之才, 各有所長, 終言六子之情, 各有所合.
사수정씨가 말하였다: 처음에는 여섯 자식의 재질이 각기 잘하는 것이 있음을 말하였으며, 끝에는 여섯 자식의 정(情)이 각기 합하는 바 있음을 말하였다.

○ 建安丘氏曰, 序六子之用, 不及乾坤者, 六子之用, 皆乾坤之爲也. 五卦皆言象, 而艮不言者, 終始萬物, 義不係於山也.
건안구씨가 말하였다: 여섯 자식의 쓰임을 순서대로 말하고 건괘·곤괘는 언급하지 않았지만, 여섯 자식의 작용이 모두 건괘·곤괘가 하는 것이기 때문이다. 다섯 괘는 모두 상을 말하였는데 간괘에서는 말하지 않은 것은, 만물을 시작하고 마치는 일은 그 뜻이 산에 매이지 않기 때문이다.

○ 虞氏翻曰, 不言乾坤者, 乾主變, 坤主化, 言變化則乾坤備矣.
우번이 말하였다: 건괘·곤괘를 말하지 않은 것은 건괘는 변(變)을 주관하고 곤괘는 화(化)를 주관하여, 변화를 말하면 건괘·곤괘가 갖추어지기 때문이다.

○ 進齋徐氏曰, 伏羲八卦方位, 主造化對待之體而言, 文王八卦方位, 主造化流行之用而言. 對待非流行則不能變化, 流行非對待則不能自行.
진재서씨가 말하였다: 복희팔괘의 방위는 조화의 대대하는 체(體)를 중심으로 말한 것이고, 문왕팔괘의 방위는 조화의 유행하는 작용을 중심으로 말한 것이다. 대대는 유행이 아니면 변화할 수 없고, 유행은 대대가 아니면 스스로 행할 수 없다.

○ 平庵項氏曰, 動橈燥說潤盛, 皆據後天分治之序, 而相逮不相悖通氣變化, 復據先天相合之位者. 明五氣順布, 四季分王之時, 而无極之眞二五之精, 所以妙合而凝者, 未始有戾於先天之事也. 苟无此章, 則文王爲无體, 而伏羲爲无用矣. 故讀易者, 如此, 不可不深玩也. 相逮與不相射, 相薄與不相悖, 此皆互言之也.
평암항씨가 말하였다: 움직이고, 흔들고, 말리고, 기뻐하고, 적시고, 왕성함은 모두 후천의 나누어 다스리는 질서에 근거하고, 서로 붙들고, 서로 어그러지지 않고, 기를 통하는 변화는 다시 선천의 서로 합하는 자리에 근거한다. 이는 다섯 기운이 고르게 퍼져 네 계절이 나뉘어

왕성한 때를 밝힌 것인데, 무극의 참됨과 음양오행의 정(精)이 묘하게 합하여 응결한 것이 선천의 일에서 어그러진 적이 없음을 밝힌 것이다. 참으로 이 장이 없다면 문왕괘는 체(體)가 없게 되고, 복희괘는 작용이 없게 될 것이다. 그러므로 역을 읽는 이는 이와 같이 깊이 완미하지 않으면 안 된다. 서로 붙듦과 서로 쏘지 않음, 서로 부딪침과 서로 어그러지지 않음은 모두 호언(互言)한 것으로, 하나를 말하면 나머지 뜻도 따라온다.

右 第六章

이상은 제 6장이다.

┃中國大全┃

小註

平庵項氏曰, 上章陳八卦, 辨其分治之跡, 此章擧八物, 明其氣化之神.

평암항씨가 말하였다: 윗 장에서는 팔괘를 펼쳐 그 나누어 다스리는 자취를 밝혔고, 이 장에서는 팔괘를 들어 그 기화(氣化)의 신묘함을 밝혔다.

○ 雲峰胡氏曰, 以上第三章第四章, 言先天, 第五章言後天. 此第六章, 則由後天而推先天者也. 去乾坤而專言六子, 以見神之所爲, 言神則乾坤在其中矣. 雷之所以動, 風之所以橈, 以至艮之所以終所以始, 皆神之所爲也. 然, 後天之所以變化者, 實由先天而來, 先天水火相逮, 以次陰陽之交合, 後天雷動風橈, 以次五行之變化, 惟其交合之妙, 如此然後, 變化之妙, 亦如此.

운봉호씨가 말하였다: 위의 제삼장, 제사장에서는 선천을 말하였고, 제오장에서는 후천을 말하였다. 여기 제육장은 후천으로부터 선천을 헤아린 것이다. 건괘·곤괘를 제외하고 여섯 자식만을 말하여 신(神)이 하는 바를 드러냄으로써, 신을 말하면 건괘·곤괘는 그 가운데 있는 것이다. 우레가 움직이는 것, 바람이 흔드는 것으로부터 간괘가 마치고 시작하는 것에 이르기 까지 모두 신이 하는 것이다. 그러나 후천이 변화하는 것은 실로 선천으로부터 온다. 선천에서 물과 불이 서로 붙듦은 음양이 사귀어 합하는 것으로 순서를 정한 것이고, 후천에서 우레가 움직이고 바람이 흔드는 것은 오행의 변화로 순서를 징한 것이다. 오직 그 사귀어 합하는 신묘함이 이와 같은 뒤라야 변화의 오묘함도 이와 같다.

‖韓國大全‖

송시열(宋時烈) 『역설(易說)』

上章不言神, 此章首曰神也者, 亦錯以間否.

윗장에서 신을 말하지 않고 이 장 머리에서 “신이란”이라고 말한 것은 사이에 끼어든 것 같다.

유정원(柳正源) 『역해참고(易解參攷)』

小註, 朱子說, 問前兩段.

소주에 나오는 주자의 말에서 앞의 두 단락을 물었다.

案, 一本此下有註曰, 第三章四章下有兩段.

내가 살펴보았다: 한 판본에는 이 아래에 주석이 있어서 “제 삼장과 제 사장 아래에 두 단락이 있다”라고 하였다.

案, 一本此下有註曰, 共第六章. 又曰, 此兩段.

내가 살펴보았다: 한 판본에는 이 아래에 주석이 있어서 “공히 제 육장이다”라고 하였고, 또 “이것이 두 단락이다”라고 하였다.

案, 一本此下有註曰, 第六章.

내가 살펴보았다: 한 판본에는 이 아래에 주석이 있어서 “제 육장이다”라고 하였다.

김상악(金相岳) 『산천역설(山天易說)』

此去乾坤而專言六子, 猶序卦之不言乾坤也. 惟其神之所爲, 乃乾坤之變化也, 故下段又言伏羲卦位. 蓋流行之用, 由於對待之體, 故曰然後能變化, 旣成萬物也.

이는 건곤을 놓아두고 오로지 여섯 괘만을 말했으니, 「서괘전」에서 건곤을 말하지 않은 것과 같다. 신이 하는 일은 건곤의 변화이기 때문에 아래 단락에서 또한 복희의 괘의 자리를 말하였다. 유행의 작용은 대대의 본체를 따르기 때문에 “뒤에야 변화하여 만물을 이룬다”고 하였다.

○ 說卦五段, 三爲對待, 二爲流行, 而二者之中, 又各有體用. 天地定位者, 對待之體也, 雷動風散者, 對待之用也. 出震齊巽者, 流行之體也, 動物撓物者, 流行之用也. 水火相逮, 則流行之用, 復爲對待之體也. 六子功成而乾坤无爲, 故下二段但言六子而乾坤之功自在其中, 所以能變化而成萬物也.

「설괘전」의 다섯 단락은 셋은 대대이고 둘은 유행인데, 두 가지 가운데 또한 각각 본체와 작용이 있다. 하늘과 땅이 자리를 정하는 것은 대대의 본체이고, 우레가 움직이고 바람이 흩어지는 것은 대대의 작용이다. 진괘에서 나오고 손괘에서 가지런한 것은 유행의 본체이고, 만물을 움직이고 만물을 어지럽히는 것은 유행의 작용이다. 물과 불이 서로 미치는 것은 유행의 작용이고, 다시 대대의 본체가 된다. 여섯 괘의 공이 이루어지고 건곤은 무위하기 때문에, 아래 두 단락에서 여섯 괘만을 말하더라도 건곤의 공은 저절로 그 가운데 있으니, 그래서 변화하여 만물을 이룬다.

서유신(徐有臣) 『역의의언(易義擬言)』

竊疑, 神字是古文而今殘缺矣, 孔子釋之如此也. 神卽是乾坤之造化, 而動橈燥說潤成之間无不在焉, 故曰神曰妙也. 動鼓動也, 橈振橈也. 艮獨稱卦名何也. 兼艮土艮方艮止而言也. 此一節, 上段以方位時候之序而言也, 下段以相資相濟而言也. 蓋謂動也橈也燥也說也潤也終始也, 雖各有時位功用, 而亦不能獨成, 必有以相濟也. 時位者, 後天也, 相資者, 先天也, 先後天相須之妙, 有如此也.

내가 살펴보았다: 신이라는 글자는 고문이지만 지금은 빠져있는데, 공자가 이와 같이 풀이한 것이다. 신은 건곤의 조화이며, 고동시키고 흔들고 조급하고 기뻐하고 적시고 이루는 사이에 있지 않음이 없기 때문에, 신이라고 하고 묘함이라고 하였다. ‘동(動)’은 고동시키는 것이고, ‘요(橈)’는 흔드는 것이다. 간괘에서 유독 괘의 이름을 칭한 것은 왜인가? 간토(艮土)・간방(艮方)・간지(艮止)를 겸하여 말했기 때문이다. 이 한 구절은 윗 단락은 방위와 절기의 순서로 말하였고, 아래 단락은 서로 돕고 서로 이루는 것으로 말하였다. 고동시키고 흔들고 조급하고 적시고 끝내고 시작한다고 말한 것은 비록 각각 때와 장소, 공용을 갖고 있지만, 또한 홀로 이루어질 수는 없고 반드시 서로 이루어 주어야 한다. 때와 자리는 후천이고 서로 돕는 것은 선천이니, 선후천이 서로 필요로 하는 오묘함이 이와 같다.

윤종섭(尹鍾燮) 『경(經)-역(易)』

三章乾坤定位, 主先天而言對待, 故首乾坤而終水火. 六章水火相建, 主後天而言變化, 故首水火而終山澤.

삼장의 건과 곤이 자리를 정한 것은 선천을 주로 하여 대대를 말했기 때문에 건곤을 머리로 하고 수화를 끝으로 하였다. 육장의 불과 불이 서로 세우는 것은 후천을 주로 하여 변화를 말했기 때문에 수화를 머리로 하고 산택을 끝으로 하였다.

심대윤(沈大允) 『주역상의점법(周易象義占法)』

此以功用而言, 故不及乾坤.

이는 공용으로 말했기 때문에 건곤을 언급하지 않았다.

오치기(吳致箕) 「주역경전증해(周易經傳增解)」

此章又以文王八卦之序, 擧六子流行之功用, 而竝言其德其象. 下節水火相逮以下, 言後天之用本自先天之體而變也. 神謂天地之變化而先言天地變化, 贊歎六子之功也. 妙者神之用也, 動者鼓也, 橈者散也, 疾者急速也. 燥熯皆謂乾, 音干也. 說者喜悅也. 盛者言成功之盛也. 逮謂相及而互濟也. 不悖者, 不逆也, 謂雖薄激而不相逆也. 坎離本自乾坤變, 故先言水火, 而水火相逮故爲震兌, 雷風不相悖故爲艮坤, 山澤通氣故爲乾巽. 此卽先天卦位變爲後天卦位者也. 陰變爲陽曰變, 而卽坤變爲坎, 離變爲震, 巽變爲艮, 兌變爲乾也. 陽變爲陰曰化, 而卽乾變爲離, 坎變爲兌, 震變爲坤, 艮變爲巽也. 旣者盡也. 成謂生成也. 餘詳見文王八卦方位圖解.

이 장은 또한 문왕 팔괘의 순서로 여섯 괘가 유행하는 공용을 들고, 아울러 그 덕과 상을 말하였다. 아래 구절의 "물과 불이 서로 붙들고" 이하는 후천의 작용이 본래 선천의 본체로부터 변화된 것을 말하였다. 신(神)은 천지의 변화를 말하는데, 먼저 천지의 변화를 말하고 여섯 괘의 공을 찬탄하였다. 묘(妙)는 신의 작용이고, 동(動)은 고무하는 것이고, 요(橈)는 흩는 것이고, 질(疾)은 급속한 것이고, 조(燥)와 한(熯)은 모두 마른 것[乾, 음은 '간']을 말한다. 열(說)은 희열이다. 성(盛)은 공을 이룬 성대함이다. 체(逮)는 서로 미쳐서 이루어주는 것이다. 불패(不悖)는 거스르지 않는 것이니, 비록 부딪치더라도 서로 거스르지 않는 것을 말한다. 감·리는 본래 건·곤으로부터 변했기 때문에 먼저 수·화를 말하였고, 수·화가 서로 이루어주기 때문에 진·태가 되고, 뇌·풍이 서로 어긋나지 않기 때문에 간·곤이 되고, 산·택이 기를 통하기 때문에 건·손이 된다. 이것이 선천의 괘의 자리가 변하여 후천의 괘의 자리가 된 것이다. 음이 변하여 양이 되는 것을 변(變)이라고 하는데, 곤이 변하여 감이 되고, 리가 변하여 진이 되고, 손이 변하여 간이 되고, 태가 변하여 건이 된다. 양이 변화여 음이 되는 것을 화(化)라고 하는데, 건이 변하여 리가 되고, 감이 변하여 태가 되고, 진이 변하여 곤이 되고, 간이 변하여 손이 된다. 기(旣)는 다한 것이다. 성(成)은 생성을 말한다. 나머지는 「문왕팔괘방위도해」에 보인다.

此言六子之功用, 而不言乾坤之用, 以見盈天地者, 无非乾坤之變化, 神妙萬物者也.

이는 여섯 괘의 공용을 말하고 건곤의 작용을 말하지 않아서, 천지에 가득 찬 것이 건곤의 변화가 만물을 신묘하게 하는 것이 아닌 게 없다는 것을 보여주었다.

이진상(李震相) 『역학관규(易學管窺)』

第六章, 以上章例推之, 潤萬物云, 當在說萬物之上. 上以動之幾言, 故先言雷風而後言水火, 下以妙用之大者言, 故先水火而後雷風, 皆反覆推明卦象之妙者也. 此一節, 統結上文兩節之意, 以起下章.

제 육장은 윗 장의 예로 미루어보면 "만물을 적시는 것"이 "만물을 기쁘게 하는 것" 위에 있어야 한다. 위에서는 움직임의 기미로 말했기 때문에 뇌·풍을 먼저 말하고 수·화를 뒤에 말하였고, 아래에서는 묘한 작용의 큰 것으로 말했기 때문에 수·화를 먼저 말하고 뇌·풍을 뒤에 말하였으니, 모두 괘상의 묘함을 반복해서 미루어 밝힌 것이다. 이 한 절은 위 문장 두 구절의 뜻을 통틀어 맺어서 아래 장을 일으켰다.

○ 又似是伏羲卦.

또한 복희의 괘와 같다.

三易孰不從伏羲三圖中出. 但此段先水火而後山澤, 尤可見. 坎離震巽之居正位, 而乾坤艮兌之處間方也, 恐仍前意.

세 역 가운데 어느 것인들 복희의 세 도(圖) 가운데서 나오지 않았겠는가? 다만 이 단락에서 수·화를 앞세우고 산·택을 뒤로 한 것을 더욱 알 수 있다. 감·리·진·손이 정위에 거처하고 건·곤·간·태가 사이 방위에 처하는 것은 아마도 이전의 뜻을 이었을 것이다.

○ 伏羲卦次四時失序.

복희의 괘의 차례에서 네 계절은 차례를 잃었다.

此段恐非定論. 乾以太陽而爲夏, 坤以太陰而爲冬, 離以少陽而爲春, 坎以少陰而爲秋. 兌生於太陽而居春夏之交, 艮生於太陰而居秋冬之交. 震爲陽生而居冬春之交, 巽爲陰生而居夏秋之交. 四時尤似得序. 若所謂後天卦位, 則兌本澤水而居秋, 艮是止物而居於陽生之地, 巽以順入而居於動出之地, 皆恐失當.

이 단락은 아마도 정론이 아닌 것 같다. 건괘는 태양으로서 여름이 되고, 곤괘는 태음으로서 겨울이 되고, 리괘는 소양으로서 봄이 되고, 감괘는 소음으로서 가을이 된다. 태괘는 태양에서 생겨나 봄과 여름의 사이에 거하고, 간괘는 태음에서 생겨나 가을과 겨울의 사이에 거한다. 진괘는 양이 낳아서 겨울과 봄의 사이에 거하고, 손괘는 음이 낳아서 여름과 가을의 사이에 거한다. 이렇게 보면 네 계절이 더욱 차례를 얻은 것 같다. 이른바 후천의 괘의 자리와 같은 경우는 태괘가 본래 택·수로서 가을에 거하고, 간괘는 사물을 저지하는데 양이 낳는 땅에 거하고, 손괘는 순조롭게 들어가는데 움직여 나오는 땅에 거하니, 모두 아마도 마땅함을 잃은 듯하다.

제7장第七章

乾健也, 坤順也, 震動也, 巽入也, 坎陷也, 離麗也, 艮止也,
兌說也.

건괘는 강건하고, 곤괘는 따르고, 진괘는 움직이고, 손괘는 들어가고, 감괘는 빠지고, 리괘는 걸리고,
간괘는 그치고, 태괘는 기뻐한다.

‖中國大全‖

本義

此言八卦之性情.

이는 팔괘의 성정(性情)을 말한 것이다.

小註

朱子曰, 八卦之性情, 謂之性者, 言其性如此. 又謂之情者, 言其發用處亦如此. 如乾之
健, 本性如此, 用時亦如此.

주자가 말하였다: ‘팔괘의 성정(性情)’에서 성이라고 말한 것은 그 본성이 이와 같음을 말한
다. 또 정이라고 말한 것은 그 발용한 곳이 또한 이와 같음을 말한다. 예컨대 건괘의 강건함
[健]은 본성이 이와 같고, 작용할 때에도 이와 같다.

○ 伏羲畫八卦, 只此數畫, 該盡萬物之理. 陽在下爲震, 震動也. 在上爲艮, 艮止也.
陽在下自動, 在上自止.

복희가 팔괘를 그은 것이 몇 개의 획일 뿐이지만 만물의 이치를 다하였다. 양이 아래에 있으

면 진괘(☳)가 되니, 진괘는 움직인다. 양이 위에 있으면 간괘(☶)가 되니, 간괘는 그친다. 양이 아래에 있으면 자연히 움직이고, 위에 있으면 자연히 멈춘다.

○ 節齋蔡氏曰, 乾純陽剛故健, 坤純陰柔故順. 震坎艮陽卦, 陽生乎二陰之下, 則剛而進故動. 在二陰之中, 則剛爲陰所溺故陷. 出二陰之上, 雖剛則亦无所往矣故止. 巽離兌陰卦, 陰成乎二陽之下, 以順而伏故入. 在二陽之中, 以順而附故麗. 在二陽之上, 以順而見故說.

절재채씨가 말하였다: 건괘는 순전히 굳센 양이므로 강건하고[健], 곤괘는 순전히 부드러운 음이므로 유순하다. 진괘·감괘·간괘는 양괘인데, 양이 두 음의 아래에서 생기면, 성질이 굳세어 나아가므로 움직인다. 두 음의 가운데 있으면 굳센 것이 음에 끌려들게 되므로 빠진다. 두 음의 위로 벗어나면 비록 굳세어도 더 갈 곳이 없으므로 그친다. 손괘·리괘·태괘는 음괘인데, 음이 두 양의 아래에서 이루어지면 유순하여 엎드리므로 들어간다. 두 양의 가운데 있으면 유순함으로 붙좇으므로 [양에] 걸린다. 두 양의 위에 있으면 유순함으로 나타나기 때문에 기쁘다.

○ 雲峰胡氏曰, 夫子欲於下文, 言八卦之象, 故先言其性情如此. 象者其似, 性情者其眞, 象傳於巽不言入而直言巽, 坎不言陷而言險, 離罕言麗而言明, 則又得其眞矣.

운봉호씨가 말하였다: 공자가 아래문장에서 팔괘의 상을 말하려고 먼저 그 성정이 이와 같음을 말하였다. 상이란 흡사한 것이고, 성정은 그 실제인 것이니, 「단전」에서 손괘에 대해 '들어간다'고 하지 않고 곧바로 손(巽)이라 하고, 감괘에 대해 '빠진다'고 하지 않고 험하다고 하며, 리괘에 대해 '걸린다'는 말은 드물게 하고 '밝다'고 말함은 또한 그 실제를 얻은 것이다.

右 第七章

이상은 제 7장이다.

‖ 中國大全 ‖

臨川吳氏曰, 此章以八字斷八卦之德, 其下乃以物以身以家, 依八德之類而分主之. 自此以下, 皆以陰陽純卦, 及初中終爲序, 又非上章先天後天之序也.

임천오씨가 말하였다: 이 장에서는 여덟 글자로 팔괘의 덕을 단정하고, 그 아래 장에서는 사물, 신체, 집으로써 여덟 덕의 종류에 의거하여 주관하는 것을 나누었다. 이 아래는 모두 음양이 순전한 괘 및 음양의 획이 처음에 있는 것, 중간에 있는 것, 끝에 있는 것으로 순서를 삼았으니, 또한 윗 장의 선천·후천의 순서가 아니다.

‖ 韓國大全 ‖

송시열(宋時烈) 『역설(易說)』

邵子曰, 乾奇也陽也, 天下之健也. 坤耦也陰也, 天下之順也, 所以順天也. 震起也, 一陽起動. 巽一陰入二陽之中, 坎一陽陷於二陰中. 離一陰麗於二陽中, 其卦錯然成文而華麗, 又爲附麗之麗. 艮一陽於是而止, 天下之止莫如山. 兌一陰出於外而說於物, 天下之說莫如澤.

소옹이 말하였다: 건괘는 기수이고 양이니, 천하의 강건함이다. 곤괘는 우수이고 음이니, 천하의 순함이기 때문에 하늘을 따른다. 진괘는 일어남이니 한 양이 일어나 움직인다. 손괘는 한 음이 두 양의 가운데 들어가고, 감괘는 한 양이 두 음의 가운데 빠진다. 리괘는 한 음이 두 양의 사이에 붙어 있어서 그 괘가 섞여 무늬를 이루어 화려하고 또한 붙는다는 뜻의 리(離)가 되기도 한다. 간괘는 한 양이 이에 머무는데, 천하에서 그치는 것 가운데 산만 한 것이 없다. 태괘는 한 음이 밖에 나아가 만물을 기뻐하는데, 천하의 기쁨 가운데 연못만 한 것이 없다.

○ 語類云, 曰動曰陷曰止, 皆健底意, 曰入曰麗曰說, 皆順底意思.

『주자어류』에서 말하였다: 움직이고 빠지고 그친다고 말한 것은 모두 강건하다는 뜻이고, 들어가고 붙고 기쁘다고 말한 것은 모두 순조롭다는 뜻이다.

유정원(柳正源) 『역해참고(易解參攷)』

雙湖胡氏曰, 自第七章至篇末, 皆言先天對待之易.

쌍호호씨가 말하였다: 제 칠장으로부터 편 끝까지는 모두 선천의 대대하는 역을 말하였다.

本義, 性情.

『본의』에서 말하였다: 성정.

案, 此不言卦德而曰性情, 如中庸章句所謂爲德, 猶言性情功效.

내가 살펴보았다: 여기에서 괘의 덕을 말하지 않고 성정을 말한 것은 『중용장구』에서 덕이 된다고 말한 것과 같으니, 성정의 공효라고 말한 것과 같다.

김상악(金相岳) 『산천역설(山天易說)』

此言八卦之性情, 乾純陽故健, 坤純陰故順. 一陽一陰之在下者爲動爲入, 在中者爲陷 爲麗, 在上者爲止爲說.

이는 팔괘의 성정을 말하였으니, 건괘는 순수한 양이기 때문에 강건하고 곤괘는 순수한 음이기 때문에 순하다. 한 양과 한 음이 아래에 있는 것이 움직임이 되고 들어감이 되고, 가운데 있는 것이 빠짐이 되고 붙음이 되며, 위에 있는 것이 그침이 되고 기쁨이 된다.

서유신(徐有臣) 『역의의언(易義擬言)』

純剛爲健也, 純柔爲順也. 陽在始則動也, 陰在內則入也. 陽在中則陷也, 陰在中則麗 也. 剛在終則止也, 柔在外則說也. 此以下皆以父母六子爲序.

순수한 굳셈은 강건함이 되고 순수한 부드러움은 순함이 된다. 양이 처음에 있으면 움직이고, 음이 안에 있으면 들어간다. 양이 가운데 있으면 빠지고, 음이 가운데 있으면 붙는다. 굳셈이 끝에 있으면 멈추고, 부드러움이 밖에 있으면 기쁘다. 이 이하는 모두 부모와 여섯 자녀를 차례로 삼는다.

오치기(吳致箕) 「주역경전증해(周易經傳增解)」

乾純剛故曰健, 坤純柔故曰順. 震坎艮乃陽卦, 故皆從健, 巽離兌乃陰卦, 故皆從順. 而 健則能動, 故震一陽生于二陰之下曰動. 順則能入, 故巽一陰伏於二陽之下曰入. 健遇 上下皆順則必溺, 故坎一陽溺於二陰之中曰陷. 順遇上下皆健則必附, 故離一陰附於 二陽之間曰麗. 健極于上, 則无所往, 故艮一陽終于上曰止, 順達于外, 則情有所發, 故 兌一陰見於上曰說.

건괘는 순수한 굳셈이기 때문에 강건하다고 말했고, 곤괘는 순수한 부드러움이기 때문에 순하다고 말했다. 진괘·감괘·간괘는 양의 괘이기 때문에 모두 강건함을 따르고, 손괘·리괘·태괘는 음의 괘이기 때문에 모두 순함을 따른다. 강건하면 움직일 수 있기 때문에 진괘의 한 양이 두 음이 아래에서 생겨나는 것을 움직임이라고 한다. 순하면 들어갈 수 있기 때문에 손괘의 한 음이 두 양의 아래에 엎드리는 것을 들어감이라고 한다. 강건함이 만나는 위 아래가 모두 순하면 반드시 빠지기 때문에 감괘의 한 양이 두 음의 가운데 빠지는 것을 빠짐이라고 한다. 순함이 만나는 위 아래가 모두 강건하면 반드시 붙기 때문에 리괘의 한 음이 두 양의 사이에 붙는 것을 붙음이라고 한다. 강건함이 위에 지극하면 갈 데가 없기 때문에 간괘의 한 양이 위에서 마치는 것을 그침이라고 한다. 순함이 밖에 도달하면 감정이 발로되기 때문에 태괘의 한 음이 위에 드러나는 것을 기쁨이라고 한다.

右第七章, 言八卦之性情, 而此以下首乾坤次六卦, 皆以文王卦位, 有乾父坤母長中少男女之次序也.
이상의 제 7장은 팔괘의 성정을 말하였고, 이 이하는 머리의 건곤과 다음의 육괘가 모두 문왕의 괘의 자리로, 건괘인 아버지, 곤괘인 어머니, 맏아들, 둘째 아들, 막내 아들, 맏딸, 둘째 딸, 막내 딸의 순서이다.

이진상(李震相) 『역학관규(易學管窺)』

此以下并以先天卦位, 究說八卦之用, 而六子循序不亂. 何嘗有震與兌對, 乾坤退處, 與巽艮作對之意乎.
이 이하는 선천의 괘의 자리로 팔괘의 작용을 궁구하여 설명하여 여섯 괘의 순서가 어지럽지 않다. 어찌 진괘와 태괘가 짝하고, 건괘와 곤괘가 물러가 처하여 손괘·간괘와 짝이 되는 뜻이 있겠는가?

○ 巽爲股.
손괘가 다리가 된다.
以對待, 則巽當爲手, 艮當爲鼻, 而此則雜取之. 大抵取象不一, 不可泥也.
대대로 하면 손괘는 마땅히 손이 되어야 하고, 간괘는 마땅히 코가 되어야 하는데, 여기에서는 섞어서 취하였다. 대체로 상을 취하는 것은 한결같지 않으니, 하나에 사로잡혀서는 안 된다.

제8장第八章

乾爲馬, 坤爲牛, 震爲龍, 巽爲雞, 坎爲豕, 離爲雉, 艮爲狗,
兌爲羊.

건괘는 말이 되고, 곤괘는 소가 되고, 진괘는 용이 되고, 손괘는 닭이 되고, 감괘는 돼지가 되고,
리괘는 꿩이 되고, 간괘는 개가 되고, 태괘는 양이 된다.

║中國大全║

本義

遠取諸物, 如此.
멀리 동물에서 취한 것이 이와 같다.

小註

或問, 易之象. 朱子曰, 便是理會不得, 如乾爲馬而乾之象, 卻專說龍, 如此之類, 皆不通.
어떤 이가 물었다: 역의 상은 무엇입니까?
주자가 답하였다: 알기 어렵습니다. 예컨대 건괘(乾卦)가 말인 것이 건괘의 상인데, 도리어
전적으로 용으로 말하니, 이러한 종류는 다 통하지 않습니다.

○ 易中占辭, 其取象, 亦有來歷, 不是假說譬喩. 但今以說卦求之, 多所不通, 故不得
已而闕之, 或且從先儒之說耳.
역 가운데 점사는 그 상을 취함이 또한 내력이 있어서 가설과 비유가 아니다. 다만 이제
「설괘전」의 내용으로 구하면 통하지 않는 것이 많다. 그래서 부득이 빼놓기도 하고 앞선
학자의 설을 따르기도 한다.

○ 徐彦章說, 本義只說得箇占, 其說不然. 說象牽合不得. 如坤爲牛, 遍求諸卦, 必要尋箇牛, 或以一體取, 或以一爻取. 如坤牛不可見, 便於離一畫是牛, 頤之龜又虎視, 更說不得. 又曰, 易象也須有此理, 但恁地零零碎碎去, 牽合附會得來, 不濟事. 須是見他一箇大原, 許多名物件數皆貫通, 在裏面, 方是.

서언장이 말하였다: 『본의』에서는 점만 말하였는데, 그럴 것 같지는 않다. 상을 말할 때 억지로 끌어 맞춰서는 안 된다. 가령 곤괘가 소가 됨을 여러 괘에서 두루 구하여 반드시 소를 찾고자 하니, 괘의 몸체를 취하기도 하고, 효를 취하기도 한다. 곤괘의 소가 보이지 않으면 문득 리괘(離卦)의 한 획이 소라고 하고, 이괘(頤卦)에서 거북을 말하고 또 호랑이를 말한 것은 더욱 말이 되지 않는다.

또 말하였다: 역의 상에는 반드시 그 이치가 있으니, 이런 식으로 자질구레하게 견강부회하면 일을 해결할 수 없다. 반드시 거기에 큰 원칙이 있고, 여러 가지 사물과 수가 그 안에 관통되어 있음을 보아야 옳을 것이다.

○ 臨川吳氏曰, 健而行不息者馬也, 順而勝重載者牛也. 以動奮之身而静息於地勢重陰之下, 與地雷同其寂者, 龍也. 龍之潛於淵底者, 重陰之處也. 以入伏之身而出聲於天氣重陽之內, 與地風同其感者, 鷄也. 鷄之鳴於丑半者, 重陽之時也. 或曰, 鷄之行, 首動於前, 足動於中, 身不動而隨其後, 能動之二陽在前在中, 不動之一陰在後也. 前後皆陰之汚濁, 而中心剛躁者豕也. 前後皆陽之文明, 而中心柔怯者, 雉也. 外剛能止物, 而中內柔媚者, 狗也. 外柔能說草而中內剛狠者羊也. 此以動類之八物, 擬八卦也.

임천오씨가 말하였다: 꿋꿋이 행하여 쉬지 않는 것은 말이고, 유순하게 무거운 짐을 감당하는 것은 소이다. 떨쳐 움직이는 몸으로 땅의 형세가 중첩된 음의 아래에서 고요히 쉬면서 땅 속 우레와 더불어 그 고요함을 같이 하는 것은 용이다. 용이 못 아래 잠겨 있는 것은 음이 중첩된 곳이다. 들어가 엎드리는 몸으로 천기가 중첩된 양의 속에서 소리를 내어 지상의 바람과 더불어 느끼기를 같이 하는 것은 닭이다. 닭이 축시 반에 우는 것은 양이 거듭된 때이다. 어떤 이는 이렇게 말한다. 닭이 행함에 머리는 앞에서 움직이고 발은 가운데서 움직이며, 몸은 움직이지 않고 그 뒤를 따르니, 움직이는 두 양은 앞에 있고 가운데 있으며, 움직이지 않는 한 음이 뒤에 있다. 앞뒤는 모두 음으로 혼탁하고, 가운데가 굳세고 조급한 것은 돼지이다. 앞뒤가 모두 양으로 문명하며 가운데가 유약하여 겁내는 것은 꿩이다. 밖은 굳세어 사물을 멈추게 할 수 있으나 가운데 속은 유약하여 아첨하는 것은 개다. 밖이 부드러워 기쁘게 할 수 있는 것은 풀이고, 가운데 속이 굳세어 고집스러운 것은 양이다. 이는 움직이는 종류 가운데 여덟 동물로써 팔괘에 견준 것이다.

○ 平庵項氏曰, 造化權輿云, 馬乾象故蹄圓, 牛坤象故蹄拼.

평암항씨가 말하였다: 위의 경문은 조화가 시작됨을 말한 것이다. 말은 건괘의 상이므로 통굽이고, 소는 곤괘의 상이므로 굽이 두 개가 붙어 있다.

○ 括蒼龔氏曰, 鷄羽屬也而能飛, 其性則爲入爲伏. 知時而善應, 故巽爲鷄.
괄창공씨가 말하였다: 닭은 날개 달린 종류이니 날 수 있는데, 그 성질은 들어감이고 엎드림이다. 때를 알아 잘 감응하므로 손괘가 닭이 된다.

○ 南軒張氏曰, 豕主汚濕, 其性趨下, 故坎爲豕. 雉性耿介而外文明, 故離爲雉. 艮爲狗, 言其止於人而能止人也.
남헌장씨가 말하였다: 돼지는 주로 더럽고 습하니, 그 성질이 아래로 쫓아가므로 감괘가 돼지가 된다. 꿩의 성질은 밝고 지조가 있으며 밖으로 문채가 나므로, 리괘가 꿩이 된다. 간괘는 개가 되는데, 사람에게 머물러 있으면서도 사람을 그치게 할 수도 있음을 말한다.

○ 雲峰胡氏曰, 周公以乾爲龍, 而夫子以爲馬, 文王以坤爲牝馬, 而夫子以爲牛, 以見象之不必泥也如此. 學易者, 必以坤爲牛, 或以一體取, 或以一爻取, 或以互變體爻取, 至不可取則又取, 離之牝牛, 其鑿甚矣. 要之, 天地間萬物, 无非易也, 又豈特此八物哉. 觸類而長之, 可也.
운봉호씨가 말하였다: 주공은 건괘를 용이라 하였는데 공자는 말이라 하였고, 문왕은 곤괘를 암말이라 하였는데, 공자는 소라고 하였으니, 상은 이처럼 반드시 천착할 필요가 없음을 보인 것이다. 역을 공부하는 이들이 곤괘는 반드시 소라고 여겨, 괘의 몸체로 취하기도 하고, 한 효로써 취하기도 하고, 호체, 변효로써 취하기도 하여, 취할 수 없는 데 이르러서도 또 취하니, 리괘를 암소라 한 것은 너무 심하게 천착한 것이다. 요컨대 천지 사이의 만물이 역이 아님이 없는데, 또 어찌 이 여덟 동물만 그렇겠는가! 종류에 따라 확장함이 옳을 것이다.

右 第八章
이상은 제 8장이다.

┃中國大全┃

小註

雙湖胡氏曰, 夫子於八卦取象, 有括文王周公象爻之例者, 有自括大象之例者, 又有於說卦別取者. 如上章天地山澤雷風水火, 是括大象之例, 如此章乾馬兌羊巽雞離雉是 括周公爻例, 周公於大畜乾爻稱馬, 大壯以兌稱羊, 中孚巽爻稱雞, 睽互坎卦稱豕. 至 若坤牛震龍艮狗, 實夫子於說卦又有所取, 而前聖未有其例者也. 下章皆然. 數聖人取 象, 本各不同, 如必欲執象爻之象, 盡求合於說卦, 則多不通矣.

쌍호호씨가 말하였다: 공자가 팔괘에 대해 상을 취할 때, 문왕·주공의 단사와 효사에서 사례를 모은 것도 있고, 「대상전」의 사례를 모은 데서 온 것도 있으며, 또 「설괘전」에서 별도로 취한 것도 있다. 윗 장에 언급한 하늘·땅, 산·못, 우레·바람, 물·불의 경우는 「대상전」의 사례를 모은 것이고, 이 장에서 말한 건괘의 말, 태괘의 양, 손괘의 닭, 리괘의 꿩의 경우는 주공 효사의 사례를 모은 것이니, 주공은 대축괘(大畜卦)에서 건괘의 효를 말이라 하였고, 대장괘에서는 태괘(兌卦)를 양이라 하였으며, 중부괘(中孚卦)에서 손괘의 효를 닭이라 하였고, 규괘에서는 호괘인 감괘를 돼지라고 하였다. 곤괘의 소, 진괘의 용, 간괘의 개 등은 실로 공자가 「설괘전」에서 다시 취한 것이 있으니 앞의 성인에게서는 그러한 사례가 있지 않았다. 아랫 장이 모두 그러하다. 여러 성인이 상을 취함이 본래 각기 같지 않으니, 만약 반드시 단사·효사의 상에 집착하여 「설괘전」에 합하기를 끝까지 구하려 한다면 통하지 않음이 많을 것이다.

‖韓國大全‖

송시열(宋時烈) 『역설(易說)』

說卦取象.

「설괘전」에서 상을 취한 것에 대하여.

秦燔後, 失說卦三篇, 河內女子得之.

진나라의 분서갱유 이후 「설괘전」 삼편을 잃었는데, 하내(河內)의 여자가 그것을 얻었다.

遠取諸物如此.

멀리 동물에서 취한 것이 이와 같다.

此以上遠取諸物.

이 이상은 멀리 동물에서 취하였다.

유정원(柳正源) 『역해참고(易解參攷)』

鄭氏正夫曰, 馬火畜也, 而乾之時在夏. 牛土畜也, 而坤以土爲質.

정정부가 말하였다: 말은 화(火)에 속하는 가축이고, 건괘의 때는 여름에 있다. 소는 토(土)에 해당하는 가축이고, 곤괘는 토를 바탕으로 삼는다.

김상악(金相岳) 『산천역설(山天易說)』

健而致遠者馬也, 順而任重者牛也. 蟄而能動者龍也, 飛而善入者鷄也. 汙濕而中剛者豕也, 文明而內柔者雉也. 黔喙之屬而止人者狗也, 角峙之類而說群者羊也. 此遠取諸物如此.

강건하여 멀리 가는 것은 말이고, 순하여 무거운 짐을 지는 것은 소이다. 웅크려 있으면서도 움직일 수 있는 것은 용이고, 날면서도 잘 들어가는 것은 닭이다. 더럽고 습한 데 있지만 중심이 굳센 것은 돼지이고, 빛나고 밝으면서도 안이 부드러운 것은 꿩이다. 검은 주둥이를 가지고 있는 종속이면서 사람을 멈출 수 있는 것은 개이고, 뿔이 나 있으면서도 무리 짓기를 좋아하는 것은 양이다. 이는 멀리 물건에서 취한 것이 이와 같다.

서유신(徐有臣) 『역의의언(易義擬言)』

馬行健, 牛載重, 龍起雷, 鷄知風, 豕瀆汙, 雉文明, 狗守門戶, 羊牧草澤也. 凡此皆可豢養者, 蓋先從遠之近者而取之, 使人易曉耳. 其遠之遠者, 觸類而長之也. 龍爲神物而尙居此列, 古者有豢龍氏, 龍之性亦易馴也.

말은 굳건하게 가고 소는 무거운 것을 싣고 용은 우레를 일으키고 닭은 바람을 알고 돼지는 더럽고 꿩은 밝게 빛나고 개는 문을 지키고 양은 풀밭에서 기른다. 이들은 모두 풀로 기를 수 있는 것들이니, 먼저 먼 것으로부터 가까운 것으로 취하여 사람들이 쉽게 알도록 하였다. 아주 먼 것은 종류를 비교해 헤아려서 알 수 있다. 용은 신비한 동물인데도 오히려 이 열에 포함된 것은 옛날에 환룡씨가 있는 데서도 알 수 있듯이 용의 성질이 길들이기 쉽기 때문이다.

심대윤(沈大允) 『주역상의점법(周易象義占法)』

乾爲馬而用實在坎, 坤爲牛而用實在離. 以乾坤不任事, 而坎离得乾坤之中爻也.

건괘는 말이 되는데 그 작용은 실제로 감괘에 있고, 곤괘는 소가 되는데 그 작용을 실제로 리괘에 있다. 건곤은 일을 맡지 않고 감리가 건곤의 중효를 얻었기 때문이다.

오치기(吳致箕) 「주역경전증해(周易經傳增解)」

馬性健, 其蹄圓, 乾之象, 牛性順, 其蹄拆, 坤之象. 龍蟄物遇陽則奮, 震陽動於重陰之下者也. 鷄羽物柔能入伏, 巽陰伏於重陽之下者也. 豕性內剛躁而外汙濁, 坎之外陰柔而內陽剛也. 雉羽文明而性耿介, 離之外陽明而中虛也. 狗外剛而止盜, 內媚而附人, 艮之象. 羊外柔悅而內剛躁, 兌之象.

말의 성질은 강건하고 굽은 둥그니 건괘의 상이고, 소의 성질은 유순하고 그 굽은 갈라져 있으니, 곤괘의 상이다. 용은 웅크려 있는 동물로 양을 만나면 떨쳐 일어나니, 진괘의 양이 여러 음의 아래에서 움직이는 자이다. 닭은 날개가 있는 동물로 부드러워 들어가 엎드릴 수 있으니, 손괘의 음이 여러 양의 아래에 엎드린 자이다. 돼지는 속이 굳세고 조급하며 밖이 더러우니, 감괘의 밖이 음으로 부드럽고 안으로는 양으로 굳센 것이다. 꿩은 날개가 빛나고 성질이 깐깐하니, 리괘의 밖은 양으로 밝고 가운데는 빈 것이다. 개는 밖은 굳세어 도둑을 지키고 안은 아첨하여 사람에게 붙으니 간괘의 상이고, 양은 밖은 부드럽고 기뻐하며 안은 굳세고 조급하니, 태괘의 상이다.

右第八章, 言遠取諸物之象.

이상의 제 8장은 멀리 동물에서 취한 상을 말하였다.

○ 按, 此皆大綱言象者, 而求之易中, 亦未盡合. 乾卦言龍不言馬, 震體言馬不言龍. 坤言牝馬而不言牛, 離言牝牛而不及於雉. 諸爻惟言雉鷄豕羊而獨無言狗, 乾象言馬, 或取本體, 而坤象言牛, 無一本體. 蓋易象不可以一例求合, 乾之健, 有或龍或馬之象, 而震屬于乾健, 故亦可以言龍言馬也. 坤之順, 有或牛或牝馬之象, 而離屬于坤順, 故亦可以言牝牛也. 以此推之, 無象不然. 而其所以取象者, 或以形容而言, 或以性情而言, 或以事實而言, 不一其端, 各有所取也.

내가 살펴보았다: 이는 모두 대체로 상을 말한 것으로 역 가운데서 구하더라도 다 합치하지는 않는다. 건괘에서는 용을 말하고 말을 말하지 않았고, 진괘의 몸체에서는 말을 말하고 용을 말하지 않았다. 곤괘에서는 암말을 말하고 소를 말하지 않았고, 리괘에서는 암소를 말하고 꿩에 대해서는 언급하지 않았다. 역의 상은 한 가지 예로 합치되기를 구해서는 안 되니, 건괘의 강건함에는 혹은 용이 상이 있고 혹은 말의 상이 있으며, 진괘는 건괘의 강건함에 속하기 때문에 용을 말할 수 있고 말을 말할 수 있다. 곤괘의 순함은 혹은 소의 상이 있고 혹은 암말의상이 있으며, 리괘는 곤괘의 순함에 속하기 때문에 암말을 말할 수 있다. 이로써 미루어 보면 그렇지 않은 상이 없다. 상을 취하는 방법은 혹은 형용으로 말하고 혹은 성정으로 말하며, 혹은 사실로 말하여 그 단서를 하나로 할 수 없으니, 각각 취한 바가 있다.

제9장第九章

乾爲首, 坤爲腹, 震爲足, 巽爲股, 坎爲耳, 離爲目, 艮爲手,
兌爲口.

건괘는 머리가 되고, 곤괘는 배가 되고, 진괘는 발이 되고, 손괘는 다리가 되고, 감괘는 귀가 되고,
리괘는 눈이 되고, 간괘는 손이 되고, 태괘는 입이 된다.

|中國大全|

本義

近取諸身, 如此.

가까이 몸에서 취한 것이 이와 같다.

小註

或問, 艮何以爲手. 朱子曰, 手去捉定那物, 便是艮. 又問, 捉物乃手之用, 不見取象正
意. 曰, 也只是大槪略恁地.

어떤 이가 물었다: 간(艮☶)이 어째서 손입니까?

주자가 답하였다: 손으로 저런 사물들을 잡아 고정시키는 것이 바로 간(艮☶)입니다.

또 물었다: 사물을 잡는 것이야말로 손의 쓰임이라는 것이 상을 취하는 바른 의미인지 모르
겠습니다.

답하였다. 대략 그렇다는 것일 뿐입니다.

○ 建安丘氏曰, 首會諸陽, 尊而在上. 腹藏諸陰, 大而容物. 足在下而動, 股兩垂而下.
耳輪內陷, 陽在內而聰. 目睛附外, 陽在外而明. 手剛在前, 口開于上. 又曰, 震陽動于

下爲足, 艮陽止于上爲手, 手上而足下也. 巽陰兩開于下爲股, 兌陰兩拆于上爲口, 口上而股下也.

건안구씨가 말하였다: 머리는 여러 양을 모았으니, 높아서 위에 있다. 배는 여러 음을 감추었으니 커서 사물을 받아들인다. 발은 아래에서 움직이고, 다리는 양쪽으로 드리워서 아래로 내려온다. 귀는 바퀴의 안이 쑥 들어갔으니 양이 안에 있어 총명하다. 눈은 눈동자가 밖에 의지하고 있으니, 양이 밖에 있어 밝다. 손은 앞에 있고, 입은 위에서 열려 있다. 또 말하였다: 진은 양이 아래에서 움직여 발이고, 간은 양이 위에서 멈추어 손이니, 손은 위에 있고 발은 아래에 있다. 손은 음이 아래에서 양쪽으로 열려 다리이고, 태는 음이 위에서 양쪽으로 갈라져 입이니, 입은 위에 있고 다리는 아래에 있다.

○ 平庵項氏曰, 足動股隨, 雷風相與也. 耳目通竅, 水火相逮也. 口與鼻通, 山澤通氣也.

평암항씨가 말하였다: 발이 움직이면 다리가 따라가니, 우레와 바람이 함께 하는 것이다. 귀와 눈은 개통되어 있으니, 수와 불은 서로 미친다. 입은 귀와 통하고, 산과 못은 기운이 통한다.

○ 漢上朱氏曰, 人之經脈, 十有二, 其六動於足, 其六動於手. 動於足者, 震之陽自下而升, 動於手者, 艮之陽自上而止. 震艮相反, 疾走者, 掉臂, 束手者, 緩行. 坎爲耳, 陽陷乎陰也. 輪偶者, 陰也, 竅奇者, 坎中之陽也. 精脫腎水竭則槁.

離爲目, 陰麗乎陽也. 陽中有陰, 故肉白, 陰中有陽, 故精黑. 精竭者, 目盲, 離火无所麗也. 離爲目, 寐者, 神栖於心, 其日戻乎. 寤者, 神見於目, 其日出乎. 故寐者, 形閉, 坤之闔也. 寤者, 形開, 乾之闢也. 一闔一闢, 目瞑耳聽, 唯善用者, 能達耳目於外, 唯善養者, 能反耳目於內也.

한상주씨가 말하였다: 사람의 경맥은 열두 개로 그 여섯은 발에서 움직이고, 그 여섯은 손에서 움직인다. 발에서 움직이는 것은 진(震☳)의 양이 아래에서 올라가는 것이고, 손에서 움직이는 것은 간(艮☶)의 양이 위에서 멈춘 것이다. 진(震☳)과 간(艮☶)은 상반되니, 빠르게 달릴 경우에는 팔을 흔들고, 손을 묶어놓은 경우에는 천천히 걷는다. 감(坎☵)은 귀로 양이 음에 빠진 것이다. 바퀴가 두 개인 것은 음이고, 구멍이 하나인 것은 감(坎☵) 가운데의 양이다. 정기가 빠져나가 신장의 물이 다하면 마른다. 리(離☲)는 눈으로 음이 양에서 빛나는 것이다. 양 가운데 음이 있기 때문에 살은 희고, 음 가운데 양이 있기 때문에 정기는 검다. 눈이 머는 것은 리(離☲)라는 불이 빛나지 않는 것이다. 리(離☲)는 눈으로 잠잘 때는 정신[神]이 마음에 깃들어 해가 기울고, 깨어있을 때는 정신이 눈에 드러나 해가 나온다. 그러므로 잠잘 때는 몸이 닫히니, 곤(坤☷)의 닫힘이고, 깨어있을 때는 몸이 열리니, 건(乾☰)의 열림이다. 한 번 닫히고 한 번 열리며 눈을 감고 귀로 들으니, 잘 사용하는 자만이 밖으로 이목을 통달할 수 있고, 잘 기르는 자만이 안으로 이목을 되돌릴 수 있다.

○ 雲峰胡氏曰, 八卦近取諸身如此. 要之一身之中, 无非易也, 又豈特此八者爲然哉.

운봉호씨가 말하였다: 팔괘를 몸에서 취한 것이 이와 같다. 요컨대 일신 가운데 역이 아닌 것이 없으니, 또 어찌 이 여덟 가지만 그렇겠는가?

○ 息齋余氏曰, 八卦之象, 近取諸身者, 六子以反對. 遠取諸物者, 六子以序對, 四者易, 而坎離不易也, 首以君之, 腹以藏之. 足履於下爲動, 手持於上爲止, 股下岐而伏, 口上竅而見, 耳外虛, 目內虛, 各以反對也. 其在物, 乾坤與二少, 皆取走, 二長二中, 一走一飛, 龍者走之飛, 鷄者飛之走, 各以序對也.

식재여씨가 말하였다: 팔괘의 상을 가까이 자신에게서 취할 경우는 여섯 자식이 반대로 짝한다. 멀리 사물에서 취할 경우는 여섯 자식이 순서대로 짝하는데, 네 경우는 평이하고, 감(坎☵)과 리(離☲)는 평이하지 않다. 머리는 임금노릇하고 배는 저장한다. 발은 아래에서 밟으며 움직이고, 손은 위에서 잡으며 멈추며, 다리는 아래로 갈라져서 숨고, 입은 위로 구멍이 있어 드러나며, 귀는 바깥이 비어 있고, 눈은 안이 비어 있으니, 각기 반대로 짝했다. 사물에서 건(乾☰)·곤(坤☷)과 막내 아들[艮☶]·막내 딸[兌☱]은 모두 뛰어다니는 것에서 취했고, 맏아들[震☳]·맏딸[巽☴]·둘째 아들[坎☵]·둘째 딸[離☲]은 한 편으로는 뛰어다니고 한 편으로는 날아다니는 것이며,[22] 용은 뛰어가면서 날고, 닭은 날아가면서 뛰니, 각기 순서대로 짝한다.

右 第九章

이상은 제9장이다.

┃中國大全┃

小註

雙湖胡氏曰, 夫子於此章取象, 坤爲腹, 與明夷六四同, 巽爲股, 與咸九三互體同, 兌爲口, 與咸上六, 輔頰舌同. 外餘皆自取.

쌍호호씨가 말하였다: 공자는 여기서 상을 취해 곤(坤☷)을 배로 여긴 것은 명이괘(明夷卦

---

22) 『周易·說卦傳』: 건(乾☰)은 말, 곤(坤☷)은 소, 진(震☳)은 용, 손(巽☴)은 닭, 감(坎☵)은 돼지, 리(離☲)는 꿩, 간(艮☶)은 개, 태(兌☱)는 양이다.[乾爲馬, 坤爲牛, 震爲龍, 巽爲鷄, 坎爲豕, 離爲雉, 艮爲狗, 兌爲羊.]

䷣) 육사와 같고,[23] 손(巽☴)을 다리로 여긴 것은 함괘(咸卦䷞) 구삼의 호체와 같고,[24] 태(兌☱)를 입으로 여긴 것은 함괘 상육의 광대뼈와 뺨과 혀와 같다.[25] 그 밖의 나머지는 모두 스스로 취하였다.

‖韓國大全‖

조호익(曺好益) 『역상설(易象說)』

坎爲耳, 離爲目.

감괘는 귀가 되고, 리괘는 눈이 된다.

註朱氏說, 一闔一闢, 目瞑耳聽, 未詳. 疑一闔一闢之間, 目雖瞑而耳則聽也.

주석에서 한상주씨가 "한 번 닫히고 한 번 열리며 눈을 감고 귀로 들으니"라고 한 것은 상세하지 않다. 아마도 한 번 닫히고 한 번 열리는 사이에 눈은 비록 감더라도 귀는 듣는다는 뜻인 것 같다.

송시열(宋時烈) 『역설(易說)』

此以上近取諸身.

이 이상은 가까이 몸에서 취하였다.

유정원(柳正源) 『역해참고(易解參攷)』

節齋蔡氏曰, 首實而居上, 腹虛而容物, 股居下而善隨.

절재채씨가 말하였다: 머리는 차서 위에 거하고 배는 비어서 음식물을 용납하고, 다리는 아래에 거하여 잘 따른다.

---

23) 『周易・明夷卦』: 六四, 入于左腹, 獲明夷之心, 于出門庭.
24) 『周易・咸卦』: 九三, 咸其股, 執其隨, 往, 吝.
25) 『周易・咸卦』: 上六, 咸其輔頰舌.

김상악(金相岳) 『산천역설(山天易說)』

首者, 乾以君之也, 腹者坤以藏之也. 足者, 震動而起也, 股者, 巽入而隨也. 耳者, 坎之內聰也, 目者, 離之外明也. 手者, 艮陽之止物也, 口者, 兌陰之說味也. 此近取諸身如此.

머리는 건괘로 임금노릇을 하는 것이고, 배는 곤괘로 감추는 것이다. 발은 진괘가 움직여 일어나는 것이다. 다리는 손괘가 들어가 따르는 것이다. 귀는 감괘가 안으로 총명한 것이고, 눈은 리괘가 밖으로 밝은 것이다. 손은 간괘의 양이 상대를 저지하는 것이고, 입은 태괘의 음이 맛을 기뻐하는 것이다. 이는 가까이 몸에서 취한 것이 이와 같은 것이다.

서유신(徐有臣) 『역의의언(易義擬言)』

首圓而衆陽之所會, 腹方而衆陰之所藏. 動於下者爲足, 捍於上者爲手. 歧於下者爲股, 開於上者爲口. 耳取坎之通, 目取離之明.

머리는 둥글고 뭇 양들이 모이는 곳이며, 배는 네모지고 뭇 음들이 저장되는 곳이다. 아래에서 움직이는 것은 발이고, 위에서 막는 것이 손이다. 아래에서 갈라진 것이 다리이고, 위에서 열린 것이 입이다. 귀는 감괘의 통함을 취하였고, 눈은 리괘의 밝음을 취하였다.

오치기(吳致箕) 「주역경전증해(周易經傳增解)」

首屬陽, 而尊在于上, 乾之象. 腹屬陰, 而納物有容, 坤之象. 足在下而行動, 故震也, 股在下而兩歧, 故巽也. 耳之聽收在於外陰, 聰悟在於內陽, 故取乎坎. 目之視照屬於內陰, 光明屬於外陽, 故取乎離. 手動于上而能執能止, 口拆於上而能言能食. 此手與口之取象於艮兌也.

머리는 양에 속하고 위에서 높으니 건괘의 상이다. 배는 음에 속하고 음식물을 넉넉히 받아들이니 곤괘의 상이다. 발은 아래에 있고 움직이기 때문에 진괘이고, 다리는 아래에 있고 둘로 갈라졌기 때문에 손괘이다. 귀는 밖의 음에서 들어 받아들이고 안의 양에서 깨닫기 때문에 감괘에서 취하였다. 눈이 보고 비추는 것은 안의 음에 속하고, 광명은 밖의 양에 속하기 때문에 리괘에서 취하였다. 손은 위에서 움직이고, 잡을 수도 있고 그칠 수도 있으며, 입은 위에서 갈라지고 말할 수도 있고 먹을 수도 있다. 이것이 손과 입이 간괘와 태괘에서 상을 취한 까닭이다.

右第九章, 言近取諸身之象.
이상의 제 9장은 가까이 몸에서 취한 상을 말하였다.

○ 按, 此又其大要也. 離雖言目, 而亦可以言心, 坎雖言耳而亦可以言臀. 艮雖言手, 而亦可以言背言身. 兌雖言口, 而亦可以言輔言頰. 似此之類, 不可盡記也.

내가 살펴보았다: 이 또한 큰 요체이다. 리괘에 대해서는 비록 눈을 말했지만 또한 마음을 말할 수도 있고, 감괘에 대해서는 비록 귀를 말했지만 또한 엉덩이를 말할 수도 있다. 간괘에 대해서는 비록 손을 말했지만 또한 등을 말할 수도 있고 몸을 말할 수도 있다. 태괘에 대해서는 비록 입을 말했지만 또한 턱을 말할 수도 있고 뺨을 말할 수도 있다. 이와 같은 종류는 다 기록할 수 없다.

제10장第十章

乾天也, 故稱乎父, 坤地也, 故稱乎母. 震一索而得男, 故謂
之長男, 巽一索而得女, 故謂之長女. 坎再索而得男, 故謂之
中男. 離再索而得女, 故謂之中女. 艮三索而得男, 故謂之少
男. 兌三索而得女, 故謂之少女.

건은 하늘이므로 아버지라고 하였고, 곤은 땅이므로 어머니라고 하였다. 진은 첫 번째로 찾아서
남자아이를 얻었으므로 맏아들이라고 하였고, 손은 첫 번째로 찾아서 여자아이를 얻었으므로 맏딸
이라고 하였다. 감은 두 번째로 찾아서 남자아이를 얻었으므로 둘째아들이라고 하였고, 리는 두
번째로 찾아서 여자아이를 얻었으므로 둘째딸이라고 하였다. 간은 세 번째로 찾아서 남자아이를
얻었으므로 막내아들이라고 하였고, 태는 세 번째로 찾아서 여자아이를 얻었으므로 막내딸이라고
하였다.

┃中國大全┃

本義

索, 求也, 謂揲著以求爻也. 男女, 指卦中一陰一陽之爻而言.

'찾다[索]'는 구하다는 의미이니, 시초를 헤아려서 효를 구하는 것이다. 남자아이와 여자아이는 괘
속의 하나의 음효와 하나의 양효를 가리켜서 말했다.

小註

朱子曰, 八卦次序, 是伏羲底, 此時未有文王次序. 三索而爲六子, 這自是文工底.各自
有箇道理.

주자가 말하였다: 팔괘의 순서는 복희의 것이니, 이때에는 아직 문왕의 순서가 있지 않았다. 세 번 찾아서 여섯 자식이 되는 것은 원래 문왕의 것이다. 제각기 스스로 도리가 있다.

○ 非震一索而得男, 乃是一索得陽爻而後成震. 一說, 是就變體上說, 謂就坤上求得一陽爻而成震卦. 一說乃是說揲蓍求卦, 求得一陽, 後面二陰便是震, 求得一陰, 後面二陽便是巽. 又曰, 看來不當專作揲蓍看. 揲蓍有不依這序時, 便說不通. 大槩只是乾求於坤而得震坎艮, 坤求於乾而得巽離兌. 一二三者, 以其畫之次序言也.

진(震☳)은 첫 번째로 찾아서 남자아이를 얻은 것이 아니라, 첫 번째로 찾아서 양효를 얻은 후에 진괘를 이룬 것이다. 어떤 설명에서는 '변한 몸체[變體]'로 말하여 곤(坤☷)에서 하나의 양효를 얻어 진괘(震☳)를 이루었다고 한다. 어떤 설명에서는 시초를 헤아려 괘를 구하는 것으로 설명하니, 하나의 양효를 얻으면 뒤가 두 개의 음인 것이 바로 바로 진(震☳)이고, 하나의 음효를 얻으면 뒤가 두 개의 양인 것이 바로 손(巽☴)이다.

또 말하였다: 살펴보건대 전적으로 시초를 헤아리는 것으로 보아서는 안 된다. 시초를 헤아리는 것에는 이 순서대로 하지 않을 때가 있으니 말이 되지 않는다. 대체로 건(乾☰)이 곤(坤☷)에게 구하여 진(震☳)·감(坎☵)·간(艮☶)을 얻고, 곤(坤☷)이 건(乾☰)에게 구하여·손(巽☴)·리(離☲)·태(兌☱)를 얻는다. '첫 번째로'·'두 번째로'·'세 번째로'는 획의 순서로 말하였다.

○ 一索再索之說, 初間畫卦時, 也不恁地. 只是畫成八卦後, 便見有此象耳.

한 번 찾고 두 번 찾는 설명은 처음 괘를 그릴 때에는 또한 저렇게 하지 않았다. 오직 팔괘를 그려서 만든 뒤에 이런 상이 있는 것을 보았을 뿐이다.

○ 節齋蔡氏曰, 乾坤交而生震巽坎離艮兌. 故以能生者爲父母, 而生者爲子. 一索再索三索者, 以初中終三畫, 而取此長中少之序也. 震坎艮皆陽, 故曰男, 巽離兌皆陰, 故曰女.

절재채씨가 말하였다: 건(乾☰)과 곤(坤☷)이 사귀어서 진(震☳)·손(巽☴)·감(坎☵)·리(離☲)·간(艮☶)·태(兌☱)를 낳는다. 그러므로 낳는 것을 부모로 여기고 나온 것을 자식으로 여겼다. 한 번 찾고 두 번 찾고 세 번 찾는 것은 처음·중간·끝의 삼획으로 여기의 맏이·둘째·막내의 순서를 취한 것이다. 진(震☳)·감(坎☵)·간(艮☶)은 모두 양이기 때문에 '남자아이'라고 하였고, 손(巽☴)·리(離☲)·태(兌☱)는 모두 음이기 때문에 '여자아이'라고 하였다.

○ 平庵項氏曰, 乾坤六子, 初爲氣末爲形中爲精. 雷風氣也, 山澤形也, 水火精也.

평암항씨가 말하였다: 건과 곤의 여섯 자식은 처음에는 기(氣)이고 끝에는 형체이며, 중간에는 정(精)이다. 우레와 바람은 기이고, 산과 못은 형체이며, 물과 불은 정이다.

○ 漢上朱氏曰, 將說天地生萬物, 而先言人者, 天地之性人爲貴, 萬物皆備於人也. 乾天也, 爲陰之父, 坤地也, 爲陽之母. 萬物分天地也, 男女分萬物也. 察乎此, 則天地與我竝生, 萬物與我同體. 是故聖人親其親, 長其長而天下平, 伐一草木殺一禽獸, 非其時謂之不孝.

한상주씨가 말하였다: 천지가 만물을 낳는 것을 설명하기 위해 먼저 사람을 말한 경우이니, 천지의 본성에서는 사람이 귀하고 만물은 모두 사람에게 갖추어진 것이다. 건은 하늘로 음의 아비이고, 곤은 땅으로 양의 어미이다. 만물은 천지를 나눈 것이고, 남녀는 만물을 나눈 것이다. 이것을 알면 천지는 나와 함께 나온 것이고, 만물은 나와 하나의 몸이다. 이 때문에 성인은 친한 이를 친하게 대하고, 어른을 어른으로 대해 천하가 평온하니, 풀 한 포기 나무 한 그루를 베고 새 한 마리 짐승 한 마리를 죽여도 때에 맞지 않으면 그것을 불효라고 한다.

○ 柴氏中行曰, 先儒不以此章竝於諸象, 是惑於謂之之語, 而未循本以求之也. 又但知男女之爲人, 而未知物有男女之象. 天地之性人爲貴, 故以人言之耳. 不然何以別. 象中有爲父爲長子爲長女爲中女爲少男等語, 與此章所稱无異, 此蓋以男女分八卦言也. 物皆有雌雄牝牡之異, 則父母男女之象也. 其生皆有先後次序之異, 則長中少之象也. 或曰, 乾坤生萬物, 有男女之別, 固也. 其生也皆生, 孰見其長中少之異. 有長中少之異者, 物自爲父母而生也. 殊不知父母之生, 卽天地之生也, 豈於父母之外, 別有天地之生乎.

시중행이 말하였다: 이전의 학자들이 여기의 십장을 여러 상에 합치지 않은 것은 '~라고 하였다[謂之]'는 말에 헷갈려서 근본을 따라 구하지 않았던 것이고, 또 남녀가 사람이라는 것만 알고 사물에도 남녀의 상이 있음을 몰랐던 것이다. 천지의 본성에서는 사람이 귀하기 때문에 사람으로 말했을 뿐이다. 그렇게 하지 않으면, 상 가운데 있는 아비·맏아들·맏딸·차녀·막내아들 등의 말이 여기 십장에서 말한 것과 차이가 없다는 것을 어떻게 구별하겠는가? 남녀로 팔괘를 분류하여 말하면, 사물에는 남성과 여성·수컷과 암컷의 차이가 있으니, 아비와 어미는 남녀의 상이다. 그것들이 태어남에 앞과 뒤라는 순서의 차이가 있으니, 맏이·둘째·막내의 상이다.

어떤 이가 말하였다. 건곤이 만물을 낼 때 남녀의 구별이 있는 것은 확고하다. 만물은 나올 때 모두 나오니 누가 맏이·둘째·막내의 차이를 알겠는가? 맏이·둘째·막내의 차이가 있는 것은 만물이 스스로 부모가 되어 낳기 때문이다. 부모가 낳는 것이 곧 천지가 낳는 것이라는 것을 전혀 모를지라도 어찌 부모 외에 별도로 천지가 있어 낳겠는가?

○ 雲峰胡氏曰, 此章本義乃, 朱子未改正之筆. 要當以語錄說爲正. 若專言揲蓍求卦, 則无復此卦序矣. 要之卦畫已成之後, 方見有父母男女之象, 非卦之初畫時卽有此象也. 讀者詳之.

운봉호씨가 말하였다: 이 장의『본의』는 주자가 미처 고치지 못한 원고이니, 요컨대 어록의 설명을 바른 것으로 여겨야 한다. 시초를 헤아려 괘를 구하는 것에 대해 전적으로 말한다면, 이런 괘의 순서는 없다. 요컨대 괘의 획이 이미 만들어진 다음에야 부모와 남녀의 상을 볼 수 있으니, 괘에서 처음 획을 그렸을 때에 바로 이런 상이 있었던 것은 아니다. 독자들은 상세히 살펴야 한다.

右 第十章
이상은 제 10장이다.

┃韓國大全┃

곽설(郭雪)『역전요의(易傳要義)』

乾天也, 故稱乎父, 坤地也, 故稱乎母. 震一索而得男, 故謂之長男. 巽一索而得女, 故謂之長女. 坎再索而得男, 故謂之中男. 离再索而得女, 故謂之中女. 艮三索而得男, 故謂之少男. 兌三索而得女, 故謂之少女.

건괘는 하늘이기 때문에 아버지라고 칭하였고, 곤괘는 땅이기 때문에 어머니라고 칭하였다. 진괘가 첫 번째로 찾아서 남자를 얻었기 때문에 맏아들이라고 하였다. 손괘가 첫 번째로 찾아서 여자를 얻었기 때문에 맏딸이라고 하였다. 감괘가 두 번째로 찾아서 남자를 얻었기 때문에 둘째 아들이라고 하였다. 리괘가 두 번째로 찾아서 여자를 얻었기 때문에 둘째 딸이라고 하였다. 간괘가 세 번째로 찾아서 남자를 얻었기 때문에 막내 아들이라고 하였다. 태괘가 세 번째로 찾아서 여자를 얻었기 때문에 막내 딸이라고 하였다.

유정원(柳正源) 『역해참고(易解參攷)』

雙湖胡氏曰, 父母六子之象, 亦夫子所自取. 參之伏羲八卦, 乾居南而稱父, 坤居北而稱母. 乾一索於坤, 得坤初爻而生巽, 坤一索於乾, 得乾初爻而生震. 卽邵子所謂母孕長男而爲復, 父生長女而爲姤之義. 乾再索於坤, 得坤中爻而生離, 三索於坤, 得坤上爻而生兌. 坤再索於乾, 得乾中爻而生坎, 三索於乾, 得乾上爻而生艮. 巽離兌, 雖各得坤一爻而生, 然本乾體, 故皆從父於東南. 震坎艮, 雖各得乾一爻而生, 然本坤體, 故皆從母於西北. 至若文王八卦, 乾統三男於西北, 坤統三女於東南〈案, 西北當作東北, 東南當作西南〉. 是旣生之後, 男皆從父, 女皆從母, 又自不同也. 先天卦配父母六子之義, 夫子觀伏羲對待之卦, 推其未明之象以爲說耳.

쌍호호씨가 말하였다: 부모와 여섯 자녀의 상 또한 공자가 스스로 취한 것이다. 복희의 팔괘에 견주어 보면 건괘는 남쪽에 거하여 아버지를 칭하고, 곤괘는 북쪽에 거하여 어머니를 취한다. 건괘가 첫 번째로 곤괘를 찾아 곤괘의 초효를 얻어 손괘를 낳고, 곤괘가 첫 번째로 곤괘를 찾아 건괘의 초효를 얻어 진괘를 낳는다. 이는 소옹이 "어머니가 맏아들을 잉태한 것이 복괘가 되고, 아버지가 맏딸을 낳는 것이 구괘가 된다"고 말한 뜻이다. 건괘가 두 번째로 곤괘를 찾아 곤괘의 가운데 효를 얻어 리괘를 낳고, 세 번째로 곤괘를 찾아 곤괘의 상효를 얻어 태괘를 낳는다. 곤괘가 두 번째로 건괘를 찾아 건괘의 가운데 효를 얻어 감괘를 낳고, 세 번째로 건괘를 찾아 건괘의 상효를 얻어 간괘를 낳는다. 손괘·리괘·태괘는 비록 각각 곤괘의 한 효를 얻어 낳지만, 본래 건괘의 몸체이기 때문에 동남쪽에서 아버지를 따른다. 진괘·감괘·간괘는 비록 각각 건괘의 한 효를 얻어 낳지만, 본래 곤괘의 몸체이기 때문에 서북쪽에서 어머니를 따른다. 문왕의 팔괘에 이르면 건괘는 서북쪽에서 세 아들을 거느리고, 곤괘는 동남쪽에서 세 딸을 거느린다〈내가 살펴보았다: 서북쪽은 마땅히 동북쪽이 되어야 하고, 동남쪽은 마땅히 서남쪽이 되어야 한다〉. 이는 이미 태어난 후에 아들은 모두 아버지를 따르고 딸은 모두 어머니를 따라서 저절로 같지 않은 것과 같다. 「선천도」에서 부모와 여섯 자녀에 괘를 분배하였는데, 공자가 복희의 대대하는 괘를 보고서 아직 밝혀지지 않은 상을 미루어 설명하였을 뿐이다.

○ 案, 左傳註八索爲八卦, 朱子亦謂一索得陽爻而成震, 此索字以爻言.

내가 살펴보았다: 『춘추좌전』에서 팔색(八索)을 팔괘(八卦)라고 하였고, 주자 또한 "첫 번째로 찾아서 양효를 얻어 진괘를 이룬다"고 말하였으니, 이 색(索)이라는 글자는 효로 말한 것이다.

本義, 揲蓍以求.

『본의』에서 말하였다: 시초를 헤아려 구한다.

案, 啓蒙曰, 文王觀於已成之卦, 而推其未明之象, 以爲說, 邵子所謂後天之學八用之位者也. 不曾以揲蓍求爻言之, 此當以啓蒙爲正. 朱子又曰, 看來不當專作揲蓍看, 雲峯所謂朱子未改正之筆恐是.

내가 살펴보았다: 『역학계몽』에서 "문왕이 이미 이루어진 괘를 보고서 아직 밝히지 않은 상을 미루어 설로 삼았으니, 소옹이 '후천의 학에서 여덟 가지로 쓰는 자리이다'라고 말한

것과 같다"고 하였다. 그리고 시초를 효를 구하는 것으로 말한 적이 없으니, 이는 마땅히
『역학계몽』을 바른 것으로 삼아야 할 것이다. 주자가 또한 "살펴보건대 오직 시초를 헤아리
는 것으로만 보아서는 안 된다"고 말했으니, 운봉이 '주자가 아직 개정하지 않는 내용'이라고
말한 것이 아마도 옳은 듯하다.

김상악(金相岳) 『산천역설(山天易說)』

六子陰陽, 皆父母乾坤, 故長中少, 各有其序.
여섯 자녀의 음양이 모두 건곤을 부모로 하기 때문에, 맏이·둘째·막내가 각각 차례가 있다.

서유신(徐有臣) 『역의의언(易義擬言)』

竊疑, 稱父母六子者古文, 而孔子釋之如此也. 乾天故有父象, 坤地故有母象. 震者乃
坤之第一番求於乾, 而得一陽以成卦爲震, 故有長男象, 乾道成男也. 巽者, 乃乾之第
一番求於坤, 而得一陰以成卦爲巽, 故有長女象, 坤道成女也. 餘倣此.
내가 살펴보았다: 부모와 여섯 자녀를 칭한 것은 고문인데, 공자가 이와 같이 해석한 것이
다. 진괘는 곤괘가 첫 번째로 건괘를 구하여 한 양을 얻어 괘를 이루어 진괘가 되었기 때문
에 맏아들의 상이 있으니, 건의 도가 남자를 이룬 것이다. 손괘는 건괘가 첫 번째로 곤괘를
구하여 한 음을 얻어 괘를 이루어 손괘가 되었기 때문에 맏딸의 상이 있으니, 곤의 도가
여자를 이룬 것이다. 나머지도 이와 같다.

심대윤(沈大允) 『주역상의점법(周易象義占法)』

乾索于坤而得女, 坤索于乾而得男, 此後天形化之道也, 故自下而上□.
건괘가 곤괘를 찾아서 딸을 얻고, 곤괘가 건괘를 찾아서 아들을 얻으니, 이것이 하늘의 형체
가 변화하는 도이기 때문에 아래로부터 위로 □한다.

오치기(吳致箕) 「주역경전증해(周易經傳增解)」

六子皆從乾坤而生, 故稱父母也. 索者求也, 陽先求陰, 則陽生陰中而爲男, 陰先求陽,
則陰生陽中而爲女. 故乾陽來交于坤之初, 則得震而謂長男, 交于坤之中, 則得坎而謂
中男, 交于坤之終, 則得艮而謂少男. 此所以震坎艮皆坤體也. 坤陰來交于乾之初, 則
得巽而爲長女, 交于乾之中, 則得離而謂中女, 交于乾之終, 則得兌而謂少女. 此所以
巽離兌皆乾體也. 此可見陽根於陰, 陰根於陽之妙也.

여섯 자녀는 모두 건곤으로부터 태어나기 때문에 부모라고 칭하였다. 색(索)은 구하는 것이니, 양이 먼저 음을 구하면 양이 음 가운데 생겨나서 남자가 되고, 음이 먼저 양을 구하면 음이 양 가운데 생겨나서 여자가 된다. 그러므로 건괘의 양이 와서 곤괘의 초효와 사귀면 진괘를 얻어서 맏아들이라고 하고, 곤괘의 가운데 효와 사귀면 감괘를 얻어서 둘째 아들이라고 하고, 곤괘의 끝 효와 사귀면 간괘를 얻어서 막내아들이라고 한다. 이것이 진·감·간이 모두 곤괘의 몸체가 되는 까닭이다. 곤괘의 음이 와서 건괘의 초효와 사귀면 손괘를 얻어서 맏딸이라고 하고, 건괘의 가운데 효와 사귀면 리괘를 얻어서 둘째 딸이라고 하고, 건괘의 끝 효와 사귀면 태괘를 얻어서 막내딸이라고 한다. 이것이 손·리·태가 모두 건괘의 몸체가 되는 까닭이다. 여기에서 양은 음에 뿌리를 두고 음은 양에 뿌리를 두고 있는 묘함을 볼 수 있다.

右第十章, 言文王之卦, 有父母男女之象也.
이상의 제 10장은 문왕의 괘에 부모·아들딸의 상이 있음을 말하였다.

이진상(李震相) 『역학관규(易學管窺)』

此章之義, 啓蒙詳之. 今謂揲蓍以求爻者, 非定論也. 震坎艮, 雖得乾一爻而生, 然本坤體, 故從母於西北. 巽離兌, 雖得坤一爻而生, 然本乾體, 故從父於東南. 若所謂後天卦位, 則坤統三女於西南, 乾統三男於西北. 造化元無截然爲陰爲陽之理, 而三女同居, 三雄并棲, 皆恐失所. 且長男之配少女, 尤似害理. 但啓蒙以此爲文王觀於已成之卦, 而推其未明之象者, 恐未必然. 伏羲圖中, 此意已自分明. 邵子亦曰, 母孕長男而爲復, 父生長女而爲姤.

이 장의 뜻은 『역학계몽』에 상세하다. 지금 시초를 헤아려 효를 구한다는 것은 확정된 논의가 아니다. 진괘·감괘·간괘는 비록 각각 건괘의 한 효를 얻어 낳지만, 본래 곤괘의 몸체이기 때문에 서북쪽에서 어머니를 따른다. 손괘·리괘·태괘는 비록 각각 곤괘의 한 효를 얻어 낳지만, 본래 건괘의 몸체이기 때문에 동남쪽에서 아버지를 따른다. 후천의 괘의 자리와 같은 경우는 곤괘가 서남쪽에서 세 딸을 거느리고, 건괘가 서북쪽에서 세 아들을 거느린다. 조화란 원래 딱 잘라 음이 된다든가 양이 된다는 이치가 없으니, 세 여자가 함께 거하거나 세 남자가 함께 사는 것은 모두 아마도 자리를 잃은 것이다. 또한 맏아들이 막내딸과 짝하는 것은 더욱 이치를 해치는 것 같다. 다만 『역학계몽』에서 이를 문왕이 이미 이루어진 괘를 보고서 아직 밝히지 않은 상을 미루어 본 것이라고 한 것은 아마도 반드시 그렇지는 않은 듯하다. 복희의 도(圖) 가운데 이 뜻이 이미 저절로 분명하다. 소옹도 또한 "어머니가 맏아들을 잉태한 것이 복괘가 되고, 아버지가 맏딸을 낳는 것이 구괘가 된다"고 말하였다.

○ 小註, 乾求於坤.

소주에서 말하였다: 건괘가 곤괘에서 구한다.

當曰, 坤求於乾, 得震坎艮, 乾求於坤, 得巽離兌.

마땅히 "곤괘가 건괘에서 구하여 진괘·감괘·간괘를 얻고, 곤괘가 곤괘에서 구하여 손괘·리괘·태괘를 얻는다"고 말해야 한다.

박문호(朴文鎬) 『경설(經說)-주역(周易)』

一索再索, 恐當承乾坤而言也. 小註朱子一說乾求於坤, 坤求於乾, 此以畫卦言, 叅看可也.

첫 번째로 찾고 두 번째로 찾는다는 것은 아마도 분명 건곤을 이어 말한 것으로 보인다. 소주에서 주자가 한편으로 건괘가 곤괘에서 구하고 곤괘가 건괘에서 구한다고 하였는데, 이는 괘를 그리는 것으로 말한 것으로 참고해서 볼 수 있을 것이다.

이병헌(李炳憲) 『역경금문고통론(易經今文考通論)』

姚曰, 索, 交索也.

요신이 말하였다: 색(索)은 사귀어 찾는 것이다.

按, 自此以下, 未必解說卦之義也.

내가 살펴보았다: 이 이하는 반드시 「설괘전」의 뜻을 풀이한 것은 아니다.

제11장第十一章

乾, 爲天, 爲圜, 爲君, 爲父, 爲玉, 爲金, 爲寒, 爲冰, 爲大赤,
爲良馬, 爲老馬, 爲瘠馬, 爲駁馬, 爲木果.

건(乾)은 하늘이 되고, 둥근 것이 되고, 임금이 되고 아버지가 되고, 옥(玉)이 되고, 쇠[金]이 되고, 차가운 것이 되고, 얼음이 되고, 크게 붉은 것이 되고, 좋은 말이 되고, 늙은 말이 되고, 수척한 말이 되고, 얼룩말이 되고, 나무의 과실이 된다.

┃中國大全┃

程子曰, 說卦, 於乾雖言爲天, 又言爲金, 爲玉, 以至爲駁馬, 爲良馬, 爲木果之類, 豈盡言天. 若此者, 所謂類萬物之情也. 故孔子推明之, 曰此卦, 於天文地理, 則爲某物, 於鳥獸草木, 則爲某物, 於身於物, 則爲某物, 各以例擧, 不盡言也. 學者, 觸類而求之, 則思過半矣, 不然, 說卦所敍, 何所用之.

정자가 말하였다. 「설괘전」에서 건괘(乾卦☰)에 대해 비록 하늘이 된다고 말하고, 또 쇠가 되고 옥이 되며 얼룩말이 되고 좋은 말이 되며 나무의 과실이 된다고 말하였으나, 어찌 하늘을 전부 말한 것이겠는가? 이와 같은 것은 이른바 만물의 실정을 분류한 것이다. 그러므로 공자는 미루어 밝혀 "이 괘는 천문과 지리에 있어서는 어떤 물건이 되고 조수와 초목에 있어서는 어떤 것이 되며, 신체와 사물에 있어서는 어떤 물건이 된다"고 하였으니, 각각 예를 들어 열거한 것으로 하늘에 대해 전부 말한 것은 아니다. 배우는 자가 그 부류에 따라 구한다면 생각이 반을 넘을 것이지만 그렇게 하지 않는다면 「설괘전」에서 서술한 바를 어디에 쓰겠는가?

本義

荀九家, 此下, 有爲龍, 爲直, 爲衣, 爲言.

『순구가역(荀九家易)』에는 이 아래에 용(龍)이 되고, 곧음이 되고, 옷이 되고, 말이 된다는 내용이 있다.

小註

朱子曰, 卦象, 指文王卦言, 所以乾言爲寒爲冰.

주자가 말하였다: 괘의 상은 문왕의 괘사를 가리키니, 이 때문에 건괘(乾卦☰)에서 차가운 것이 되고 얼음이 된다고 말하였다.

○ 荀爽有集, 九家易解十卷.

순상의 문집이 있는데, 『구가역해(九家易解)』 열권이다.

○ 節齋蔡氏曰, 積陽爲天, 陽體動爲圜. 尊而在上爲君, 圜而在上, 爲木果.

절재채씨가 말하였다: 양이 쌓여 하늘[天]이 되니, 양의 몸체는 움직여 둥근 것이 된다. 존귀하여 위에 있는 것은 임금이 되며, 둥글어 위에 있는 것은 나무의 과실이 된다.

○ 沙隨程氏曰, 爲圜, 天之體也. 爲君, 居上而覆下也. 爲玉, 德粹也. 爲金, 堅剛也. 爲寒, 位西北也. 爲冰, 寒之凝也. 爲大赤, 盛陽之色也. 爲木果, 以實承實也. 若艮爲果蓏, 則下有柔者存焉.

사수정씨가 말하였다: 둥근 것이 됨은 하늘의 몸체이다. 임금이 됨은 위에 있으면서 아래를 덮어준다. 옥이 됨은 덕이 순수함이다. 쇠가 됨은 견고하여 굳셈이다. 차가운 것이 됨은 방위가 서북쪽이다. 얼음이 됨은 차가운 것이 응어리진 것이다. 크게 붉은 것이 됨은 양이 왕성한 색이다. 나무의 과실이 됨은 실(實)한 것으로 실(實)한 것을 잇는 것이다. 간(☶)이 열매가 되는 것과 같은 것은 아래에 부드러운 것이 있는 것을 가지고 있다.

○ 瓜山潘氏曰, 圜, 无端也.

과산반씨가 말하였다: '둥긂[圜]'은 끝이 없다.

○ 息齋余氏曰, 乾爲寒者, 陰不生於陰, 而生於陽也. 冰者, 陰之變, 而剛者也.

식재여씨가 말하였다: 건(乾)이 차가운 것이 됨은 음은 음에서 생겨나지 못하고 양에서 생겨나기 때문이다. 얼음은 음이 변하여 굳세어진 것이다.

○ 縉雲馮氏曰, 乾居西北, 卦氣爲立冬之節, 水始冰之時, 故爲寒, 爲冰.

진운풍씨가 말하였다: 건괘(乾卦)는 서북쪽에 있으니, 괘의 기운은 입동(立冬)의 절기가 되고, 물이 처음 어는 때가 되므로 차가운 것이 되고 얼음이 된다.

○ 平庵項氏曰, 良馬, 德莫加焉. 駁馬, 鋸牙食虎, 力莫加焉. 老馬, 智最高. 瘠馬, 筋骨至峻.

평암항씨가 말하였다: 좋은 말은 덕을 더할 것이 없다. 박마는 날카로운 이로 호랑이를 먹을 수 있어 힘을 더할 것이 없다. 늙은 말은 지혜가 매우 고상하다. 수척한 말은 근골(筋骨)이 매우 드러난다.

○ 鄱陽董氏曰, 按韵會, 駁獸如馬. 鋸牙食虎豹. 宋劉敞奉使契丹時, 順州山中有異獸如馬, 而食虎豹, 虜人不識以問, 公曰此駁也. 爲言形狀音聲, 皆是, 虜歎服之. 又駁, 馬色不純, 或曰, 純極而駁生焉.

파양동씨가 말하였다: 『운회』에 따르면 박(駁)이라는 짐승은 말과 같은데, 날카로운 이는 호랑이와 표범을 먹는다고 하였다. 송나라 유창(劉敞)[26]이 사신이 되어 거란으로 갈 때에 순주(順州)의 산중에 말과 같은 기이한 짐승이 있어 범과 표범을 잡아먹었다. 거란 사람이 알지 못하여 물었더니, 공이 "이것은 박(駁)이다. 모양[形狀]과 소리[音聲]를 말한 것이 모두 이것이다"고 하니, 거란 사람이 탄복하였다. 또 박(駁)은 말의 색이 순전하지 못한 것이니, 어떤 이는 "순전함이 다하여서 잡박함이 생겨난다"고 하였다.

○ 臨川吳氏曰, 坎中陽, 爲赤. 乾純陽, 赤加大字, 以別. 於坎也, 馬加良老瘠駁四字, 以見純陽无陰, 異於震坎陰陽相雜之馬也. 良, 謂純陽, 健之最善者也. 老, 謂老陽, 健之最久者也. 瘠, 謂多骨少肉, 健之最堅强者也. 駁馬, 鋸牙食虎豹, 健之最威猛者也.

임천오씨가 말하였다: 감괘(坎卦☵) 가운데의 양이 붉은 것이 된다. 건괘(乾卦☰)의 순전한 양은 붉다는 적(赤)자에 크다는 대(大)자를 더하여 구별하였다. 감괘(坎卦)에서는 말에 좋다는 양(良), 늙었다는 노(老), 수척하다는 척(瘠), 섞였다는 박(駁)의 네 글자를 더하여 순전한 양으로 음이 없음을 드러냈으니, 진괘(震卦☳)나 감괘(坎卦☵)에서 음양이 서로 섞인 말과는 다르다. '양(良)'은 순전한 양을 말하니, 튼튼함이 가장 좋은 것이다. '노(老)'는 노양(老陽)을 말하니, 튼튼함이 가장 오래된 것이다. '척(瘠)'은 뼈가 많고 살이 적은 것이니, 튼튼함이 가장 견고하고 강한 것이다. 박마는 날카로운 이로 호랑이와 표범을 먹으니, 튼튼함이 가장 위세가 있고 맹렬한 것이다.

---

26) 유창(劉敞, 1019~1068): 북송 임강군(臨江軍) 신유(新喩) 사람. 자는 원보(原父)이고, 호는 공시(公是)이다.

○ 楊氏曰, 果實而不剝於陰爲木果, 如剝之碩果不食, 是也.
양씨가 말하였다: 과실로 음에게 핍박받지 않아 나무의 과실이 되니, 박괘(剝卦䷖)에서 "큰 과일은 먹지 않는다"고 한 경우가 이것이다.

○ 雙湖胡氏曰, 乾无所不統爲君, 變生六子爲父. 爻剛位間柔相濟爲玉. 爻純剛爲金, 金故爲寒. 金生水, 水極寒爲冰. 又乾爲天而貫四時, 故在秋冬爲寒爲冰, 在夏爲大赤, 純陽而健爲馬. 在春爲良, 夏爲老, 秋爲瘠, 冬爲駁, 乾取象无所不包, 不可與諸卦例論, 故發其義. 又曰, 夫子取乾象稱馬, 本之大畜爻, 外餘皆所自取. 如乾天坤地之類, 亦夫子象傳大象所取也.
쌍호호씨가 말하였다: 건(乾)은 거느리지 않는 것이 없으니 임금이 되고, 변하여 여섯 자식을 낳으니 아비가 된다. 효는 굳센 양이지만 자리는 사이사이에 부드러운 음의 자리가 있어서 서로 구제하여 옥이 된다. 효가 순전히 굳센 양이어서 쇠가 되니, 쇠이기 때문에 차가운 것이 된다. 쇠[金]는 물[水]을 낳는데, 물이 매우 차가우면 얼음이 된다. 또 건은 하늘이 되어 사시(四時)를 관통하기 때문에 가을과 겨울에는 차가움이 되고 얼음이 되며, 여름에는 크게 붉은 것이 되고 순전한 양으로 굳건함은 말이 된다. 봄에는 좋은 것이 되고 여름엔 늙은 것이 되고 가을엔 수척한 것이 되고 겨울엔 뒤섞인 것이 되니, 건괘가 상을 취한 것이 포함하지 않는 것이 없어 여러 괘와 열거하여 논할 수 없기 때문에 그 뜻을 드러내었다. 또 말하였다. 공자가 건괘의 상을 취하여 말[馬]이라고 일컬은 것이 대축괘(大畜卦䷙)의 효에 근본하고, 그 밖의 나머지는 모두 스스로 취하였다. 가령 건괘(乾卦☰)가 하늘이고 곤괘(坤卦☷)가 땅이라고 하는 부류는 또한 공자가 「단전」과 「대상전」에서 취한 것이다.

‖韓國大全‖

조호익(曺好益) 『역상설(易象說)』
乾爲天爲圜.
건(乾)은 하늘이 되고 둥근 것이 된다.

本義, 爲龍爲直爲衣爲言.
『본의』에서 말하였다: 용(龍)이 되고, 곧음이 되고, 옷이 되고, 말이 된다.

龍, 本乾卦取象. 直, 本上繫傳乾其動也直之義. 衣本黃帝堯舜垂衣裳, 取乾坤之象. 語屬陽, 默屬陰. 蓋坤闔是默象, 乾闢是語象, 故乾取言象.

용(龍)은 본래 건괘에서 상을 취하였다. '직(直)'은 본래 「계사상전」에서 말한 "건은 움직일 때는 곧다"는 뜻이다. '의(衣)'는 본래 황제(黃帝)와 요순(堯舜)이 의상(衣裳)을 드리운 것으로, 건괘와 곤괘의 상을 취한 것이다. 어(語)는 양에 속하고, 묵(默)은 음에 속한다. 곤(坤)은 닫힘[闔]이라서 묵(默)의 상이며, 건(乾)은 열림[闢]이라서 어(語)의 상이므로, 건(乾)이 '언(言)'의 상을 취한 것이다.

서유신(徐有臣) 『역의의언(易義擬言)』

竊疑, 乾健也, 乾爲馬, 乾爲首, 是古文而孔子推演之如此. 下倣此, 所謂觸類而長之也. 山之剛爲玉, 澤之剛爲金, 風之剛爲寒, 水之剛爲氷, 木之實爲果. 大赤疑爲大川之誤也. 良馬健而易也. 老馬健而久也, 瘠馬健而剛也, 駁馬食虎, 獸中之長也.

가만히 의심해 보건대, 건은 굳셈이니, 건이 말이 되고 건이 머리가 된다는 것은 옛 문장인데, 공자가 미루어 연역하기를 이와 같이 한 것이다. 아래도 이와 같으니, 이른바 종류에 따라 확장한다는 것이다. 산의 굳셈은 옥이 되고, 못의 굳셈은 쇠가 되고, 바람의 굳셈은 추위가 되고, 물의 굳셈은 얼음이 되고, 나무의 실질은 열매가 된다. '대적(大赤)'은 아마도 '대천(大川)'을 잘못 쓴 듯하다. 늙은 말은 강건하면서 오래 가고, 수척한 말은 강건하면서 굳세고, 박마는 호랑이를 먹으니, 짐승 가운데의 으뜸이다.

유정원(柳正源) 『역해참고(易解參攷)』

案, 圜而在高, 靜專動直, 生理不窮, 故爲木果.

내가 살펴보았다: 둥그렇게 높이 있고, 고요할 때는 오로지 하고 움직일 때는 곧아서 삶의 이치가 무궁하기 때문에 나무의 열매가 된다.

本義, 直衣言.

『본의』에서 말하였다: 곧음이 되고, 옷이 되고, 말이 된다.

案, 陽動直遂, 故爲直. 大傳曰, 其動也直. 居上覆下, 故爲衣. 大傳曰, 垂衣裳, 取諸乾坤. 乾上爻變, 則爲兌口, 以其上開而出言.

내가 살펴보았다: 양은 움직여서 곧고 완수하기 때문에 곧음이 된다. 「계사전」에 "그 움직임은 곧다"고 하였다. 위에 거처하여 아래를 덮기 때문에 옷이 된다. 「계사전」에 "의상을 드리운다"고 하였는데, 건곤괘에서 취한 것이다. 건괘의 상효가 변하면 태괘인 입이 되는데, 위가 열려 말을 내기 때문이다.

小註雙湖說, 春爲 [至] 爲駁.

소주에서 쌍호호씨가 말하였다: 봄은 … 얼룩말이 된다.

案, 此亦似以陽得位陽消而爲說, 如孔氏之言.

내가 살펴보았다: 이 또한 양이 자리를 얻고 양이 소멸하는 것으로 설명한 것 같으니, 공씨의 말과 같다.

심대윤(沈大允) 『주역상의점법(周易象義占法)』

荀九家, 有爲龍爲直爲衣爲言.

『순구가역(荀九家易)』에는 용이 되고, 곧음이 되고, 옷이 되고, 말이 된다는 내용이 있다.

凡占人則八卦各爲某搽人, 占馬則八卦各爲某搽馬. 泛占則唯乾坤爲人, 餘卦則否也. 唯坎爲馬, 餘卦則否也. 荀九家或有可取, 故姑附記焉.

사람을 점칠 때에는 팔괘가 각각 어떤 모양의 사람이 되고, 말을 점칠 때에는 팔괘가 각각 어떤 모양의 말이 된다. 일반적인 점에서는 오직 건곤이 사람이 되고 나머지 괘는 그렇지 않다. 오직 감괘가 말이 되고 나머지 괘는 그렇지 않다. 『순구가역』에는 혹 취할 만한 것이 있기 때문에 우선 부기해 둔다.

오치기(吳致箕) 「주역경전증해(周易經傳增解)」

至健而尊在上, 故爲天. 天體圓而運動不息, 故爲圜. 主宰乎萬物, 有君道焉, 故爲君. 資始乎萬物, 有父道焉, 故爲父. 純粹故爲玉, 純剛故爲金. 居西北之方, 故爲寒爲氷, 而氷以陰極, 反如陽之剛也. 大赤者, 深赤而純陽之色, 加大字以別於坎之赤也. 以德而言良馬, 以老陽而言老馬, 多骨曰瘠, 而骨屬於陽剛, 故爲瘠馬. 多力之獸曰駁, 而以其健而多力, 故爲駁馬. 堅圓在木之上曰木果, 而以陽之堅實取象也.

지극히 강건하고 높이 위에 있기 때문에 하늘이 된다. 천체는 둥글고 운동하여 쉬지 않기 때문에 둥근 것이 된다. 만물을 주재하여 임금의 도리를 갖고 있기 때문에 임금이 된다. 만물이 의지하여 시작해서 아버지의 도리를 갖고 있기 때문에 아버지가 된다. 순수하기 때문에 옥이 되고, 순전히 굳세기 때문에 쇠가 된다. 서북의 방위에 거처하기 때문에 추위와 얼음이 되니, 얼음은 음의 극으로서 도리어 양의 굳셈과 같다. 크게 붉은 것은 깊이 붉고 순수한 양의 색인데, '대(大)'라는 글자를 더하여 감괘의 붉은 색과 구별하였다. 덕으로 말하면 좋은 말이고, 노양으로 말하면 늙은 말이고, 뼈가 많이 드러난 것을 수척하다고 하는데, 뼈는 굳센 양에 속하기 때문에 수척한 말이 된다. 힘이 센 짐승을 박이라고 하는데, 강건하면서도 힘이 세기 때문에 박마가 된다. 단단하고 둥글게 나무 위에 있는 것이 나무의 과실인데, 양의 견실함을 상으로 취한 것이다.

○ 漢荀爽集九家易解, 有爲龍者, 取乾卦之爻辭也, 爲直者取陽畫之象, 而亦取大傳其動也直之辭也. 爲衣者, 坤言裳, 則乾可以言衣, 而亦取大傳之辭也. 爲言者, 分屬言行於陰陽, 則行爲質陰, 言爲氣陽, 故乾爲言也.

한나라 순상의 『구가역해』에서 용이 된다고 한 것은 건괘의 효사를 취한 것이며, 곧음이 된다고 한 것은 양획의 상을 취한 것이고 또한 「계사전」의 "그 움직임이 곧다"[27)는 말을 취한 것이다. 옷이 된다고 한 것은 곤괘에서 치마를 말했다면 건괘는 윗옷을 말할 수 있고, 또한 「계사전」의 말을 취한 것이다. 말이 된다고 한 것은 말과 행동을 음과 양에 나누어 속하게 하면, 행동은 질인 음이 되고 말은 기인 양이 되기 때문에 건괘가 말이 된다.

增解, 爲郊爲帶爲實爲大.

『증해』에서 말하였다: 교외가 되고 띠가 되며 열매가 되고 큰 것이 된다.

○ 郊乃祭天之野, 故言郊于乾. 帶圜于衣上, 而乾爲衣爲圜, 故言帶. 剛堅而不虛, 故爲實. 陽尊而貴, 故爲大也.

교외는 하늘에 제사하는 들이기 때문에 건괘에서 교외를 말하였다. 옷 위에 둥글게 띠를 띠고, 건괘가 옷이 되고 원이 되기 때문에 띠를 말하였다. 굳세고 비어 있지 않기 때문에 열매가 된다. 양은 높고 귀하기 때문에 큰 것이 된다.

---

27) 『周易·繫辭傳』: 夫乾, 其靜也專, 其動也直. 是以大生焉.

坤, 爲地, 爲母, 爲布, 爲釜, 爲吝嗇, 爲均, 爲子母牛, 爲大
輿, 爲文, 爲衆, 爲柄, 其於地也, 爲黑.

곤(坤)은 땅이 되고, 어머니가 되고, 펴는 것이 되고, 가마솥이 되고, 인색한 것이
되고, 균등한 것이 되고, 새끼가 있는 어미 소가 되고, 큰 수레가 되고, 문채[文]가 되고, 무리가 되고, 자루가 되고,
땅에 있어서는 검은 것이 된다.

‖中國大全‖

本義

苟九家, 有爲牝, 爲迷, 爲方, 爲囊, 爲裳, 爲黃, 爲帛, 爲漿.

『순구가역(荀九家易)』에는 암컷이 되고, 혼미한 것이 되고, 네모난 것이 되고, 주머니가 되고, 치마
가 되고, 누런 것이 되고, 비단이 되고, 미음이 된다는 내용이 있다.

小註

進齋徐氏曰, 坤積陰於下, 故爲地, 物資以生, 故爲母. 動闢而廣, 故爲布, 爲均. 虛而
容物, 故爲釜. 静翕而不施, 故爲吝嗇. 性順, 故爲子母牛. 厚而載物, 故爲大輿. 坤畫
偶, 故爲文. 偶畫多, 故爲衆. 有形可執, 故爲柄. 純陰, 故於色爲黑.

진재서씨가 말하였다: 곤괘(坤卦)는 아래에서 음을 쌓으므로 땅이 되는데, 만물이 땅에 의
지하여 생겨나므로 어머니가 된다. 움직여서 열고 넓히므로 펴는 것이 되고 균등한 것이
된다. 가운데가 비어 만물을 수용하므로 솥이 된다. 조용히 합하고 펼치지 않으므로 인색
(吝嗇)한 것이 된다. 성질이 유순하므로 새끼가 있는 어미 소가 된다. 두터워 만물을 실으므
로 큰 수레가 된다. 곤괘의 획이 짝이므로 문채가 된다. 짝의 획이 많으므로 무리가 된다.
형체가 있어 잡을 수 있으므로 자루가 된다. 순전한 음이므로 색으로는 검은 색이 된다.

○ 融堂錢氏曰, 吝嗇, 至陰之性. 女子小人, 未有不吝嗇者爲文, 正蒙曰坤爲文, 衆色
也. 又曰, 物之生於地, 至雜而文. 柄者, 生物之權.

융당전씨가 말하였다: 인색함은 음의 지극한 성질이다. 여자와 소인은 인색하지 않은 자가 없어 문채가 되니, 『정몽』에서는 "곤괘는 문채가 되니, 여러 가지 색이다"고 하였다.

또 말하였다: 만물이 땅에서 생겨나 지극히 다양하여 문채가 있다. 병(柄)은 물건을 낳는 권한이다.

○ 南軒張氏曰, 均者, 其勢均平而无偏陂者也.

남헌장씨가 말하였다: 균등하다는 것은 그 형세가 고르고 평평하여 치우치거나 기욺이 없는 것이다.

○ 臨川吳氏曰, 爲布, 旁有邊幅而中平廣也. 爲大輿, 三畫虛所容載者多也. 坎惟二畫虛, 亦爲輿而不得爲大也. 爲柄, 謂在下而承物於上, 凡執持之物, 其本著地者柄也. 其於物也爲黑, 地之土色有五. 若坤之所象則於地爲黑土也. 黑者, 陰極之色也.

임천오씨가 말하였다: 베[布]가 됨은 곁에는 가장자리가 있고 가운데엔 평평하고 넓은 것이다. 큰 수레가 됨은 세 획이 가운데가 비어 수용하고 싣는 것이 많은 것이다. 감괘(坎卦☵)는 두 획만이 비었으니, 또한 수레가 되더라도 큰 것이 될 수 없다. 자루가 됨은 아래에 있으면서 위에서 물건을 받드는 것을 말하니, 잡는 물건으로 그 근본이 땅에 붙은 것은 자루이다. 물건에 있어서는 검은 것이 되니, 땅의 흙색에 다섯이 있다. 곤괘(坤卦)가 형상하는 것이 땅에 있어서는 검은 흙이 된다. 검다는 것은 음이 지극한 색이다.

○ 息齋余氏曰, 金玉, 自然之寶. 布金, 皆出於金, 然受變於模冶而成, 此所以爲效法之坤歟. 布, 謂泉也. 又曰, 吝嗇者, 翕之守也. 均者, 闢之敷也. 柄也者, 勤於造事而不名其功者歟.

식재여씨가 말하였다: 쇠와 옥은 자연의 보물이다. 동전과 솥이 모두 쇠에서 나오는 것이지만 거푸집과 풀무에서 변화를 받아 이루어지니, 이것이 곤괘를 본받게 되는 까닭이다. 동전은 돈을 말한다.

또 말하였다. 인색하다는 것은 화합하여 지키는 것이다. 균등하다는 것은 열어 펼치는 것이다. 자루라는 것은 일을 함에 삼가고 그 공을 드러내지 않는 것이다.

○ 雙湖胡氏曰, 夫子取坤象稱輿, 本之剝上九爻. 稱衆, 本之晉六三爻. 餘皆所自取.

쌍호호씨가 말하였다: 공자가 곤괘(坤卦)의 상을 취하여 수레라고 일컬은 것은 박괘(剝卦䷖) 상구효에 근본한다. 무리라고 일컬은 것은 진괘(晉卦䷢) 육삼효에 근본한다. 그 밖의 나머지는 모두 스스로 취하였다.

韓國大全

조호익(曺好益)『역상설(易象說)』

坤爲布.

곤은 펴는 것이 된다.

本義, 爲牝爲迷爲方爲囊爲裳爲黃爲帛爲漿.

『주역본의』에서 말하였다: 암컷이 되고, 혼미한 것이 되고, 네모난 것이 되고, 주머니가 되고, 치마가 되고, 누런 것이 되고, 비단이 되고, 미음이 된다.

牝象迷象在坤象, 方象在坤二, 囊象在坤四, 裳象黃象在坤五. 帛與布象同, 徐氏云, 動闢而廣, 故爲布. 漿, 按周禮漿人, 六飮之一, 米汁相載, 色濁而味厚, 故取坤陰象.

'암컷'의 상과 '혼미'의 상은 곤괘「단전」에 있고, '네모난 것'의 상은 곤괘 이효에 있고, '주머니'의 상은 곤괘 사효에 있고, '치마'의 상과 '누런 것'의 상은 곤괘 오효에 있다. '비단'의 상은 '베'의 상과 같은데, 진재서씨(進齋徐氏)는 움직여 열려 넓게 되므로 펼쳐진 베가 된다고 한다. '미음'은 『주례·장인(漿人)』을 살펴보면, 여섯 가지 음료 가운데 하나로, 쌀즙을 물에 타서 만드는데, 색깔이 탁하면서 맛이 두텁기 때문에 곤괘인 음의 상을 취한 것이다.

유정원(柳正源)『역해참고(易解參攷)』

案, 地勢平廣方正, 故爲均. 有縱橫之勢, 而又可裁割, 故爲布. 偶數衆多而其道柔順, 故爲文. 國語司空季子曰, 衆順文也. 薛紫賢復命篇曰, 陰文陽武. 坤陰之爲文, 可見矣.

내가 살펴보았다: 땅의 형세가 고르고 넓고 반듯하고 바르기 때문에 균등한 것이 된다. 세로와 가로의 형세가 있고 또 마름질하여 자를 수 있기 때문에 베가 된다. 짝수는 많고 그 도가 유순하기 때문에 문채가 된다. 『국어』에 사공계자가 "여럿이 문채를 따른다"고 하였다. 설자현(薛紫賢)의「복명편(復命篇)」에 "음은 문이고 양은 무이다"라고 하였다. 곤괘인 음이 문이 된다는 것을 알 수 있다.

本義, 爲牝 [至] 爲漿.

『주역본의』에서 말하였다: 암컷이 되고 … 미음이 된다.

案, 坤純陰, 故其於馬也取牝. 牝馬行地而健, 取坤之安貞也. 又地類而不變故七, 占於六爻不變, 取牝馬象. 陰隨陽, 故爲迷, 易曰, 先迷. 地方, 故爲方, 易曰, 直方. 地收藏萬物, 故爲囊, 易曰括囊. 在下分開, 故爲裳. 土色黃, 故爲黃, 易曰, 黃裳. 廣而方, 故爲帛, 左傳曰, 奉以玉帛. 取否有乾玉坤帛也. 坤變坎爲漿, 故土和水曰地漿.

내가 살펴보았다: 곤괘는 순수한 음이기 때문에 말에서는 암말을 취하였다. 암말은 땅을 가는데 강건하니, 곤괘가 편안하고 곧은 것을 취하였다. 또한 땅의 종류이면서 변하지 않기 때문에 칠(七)이고, 점은 여섯 효가 변하지 않아서 암말의 상의 취하였다. 음은 양을 따르기 때문에 혼미함이 되니, 『주역』에 "먼저 혼미하다"고 하였다. 땅은 네모지기 때문에 네모가 되니, 『주역』에 "곧고 네모지다"고 하였다. 땅은 만물을 거두어 저장하기 때문에 주머니가 되니, 『주역』에 "주머니를 묶는다"고 하였다. 아래가 나누어 열려 있기 때문에 치마가 된다. 땅은 색깔은 누렇기 때문에 누런 것이 되니, 『주역』에 '누런 치마'라고 하였다. 넓고 네모지기 때문에 비단이 되니, 『춘추좌전』에 "옥과 비단을 바친다"고 하였다. 이는 비(否)의 건괘가 옥이고 곤괘가 비단이라는 것을 취하였다. 곤괘가 감괘로 변하여 미음이 되기 때문에 흙이 물에 섞인 것을 지장(地漿)이라고 한다.

小註, 息齋說, 布爲泉.
소주에서 식재여씨가 말하였다: 동전은 돈이 된다.
周禮, 泉布, 掌市之征布.
『주례』에 "천포(泉布)는 시장의 세금을 장악한다"고 하였다.
○ 爾雅, 貨泉錢也.
『이아』에서 "화(貨)는 돈이다"라고 하였다.

서유신(徐有臣) 『역의의언(易義擬言)』

坤爲地爲母爲布爲釜爲吝嗇爲均爲子母牛爲大輿爲文爲衆爲柄其於地也爲黑
곤(坤)은 땅이 되고, 어머니가 되고, 펴는 것이 되고, 가마솥이 되고, 인색한 것이 되고, 균등한 것이 되고, 새끼가 있는 어미 소가 되고, 큰 수레가 되고, 문채[文]가 되고, 무리가 되고, 자루가 되고, 땅에 있어서는 검은 것이 된다.

布疑臣, 釜疑食, 吝疑裳, 嗇疑囊, 而不敢彊卜. 五彩出乎地, 故爲文也. 天下之物, 莫不載焉, 故爲衆也. 柄疑當作福. 坤德順厚, 宜享福祿也. 其於地也爲黑, 恐是錯簡, 當爲坎象. 坤爲地, 不當特言其於地也. 兌稱其於地也爲剛鹵, 坎兌相近. 黑屬水色, 故疑爲坎象也.
의심해 보건대, 포(布)는 신(臣)이 되고, 부(釜)는 식(食)이 되고, 린(吝)은 상(裳)이 되고,

색(嗇)은 낭(囊)이 되어야 할 것 같지만, 감히 억지로 급하게 하지 않는다. 다섯 가지 채색은 땅에서 나오기 때문에 문채가 된다. 천하의 만물을 싣지 않는 것이 없기 때문에 무리가 된다. 병(柄)은 아마도 마땅히 복(福)으로 써야 할 것 같다. 곤괘의 덕이 순하고 도타우니, 마땅히 복록을 누릴 것이다. "땅에 있어서는 검은 것이 된다"는 구절은 아마도 착간인 듯하니, 마땅히 감괘의 상이 되어야 한다. 곤괘는 땅이 되니, 특별히 '땅에 있어서는'이라고 말하는 것은 마땅하지 않다. 태괘는 "땅에 있어서는 단단하고도 짠땅이 된다"고 말했는데, 감괘는 태괘와 서로 가깝다. 검은 색은 물의 색깔에 속하기 때문에 아마도 감괘의 상이 될 것이다.

오치기(吳致箕)「주역경전증해(周易經傳增解)」

純陰故爲地. 資生乎萬物故爲母. 布帛出於地故爲布. 虛而容物故爲釜. 靜翕而不施故爲吝嗇. 動闢而廣, 无物不容故爲均. 性順而純柔故爲子母牛. 順承乾之大而厚德載物, 故爲大輿. 萬物生於地, 至雜而文, 故爲文. 耦多故爲衆. 持生物之權故爲柄. 黑者純陰之色也.

순수한 음이기 때문에 땅이 된다. 만물을 먹이고 살리기 때문에 어머니가 된다. 베와 비단은 땅에서 나오기 때문에 베가 된다. 비어서 음식물을 용납하기 때문에 가마솥이 된다. 조용히 모아서 베풀지 않기 때문에 인색한 것이 된다. 열어서 넓혀 용납하지 않는 물건이 없기 때문에 균등한 것이 된다. 성질이 순하고 순전히 부드럽기 때문에 새끼가 있는 어미 소가 된다. 큰 건괘를 순순히 받들어 덕을 도타운 덕으로 물건을 싣기 때문에 큰 수레가 된다. 만물이 땅에서 생겨나 지극히 섞이고 문채가 있기 때문에 문채가 된다. 짝이 많기 때문에 무리가 된다. 만물을 낳는 권한을 갖기 때문에 자루가 된다. 검은 것은 순수한 음의 색이다.

○ 荀九家, 有爲牝爲迷爲方爲囊爲裳爲黃爲帛爲漿.

『순구가역(荀九家易)』에는 암컷이 되고, 혼미한 것이 되고, 네모난 것이 되고, 주머니가 되고, 치마가 되고, 누런 것이 되고, 비단이 되고, 간장이 된다는 내용이 있다.

蓋帛謂布帛而生於地, 漿以穀以鹽而成, 亦出於地, 故皆屬坤. 此外諸象, 皆取坤卦之辭而爲言者也. 旣有本卦所解, 故此不重釋.

비단은 포백을 말하는데 땅에서 생산되고, 간장은 곡식에 소금을 간하여 이루어지는데, 또한 땅에서 나오므로 모두 곤괘에 속한다.

增解, 爲國爲邑爲臣爲民爲虛爲小.

『증해』에서 말하였다: 나라가 되고 읍이 되고 신하가 되고 백성이 되고 빈 것이 되고 작은 것이 된다.

○ 建國邑以土地, 故爲國爲邑. 陰柔而在下, 故爲臣爲民. 柔而不實, 故爲虛. 對乎乾之大, 故爲小也.
토지로 나라와 읍을 세우기 때문에 나라가 되고 읍이 된다. 부드러운 음으로서 아래에 있기 때문에 신하가 되고 백성이 된다. 부드러우면서 실질이 없기 때문에 빈 것이 된다. 큰 건괘에 상대가 되기 때문에 작은 것이 된다.

震, 爲雷, 爲龍, 爲玄黃, 爲旉, 爲大塗, 爲長子, 爲決躁, 爲蒼
莨竹, 爲萑葦, 其於馬也, 爲善鳴, 爲馵足, 爲作足, 爲的顙,
其於稼也, 爲反生, 其究, 爲健, 爲蕃鮮.

진(震)은 우레가 되고, 용(龍)이 되고, 검고 누런 것이 되고, 펴는 것이 되고, 큰 길이 되고, 맏아들이
되고, 결단하고 조급함이 되고, 푸른 대나무가 되고, 갈대가 되며, 말에 있어서는 잘 우는 소리가
되고, 발이 흰 말의 발이 되고, 발을 치켜드는 것이 되고, 흰 이마가 되며, 곡식에 있어서는 밑에서
위로 생겨남이 되고, 궁극에는 굳건함이 되고, 무성하고 윤기가 있는 것이 된다.

中國大全

本義

荀九家, 有爲玉, 爲鵠, 爲鼓.

『순구가역(荀九家易)』에는 옥(玉)이 되고, 고니가 되고, 북이 된다는 내용이 있다.

小註

張子曰, 陰氣凝聚, 陽在內者不得出, 則奮擊而爲雷.

장자가 말하였다: 음의 기운이 응결하여 모이고 양으로 안에 있는 것이 나올 수 없으면 분발
하여 쳐서 우레가 된다.

○ 節齋蔡氏曰, 陽動於下, 故爲雷. 陰陽始交, 故爲玄黃. 陽氣始施, 故爲旉. 萬物畢
出, 故爲大塗. 動故爲決躁. 氣始亨, 故於馬爲善鳴. 陽在下, 故又爲馵足爲作足. 陰在
上, 故爲的顙, 的, 白也, 而顙在上也. 詩所謂白顚, 傳所謂的顱, 是也. 剛反動於下, 故
於稼爲反生. 陽長必終於乾, 故其究爲健.

절재채씨가 말하였다: 양이 아래에서 움직이므로 우레가 된다. 음과 양이 처음 사귀므로
검고 누른색이 된다. 양의 기운이 처음 베풀어지므로 펴는 것이 된다. 만물은 반드시 나오므
로 큰 길이 된다. 움직이므로 결단하고 조급함이 된다. 기운이 비로소 형통하므로 말에 있어

서는 잘 우는 소리가 된다. 양이 아래에 있으므로 또 발이 흰 말의 발이 되고 발을 치켜드는 것이 된다. 음이 위에 있으므로 흰 이마가 되니, '적(的)'은 흰 것이고 상(顙)은 위에 있다. 『시경』에서는 "백전(白顚)"이라고 하였고, 『정전』에서 이른바 "적로(的顱)"라고 한 것이 이 것이다. 굳센 양이 아래에서 도리어 움직이므로 곡식에서는 싹이 밑에서 위로 생겨남이 된다. 양이 성장하면 반드시 건괘(乾卦)에서 마치므로 그 궁극은 굳건함이 된다.

○ 臨川吳氏曰, 爲玄黃, 乾坤始交而生震, 故兼有天地之色. 得乾初畫爲玄, 得坤中畫上畫爲黃, 孔疏謂玄黃雜而成蒼色也. 爲旉, 字又作敷, 與華通. 花蒂下連而上分爲花出也. 爲大塗, 一奇動於內, 而二偶開通前无壅塞. 爲決躁, 決者, 陽生於下而上進以決陰, 躁者, 陽之動也. 爲蒼筤竹, 蒼, 深青色, 筤, 謂色之美, 蓋竹之筠也. 爲萑葦, 萑, 荻, 葦, 蘆竹, 萑葦, 皆下本實而上幹虛. 其於馬也, 爲善鳴, 爲馵足, 爲作足, 爲的顙. 善鳴者, 陽在內爲聲, 上畫偶, 口開出聲也, 馵足, 足骹白, 陽之色, 作足, 足超起, 陽之健, 皆言下畫之陽也. 的顙, 額有旋毛中虛如射者之的, 言上畫之虛也. 其於稼也爲反生, 稼, 諸穀之類, 反生, 萌芽自下而生, 反勾向上, 陽在下也. 其究爲健, 中上二畫變, 則爲乾也. 爲蕃鮮, 蕃盛而鮮美, 謂春生之草也. 草下一根而葉分開於上也.

임천오씨가 말하였다: 검고 누름이 됨은 건괘(乾卦)와 곤괘(坤卦)가 처음 사귀어 진괘(震卦☳)를 낳으므로 하늘과 땅의 색을 겸하고 있다. 건괘(乾卦☰)의 첫 획을 얻어 검은 색이 되고 곤괘(坤卦☷)의 가운데 획과 위의 획을 얻어 누른색이 되니, 공영달의 소(疏)에서는 검은 색과 누른색이 뒤섞여 푸른색을 이룬다고 했다. 펴는 것이 됨은 글자를 또 부(敷)로 썼으니, 꽃이 핀다는 화(華)자와 통한다. 꽃의 꼭지는 아래로 이어지고 위로 나뉘어 꽃이 나오게 된다. 큰 길이 됨은 한 양이 안에서 움직이고 두 음이 열고 통하여 앞에 막힘이 없다. 결단하고 조급함이 됨에서 결단함[決]은 양이 아래에서 생겨나 위로 나아가서 음을 결단하는 것이고, 조급함[躁]은 양의 움직임이다. 푸른 대나무가 됨에서 창(蒼)은 깊은 청색이고 랑(筤)은 색이 아름다움을 말하니, 대체로 대나무가 푸르러 윤택한 것이다. 추위(萑葦)에서 추(萑)는 억새이고 위(葦)는 갈대이니, 억새와 갈대는 모두 아래의 뿌리는 실(實)한데, 위의 줄기는 빈 것이다. 말에서는 잘 우는 소리가 되고, 발이 흰 말의 발이 되고, 발을 치켜드는 것이 되고, 흰 이마가 된다. 잘 우는 소리는 양이 안에 있어 소리가 되고 위의 획은 짝수(음이)여서 입이 열려 소리가 나오는 것이고, 발이 흰 말의 발은 발과 정강이가 흰 것으로 양의 색이며, 발을 치켜드는 것은 발을 높이 세우는 것으로 양이 굳건한 것이니, 모두 아래 획의 양을 말한다. 흰 이마는 이마에 가마[旋毛]가 있는데 가운데가 빈 것이 화살을 쏘는 표적과 같아서 위 획의 빈 것을 말한다. 그 곡식에서는 밑에서 위로 생겨남이 된다는 것에서 가(稼)는 여러 곡식의 부류이고, 반생(反生)은 싹이 아래에서 생겨나 거꾸로 위를 향하는 것이니, 양이 아래에 있는 것이다. 궁극에는 굳건함이 됨은 가운데와 위의 두 획이 변하면 건괘가

되는 것이다. 무성하고 윤기가 있는 것이 됨에서 번(蕃)은 무성한 것이고 선(鮮)은 아름다운 것이니, 봄에 생겨나는 풀을 말한다. 풀은 아래로 뿌리가 하나인데, 잎은 위에서 나뉘어 펼쳐진다.

○ 雙湖胡氏曰, 夫子取震卦象稱雷, 本彖辭震驚百里. 稱長子, 本師六五爻互震體. 稱馬, 本屯卦諸爻, 餘皆自取.
쌍호호씨가 말하였다: 공자가 진괘의 상을 취하여 우레라고 일컬은 것은 괘사에서 우레가 백리를 놀라게 한다고 한 것에서 근본한다. 맏아들이라고 일컬은 것은 사괘(師卦☷☵) 육오효의 호괘인 진괘의 몸체에서 근본한다. 말[馬]이라고 일컬은 것은 준괘(屯卦)의 여러 효에서 근본하며, 그 밖의 나머지는 모두 스스로 취하였다.

韓國大全

송시열(宋時烈) 『역설(易說)』
爲的顙.
흰 이마가 된다.

蓋震之有馬象者, 取動而見也.
진괘가 말의 상이 있는 것은 움직여서 드러나는 것을 취한 것이다.

조호익(曺好益) 『역상설(易象說)』
震爲旉爲馵足.
진은 펴는 것이 되고 발을 치켜드는 것이 된다.
旉一作敷. 馵, 馬四骹皆白. 陸佃曰, 蓋取其躁, 故二絆其足, 言制之而動. 〈陸亦指易象而言.〉 馵一絆其足, 馵二絆其足.
'부(旉)'는 다른 판본에는 '부(敷)'로 되어 있다. '주(馵)'는 말의 네 발굽이 모두 흰 것이다. 육전(陸佃)은 "말은 성질이 조급하므로 발 두 개를 잡아맨 것을 취한 것으로, 제압하여 움직이는 것을 말한다."고 하였다. 〈육전 역시 역상(易象)을 가리켜 말하였다.〉 환(馵)은 발 하나를 잡아맨 것이고, 주(羈)는 발 두 개를 잡아맨 것이다.

○ 本義, 爲玉爲鵠爲鼓.

『주역본의』에서 말하였다: 옥이 되고, 고니가 되고, 북이 된다.

玉, 震陽剛在內, 陰柔在外, 取內堅剛而外溫潤之象. 鵠, 震陽動之卦, 陽色白, 又動而上進, 故取象. 鵠, 鳥之色白而高飛者. 或曰, 一奇在下, 有身之象, 二偶分開有兩翼象. 鼓在中孚三互體.

‘옥’은 진괘의 모양이 굳센 양이 안에 있고 부드러운 음이 바깥에 있는데, 안은 단단하면서 굳세고 바깥은 따스하면서 부드러운 상을 취하였다. ‘고니’는 진괘가 양이 움직이는 괘인데, 양의 색깔은 희고 또 움직여서 위로 나아가기 때문에 그 상을 취하였다. 고니는 색깔이 희면서 높이 날아가는 새이다. 어떤 사람은 “한 기수인 양이 아래에 있으니, 몸의 상이 있는 것이고, 두 우수인 음이 나뉘어 열려 있으니, 두 날개의 상이 있다”라고 말하였다. ‘북’은 중부괘(中孚卦) 삼효가 포함된 호체에 그 상이 있다.

유정원(柳正源) 『역해참고(易解參攷)』

案, 震於先天在子丑, 子丑天地之限, 故爲玄黃. 此以乾當巳, 坤當亥之位言之也. 或云, 律曆志, 丑初日肇化而黃, 寅初日擘成而黑, 先天丑寅爲震, 故爲玄黃亦通. 此以乾爲午半坤爲子半之位言之也. 陽畫橫於坤之卑處, 故爲平地大塗. 馬鳴如雷吼, 而又聲爲陽, 故爲善鳴. 二陰消於上, 一陽反生於下, 如麥之秋種冬死而反生於春, 故爲反生.

내가 살펴보았다: 진괘는 「선천도」에서 자축(子丑)에 있는데, 자축은 천지의 한계이기 때문에 검고 누런 것이 된다. 이는 건괘가 사(巳)의 자리에 해당하고 곤괘가 해(亥)의 자리에 해당하는 것으로 말하였다. 어떤 사람은 “「율력지」에 축(丑)은 초일에 변화를 시작하여 누렇게 되고, 인(寅)은 초일에 점차 이루어져 검게 되는데, 「선천도」에서 축인(丑寅)이 진괘가 되기 때문에 검고 누런 것이 된다”라고 하는데, 또한 통한다. 이는 건괘를 오반(午半)의 자리로 하고 곤을 자반(子半)의 자리로 하여 말한 것이다. 양의 획이 곤괘의 낮은 자리에 가로 놓여있기 때문에 평지의 큰 길이 된다. 말의 울음은 우레의 울림과 같고, 또 소리가 양이기 때문에 잘 우는 소리가 된다. 두 음이 위에서 소멸되고 한 양이 아래에서 도리어 생겨나는 것이 마치 보리를 가을에 심어 겨울에 죽은듯 하다가 봄에 다시 살아나는 것과 같기 때문에 도리어 생겨남이 된다.

本義, 玉鵠鼓.

『주역본의』에서 말하였다: 옥이 되고, 고니가 되고, 북이 된다.

案, 震下動而佩玉下垂鳴而動, 故爲玉. 飛類爲陽物而善鳴者鵠, 故爲鵠. 鼓物而警衆如雷, 故爲鼓. 詩曰雷鼓.

내가 살펴보았다: 우레는 아래로 움직이고, 패옥은 아래로 늘어뜨려 울리며 움직이기 때문에 옥이 된다. 날아다니는 종류는 양에 속한 동물이 되는데, 잘 우는 것이 고니이기 때문에 고니가 된다. 북을 울려서 대중에게 경고하는 것이 우레와 같기 때문에 북이 된다. 시에 우레와 북이라고 하였다.

小註, 臨川說, 花出.

소주에 임천오씨가 말하였다: 꽃이 나온다.

案, 花上分開謂之出. 如海花五出, 雪花六出.

내가 살펴보았다: 꽃이 위로 나뉘어 열리는 것을 나온다고 한다. 예를 들어 산호는 다섯 갈래로 나오고, 눈꽃은 여섯 갈래로 나온다.

서유신(徐有臣) 『역의의언(易義擬言)』

天玄地黃, 交雜成震, 故爲玄黃也. 旉當作車, 國語有曰震爲車, 雷動之象也. 陽氣發出, 雷行天下, 故爲大塗也. 震巽皆木, 而震中通, 故爲蒼筤爲萑葦也. 竹恐是註也. 蒼筤未知其爲何狀, 而大抵細瘦多枝葉如萑葦也. 雷鳴, 故爲善鳴也. 震爲足, 故爲馵足, 作足也. 反當作方也. 東作之時, 故有稼象, 而爲方生之穀也. 一陽之終爲乾三陽, 故其究爲健也. 震者, 物之始生, 而終必茂美, 故其究爲蕃鮮也.

하늘은 검고 땅은 누런데, 서로 섞여서 우레를 이루기 때문에 검고 누런 것이 된다. 부(旉)는 마땅히 거(車)가 되어야 하는데, 『국어』에 "진괘는 수레[車]가 된다"는 말이 있으니, 우레가 움직이는 상이다. 양의 기운이 발로되어 나와 우레가 천하에 운행하기 때문에 큰 길이 된다. 진괘와 손괘는 모두 목(木)이고 진괘의 가운데가 통해 있기 때문에 푸른 대나무와 갈대가 된다. 죽(竹)이라는 글자는 아마도 주석일 것이다. 푸른 대나무는 그 형상이 어떤지 알 수 없지만, 대체로 가늘고 가지와 잎이 많아서 갈대와 같을 것이다. 우레가 울기 때문에 잘 우는 것이 된다. 진괘가 발이 되기 때문에 흰 말의 발과 발을 치켜드는 것이 된다. 반(反)은 마땅히 방(方)으로 써야 하니, 봄농사의 때이기 때문에 농사의 상이 있고, 막 생겨나는 곡식이 된다. 한 양이 끝내 건괘의 세 양이 되기 때문에 궁극적으로 강건하다. 우레는 만물이 처음 생겨나는 것인데, 끝내 반드시 무성하고 아름답게 되기 때문에 무성하고 윤기가 있는 것이 된다.

조유선(趙有善) 『경의(經義)-주역본의(周易本義)』

爲決躁.

결단하고 조급함이 된다.

臨川吳氏曰, 躁者, 陽之動也.

임천오씨가 말하였다: 조급함은 양의 움직임이다.

按, 朱子謂陰體柔躁, 只爲他柔所以躁, 剛便不躁. 躁是那欲動而不得動之意. 此見於坤卦小註, 與吳氏說不同. 據此則下一陽爲決, 上二陰爲躁, 如是看如何.

내가 살펴보았다: 주자는 "음의 몸체가 유순하고 조급한 것은 오직 그것이 유순하기 때문에 조급하게 된 것이니, 강건하면 조급하지 않다. 조급함은 움직이려고 하지만 움직일 수 없음을 뜻한다"고 말하였다. 이것은 곤괘의 소주에 보이는데, 오씨의 설과는 같지 않다. 이에 근거하면 아래 한 양이 결단함이 되고 위의 두 음이 조급함이 되니, 이렇게 보는 것이 어떨까?

오치기(吳致箕) 「주역경전증해(周易經傳增解)」

震者, 陽之動, 陽氣動于積陰之下, 奮擊而爲雷. 陽物動於凝陰之下, 變化而爲龍. 天玄地黃而震爲乾坤之始交, 故其色玄黃. 旉謂施而震爲陽氣之始旉. 或云當作車而車取其動亦通. 一奇始動于內, 二耦開張于外, 四通五達, 故爲大塗. 乾一索而得男, 故爲長子. 一陽下動, 前无壅而其進銳, 故爲決躁. 合玄黃之色則爲蒼, 而筤竹萑葦皆本實而中虛, 故取象乎陽實在下陰虛在上也. 聲屬陽而下陽始動上陰拆口, 故爲善鳴. 馵足者, 足骹之白而陽色爲白. 下動爲足, 故取其象也. 作足者, 作謂起而足之超起, 卽陽動于下之象也. 額有旋毛而中虛, 如射者之的曰的顙, 而毛屬陰, 故取象於陰爻在上而中虛也. 穀實在下者曰反生, 而取乎陽反在下也. 一陽進而成三陽, 則其究爲乾之健也. 蕃謂盛, 鮮謂美, 而一陽始生, 品物皆亨, 則爲蕃盛而美鮮也.

우레는 양이 움직이는 것이니, 양의 기운이 쌓인 음의 아래에서 움직여 분발하여 쳐서 우레가 된다. 양인 동물이 응결된 음의 아래에서 움직이고 변화하여 용이 된다. 하늘은 검고 땅은 누른데, 진괘는 건괘와 곤괘가 처음 사귀는 때이기 때문에 그 색이 검고 누른 것이 된다. '부(旉)'는 펴는 것을 말하는데, 우레는 양의 기운이 처음 펴지는 것이기 때문이다. 어떤 사람은 "마땅히 '거(車)'로 써야 하니, 수레에서 그 움직이는 것을 취하였다"고 하니, 또한 통한다. 한 양이 안에서 움직이고 두 음이 밖에서 펴져 있어서, 사방팔방으로 통하기 때문에 큰 길이 된다. 건괘가 한 번 찾아서 남자를 얻기 때문에 장남이 된다. 한 양이 아래에서 움직이고 앞에 막힘이 없어서 그 나아감이 날카롭기 때문에 결단하고 조급함이 된다.

검은 색과 누런 색을 합하면 푸른 색이 되고 푸른 대나무와 갈대는 모두 줄기는 실하지만 가운데가 비어있기 때문에 양이 아래에서 차 있고 음이 위에서 빈 상을 취하였다. 소리는 양에 속하며 아래의 양은 처음 움직이고 위의 음은 열려있기 때문에 잘 우는 소리가 된다. 발이 흰 말의 발은 흰색인데, 양의 색이 흰색이 된다. 아래에서 움직이는 것은 발이기 때문에 그 상을 취하였다. 발을 치켜드는 것에서 치켜드는 것은 드는 것을 말하니, 발이 조금 들린 것으로, 곧 양이 아래에서 움직이는 상이다. 이마에는 곱슬한 털이 있고 가운데가 비어있어서, 활쏘는 사람의 표적과 같기 때문에 흰 이마라고 하였다. 털은 음에 속하기 때문에 음효가 위에 있으면서 가운데가 빈 상을 취하였다. 곡식의 열매가 아래에 있는 것을 거꾸로 생겨난 것이라고 하니, 양이 도리어 아래에 있는 것을 취한 것이다. 한 양이 나아가 세 양을 이루면, 결국에는 건괘의 강건함을 이룬다. '번(蕃)'은 무성함을 말하고 '선(鮮)'은 아름다움을 말하는데, 한 양이 처음 생겨나 만물이 모두 형통하면 무성하고 아름답게 된다.

○ 荀九家爲玉者, 取陽剛而粹, 陰柔而溫也. 爲鵠者, 未詳其所取. 爲鼓者, 以聲取象於雷也.
『순구가역』에서 옥이 되는 양이 굳세고 순수하며 음이 부드럽고 온화한 것을 취하였다. 고니가 되는 것은 무엇을 취하였는지 상세하지 않다. 북이 되는 것은 소리를 말하는데 우레에서 상을 취하였다.

增解, 爲作爲事爲功爲生爲行爲疾爲聲爲起爲朝爲筐爲簋.
『증해』에서 말하였다: 만듦이 되고 일이 되고 공이 되고 생겨남이 되고 걸어감이 되고 빠름이 되고 소리가 되고 일어남이 되고 아침이 되고 광주리가 되고 제기가 된다.

○ 動則有作有事有功有生, 故象於陽動也. 行必以足而動, 故爲行也. 動萬物者, 莫疾乎雷, 故爲疾也. 天下之聲, 莫大乎雷, 故爲聲也. 一陽生於厚陰之下, 故爲起也. 在於正東日出之方, 故爲朝也. 竹器曰筐簋而有竹象而虛中, 故爲筐爲簋也.
움직이면 만듦이 있고 일이 있고 공이 있고 생겨남이 있기 때문에 양이 움직이는 것을 형상하였다. 걸어가는 경우에는 반드시 발을 움직이기 때문에 걸어감이 된다. 만물을 움직이는 것 가운데 우레보다 빠른 것이 없기 때문에 빠름이 된다. 천하의 소리 가운데 우레보다 큰 것이 없기 때문에 소리가 된다. 한 양이 두터운 음의 아래에서 생겨나기 때문에 일어남이 된다. 동쪽 해 뜨는 방향에 있기 때문에 아침이 된다. 대나무로 만든 그릇을 광주리나 제기라고 하는데, 나무의 상이 있고 가운데가 비어있기 때문에 광주리가 되고 제기가 된다.

巽, 爲木, 爲風, 爲長女, 爲繩直, 爲工, 爲白, 爲長, 爲高, 爲進退, 爲不果, 爲臭, 其於人也, 爲寡髮, 爲廣顙, 爲多白眼, 爲近利市三倍, 其究, 爲躁卦.

손(巽)은 나무가 되고, 바람이 되고, 맏딸이 되고, 먹줄이 곧음이 되고, 공장(工匠)이 되고, 흰 것이 되고, 긴 것이 되고, 높은 것이 되고, 나아가고 물러남이 되고, 과감하지 못함이 되고, 냄새가 되고, 사람에게 있어서는 머리털이 적은 것이 되고, 이마가 넓은 것이 되고, 눈에 흰자위가 많은 것이 되고, 이익에 가까이 하여 시세의 세 배가 되며, 궁극에는 조급한 괘가 된다.

中國大全

本義

荀九家, 有爲楊, 爲鸛.

『순구가역(荀九家易)』에는 버드나무가 되고, 황새가 된다는 내용이 있다.

小註

張子曰, 陰氣凝聚, 陽在外者, 不得入, 則周旋不舍而爲風.

장자가 말하였다: 음의 기운이 응결하여 모이고 밖에 있는 양이 들어갈 수 없어서 여러 방법으로 힘쓰지만 머무르지 못하여 바람이 된다.

○ 進齋徐氏曰, 巽, 入也. 物之入者, 莫如木, 氣之善入者, 莫如風. 繩, 糾木之曲而取直者. 工, 引繩之直而制木者. 巽德之制, 故爲繩直爲工. 巽, 少陰, 故於色爲白. 木下入而上升, 故爲長爲高. 陰性多疑, 故爲進退, 爲不果. 陰伏於下, 氣欝不散, 故爲臭. 髮, 陰也. 陽盛於上爲寡髮. 二陽在上爲廣顙. 離, 爲目, 反離中爻於下, 故爲多白眼. 陰得乎陽, 故爲近利市三倍. 或謂離日中爲市, 而巽近之, 故有此象. 震爲決躁, 巽三爻, 皆變則爲震, 故其究爲躁卦.

진재서씨가 말하였다: 손(巽)은 들어감이다. 물건이 들어가는 것에 나무만 한 것이 없으며, 기운 가운데 잘 들어가는 것이 바람만 한 것이 없다. 먹줄[繩]은 나무의 굽은 것을 바로잡아서 곧음을 취하는 것이다. 공장[工]은 먹줄의 곧음을 이용해서 나무를 마름질하는 것이다. 손괘의 덕이 마름질하므로 먹줄의 곧음[直]이 되고 공장이 된다. 손괘는 음이 적으므로 색에서는 흰색이 된다. 나무는 아래로는 들어가고 위로는 올라가므로 긴 것이 되고 높은 것이 된다. 음의 성질은 의심이 많기 때문에 나아가고 물러남이 되고 과감하지 못함이 된다. 음은 아래에서 엎드리니, 기운이 울창하고 흩어지지 않으므로 냄새가 된다. 머리털은 음이다. 양은 위에서 왕성하여 머리털이 적은 것이 된다. 두 양이 위에 있어 넓은 이마가 된다. 리괘(離卦☲)는 눈이 되는데, 리괘의 가운데 효가 아래로 돌아가므로 흰자위가 많은 눈이 된다. 음은 양에서 얻으므로 이익에 가까이 하여 시세의 세 배가 된다. 어떤 이는 리괘(☲)인 한낮[日中]이 시세가 되고 손괘(巽卦☴)는 가까이 함이 되므로 이러한 상이 있다고 하였다. 진괘(震卦☳)는 결단하고 조급함이 되는데, 손괘의 세 효가 모두 변하면 진괘가 되므로 궁극에는 조급한 괘가 된다.

○ 融堂錢氏曰, 爲木者, 幹陽而根陰也. 爲長者, 風行也. 爲高者, 木性也. 寡髮者, 陰血不升. 廣顙者, 陽氣上盛也.
융당전씨가 말하였다: 나무가 되는 것이 줄기는 양인데 뿌리는 음이다. 긴 것이 되는 것은 바람이 행하는 것이다. 높은 것이 되는 것은 나무의 성질이다. 머리털이 적은 것은 음의 혈기가 올라가지 못하기 때문이다. 이마가 넓은 것은 양의 기운이 위에서 왕성하기 때문이다.

○ 節齋蔡氏曰, 爲進退不果者, 一陰盤旋於二陽之下也.
절재채씨가 말하였다: 나아가고 물러남과 과감하지 하지 못함이 되는 것은 한 음이 두 양 아래에서 이리저리 빙빙 돌기 때문이다.

○ 臨川吳氏曰, 臭者, 香羶腥焦朽之五氣. 凡物有聲色臭味, 聲臭屬陽, 色味屬陰. 巽二陽外達故爲臭. 反以三隅, 則震一陽內主爲聲, 兌者, 巽之反體爲味, 艮者, 震之反體爲色也. 爲寡髮, 爲廣顙, 爲多白眼, 皆上陽盛也. 以頭言, 陰血盛者髮多, 陽氣盛者髮少. 以顙言, 陽體勝者額廣, 陰體勝者額狹. 以眼言, 白者爲陽, 黑者爲陰, 離目上下白而黑者居中, 黑白相間而停勻, 巽目上中白而黑者在下, 上白多於黑也, 爲近利市三倍. 義理陽也, 利市陰也. 震陽在內, 義理主於內也, 故一剛爲主於內之卦爲无妄. 巽陰在內, 利欲主於內也, 故爲近利. 曰市三倍者, 猶詩言賈三倍, 謂市物而得利三倍, 近利之至甚者也. 其究爲躁卦, 三畫皆變則爲震也, 震之三畫, 皆變則成巽. 巽之中上二

畫變, 則成坤. 於震不變其初畫之陽, 而但變其中上二畫, 故其究爲乾, 而不爲巽. 於巽
先變其初畫之陰, 而盡變其初中上三畫, 故其究爲震, 而不爲坤. 蓋喜陰卦爲陽卦, 陽
卦爲純陽卦, 而不欲陽卦爲陰卦, 陰卦爲純陰也.

임천오씨가 말하였다: 냄새는 향기롭고 누리고 비리며 타고 썩은 다섯 가지 기운이다. 물건
에는 소리와 색과 냄새와 맛이 있는데, 소리와 냄새는 양에 속하고 색과 맛은 음에 속한다.
손괘(巽卦☴)의 두 양은 밖으로 통하기 때문에 냄새가 된다. 다른 괘들도 추론해 본다면,
진괘(震卦☳)의 한 양은 안의 주인으로 소리가 되고, 태괘(兌卦☱)는 손괘가 뒤집어진 몸체
로 맛이 되며, 간괘(艮卦☶)는 진괘가 뒤집어진 몸체로 색이 된다. 머리털이 적은 것이 되고
이마가 넓은 것이 되고 눈에 흰자위가 많은 것이 되는 것이 모두 위의 양이 왕성하기 때문이
다. 머리로 말하면 음의 혈기가 왕성한 것은 머리털이 많고 양의 기운이 왕성한 것은 머리털
이 적다. 이마로 말하면 양의 몸체가 이긴 것은 이마가 넓고 음의 몸체가 이긴 것은 이마가
좁다. 눈으로 말하면 흰자위는 양이 되고 검은자위는 음이 되니, 리괘(離卦☲)인 눈은 위아
래가 희고, 검은 눈동자가 가운데 있어서 검은자위와 흰자위가 서로 사이하여 균형이 잡히
며, 손괘(巽卦☴)인 눈은 위와 가운데가 희고 눈동자가 아래에 있어서 위의 흰자위가 눈동
자보다 많아 이익에 가까이하여 시세의 세배가 된다. 의리는 양이고 시세의 이익은 음이다.
진괘의 양은 안에 있는데, 의리가 안에서 주인이 되므로 굳센 한 양이 안에서 주인이 되는
괘가 무망괘(无妄卦䷘)가 된다. 손괘의 음은 안에 있는데, 이욕(利欲)이 안에서 주인이 되
므로 이익에 가까이 하게 된다. 시세의 세 배라고 말한 것은 『시경』에서 "고삼배(賈三倍)"
라고 한 것과 같으니, 시장의 물건으로 세 배의 이익을 얻는 것을 말하니, 이익에 가까이
함이 매우 심한 것이다. 궁극에는 조급한 괘가 된다는 것은 세 개의 획이 모두 변하면 진괘
(震卦)가 되고, 진괘의 세 획이 모두 변하면 손괘를 이루며, 손괘의 가운데와 위의 두 획이
변하면 곤괘(坤卦)가 된다. 진괘에선 그 첫 획인 양이 변하지 않고 그 가운데와 위의 두
획이 변했기 때문에 그 궁극은 건괘(乾卦☰)가 되고 손괘가 되지 않는다. 손괘에선 우선
그 첫 획인 음이 변하였는데, 그 처음과 가운데, 위의 세 획이 모두 변하므로 그 궁극은
진괘(震卦☳)가 되고 곤괘(坤卦)가 되지 않는다. 대체로 음괘가 양괘가 되고, 양괘는 순전
한 양괘가 되는 것을 좋아하고 양괘가 음괘가 되고 음괘가 순전한 음이 되는 것을 원치
않는다.

○ 雙湖胡氏曰, 夫子於巽卦取象稱木, 本之漸六四, 外餘皆自取.
쌍호호씨가 말하였다: 공자가 손괘에서 상을 취하여 나무라고 말한 것은 점괘(漸卦䷴) 육사
에 근본하고, 그 밖의 나머지는 모두 스스로 취하였다.

‖韓國大全‖

조호익(曺好益) 『역상설(易象說)』

巽爲木爲風.

손(巽)은 나무가 되고 바람이 된다.

本義, 爲楊爲鸛.

『주역본의』에서 말하였다: 버드나무가 되고 황새가 된다.

楊象在大過二, 鸛唐本作鶴然疑. 鸛是飛者風族, 巽爲風. 鸛者澤鳥, 巽之反兌, 兌爲澤, 故取象. 若曰爲鶴, 則在中孚兌象亦巽之反鶴亦澤鳥

'버드나무'의 상은 대과괘(大過卦) 이효에 들어 있다. '황새'는, 당나라 판본에는 '학(鶴)'으로 되어 있는데, 의심스럽다. '황새'는 나는 것으로 바람과 관계가 있는 것인데, 손괘가 바람이 된다. 그리고 '황새'는 못가에 사는 새인데, 손괘(☴)가 가꾸로 된 것이 태괘(☱)이고 태괘는 못이 되기 때문에 그러한 상을 취하였다. 만약 "학이 된다"고 한다면, 중부괘(中孚卦)에 태(兌)의 상이 있는데, 역시 손(巽)의 반체이다. 학 역시 못가에 사는 새이다.

유정원(柳正源) 『역해참고(易解參攷)』

案, 巽柔而入於地者是木, 而根柢分入於下, 故巽爲陰木, 陰下開, 如箕舌. 且外實而內虛, 則風入之, 故爲風. 風落山, 則草木少, 在人爲寡髮之象. 陰性好利, 而市又利之所聚也. 一陰入於乾下盡變則爲坤, 故有近利市三倍之象. 三倍者, 得坤一索而將又得再索三索也.

내가 살펴보았다: 손괘가 부드럽게 땅으로 들어간 것이 나무이고, 뿌리가 아래에서 나뉘기 때문에 손괘가 음인 나무가 되는데, 음이 아래에서 열린 것이 키의 혀와 같다. 밖은 차 있고 안은 비어있으면 바람이 들어가기 때문에 바람이 된다. 바람이 산에 떨어지면 풀과 나무가 적어지고 사람에 있어서는 머리털이 적은 상이 된다. 음의 성질은 이익을 좋아하고 시장 또한 이익이 모이는 곳이다. 한 음이 건괘의 아래에 들어가 모두 변하면 곤괘가 되기 때문에 이익에 가까이 하여 시세의 세 배가 되는 상이 있다. 세 배란 곤괘가 첫 번째로 찾고, 장차 두 번 찾고 세 번 찾는 것이다.

本義, 楊鸛.

『본의』에서 말하였다: 버드나무가 되고 황새가 된다.

案, 巽爲陰柔之木, 而楊木之柔者, 故爲楊. 易曰枯楊. 大過下體巽也. 鸛木捿, 能知風.

내가 살펴보았다: 손괘는 부드러운 음의 나무이고, 버드나무는 나무 가운데 부드러운 것이기 때문에 버드나무가 된다. 『주역』에 마른 버드나무라고 하였다. 대과괘의 아래 몸체가 손괘이다. 황새는 나무에 거처하면서 바람을 알 수 있다.

서유신(徐有臣) 『역의의언(易義擬言)』

繩, 兩股而合體, 卦形也. 直上當有爲字. 木從繩, 則無不直也. 巽有制物之義, 故爲工也. 潔齊於巽, 故爲白也. 曰長曰高, 皆木象也. 巽有權衡象, 權衡前卻稱停, 故爲進退也. 兌爲斷決之象, 而巽反之, 故爲不果也. 臭草木有臭也, 其臭如蘭是也. 此又當有爲魚, 而只緣臭魚相混而致缺也. 魚搖尾風屬, 故能知風信也. 人患頭風, 則寡髮也. 木性躁躁, 人必廣顙也. 多白眼者, 怒貌, 反兌之說爲怒也. 巽入, 故爲近利也. 市三倍, 恐是註也. 一陰之終爲坤三陰, 故其究爲躁卦也.

먹줄은 두 줄을 꼬아서 하나의 몸체로 합치는 것이 괘의 형상과 같다. 직(直) 위에 마땅히 위(爲)라는 글자가 있어야 한다. 나무가 먹줄을 따르면 곧지 않음이 없다. 손괘에는 물건을 만드는 뜻이 있기 때문에 공장이 된다. 손괘에서 깨끗하고 가지런해지기 때문에 흰 것이 된다. 길다고 말하고 높다고 말한 것은 모두 나무의 상이다. 손괘에는 저울의 상이 있는데, 저울의 앞에는 저울대가 있기 때문에 나아가고 물러난다고 하였다. 태괘는 결단하는 상이 되고, 손괘는 그와 반대이기 때문에 과감하지 못한 것이 된다. 냄새는 풀과 나무에 냄새가 있으니, 그 냄새가 난초와 같다는 것이 그것이다. 이것은 또한 마땅히 '어(魚)'가 되어야 하는데, 다만 '취(臭)'와 '어(魚)'가 혼동됨으로 인하여 잘못된 것이다. 물고기가 꼬리를 흔드는 것은 바람에 속하기 때문에 바람의 소식을 알 수 있다. 사람이 두풍(頭風)을 앓으면 머리숱이 적어진다. 목(木)의 성질은 조급하니, 사람은 반드시 넓은 이마이다. 흰자위가 많은 것은 노여워하는 모양이니, 기쁨을 상징하는 태괘의 반대가 노여움이다. 손괘는 들어가기 때문에 이익을 가까이 하는 것이 된다. "시세의 세 배가 된다"는 것은 아마도 주석일 것이다. 한 음이 끝내 곤괘의 세 음이 되기 때문에 궁극적으로 조급한 괘가 된다.

오치기(吳致箕) 「주역경전증해(周易經傳增解)」

巽者, 陰之入也. 物之善入者, 莫如木, 而無十不穿, 氣之善入者, 莫如風, 而无物不被, 故爲木爲風. 坤一索而得女, 故爲長女. 木曰曲直而從繩以取直, 工則引繩之直以制木之曲者, 故爲繩直爲工. 而巽德之制也, 故以制木爲言也. 色見乎外而陽色爲白, 故取二陽之外達而爲白. 陽長陰短, 陽高陰低, 而二陽在上, 一陰在下, 故爲長爲高, 亦以木之漸長而升高取象也. 陽主進而二陽方袞, 陰主退而一陰方盛, 故爲欲進未進欲退未退之象. 陰伏者多疑, 故爲不果, 陰伏重陽之下, 積簨不散之氣, 以風而傳, 故爲臭. 髮屬于陰而二陽在上, 故爲寡髮. 顙屬于陽而在上之陽畫多, 故爲廣顙. 白睛屬于陽, 黑睛屬于陰, 而二陽在上, 一陰伏下, 故爲多白眼. 離震爲市合, 而文王圓圖巽居于離震之間, 故曰近市. 陽之數爲九, 陰之數爲六, 而合二陽之數十八, 則可得三倍於一陰之數, 故爲利三倍, 三倍者, 三其六也. 三爻皆變, 則其究爲震之決躁, 故爲躁卦, 而震巽乃剛柔之始交, 故皆以究言也.

손괘는 음이 들어가는 것이다. 만물 가운데 잘 들어가기로는 나무만한 것이 없어서 뚫지 못할 땅이 없고, 기 가운데 잘 들어가기로는 바람만한 것이 없어서 쏘이지 않을 물건이 없기 때문에 나무가 되고 바람이 된다. 곤괘가 한 번 찾아서 딸을 얻기 때문에 맏딸이 된다. 나무에 대해서는 굽거나 곧다고 하는데 먹줄을 따라 곧게 되고, 공장은 곧은 먹줄을 이용해서 굽은 나무를 쓰기 때문에 먹줄의 곧음이 되고 공장이 된다. 손괘는 덕을 쓰기 때문에 나무를 쓰는 것으로 말하였다. 색은 밖으로 드러나고 양의 색은 희기 때문에 두 양이 밖으로 통하는 것을 취하여 흰 것이 된다. 양은 길고 음을 짧으며, 양은 높고 음은 낮은데, 두 양이 위에 있고 한 음이 아래에 있기 때문에 긴 것이 되고 높은 것이 된다. 털은 음에 속하는데, 두 양이 위에 있기 때문에 머리털이 적은 것이 된다. 이마는 양에 속하는데, 위에 있는 양의 획이 많기 때문에 넓은 이마가 된다. 흰 눈동자는 양에 속하고 검은 눈동자는 음에 속하는데, 두 양이 위에 있고 한 음이 아래에 숨어 있기 때문에 흰자위가 많은 것이 된다. 리괘와 진괘가 홉이 되고, 문왕의 원도에서 손괘가 리괘와 진괘의 사이에 거하기 때문에 이익에 가까운 것이 된다. 양의 수는 9이고 음의 수는 6인데, 두 양의 수를 합하여 18이 되면 한 음의 수의 3배를 얻을 수 있기 때문에 시세의 3배가 되니, 3배는 3×6이다. 세 효가 모두 변하면 궁극에는 우레가 급한 것이 되므로 조급한 괘가 되는데, 진괘와 손괘는 굳셈과 부드러움이 처음 사귀기 때문에 모두 궁극으로 말했다.

○ 荀九家有爲楊者, 楊之爲木枝, 柔而下垂, 故取象也. 爲鸛者, 鸛以長股立于木上而爲棲, 故取象也.

『순구가역』에서 버드나무가 된다는 것은 버드나무는 나무의 가지인데 부드러워 아래로 드리워 있기 때문에 그러한 상을 취한 것이다. 황새가 된다는 것은 황새는 다리가 길고 나무 위에 서서 살기 때문에 그러한 상을 취한 것이다.

增解, 爲命爲伏爲繫爲疾爲草爲魚爲鶴爲富爲財.

『증해』에서 말하였다: 명령이 되고 엎드림이 되고 묶는 것이 되고 빠름이 되고 풀이 되고 물고기가 되고 학이 되고 부유함이 되고 재물이 된다.

○ 風噓萬物, 如行命令, 故爲命. 陰入而居陽下, 故爲伏. 以繩取象, 故爲繫, 而亦以一陰在下, 爲二陽之所繫也. 橈萬物者, 莫疾乎風, 故爲疾, 與震同也. 木之陰柔者, 莫如草, 故爲草也. 陰物之潛伏于下者, 莫如魚, 故爲魚也. 鶴之爲物, 股長而色白, 取巽之爲股爲長爲白也. 近市利三倍, 故爲富爲財也.
바람이 만물에 부는 것이 명령을 행하는 것과 같기 때문에 명령이 된다. 음이 들어가 양의 아래에 거하기 때문에 엎드림이 된다. 먹줄을 상으로 취했기 때문에 묶인 것이 되고, 또한 한 음이 아래에 있어 두 양이 거기에 묶인다. 만물을 흔드는 것으로는 바람보다 빠른 것이 없기 때문에 빠름이 되니, 진괘와 같다. 초목 가운데 부드럽기로는 풀만한 것이 없기 때문에 풀이 된다. 음에 속하는 동물이 아래에 잠복한 것으로는 물고기만한 것이 없기 때문에 물고기가 된다. 학이라는 동물은 다리가 길고 색이 희니, 손괘의 다리가 되고 긴 것이 되고 흰 것이 됨을 취하였다.

박문호(朴文鎬)『경설(經說)-주역(周易)』
近利市三倍, 小註有兩說, 而臨川似長.
'근리시삼배(近利市三倍)'에 대해서 소주에 두 설이 있는데, 임천오씨의 설이 나은 듯하다.

坎, 爲水, 爲溝瀆, 爲隱伏, 爲矯輮, 爲弓輪. 其於人也, 爲加憂, 爲心病, 爲耳痛, 爲血卦, 爲赤. 其於馬也, 爲美脊, 爲亟心, 爲下首, 爲薄蹄, 爲曳. 其於輿也, 爲多眚, 爲通, 爲月, 爲盜. 其於木也, 爲堅多心.

감괘(☵)는 물이 되고 도랑이 되고 숨어 엎드려 있음이 되고 바로잡음과 구부림이 되고 수레덮개의 활모양의 나무받침과 바퀴가 된다. 사람에게 있어서는 근심을 더함이 되고 심장병이 되고 귀앓이가 되고, 피를 상징하는 괘가 되고, 적색이 된다. 말[馬]에 있어서는 등마루가 아름다움이 되고, 마음의 급함이 되고, 머리를 아래로 떨굼이 되고, 발굽이 얇음이 되고, 끄는 것이 된다. 수레에 있어서는 하자가 많음이 되고, 통함이 되고, 달이 되고, 도둑이 된다. 나무에 있어서는 단단하고 심28)이 많음이 된다.

中國大全

本義

荀九家, 有爲宮, 爲律, 爲可, 爲棟, 爲叢棘, 爲狐, 爲蒺藜, 爲桎梏.

순상(荀爽)의 『구가역(九家易)』에는 집이 되고, 법률이 되고, 옳음이 되고, 기둥이 되고, 가시나무 더미가 되고, 여우가 되고, 질려풀이 되고, 형틀이 된다는 내용이 있다.

小註

閻氏彦升曰, 坎一陽在內而明, 二陰在外而陷, 內明外陷, 故爲水. 溝瀆所以行水, 水流而不盈, 故爲溝瀆.

염언승이 말하였다: 감괘(☵)는 하나의 양이 안에서 밝고 두 음이 밖에서 빠지기 때문에 물이 된다. 도랑은 물을 흘러가는 곳이다. 물이 흘러서 차지 않기 때문에 도랑이 된다.

---

28) 심: 뿌리 속에 섞인 질긴 줄기.

○ 進齋徐氏曰, 內明外暗者, 水與月也. 坎內陽外陰, 故爲水爲月, 陽匿陰中, 故爲隱伏, 爲盜. 太玄, 以水爲盜, 陰陽家, 以玄武爲盜, 以其皆屬北方之坎也. 陽在陰中, 抑而能制, 故爲矯輮, 爲弓輪. 矯者, 矯曲而使之直, 輮者, 輮直而使之曲也. 弓蓋二十八, 所以蔽其車之上, 輪輻三十六, 所以載其下. 弓與輪, 皆矯輮之所成也. 陽陷陰中, 故爲加憂. 心耳, 皆以虛爲體, 坎中實, 則爲病爲痛. 三畫之卦, 上畫爲馬顙, 下畫爲馬足. 坎中畫陽, 故爲美脊, 爲亟心. 上柔, 故又爲下首, 下柔, 故又爲薄蹄, 爲曳. 柔在下, 不任重 , 故於輿爲多眚. 坎維心亨, 故爲通, 剛在中, 故於木爲堅多心.

진재서씨가 말하였다: 안이 밝고 밖이 어두운 것은 물과 달이다. 감괘(☵)는 안이 양이고 밖이 음이기 때문에 물이 되고 달이 되며, 양이 음 속에 숨어있기 때문에 숨음이 되고 도둑이 된다. 『태현경(太玄經)』에 물을 도둑이라 하였고 음양가들은 현무(玄武)를 도둑이라 하였는데 이는 모두 북방인 감(坎)에 속하기 때문이다. 억눌러 제어할 수 있기 때문에 바로잡음과 구부림이 되고 수레덮개와 수레바퀴가 된다. 바로잡음[矯]은 굽은 것을 바로잡아 곧게 하는 것이고, 구부림[輮]은 곧은 것을 구부려서 구부러지게 하는 것이다. 수레덮개 살은 스물여덟 개이니 수레의 위를 덮는 것이고[29], 수레바퀴살은 서른여섯 개이니 수레의 아래를 신는 것이다. 덮개살과 바퀴살은 모두 바로잡거나 구부려서 만든다. 양이 음 속에 빠져 있기 때문에 근심을 더함이 된다. '심장'과 '귀'는 모두 빈 것으로 형체를 이루는데, 감은 속이 채워 있으니 병이 되고 앓이가 된다. 삼획괘에서 위획은 말의 이마가 되고 아래획은 말의 발이 된다. 감의 가운데 획이 양이기 때문에 등마루가 아름다움이 되고 마음이 조급함이 된다. 위가 부드러운 음이기 때문에 또 머리를 아래로 떨굼이 되고, 아래획이 부드러운 음이기 때문에 또 발굽이 얇음이 되고 끄는 것이 된다. 부드러운 음이 아래에 있어서 무거운 짐을 감당할 수 없기 때문에 수레에 있어서는 하자가 많음이 된다. 감괘는 마음이 형통하기 때문에 통함이 되고 굳센 양이 가운데에 있기 때문에 나무에 있어서는 단단하고 속이 많음이 된다.

○ 鄭氏正夫曰, 陽居中, 而无陰以蔽之, 則見而不隱, 陽在下, 而動得時, 則起而不伏. 坎則陰陷陽而包之, 故爲隱伏. 素問, 金在志爲憂, 水在志爲恐, 恐則甚於憂, 故爲加憂. 火藏在心, 坎水勝之, 故爲心病. 水藏在腎, 開竅於耳, 而水在志爲恐, 恐則傷腎, 故爲耳痛. 氣爲陽, 運動常顯, 血爲陰, 流行常幽血, 在形如水在天地間, 故爲血卦.

정정부(鄭正夫)가 말하였다: 양이 가운데에 있으나 음이 가리고 있지 않으니 드러나 숨어있지 않은 것이고, 양이 아래에 있으나 움직임이 때에 맞으니 일어나서 엎드려 있지 않은 것이

---

29) 수레덮개 살은 …… 덮는 것이고: 『周禮·考工記·輈人』에 "蓋弓二十有八, 以象星也" 라고 하였다. 개(蓋)는 수레의 덮개이고, 궁(弓)은 덮개의 살[檦]이다.

다. 감은 음이 양을 빠뜨려 싸고 있기 때문에 숨어있고 엎드려 있는 것이다. 『소문(素問)』에 "금(金)은 감정에 있어서 근심함이 되고, 수(水)는 감정에 있어서 두려워함이 된다" 하였는데 두려움은 근심보다 심하기 때문에 근심을 더함이 된다. 화(火)는 심장에 있는데 감수(坎水)가 그것을 억누르기 때문에 심장병이 된다. 수(水)가 신장에 있는데 귀로 통하여 열려있어 수(水)가 두려워하는 마음이 된다. 두려워하면 신장이 상하기 때문에 귀앓이가 된다. 기(氣)는 양이어서 운동이 항상 드러나고 피[血]는 음이어서 흘러다니는 것이 항상 드러나지 않으니 피가 형체에 있는 것이 물이 천지간에 있는 것과 같기 때문에 피를 상징하는 괘가 된다.

○ 臨川王氏曰, 水之勢, 一曲一直, 一方一圓, 皆順其勢之所利, 而因其人之所導, 故爲矯輮.
임천왕씨가 말하였다: 물의 형세는 굽이굽이 흘러가기도 하고 바로 흘러가기도 하며 방정하게 있기도 하고 둥글게 있기도 하는 것이 모두 상황이 이로운 대로 따르는 것인데, 사람이 인도하는 대로 따르기 때문에 '바로잡음과 구부림'이 된다.

○ 臨川吳氏曰, 爲血卦, 離火在人身爲氣, 坎水在人身爲血也. 爲赤者, 得乾中畫之陽, 故與乾同色也. 其於馬也, 爲美脊, 爲亟心, 爲下首, 爲薄蹄. 脊者, 外體之中, 心者, 內藏之中. 坎陽在中, 故脊美. 心亟, 急也. 前畫柔, 故首下而不昂, 下畫柔, 故蹄薄而不厚. 其於輿爲多眚者, 謂有險陷而多阻礙也, 蓋行於險道, 不若坤輿之行於平地者易且安也.
임천오씨가 말하였다: '피를 상징하는 괘가 된다'는 것은 리화(離火)는 몸에서 기(氣)이고 감수(坎水)는 몸에서 피이기 때문이다. '적색이 된다'는 것은 건괘의 가운데 획이라는 양을 얻었기 때문에 건괘와 같은 색깔이다. 말에 있어서는 등마루가 아름다운 것이 되고 마음의 급함이 되고 머리를 아래로 떨굼이 되고 발굽이 얇음이 된다. 등마루는 바깥 몸체의 중앙이고 심장은 몸 안 장기(臟器)의 중앙이다. 감괘는 양이 가운데 있기 때문에 등마루가 아름답다. 마음의 급함은 성급함이다. 위의 획이 부드러운 음이기 때문에 머리를 아래로 떨구고 올리지 못하고, 아래 획이 부드러운 음이기 때문에 발굽이 얇고 두껍지 않다. 수레에 있어서는 하자가 많음이 된다는 것은 험함이 있어 장애물이 많음을 이르니, 험한 길을 가는 것은 '곤이라는 수레[坤輿]'로 평지를 가는 것이 쉽고 편안 것만 못하다.

○ 沙隨程氏曰, 坎於馬爲曳者, 陷則失健也.
사수정씨가 말하였다: 감이 말에 있어서 끄는 것이 된다는 것은 빠지면 강건함을 잃기 때문이다.

○ 潘氏夢旂曰, 通者, 水之性, 月者, 水之精也.
반몽기가 말하였다: '통함'은 물의 성질이고 '달'은 물의 정기이다.

○ 雙湖胡氏曰, 夫子取坎卦象, 如輪, 本旣未濟爻, 如心, 本坎卦象, 如血, 本需卦爻, 如馬, 本屯卦爻, 如輿, 本睽卦爻, 如盜, 本蒙賁等卦爻. 此外皆自取.
쌍호호씨가 말하였다: 공자가 감괘의 상을 취함에 바퀴와 같다고 한 것은 기제괘·미제괘의 효사에 근본하였고, 마음과 같다고 한 것은 감괘의 단사에 근본하였으며,30) 피와 같다고 한 것은 수괘의 효사에 근본하였고,31) 말과 같다고 한 것은 준괘의 효사에 근본하였으며,32) 수레와 같다고 한 것은 규괘의 효사에 근본하였고,33) 도둑과 같다고 한 것은 몽괘·비괘 등의 괘·효사에 근본하였다.34) 그 밖의 나머지는 모두 스스로 취하였다.

▌韓國大全▐

조호익(曺好益) 『역상설(易象說)』

坎爲弓輪.
감(坎)은 수레덮개의 활모양의 나무받침과 바퀴가 된다.

註徐氏曰, 弓蓋二十八.
주석에서 서씨는 "수레덮개 살은 스물여덟 개이다"라고 하였다.

按, 蓋車之蓋, 弓蓋之橑. 周禮輪人註王昭禹曰, 輪輻三十, 以象日月也, 蓋弓二十八以象星也.
내가 살펴보았다: 개(蓋)는 수레의 덮개이고, 궁(弓)은 덮개의 살이다. 『주례·윤인(輪人)』

---

30) 『周易·旣濟卦』: 初九, 曳其輪, 濡其尾, 无咎. 『周易·未濟卦』: 九二, 曳其輪, 貞, 吉.

31) 『周易·需卦』: 六四, 需于血, 出自穴.

32) 『周易·屯卦』: 六二, 屯如邅如, 乘馬班如, 匪寇, 婚媾, 女子貞, 不字, 十年, 乃字. 六四, 乘馬班如, 求婚媾, 往, 吉, 无不利. 上六, 乘馬班如, 泣血漣如.

33) 『周易·睽卦』: 六三, 見輿曳, 其牛掣, 其人, 天且劓, 无初, 有終.

34) 『周易·蒙卦』: 上九, 擊蒙, 不利爲寇, 利禦寇. 『周易·賁卦』: 六四, 賁如皤如, 白馬翰如, 匪寇, 婚媾.

의 주석에 왕소우(王昭禹)가 말하기를 "바퀴는 바퀴살이 삼십개로 날과 달을 형상하고, 덮개는 덮개살이 이십팔개로 별을 형상한다"고 하였다.

○ 本義, 爲宮爲律爲可爲棟爲叢棘爲狐爲蒺藜爲桎梏.
『주역본의』에서 말하였다: 집이 되고, 법률이 되고, 옳음이 되고, 기둥이 되고, 가시나무더미가 되고, 여우가 되고, 질려풀이 되고, 형틀이 된다.

宮本困三, 律本師初, 棟本大過似體, 棘本坎上狐本未濟初解二蒺藜本困三桎梏本蒙初可坎爲水水者順地勢因人導故取象
'집'은 본래 곤괘(困卦) 삼효의 상이다. '법률'은 본래 사괘(師卦) 초효의 상이다. '기둥'은 본래 대과괘(大過卦)의 몸체가 그와 비슷하다. '가시나무더미'는 본래 감괘(坎卦) 상효의 상이다. '여우'는 본래 미제괘(未濟卦) 초효와 해괘(解卦) 이효의 상이다. '질려풀'은 본래 곤괘(困卦) 삼효의 상이다. '형틀'은 본래 몽괘(蒙卦) 초효의 상이다. '가(可)'는 감(坎)이 물이 되는데, 물은 땅의 형세를 그대로 따르며 사람이 인도하는 대로 따라 흐르므로 그 상을 취하였다.

김장생(金長生) 『경서변의(經書辨疑)-주역(周易)』

坎爲血卦.
피를 상징하는 괘가 된다.
離火在人身爲氣, 坎水在人身爲血.
리괘인 불은 사람의 몸에서는 기가 되고, 감괘인 물은 사람의 몸에서는 피가 된다.

本義, 荀九家有爲宮.
순상(荀爽)의 『구가역(九家易)』에는 궁(宮)이 된다는 내용이 있다.
宮爲宮商之宮.
궁(宮)은 궁상각치우라고 할 때의 궁이다.

유정원(柳正源) 『역해참고(易解參攷)』

案, 氣陽血陰, 血在人身, 如水在地中. 月其精也, 故爲血爲月. 律曆志, 子半日萌色赤. 子半是坎位, 故爲赤. 坎非木也, 而八卦皆以木言, 則坎中剛, 故堅多心. 他卦言木倣此.
내가 살펴보았다: 기는 양이고 피는 음인데, 피가 사람에게 있는 것은 물이 땅 가운데 있는

것과 같다. 달은 정령이기 때문에 피가 되고 달이 된다. 『율력지』에 자반(子半)에 해가 뜨면 색이 붉다고 하였다. 자반(子半)은 감괘의 자리이기 때문에 붉다. 감괘는 나무는 아니지만, 팔괘에서 모두 나무로 말했는데, 감괘는 가운데가 굳센 양이기 때문에 단단하고 심이 많은 것이 된다. 다른 괘에서 나무를 말한 것도 이와 같다.

本義, 爲宮 [至] 桎梏.

『주역본의』에서 말하였다: 집이 되고 … 형틀이 된다.

案, 坎前後皆門而人在中, 故爲宮. 易曰, 入于其宮. 困下體坎也. 律始於黃鍾子而屬坎位, 故爲律. 一陽爲大而橫於中, 二陰爲小而貫於外, 有棟象. 一陽在中如幹, 而二陰列於兩傍如叜櫱, 有叢棘象. 坎之上曰, 寘于叢棘. 一陽爲莖而二陰在外爲棘, 有蒺藜象. 易曰, 據于蒺藜. 困下體坎也. 一陽在中爲人, 二陰著於外, 故爲桎梏. 易曰, 用說桎梏. 蒙下體坎也.

내가 살펴보았다: 감괘는 앞뒤가 모두 문이고 사람이 그 가운데 있기 때문에 집이 된다. 『주역』에서 "그 집에 들어간다"고 하였다. 곤괘(困卦)의 하체가 감괘이다. 법률은 황종인 자(子)에서 시작되고 감괘의 자리에 속하기 때문에 법률이 된다. 한 양은 큰 것이 되어 가운데 가로 놓이고 두 음은 작은 것이 되어 밖에서 꿰어 있기 때문에 기둥의 상이 있다. 한 양이 가운데 있는 것은 줄기와 같고, 두 음이 양방에 나열되어 있는 것은 그루터기와 같기 때문에 가시나무더미의 상이 있다. 감괘의 상효에 '가시나무더미에 가둬두어'라고 하였다. 한 양이 줄기가 되고 두 음이 밖에 있는 것이 가시가 되니, 질려풀의 상이 있다. 『주역』에 "질려풀에 앉아 있다"고 하였다. 곤괘(困卦)의 하체가 감괘이다. 한 양이 가운데 있어 사람이 되고, 두 음이 밖에 드러나기 때문에 형틀이 된다. 『주역』에 "형틀을 벗겨준다"고 하였다. 몽괘의 하괘가 감괘이다.

小註, 鄭氏說素問.

소주에서 정씨가 말하였다: 「소문」.

黃帝書名. 邵子謂, 戰國時人所作.

「소문」은 황제의 책 이름이다. 소옹은 전국시대 사람이 지은 것이라고 하였다.

서유신(徐有臣) 『역의의언(易義擬言)』

瀆上當有爲字. 水流隨地勢而能屈能直, 故爲矯輮也. 弓由月象而得也. 輪上當有爲字. 流水有輪轉象也. 堅多心之木, 可以爲弓爲輪也. 心病耳痛亟心下首薄蹄, 皆是勞卦之故也. 血卦恐當作衆, 國語曰, 坎衆也. 此又當有爲血, 只緣衆誤爲血卦而致缺也.

赤疑大川也. 中剛故爲美脊也. 曳非謂馬也. 流水有拖曳象也. 坎險故爲多眚也. 爲盜者, 隱伏象也. 中實故爲堅多心也. 此文恐多錯, 爲血卦爲赤爲曳爲通爲月爲盜, 當在溝瀆弓輪之間也.

'독(瀆)'자 위에 마땅히 '위(爲)'자가 있어야 한다. 물의 흐름은 땅의 형세에 따라 구부러질 수도 있고 곧을 수도 있기 때문에 바로잡음과 구부림이 된다. 활은 달의 모양의 본떠서 만든다. '윤(輪)'자 위에 마땅히 '위(爲)'자가 있어야 한다. 흐르는 물은 도는 상이 있다. 단단하고 심이 많은 나무는 활이 될 수도 있고 바퀴도 될 수 있다. 심장병·귀앓이·마음의 급함·머리를 아래로 떨굼·발굽이 얇음은 모두 수고로운 괘이기 때문이다. '혈괘(血卦)'는 아마도 마땅히 '중(衆)'으로 써야 할 것 같으니, 『국어』에 "감괘는 대중이다"라고 하였다. 이 또한 마땅히 '위혈(爲血)'이라고 해야 할 것인데, '중(衆)'을 잘못 '혈괘(血卦)'라고 씀으로써 잘못된 것이다. '적(赤)'은 의심하건대 '대천(大川)'이다. 가운데가 굳세 양이기 때문에 등마루가 아름다움이 된다. 끄는 것은 말[馬]은 말하는 것이 아니라, 흐르는 물에 끄는 상이 있다. 감괘는 험하기 때문에 하자가 많다. 도둑이 되는 것은 숨어있는 상이다. 가운데가 차 있기 때문에 단단하고 심이 많음이 된다. 이 문장은 아마도 착간이 많으니, '위혈괘위적위예위통위월위도(爲血卦爲赤爲曳爲通爲月爲盜)'는 마땅히 '구독(溝瀆)'과 '궁륜(弓輪)'의 사이에 있어야 한다.

오치기(吳致箕) 「주역경전증해(周易經傳增解)」

水內明外暗, 一陽在內, 水之明也, 二陰在外, 水之暗也. 江川河海, 水之大者, 而卽天地之溝瀆, 故擧小而該大也. 一陽爲二陰所掩匿, 故爲隱伏. 水流有曲直, 矯曲而變直, 輮直而變曲, 故爲矯輮. 因矯輮而亦言弓輪, 皆矯輮所成, 故爲弓輪. 而亦以一陽之中直如弓之發矢, 二陰之外包如輻之湊轂也. 陽陷陰中, 心慮危懼, 故爲加憂. 離中虛爲心, 而坎實中, 相反於離, 故爲心病. 聽收在虛, 而實中則妨聽, 故爲耳痛. 水爲天地之血, 血爲人身之水, 故爲血卦. 乾以純陽, 爲大赤之色, 故坎得乾之中陽而爲赤. 乾爲良馬, 而坎得乾一陽在中, 故爲美脊. 剛在中而性勇, 故爲亟心. 柔在上, 有垂首不昂之象, 柔在下, 有蹄薄不厚之象, 故爲下首爲薄蹄. 陽陷於陰, 其進不前, 故爲曳. 險陷多阻, 輿不得任重, 故爲多眚. 陽剛之氣, 行乎中, 而橫絶凝聚之陰, 故爲通. 月爲水精, 故從其類而取象也. 隱伏而匿形, 險陷而害人, 爲盜之象. 剛堅在中, 故爲木堅多心.

물은 안이 밝고 밖은 어두운데, 한 양이 안에 있는 것은 물의 밝음이고 두 음이 밖에 있는 것은 물의 어두움이다. 강과 바다는 물 가운데 큰 것이고 천지의 도랑이기 때문에 작은 것을 들어 큰 것을 포괄하였다. 한 양이 두 음에 가려 있기 때문에 숨어 엎드려 있음이 된다. 물의 흐름은 굽거나 곧음이 있는데, 굽음을 바로잡아 곧게 변화시키고 곧음을 구부려 굽게 변화시키기 때문에 바로잡음과 구부림이 된다. 바로잡음과 구부림으로 인하여 활과 바퀴를 말했는데, 모두 바로잡음과 구부림에 의해 이루어지기 때문에 활과 바퀴가 된다. 또한 한 양이 가운데서 곧은 것이 활로 화살을 쏘는 것과 같고, 두 음이 밖을 싸고 있는 것이 바퀴살이 바퀴통에 모인 것과 같다. 양이 음 가운데 빠져서 염려하고 두려워하기 때문에 근심을 더함이 된다. 리괘의 가운데가 비어 있는 것이 마음이 되는데, 감괘의 가운데가 차 있는 것은 리괘와 상반되기 때문에 마음의 병이 된다. 듣고서 받아들이는 것은 비우는데 달려있는데, 가운데가 차 있으면 듣는데 방해가 되기 때문에 귀앓이가 된다. 물은 천지의 피가 되고, 피는 사람의 몸 가운데의 물이기 때문에 피를 상징하는 괘가 된다. 건괘는 순수한 양을 크게 붉은 색으로 삼기 때문에, 감괘가 건괘의 가운데 양을 얻어 붉은 것이 된다. 건괘는 좋은 말이 되는데, 감괘가 건괘의 한 양을 얻어서 가운데 있기 때문에 등마루가 아름다움이 된다. 굳센 양이 가운데 있고 성질이 용맹하기 때문에 마음의 급함이 된다. 부드러운 음이 위에 있어서 머리를 드리워 올려보지 않는 상이 있으며, 부드러운 음이 아래에 있어서 발굽이 얇아 두텁지 않은 상이 있기 때문에 머리를 아래로 떨굼이 되고, 발굽이 얇음이 된다. 양이 음에 빠져서 나아갔다가 나아가지 않다가 하기 때문에 끄는 것이 된다. 험한 데 빠지고 장애가 많아서 수레가 무거운 짐을 감당할 수 없기 때문에 하자가 많음이 된다. 굳센 양의 기가 가운데 행하고, 응결하여 모인 음을 가로지르고 있기 때문에 통하는 것이 된다. 달은 물의 정령이기 때문에 그 종류를 따라서 상을 취하였다. 숨어 엎드려 형체를 숨기고, 험한 데 빠뜨려서 사람을 해치는 것이 도둑의 상이 된다. 굳세고 단단함이 가운데 있기 때문에 나무에 있어서는 단단하고 심이 많음이 된다.

○ 荀九家爲宮者, 取於困之爻辭, 而未詳其象也. 爲律者, 律所以正不正者, 而坎陽之中正, 有律之象也. 爲可者未詳. 爲棟者, 取於大過象辭, 而以似坎中實爲象也. 爲叢棘者, 取於坎卦爻辭, 而言其險也. 爲狐者, 取於旣濟, 而言其外柔邪而內狡險也. 爲蒺藜者, 取於困卦爻辭, 而亦言其險也. 爲桎梏者, 取於蒙卦爻辭, 而一陽陷于二陰之中, 有桎梏之象也.

『순구가역』에서 집이 되는 것은 곤괘(困卦)의 효사에서 취한 것인데, 그 상은 상세하지 않다. 법률이 되는 것은 법률은 바름과 바르지 않음을 구별해주는 것인데, 감괘의 양이 중정하여 법률의 상이 있기 때문이다. 옳음이 된다는 것은 상세하지 않다. 기둥이 되는 것은 대과괘의 단사에서 취하였는데, 감괘의 가운데가 차 있는 것과 유사한 것을 상으로 취하였다. 가시나무더미가 되는 것은 감괘의 효사에서 취하였는데, 그 험함을 말한 것이다. 여우가 되는 것은 기제괘에서 취하였는데, 속이 교활하고 험한 것을 말한 것이다. 질려풀이 되는 것은 곤괘(困卦)의 효사에서 취하였는데, 그 험함을 말한 것이다. 형틀이 되는 것은 몽괘의 효사에서 취하였는데, 한 양이 두 음의 가운데 빠져 있는 것이 형틀의 상이다.

增解, 爲孚爲酒爲食爲德爲遲爲不寧爲孕爲幽爲 臀.

『증해』에서 말하였다: 믿음이 되고 술이 되고 음식이 되고 덕이 되고 지체함이 되고 편안하지 않음이 되고 잉태함이 되고 그윽함이 되고 엉덩이가 된다.

○ 中實而有孚信之象, 故爲孚. 取水之象而爲酒. 陽在坤腹之中, 有飲食充實之象, 故爲食. 充實有得於中, 故爲德. 行乎險艱, 則不能疾速, 故爲遲. 處于險陷, 故爲不寧. 一陽中滿於二陰之間, 故爲孕. 居北方而有隱伏之象, 故爲幽. 骨剛膚柔, 而一剛在內, 二柔在外, 柔多於剛, 故爲臀也.

가운데가 차 있고 믿는 상이 있기 때문에 믿음이 된다. 물의 상을 취하여 술이 된다. 양이 곤괘인 배의 가운데 있어서 음식이 가득한 상이 되기 때문에 음식이 된다. 충실함은 마음에서 얻기 때문에 덕이 된다. 험하고 어려운 가운데서 행하면 빨리 할 수 없기 때문에 지체함이 된다. 험한 데 처해 있기 때문에 편안하지 않다. 한 양이 두 음의 사이에서 가운데 가득 차 있기 때문에 잉태함이 된다. 북방에 거처하여 숨어 엎드린 상이 있기 때문에 그윽함이 된다. 뼈는 굳세고 살은 부드러우며, 한 굳센 양이 안에 있고 두 부드러운 음이 밖에 있어서 부드러움이 굳셈보다 많기 때문에 엉덩이가 된다.

離, 爲火, 爲日, 爲電, 爲中女, 爲甲胄, 爲戈兵. 其於人也,
爲大腹, 爲乾卦, 爲鼈, 爲蟹, 爲蠃, 爲蚌, 爲龜. 其於木也,
爲科上稿.

리(離☲)는 불이 되고, 해가 되고, 번개가 되고, 둘째 딸이 되고, 갑옷과 투구가 되고, 창과 무기가
된다. 사람에게 있어서는 배가 큰 이가 되고, 건조함을 상징하는 괘가 되고, 자라가 되고, 게가
되고, 소라가 되고, 조개가 되고, 거북이 된다. 나무에 있어서는 속이 비어 위가 마름이 된다.

║中國大全║

本義

荀九家, 有爲牝牛.

순상의 『구가역』에는 암소가 된다는 내용이 있다.

小註

節齋蔡氏曰, 內暗外明者, 火與日也. 離, 內陰外陽, 故爲火爲日, 陰麗於陽則明, 故爲
電. 剛在外, 故爲甲胄, 爲戈兵. 中虛, 故於人, 爲大腹. 火燥, 故爲乾卦. 外剛內柔,
故爲鼈, 爲蟹, 爲蠃, 爲蚌, 爲龜. 中虛, 故於木, 爲科上稿. 科, 空也, 木旣中空, 上必枯
稿矣.

절재채씨가 말하였다: 안이 어둡고 밖이 밝은 것은 불과 해이다. 리괘는 안이 음이고 밖이
양이기 때문에 불이 되고 해가 되며 음이 양에 걸려 있으니 밝기 때문에 번개가 된다. 굳센
양이 밖에 있기 때문에 갑옷과 투구가 되고 창과 무기가 된다. 가운데가 비어있기 때문에
사람에게 있어서는 배가 큰 이가 된다. 불은 물건을 말리기 때문에 건조함을 상징하는 괘가
된다. 밖은 굳센 양이고 안은 부드러운 음이기 때문에 자라가 되고 게가 되며 소라가 되고
조개가 되며 거북이 된다. 가운데가 비었기 때문에 나무에 있어서는 속이 비이 위가 마름이
된다. 과(科)는 빈 것이니 나무가 이미 속이 비었다면 위는 반드시 마른다.

○ 南軒張氏曰, 甲冑外堅, 所以象乾之畫, 戈兵上銳, 所以象離之性. 腹陰而有容, 坤 爲腹, 離得坤中爻, 亦爲腹.

남헌장씨가 말하였다: 갑옷과 투구는 밖이 견고하니 이 때문에 건의 획을 상징하고 창과 무기는 위가 예리하니 이 때문에 리의 성질을 상징한다. 배는 음이면서 담을 수 있으니 곤이 배가 된다. 리괘는 곤괘의 가운데 효를 얻었으니 또한 배가 된다.

○ 楊氏曰, 鱉性静, 取其中畫之柔, 蟹性躁, 取其上下二畫之剛. 嬴取善麗之象, 蚌取 中虛之象, 龜取文明之象.

자라는 성질이 고요하니, 가운데 획의 부드러움을 취하였고, 게는 성질이 조급하니, 위아래 의 굳센 두 획을 취하였다. 소라는 잘 걸리는 상을 취하였고 조개는 가운데가 비어 있는 상을 취하였으며 거북은 문명(文明)의 상을 취하였다.

○ 張子曰, 離爲乾卦, 於木爲科上槁, 附而燥也.

장자가 말하였다: 리(離)가 건조함을 상징하는 괘가 됨과 나무에 있어서는 속이 비어 위가 마름이 됨은 붙어있어 말라버린 것이다.

○ 括蒼龔氏曰, 科上槁, 中虛而外乾也.

괄창공씨가 말하였다: '속이 비어 위가 마름[科上槁]'은 속이 비어서 밖이 마르는 것이다.

○ 雙湖胡氏曰, 按張子謂附而燥, 是不以科爲木科, 爲水盈科之科, 謂科巢之附於木 上者也. 科, 中虛, 有離象. 燥則科上之木乾燥耳, 如鵲巢之類, 皆是以木枝結構而成 也. 又按夫子取離卦象, 如日, 本離晉革豊彖辭, 如龜, 本頤損益似體. 此外皆所自取.

쌍호호씨가 말하였다: 살펴보건대 장자(張子)가 "붙어있어 말라버린 것이다"라 한 것은 과 (科)를 '나무의 빈 곳'으로 여기지 않고 '물이 구덩이를 채우다'의 구덩이로 여긴 것이니 속이 파인 둥지가 나무 위에 붙어있는 것을 이른다. 과(科)는 속이 비어 리괘의 상이 있다. '마르 다'는 것은 속이 파인 둥지의 나무는 말라있는 것일 뿐이니 까치집과 같은 종류는 모두 이 때문에 나무 가지를 얽어매어 만든다. 또 살펴보건대 공자가 리괘의 상을 취하여 해와 같다 고 한 것은 리괘 · 진괘 · 혁괘 · 풍괘의 단사에 근본한 것이고 거북과 같다고 한 것은 이괘 (頤卦䷚) · 손괘(損卦䷨) · 익괘(益卦䷩)의 몸체가 비슷한 것에 근본한 것이다. 그 밖의 나 머지는 모두 스스로 취하였다.

▌韓國大全▐

김장생(金長生) 『경서변의(經書辨疑)-주역(周易)』

離爲科上稿.

나무에 있어서는 속이 비어 위가 마름이 된다.

科, 條也, 本也, 叢也. 張子以盈科之科看之.

'과(科)'는 가지이고 밑동이고 떨기이다. 장재는 "웅덩이를 채운다"[35]고 할 때의 웅덩이로 보았다.

송시열(宋時烈) 『역설(易說)』

爲龜.

거북이 된다.

蓋龜者, 外剛內虛不食象, 爲靈爲朋.

거북은 밖은 굳세고 안은 비어 먹지 않는 상이어서 신령하고 귀한 것이 된다.

유정원(柳正源) 『역해참고(易解參攷)』

案, 自鱉至龜皆甲蟲, 甲蟲水物屬北方. 且龜太陰之精屬北方. 玄武蚌蛤亦陰精, 故隨月盈虛, 則此皆當屬坎而今屬之離者, 只取外剛而內虛也. 且龜與蚌多產於南方, 取其形似與土物, 則又當屬離.

내가 살펴보았다: 자라로부터 거북까지는 모두 갑각류이니, 갑각류는 물에 살면서 북방에 속한다. 또한 거북은 태음의 정령이고 북방에 속한다. 현무와 조개는 또한 음의 정령이기 때문에 달을 따라 차고 비니, 이 또한 모두 마땅히 감괘에 속하는데, 지금 리괘에 속하게 한 것은 다만 밖이 굳세고 안이 빈 것을 취한 것이다. 또한 거북과 조개는 대부분 남방에서 나는데, 그 형체가 땅에서 나온 산물과 비슷한 것을 취한다면 마땅히 리괘에 속할 것이다.

---

35) 『孟子·離婁』: 孟子曰, 原泉混混, 不舍晝夜, 盈科而後進, 放乎四海, 有本者如是, 是之取爾.

本義, 牝牛.

『주역본의』에서 말하였다: 암소.

案, 離得坤中爻, 故爲牝牛, 離之象曰, 畜牝牛.

내가 살펴보았다: 리괘가 곤괘의 가운데 효를 얻었기 때문에 암소가 되니, 리괘의 단사에 "암소를 기른다"고 하였다.

서유신(徐有臣) 『역의의언(易義擬言)』

甲冑卦形被堅也, 兵戈火形尖銳也. 卦中虛爲大腹也. 鱉蟹嬴蚌龜, 外骨內肉之類, 上下剛而中柔之象也. 爲乾卦至爲龜, 恐當在兵戈之下也. 科上槁者, 科生而上抽而乾槁也, 皆火象也. 科上槁者, 可以爲矢也.

갑옷과 투구는 괘의 형태가 겉이 굳기 때문이고, 무기와 창은 불의 형태가 끝이 날카롭기 때문이다. 괘의 가운데가 빈 것이 큰 배가 된다. 자라·게·소라·조개는 밖이 껍질이고 안이 살인 종류인데, 위아래는 굳세고 가운데는 부드러운 상이다. '건조함을 상징하는 괘가 되고'부터 '거북이 된다'까지는 아마도 마땅히 "창과 무기가 된다" 아래에 있어야 할 것 같다. 속이 비어 위가 마름이 되는 것은 그루가 생겨나 위로 나오면서 마른 것이니, 모두 불의 상이다. 속이 비어 위가 마른 것으로는 화살을 만들 수 있다.

오치기(吳致箕) 「주역경전증해(周易經傳增解)」

火內暗外明, 一陰在內, 火之暗也, 二陽在外火之明也. 日爲火之精, 電爲火之光, 故爲日爲電. 坤再索而得女, 故爲中女. 陽剛在外, 有甲冑外堅之象. 火炎上銳, 有戈兵尖利之象, 故爲甲冑爲戈兵. 中虛象乎坤腹, 而陽包于外, 故爲大腹. 乾者燥也. 火性燥, 故爲乾卦. 外剛內柔, 故爲鱉爲蟹爲嬴爲蚌爲龜. 無根而附麗于木上者, 曰科上槁, 卽所謂寄生也, 取象於麗.

불은 안은 어둡고 밖은 밝은데, 한 음이 안에 있는 것이 불의 어두움이고, 두 양이 밖에 있는 것이 불의 밝음이다. 해는 불의 정령이고 번개는 불의 빛이기 때문에 해가 되고 번개가 된다. 곤괘가 두 번 찾아서 딸을 얻기 때문에 둘째딸이 된다. 굳센 양이 밖에 있는 것이 갑옷과 투구가 밖이 단단한 상이 있다. 불꽃이 날카롭게 올라가는 것이 창과 무기가 날카로운 상이 있기 때문에 갑옷과 투구가 되고, 창과 무기가 된다. 가운데가 빈 것이 곤괘인 배를 상징하고, 양이 밖을 싸고 있기 때문에 큰 배가 된다. 간(乾)이란 건조한 것이다. 불의 성질은 건조하기 때문에 건조함을 상징하는 괘가 된다. 밖은 굳세고 안은 부드럽기 때문에 자라가 되고, 게가 되고, 소라가 되고, 조개가 되고, 거북이 된다. 뿌리 없이 나무 위에 붙은 것이 속이 비어 위가 마름이 되니, 곧 기생하는 것으로 리괘에서 상을 취하였다.

○ 荀九家有爲牝牛者, 取於離卦象辭, 已有解於本卦.

『순구가역』에서 암소가 된다는 내용이 있는 것은 리괘의 단사에서 취한 것인데, 이미 본괘에서 해설하였다.

增解, 爲孚爲心爲戎爲墉爲不食爲晝爲缶爲甕.

『증해』에서 말하였다: 믿음이 되고 마음이 되고 전쟁이 되고 담장이 되고 먹지 않는 것이 되고, 낮이 되고 질장구가 되고 옹기가 된다.

○ 有虛中孚感之象, 故爲孚. 中虛而明, 故爲心. 有戈兵之象, 故爲戎. 離中虛而外圍以剛, 故爲墉. 坎以中實爲食, 故離以中虛爲不食. 取日中之象而爲晝, 取中虛之象而爲缶爲甕也.

마음을 비워 믿고 느끼는 상이 있기 때문에 믿음이 된다. 가운데가 비어 밝은 것이 마음이 된다. 창과 칼의 상이 있기 때문에 전쟁이 된다. 리괘의 가운데가 비고 밖이 굳센 양으로 둘러쳐 있는 것이 담장이 된다. 감괘는 가운데가 차 있는 것을 먹을 것으로 삼기 때문에, 리괘는 가운데가 비어 있는 것을 먹지 않은 것으로 삼는다. 해가 떠 있는 상을 취하여 낮으로 삼고, 가운데가 비어 있는 상을 취하여 질장구로 삼고 옹기로 삼는다.

박문호(朴文鎬)『경설(經說)-주역(周易)』

乾卦之卦, 恐衍或字誤. 而諺釋作卦名, 豈有離卦反爲乾卦之理乎.

'건괘(乾卦)'의 '괘(卦)'자는 아마도 잘못 들어간 글자이거나 잘못 써진 글자일 것이다. 『언해』에서는 괘의 이름으로 풀이하였는데, 어찌 리괘가 도리어 건괘가 될 이치가 있겠는가?

艮, 爲山, 爲徑路, 爲小石, 爲門闕, 爲果蓏, 爲閽寺, 爲指, 爲狗, 爲鼠, 爲黔喙之屬. 其於木也, 爲堅多節.

간(艮☶)은 산이 되고, 작은 길이 되고 작은 돌이 되고 문이 되고 과일과 풀의 열매가 되고, 내시(內侍)36)가 되고, 손가락이 되고, 개가 되고, 쥐가 되고, 주둥이가 검은 짐승들이 된다. 나무에 있어서는 단단하고 마디가 많음이 된다.

‖中國大全‖

本義

荀九家, 有爲鼻, 爲虎, 爲狐.

순상의 『구가역』에 코가 되고, 범이 되고, 여우가 된다는 내용이 있다.

小註

陳安卿說, 麻衣易以艮爲鼻. 朱子曰, 鼻者, 面之山, 晉管輅已如此說.

진안경(陳安卿)37)은 "마의도인(麻衣道人)의 『역(易)』38)에는 간(艮)을 코라 하였다"라 하였고, 주자는 "코는 얼굴의 산이다. 진(晉)의 관로(管輅)39)가 이미 이와 같이 말했다"라 하였다.

---

36) 원문의 혼시(閽寺)는 혼인(閽人)과 시인(寺人)으로 모두 문을 지키는 일을 한다. 인신하여 내시(內侍)의 뜻으로 쓰이기 때문에 내시로 번역하였다.

37) 진안경(陳安卿): 1159-1223. 남송의 진순(陳淳)의 자가 안경(安卿)이다. 호는 북계(北溪). 복건성 출신으로 주자(朱子)의 만년 고제(高弟)이다. 주자의 성론(性論)을 계승하였으며, 저서에 『사서성리자의(四書性理字義)』가 있다.

38) 마의도인(麻衣道人)의 『역(易)』: 마의도인(麻衣道人)은 송대의 유명한 관상가이며, 후인(後人)이 그를 가탁하여 지었다는 관상 책 『마의상서(麻衣相書)』가 있다.

39) 관로(管輅): 중국 삼국시대에 복서(卜筮)에 능했다는 인물.

○ 鄭氏正夫曰, 静以止者, 山也.
정정부가 말하였다: 고요하여 그치는 것이 산이다.

○ 臨川吳氏曰, 爲徑路, 徑者, 路之小也. 艮者, 震之反體, 高山之上成蹊, 非如平地之大塗也. 爲小石, 剛在坤土之上, 象山頂高處之小石. 坎剛在坤土之中, 則象平地土中之大石也. 爲門闕, 闕者, 門之出入處, 上畫連亘, 中下二畫雙峙而虛, 似門闕也. 爲果蓏, 果者, 木實, 蓏者, 草實. 乾純剛, 故爲木果. 艮一剛在上者, 木之果, 二柔在下者, 草之蓏. 爲鼠爲黔喙之屬, 皆謂前剛也. 黔字, 當與鈐通, 以鐵持束物者. 黔喙之屬, 山居猛獸, 齒牙堅利如鐵, 能食生物者也. 其於木也, 爲堅多節, 剛在外也.
임천오씨가 말하였다: "작은 길이 되고[爲徑路]"의 '경(徑)'은 길이 작은 것이다. 간괘(☶)는 진괘(☳)와 음양이 반대인 몸체로서 높은 산 위에 만들어진 지름길은 평지의 큰 도로만 못하다. "작은 돌이 되고"는 굳센 양이 흙인 곤괘(☷)의 위에 있으니 산 정상 높은 곳의 '작은 돌'을 상징하였다. 감괘(☵)는 굳센 양이 흙인 곤괘(☷)의 가운데에 있으니 평지에 있는 흙 가운데의 큰 돌을 상징하였다. "문이 되고"의 '문[闕]'은 문의 들고나는 부분이니 상획은 연결되어 뻗혀있고 가운데 획과 아래 획은 둘 다 솟구쳐 비어있어 문과 유사하다. "과일과 풀의 열매가 되고[爲果蓏]"의 과(果)는 나무열매이고 라(蓏)는 풀의 열매이다. 건괘(☰)는 순전히 굳센 양이기 때문에 나무열매가 된다. 간괘(☶)에서는 위에 있는 하나의 굳센 양이 나무열매이고 아래에 있는 두 개의 부드러운 음이 풀의 열매이다. "쥐가 되고 주둥이가 검은 짐승들이 된다"는 부류는 모두 굳센 양이 앞에 있기 때문이다. 검(黔)자는 마땅히 검(鈐)과 통하니 강철로 사물을 묶어 놓는 것이다. '주둥이가 검은 짐승'의 종류는 산에 사는 맹수로서 이빨이 단단하고 날카로움이 강철같아 살아있는 것들을 먹을 수 있다. "나무에 있어서는 단단하고 마디가 많음이 된다"는 굳센 양이 밖에 있기 때문이다.

○ 平庵項氏曰, 震爲旉爲蕃鮮, 草木之始也, 艮爲果蓏, 草木之終也. 果蓏能終又能始, 故於艮之象爲切.
평암항씨가 말하였다: 진괘(☳)가 꽃이 되고 번성하고 고움이 되는 것은 초목의 시작이고, 간괘(☶)가 나무와 풀의 열매가 되는 것은 초목의 마침이다. 나무와 풀의 열매는 마칠 수도 있고 시작할 수도 있기 때문에 간괘의 상에 있어서 절실함이 된다.

○ 開封耿氏曰, 周官, 閽人掌王宮中門之禁, 止物之不應入者, 寺人掌王之內人及宮女之戒令, 止物之不得出者, 皆爲阻於前, 而衛內之柔者也.
개봉경씨가 말하였다: 『주례』에 혼인(閽人)은 왕궁의 중문40) 출입을 금지하는 일을 맡아 들어와서는 안 되는 물건을 저지하며,41) 시인(寺人)은 왕의 내인(內人)과 궁녀의 경계를

맡아 나가서는 안되는 일을 금지하니[42] 모두 문 앞에서 저지하여 궐내의 유약한 이를 호위하는 자들이다.

○ 冷氏曰, 鳥善以喙止物者, 黔喙之屬也. 巽能曲直, 故爲木之全材. 坎陽內, 故堅多心. 艮陽上, 故堅多節. 離爲火, 於木, 生盛則藏於本, 生衰則顯於末, 故爲科上槁.

냉씨가 말하였다: 새는 부리로써 사물을 잘 저지하는 것이므로 주둥이가 검은 무리이다. 손괘(☴)는 구부렸다 폈다를 잘하기 때문에 나무의 재질을 온전히 함이 된다. 감괘(☵)는 양이 안에 있기 때문에 단단하고 속이 많음이 된다. 간괘(☶)는 양이 위에 있기 때문에 단단하고 마디가 많음이 된다. 리괘(☲)는 불이 되니 나무에 있어서 생장이 성할 때에는 뿌리에 간직되고 생장이 쇠퇴할 때에는 가지 끝에 드러나기 때문에 가운데가 비어 위가 마름이 된다.

○ 白雲郭氏曰, 三陽卦, 艮獨不言馬者, 其剛在上, 所用益小, 故於獸畜, 无行健之功, 徒有囓噬之象.

백운곽씨가 말하였다: 세 양괘 중에 간괘(☶)에서만 '말[馬]'을 말하지 않은 이유는 굳센 양이 위에 있어 쓰임이 더욱 작으므로 짐승에 있어서 건장하게 가는 공은 없고 다만 깨무는 상만 있기 때문이다.

○ 雙湖胡氏曰, 艮爲山, 一陽高出二陰之上而止其所也. 爲指, 艮爲手, 而所用以止物者, 又在指也. 又按夫子取艮卦象, 如石, 本之豫互體之爻, 如鼠, 本之晉互體之爻, 如果, 本之剝上爻. 此外皆所自取.

쌍호호씨가 말하였다: 간괘(☶)가 산이 됨은 하나의 양이 두 음의 위로 높이 나와 제자리에 그친 것이다. 손가락이 됨은, 간괘(☶)는 손이 되니 물건을 저지하는데 쓰이는 것이 또한 손가락에 달려있기 때문이다. 또 살펴보건대 공자께서 간괘(☶)의 상을 취하여 돌과 같다고 한 것은 예괘(豫卦䷏)의 호체에서 내괘가 간괘(☶)인 데에 근본 하였고, 쥐와 같다고 한 것은 진괘(晉卦䷢)의 호체에서 내괘가 간괘(☶)인 데에 근본 하였으며, 나무열매와 같다고 한 것은 박괘(剝卦䷖)의 상효에 근본 하였다. 그 밖의 나머지는 모두 스스로 취하였다.

---

40) 중문: 대궐의 오문(五門)의 하나. 외문(外門)과 내문(內門) 사이를 중문이라 한다.

41) 『周禮·天官·閽人』: 掌守王宮之中門之禁. 喪服凶器不入宮, 潛服賊器不入宮….

42) 『周禮·天官·寺人』: 掌王之內人及女宮之戒令, 相道其出入之事而糾之. 若有喪紀賓客祭祀之事, 則帥女宮而致於有司, 佐世婦治禮事. 掌內人之禁令, 凡內人吊臨于外, 則帥而往, 立于其前而詔相之.

∥韓國大全∥

조호익(曺好益) 『역상설(易象說)』

艮爲果蓏.

간(艮)은 과일과 풀의 열매가 된다.

在木曰果, 在地曰蓏, 苽瓠之屬.

나무에 달려 있는 것을 과(果)라고 하고 땅에 달려 있는 것을 나(蓏)라고 하는데, 오이나 박의 종류가 그것이다.

○ 本義, 爲鼻爲虎爲狐.

『주역본의』에서 말하였다: 코가 되고, 범이 되고, 여우가 된다.

管輅曰, 鼻者人中之山. 〈朱子有麻衣易辨.〉虎本頤五. 狐本解二變互體. 或曰, 狐色赤陽在外之象. 性多疑, 陰在內之象.

관로(管輅)가 말하기를, "코는 사람의 몸 가운데의 산이다"라고 하였다. 〈주자의 「마의역변 (麻衣易辨)」이 있다.〉 '범'은 본래 이괘(頤卦) 오효의 상이다. '여우'는 본래 해괘(解卦) 이효가 변한 호체의 상이다. 어떤 사람은 "여우의 색깔은 붉으니, 양이 밖에 있는 상이다. 성질이 의심이 많으니, 음이 안에 있는 상이다"라고 말하였다.

유정원(柳正源) 『역해참고(易解參攷)』

案, 艮一陽在坤土之上, 而分支於下, 故爲山. 橫地之高處, 故爲徑路. 上剛下柔, 如土上石, 故爲小石. 吳臨川以坎爲剛, 在坤土之中, 爲地中大石者, 蓋以此推之. 而易困于石, 又取水中之險爲石也. 陽在上爲誠實之象, 故爲果蓏. 左傳卜徒父曰, 貞風悔山, 我落其實, 實則果也. 手指分開於下, 故爲指. 且如山之分下, 下體柔茸而上剛能搏噬, 故爲鼠. 且鼠於辰爲子, 則當屬坎. 左傳鼠晝伏夜動, 韻會善盜, 俗語鼠主盜賊, 又主水災者, 皆是也. 但取其形似, 則屬乎艮也.

내가 살펴보았다: 간괘는 한 양이 곤괘가 상징하는 땅위에 있고 아래에서 갈래가 나뉘어 있기 때문에 산이 된다. 가로로 놓인 땅의 높은 곳이기 때문에 작은 길이 된다. 위는 굳세고 아래는 부드러운 것이 흙 위의 돌과 같기 때문에 작은 돌이 된다. 임천오씨가 감괘를 굳센 것으로 삼고 곤괘가 상징하는 땅의 가운데 있는 것을 땅 속에 큰 돌로 여긴 것은 대체로 이것으로 미룬 것이다. 또한 『주역』에서 "돌 때문에 어렵다"고 한 것도 또한 물속에서의

험함을 돌로 삼은 것이다. 양이 위에 있는 것이 성실한 상이 되기 때문에 과일과 풀의 열매가 된다. 『좌전』에서 복도보가 "내괘는 바람이고 외괘는 산이니, 우리가 그 열매를 딸 것이다"[43]라고 했는데, '실(實)'은 열매이다. 손가락이 아래에서 벌어져 있기 때문에 손가락이된다. 또한 산이 아래가 갈라져 있는 것처럼 하체는 부드럽고 위는 굳세어서 씹을 수 있기 때문에 쥐가 된다. 또한 쥐는 십이지에서 자(子)가 되므로 마땅히 감괘에 속한다. 『좌전』에서 "쥐는 낮에 자고 밤에 움직인다"[44]고 했고, 『운회』에서 "잘 훔친다"고 했으며, 세속에서 쥐가 도적을 주관하고 물난리를 주관한다고 하는 것들이 모두 이것이다. 그러나 그 형체가 비슷한 것을 취한다면 간괘에 속할 것이다.

本義, 虎狐.
『주역본의』에서 말하였다: 범이 되고, 여우가 된다.
案, 虎狐, 皆前剛後柔. 後天寅屬艮亦爲虎. 卜徒父曰, 貞風悔山, 獲其雄狐.
내가 살펴보았다: 범과 여우는 모두 앞은 굳세고 뒤는 부드럽다. 후천의 인(寅)은 간괘에 속하고 또한 범이 된다. 복도보가 "내괘는 바람이고 외괘는 산이니, 숫여우를 잡을 것이다"[45]라고 했다.

서유신(徐有臣) 『역의의언(易義擬言)』

小當作少, 其下當有男字, 又其下當有爲字. 陽氣上結爲實, 草木之終始在果苽也. 苽上當有爲字. 艮爲手, 故爲指, 五畫象也. 爲黔喙之屬, 疑當作爲擊爲虎. 艮限爲節, 堅多節之木, 可以爲杖, 故艮有擊象也.
'소(小)'는 마땅히 '소(少)'로 써야 하고, 그 아래에 마땅히 '남(男)'자가 있어야 하며, 또 그 아래에 마땅히 '위(爲)'자가 있어야 한다. 양기가 위로 맺혀 열매가 되니, 풀과 나무의 시종은 과일과 열매에 있다. '나(苽)' 위에 마땅히 '위(爲)'자가 있어야 한다. 간괘가 손이 되기 때문에 손가락이 되니, 오획의 상이다. '위금훼지속(爲黔喙之屬)'은 의심해 보건대 마땅히 '위격위호(爲擊爲虎)'로 써야 할 것 같다. 간괘의 한계가 마디가 되니, 단단하고 마디가 많은 나무로 지팡이를 만들 수 있기 때문에 간괘에 치는 상이 있다.

---

43) 『春秋左傳·僖公』: 蠱之貞風也, 其悔山也. 歲云秋矣, 我落其實, 而取其材, 所以克也.
44) 『春秋左傳·襄公』: 夫鼠, 晝伏夜動, 不穴於寢廟, 畏人故也.
45) 『春秋左傳·僖公』: 其卦遇蠱曰, 千乘三去, 三去之餘, 獲其雄狐.

오치기(吳致箕) 「주역경전증해(周易經傳增解)」

止而不動者, 莫如山, 而一剛在上, 止之象也, 二柔在下, 不動之象也. 路在不通之地曰
徑路, 與震大塗相反也. 土之剛爲石, 在於水邊, 則爲大磐, 而在於山上, 故爲小石. 陽
一畫庇于上, 陰二畫對峙於下而虛中, 故爲門闕. 植生之木實曰果, 蔓生之草實曰蓏,
而取一陽在上, 爲果蓏之結實在終也. 閽人掌宮門而止物之不應入, 寺人掌宮內而止
物之不應出, 故取止之象, 而爲閽寺. 指屬于手, 而取其能執能止也. 爲狗者, 已見第八
章. 爲鼠者, 取其剛在前, 而齒能噬物也. 爲黔喙之屬者, 鳥喙多黑, 而剛在其喙, 故取
象而不可枚擧, 故曰屬也. 坎之剛在中, 故爲木堅多心. 艮之剛在外, 故爲木堅多節.

멈추어 움직이지 않는 것으로는 산만 한 것이 없고, 한 굳센 양이 위에 있는 것이 그치는
상이며, 두 부드러운 음이 아래에 있는 것이 움직이지 않는 상이다. 통하지 않는 땅에 있는
길을 작은 길이라고 하니, 진괘의 큰 길과는 상반된다. 굳센 흙이 돌이 되는데, 물가에 있으
면 큰 암반이 되지만, 산 위에 있기 때문에 작은 돌이 된다. 양 한 획이 위에서 덮고 음
두 획이 아래에서 대치하고 있으며, 가운데가 비어 있기 때문에 문이 된다. 서서 자란 나무
의 열매를 과(果)라고 하고, 덩굴로 자란 풀의 열매를 나(蓏)라고 하는데, 한 양이 위에 있는
것을 취하여 과일과 풀의 열매가 마지막에 결실되는 것으로 하였다. 혼인(閽人)은 궁문을
담당하여 물건을 막아 들어가지 못하게 하고, 시인(寺人)은 궁내를 담당하여 물건을 막아
나가지 못하게 하기 때문에 그치는 상을 취하여 내시로 삼았다. 손가락은 손에 속하는데,
잡을 수 있고 그칠 수 있는 것을 취하였다. 개가 되는 것은 이미 8장에 보인다. 쥐가 되는
것은 앞에 굳센 양이 앞에 있는 것을 취하였으니, 이는 음식물을 씹을 수 있다. 부리가 검은
짐승들의 등속은 새의 부리가 검은 색이 많고 굳셈이 그 부리에 있기 때문에 상을 취하였는
데, 일일이 다 들 수 없기 때문에 등속이라고 하였다. 감괘에서 굳센 양이 가운데 있기 때문
에 나무에 있어서는 단단하고 심이 많음이 된다. 간괘는 굳센 양이 밖에 있기 때문에 나무에
있어서는 단단하고 마디가 많음이 된다.

○ 荀九家有爲鼻者, 鼻於面中最高, 爲面中之山也, 亦以準爲一陽, 而兩穴爲二陰也.
爲虎者, 虎之剛在前, 而亦以山中之物也. 爲狐者, 旣取於坎, 又取於艮未詳, 而此或取
其尾之長也.

『순구가역』에서 코가 되는 것은 코는 얼굴 가운데서 가장 높아서 얼굴 가운데의 산이 되
며, 또한 콧등은 한 양이 되고 두 콧구멍은 두 음이 된다. 호랑이가 되는 것은 호랑이의
굳셈이 앞에 있고 또한 산 가운데의 동물이기 때문이다. 여우가 되는 것은 이미 감괘에서
취하였으면서도 또한 간괘에서 취한 것은 상세하지 않는데, 이것은 또한 꼬리가 긴 것에
서 취한 듯하다.

增解, 爲丘爲陵爲童爲背爲身爲肱爲鹿爲禦爲居爲成爲終爲執爲與爲受爲宮爲家爲廬爲牀爲色爲尾.

『증해』에서 말하였다: 구릉이 되고 언덕이 되고 아이가 되고 등이 되고 몸이 되고 팔뚝이 되고 사슴이 되고 막음이 되고 거처가 되고 이룸이 되고 끝남이 되고 잡음이 되고 함께 함이 되고 받음이 되고 궁이 되고 집이 되고 초막이 되고 상이 되고 색이 되고 꼬리가 된다.

○ 取山之象, 而爲丘爲陵也. 取少男之象, 而爲童也. 陽止于上而不動, 故爲背也. 有人立之象, 故爲身也. 取手之象, 而爲肱也. 鹿之爲物, 頭戴角而角屬于陽, 故取一陽之在上也. 取止之象而爲禦爲居也. 成終而成始, 故爲成也. 一陽終止于上, 故爲終也. 以手取象, 故爲執爲與爲受也. 一陽在上而庇下二陰, 故爲宮爲家爲廬爲牀也. 一陽在上, 有輝光外見之象, 故爲色也. 尾屬陰而一陽在上二陰在下, 故取其陰長而爲尾也.

산의 상을 취해서 구릉이 되고 언덕이 된다. 막내아들의 상을 취해서 아이가 된다. 양이 위에 머물러서 움직이지 않기 때문에 등이 된다. 사람이 서 있는 상이 있기 때문에 몸이 된다. 손의 상을 취해서 팔뚝이 된다. 사슴이라는 동물은 머리에 뿔이 있고 뿔은 양에 속하기 때문에 한 양이 위에 있는 것을 취하였다. 머무는 상을 취해서 막는 것이 되고 거처하는 것이 된다. 끝을 이루고 시작을 이루기 때문에 이룸이 된다. 한 양이 위에서 끝내 그치기 때문에 끝남이 된다. 손으로 상을 취했기 때문에 잡음이 되고 함께 함이 되고 받음이 된다. 한 양이 위에 있고 아래의 두 음을 덮고 있기 때문에 궁이 되고 집이 되고 초막이 되고 상이 된다. 한 양이 위에 있어 빛나게 밖으로 드러나는 상이 있기 때문에 색이 된다. 꼬리는 음에 속하고 한 양이 위에 있고 두 음이 아래에 있기 때문에 음이 긴 것을 취해서 꼬리가 된다.

兌, 爲澤, 爲少女, 爲巫, 爲口舌, 爲毁折, 爲附決. 其於地也,
爲剛鹵, 爲妾, 爲羊.

태괘(☱)는 못이 되고, 막내딸이 되고, 무당이 되고, 입과 혀가 되고, 해지고 끊어짐이 되고, 붙었다가
떨어짐이 된다. 땅에 있어서는 단단하고도 짠 땅이 되고, 첩이 되고, 양(羊)이 된다.

┃中國大全┃

本義

苟九家, 有爲常, 爲輔頰.

순상의 『구가역』에는 떳떳함이 되고, 뺨과 볼이 된다는 내용이 있다.

小註

進齋徐氏曰, 陰停於外, 故爲澤. 巫口舌之官, 以口語說神者. 兌上拆口象, 故爲巫爲口
舌. 金氣始殺, 條枯實落, 故爲毁折. 柔附於剛, 剛能決柔, 故曰附決. 潤極, 故爲剛鹵,
陽在下爲剛, 陰在上爲鹵, 剛鹵之地, 不能生物. 鹵者, 水之死氣也, 坎水絶于下, 而澤
見于上, 則足以爲鹵而已.

진재서씨가 말하였다: 음이 밖에 머물러있기 때문에 못이 된다. 무당이 입과 혀를 맡음은
말로 귀신과 대화하는 자이기 때문이다. 태괘(☱)는 위가 터져서 입모양이 되기 때문에 무
당이 되고 입과 혀가 된다. 금(金)의 기운이 비로소 만물을 죽여 가지가 마르고 열매가 떨어
지기 때문에 해지고 끊어짐이 된다. 부드러운 음이 굳센 양에 붙고 굳센 양은 부드러운 음과
결별하기 때문에 붙었다가 떨어짐이 된다. 윤택함이 극에 달했기 때문에 단단하고도 짠 땅
이 된다. 양이 아래에 있어 단단함이 되고 음이 위에 있어 짠 것이 되니, 단단하고도 짠
땅은 물건을 생장시킬 수 없다. 짠 것이라는 것은 물의 기운 중에서도 죽은 기운이니 아래에
감수(坎水)가 끊어졌는데 못이 위에 있다면 충분히 짠땅이 될 뿐이다.

○ 節齋蔡氏曰, 少女從姊爲娣, 故爲妾. 內狠外說, 故爲羊.

절재채씨가 말하였다: 막내딸은 언니를 따라가 동생이 되므로 첩이 되고, 속은 사나우면서 겉은 기뻐하는 모습이므로 양이 된다.

○ 漢上朱氏曰, 澤者水之聚, 二陽沉於下, 一陰見於上. 坎兌一也, 故坎壅成澤, 澤決成川. 口者, 說見於外也, 舌者, 動於內也.

한상주씨가 말하였다: 못은 물이 모인 것이니 두 양이 아래에 잠겨있고 하나의 음이 위에 드러났다. 감과 태는 마찬가지이기 때문에 감이 막히면 못이 되고 못이 터지면 냇물이 된다. 입은 말이 밖에 드러난 것이고 혀는 안에서 움직이는 것이다.

○ 鄭氏正夫曰, 通乎幽者, 以言說乎神, 故爲巫. 交乎顯者, 以言說乎人, 故爲口舌.

정정부가 말하였다: 저승과 통하는 자는 말로 귀신과 대화하기 때문에 무당이 되고 이승과 사귀는 자는 말로 사람들과 대화하기 때문에 입과 혀가 된다.

○ 融堂錢氏曰, 爲毀折, 上柔象. 爲剛鹵, 水本柔也, 凝而鹵, 陽聚於下也.

융당전씨가 말하였다: 해지고 끊어짐이 되는 것은 위가 부드러운 상이기 때문이고, 단단하고도 짠 땅이 되는 것은 물은 본래 부드러우나 응고하여 짜게 된 것이니 양이 아래에 모여 있기 때문이다.

○ 息齋余氏曰, 陰在上, 皆有決義. 震陽動故躁, 兌陰說故附, 決躁者, 有所去以達其怒也, 附決者, 始雖親而動不免於去也.

식재여씨가 말하였다: 음이 위에 있는 것은 모두 갈라지는 뜻이 있다. 진괘(☳)는 양이 움직이기 때문에 조급하고 태괘(☱)는 음이 기쁘기 때문에 붙으니, 터지고 조급한 것은 가는 바가 있어서 노함에 이르고 붙고 떨어지는 것은 처음에는 친하나 움직여서 떠나게 됨을 면치 못함이다.

○ 平庵項氏曰, 地之鹵, 非不潤也, 暫熯而乾, 已而復潤. 天下之潤者, 莫久焉, 然不生物以其潤氣之在外也, 見於外者, 其上則甘而爲露, 露之凝爲霜. 其下則咸而爲鹵. 鹵之凝也爲鹽, 二者皆殺物之具也. 鄭少梅, 謂剛者出金, 鹵者出鹽, 雖不生五穀, 而寶藏興焉, 此天地之仁也.

평암항씨가 말하였다: 소금밭이 본래 윤택하지 않은 것은 아니니, 잠시 말랐다가 얼마 뒤에 다시 윤택하게 된다. 천하의 윤택한 것은 오래가는 것이 없으나, 물건을 생장시키지 못함은 윤택한 기운이 밖에 있기 때문이다. 밖에 드러나는 것이 위에 있으면 달아서 이슬이 되고

이슬이 엉기면 서리가 된다. 아래에 있으면 짜서 소금밭이 되고 소금밭이 엉긴 것이 소금이니 서리와 소금은 모두 물건을 죽이는 도구이다. 정소해(鄭少梅)가 "굳센 양은 금(金)을 내고, 소금밭[鹵]은 소금을 낸다" 하였으니 비록 오곡을 살리지는 못하지만 보물이 나오니[46] 이것이 천지의 인(仁)이다.

○ 沙隨程氏曰, 八卦之象, 八物而已, 充其類, 則有所謂百物不廢者, 極其說, 則又可以類萬物之情. 然說卦之象, 有與卦爻相符者, 如乾爲天坤爲地之類是也. 有不與卦爻相符者, 如乾坤稱龍, 而不必在震, 坤屯稱馬, 而不必在乾之類是也. 有見於卦爻而說卦不載者, 如漸之鴻中孚之豚魚之類是也. 有見於說卦而卦无之者, 如爲金爲布爲贏爲蚌之類是也. 若夫大琴謂之離, 小罍謂之坎, 此見於他書, 而易與說卦, 又可以類推也.

사수정씨가 말하였다: 팔괘의 상은 여덟 가지 물건일 뿐이나, 종류를 확충해 보면 이른바 온갖 물상이 폐기되지 않은 것이고 설명을 지극히 하면 만물의 실정을 유추할 수 있다. 그러나 「설괘전」의 상이 괘사·효사와 서로 부합하는 것이 있으니 '건은 하늘이 되고 곤은 땅이 된다'와 같은 것이 이것이다. 괘사·효사와 서로 부합하지 않는 것이 있으니 건괘(乾卦☰)·곤괘(坤卦☷)의 괘사·효사에서는 용을 일컬었으나 진괘(晉卦䷢)의 괘사·효사에서는 굳이 일컫지 않았고, 곤괘(坤卦☷)·준괘(屯卦䷂)의 괘사·효사에서는 말[馬]을 일컬었으나 건괘(乾卦☰)의 괘사·효사에서는 굳이 말[馬]을 일컫지 않은 따위가 이것이다. 괘사·효사에 나타나 있으나 「설괘전」에는 실리지 않은 것이 있으니 점괘(漸卦䷴)의 기러기와 중부괘(中孚卦䷼)의 돼지·물고기 따위가 이것이다. 「설괘전」에는 있으나 괘사에는 없는 것이 있으니 '가마솥이 되고' '베가 되고' '소라가 되고' '조개가 되고' 따위가 이것이다. 대금(大琴)을 리(離)라 하고 소뢰(小罍)를 감(坎)이라 하는 것은 다른 서책에 보이나 또한 『주역』과 「설괘전」으로 유추할 수 있다.

○ 進齋徐氏曰, 易道无窮, 苟通其類, 可以盡利, 王弼所謂忘象忘言, 固非說卦之意. 而荀九家, 又逐一附益於說卦之後, 亦豈足以盡擬議之神哉.

진재서씨가 말하였다: 『역』의 도는 무궁하나 종류를 통해 보면 이로움을 다할 수 있으니 왕필(王弼)이 말한 '뜻을 얻었으면 상을 버려라[得意忘象]'·'뜻을 얻었으면 말을 버려라[得意忘言]'가 본래 「설괘전」의 뜻이 아니다. 또한 순상의 『구가역』이 일일이 「설괘전」 뒤에 말을 보태어 붙였으나 어찌 모의하고 의론하는 신묘함을 다하기에 충분하겠는가?

---

46) 『中庸』: 今夫山, 一卷石之多, 及其廣大, 草木生之, 禽獸居之, 寶藏興焉.

‖韓國大全‖

김장생(金長生)『경서변의(經書辨疑)-주역(周易)』

兌爲剛鹵.

태(☱)는 단단하고도 짠 땅이 된다.

剛爲金, 鹵爲鹽.

단단한 것은 쇠가 되고, 짠 것은 소금이 된다.

本義, 荀九家有爲常.

『주역본의』에서 말하였다: 순상의『구가역』에는 ‘상(常)’이 된다는 내용이 있다.

常爲尋常之常.

‘상(常)’은 ‘심상(尋常)’의 ‘상(常)’이 된다.

송시열(宋時烈)『역설(易說)』

爲附決.

붙었다가 떨어짐이 된다.

蓋夬者, 大兌也. 雜卦曰, 夬, 剛決柔也.

쾌괘(夬卦☰)는 큰 태괘(兌卦☱)이다. 「잡괘전」에 “쾌괘는 굳센 양이 부드러운 음을 터놓는 것이다”라고 하였다.

조호익(曺好益)『역상설(易象說)』

兌爲巫爲剛鹵.

태(☱)는 무당이 되고 단단하고도 짠 땅이 된다.

周禮有司巫男巫女巫之官. 剛鹵, 按孫子絶斥澤註, 斥咸鹵之地, 水草惡沮洳, 不可處軍. 又曰, 斥澤不生五穀者. 又史記東方食鹽斥西方食鹽鹵. 蓋鹽地一也, 而東方曰斥, 西方曰鹵. 然則斥鹵皆咸滷沮洳之地, 而熯則剛燥, 濕則泥淖, 草木亦不能生者.

『주례』를 보면, 무당을 담당하는 자에 남자 무당과 여자 무당의 관원이 있다. ‘단단하고도 짠 땅’은 『손자(孫子)』에 “척택을 끊었다[絶斥澤]”라고 하였는데, 이에 대한 주석에 “척(斥)은 소금밭[咸鹵]의 땅이다. 수초(水草)조차도 습한 것을 싫어하니, 군대가 주둔할 수 없다”

고 하였으며, 또 말하기를 "척택(斥澤)은 오곡(五穀)이 자라지 못하는 곳이다"라고 하였다. 또 『사기(史記)』를 보면 "동방에서는 염척(鹽斥)을 먹고, 서방에서는 염로(鹽鹵)를 먹는다"라고 하였다. 이는 대체로 소금밭인 것은 마찬가지인데, 동방에서는 염척이라 하고 서방에서는 염로라고 한다는 것이다. 그렇다면 염척이나 염로는 모두 소금기가 있는 습지로서, 건조하면 바짝 마르고 습하면 진흙탕이 되어, 초목조차도 살 수가 없는 곳이다.

○ 本義, 爲常爲輔頰.

『주역본의』에서 말하였다: 상(常)이 되고, 뺨과 볼이 된다.

常, 兌爲澤, 澤者止而不流, 故取象. 輔頰, 在咸上爻.

'상(常)'은, 태괘(兌卦)가 못이 되는데, 못이란 멈추어 있으면서 흐르지 않으므로 그 상을 취한 것이다. '보협(輔頰)'은 함괘(咸卦)의 상효에 그 상이 있다.

유정원(柳正源) 『역해참고(易解參攷)』

案, 兌上開而下壅, 故爲澤. 兌非木也而爲毁折, 以其體堅剛而上柔弱, 如筍蘗竝生也.

내가 살펴보았다: 태괘는 위가 열려있고 아래는 막혀있기 때문에 못이 된다. 태괘는 나무가 아닌데도 해지고 끊어짐이 되는 것은 그 몸체가 굳세고 위가 유약한 것이 마치 순과 싹이 아울러 나는 것과 같기 때문이다.

本義, 常頰.

『주역본의』에서 말하였다: 떳떳함이 되고, 뺨과 볼이 된다.

案, 九家本爲常下有常西方神也五字. 兌口上開, 而輔頰在口傍, 故爲輔爲頰. 易曰, 咸其輔頰舌, 咸上體兌也.

내가 살펴보았다: 순상의 『구가역』 본에는 '위상(爲常)' 아래에 '상서방신야(常西方神也)'라는 다섯 글자가 있다. 태괘의 입은 위가 열려 있고, 뺨과 볼은 입 곁에 있기 때문에 뺨과 볼이 된다. 『주역』에 "볼과 뺨과 혀에서 느낀다"고 하였다. 함괘의 상체가 태괘이다.

小註, 沙隨說, 他書.

소주에서 사수정씨가 말하였다: 다른 책.

爾雅.

다른 책이란 『이아』를 말한다.

서유신(徐有臣) 『역의의언(易義擬言)』

海爲大澤, 池塘亦爲澤, 雨露之濡亦爲澤, 脂膏之潤亦爲澤也. 在人則鼻有山象, 口有澤象也. 少女而尙口爲巫也. 毁折附決, 卦形上折也. 附決, 契劵之名, 如周禮傅別也. 濱海之地, 斥鹵而剛也. 少女故爲妾也. 爲妾爲羊, 恐當在口舌之下也.

바다는 큰 못이 되고, 저수지나 연못도 또한 못이 되며, 비와 이슬이 적시는 것도 또한 못이 되고, 기름이 적시는 것도 또한 못이 된다. 사람에 있어서는 코가 산의 모양이 있고, 입은 못의 상이 있다. 소녀로서 입을 높이는 것이 무당이 된다. 해지고 끊어짐·붙었다가 떨어짐은 괘의 형체가 위가 잘라져 있기 때문이다. '부결(附決)'은 계약서의 이름인데, 『주례』의 '부별(傅別)'과 같다. 바닷가의 땅은 소금기가 있고 단단하다. 소녀이기 때문에 첩이 된다. "첩이 되고 양이 된다"는 구절은 아마도 마땅히 "입과 혀가 된다"는 아래에 있어야 할 것 같다.

오치기(吳致箕) 「주역경전증해(周易經傳增解)」

坎水之防下流者爲澤, 亦以兌之陰柔見外, 爲物之膏澤見乎外也. 坤三索而得女, 故爲少女. 神屬於陰而以言悅, 神者爲巫. 陰拆在上, 故爲口舌, 陰拆在二陽之上, 有毁折乾體之象. 陰附於陽而決於上, 故爲附決. 陽聚陰下而坎壅其流, 陰結陽上而澤凝爲鹹, 故曰剛鹵. 少女爲娣媵, 故爲妾. 外悅內狠, 故爲羊.

감괘인 물이 아래로 흘러가는 것을 막은 것이 못이 되고, 또한 태괘의 부드러운 음이 밖으로 드러난 것을 기름진 사물이 밖으로 드러난 것으로 삼는다. 곤괘가 세 번 찾아서 딸을 얻기 때문에 막내딸이 된다. 신은 음에 속하고 그로써 기쁨을 말하니, 신이란 무당이 된다. 음이 위에서 갈라져 있기 때문에 입과 혀가 되고, 음이 두 양의 위에서 갈라져 있기 때문에 건의 몸체를 해지고 끊어지게 하는 것이 된다. 음이 양에 붙었다가 위에서 떨어지기 때문에 붙었다가 떨어짐이 된다. 양이 음이 아래에 모여서 그 흐름을 가두고 있고, 음이 양의 위에 맺혀서 못이 응결하여 짜게 되기 때문에 단단하고도 짠 땅이 된다. 막내딸은 잉첩이 되기 때문에 첩이 된다. 밖으로는 기뻐하면서도 안으로는 사납기 때문에 양이 된다.

○ 荀九家爲常者未詳. 爲輔頰舌者, 取於咸之爻辭, 而以口爲象.

『순구가역』에서 떳떳함이 된다고 한 것은 상세하지 않다. 뺨과 볼이 되는 것은 함괘의 효사에서 취했고, 입을 상으로 삼았다.

增解, 爲膏爲喜爲笑爲歌爲夕爲星爲短爲低爲味爲口食爲言爲告爲誠爲號.

『증해』에서 말하였다: 기름이 되고 기쁨이 되고 웃음이 되고 노래가 되고 저녁이 되고 별이 되고 짧음이 되고 낮음이 되고 맛이 되고 입으로 먹는 것이 되고 말이 되고 고함이 되고 경계가 되고 호령이 된다.

○ 取澤之象而爲膏, 取說之義而爲喜爲笑爲歌也. 在乎正西日入之方, 故爲夕. 附於天上而見于夕, 故爲星也. 巽爲長, 故兌爲短, 巽爲高, 故兌爲低. 巽爲臭, 故兌爲味, 而亦以味在於口也. 取口之象而爲口食爲言爲告爲誡爲號.

못의 상의 취하여 기름이 되고, 기쁨의 뜻을 취하여 기쁨이 되고 웃음이 되고 노래가 된다. 해가 들어가는 지방인 서쪽에 있기 때문에 저녁이 된다. 하늘에 붙어서 저녁에 나타나기 때문에 별이 된다. 손괘는 긴 것이 되기 때문에 태괘는 짧은 것이 되며, 손괘는 높은 것이 되기 때문에 태괘는 낮은 것이 된다. 손괘는 냄새가 되기 때문에 태괘는 맛이 되었으니, 또한 맛은 또한 입에 달려있기 때문이다. 입의 상을 취하여 먹는 것이 되고 말이 되고 고함이 되고 경계가 되고 호령이 된다.

右 第十一章
이상은 제11장이다.

‖中國大全‖

本義

此章, 廣八卦之象, 其間多不可曉者, 求之於經, 亦不盡合也.

이 장은 팔괘(八卦)의 상(象)을 확충하였으나 그 사이에 이해할 수 없는 것이 많으니, 『역경』에서 찾아보아도 모두 부합하지는 않는다.

小註

雲峰胡氏曰, 此章廣八卦之象, 凡百十有二, 本義以爲多有不可曉. 蓋有當解者, 有不必强解者. 其中有相對取象者, 如乾爲天坤爲地之類是也. 上文乾爲馬, 此則爲良馬老馬瘠馬駁馬. 良取其德, 老取其知, 瘠取其骨, 駁取其力, 皆取其健也.

운봉호씨가 말하였다: 이 장에서 팔괘의 상을 확대한 것이 모두 일백 열두 가지 인데『본의』에서 "분명히 알 수 없는 것이 많다"고 하였다. 이는 알아야 할 것도 있고 억지로 알 필요가

없는 것도 있는 것이다. 그 중에서 서로 짝이 되는 것으로 상을 취한 것이 있으니 예컨대 건괘(☰)가 하늘이 됨과 곤괘(☷)가 땅이 되는 종류가 여기에 해당한다. 윗글에서는 건이 말이 된다고 하고 여기에서는 좋은 말·늙은 말·수척한 말·얼룩말이 된다고 하였다. 좋음[良]는 덕을 취한 것이고 늙음[老]은 지혜를 취한 것이며 수척함[瘠]은 뼈를 취한 것이고 얼룩[駁]은 힘을 취한 것이니 모두 건장함을 취하였다.

上文坤爲牛, 此則爲子母牛, 取其生生有繼, 兼取其順也. 乾爲木果, 結於上而圓, 坤爲大輿, 載於下而方. 震爲決躁, 巽爲進退. 爲不果, 剛柔之性也, 震巽, 獨以其究言剛柔之始也. 坎內陽外陰, 水與月, 則內明外暗, 離內陰外陽, 火與日, 則內暗外明. 坎中實, 故於人, 爲加憂爲心病爲耳痛. 離中虛, 故於人, 爲大腹. 艮爲閽寺爲指, 陽之止也, 兌爲巫爲口舌, 陰之說也.

윗글에서는 곤괘(☷)가 소가 된다고 하고 여기에서는 새끼가 있는 어미 소가 된다고 하였으니 낳고 낳아 계속함이 있음을 취하였고 아울러 순함을 취하였다. 건괘(☰)가 나무의 과실이 됨은 위에서 맺어져 둥글어서이고, 곤괘(☷)가 큰 수레가 됨은 아래에서 싣고 있으면서 네모져서이다. 진괘(☳)는 결단하고 조급함이 되고 손괘(☴)는 나아가고 물러남이 된다. "과감하지 못함"이 됨은 굳셈과 부드러움의 성질로 말한 것이니 진과 손은 유독 궁극적으로 굳셈과 부드러움의 시작을 말하였다. 감괘(☵)는 안이 양이고 밖이 음이어서 물과 달이 되니 안이 밝고 밖이 어두운 것이다. 리괘(☲)는 안이 음이고 밖이 양이어서 불과 해가 되니 안은 어둡고 밖은 밝다. 감괘(☵)는 가운데가 채워졌기 때문에 사람으로는 근심을 더함이 되고, 심장병이 되고, 귀앓이가 된다. 리괘(☲)는 가운데가 비었기 때문에 사람으로는 배가 큰 이가 된다. 간괘(☶)가 내시가 되고 손가락이 됨은 양이 그치는 것이고, 태괘(☱)가 무당이 되고 입과 혀가 됨은 음이 말하는 것이다.

有相反取象者, 震爲大塗, 反而艮則爲徑路. 大塗, 陽闢乎陰, 无險阻也, 徑路, 陽阻而下, 陰不能闢也. 巽爲長爲高, 反而兌則爲毁折. 長且高者, 陽之上達, 毁而折者, 陰之上窮也.

서로 반대된 것으로 상을 취한 것이 있으니 진괘(☳)는 큰 길이 되고 반대로 간괘(☶)는 작은 길이 된다. 큰 길은 양이 음을 열어 험하여 막히는 일이 없고 작은 길은 양이 막아서 내려가니 음을 열수가 없다. 손괘(☴)는 긴 것이 되며 높은 것이 되고, 반대로 태괘(☱)는 해지고 끊어짐이 된다. 길고도 높은 것은 양이 위와 통하는 것이고 해지고 끊어짐은 음이 위에서 다함이다.

有相因取象者, 乾爲馬, 震得乾初之陽, 故於馬爲善鳴馵足作足的顙. 震陽下而陰上也.

坎得乾中爻之陽, 故於馬爲美脊亟心下首薄蹄曳. 坎陽中而陰外也. 善鳴, 似乾馬之良,
美脊, 似乾馬之脊也. 作足者, 陽下而强, 薄蹄者, 陰下而弱也. 坤爲大輿, 坎爲輿爲多
眚, 坤中虛而力能載, 坎中滿而下无力也. 巽爲木, 幹陽而根陰也. 坎中陽, 故於木爲堅
多心. 艮上陽, 故於木爲堅多節. 離中陰而虛, 故於木爲科上槁. 震爲敷, 乾爲木果, 震
之一陽花之敷, 乾之三陽果之結. 乾爲木果, 艮爲果蓏, 果陽在上, 果蓏陽上而陰下也.
서로 관련된 것으로 상을 취한 것이 있으니 건괘(☰)는 말이 되고 진괘(☳)는 건괘 초효인
양을 얻었기 때문에 말에 있어서는 잘 우는 것이 되고 발이 흰 것이 되며 발을 치켜드는
것이 되고 흰 이마를 가진 것이 된다. 진괘(☳)는 양이 아래에 있고 음이 위에 있다. 감괘
(☵)는 건괘 가운데 효인 양을 얻었기 때문에 말에 있어서는 등마루가 아름다움이 되고 마
음의 급함이 되며 머리를 아래로 떨굼이 되고 발굽이 얇음이 되며 끄는 것이 된다. 감은
양이 가운데 자리에 있고 음이 밖에 있다. 잘 우는 것은 건괘의 말 중에 좋은 말이고, 등마루
가 아름다운 것은 건괘의 말 중에 뼈대가 굵은 것과 비슷하다. 발을 치켜드는 것은 양이
아래에 있으면서 억센 것이고, 발굽이 얇은 것은 음이 아래에 있으면서 약한 것이다. 곤괘
(☷)가 큰 수레가 되고 감괘(☵)가 하자가 많은 수레가 됨은 곤의 가운데가 비어있어 힘이
짐을 실을 수 있고 감의 가운데가 채워있어 아래에 힘이 없기 때문이다. 손괘(☴)는 나무가
되는데 줄기가 양이고 뿌리가 음이다. 감괘(☵)는 가운데가 양이기 때문에 나무에 있어서는
단단하고 심이 많은 것이 된다. 간괘(☶)는 위가 양이기 때문에 나무에 있어서는 단단하고
마디가 많음이 된다. 리괘(☲)는 가운데가 음이고 비었기 때문에 나무에 있어서는 속이 비
어 위가 마름이 된다. 진괘(☳)는 펴는 것이 되고 건괘(☰)는 나무의 과실이 되니 진괘(☳)
의 한 양이 꽃이 핀 것이고 건괘(☰)의 세 양이 과실이 맺어진 것이다. 건괘(☰)는 나무
과실이고 간괘(☶)는 과일과 풀의 열매가 되니 과일은 양이 위에 있는 것이고 과일과 풀의
열매는 양이 위에 있고 음이 아래에 있는 것이다.

有一卦之中自相因取象者, 坎爲隱伏, 因而爲盜, 巽爲繩直, 因而爲工, 艮爲門闕, 因而
爲闇寺, 兌爲口舌, 因而爲巫. 有不言而互見者, 乾爲君, 以見坤之爲臣, 乾爲圜, 以見
坤之爲方. 吝嗇者陰之翕也, 以見陽之闢, 均者地之平也, 以見天之高, 爲文者, 物生於
地雜而可見也, 知其始於天者不可見矣. 爲柄者, 有形之可執也, 乾之氣不可執矣. 離
爲乾卦, 以見坎之爲濕, 坎爲血卦, 以見離之爲氣, 巽爲臭, 以見震之爲聲. 巽離兌三
女, 震爲長子, 而坎艮不言者, 尊嫡也, 於陽之長者, 尊之也. 兌少女爲妾, 而巽離不言
者, 少女從姊爲娣於陰之, 少者卑之也. 坎爲馬, 震坎得乾之陽, 皆言馬. 而艮不言者,
艮止也, 止之性, 非馬也. 他可以觸類而通矣.
하나의 괘 안에서 각기 관련된 것으로 상을 취한 것이 있으니 감괘(☵)는 숨어 엎드림이
됨에 따라서 도둑이 되고, 손괘(☴)는 먹줄이 곧음이 됨에 따라서 장인이 되며, 간괘(☶)는

문이 됨에 따라서 내시가 되고, 태괘(☱)는 입과 혀가 됨에 따라서 무당이 된다. 말하지 않
았으나 서로 드러내는 것이 있으니 건은 임금이 되어 곤이 신하임을 드러내었고, 건은 둥근
것이 되어 곤이 네모난 것이 됨을 드러내었다. 인색한 것은 음이 모인 것인데 이것으로 양이
열림을 드러내었고, 균등한 것은 땅이 평평한 것인데 이것으로 하늘이 높음을 드러내었다.
곤괘(☷)가 문채가 됨은 식물이 땅에서 생겨나 섞여서 드러날 수 있는 것이니 하늘에서 비
롯된 것은 드러날 수 없음을 알 수 있다. 곤이 자루가 됨은 형체를 잡을 수 있는 것이니
건의 기운은 잡을 수 없음을 알 수 있다. 리괘(☲)는 건조함을 상징하는 괘가 되니 이것으로
감(☵)이 축축함이 됨을 드러내었고 감괘(☵)는 피를 상징하는 괘가 되니 이것으로 리(☲)
가 기운이 됨을 드러내었다. 손괘(☴)는 냄새가 되니 이것으로 진괘(☳)가 소리가 됨을 드러
내었다. 손·리·태는 세 딸이다. 진괘(☳)가 장자가 된다고 하고 감·간에서는 몇째 아들
인지 언급하지 않은 것은 적손을 높임이니 양 중에 어른을 높인 것이다. 막내딸인 태괘(☱)
는 첩이 된다고 하고 손·리에서는 몇째 딸인지 언급하지 않은 것은 막내딸은 언니를 따라
동생이 되니 음 중에 어린 것을 낮게 여긴 것이다. 감괘(☵)가 말[馬]이 됨은 진·감이 건의
양을 얻었기 때문에 모두 말[馬]을 말하였다. 그러나 간괘(☶)에서 말[馬]을 언급하지 않은
이유는 간은 그침이니 그치는 성질은 말이 아니기 때문이다. 다른 것은 종류대로 접촉해
보면 통할 수 있다.

○ 柴氏中行曰, 易自太極而分陰陽變化在物, 莫非象也. 爲馬爲首稱乎父三章, 正象
也, 爲天以下八章, 別象也. 今以一物言之, 使人以類觀, 則八卦何物而不具. 且乾爲馬
爲首以下, 亦馬一體象也, 男女之分, 亦馬牝牡象也. 別而言之, 於乾, 又有良老瘠駁之
不同, 於震, 又有善鳴馵足作足的顙之各異, 於坎, 又有美脊亟心下首薄蹄之別. 坤之
象, 又爲牝馬, 自此推之豈一端哉.
시중행이 말하였다: 역은 태극에서 음과 양이 나뉘어 만물에서 변화하니 상 아닌 것이 없다.
말이 됨[爲馬]·머리가 됨[爲首]·아비를 칭함[稱乎父]의 세 개의 장(章)47)은 상(象)을 바르
게 한 것이고, 하늘이 됨[爲天] 이하 제 11장48)은 상을 구별한 것이다. 이제 한 가지 물건을
가지고 말해 보겠다. 만약에 사람이 종류대로 관찰해 본다면 팔괘 안에 갖추어있지 않은
물건이 무엇이겠는가? 또 건이 말이 됨[爲馬]·머리가 됨[爲首]의 이하는 말 전체 몸에 대한
상이니 남·녀의 구분도 암말 숫말의 상으로 말하였다. 구별하여 말하면 건괘(☰)에서는
또 좋은 말·늙은 말·뼈대가 굵은 말·얼룩말의 차이가 있고, 진괘(☳)에서는 또 잘 욺·발

---

47) '세 개의 장(章)'은 『설괘전』 8장·9장·10장을 가리킨다.
48) 원문에 '팔장(八章)'이라고 되어 있는데, 이는 팔괘를 각각 한 문단씩 설명한 여덟 문단을 가리키는 것으로
   보인다. 이 부분이 제 11장이다.

이 힘·발을 치켜듦·이마가 흼의 차이가 있으며, 감괘(☵)에서는 또 등마루가 아름다움·
마음이 급함·머리를 아래로 떨굼·발굽이 얇음 것의 차이가 있다. 곤의 상은 또 암말이
되니 이것으로 미루어 본다면 어찌 단서가 한가지이겠는가?

又曰, 此八卦別象, 然自坤而降, 或曰其於地其於人其於馬其於輿其於稼其於木, 唯乾
无之, 何也. 蓋物不足以盡卦, 則正言爲天爲地之類, 卦不足以盡物, 則有其於人其於
木之類. 至於乾之爲道, 无不周徧, 萬物皆不足以盡之, 故无所言焉. 八卦之象, 反而求
之, 皆不出吾身而已. 精之爲道德性命, 粗之爲形色聲容, 內之爲視聽言動, 外之爲君
臣父子, 大而至於手足, 微而至於爪髮, 皆不越乎八卦. 八卦, 何物也. 太極也. 太極,
何物也. 至中至正, 不偏不倚, 道之大原也. 人徒知以七尺之軀, 戴天履地, 飢食渴飮,
與造化日夜運轉, 消息盈虛, 屈伸往來之中, 孰知自頂至踵, 天之與我者, 有如是至精
至妙, 至廣至大之理, 是吾身也. 大而天地, 微而蟲魚草木, 幽而鬼神之理, 明而事變之
迹亦然也. 上極天地之始, 下極天地之終, 亦然也. 吾能反身而誠默而識之, 不言而信,
則大足以參天地, 微足以育庶物, 幽无愧於神, 明无怍於人, 直與天地相爲終始. 是則
豈直俟不惑而已. 至所謂象者, 眞筌蹄耳.

또 말하였다: 이것은 팔괘로 상을 구별하는 것이다. 그러나 곤괘 이하부터는 때로 "땅에 있
어서는"·"사람에 있어서는"·"말에 있어서는"·"수레에 있어서는"·"곡식에 있어서는"·"나
무에 있어서는" 이라고 말하였는데 건괘에서만 그렇게 말하지 않은 것은 어째서인가? 이는
물건으로는 괘를 다 표현하기에 부족하니 곧 "하늘이 됨"·"땅이 됨"의 종류로 말하였고,
괘로는 물건을 다 표현하기에 부족하니 "사람에게 있어서는"·"나무에 있어서는" 의 종류로
설명한 것이다. 그러나 건의 도는 두루 구비되지 않음이 없어 만물로는 다 표현하기에 부족
하기 때문에 그런 말을 하지 않은 것이다. 팔괘의 상을 돌이켜 찾아보면 모두 내 몸에서
벗어나지 않는다. 정밀하게는 도덕과 성명이 되고 거칠게는 형체의 모습과 소리의 모양이
되며, 안으로는 봄·들음·말함·행동함이 되고 밖으로는 군신간·부자간이 되며, 크게는
수족이 되고 작게는 손톱·머리카락이 되니 모두 팔괘에서 벗어나지 않는다. 팔괘는 무엇인
가? 태극이다. 태극은 무엇인가? 지극한 중(中)·지극한 정(正)이며 치우치지 않고 기대지
않으니 도의 큰 근원이다. 사람은 칠척의 몸으로 하늘을 이고 땅을 밟고서 배고프면 먹고
목마르면 마실 줄만 아니, 조화와 함께 밤낮으로 운행하여 사라지고·자라고·차고·비며,
굽히고·펴고 왕래하는 가운데 머리부터 발끝까지 하늘이 나와 함께하는 것이 이처럼 지극
히 정밀하고 지극히 신묘하며 지극히 광대한 이치가 내 몸이라는 것을 누가 알겠는가? 크게
는 하늘·땅과, 작게는 벌레·물고기·풀·나무와, 어두운 귀신의 세계로부터 밝은 사변의
자취에 이르기까지도 그러하다. 위로 전지의 시작을 지극히 하고 아래로 천지의 마침을 지
극히 함도 그러하다. 그러므로 내가 돌이켜 살펴서 묵묵히 알고 말하지 않아도 믿는다면,

크게는 천지에 참여하고 작게는 만물을 기를 수 있어서 어두운 세상의 귀신에게도 부끄럽지 않고 밝은 세상의 사람에게도 부끄럽지 않을 것이니 곧바로 천지와 서로 처음과 끝이 될 것이다. 이렇다면 어찌 미혹되지 않기만을 기다릴 뿐이겠는가? 이른바 상(象)이라는 것은 통발과 올무49)에 해당할 뿐이다.

○ 雙湖胡氏曰, 說卦之象, 夫子自取爲多, 括前聖之例爲少, 故求之於經, 不盡合也. 嘗考之說卦, 所論八卦方位之不同. 夫子初未嘗有先後天之分也. 自邵子發明之, 朱子表章之, 然後羲文之易, 辨明於世, 而夫子所論八卦方位之不同, 始各有歸着, 俾學者觀於卦位之對待流行, 而先後天之分較然矣. 今觀第六章, 自神也者妙萬物而爲言, 至莫盛乎艮, 是承前章論後天八卦之位, 自水火相逮,50) 至旣成萬物也, 仍是先天八卦位次. 啓蒙亦已言之矣. 若自第七章至第十章, 啓蒙引之以爲文王觀已成之卦, 推未明之象 以爲說, 而謂之後天之學入用之位. 竊謂自七章至篇末十一章, 皆先天八卦位次, 而夫子推未明之象以爲說, 故其卦次與第三章第四章同. 姑附聽說于此.

쌍호호씨가 말하였다.「설괘전」의 상(象)은 공자가 스스로 취한 것이 많고 옛 성인의 사례를 총괄한 것은 적기 때문에 경문에서 찾아보아도 다 합치되기 어렵다. 일찍이「설괘전」을 고찰해보니 팔괘의 방위에 대해 논한 것이 차이가 있다. 공자는 애초에「선천」과「후천」을 구분한 적이 없었다. 소옹(邵雍)이 발명하고 주자가 형식과 문장을 갖춘 뒤에야 세상에 복희씨와 문왕의 역이 구분되어 밝혀졌다. 공자가 논한 팔괘의 방위가 같지 않은 것은 처음에 각각 귀결된 것이 있었으니 배우는 이에게 괘 방위의 대대(待對)와 유행(流行)을 관찰하게 하여「선천」과「후천」의 구분을 명확하게 하고자 한 것이다. 지금 제6장을 관찰해 보건대 "신(神)이란 만물을 신묘하게 하는 것을 말하니[神也者, 妙萬物而爲言]"에서부터 "간괘보다 성(盛)한 것이 없다[莫盛乎艮]"까지는 제5장의「후천」팔괘의 방위를 이어 설명한 것이고, "물과 불이 서로 붙들고[水火相逮]부터 "만물을 이룬다[旣成萬物也]"까지는「선천」팔괘의 위차(位次)를 그대로 따른 것이다.『역학계몽(易學啓蒙)』에도 이미 그렇게 말했다. 제7장에서부터 제10장까지를 인용하여 "문왕이 이미 완성한 괘를 관찰하고 아직 밝히지 못한 상을 추측하여 설명하였으니, 그것을 '후천의 학으로써 실용으로 들어가는 방위이다'고 한다"고 하였다. 나는 이렇게 생각한다. 7장부터 편말의 11장까지는 모두「선천」팔괘의 차서인데 공자가 아직 밝히지 못한 상을 추측하여 설명하였기 때문에 괘의 차례가 제3장·제4장과 같은 것이다. 우선 억측을 붙여 여기에 설명한다.

---

49) 통발과 올무는 목적을 달성하기 위한 수단으로 비유한다.『莊子·外物』: 荃者所以在魚, 得魚而忘荃. 蹄者所以在兔, 得兔而忘蹄.

50) 自水火相逮:『중국전의대전』에는 '수화(水火)'와 '상체(相逮)'사이에 '不'자가 있으나 경문에 없는 글자이므로 '不'자를 빼고 번역하였다.

▌韓國大全▐

김상악(金相岳) 『산천역설(山天易說)』

乾爲天以下一章, 廣八卦之象, 而其所取者, 不盡合於經文. 曲說强解, 雖亦可通, 終非自然之法象, 故姑闕之.

"건은 하늘이 된다" 이하의 한 장은 팔괘의 상을 넓혔고, 취한 것은 경전의 문장과 다 합치하지 않는다. 이리저리 설명해서 억지로 해석하여 비록 통할 수 있더라도 끝내 자연스러운 법상이 아니기 때문에 우선 그대로 놓아둔다.

서유신(徐有臣) 『역의의언(易義擬言)』

竊按, 凡此云云, 當不越乎易辭中所有之象, 而今未可盡考. 然大略則可徵也. 此外又有乾之圜旋而爲大車象, 坤之養物而爲食象, 震鳴而爲言笑象, 巽風而爲豕象魚象飛禽象. 坎黑色爲瓦器象, 離中虛爲口象, 艮之山爲林象雲象, 兌之西, 爲虎豹象. 此類非一, 姑擧其略, 雖非說卦所載, 亦可以義例究之. 九家易, 只應如此耳.

내가 살펴보았다: 여기에서 말한 것들은 마땅히 『주역』의 글 가운데 있는 상을 넘어서지 않지만, 지금 다 고찰할 수 없다. 그러나 대체적인 내용은 징험할 수 있다. 이 밖에도 또한 건괘는 둥그렇게 돌기 때문에 큰 수레의 상이 되고, 곤괘는 만물을 기르기 때문에 음식의 상이 되고, 진괘는 울리기 때문에 말하고 웃는 상이 되고, 손괘는 바람이기 때문에 돼지의 상이 되고 물고기의 상이 되고 나는 새의 상이 된다. 감괘는 검은 색이기 때문에 기와의 상이 되고, 리괘는 가운데가 비었기 때문에 입의 상이 되고, 감괘의 산은 수풀의 상이 되고 구름의 상이 되며, 태괘의 서쪽은 호랑이와 표범의 상이 된다. 이러한 종류는 많으므로 우선 그 대략을 들어두니, 비록 「설괘전」에 실린 것이 아니더라도 또한 다른 예들을 통해서 유추할 수 있다. 『순구가역』에 대해서도 또한 이와 같이 해야 할 뿐이다.

심대윤(沈大允) 『주역상의접법(周易象義占法)』

凡卦之取象, 可盡萬物而窮萬事, 天地之間有形有理者, 无出八卦之外者, 此特槪見之也.

괘에서 상을 취한 것은 만물을 다하고 만사를 다할 수 있어서, 천지 사이에 형체와 이치를 가진 것은 팔괘의 밖으로 벗어나지 않으니, 이것은 다만 개괄하여 보여준 것일 뿐이다.

오치기(吳致箕)「주역경전증해(周易經傳增解)」

右第十一章, 廣八卦之象.

이상의 제 11장은 팔괘의 상을 넓혔다.

○ 按, 凡此諸卦取象不一, 或以卦體, 或以卦德, 或以卦位, 或以卦義, 而皆有所據, 亦當推已言之象, 以該未及言之象. 如坎旣爲雨爲雲, 則亦可以爲雪爲霜露, 離旣爲電, 則亦可以爲霞爲虹霓. 乾爲陽, 則可以爲晴, 坤爲陰, 則可以爲霧. 此一卦之內以已言之象, 推其未及言之象也. 震旣爲雷, 則艮可以爲嵐, 巽旣爲風, 則兌可以爲星. 坎旣爲血, 則離可以爲氣, 巽旣爲臭, 則震可以爲聲, 艮可以爲色, 兌可以爲味. 巽旣爲長爲高, 則兌可以爲短爲低, 離旣爲介甲之物, 則坎可以爲羽毛之物. 巽旣爲寡髮爲廣顙爲多白眼, 則震可以爲多髮爲狹額爲多黑眼. 巽旣爲進退爲不果, 則震可以爲有進爲有果. 此則以此卦已言之象, 推彼卦未及言之象也.

내가 살펴보았다: 이 여러 괘들이 상을 취한 것은 한결같지 않아서, 혹은 괘의 몸체로, 혹은 괘의 덕으로, 혹은 괘의 자리로, 혹은 괘의 뜻으로 상을 취했는데 모두 근거가 있으니, 또한 마땅히 이미 말한 상을 미루어서 아직 언급하지 않은 상을 포괄해야 한다. 예를 들어 감괘가 이미 비가 되고 구름이 된다면 눈과 서리와 이슬이 될 수 있고, 리괘가 이미 번개가 되었다면 노을과 무지개가 될 수 있다. 건괘가 양이 된다면 맑음이 될 수 있고, 곤괘가 음이 된다면 안개가 될 수 있다. 이는 한 괘의 안에서 이미 말한 상을 가지고 아직 언급하지 않은 상을 미룬 것이다. 진괘가 이미 우레가 된다면 간괘는 산기운이 될 수 있고, 손괘가 이미 바람이 된다면 태괘는 별이 될 수 있다. 감괘가 이미 피가 된다면 리괘는 기가 될 수 있고, 손괘가 이미 냄새가 된다면 진괘는 소리가 될 수 있고 간괘는 색이 될 수 있고 태괘는 맛이 될 수 있다. 손괘가 이미 긴 것과 높은 것이 된다면 태괘는 짧은 것이 되고 낮은 것이 되며, 리괘가 이미 껍질이 있는 동물이라면 감괘는 깃과 털을 가진 동물이 될 수 있다. 손괘가 이미 적은 털이 되고 넓은 이마가 되고 많은 흰자위가 된다면, 진괘는 많은 털이 되고 좁은 이마가 되고, 많은 검은자위가 될 수 있다. 손괘가 이미 진퇴가 되고 과단성이 없는 것이 된다면, 진괘는 나아감이 되고 과단성이 있는 것이 된다. 이러한 것들은 이 괘에서 이미 말한 상을 가지고 아직 언급하지 않은 상을 미룬 것이다.

似此之類, 不可殫述, 惟在智者, 默而通之矣. 且易中卦爻之辭言物象者, 亦多合二象而爲一物者, 如牝馬卽馬之順者, 故取乾爲馬坤爲順而言也. 叢棘卽木之險者, 故取巽爲木坎爲險而言也. 磐者, 水邊大石, 故取坎爲水艮爲石而言也. 弋者, 矢之繫繩, 故取坎爲弓矢巽爲繩而言也. 似此之類甚多, 而若如荀九家之言, 直以坤爲牝馬, 則坤何嘗爲馬乎. 直以坎爲叢棘, 則坎何嘗爲木乎. 故易中言象, 亦有不可拘執一物而言者也.

이와 같은 종류는 이루 다 서술할 수 없으니, 오직 지혜로운 사람이 묵묵히 통해야 할 것이다. 또한 『주역』 가운데 괘사와 효사에서 사물의 상을 말한 것은 대부분 두 상을 합하여 하나로 한 것이니, 예를 들어 암말이 곧 말 가운데 순한 말이라고 한 것은 곤괘가 말이 되고 곤괘가 순함이 되는 것을 취하여 말한 것이다. 가시나무덤불이 곧 나무 가운데 험한 것이라고 한 것은 손괘가 나무가 되고 감괘가 험함이 되는 것을 취하여 말한 것이다. 반석은 물가의 큰 돌이기 때문에 감괘가 물이 되고 간괘가 돌이 되는 것을 취하여 말한 것이다. 주살은 화살에 노끈을 맨 것이기 때문에 감괘가 화살이 되고 손괘가 노끈이 되는 것을 취하여 말한 것이다. 이와 같은 종류는 매우 많은데 『순구가역』의 말과 같이 바로 곤괘를 암말이라고 한다면, 곤괘가 어찌 일찍이 말이 되었겠는가? 바로 감괘를 가시나무덤불이라고 한다면, 감괘가 어찌 일찍이 나무가 되었겠는가? 그러므로 『주역』 가운데 상은 말한 것은 또한 하나의 사물에 집착하여 말해서는 안 된다.

이진상(李震相) 『역학관규(易學管窺)』

此章說象雜駁無倫, 且涉語怍, 恐非夫子之言, 不可盡信.

이 장에서 상을 설명한 것은 잡박하여 질서가 없고 또한 말이 기이하니, 아마도 공자의 말이 아닐 것이고 다 믿을 수 없다.

○ 爲寒爲氷, 出於乾西北之說, 而旣以乾爲西北, 又何取大赤也. 坤又何取於黑也. 乾之爲金, 取其純剛, 則似之. 但於五行, 則乾乃太陽之火也.

추위가 되고 얼음이 되는 것은 건괘가 서북이라는 설에서 나왔는데, 이미 건괘를 서북이라고 하고 또한 어찌 크게 붉은 것을 취하였는가? 곤괘 또한 어찌하여 검은 색을 취하였는가? 건괘가 쇠가 되는 것은 순수하게 굳센 것을 취한 것이라는 점은 그럴 듯하다. 다만 오행에서는 건괘가 태양의 불이 된다.

○ 駁馬之說, 尤所難曉. 兼山郭氏曰, 獸名, 駁食虎豹, 事非經見, 又非馬類. 鄱陽黃氏曰, 駁獸食虎豹. 從馬交聲. 駁馬色不純, 從馬爻聲. 駁果是獸, 則似馬者, 不可直謂之馬也. 食虎豹者, 果是駁, 則□駁而非駁純極駁, 失之□尤可疑. 如此, 則象果何益乎.

박마에 대한 설명은 이해하기 더욱 어렵다. 겸산곽씨는 "동물의 이름이고, 박마는 호랑이와 표범을 먹는다고 하는데, 일이 늘 보이는 것은 아니고 또한 말의 종류도 아니다"라고 말하였다. 파양황씨는 "박마는 짐승인데, 호랑이와 표범을 먹는다. 마(馬)변에 소리는 교(交)이다"라고 하였다. 박마는 색이 순수하지 않고, 마(馬)변에 소리는 효(爻)이다. 박마가 과연 짐승이라면 말과 비슷할 수는 있어도 바로 말이라고 할 수는 없다. 호랑이와 표범을 먹는 것이 과연 박마라면 □박으로서 박이 순수하고 지극한 박이 아닐 것이니, 잘못되어 □ 더욱 의심스럽다. 이와 같다면 상이 과연 무슨 도움이 되겠는가?

○ 雙湖說春良夏老秋瘠冬駁之說, 尤無依據. 大抵象學最難, 一差則失旨, 只得闕之.
쌍호호씨의 봄에는 좋은 것이 되고 여름엔 늙은 것이 되고 가을엔 수척한 것이 되고 겨울엔 뒤섞인 것이 된다는 설명은 더욱 의거할 것이 없다. 대체로 상수의 학문이 가장 어려워서 조금이라도 어긋나면 뜻을 잃게 되니, 그냥 놓아두는 것이 좋다.

이병헌(李炳憲) 『역경금문고통론(易經今文考通論)』

按, 此一段, 恐又非述大傳者所錄也. 王充論衡正說篇云, 孝宣皇帝之時, 河內女子發老屋, 得逸易禮尙書各一篇, 奏之宣帝, 下示博士. 然後易禮尙書, 各益一篇. 隋書經籍志, 則以說卦序卦雜卦三篇爲後得僞經考. 漢書藝文志辨僞曰, 易學爲劉歆亂僞之說有三, 其一, 文王但重六爻, 無作上下篇之事, 以爲周公之作, 更其後也. 其二, 易但有上下二篇, 無十篇之說, 以爲孔子作十翼, 固其妄也. 其三易有施孟梁邱幷出, 田何後有京氏爲異然, 皆今文之說, 無費氏易, 至有高氏益支離也.
내가 살펴보았다: 이 한 단락은 역대전을 서술한 사람이 기록한 내용이 아닌 듯하다. 왕충의 『논형·정설편』에서 "효선황제의 때에 하내의 여자가 옛 집을 헐어 잃었던 『역』·『예』·『상서』 각 한 편을 얻어 선제에게 바치니, 박사에게 내려 보여주었다. 그런 다음에 『역』·『예』·『상서』가 각각 한 편이 더해지게 되었다"[51]고 하였다. 『수서·경적지』는 「설괘」·「서괘」·「잡괘」 세편을 뒤에 얻은 위경(僞經)에 포함시켰다. 『한서·예문지』에서는 위서를 구분하여 역학은 유흠에 의해 어지럽혀졌다는 설에는 셋이 있다고 하였다. 첫째는 문왕은 다만 육효를 중시했고 상·하편을 지은 일은 없으며, 주공이 지은 것은 그 뒤라는 것이다. 둘째는 『주역』에는 다만 상하 두 편이 있었고 열 편은 없었다는 설로, 공자가 십익을 지었다고 생각하는 것을 본래 잘못이라는 것이다. 셋째는 주역에 시씨·맹씨·양구씨가 아울러 나왔고, 전하의 뒤에 경씨가 뛰어났으나 모두 금문의 설이고 비씨의 역은 없었으며, 고씨에 이르러 더욱 지리하게 되었다는 것이다.

又曰, 說卦與孟京卦氣圖合, 其出漢時僞託無疑. 序卦膚淺, 雜卦則言訓詁, 此則歆所僞竄, 幷非河內所出. 宋葉適嘗攻序卦雜卦爲後人僞作矣. 歆旣僞序卦雜卦二篇, 又於儒林傳云, 費直徒以彖象繫辭十篇文言解說上下經. 此云孔氏爲之彖象繫辭文言序卦之屬十篇, 又紋易經十二篇而託之, 爲施孟梁邱三家顚倒眩亂, 學者傳習熟於心目, 無人明其僞竄. 夫易爲未經焚燒之書, 猶可託僞而人無疑之者, 況他經哉.

또 말하였다:「설괘전」은 맹씨와 경씨의「괘기도」와 합하니, 한나라 때에 나온 가탁한 위서인 것에 의심이 없다.「서괘전」은 천박하고「잡괘전」은 훈고를 말했으며, 이「설괘전」은 유흠이 거짓으로 편찬하였으니, 하내에서 나온 것이 아니다. 송나라의 섭적은 일찍이「서괘전」과「잡괘전」은 후세 사람에 의해 거짓으로 지어진 것이라고 공격하였다. 유흠이 이미「서괘전」과「잡괘전」두 편을 거짓으로 편찬하였으며, 또한「유림전」에 비직이 다만 단사·상사·계사 등 십편과 문언으로 상하경을 해설하였다고 하였다. 여기에서는 공씨가 단사·상사·계사·문언·서괘 등속의 십편을 지었고, 또한 역경 십이편을 서술하여 가탁하였으며, 시씨·맹씨·양구씨 세 학파가 뒤바꾸고 어지럽혔으며, 배우는 사람도 마음에 익숙하여 그 거짓을 밝힐 사람이 없었다고 하였다. 『주역』은 불태우는 책에 포함되지 않았는데도 오히려 가탁하더라도 사람들 가운데 의심하는 사람이 없었는데 하물며 다른 경전이겠는가?

按, 史記孔子世家云, 孔子晚而喜易, 序彖繫象說卦文言. 夫序彖繫象于繇辭之下而後易方爲經. 惟乾坤二卦, 則於卦下爻下, 又有文飾之言, 此實夫子手定之經也. 其餘一爻之文言, 一卦之說明, 莫非聖人之至論, 而當時不入爲經, 故述大傳者, 特記微言以子曰二字別之. 前已論之耳. 此一篇獨以說卦稱, 隋志則以爲後得僞經考, 則以爲僞託.

내가 살펴보았다: 『사기·공자세가』에 "공자가 만년에 『주역』을 좋아하여「단전」·「계사」·「상전」·「설괘」·「문언」을 서술하였다"고 하였다. 단사와 효사의 아래에「단전」·「계사」·「상전」을 서술한 다음에 『주역』이 바야흐로 경이 되었다. 오직 건괘와 곤괘 두 괘는 괘와 효 아래에 또한 꾸미는 말이 있으니, 이것은 실로 공자가 손수 정한 경이다. 그 나머지 한 효의 문언과 한 괘의 설명은 성인의 지극한 논의가 아님이 없지만, 당시에는 경에 들어가지 않았기 때문에 대전(大傳)을 서술한 것은 특별히 은미한 말을 기록하면서 '자왈(子曰)'이라는 두 글자로 구별하였다. 이에 대해서는 앞에서 이미 논의하였다. 이 한 편은 유독「설괘」라고 칭했는데, 『수지(隋志)』는 뒤에 얻은 위경(僞經)에 포함시켰으니, 가탁하여 지은 것으로 여긴 것이다.

然史記語說卦與彖象文言幷稱, 而篇首文義酷類大傳之引聖訓. 且戰于乾一語, 京房已引以爲易河內後得, 亦經令文博士所勘破而後易益一篇, 則與僞古文家之杜撰不同矣. 說卦如非入于大傳之中, 則當自爲一篇矣. 如自爲一篇, 則自昔者聖人之作易也, 止成言乎艮爲本文, 如梁丘賀章句中正其本萬事理一節, 亦當爲說卦之文. 蓋此非彖象之辭, 必爲說卦之文, 決非繫辭之語. 太史公引繫辭, 則稱易大傳, 引此節, 則稱易

曰, 其例可知矣. 自萬物出乎震, 至篇終, 抑當爲河內後得. 蓋所以覆解上文說卦之義,
參諸孟京卦氣及其逸象而成之者歟.

그러나 『사기』는 「설괘」를 말하면서 「단전」・「상전」・「문언」과 병칭하였고, 편 머리의 문장의 뜻이 대전(大傳)에서 성인의 글을 인용한 것과 매우 비슷하다. 또한 "건괘에서 싸운다"는 한 마디 말은 경방(京房)이 이미 인용하여, 역을 하내의 일 이후에 얻어서 문학박사의 교감을 거친 이후에 역이 한 편을 더 얻었다고 한다면, 위고문가가 함부로 편찬한 것과는 같지 않다고 여겼다. 「설괘전」이 만일 대전 가운데 들어갈 것이 아니라고 한다면, 마땅히 그대로 한 편이 되어야 할 것이다. 만일 그대로 한 편이 된다면 "옛날에 성인이 역을 지을 적에"로부터 "간괘에서 이룬다"까지 본문이 되고, 양구하의 「장구」 가운데 "정기본만사리(正其本萬事理)"라는 한 구절도 마땅히 「설괘전」의 문장이 되어야 할 것이다. 이는 「단전」이나 「상전」의 말이 아니고, 반드시 「서괘전」의 문장이 되어야 하니, 결코 「계사전」의 말이 아니다. 태사공이 「계사전」을 인용하면서는 역대전이라고 하였는데, 이 구절을 인용하면서는 "『주역』에서 말하기를"이라고 하였으니, 그 예를 알 수 있다. "만물이 진괘(震卦)에서 나오니"로부터 편의 끝에 이르기까지는 마땅히 하내의 일 이후에 얻은 것이 되어야 한다. 이는 윗 문장의 「설괘전」의 뜻을 반복하여 풀이하면서 맹씨와 경씨의 괘기설과 잃어버린 상을 참고하여 이루어졌기 때문인 듯하다.

附梁丘氏章句正其本萬事理注.

첨부: 양구씨 「장구」 "근본을 바르게 하면 만사가 다스려진다[正其本萬事理]"에 관한 주석.
正其本萬事理注, 後漢書范升傳引易章懷太子注, 今易〈卽古文〉, 無此文也. 按禮記經解引易曰, 君子慎始, 差以毫釐繆以千里. 大戴禮保傳篇引易曰, 正其本萬事理, 失之毫釐差以千里. 賈誼新書, 劉向說苑, 引竝同. 東方朔化民有道對引易曰, 正其本萬物理, 失之毫釐差以千里. 太史公自敍引易曰, 正其本而萬事理. 諸書所引小異, 要爲一節文. 太史公受易於楊何, 引易竝同, 知楊易與梁丘易, 皆有此節文, 而王弼佚之也. 或謂, 易緯通卦驗有此語, 西漢之初, 緯學未行, 不應賈誼東方朔太史公已引之, 蓋易緯亦稱述易語也.

"근본을 바르게 하면 만사가 다스려진다[正其本萬事理]"에 관한 주석은 『후한서・범승전』에서 『주역』에 대한 장회태자의 주석을 인용한 것인데, 지금의 『주역』〈즉 고문이다〉에는 이 문장이 없다. 살펴보건대, 『예기・경해』에서 『주역』을 인용하여 "군자는 처음을 삼가니, 조금이라도 차이가 나면 천리나 어긋난다"고 하였고, 『대대예기・보전편』에서 『주역』을 인용하여 "근본을 바르게 하면 만사가 다스려지니, 조금이라도 어긋나면 천리나 차이가 난다"고 하였다. 가의의 『신서』와 유향의 『설원』도 아울러 인용하였고, 동방삭의 「백성을 교화하는데 도리가 있다는 물음에 대한 대책」에서도 『주역』을 인용하여 "근본을 바르게 하면 만사가 다스려지니, 조금이라도 어긋나면 천리나 차이가 난다"고 하였다. 「태사공자서」에서도 『주역』을 인용하여 "근본을 바르게 하면 만사가 다스려진다"고 하였다. 여러 책들에서 인용한 것이 조금씩 다르지만, 요컨대 한 구절의 문장이 된다. 태사공은 양하에게서 『주역』을 전수 받아서 『주역』을 인용한 것도 같으니, 양하의 역과 양구의 역에도 모두 이 구절이 있었는데 왕필이 잃었음을 알 수 있다. 어떤 사람은 『역위(易緯)·통괘험(通卦驗)』에도 이 말이 있는데, 서한의 초기에는 위서에 관한 학문이 행해지지 않았기 때문에 가의와 동방삭, 태사공이 그것을 인용했다는 것은 마땅하지 않고, 『역위』에서 『주역』의 말을 칭술했다고 보아야 할 것이라고 말한다.

按, 易無與於秦焚, 最爲完全之書, 而劉歆猶託於子虛烏有之費氏, 以亂先聖之旨, 諸經無可論也. 然實則諸經之完全無恙猶易也. 向使秦政有焚書之名, 而無新歆嚮壁虛造之古文, 則六藝之經, 固自在也. 使新歆有虛造之經, 而非晉肅〈魏王肅, 晉武帝外祖〉, 以盜憎主之古學, 則三家之傳詩書易〈三家經傳, 皆亡於永嘉之後〉, 當可徵矣. 自永嘉之後, 施孟梁邱三家之易已亡, 經傳之行于世者, 惟王弼本而已. 弼之易, 卽費氏之易, 則當與孔門所傳之易, 多有背馳者, 而亦不無變亂增損之弊矣. 自宋以後, 易之□地, 又被陳希夷輩所橫占, 有志於學易者, 誠憂憂乎, 難於適從. 然幸因今文諸經師之微言, 未絶大傳, 實爲入門之正路, 現世大勢默示趨向之塗轍, 則讀者庶乎知所擇矣.

내가 살펴보았다: 역은 진나라에서 불태운 책에 포함되지 않았기 때문에 가장 완전한 책인데도, 오히려 유흠이 거짓된 비씨에게 가탁하여 옛 성인의 뜻을 어지럽혔으니, 다른 경전은 말할 것도 없다. 그러나 실제로는 여러 경전들의 완전해서 흠이 없는 것도 역과 같다. 진시황이 책을 불태웠다는 오명을 뒤집어썼더라도, 신(新)나라의 유흠이 날조한 고문이 없었다면 육예(六藝)의 경전이 본래 그대로 유지되었을 것이다. 신(新)나라의 유흠이 날조한 경전이 있었더라도, 진나라의 왕숙〈위나라의 왕숙을 말하는데, 진나라 무제의 외할아버지였다.〉이 주인의 옛 학문을 훔치지 않았더라면, 세 학파가 전한 시·서·역〈세 학파의 경전은 영가(永嘉) 연간 이후에 없어졌다.〉을 분명 증명할 수 있었을 것이다. 영가 연간 이후로 시씨·맹씨·양구씨 세 학파의 역은 이미 없어져서 경전 가운데 세상에 행해진 것은 오직 왕필의 판본이었을 뿐이다. 왕필의 역은 곧 비씨의 역이었으니, 분명 공자 문하에서 전해진 역과는 배치되는 것이 많고, 또한 바꾸고 어지럽히며 더하고 더는 폐단이 없지 않다. 송나라 이후 역의 처지는 또한 진희이(陳希夷) 무리가 함부로 점거함을 당하여, 역을 배우는 데 뜻을 둔 사람은 참으로 그와는 어긋나서 따르기 어려웠다. 그러나 다행히도 금문(今文)의 여러 경전을 연구하는 선생들의 은미한 말을 따라서 대전(大傳)이 끊어지지 않았으니, 실로 문으로 들어가는 바른 길이자 현대의 큰 추세가 묵묵히 보여주는 나아갈 길이니, 읽는 사람들은 택할 바를 거의 알 수 있을 것이다.

서괘전상

序卦傳上

┃中國大全┃

정자가 말하였다: 한강백이 "「서괘전」은 주역의 깊은 뜻[蘊]이 아니다"라고 하였는데, 이것은 도리에 맞지 않는다.

○ 或問, 序卦, 非聖人之書, 信乎. 朱子曰, 此沙隨程氏之說也. 先儒以爲非聖人之蘊, 某以爲謂之非聖人之精則可, 謂非易之蘊則不可. 周子分精與蘊字甚分明. 序卦卻正是易之蘊, 事事夾雜, 都有在這裏面. 問, 如何謂易之精. 曰, 如易有太極, 是生兩儀, 兩儀生四象, 四象生八卦, 這是易之精. 問, 如序卦中, 亦見消長進退之義, 喚作不是精不得. 曰, 此正是事事夾雜, 有在裏面, 正是蘊. 須是自一箇生出以至于无窮, 便是精.

어떤 이가 물었다: 「서괘전」은 성인의 글이 아니라는데 정말입니까?

주자가 답하였다: 이것은 사수정씨의 설입니다. 이전의 유학자들은 성인의 깊은 뜻이 아니라고 여겼는데, 나는 성인의 정밀함이 아니라고 하면 괜찮지만 주역의 깊은 뜻이 아니라고 하면 옳지 않다고 생각합니다. 주돈이는 '정밀함[精]'과 '깊은 뜻[蘊]'을 매우 분명하게 구분하였습니다. 「서괘전」은 바로 주역의 깊은 뜻이니, 일마다 섞여서 모두 그 속에 있습니다.

물었다: 무엇을 주역의 정밀함이라고 합니까?

대답하였다: "역(易)에 태극(太極)이 있으니, 이것이 양의(兩儀)를 낳고, 양의가 사상(四象)을 낳고, 사상이 팔괘(八卦)를 낳으니"라고 하였는데, 이것이 주역의 정밀함입니다.

물었다: 「서괘전」 중에 사라지고 자라며 나아가고 물러가는 뜻을 볼 수 있으니, 정밀하지 못한 것은 아니라고 하여야 할 것입니다.

대답하였다: 이것이 바로 일마다 섞여서 그 속에 있는 것이니, 바로 깊은 뜻입니다. 반드시 이것에서 나와 무궁함에 이른 것이 정밀함입니다.

○ 序卦首言天地萬物男女夫婦, 是因咸恒爲夫婦之道說起, 非如舊人分天道人事之說. 大率上經用乾坤坎離爲始終, 下經便當用艮兌巽震爲始終.

「서괘전」에서 먼저 천지와 만물, 남녀와 부부를 말한 것은 함괘와 항괘가 부부의 도가 되기 때문에 그렇게 한 것이지 옛사람들이 천도와 인사를 구분하여 말한 것 때문은 아니다. 대체로 『주역』 상경(上經)에서는 건(乾)·곤(坤)과 감(坎)·리괘(離卦)로 처음과 끝으로 삼았으니, 하경(下經)에서도 마땅히 간(艮)·태(兌)와 손(巽)·진괘(震卦)로 처음과 끝으로 삼아야 한다.

○ 問, 易上經三十卦, 下經三十四卦, 多寡不均, 何也. 曰, 卦有正對, 反對. 乾坤坎離 頤大過中孚小過, 八卦正對也. 正對不變, 故反覆觀之止成八卦. 其餘五十六卦, 反對 也. 反對者皆變, 故反覆觀之共二十八卦. 以正對卦合反對卦觀之, 總而爲三十六卦. 其在上經不變卦凡六, 乾坤坎離頤大過是也. 自屯蒙而下二十四卦, 反之則爲十二, 以 十二而加六則十八也. 其在下經不變卦凡二, 中孚小過是也. 自咸恒而下三十二卦, 反 之則爲十六, 以十六而加二亦十八也. 其多寡之數, 則未嘗不均也.

물었다: 『주역』은 상경(上經)에 30괘, 하경(下經)에 34괘로 많고 적음이 같지 않은 것은 어째서입니까?

대답하였다: 괘에는 음양이 바뀌는 정대(正對)괘와 거꾸로 된 반대(反對)괘가 있습니다. 건 (乾)·곤(坤), 감(坎)·리(離), 이(頤)·대과(大過), 중부(中孚)·소과(小過) 8괘는 정대(正 對)괘입니다. 정대괘는 변하지 않으므로 뒤집어 보아도 8괘가 되는데 그칩니다. 그 나머지 56괘는 반대괘입니다. 반대괘는 모두 변하므로 뒤집어서 보면 모두 28괘입니다. 정대괘와 반대괘를 합쳐서 보면 모두 36괘입니다. 상경에서 변하지 않는 괘는 모두 6괘이니, 건(乾)· 곤(坤)·감(坎)·리(離)·이(頤)·대과(大過)괘입니다. 준(屯)·몽(蒙)괘에서 이하 24괘를 반대괘로 보면 12괘가 되며, 12괘에 6괘를 더하면 18괘가 됩니다. 하경에서 변하지 않는 괘는 모두 2괘인데 중부(中孚)·소과(小過)괘입니다. 함(咸)·항(恒)괘에서 이하 32괘를 반대괘로 보면 16괘가 되며, 16괘에 2괘를 더하면 18괘가 됩니다. 그 많고 적은 수는 일찍이 균등하지 않음이 없습니다.

○ 臨川吳氏曰, 羲皇六十四卦之序, 始乾終坤. 蓋奇畫偶畫之上, 每加一奇一偶, 二而 四, 四而八, 八而十六, 十六而三十二, 以極於六十四, 乃其生卦自然之序, 非人所安排 也. 後之易, 各因羲皇之卦, 而其序不同, 如連山之首艮, 歸藏之首坤, 不復可知其六十 四卦之序何如矣. 始乾坤終旣濟未濟者, 周易六十四卦之序也. 蓋文王旣立卦名之後, 而次其先後之序如此, 皆以施用於人事者起義, 而夫子爲之傳, 以發明其卦序之意. 或 者乃疑其非夫子之作. 張子曰, 序卦不可謂非聖人之蘊, 其間雖无極至精義, 大槪皆有 意思. 今欲安置一物, 猶求審處, 況聖人之於易. 必須布遍精密, 如是大匠, 豈以一斧可 知哉.

임천오씨가 말하였다: 복희씨의 64괘의 순서는 건괘에서 시작하여 곤괘에서 마친다. 홀수와 짝수 획의 위에 매번 하나의 홀수와 짝수를 더하여 2가 4가 되고, 4가 8이 되고, 8이 16이 되고, 16이 32가 되어 64에까지 이르렀으니, 그것은 괘를 이루는 자연스러운 순서로 사람이 안배한 것이 아니다. 그 뒤의 역은 각각 복희씨의 괘를 근거로 하였지만 그 순서는 같지 않다. 이를 테면 연산역은 간괘(艮卦)가 처음이고, 귀장역은 곤괘(坤卦)가 처음이어서 64괘 의 순서가 어떻게 되는지 다시는 알 수 없게 되었다. 건괘와 곤괘로 시작하여 기제괘와 미제

괘로 끝나는 것은 『주역』 64괘의 순서이다. 문왕이 괘의 명칭을 세운 이후로 앞뒤의 순서를 차례지우는 것이 이와 같았으니, 모두 인사(人事)에서 베풀어 쓴 것으로 뜻을 일으켰고, 공자가 전(傳)을 만들어 괘 순서의 뜻을 펴서 밝혔다. 어떤 이는 공자가 지은 것이 아니라고 의심하였다. 장재가 "「서괘전」을 '성인의 깊은 뜻[蘊]이 아니다'고 해서는 안 된다. 그 사이에 지극하고 정밀한 뜻은 없지만 대체로 모두 의미는 있다. 지금 한 사물을 편안하게 배치함에도 오히려 구하고 살펴야 하는데, 하물며 성인의 역에 있어서랴! 반드시 두루 펼치고 아주 치밀해야 하니, 이와 같은 큰 가르침을 어찌 한 번의 도끼질로 알 수 있겠는가?"[1]라고 하였다.

○ 雙湖胡氏曰, 文王序卦, 大抵本先天圖, 以東西南北四方正卦乾坤坎離爲上經之始終, 以西北隅艮東南隅兌合而爲咸, 西南隅巽東北隅震合而爲恒. 四隅反卦爲下經之始, 而終之以旣未濟, 則亦坎離之交不交也. 故乾坤坎離四純卦, 皆居上經, 震巽艮兌四純卦, 皆居下經. 又以反對爲次, 雖非伏羲之舊, 而先天一圖大旨則備見焉. 夫子序卦, 直以卦名發其次第之義, 而他則未暇及耳. 又按呂氏要指曰, 易變易也, 天下有可變之理, 聖人有能變之道, 反需爲訟, 泰爲否, 隨爲蠱, 晉爲明夷, 家人爲睽, 此不善變者也. 反剝爲復, 遯爲壯, 蹇爲解, 損爲益, 困爲井, 此善變者也. 文王示人以可變之機, 則危可安, 亂可治, 特在一轉移間爾. 後天之學, 其以人事贊天地之妙歟. 又嘗合上下經始終而論之, 乾坤天地也, 坎離水火也. 以體言也, 咸恒夫婦也, 旣未濟水火之交不交也. 以用言也, 上經以天道爲主, 具人道於其中, 下經以人道爲主, 具天道於其內, 三才之間, 坎離最爲切用. 日月不運, 寒暑不成矣, 民非水火不生活矣, 心火炎躁而不降, 腎水涸竭而不升, 百病侵陵矣. 故上下經皆以坎離爲終焉.

쌍호호씨가 말하였다: 문왕이 괘의 순서를 정할 때는 「선천도」에 근본하였으니, 동서남북 네 방위의 바른 괘[正卦]인 건(乾)·곤(坤)·감(坎)·리(離)를 상경(上經)의 시작과 끝으로 삼고, 서북 귀퉁이인 간괘와 동남 귀퉁이인 태괘를 합쳐서 함괘를 만들고 서남 귀퉁이인 손괘와 동남 귀퉁이인 진괘를 합하여 항괘로 삼았다. 네 귀퉁이의 반대괘로 하경(下經)의 시작으로 삼고, 기제와 미제로써 끝마쳤으니, 또한 감괘와 리괘의 사귐과 사귀지 않음이다. 그러므로 건(乾)·곤(坤)·감(坎)·리(離)의 네 순괘(純卦)는 모두 상경(上經)에 있고, 진(震)·손(巽)·간(艮)·태(兌)의 네 순괘(純卦)는 하경(下經)에 있다. 또한 반대괘로 차례를 삼더라도 복희의 옛 것은 아닐지라도 「선천도」의 큰 뜻은 거기에 갖추어져 있다. 공자가 괘의 순서를 정할 때는 괘의 이름으로만 차례의 뜻을 말하였고, 다른 것에는 미칠 겨를이

1) 『橫渠易說』: 序卦不可謂"非聖人之蘊", 今欲安置一物, 猶求審處, 況聖人之于易！其間雖无极至精义, 大概皆有意思. 观圣人之书, 须布遍细密如是, 大匠岂以一斧可知哉！有天地, 然后万物生焉. 盈天地之间者唯万物, 故受之以屯.

없었다.

또 살펴보건대, 여씨의『요지(要指)』에서 말하였다: 역은 변함이니, 천하에는 변할 수 있는 이치가 있고, 성인은 변화시킬 수 있는 도가 있다. 수괘(需卦)가 거꾸로 되면 송괘(訟卦)가 되며, 태괘(泰卦)는 비괘(否卦)가 되며, 수괘(隨卦)는 고괘(蠱卦)가 되며, 진괘(晉卦)는 명이괘(明夷卦)가 되며, 가인괘(家人卦)는 규괘(睽卦)되니, 이것은 잘 변하지 않는 것들이다. 박괘(剝卦)가 거꾸로 되면 복괘(復卦)가 되며, 돈괘(遯卦)는 대장괘(大壯卦)가 되며, 건괘(蹇卦)는 해괘(解卦)가 되며, 손괘(損卦)는 익괘(益卦)가 되며, 곤괘(困卦)는 정괘(井卦)가 되니, 이것은 잘 변하는 것들이다. 문왕이 사람들에게 변할 수 있는 기틀을 보여 주었으니, 위태로움이 편안해 질 수 있고 어지러움이 다스려질 수 있는 것은 한 번 변하여 바뀌는 사이에 있을 뿐이다. 후천의 학문은 인간의 일로써 하늘과 땅의 오묘함을 돕는 것이다. 또 일찍이 상경과 하경의 시작과 끝을 합하여 말하면 건괘와 곤괘는 하늘과 땅이고, 감괘와 리괘는 물과 불이다. 본체로써 말하면 함괘와 항괘는 부부이고, 기제괘와 미제괘는 물과 불이 사귀고 사귀지 않음이다. 작용으로써 말하면 상경은 천도를 위주로 하여 인도가 그 가운데 갖추어져 있고, 하경은 인도를 위주로 하여 천도가 그 안에 갖추어져 있으니, 천지인 삼재(三才) 가운데 감괘와 리괘가 가장 절실한 작용이 된다. 해와 달이 운행하지 않고, 추위와 더위가 성립하지 않으면 백성이 물과 불이 없어져 생활할 수 없을 것이다. 불인 심장이 불타고 조급하여 내려가지 않고, 물인 신장이 고갈되어 올라가지 않으면 온갖 병이 침범하게 된다. 그러므로 상경과 하경이 모두 감괘와 리괘를 끝으로 삼았다.

║ 中國大全 ║

서유신(徐有臣)『역의의언(易義擬言)』

序卦者, 周易之序也, 文王敍卦之意, 蓋如此云爾. 夏商之易, 則不同也. 乾坤爲始, 旣未濟爲終, 山澤雷風爲其緯, 中間六十卦, 蓋無一卦不有山澤雷風之體.〈上經三十卦, 下經三十四卦, 反對之卦, 上經十二, 下經十六, 下經多四卦. 不反對之卦, 上經六, 下經二, 上經多四卦. 易以四象成卦, 故分篇之數, 亦以四爲差也. 上下經反對不反對, 總爲三十六卦, 是亦太陽四九之數也.〉

서괘는『주역』의 순서로, 문왕이 괘를 늘어놓는 뜻이 대체로 이와 같을 뿐이다. 하나라와 상나라의 역은 같지 않다. 건·곤이 시작이 되고 기제·미제가 끝이 되며, 산·못·우레·

바람이 그 가로지른 것[緯]이 되니, 그 사이의 60괘는 한 괘라도 산·못·우레·바람의 몸체를 두지 않은 것이 없다. 〈상경이 30괘, 하경이 34괘인데 거꾸로 해서 배열한 괘가 상경은 12쌍, 하경은 16쌍으로 하경이 4괘가 더 많다. 거꾸로 해서 배열하지 않은 괘가 상경이 6개 하경이 2개로 상경이 4괘가 더 많다. 역은 사상으로 괘를 이루므로 편을 나눈 수 역시 4씩 차이가 난다. 상하경에서 거꾸로 배열한 것과 거꾸로 해서 배열하지 않은 괘는 모두 36괘이니 이 역시 태양인 4·9의 수[2]이다.〉

---

2) 4는 태양의 위(位)이고, 9는 태양의 사상수이다.

有天地然後, 萬物生焉,

하늘과 땅이 있은 뒤에 만물이 생기니,

‖中國大全‖

小註

臨川吳氏曰, 此言乾坤所以爲上經之首也. 天地謂乾坤二卦.
임천오씨가 말하였다: 이것은 건괘와 곤괘가 상경의 처음이 됨을 말한 것이다. 하늘과 땅은 건괘와 곤괘 두 괘를 말한다.

○ 雙湖胡氏曰, 乾坤爲上經主, 自坎離外諸卦, 皆乾坤會遇.
쌍호호씨가 말하였다: 건괘와 곤괘는 상경의 주인이니, 감괘와 리괘 이외의 여러 괘는 모두 건괘와 곤괘와 만난 것이다.

‖韓國大全‖

서유신(徐有臣) 『역의의언(易義擬言)』

以天地擬乾坤也. 鴻濛開而乾坤定矣.
천지를 가지고 건곤에 견주었다. 크고 아득하게 열리자 건곤이 정해졌다.

이장찬(李章贊) 『역학기의(易學記疑)』

乾坤爲易之縕, 故欲推乾坤之理者, 必以復姤爲始, 所以易於推解, 而人謀鬼謀, 百姓與能者也. 然若言此理之所從來, 則曷若先之以乾坤以明[3]天地之爲萬物父母乎. 此文王之易, 所以首以乾坤, 而夫子於序卦, 不曰乾坤而曰天地者, 每卦二體, 皆各得天地. 自一至十之數曰乾坤, 則未免與諸卦無有差殊, 而必曰天地, 則可知天之九爲乾, 地之十爲坤, 而以下諸卦所得天地之數, 推可見矣. 然後二字又所以極言, 其爲衆卦之首矣. 不曰衆理生焉, 而曰萬物生焉者, 亦所以使人因物而悟理, 卽大學八條目, 不曰窮理, 而曰格物之意也.

건곤은 역의 골자가 된다. 그러므로 건곤의 이치를 미루고자 할 경우 반드시 복괘와 구괘를 시작으로 삼아야 하니, 그래서 쉽게 미루어 풀어서 사람에게 도모하며 귀신에게 도모함에 백성이 공능에 참여하는 것이다. 그러나 이 이치가 어디서 온 것인지를 말한다면, 어찌 건곤을 앞세워 천지가 만물의 부모됨을 밝히는 것만 하겠는가? 이것이 문왕의 역이 건곤을 첫머리로 하고, 공자가 「서괘전」에서 '건곤'이라 하지 않고 '천지'라 한 이유이니, 매 괘 두 몸체가 모두 각기 천지를 얻는다. 1부터 10까지의 수를 건곤이라 하면 다른 괘와 차이가 없음을 벗어나지 못하기 때문에 굳이 '천지'라고 하였으니, 천의 구(九)는 건(乾)이 되고 지의 십(十)은 곤이 됨을 알 수 있으며, 나머지 여러 괘들이 천지의 수를 얻은 것을 미루어 알 수 있을 것이다. 그런 뒤에 두 글자를 지극히 말한 것은 그것이 여러 괘들의 머리가 되기 때문이다. "여러 이치가 생긴다"고 하지 않고 "만물이 생긴다"고 한 것은 또한 사람들이 구체적 사물로 인하여 이치를 깨닫도록 하려는 것이니 곧 『대학』의 팔조목에서 '궁리'라 하지 않고 '격물'이라 한 뜻이다.

按, 說卦雖以乾爲西北之卦, 以坤爲西南之卦, 然此特以其變者言之耳. 若以繫辭所言之乾坤言之, 恐當爲正南之乾, 正北之坤矣. 蓋易理必以先天爲主, 然後可以知其變, 此先天圖之所以作也. 但屯之外體之坎, 乃坤之變而爲坎者也.

내가 살펴보았다: 「설괘전」에서는 비록 건괘를 서북방의 괘로 삼고 곤괘를 서남방의 괘로 삼았지만, 여기에서는 단지 그 변한 것으로 말하였을 뿐이다. 만약 「계사전」에서 말한 바의 건곤으로써 말한다면, 마땅히 정남이 건괘가 되고 정북이 곤괘가 되어야 할 것이다. 대체로 역의 이치는 반드시 선천을 위주로 한 뒤에 그 변화를 알 수 있으니, 이것이 「선천도」가 만들어진 이유이다. 다만 준괘의 바깥 몸체인 감괘는 곤괘가 변하여서 감괘가 된 것이다.

蓋乾爲純體之正陽, 故首於易經, 又以正對之理受之以坤, 而坤在正北, 且有天開於子之理, 則坤之在正北者, 自當變而爲坎矣. 然其常其變, 不可有一定之理. 故後天之坎, 左而合於先天東北之震而爲屯, 此則天道自北而東之理也. 右而合於先天西北之艮,

---

此則艮之終始萬物之理也. 又自坎位合於先天正南之乾而爲需爲訟, 仍又直取其本, 是坤位而爲師爲比, 則其理上通於天.

건괘는 순전한 몸체인 정양이 되기 때문에 『역경』에서 첫머리이고, 또 정대(正對)의 이치로써 곤괘로 받는데 곤괘는 정북에 있고 또 하늘은 자(子)에서 열리는 이치가 있으니, 정북에 있는 곤괘는 자연히 변하여 감괘가 된다. 그러나 그 항상됨과 변함에는 고정된 이치가 있을 수 없다. 그러므로 후천의 감괘는 왼쪽으로 선천 동북방의 진괘와 합하여 준괘(屯卦)가 되니, 이는 천도가 북으로부터 동으로 가는 이치이다. 오른쪽으로 선천 서북방의 간괘와 합하니, 이는 간괘의 만물을 마치고 시작하는 이치이다. 또 감괘의 자리로부터 선천 정남의 건괘와 합하여 수괘(䷄)와 송괘(䷅)가 되니 여전히 또한 직접 그 근본을 취한 것인데, 이는 곤괘의 자리로서 사괘(䷆)가 되고 비괘(䷇)가 되면 그 이치가 위로 하늘과 통하는 것이다.

故乾亦自正南而右, 則合於巽而爲小畜, 左則合於兌而爲履. 又與坤之在正北者, 合而爲泰爲否. 旋又以其本位之變爲离而爲同人爲大有, 以聖人之道言之, 則乃洋洋乎發育萬物, 峻極于天之義也. 故坤亦爲之合於艮而爲謙, 合於震而爲豫. 於是兌之在於東南者, 說於震之動於東北, 而合而爲隨, 巽之與震爲對者, 亦合於西北之艮而爲蠱. 蓋長子用事之理, 以大體言之, 則蓋在於乾之稱, 六龍卽震爲龍之理也. 以始終言之, 則始於屯之內體, 而至此又稍著矣. 震之對卽巽也, 而坤往巽位, 與後天巽位之兌合而爲臨, 且因坤之本是巽位而合爲觀. 震亦遷在於离之本位, 故因其地而合爲噬嗑. 艮則爲震之反而在於震位, 故亦合於离而賁, 合於坤而爲剝. 坤又合於震而爲復, 於是乾亦應乎坤.

그러므로 건괘 역시 정남으로부터 오른쪽으로 돌면 손괘와 합하여 소축괘(小畜)가 되고 왼쪽으로 돌면 태괘에 합하여 리괘(履卦)가 된다. 또 정북에 있는 곤괘와 합하여 태괘(泰卦)가 되고 비괘(否卦)가 된다. 돌아서 또 그 본래의 자리가 변하여 리괘가 됨으로써 동인괘(同人卦)와 대유괘(大有卦)가 되니, 성인의 도로 말하면 이에 만물을 드넓게 발육시켜 하늘에 이른다는 뜻이다. 그러므로 곤괘 역시 이 때문에 간괘에 합하여 겸괘(謙卦)가 되고 진괘에 합하여 예괘(豫卦)가 된다. 이에 동남방에 있는 태괘는 동북방에서 진괘가 움직임에 기뻐해 합해서 수괘(隨卦)가 되고, 손괘는 진괘와 음양이 바뀐 것이므로 또한 서북방의 간괘에 합하여 고괘가 된다. 맏아들이 일을 주관하는 이치는 큰 것으로 말한다면 대체로 건이라 불리는 데 있으니, 여섯 용은 곧 진괘가 용이 되는 이치이다. 시작과 끝으로 말하면 준괘의 안의 몸체(☳)에서 시작해서 여기에 이르러 또 조금 드러난다. 진괘의 음양이 바뀐 것은 곧 손괘이니, 곤괘가 손괘의 자리로 가서 후천 손괘의 자리의 태괘와 합하여 림괘(臨卦)가 되고, 또 곤괘의 본래자리인 손괘의 자리를 따라 합하여 관괘(觀卦)가 된다. 진괘 역시 옮겨 가 리괘의 본래 자리에 있으므로 그 자리를 따라 합해서 서합괘(噬嗑)가 된다. 간괘는 진괘가 거꾸로 된 것이고 진괘의 자리에 있기 때문에 역시 리괘에 합하여 비괘(賁卦)가 되며, 곤괘에 합하여 박괘(剝卦)가 된다. 곤괘는 또 진괘에 합하여 복괘(復卦)가 되니, 이에 건괘 역시 곤괘에 호응한다.

故合於震而爲无妄, 合於艮而爲大畜, 故艮亦合於震而爲頤. 以至於兌巽, 與艮震爲對者, 相合而爲大過, 長男用事之理, 至此則著而又著矣. 先天艮震之間, 卽後天之坎也, 先天巽兌之間, 卽後天之离也. 故坎离之重卦, 在於上經頤大過之下, 遂得照應乎卷首之乾坤, 復起下經, 咸恒之端也. 然坎离之本位, 乃東西也, 非南北也. 特以在於頤大過之下, 故自然爲南北之坎离, 而若只就本卦言之, 當主觀乎東西之坎离矣. 此易經序卦之本例也.

그러므로 진괘에 합하여 무망괘가 되고 간괘에 합하여 대축괘가 되기 때문에 간괘 역시 진괘에 합하여 이괘(頤卦)가 된다. 태괘·손괘에 이르러 간괘·진괘와 음양이 바뀐 것이 서로 합하여 대과괘가 되니, 맏아들이 일을 주관하는 이치가 여기에 이르면 드러나고 또 드러난다. 선천의 간괘와 진괘의 사이는 곧 후천의 감괘이고, 선천의 손괘와 태괘의 사이는 곧 후천의 리괘이다. 그러므로 감괘와 리괘의 대성괘가 상경의 이괘·대과괘 다음에 있어 마침내 책 첫머리의 건·곤괘와 조응하고 다시 하경을 일으켜 함괘·항괘의 단서가 된다. 그러나 감괘와 리괘의 본래 자리는 동·서이지 남·북이 아니다. 다만 이괘·대과괘의 다음에 있기 때문에 자연히 남·북의 감괘·리괘가 되니, 만약 단지 본괘에 나아가 말한다면 마땅히 동·서의 감괘·리괘를 주로 살펴야 한다. 이것이 『역경』에서 괘를 순서지은 본래의 예이다.

然若逐卦言之, 當如坎离之例, 不必以先後天爲拘, 而只當叅看矣. 咸恆以下, 則各有論, 列於逐卦之下, 當一用此例看去耳. 噫, 物之不齊, 物之情也, 是乃天地自然之理也. 若使物之橫竪多寡均平, 如一少无叅差, 則乃人巧也, 豈天理也哉. 故經文諸卦之序, 眞可謂至頤而不可惡, 至動而不可亂者也, 豈如方圓圖之如彼神巧, 令人易曉也哉. 乃知方圓圖者, 恐是後人, 以伏羲之意, 推衍而成之者.

그러나 괘를 따라서 말하면, 감괘·리괘의 예처럼 해야지 굳이 선후천에 구속될 필요는 없고 다만 참고해 보면 될 것이다. 함괘·항괘 이하는 각기 논(論)이 있어서 괘에 따라 아래에 열거하였으니, 이러한 예로써 보는 것이 마땅하다. 아, 만물이 고르지 않음이 만물의 실정이니, 이는 천지의 자연한 이치이다. 만약 만물의 가로와 세로, 많고 적음을 균평하게 해서 조금의 차이도 없게 한다면 이는 인위적인 교묘함이지 어찌 천리이겠는가? 그러므로 경문의 여러 괘의 순서는 참으로 눈을 크게 뜨고 보아도 흠잡을 수가 없고, 아무리 움직여도 어지럽힐 수가 없지만, 어찌 방도와 원도가 저처럼 신묘하게 공교로워 사람들이 쉽게 깨닫도록 하는 것만 하겠는가? 이에 「방도」와 「원도」는 후세 사람이 복희의 뜻을 미루어 이룬 것임을 알 수 있다.

雖謂伏羲所作, 固无不可, 而比之於經文, 則猶未免爲今易, 而周易乃古易也. 然若无方圓圖, 則无以見易理之有常有變, 而易道无由以著矣. 若无周易, 則无以見畫前之易, 而易道幾乎息矣. 此周易與方圓圖相爲表裏者也. 仍念易之所以爲易, 於天下今古事物之變, 无不周通, 於上下四方運行之理, 无不周遍. 然則周易之周字,[4] 似是周通周遍之周, 而非但以文王周公所繫之辭而謂之周也. 術家自謂明於易理, 而未聞有以易之序卦爲主者, 此何足與論於大聖人開物成務之道哉.

비록 복희가 지은 것이라고 하여도 참으로 안될 것이 없으나 경문에 견주어 보면 오히려 현재의 역이 됨을 면할 수 없으니 『주역』은 옛날의 역이다. 그러나 「방도」와 「원도」가 없다면 역리에 상(常)과 변(變)이 있음을 볼 수 없어서 역도가 말미암아 드러나지 못한다. 만약 『주역』이 없다면 획을 그리기 이전의 역을 볼 수 없어서 역의 도가 거의 멈출 것이다. 이 『주역』은 「방·원도」와 서로 안팎이 되는 것이다. 거듭 역이 역이 된 까닭을 생각해 보면 천하고금의 사물의 변화에 두루 통하지 않음이 없고, 상하사방의 운행의 이치에 두루 편만하지 않음이 없다. 그러니 『주역』의 주(周)자는 두루 통하고 두루 편만하다는 주(周)이지, 단지 문왕과 주공이 매단 바의 말씀을 가지고 주(周)라고 하는 것은 아니다. 술가들이 스스로 역리에 밝다고 하지만 역의 서괘를 위주로 하였다는 것을 들어본 적이 없으니, 이 어찌 족히 성인이 만물을 열어 사업을 이루는 도에 더불어 논할 것인가?

박문호(朴文鎬) 「경설(經說)·주역(周易)」

乾之於坤, 不取其序, 而槪云有天地者, 蓋有乾則必有坤, 爲之對待而定位故也.
건은 곤에 대해 순서의 의미를 갖지 않는데, "천지가 있다"라고 한 것은 건(乾)이 있으면 반드시 곤이 있어 대대가 되어 자리가 정해지기 때문이다.

---

4) 字: 경학자료집성DB에 '序'로 되어 있으나, 경학자료집성 영인본을 참조하여 '字'로 바로잡았다.

盈天地之間者, 唯萬物. 故受之以屯, 屯者, 盈也, 屯者, 物之
始生也.

하늘과 땅 사이에 가득한 것이 오직 만물이다. 그러므로 준괘(屯卦)로써 받았으니, 준(屯)은 가득함이
니, 준(屯)은 물건이 처음 생기는 것이다.

｜中國大全｜

小註

張子曰, 聚而不得出, 故盈. 雖雷亦然.
장자가 말하였다: 모여서 벗어나지 않으므로 가득한 것이다. 번개라 해도 마찬가지이다.

○ 平庵項氏曰, 屯不訓盈. 剛柔始交, 雷雨動盪, 其氣充盈, 故謂之盈耳. 謂物之始生
者, 其時也. 若屯之訓, 紛紜盤錯之義耳.
평암항씨가 말하였다: 준(屯)은 가득함이라고 풀이해서는 안 되니, 굳셈과 부드러움이 처음
사귀고, 우레와 비가 움직이고 진동하여 그 기운이 충만하기 때문에 가득함이라고 할 뿐이
다. 물건이 처음 생기는 것은 그 시기 때문이다. 준의 뜻은 어지럽고 구부러지고 엉클어졌다
는 뜻일 뿐이다.

‖韓國大全‖

김상악(金相岳) 『산천역설(山天易說)』

有天地然後, 萬物生焉 … 屯者, 物之始生也.

하늘과 땅이 있은 뒤에 만물이 생기니, …준(屯)은 물건이 처음 생기는 것이다.

天地卽乾坤也, 天地定位, 物始生, 而未通爲屯.

천지가 곧 건곤이니, 천지가 자리를 잡자 만물이 처음 생겨나는데 아직 통하지 못하여 준(屯)이 된다.

서유신(徐有臣) 『역의의언(易義擬言)』

屯者盈也, 其義有所未盡, 故又曰屯者物之始生也, 然後屯之義乃該備矣. 孔氏分上下言之, 以爲非重釋屯之名, 恐失之.

준(屯)은 가득함인데 그 뜻에 미진한 바가 있으므로 또 "준(屯)은 물건이 처음 생기는 것"이라고 하였으니, 그런 뒤에 준(屯)의 뜻이 갖추어진다. 공씨가 위아래로 나누어 말하고는 이를 준(屯)이라는 이름을 거듭 해석한 것은 아니라고 여겼는데, 잘못인 듯하다.

이장찬(李章贊) 『역학기의(易學記疑)』

屯者, 屯聚之意, 乃所謂盈也. 物者, 非但以昆蟲草木謂物也, 天地與人亦物也. 物之字所包甚, 該天理人事, 皆在其中矣. 物之始生者, 其取義不一. 屯之爲卦, 上坎下震, 以四象言之, 則坎爲少陽, 震爲少陰, 二少之始交也. 又坎者, 水之生於天一者也. 震者, 木之生於天三者也. 合上下體而言之. 則爲水生木之象矣. 以爻畫言之. 則坤得乾之中爻而爲坎, 則此乃陽之含於中者也. 旣已含於中, 故乃能動於下, 陽剛之氣, 於是而始矣. 是乃所以爲物之始生也. 然造化本无一定之方, 如連山之首艮, 歸藏之首坤, 義各有據. 雜卦則雖同是夫子之言, 乾坤之下, 先以比師言之, 亦不可執一而論也. 特以語意當有賓主, 故旣以屯爲始, 則他不暇論也.

준은 무리지어 모이는 뜻이니 이른바 '가득함'이다. '만물'은 곤충·초목만을 말하는 것이 아니라 천지와 사람 또한 만물이다. '물'이란 글자가 포함하는 바가 깊으니, 이 천리와 인사가 모두 그 가운데 있다. '만물이 처음 생기는 것'은 그 취한 뜻이 한결같지 않다. 준이란 괘는 위는 감괘 아래는 진괘로 사상으로 말하면 감괘는 소양이 되고 진괘는 소음이 되어 두 개의 소(少)가 처음 사귄다. 또 감(坎)이란 수(水)가 천일(天一)에서 생기는 것이다. 진(震)이란 목(木)이 천삼(天三)에서 생기는 것이다. 위아래 몸체를 합하여 말하면 수(水)가 목(木)을 생하는 상이 된다. 효의 획으로 말하면 곤괘가 건괘의 가운데 효를 얻어 감괘가 되면 이는 양을 가운데에 머금은 것이다. 이미 가운데 머금고 있으므로 아래에서 움직일 수 있으니, 굳센 양의 기운이 여기에서 시작된다. 이것이 만물이 처음 생기게 되는 까닭이다. 그러나 조화는 본래 일정한 방향이 없으니 연산역은 간괘를 머리로 하고, 귀장역은 곤괘를 머리로 하여 뜻에 각기 근거가 있는 것과 같다. 잡괘는 비록 모두 공자의 말이지만 건곤괘의 아래에 먼저 비괘·사괘로써 말하였으니, 하나에 집착해 말해서는 안 된다. 특히 말의 뜻으로 손님과 주인을 두었으므로 이미 준괘를 시작으로 삼았으면 다른 것을 논할 겨를이 없다.

又按, 屯之外體之坎, 爲後天之兌, 內體之震, 爲後天之艮, 則屯卦實爲下經首卦之咸, 先後天照應之妙, 此可見矣.

또 내가 살펴 보았다: 준괘의 바깥 몸체인 감괘는 후천의 태괘가 되고, 안의 몸체인 진괘는 후천의 간괘가 되니, 준괘는 실로 하경의 첫 괘인 함괘가 되어 선후천이 조응하는 오묘함을 여기에서 볼 수 있다.

物生必蒙, 故受之以蒙,

물건이 생기면 반드시 어리므로 몽괘(蒙卦)로써 받았으니,

‖中國大全‖

小註

雙湖胡氏曰, 乾坤後次屯蒙者, 震坎艮以三男, 代父母用事. 雖无乾坤正體, 然三男實坤三索於乾, 而得, 有互體之坤, 亦是坤與三男會也.

쌍호호씨가 말하였다: 건괘와 곤괘 다음에 수뢰 준괘와 산수 몽괘를 둔 것은 진(☳)·감(☵)·간(☶)의 세 아들이 부모를 대신하여 일하기 때문이다. 건괘와 곤괘의 온전한 몸체는 없지만 세 아들은 실제로 곤괘가 건괘에서 세 번 구하여 얻은 것으로 호체인 곤괘가 있으니, 이 역시 곤괘와 세 아들이 만나는 것이다.

‖韓國大全‖

서유신(徐有臣)『역의의언(易義擬言)』

物生必蒙, 故受之以蒙, 蒙者, 物之穉也.

물건이 생기면 반드시 어리므로 몽괘(蒙卦)로써 받았으니, 몽(蒙)은 어림이니, 물건의 어린 것이다.

屯始生, 而蒙已生, 但未長也. 蓋屯菀而未暢, 蒙穉而未長也.

준(屯)은 생기기 시작하는 것이고, 몽(蒙)은 이미 생겼는데 아직 자라지 못했을 뿐이다. 준(屯)은 뭉쳐서 아직 창달하지 못한 것이고, 몽은 어려서 아직 자라지 못한 것이다.

이장찬(李章贊) 『역학기의(易學記疑)』

屯之二體, 旣得天一之水, 天三之木, 而蒙之外體, 又是天五之土, 則可見陽之生數, 在
於此二卦矣. 且三畫卦例, 皆以一畫之獨異者爲主, 而二卦內外體, 皆本是坤體而各得
乾之上中下三畫, 則可見二卦之中乾之理爲尤多, 而互體又皆爲坤, 則乾坤之象於是
而略備矣. 其爲物之始, 物之穉宜矣. 乃若蒙之所以爲稺之理, 則夫子於大象, 已明言
之, 此特以卦體之有艮坎言之也.

준괘의 두 몸체는 이미 천일(天一)의 수(水)와 천삼(天三)의 목(木)을 얻었고 몽괘의 바깥
몸체는 또 천오(天五)의 토(土)이니, 양의 생수가 이 두 괘에 있는 것을 볼 수 있다. 삼획괘
의 예는 모두 한 획이 홀로 다른 것을 주인으로 삼는데, 두 괘의 내외의 몸체가 모두 본래
곤괘의 몸체인데 각기 건괘의 상·중·하 삼획을 얻었으니, 두 괘의 가운데에 건괘의 이치
가 더욱 많음을 볼 수 있고, 호체가 또 모두 곤괘가 되니 건곤의 상이 여기에서 대략 갖추어
진다. 만물이 되는 처음에, 만물이 어린 것은 마땅하다. 이에 몽괘가 어리게 되는 이치 같은
것은 공자가 「대상전」에서 이미 밝혔고, 여기에서는 다만 괘체에 간괘와 감괘가 있는 것으
로 말하였다.

此固正義而以草木言之, 則水氣滋潤於下, 而生氣始昇於上者也. 故程子上下篇義, 言
震坎艮三卦, 而特以始於中, 生於下, 達於上言之矣. 以說卦考之, 則坎爲萬物之所歸,
震爲物之所出, 艮爲物之所終始, 可見屯蒙之實, 有此理, 而上經之將終, 繫以頤坎, 下
經之末, 繫以小過二濟, 无非屯蒙之理也.

이것이 진실로 바른 뜻이고, 초목으로 말하면 물의 기운이 아래에서 젖어들어 생기가 비로
소 위로 올라가는 것이다. 그러므로 정자가 상·하편의 뜻에서 진괘·감괘·간괘의 세 괘를
말하였는데, 특히 가운데에서 시작하고 아래에서 생기며, 위로 이른다고 말하였다. 「설괘
전」으로 살펴보면 감괘는 만물이 돌아가는 곳이고 진괘는 만물이 나오는 곳이며, 간괘는
만물이 마치고 시작하는 곳이니, 준괘와 몽괘의 실상에 이러한 이치가 있어서 상경이 끝나
감에 이괘와 감괘로 잇고, 하경의 말미에 소과괘와 기제·미제괘로 이었으니, 준괘와 몽괘
의 이치가 아님이 없음을 볼 수 있다.

又按, 屯之互爲剝, 蒙之互爲復. 歷四十四卦而至於革鼎, 則革鼎之內外卦, 本是乾體
而各得坤之上中下三畫, 其互體又皆是乾也, 且革是蒙之對也. 鼎是屯之對也. 卽地二
火, 地四金, 地八木之象也. 无非與屯蒙爲對, 而又革之互爲姤, 鼎之互爲夬. 自屯至
鼎, 則可以順推, 自鼎至屯, 則可以逆推矣. 自然與復至乾, 姤至坤之例一一暗合矣. 詳
見第二十六章.

또 살펴보았다: 준괘의 호괘는 박괘가 되고, 몽괘의 호괘는 복괘가 된다. 사십사괘를 지나 혁괘와 정괘에 이르는데 혁괘(革卦)와 정괘(鼎卦)의 내외괘는 본래 건괘의 몸체인데 각기 곤괘의 상·중·하 삼획을 얻었고, 그 호체 또한 모두 건괘이며, 또 혁괘는 몽괘의 음양이 바뀐 것이고, 정괘는 준괘의 음양이 바뀐 것이다. 곧 지이(地二)인 화, 지사(地四)인 금, 지팔(地八)인 목의 상이다. 준괘·몽괘와 대(對)가 되지 않음이 없고 또 혁괘의 호괘는 구괘가 되고 정괘의 호괘는 쾌괘가 된다. 준괘로부터 정괘(鼎卦)에 이르기까지는 순하게 미룰 수 있고, 정괘(鼎卦)에서부터 준괘에 이르기 까지는 거슬러 미룰 수 있다. 자연히 복괘와 더불어 건괘에 이르고, 구괘(姤卦)와 더불어 곤괘에 이르는 예가 일일이 은연중 합한다. 제 이십육장에 상세히 보인다.

蒙者, 蒙也, 物之穉也. 物穉不可不養也, 故受之以需, 需者, 飮食之道也.

몽(蒙)은 어림이니, 물건의 어린 것이다. 물건이 어리면 기르지 않을 수 없기 때문에 수괘(需卦)로써 받았으니, 수(需)는 음식의 도이다.

中國大全

小註

漢上朱氏曰, 幼稚而无以養之, 則夭閼不遂, 蓄德養才者亦然.

한상주씨가 말하였다: 어린이를 기르지 않으면 일찍 죽어 이루지 못하니, 덕을 쌓고 재주를 기르는 것도 그렇다.

○ 南軒張氏曰, 需者, 乃養之以中正, 爲飮食之道也.

남헌장씨가 말하였다: 수괘는 알맞음과 바름으로 기르는 것으로 음식의 도가 된다.

○ 雙湖胡氏曰, 中正, 取五爻象, 然需待, 亦有從容不迫, 後其食之道.

쌍호호씨가 말하였다: 알맞음과 바름은 오효의 상에 취하였지만, 기다림에는 또한 자연스럽고 급박하지 않음이 있으니, 음식을 뒤로 하는 도이다.

║韓國大全║

유정원(柳正源) 『역해참고(易解參攷)』

蒙者 [至] 穉也.

몽(蒙)은 … 어린 것이다.

郭氏京曰, 蒙者, 蒙昧也, 脫昧字.

곽경이 말하였다: '몽'이란 몽매한 것이니, 매(昧)자가 누락되었다.

김상악(金相岳) 『산천역설(山天易說)』

屯者, 盈也, … 需者, 飮食之道也.

준(屯)은 가득함이니, … 수(需)는 음식의 도이다.

蒙本愚蒙, 而兼有穉蒙之義. 物之穉者, 必待養而後長大. 草木之養以雨露, 人物之養以飮食, 故需有飮食之道.

몽(蒙)은 본래 바보같이 어리석음이니, 어려서 어리석다는 뜻을 함께 갖는다. 물건의 어린 것은 반드시 길러지기를 기다린 뒤에 장대해진다. 초목은 비와 이슬로 길러지고 사람은 음식으로 길러지므로 수괘(需卦)에 음식의 도가 있다.

서유신(徐有臣) 『역의의언(易義擬言)』

草木昆虫, 莫不有需而養焉, 亦猶飮食也. 故曰飮食之道也.

초목·곤충이 먹을 것을 두어서 기르지 않음이 없으니, 또한 음식과 같다. 그러므로 음식의 도라고 하였다.

이장찬(李章贊) 『역학기의(易學記疑)』

雲上於天則大象已言之矣. 且萬物之中, 可以隨時隨處而易於入口者, 惟水而已. 坎爲後天之兌, 而兌爲口者, 卽此理也. 故以坎爲飮食之象, 亦可矣. 坎之六四, 曰樽酒簋貳, 而困之九二曰, 困于酒食, 漸之六二, 飮食衎衎. 蓋困則內體爲坎, 漸則互體爲坎故

也. 況乾有美利, 利5)天下之道, 而坎在其上, 則需之爲飮食之道可見矣. 此所以繫於
蒙之後者也.

구름이 하늘 위보다 높이 있다는 것은 「대상전」에서 이미 말하였다. 또한 만물 가운데 어느
때 어느 곳이든지 쉽게 입으로 들어가는 것은 오직 물뿐이다. 감괘는 후천의 태괘이고, 태괘
는 입이 되는 것이 곧 이 이치이다. 그러므로 감괘가 음식의 상이 되는 것도 역시 그럴 수
있는 것이다. 감괘의 육사효에서는 "동이[樽]의 술과 궤 두 개"라고 하였고, 곤괘(困卦) 구이
효에서는 "술과 밥 때문에 어려우나"라 하였으며, 점괘(漸卦) 육이효에서는 "음식을 먹음이
즐겁다"라고 하였다. 곤괘(困卦)는 안의 몸체가 감괘가 되고, 점괘는 호괘의 몸체가 감괘가
되기 때문이다. 하물며 건괘에는 '아름다운 이로움으로 천하를 이롭게 하는' 도를 두었으니,
감괘가 그 위에 있다면 수괘(需卦)가 음식의 도가 되는 것을 알 수 있을 것이다. 이것이
몽괘의 뒤에서 잇는 까닭이다.

---

5) 利: 경학자료집성DB에 '二'로 되어 있으나, 경학자료집성 영인본을 참조하여 '利'로 바로잡았다.

飮食必有訟, 故受之以訟,

음식은 반드시 다툼이 있기 때문에 송괘(訟卦)로써 받았고,

‖中國大全‖

小註

漢上朱氏曰, 乾餱以愆, 豕酒生禍, 有血氣者, 必有爭心, 故次以訟.

한상주씨가 말하였다: 말린 밥으로 잘못하고,[6] 돼지고기와 술은 화를 만드니, 혈기가 있는 자는 반드시 다투는 마음이 있게 되므로 송괘를 다음에 두었다.

‖韓國大全‖

서유신(徐有臣) 『역의의언(易義擬言)』

爭奪, 出於口體之無厭也.

싸워 뺏는 것은 몸뚱아리가 싫증낼 줄 모르는 데서 나온다.

이장찬(李章贊) 『역학기의(易學記疑)』

飮食有訟, 語意雖若淺近, 而爭訟之法, 雖或未嘗不出於義理, 究其始端, 則人必有拘於私慾背義乖理者, 然後乃始有訟. 況人之軀命, 繫於飮食, 大慾存焉, 則其有爭訟宜矣. 故訟之內體之坎, 卽後天之兌也, 而兌爲口, 口者, 飮食所由入, 言語所由出也. 外

---

6) 『詩經·小雅』: 民之失德, 乾餱以愆.

體之乾, 卽後天之离也, 而离者麗也, 則以其飮食之所由入而自然有言語之相麗, 所以 爲訟. 而天水違行之象, 則本經已言之矣. 夫天水相照之中, 萬物之形形色色, 姸媸長 短, 无有逃其眞態, 可見至公至平之象. 故其卦爲訟, 而訟之爲字, 從言從公, 言之至公 者也.

"음식은 다툼이 있다"는 말의 뜻이 비록 얕고, 송사하는 법이 비록 혹 의리에서 나오지 않은 적이 없지만, 그 발단을 궁구해 보면 사람이 반드시 사욕에 매어 의리를 저버리고 이치를 어김이 있은 뒤에 비로소 송사가 있는 것이다. 하물며 사람의 목숨이 음식에 매여 있어 큰 욕심이 있으니, 그에 다툼이 있는 것이 당연하다. 그러므로 송괘의 안쪽 몸체인 감괘는 후천의 태괘이고, 태괘는 입이 되니, 입은 음식이 그로 말미암아 들어가고 말이 그로 말미암아 나온다. 바깥 몸체인 건괘는 곧 후천인 리괘인데, 리(離)란 걸리는 것이니, 음식이 말미암아 들어감으로써 자연히 말이 서로 걸림이 있어 다툼이 되는 것이다. 하늘과 물이 어그러져 가는 상에 대해서는 본 경문에서 이미 말하였다. 하늘과 물이 서로 비추는 가운데 만물의 형형색색과 곱고 추하고 길고 짧은 것이 그 참 모습에서 벗어날 수 없으니 지극히 공평한 상을 볼 수 있다. 그러므로 그 괘가 송괘가 되는데 '송(訟)'이란 글자는 '언(言)'과 '공(公)'을 썼으니 말이 지극히 공정한 것이다.

오치기(吳致箕) 「주역경전증해(周易經傳增解)」

有天地然後, 萬物生焉, … 飮食必有訟, 故受之以訟.

하늘과 땅이 있은 뒤에 만물이 생기니, … 음식은 반드시 다툼이 있기 때문에 송괘(訟卦)로써 받았고.

上篇, 乾坤二卦, 首言天地之道, 故以萬物之生而盈于兩[7]間, 繼言其屯, 而生取於震之 初動, 盈取於坎之中滿, 而言萬物初生之時, 有此欝結滿盈也. 釋者, 小也, 取於艮之少 男, 而物生必蒙者, 言物之始生, 未能發其釋昧蒙冒也. 水在天[8]上以潤物, 卽是養道而 萬物之所需, 故推其義, 而言人需飮食, 以致其養也. 爭訟出於飮食, 故乾餱以愆, 豕酒 生禍, 皆爲訟也

상편은 건곤 두 괘에서 첫머리에 천지의 도를 말하였기 때문에, 만물이 생겨나 둘 사이에 가득한 것으로 준괘를 이어서 말하였는데, '생겨남'은 진괘의 처음 움직임에서 취하였고 '가득참'은 감괘의 가운데가 차있는 것에서 취하였으니, 만물이 처음 생겨날 때 이처럼 **빽빽하**

---

7) 兩: 경학자료집성DB에 '雨'로 되어 있으나, 경학자료집성 영인본을 참조하여 '兩'으로 바로잡았다.

8) 天: 경학자료집성DB에 '大'로 되어 있으나, 경학자료집성 영인본을 참조하여 '天'으로 바로잡았다.

게 얽혀서 가득 차있음을 말한다. '어린 것'은 작은 것으로 간괘인 막내아들에서 취하였고, "물건이 생기면 반드시 어리다"는 물건이 처음 생겨남에 아직 어리석고 몽매함을 떨쳐버리지 못함을 말한다. 물이 하늘 위에서 만물을 윤택하게 함이 곧 기르는 도로서 만물이 필요로 하는 바이므로 그 뜻을 미루어 사람이 음식을 필요로 하여 기름을 이룸을 말하였다. 다툼은 음식에서 나오므로 '마른 밥 때문에 덕을 잃고'[9], 돼지고기와 술로 재앙을 만드는 것이 모두 다툼이다.

---

9) 『시경(詩經)·벌목(伐木)』에 "백성에게 인심을 잃는 것은 마른밥 한 덩이 때문에 잘못되는 것이다[民之失德乾餱以愆]"라 하였다.

訟必有衆起, 故受之以師, 師者, 衆也, 衆必有所比, 故受之
以比,

다툼은 반드시 무리로 일어나기 때문에 사괘(師卦)로써 받았으며, 사(師)는 무리이니 무리는 반드시
친함이 있기 때문에 비괘(比卦)로써 받았고,

▌中國大全▌

小註

雙湖胡氏曰, 需訟之後, 坤遇坎而爲師比. 自屯至比, 三男卦震艮各一用, 坎獨六用者,
亦見天地間水爲最多, 猶人一身无非血脈之流轉也.

쌍호호씨가 말하였다: 수괘(需卦)와 송괘(訟卦) 이후에 곤괘(☷)가 감괘(☵)를 만나 사괘
(師卦)와 비괘(比卦)가 되었다. 준괘에서 비괘까지 세 아들 괘인 진괘와 간괘는 각각 한
번 사용되었는데, 감괘(☵)만 여섯 번이나 사용된 것은 또한 하늘과 땅 사이에 물이 가장
많음을 볼 수 있으니, 마치 사람 몸에 혈맥이 흐르지 않음이 없는 것과 같다.

▌韓國大全▌

유정원(柳正源) 『역해참고(易解參攷)』

師者 [至] 以比.
사(師)는 … 비괘로써 받았고.

韓氏曰, 衆起而不比, 則爭无由息, 必相親比而後得寧也.

한강백이 말하였다: 무리가 일어났는데 친하지 않으면 다툼이 그칠 수 없으니, 반드시 서로 친해 가까운 뒤라야 편안할 수 있다.

김상악(金相岳) 『산천역설(山天易說)』

飮食必有訟, … 故受之以比.
음식은 반드시 다툼이 있기 때문에 … 비괘(比卦)로써 받았고.

比毗同, 輔也附也. 物必相附而後相輔, 故象傳以輔釋. 比者, 名卦之本義也.
비(比)는 힘을 보탬이니, 돕는 것이고 따라 붙는 것이다. 만물은 반드시 서로 따라 붙은 뒤에 서로 도우므로 「단전」에서 돕는 것으로 해석하였다. 비(比)는 괘의 본 뜻으로 이름 지은 것이다.

서유신(徐有臣) 『역의의언(易義擬言)』

訟必有衆起. 故受之以師, 師者, 衆也.
다툼은 반드시 무리로 일어나기 때문에 사괘(師卦)로써 받았으며, 사(師)는 무리이니.
師, 群爭也. 二女爭桑, 兩國起兵.
군대는 무리가 싸우는 것이다. 두 여자가 뽕나무를 다투자[10] 두 나라가 군사를 일으켰다.

衆必有所比. 故受之以比, 比者, 比也.
무리는 반드시 친함이 있기 때문에 비괘(比卦)로써 받았고, 비(比)는 친함이다.
比方爲衆, 其麗雖億, 不比則非衆.
친해야 비로소 무리가 되니, 붙은 자가 비록 억(億)이라도 친하지 않으면 무리가 아니다.

이장찬(李章贊) 『역학기의(易學記疑)』

訟之有衆起, 衆之有所比,[11] 本經已言之矣. 若言卦名之所由定, 則蓋乾坤坎离爲四正之卦, 而天九爲乾, 地十爲坤, 天一地六爲坎, 地二天七爲离, 則坤坎爲十七, 乾离爲十八, 其得天地之數已多, 而震艮之天三天五, 則包入於坤十坎七, 而爲二十五, 巽兌之

---

10) 초나라 변방 비량씨의 딸과 오나라 변방의 여인이 비단을 짜기 위해 뽕잎을 다툰 일로 인하여 양국이 정식으로 선전포고를 하였다. 비단 직조가 두 나라의 중요한 산업이었음을 알 수 있다.
11) 比: 경학자료집성DB에 '此'로 되어 있으나, 경학자료집성 영인본을 참조하여 '比'로 바로잡았다.

地八地四, 則亦入於乾九离九而爲三十, 則河圖五十有五之數, 於是而可見. 故坤與坎爲師爲比, 乾與离爲同人爲大[12]有矣.

"다툼은 무리로 일어난다", "무리는 친한 바가 있다"는 본 경문에서 이미 말하였다. 괘 이름이 정해진 유래를 말하자면 대체로 건·곤·감·리는 네 방위의 괘가 되는데 천구(天九)는 건괘가 되고, 지십(地十)은 곤괘가 되며, 천일·지육(天一地六)은 감괘가 되고 지이·천칠(地二天七)은 리괘가 되니 곤괘·감괘는 17이고, 건괘·리괘는 18이어서 그 천지의 수를 얻음이 이미 많다. 진괘·간괘의 천삼·천오(天三天五)는 곤십·감칠(坤十坎七)에 포괄되어 들어가 25가 되고, 손괘·태괘의 지팔·지사(地八地四)는 역시 건구·리구(乾九离九)로 들어가 30이 되니, 하도 55의 수를 여기에서 볼 수 있다. 그러므로 곤괘와 감괘는 사괘(師卦)와 비괘(比卦)가 되고 건괘(☰)와 리괘(☰)는 동인(同人)괘와 대유(大有)괘가 된다.

---

12) 大: 경학자료집성DB에 '人'으로 되어 있으나, 경학자료집성 영인본을 참조하여 '大'로 바로잡았다.

比者, 比也, 比必有所畜, 故受之以小畜, 物畜然後, 有禮, 故
受之以履,

비(比)는 친함이니 친하면 반드시 쌓임이 있기 때문에 소축괘(小畜卦)로써 받았으며, 물건이 쌓인
뒤에 예(禮)가 있기 때문에 리괘(履卦)로써 받았고,

‖中國大全‖

小註

張子曰, 德積則行必有方, 物積則散必有道.
장자가 말하였다: 덕이 쌓이면 행동에 반드시 방향이 있고, 물건이 쌓이면 흩어짐에 반드시
도가 있다.

○ 平庵項氏曰, 履不訓禮, 人之所履, 未有外於禮者, 故以履爲有禮也.
평암항씨가 말하였다: 리(履)를 예(禮)로 풀이한 것이 아니라, 사람이 실천하는 것은 예에서
벗어나는 것이 있지 않기 때문에 ‘리(履)’를 예가 있는 것으로 여긴다.

○ 雙湖胡氏曰, 師比後, 乾方與巽兌會成小畜履, 此長少二女代兄從父始入用, 惟離
中女未用耳. 乾坤至此十變十成數也, 陰陽之氣一周矣.
쌍호호씨가 말하였다: 사괘와 비괘 이후에 건괘(☰)가 비로소 손괘(☴)와 태괘(☱)를 만나
소축괘와 리괘를 이루었으니, 이것은 맏딸과 막내딸, 두 딸이 오빠를 대신하여 부모를 따라
처음으로 들어와 쓰는 것이니, 리괘(☲)인 둘째 딸만 쓰여지지 않을 뿐이다. 건괘와 곤괘가
여기에 이르러 열 번 변하고 열 번 수를 이룬 것이니, 음과 양의 기운이 한 바퀴 돈 것이다.

‖韓國大全‖

유정원(柳正源) 『역해참고(易解參攷)』
比者 [至] 以履.

비(比)는 … 리괘(履卦)로써 받았고.

韓氏曰, 此非大通之道, 則各有所畜以相濟也. 由比而畜, 故曰小畜而不能大.
한강백이 말하였다: 이것은 크게 통하는 도가 아니어서 각기 쌓는 바를 두어서 서로 구제한다. 친함으로부터 쌓기 때문에 소축이라 하였으니 커질 수 없다.

○ 郭氏京曰, 比者下, 脫親字,
곽경이 말하였다: '비자(比者)'란 말 아래 '친(親)'자가 빠졌다.

서유신(徐有臣) 『역의의언(易義擬言)』

比必有所畜, 故受之以小畜.
친하면 반드시 쌓임이 있기 때문에 소축괘(小畜卦)로써 받았으며.
相比則相畜.
서로 친하면 서로 쌓는다.

物畜然後有禮, 故受之以履.
물건이 쌓인 뒤에 예(禮)가 있기 때문에 리괘(履卦)로써 받았고.
咸之序卦曰, 有天地萬物, 男女夫婦父子君臣上下然後, 禮義有所錯. 顔淵曰, 博我以文, 約我以禮, 管仲曰, 衣食足而知禮節, 此皆物畜然後有禮也. 履者, 禮也, 禮者, 理也. 人所蹈行者, 理也, 履禮理三字, 音相似, 而義相得也. 論語克己復禮, 但當以復理看也.
함괘의 「서괘전」에 "하늘과 땅이 있은 뒤에 만물이 있고, 만물이 있은 뒤에 남녀가 있고, 남녀가 있은 뒤에 부부가 있고, 부부가 있은 뒤에 부자가 있고, 부자가 있은 뒤에 군신이 있고, 군신이 있은 뒤에 상하가 있고, 상하가 있은 뒤에 예의를 둘 곳이 있다."고 하였다. 안연은 "문(文)으로 나를 넓혀주시고 예(禮)로 나를 간약하게 해주셨다"고 하였으며, 관중은 "의식이 충분하면 예절을 안다"고 하였으니, 이는 모두 만물이 쌓인 뒤에 예가 있는 것이다. 리(履)는 예이니, 예는 리(理)이다. 사람이 밟아서 행하는 것이 리(理)이다. 리(履)·예(禮)·리(理) 세 글자는 음이 비슷하고 뜻이 서로 부합한다. 『논어』의 '극기복례'는 이치를 회복한다는 뜻으로 보아야 할 것이다.

이장찬(李章贊) 『역학기의(易學記疑)』

畜止之義, 傳義已詳之矣. 蓋以一體言之, 乾健也, 巽入也, 乾健之道, 入於巽順也. 然巽之一陰所以畜之者小, 故其象爲風行天上而爲小畜. 若艮, 則有二陰所畜者大, 故其象爲天在山中而爲大畜, 畜之有小大可見矣.

저지하여 그치는 뜻은 『정전』과 『본의』에 이미 상세하게 말하였다. 하나의 몸체로 말하자면 건괘는 강건하고, 손괘는 들어가니, 건괘의 강건한 도가 손괘의 순함으로 들어가는 것이다. 그러나 손괘의 하나의 음이 저지하는 바는 작으므로 그 상이 '바람이 하늘 위에 행함'이 되어 소축이 된다. 만약 간괘라면 두 음이 저지하는 것이 크기 때문에 그 상이 '하늘이 산 가운데 있음'이 되어 대축이 되니, 저지함에 크고 작음이 있음을 알 수 있다.

乾在巽兌之間, 故從巽則爲小畜, 從兌則爲履, 而兌爲澤, 澤爲在下之物, 而乾在其上, 故有上下之辨, 乃可成畜止之功. 故禮防之道, 於是可見. 而乾在南方文朋之地, 自有嘉會合禮之道, 此小畜履之間, 所以揷入一禮字者也. 若以一履字單言之, 則履者行也, 而禮者人之所由常行之正理, 故其卦爲履. 而以天道言之, 有元則自當有亨, 亨[13]然後, 可以有利貞, 而亨道之流行, 尤在於乾元之間, 卽春夏之交也. 卦名以履, 蓋取諸此.

건괘가 손괘와 태괘의 사이에 있으므로 손괘를 따르면 소축괘가 되고, 태괘를 따르면 리괘가 되는데, 태괘는 못이고, 못은 아래에 있는 물건이며 건괘가 그 위에 있으므로, 위아래의 분별이 있으니 저지하여 멈추는 공을 이룰 수 있다. 그러므로 예로 방지하는 도를 여기에서 볼 수 있다. 건괘는 남방의 문명한 곳에 있어 자연히 아름다움이 모여 예에 합하는 도가 있으니, 이것이 소축괘와 리괘(履卦)의 사이에 예(禮)자가 삽입되는 까닭이다. 리(履)자 하나로만 말한다면 리(履)는 행함이고, 예(禮)는 사람이 말미암아 늘 행해야할 바의 바른 이치이므로 그 괘는 리(履)가 된다. 천도로써 말하면 원(元)이 있으면 자연히 형(亨)이 있기 마련이고, 형통한 연후에 '이정(利貞)'이 있을 수 있으니, 형통한 도가 유행함이 더욱 건원의 사이에 있으면 곧 봄과 여름이 교차한다. 괘를 리(履)라 이름한 것은 대체로 여기에서 취한 것이다.

심대윤(沈大允) 『주역상의점법(周易象義占法)』

有天地然後, 萬物生焉 … 物畜然後, 有禮. 故受之以履.
하늘과 땅이 있은 뒤에 만물이 생기니 … 물건이 쌓인 뒤에 예(禮)가 있기 때문에 리괘(履卦)로써 받았고.

物畜然後, 有尊卑親疎之等殺節文.
만물이 쌓인 뒤에 높고 낮음, 친하고 소원한 등급의 예절이 있다.

---

13) 亨: 경학자료집성DB에 '□'으로 되어 있으나, 경학자료집성 영인본을 참조하여 '亨'으로 바로잡았다.

履而泰然後, 安, 故受之以泰,

예(禮)를 행하여 태평한 뒤에 편안하므로 태괘(泰卦)로써 받았고,

┃中國大全┃

本義

晁氏云, 鄭无而泰二字.

조씨가 말하였다: 정씨의 역에는 '이태(而泰)' 두 글자가 없다.

小註

漢上朱氏曰, 禮者, 履而行之者也. 所履者, 君子之大道, 故其心泰然而安. 故次之以泰.

한상주씨가 말하였다: 예는 밟아서 실천하는 것이다. 실천하는 것은 군자의 큰 도이기 때문에 그 마음이 태연하여 편안하다. 그러므로 태괘가 그 다음에 있다.

○ 鄱陽董氏曰, 人有禮則安, 无禮則危, 正此意也.

파양동씨가 말하였다: 사람이 예가 있으면 편안하고, 예가 없으면 위태로우니, 바로 이 뜻이다.

║韓國大全║

김상악(金相岳) 『산천역설(山天易說)』

比者, 比也 … 故受之以泰.

비(比)는 친함이니 … 태괘(泰卦)로써 받았고.

自繼履而言, 則取安字義, 自受否而言, 則取通字義.

태괘는 리괘(履卦)를 이어서 말하였기에 '안(安)'자의 뜻을 취했고, 비괘(否卦)가 받는 것으로 말하였기에 '통(通)'자의 뜻을 취했다.

서유신(徐有臣) 『역의의언(易義擬言)』

履而泰然後, 安. 故受之以泰, 泰者, 通也.

예(禮)를 행하여 태평한 뒤에 편안하므로 태괘(泰卦)로써 받았고, 태(泰)는 통함이니.

觀其會通, 以行典禮, 故曰履而泰然後安, 禮而不通, 則必不安也. 蓋泰者, 通也, 安也.

그 회통한 곳을 보아서 전례를 행하니, 그러므로 "예를 실천하여 태평한 뒤에 편안하다"라고 하였으니, 예를 행하나 통하지 못한다면 반드시 불안하다. 태(泰)란 통함이고 편안함이다.

이장찬(李章贊) 『역학기의(易學記疑)』

泰者, 正月之卦也, 而臨爲十二月之卦. 以此言之, 泰當次於臨, 不當次於履. 然臨與履之內卦, 皆是兌體, 外卦有乾與坤之異. 而卦之例, 皆以內三爻爲主, 則臨與履一也, 其字義亦同矣. 蓋兌與乾, 皆老陽也. 履之內體之兌, 變其上畫而爲乾, 則外三爻之陽, 皆變而爲陰矣. 泰之次於臨次於履, 其理无二矣.

태괘(泰卦)는 정월의 괘이고 림괘(臨卦)는 12월의 괘이다. 이로써 말하면 태괘는 마땅히 림괘의 다음에 와야지 리괘(履卦)의 다음에 와서는 안 된다. 그러나 림괘(臨卦)와 리괘(履卦)의 내괘는 모두 태괘(☱)의 몸체이고 외괘는 건괘(☰)과 곤괘(☷)로 다름이 있다. 괘의 사례가 모두 안의 삼효를 위주로 한다고 본다면 림괘와 리괘는 같고 그 글자의 뜻도 같다. 태괘와 건괘는 모두 노양이다. 리괘의 안쪽 몸체인 태괘가 그 윗 획을 바꾸어 건괘가 되면 바깥 삼효의 양은 모두 변하여 음이 된다. 태괘가 림괘 다음에 오고 리괘 다음에 오는 것은 그 이치가 둘이 아니다.

泰者, 通也, 物不可以終通, 故受之以否,

태(泰)는 통함이니, 물건은 끝내 통할 수 없기 때문에 비괘(否卦)로써 받았고,

┃中國大全┃

小註

南軒張氏曰, 治亂相仍, 如環无端, 物安有久通者乎. 故受之以否. 夫泰而驕, 所以致否, 否而畏, 所以復泰.

남헌장씨가 말하였다: 다스림과 혼란은 서로 따르기를 마치 고리가 끝이 없는 것과 같으니, 물건이 어찌 오래도록 통할 수 있겠는가? 그러므로 비괘로써 받았다. 태평하면 교만해져서 막힘을 이루게 되고, 막히면 두려워서 태평함을 회복하게 된다.

○ 雙湖胡氏曰, 小畜履後, 乾坤自相遇成泰否. 然乾坤十變方泰, 何其難. 泰一變卽否, 何其易. 履其交處其會者, 宜知警戒爲變化持守之道可也.

쌍호호씨가 말하였다: 소축괘와 리괘 이후에 건괘와 곤괘가 스스로 서로 만나 태괘(泰卦)와 비괘(否卦)를 이루었다. 그렇지만 건괘와 곤괘가 열 번 변하여야 태괘가 되니, 어찌 이리 어려운가? 태괘가 한 번 변하면 비괘이니, 어찌 이리 쉬운가? 사귐을 실천하고 만남에 대처하는 자는 변화하고 지키는 도를 행함을 경계할 줄 알아야 한다.

┃韓國大全┃

서유신(徐有臣) 『역의의언(易義擬言)』

物不可以終通. 故受之以否.

물건은 끝내 통할 수 없기 때문에 비괘(否卦)로써 받았고.

否者, 不泰之謂也. 不通泰, 則是塞也, 故否爲塞也.
비(否)는 태평하지 못하다는 말이다. 통하고 태평하지 못하면 이는 막힌 것이니, 그러므로 비(否)는 막힘이 된다.

이장찬(李章贊) 『역학기의(易學記疑)』

否者, 七月之卦也, 而遯爲六月之卦. 以此言之, 否當次於遯, 亦不當次於泰. 然履之爲卦, 可見辨上下, 定民[14]志之象, 則天道之有定體者也. 有定體, 故受之以泰, 泰極則爲否, 消長變化, 其理甚速, 不暇以大壯夬乾姤遯介於其間, 則自復以下, 諸卦之屬于十二朔, 當與經各各爲一說矣. 故經文之中, 惟履與泰爲相續, 如本圖之例, 不可以此而牽合爲說矣.

비괘(否卦)는 칠월의 괘이고, 돈괘(遯卦)는 유월의 괘이다. 이로써 말하면 비괘는 마땅히 돈괘 다음에 와야 하고 또 태괘(泰卦)의 다음에 와서는 안 된다. 그러나 리괘(履卦)의 됨됨이는 위아래를 분변하여 백성의 뜻을 정하는 상을 볼 수 있으니, 천도에 정해진 본체가 있는 것이다. 정해진 본체가 있으므로 태괘로 받으니, 태괘가 극에 이르면 비괘가 되어 소장(消長)하고 변화함에 그 이치가 매우 신속하여, 대장·쾌·건·구괘가 그 사이에 끼어들 겨를이 없으니, 복괘 이하로부터 열두 달에 해당하는 여러 괘들은 마땅히 경과 더불어 각각 하나의 설이 된다. 그러므로 경문 가운데 오직 리괘와 태괘만 서로 이어져 본도의 예와 같으니, 이것을 가지고 억지로 부합시켜 말해서는 안 될 것이다.

大抵易者, 陰陽而已, 六陰六陽之各爲純體者, 乾坤也. 自屯以下, 上下交易變易, 其類不一, 而若夫泰否之三陰三陽, 臨觀之二陽四陰, 剝復之一陽五陰, 則上下陰陽, 不相混雜, 各有位置, 比之於屯反爲蒙之類, 其理尤昭昭易見, 皆莫不以陽道爲主. 而下經則以陰道爲主, 六陽六陰之各爲一卦. 三陰三陽之迭居上下者, 已於上經, 故以二陰之上下乎四陽者, 係之咸恒之下, 遯大壯是也. 自大壯以下, 歷七卦, 而又有一陰之上下乎五陽者, 夬姤是也.

역이란 음양일 뿐이니, 여섯 음과 여섯 양이 각기 순전한 몸체가 되는 것이 건곤이다. 준괘 이하는 위아래가 교역하고 변역하여 그 종류가 일치하지 않으니, 태괘·비괘의 세 음, 세 양과 림괘·관괘의 두 양, 네 음과 박괘·복괘의 한 양, 다섯 음은 위아래의 음양이 서로

---

14) 民: 경학자료집성DB에 '□'으로 되어 있으나, 영인본과 리괘 상전을 참고하여 '民'으로 바로잡았다.

뒤섞이지 않고 각기 위치가 있어서 준괘를 거꾸로 해서 몽괘가 되는 종류에 비해 그 이치가 더욱 밝고 쉽게 드러나니, 모두 양의 도를 위주로 하지 않음이 없다. 그러나 하경은 음의 도를 위주로 하여 여섯 양과 여섯 음이 각기 하나의 괘가 된다. 세 음, 세 양이 번갈아 위아래에 있는 것은 상경에서 그쳤으므로 두 음이 네 양의 위아래에 있는 것으로 함괘·항괘의 뒤에 매인 것은 돈괘·대장괘가 이것이다. 대장괘로부터 아래로 일곱 괘를 지나서 또 한 음이 다섯 양의 위아래에 있는 것은 쾌괘·구괘가 이것이다.

噫, 以復至乾姤至坤之理言之, 其效甚緩. 以周室言之, 如后稷積德累仁千有餘年, 至文王, 始受命, 夷王之下堂見諸侯, 厲王之國人, 皆畔之, 皆不至遽亡其國矣. 以泰否剝復之相續而言之, 則雖在一卦之內, 吉凶消長, 逐爻各異, 可以見碩果之理, 未嘗息於亂極之中, 苞桑之戒, 初非在於旣亂之後矣. 又可見以細行而爲大德之累, 則如九仞之山功虧一簣, 革舊習而有自新之德, 則如日月之蝕无損於明. 其所取驗, 則間不容髮, 而其爲設戒, 則與天地无窮矣. 比於復至乾, 姤至坤, 則雖可謂竝行不悖, 而經文所載, 尤親切而著朋矣.

아, 복괘가 건괘에 이르고, 구괘가 곤괘에 이르는 이치로 말하면 그 효험이 매우 느리다. 주왕조로 말하면 후직이 덕을 쌓고 인(仁)을 쌓은 지 천여 년 만에 문왕에 이르러 비로소 천명을 받았다. 이왕(夷王)이 당에서 내려가 제후들을 접견하였고,[15] 여왕(厲王)의 백성들이 모두 배반하였지만 모두 갑자기 그 나라를 망하게 하는 데는 이르지 않았다. 태·비, 박·복괘가 서로 잇는 것으로 말하자면 비록 한 괘의 안에 있더라도 길흉(吉凶)과 소장(消長)이 효에 따라 각기 다르니, '석과(碩果)'의 이치가 난이 극심한 가운데에서도 그친 적이 없으며, 뽕나무에 붙들어 매는 경계가 애초에 이미 난리가 난 뒤에 있는 것이 아님을 알 수 있다. 또 작은 행동거지로 큰 덕에 누를 끼침은, 높디높은 산을 쌓는 공이 한 삼태기 흙 붓기를 게을리 하여 허물어지는 것과 같고,[16] 옛 습관을 혁신하여 스스로 새롭게 하는 덕이 있음은 해와 달이 다시 밝음을 손상하지 않는 것과 같음을 볼 수 있다. 취하여 증험하면 터럭만큼도 틈을 낼 수 없으며, 경계를 베풀면 천지와 더불어 무궁할 것이다. 복괘가 건괘에 이르고 구괘가 곤괘에 이르는데 견준다면 비록 병행하여도 어그러지지 않는다고 할 수 있지만, 경문에 기록된 바가 더욱 세밀하고 잘 드러날 것이다.

---

15) 『禮記·郊特牲』.
16) 『書經·旅獒篇』.

오치기(吳致箕) 「주역경전증해(周易經傳增解)」

訟必有衆起. … 物不可以終通. 故受之以否.

다툼은 반드시 무리로 일어나기 때문에 … 물건은 끝까지 통할 수는 없기 때문에 비괘(否卦)로써 받았고.

爭訟起, 則必有黨類之衆, 有黨類, 則必有親附之近. 有親附, 則必有畜物之道, 物畜然後, 履之以禮, 履禮則必有通泰, 而天理循環. 故通泰, 則必有否塞也.

다툼이 일어나면 당을 짓는 무리가 있기 마련이고, 당의 무리가 있으면 친하게 따르는 가까움이 있기 마련이다. 친하게 따름이 있으면 반드시 물건을 쌓는 도리가 있기 마련이니, 물건이 쌓인 뒤에 예로써 실천하고 예를 실천하면 반드시 통하고 태평해서 천리가 순환하기 마련이다. 그러므로 통하고 태평하면 비색함이 있기 마련이다.

박문호(朴文鎬) 「경설(經說)·주역(周易)」

物不可以終通, 猶有春夏, 則不可无秋冬也.

"물건은 줄곧 통할 수는 없다"는 봄·여름이 있으면 가을·겨울이 없을 수 없는 것과 같다.

物不可以終否, 故受之以同人, 與人同者, 物必歸焉, 故受之
以大有,

물건은 끝내 막힐 수 없기 때문에 동인괘(同人卦)로써 받았고, 사람과 함께 하는 자는 물건이 반드시
돌아오기 때문에 대유괘(大有卦)로써 받았고,

‖中國大全‖

小註

涑水司馬氏曰, 否者, 物不相交之卦, 不相交則異, 異則爭, 爭則窮, 故受之以同人. 同
人者, 所以通之也, 物通則大有矣.
동수사마씨가 말하였다: 비괘는 물건이 서로 사귀지 못하는 괘이니, 서로 사귀지 못하면 달
라지고, 달라지면 다투고, 다투면 극에 달하므로 동인괘로써 받았다. 동인은 통하게 하는
것이니, 물건이 통하면 크게 소유하게 된다.

○ 雙湖胡氏曰, 泰否而後, 乾坤異處. 乾自與離相遇, 爲同人大有, 至此則離始入用,
而三女之卦全用矣.
쌍호호씨가 말하였다: 태괘와 비괘 이후에 건괘와 곤괘가 자리를 달리한다. 건괘는 스스로
리괘와 서로 만나 동인괘와 대유괘가 되니, 여기에 이르러 리괘(☲)가 비로소 쓰이게 되어,
세 딸의 괘가 온전히 사용된다.

┃韓國大全┃

김상악(金相岳)『산천역설(山天易說)』

泰者, 通也 … 故受之以同人.

태(泰)는 통함이니 … 동인괘(同人卦)로써 받았고.

可以濟否者, 同人之力也. 故否曰, 否之匪人, 同人曰, 利君子貞.

비색함을 구제할 수 있는 것은 '남과 함께하는[同人]' 힘이다. 그러므로 비괘에서 "비(否)는 바른 사람이 아니다"라 하고, 동인괘에서 "군자가 곧게 함이 이롭다"고 하였다.

서유신(徐有臣)『역의의언(易義擬言)』

物不可以終否. 故受之以同人.

물건은 끝내 막힐 수 없기 때문에 동인괘(同人卦)로써 받았다.

不相持, 故通其否也.

서로 버티지 않으므로 그 비색함을 통하게 한다.

與人同者, 物必歸焉. 故受之以大有.

사람과 함께 하는 자는 물건이 반드시 돌아오기 때문에 대유괘(大有卦)로써 받았고.

大有者, 有其大也.

대유란 큰 것을 소유함이다.

이장찬(李章贊)『역학기의(易學記疑)』

說見第六章註.

설명이 제 육장의 주에 보인다.

有大者, 不可以盈. 故受之以謙,

큰 것을 소유한 자는 가득 차게 해서는 안 되기 때문에 겸괘(謙卦)로써 받았고,

▌中國大全▌

小註

漢上朱氏曰, 認物之歸爲己有者必驕, 驕則亢滿大復爲累矣. 有大者不可盈, 故次以謙.

한상주씨가 말하였다: 물건이 돌아와 자기의 소유가 되었음을 알게 되면 반드시 교만해지니, 교만하면 지나치게 가득차고 크게 회복되어 잘못된다. 큰 것을 소유한 자는 가득 차게 해서는 안 되기 때문에 겸괘가 그 다음이다.

▌韓國大全▌

유정원(柳正源) 『역해참고(易解參攷)』

有大者. 〈音訓, 鄭作有大有〉

큰 것을 소유한 자. 〈『음훈』에서 정씨는 "크게 소유함이 있다[有大有]"로 썼다〉

서유신(徐有臣) 『역의의언(易義擬言)』

有而不有之謂謙也.

두고서 소유하지 않는 것을 겸(謙)이라 한다.

이장찬(李章贊) 『역학기의(易學記疑)』

以上六卦, 皆有乾體, 而同人大有, 又是乾體之得其明盛者, 則在天當有虧盈之理, 在人亦當有惡盈之道, 大有之下, 受之以謙以此.

이상 여섯 괘는 모두 건괘의 몸체인데, 동인괘와 대유괘는 또 건괘 몸체가 그 밝고 성대함을 얻었으니, 자연에서는 마땅히 가득한 것을 이지러뜨리는 이치가 있고, 사람에서는 또한 마땅히 가득 참을 미워하는 도가 있다. 대유괘 다음에 겸괘로 받은 것은 이 때문이다.

有大而能謙, 必豫, 故受之以豫,

큰 것을 소유하고도 겸손하면 반드시 즐거울 것이기 때문에 예괘(豫卦)로써 받았고,

‖中國大全‖

小註

雙湖胡氏曰, 同人大有後, 坤又自與艮震相遇成謙豫, 亦爲長少二男之從母也. 至此震艮二男復用事矣.

쌍호호씨가 말하였다: 동인괘와 대유괘 이후에 곤괘도 스스로 간괘와 진괘를 서로 만나 겸괘와 예괘를 이루었으니, 또한 맏아들과 막내아들이 어머니를 좇는 것이다. 여기에 이르러 진괘(☳)와 간괘(☶)의 두 아들이 다시 일을 하는 것이다.

‖韓國大全‖

서유신(徐有臣)『역의의언(易義擬言)』

有大而能謙者, 必能知幾也.

큰 것을 소유하고서도 겸손할 수 있는 자는 반드시 기미를 알 수 있다.

이장찬(李章贊)『역학기의(易學記疑)』

謙之爲卦, 艮下坤上, 艮止也, 坤順也. 順而能止, 故可以和豫.

겸(謙)이란 괘는 간괘가 아래 곤괘가 위인데, 간괘는 멈춤이고, 곤괘는 순함이다. 순종하여 멈출 수 있으므로 화목하고 기쁠 수 있다.

豫必有隨, 故受之以隨, 以喜隨人者, 必有事, 故受之以蠱,

즐거우면 반드시 따름이 있기 때문에 수괘(隨卦)로써 받았고 기쁨으로써 사람을 따르는 자는 반드시 일이 있기 때문에 고괘(蠱卦)로써 받았고,

中國大全

小註

漢上朱氏曰, 以喜隨人, 必有所事. 臣事君, 子事父, 婦事夫, 弟子事師, 非樂於所事者, 其肯隨乎.

한상주씨가 말하였다: 기쁨으로써 사람을 따르는 데에는 반드시 섬겨야 하는 것이 있다. 신하가 임금을 섬기고, 자식이 부모를 섬기고, 아내가 지아비를 섬기고, 제자가 스승을 섬길 때 섬겨야 하는 것을 즐거워하지 않는 자라면 기꺼이 따르는 것이겠는가?

○ 雙湖胡氏曰, 謙豫後, 震兌巽艮會, 男女長少成隨蠱. 若无預乾坤, 其實乾坤三陰三陽雜居. 隨自否初上變, 蠱自泰初爻上變, 謂非由於乾坤可乎.

쌍호호씨가 말하였다: 겸괘와 예괘 이후에 진괘와 태괘, 손괘와 간괘가 만났으니 남자와 여자의 맏이와 막내가 수괘(隨卦)와 고괘(蠱卦)를 이루었다. 만약 건괘와 곤괘를 기뻐하지 않는다면 참으로 건괘와 곤괘의 세 음과 세 양이 섞여서 있게 될 것이다. 수괘(隨卦)는 비괘(否卦)의 초효와 상효가 변한 것이고, 고괘(蠱卦)는 태괘(泰卦)의 초효와 상효가 변한 것이니, 건괘와 곤괘에서 말미암지 않았다고 할 수 있겠는가?

▌韓國大全▌

서유신(徐有臣) 『역의의언(易義擬言)』

豫必有隨, 故受之以隨.

즐거우면 반드시 따름이 있기 때문에 수괘(隨卦)로써 받았고.

豫則隨時也.

즐거우면 때를 따른다.

以喜隨人者, 必有事. 故受之以蠱, 蠱者, 事也.

기쁨으로써 남을 따르는 자는 반드시 일이 있기 때문에 고괘(蠱卦)로써 받았고, 고(蠱)는 일이다.

隨動而說, 故曰以喜隨人也. 以喜隨人, 所以致蠱, 亦所以治蠱. 故曰必有事也. 蠱之 爲事, 猶亂之爲治也.

움직임을 따라서 기뻐하므로 "기쁨으로써 남을 따른다"고 했다. 기쁨으로서 남을 따르니 그 래서 일을 일으키고 또 다스리는 것이다. 그러므로 "반드시 일이 있다"고 하였다. '고(蠱)'라 는 일은 어지러움이 다스려지는 것 같은 일이다.

이장찬(李章贊) 『역학기의(易學記疑)』

豫爲順而動之卦, 故爲隨時隨物之象, 而隨之爲卦, 內震外兌, 兌之對爲艮, 震之對爲 巽. 故以外艮內巽之卦係於下, 而其名爲蠱, 蠱者事也. 艮爲後天之乾, 巽爲後天之坤, 故爻辭言幹父之蠱, 幹母之蠱, 以明乾父坤母之理, 此則有事之理也.

예괘는 순종하여 움직이는 괘가 되므로 때를 따르고 사물을 따르는 상이 되고, 수괘는 안이 진괘이고 바깥이 태괘인데, 태괘의 음양이 바뀌면 간괘가 되고 진괘의 음양이 바뀌면 손괘 가 된다. 그러므로 바깥이 간괘이고 안이 손괘인 괘로 아래에 이어 그 이름을 '고'라 하니, '고'란 일이다. 간괘는 후천방위로 건괘이고, 손괘는 후천방위로 곤괘이므로 효사에서 아버 지의 일을 주관하고, 어머니의 일을 주관함을 말하여 건이 아버지이고 곤이 어머니인 이치 를 밝혔으니, 이는 일의 이치가 있는 것이다.

卦中所言, 先甲三日, 後甲三日, 則雲峯胡氏之說, 實所以備傳義之所未備然. 因[17]是 說而又備論之, 則指其方而必曰甲[18], 指其時而必曰日, 无非尊陽之意. 且雖无离, 而甲之一字, 旣指离位, 則日之一字, 可見离之爲日矣. 象傳所言終則有始者, 非特以艮之終始萬物而言之也. 二體將變而爲乾坤, 則乾坤乃易之始也, 而又是爲陰陽之極盛, 而當衰者, 則其爲蠱壞之意者, 亦无可疑矣.

괘중에 말한 "갑보다 삼일을 앞서서 하고, 갑보다 뒤로 삼일을 한다"에 대해서는 운봉호씨의 설[19]이 실로 『정전』과 『본의』가 미처 갖추지 못 한 바를 갖춘 것 같다. 이 설을 인하여 또 갖추어 논한다면, 그 장소를 가리켜 반드시 '갑(甲)'이라 하고, 그 시간을 가리켜 반드시 '일(日)'이라 하니 양을 높이는 뜻이 아님이 없다. 또 리(離)라는 말은 없지만 갑(甲)이란 글자는 이미 리괘의 자리를 가리키니, 일(日)이라는 글자는 리괘의 해[日]가 됨을 알 수 있다. 「단전」에서 말한 "마치면 시작이 있다"는 것은 단지 간괘가 만물을 마치고 시작한다는 것으로써 말한 것만이 아니다. 두 몸체가 변하여 건곤이 되는데 건곤은 역의 시작이고, 또 이는 음양이 극성하여 마땅히 쇠할 것이 되니, 그것이 좀먹어 무너지는 뜻이 되는 것 또한 이상할 것이 없다.

심대윤(沈大允) 『주역상의접법(周易象義占法)』

履而泰然後, 安. … 豫必有隨, 故受之以隨.
예(禮)를 행하여 태평한 뒤에 편안하므로 … 즐거우면 반드시 따름이 있기 때문에 수괘(隨卦)로써 받았고.

豫, 順以動者, 有所隨也.
예괘는 순종하여 움직이는 것이니 따르는 바가 있다.

---

17) 因: 경학자료집성DB에 '固'로 되어 있으나, 경학자료집성 영인본과 문맥을 참고하여 '因'으로 바로잡았다.

18) 甲: 경학자료집성DB에 '用'으로 되어 있으나, 경학자료집성 영인본을 참조하여 '甲'으로 바로잡았다.

19) 18. 고괘 괘사의 중국대전: ○ 운봉호씨가 말하였다: '선갑후갑'에 대한 설은 일치하지 않는다. 내가 보기에 고괘(蠱卦)는 손괘(☴)와 간괘(☶)로 이루어지니, 간괘와 손괘를 따라서 보는 것이 마땅하다. 「복희팔괘방위도」에서 갑은 동방의 리괘에 있는데, 갑으로부터 거꾸로 세면 리괘, 진괘, 곤괘의 세 자리 다음에 간괘를 얻으니 갑에 앞선 삼일이다. 갑으로부터 앞으로 나가는 방향으로 세면 리괘·태괘·건괘의 세 자리 다음에 손괘(巽卦)를 얻는 것이 갑의 뒤 삼일이다. 그러니 위에서는 간괘가 멈추어 있고 아래에서는 낮추어 겸손하니 이것이 고괘가 된다. 간괘에서 '선갑삼일'인 신(辛)을 얻고, 손괘에서 '후갑삼일'인 정(丁)을 얻어서 또한 어지러운 일[蠱]을 다스린다.[雲峰胡氏曰, 先甲後甲之説不一. 愚以爲蠱由巽艮而成, 當從艮巽看. 先天甲在東之離, 由甲逆數離震坤三位得艮, 先甲三日也. 自甲順數離兌乾三位得巽, 後甲三日也. 然則上艮止下卑巽, 所以爲蠱. 於艮得先甲三日之辛, 於巽得後甲三日之丁, 又所以治蠱也.]

오치기(吳致箕) 「주역경전증해(周易經傳增解)」

物不可以終否. … 故受之以蠱.

물건은 끝내 막힐 수 없기 때문에 … 고괘(蠱卦)로써 받았고.

否, 不可以不濟, 而濟否之道, 在於同德之人. 與人同者廣, 則所有必大, 大其所有而自
盈, 則危道. 故必以謙虛自持, 謙以自持, 則中心和易, 而人皆悅豫. 人既悅豫, 則莫不
欣然, 願隨人. 既隨矣, 必有所事, 如隨君上者, 必有官守言責之事, 隨師長者, 必有問
學傳道之事也.

'비'는 구제하지 않을 수 없으니, 비색함을 구제하는 도리는 덕을 같이 하는 사람에게 달렸
다. 남들과 함께 함이 크면 가진 바가 반드시 크고, 그 가진 바를 크게 하여 스스로 가득차면
위태로운 방도이다. 그러므로 반드시 겸허함으로 스스로를 지켜야 하니, 겸손함으로 스스로
를 지키면 마음이 화락하고 평탄하여 사람들이 모두 기뻐한다. 사람들이 이미 기뻐하면 흔
연하지 않음이 없어서 남을 따르기를 원한다. 이미 따랐으면 반드시 일삼는 바가 있으니,
임금을 따르는 경우는 반드시 관직이 있어 간언하는 일이 있고, 스승을 따르는 경우는 반드
시 묻고 배우며 도를 전하는 일이 있다.

蠱者, 事也,

고(蠱)는 일이니,

‖中國大全‖

小註

平庵項氏曰, 蠱者, 壞也, 物壞則萬事生矣. 事因壞而起. 故以蠱爲事之先.

평암항씨가 말하였다: 고(蠱)는 무너짐이니, 물건이 무너지면 온갖 일이 생겨난다. 일은 무너짐으로부터 일어나기 때문에 '고'를 일의 처음으로 삼는다.

‖韓國大全‖

이장찬(李章贊)『역학기의(易學記疑)』

說見上, 又見第十六章註.

설명이 위에 보이고, 또 제 십육장 주에 보인다.

有事而後, 可大. 故受之以臨,

일이 있은 뒤에 커질 수 있기 때문에 림괘(臨卦)로써 받았고,

┃中國大全┃

小註

韓氏康伯曰, 可大之業, 由事以生.
한강백이 말하였다: 커질만한 사업은 일로부터 생겨난다.

○ 臨川吳氏曰, 因蠱之有事而後, 有臨之盛大也.
임천오씨가 말하였다: 고괘의 일이 있은 이후에 림괘의 성대함이 있게 된다.

┃韓國大全┃

김상악(金相岳) 『산천역설(山天易說)』

與人同者, 物必歸焉 … 有事而後, 可大. 故受之以臨.
사람과 함께 하는 자는 물건이 반드시 돌아오기 때문에 … 일이 있은 뒤에 커질 수 있기 때문에 림괘(臨卦)로써 받았고.

韓氏康伯曰, 可大之業, 由事而生.
한강백이 말하였다: 커질만한 사업은 일로부터 생겨난다.

서유신(徐有臣) 『역의의언(易義擬言)』

臨之爲大, 二陽之大也. 然未若三陽之大. 故三陽曰泰, 二陽曰臨, 澤滿而至於臨地, 是澤之大也.

임괘가 큰 것이 됨은 두 양이 큰 것이다. 그러나 세 양이 큰 것만은 못하다. 그러므로 세양은 태괘(泰卦)라 하고, 두 양은 림괘(臨卦)라 하니, 못이 가득차 땅에 임하는데 이르는 것으로 이것이 못의 큰 것이다.

이장찬(李章贊) 『역학기의(易學記疑)』

有事可大者, 以艮巽之必變爲乾坤而言也. 八卦之中最大者, 豈非乾坤耶. 至於受之以臨, 則上天下澤之卦, 旣名爲履, 故以澤上有地之卦, 而名之爲臨, 所以明坤之配乾也. 臨之所以爲大可知, 而臨與履之一義, 此又可見.

'일이 있어서 커질 수 있는 것'은 간괘와 손괘가 반드시 변해서 건 · 곤괘가 되는 것으로써 말한 것이다. 팔괘 가운데 가장 큰 것이 어찌 건 · 곤괘가 아니겠는가. 림괘로써 이어받음에 이르면, 위는 하늘 아래는 못인 괘를 이미 리괘(履卦)라 이름하였으므로, 못 위에 땅이 있는 괘이기 때문에 림괘라고 이름지었으니, 곤괘가 건괘를 짝함을 밝힌 것이다. 림괘가 큰 것이 되는 까닭을 알 수 있고, 림괘와 리괘가 한 가지 뜻임을 여기에서 또한 볼 수 있다.

臨者, 大也,

림(臨)은 큼이니,

║中國大全║

小註

平庵項氏曰, 臨不訓大, 大者, 以上臨下, 以大臨小, 凡稱臨者, 皆大者之事, 故以大稱之. 若豊者大也, 則直訓大也. 是以六十四卦, 有二大而不相妨焉.

평암항씨가 말하였다: 림을 '크다'고 풀이한 것이 아니라, '크다'라 한 것은 윗사람으로서 아랫사람에게 임하고, 큰 것으로서 작은 것에 임하는 것인데, '임한다'는 말은 모두 윗자리에 있는 자[大者]의 일이므로 '크다'고 한 것이다. "풍(豊)은 크다20) 같은 경우라면 그대로 '크다'라고 풀이해야 한다. 그래서 64괘에서 두 개의 '크다'가 있어도 서로 방해가 되지 않는다.

○ 南軒張氏曰, 臨者, 二陽進而四陰退, 駸駸向於大矣.

남헌장씨가 말하였다: 림괘는 두 양이 나아가고 네 음이 물러나서 빠르게 큰 것으로 향하는 것이다.

║韓國大全║

이장찬(李章贊) 『역학기의(易學記疑)』

說見上. 易之四德, 以貞固幹事爲終, 有其事然後, 方有其終, 无其事則元亨利三者之

---

20) 『周易·豊卦』: 象曰, 豊大也.

德, 且无所施矣, 故特以蠱者事也, 別爲一章. 臨者, 所以履其事也, 故以臨者大也, 亦別爲一章.

설명이 위에 보인다. 역의 네 덕은 "바르고 굳셈은 일의 근간이다"로 마무리를 삼았으니, 그 일이 있는 뒤에야 그 마무리가 있으니, 그 일이 없다면 '원·형·이' 세 가지 덕은 또 베풀 바가 없으므로 특별히 '고(蠱)란 일이다'를 가지고 별도로 한 장을 삼았다. '림'이란 그 일을 실천하는 것이므로 '림(臨)이란 큰 것이다'를 가지고 역시 별도로 한 장을 삼았다.

심대윤(沈大允) 『주역상의점법(周易象義占法)』

以喜隨人者, … 臨者, 大也.
기쁨으로써 사람을 따르는 자는 … 림(臨)은 큼이니.

能有臨則大.
임함이 있을 수 있다면 크다.

物大然後, 可觀, 故受之以觀,

물건은 크게 된 다음에 볼 만하기 때문에 관괘(觀卦)로써 받았고,

┃中國大全┃

小註

臨川吳氏曰, 物之小者在下, 視之而不見, 必大而後可以觀也. 以臨卦二陽之大, 反易其體則大者在上矣. 故爲在下四陰之所觀.

임천오씨가 말하였다: 작은 물건이 아래에 있어서 보아도 보이지 않으니, 반드시 큰 뒤에 볼 수 있다. 림괘(臨卦)의 큰 두 양을 그 몸체를 반대로 바꾸면 큰 것이 위에 있게 된다. 그러므로 아래에 있는 네 음이 바라보게 된다.

○ 南軒張氏曰, 天下皆山也, 唯泰山可觀, 天下皆水也, 唯東海可觀. 蓋物大然後可觀, 況於人乎.

남헌장씨가 말하였다: 천하가 모두 산일지라도 태산만 볼 만하고, 천하가 모두 물일지라도 동해만이 볼 만하다. 사물은 크게 된 다음에 볼 만한데 하물며 사람이겠는가?

○ 雙湖胡氏曰, 隨蠱而後, 坤與兌巽相遇而爲臨觀, 亦爲長少二女之從母也.

쌍호호씨가 말하였다: 수괘(隨卦)와 고괘(☴☶蠱卦) 이후에 곤괘(☷)가 태괘(☱)와 손괘(☴)를 서로 만나 림괘(臨卦)와 관괘(觀卦)가 되었으니, 또한 맏이와 막내, 두 딸이 어머니를 따르는 것이다.

‖韓國大全‖

유정원(柳正源) 『역해참고(易解參攷)』

然後可觀.

크게 된 다음에 볼 만하다.

閻氏彦升曰, 物大然後可觀, 昔孔子觀於東海之水, 子貢問曰, 君子之所以見大水, 必觀焉者, 何也. 孔子告之以似德似義似道似勇似法似正似察似善化似志, 可觀之說然後可畜. 〈音訓, 鄭作然後物.〉

민언승이 말하였다: 만물은 크게 된 다음에 볼 만하니, 예전에 공자가 동해의 물을 보는데, 자공이 "군자가 큰 물을 보면 반드시 관찰하는 것은 왜 그렇습니까?"라고 묻자, 공자는 "덕과 닮았고, 의와 닮았고, 도와 닮았고, 용기와 닮았고, 법과 닮았고, 바름과 닮았고, 살핌과 닮았고, 선한 교화와 닮았고, 뜻과 닮았다"는 것으로 알려주었으니,[21] '볼 만한' 설이 있은 뒤에 쌓을 수 있는 것이다. 〈『음훈』에서 정씨는 "뒤에 만물이 쌓일 수 있다"고 하였다.〉

서유신(徐有臣) 『역의의언(易義擬言)』

臨於下爲臨, 臨於上爲觀, 不大則無足觀.

아래에 임하여 림괘가 되고 위에 임하여 관괘가 되니, 크지 않다면 볼 만한 것이 없다.

이장찬(李章贊) 『역학기의(易學記疑)』

臨觀之所以有二陽四陰, 已於第九章註及之矣. 蓋震者, 萬物之所由出也, 艮者, 萬物之所終始者也. 自屯蒙以下歷十卦, 而有震之卦, 始有其二, 豫隨是也, 而以有艮之卦, 分置于豫之上隨之下, 謙蠱是也, 其有精義可知. 而臨觀則雖无震艮, 而震艮之理, 實在其中. 夫臨是厚畫底震也, 觀是厚畫底艮也. 合二卦, 則便是頤也. 然則觀之下, 所係之卦, 必當爲頤, 而頤中无物, 則无以有合於可觀之後, 故以陽剛之爻, 插入於頤之中, 則其卦爲噬嗑, 而其象爲用獄, 爲雷電, 爲日中, 爲市, 无非有物可噬, 而互相爲合之理也. 此噬嗑彖辭, 所以言頤中有物者也.

---

21) 『荀子 · 宥坐』.

임괘·관괘가 두 음, 네 양이 있는 까닭은 이미 제 구장의 주에서 언급하였다. 진괘는 만물이 그로부터 나오는 것이고, 간괘는 만물이 마치고 시작하는 것이다. 준괘·몽괘로부터 열개의 괘를 지나 진괘가 있는 괘는 처음에 그 두 개가 있는데, 예괘(豫卦)·수괘(隨卦)가 그것이다. 간괘가 있는 괘를 예괘의 위쪽, 수괘의 아래쪽에 나누어 배치하였으니, 겸괘·고괘가 그것으로 정밀한 뜻이 있음을 알 수 있다. 림괘·관괘는 비록 진괘나 간괘가 없지만, 진괘와 간괘의 이치가 실로 그 가운데 있다. 림괘는 두터운 획의 진괘이고, 관괘는 두터운 획의 간괘이다. 두 괘를 합하면 곧 이괘(頤卦)가 된다. 그러니 관괘의 아래 이어진 괘는 필연적으로 이괘가 됨이 마땅하고, 이괘[턱] 가운데 물건이 없으면 '볼 만한 뒤에 합함이 있지' 못하기 때문에 굳센 양의 효로써 이괘의 가운데에 끼워 넣으면 그 괘가 서합괘가 되니, 그 상이 감옥이 되고, 우레가 되고, 한낮이 되고, 시장이 되어, 씹을 만한 물건이 아닌 것이 없어서 서로 합하는 이치가 있다. 이것이 서합괘의 「단전」에 "턱에 물건이 있다"고 말한 까닭이다.

심대윤(沈大允) 『주역상의점법(周易象義占法)』

物大然後, … 故受之以噬嗑.
물건은 크게 된 다음에 … 때문에 서합(噬嗑)으로써 받았고.

有景仰然後, 情誼親合.
우러를 만한 것이 있는 뒤에 정감이 친해지고 합한다.

可觀而後, 有所合, 故受之以噬嗑,

볼 만한 뒤에 합함이 있기 때문에 서합(噬嗑)으로써 받았고,

┃中國大全┃

小註

漢上朱氏曰, 在上无可觀, 在下引而去矣, 非可觀而能有嗑乎.

한상주씨가 말하였다: 위에 볼 만한 것이 없으면 아래에서 끌어내 가버리니, 볼 만한 것이 아닌데 합하겠는가?

┃韓國大全┃

김상악(金相岳) 『산천역설(山天易說)』

臨者, 大也 … 故受之以噬嗑.

림(臨)은 큼이니 … 서합(噬嗑☲☳)으로써 받았고.

有卦名二字而取一字者, 噬嗑與明夷是也. 特借嗑字夷字, 以明其序.

괘의 이름은 두 글자이지만 한 글자를 취한 것이 있으니, 서합괘와 명이괘가 이것이다. 단지 '합(嗑)'자와 '이(夷)'자를 빌려서 그 순서를 밝혔다.

서유신(徐有臣) 『역의의언(易義擬言)』

可觀而後, 有所合. 故受之以噬嗑, 嗑者, 合也.

볼만한 뒤에 합함이 있기 때문에 서합(噬嗑)으로써 받았고, 합(嗑)은 합함이니.

噬而嗑之也, 恐不但取合義也.
깨물어서 합하는 것이니, 단지 합한다는 뜻만 취한 것은 아닌 듯하다.

이장찬(李章贊) 『역학기의(易學記疑)』

說見上.
설명이 위에 보인다.

嗑者, 合也, 物不可以苟合而已, 故受之以賁,

합(嗑)은 합함이니, 사물은 구차하게 합할 수 없기 때문에 비괘(賁卦)로써 받았고,

▮中國大全▮

小註

龜山楊氏曰, 物不可以苟合, 无故而合者, 必无故而離, 又在乎賁以飾之.

구산양씨가 말하였다: 사물은 구차하게 합해서는 안 되니, 까닭 없이 합하는 것은 반드시 까닭 없이 떠나게 되는데 또한 비괘의 꾸밈에 있어서랴!

○ 東坡蘇氏曰, 君臣父子夫婦朋友之際, 所謂合也, 直情而行之謂之苟, 禮以飾情謂 之賁. 苟則易合, 合則相瀆, 相瀆則易以離. 賁則難合, 難合則相敬, 敬則久矣.

동파소씨가 말하였다: 임금과 신하, 부모와 자식, 남편과 아내, 벗들이 사귈 때를 합한다고 하는 것이니, 마음을 그대로 따라 행하는 것을 구차스럽다고 하고, 예(禮)로 본심을 장식하는 것을 꾸민다고 한다. 구차스럽게 하면 쉽게 합하고, 합하면 서로 함부로 하고, 서로 함부로 하면 쉽게 헤어진다. 꾸미면 합하기 어렵고, 합하기 어려우면 서로 공경하니, 공경하면 오래간다.

○ 臨川吳氏曰, 不執贄, 則不可以成賓主之合, 不受幣, 則不可以成男女之合, 賁所以 次合也.

임천오씨가 말하였다: 폐백을 갖추지 않으면 손님과 주인의 합을 이룰 수 없고, 예물을 받지 않으면 남녀의 합을 이룰 수 없으니, 꾸미는 것은 이어서 합하기 위한 것이다.

○ 雙湖胡氏曰, 臨觀而後, 噬賁雖震離艮相遇而成, 實亦乾坤三陰三陽分布. 隨蠱由 泰否變, 噬賁由隨蠱變. 隨五上易爲噬嗑, 蠱初二易爲賁也.

쌍호호씨가 말하였다: 림괘(臨)와 관괘(觀) 이후에 서합괘(噬嗑)와 비괘(賁)는 진괘(☳)·리괘(☲)·간괘(☶)가 서로 만나 이루어졌지만, 실제로 건괘와 곤괘의 세 음과 양이 나누어

퍼진 것이다. 수괘(隨卦)와 고괘(蠱卦)는 태괘(泰卦)와 비괘(否卦)에서 변한 것이고, 서합괘(噬嗑䷔)와 비괘(否卦)는 수괘(隨卦)와 고괘(蠱卦)에서 변한 것이다. 수괘의 오효와 상효가 바뀌면 서합괘가 되고, 고괘의 초효와 이효가 바뀌면 비괘가 된다.

‖韓國大全‖

서유신(徐有臣) 『역의의언(易義擬言)』

物不可以苟合而已, 故受之以賁, 賁者, 餙也.
사물은 구차하게 합할 수 없기 때문에 비괘(賁卦)로써 받았고, 비(賁)는 꾸밈이니.

際合而無節文則爲苟, 苟何能久也. 不可而已者, 言其終之不合也.
사귀어 합하는데 절도가 없으면 구차하게 되니, 구차한데 어떻게 오래갈 수 있겠는가? '불가할 따름'이라는 것은 끝내 합하지 못함을 말한 것이다.

이장찬(李章贊) 『역학기의(易學記疑)』

說卦曰, 相見乎离, 成言乎艮. 旣已相見而成言, 則必无苟合之理, 而當有賁飾之道.
「설괘전」에 "리괘에서 서로 만나보고, 간괘에서 이룬다"고 하였다. 이미 서로 만나보고 이루었다면 반드시 구차하게 합하는 이치가 없으니, 당연히 꾸미는 도가 있다.

賁者, 飾也, 致飾然後, 亨則盡矣, 故受之以剝,

비(賁)는 꾸밈이니, 꾸밈을 이룬 뒤에 형통하면 다하기 때문에 박괘(剝卦)로써 받았고,

‖中國大全‖

小註

南軒張氏曰, 賁飾則貴於文, 文之太過, 則又滅其質, 而有所不通. 故致飾則亨有所盡, 言其不通, 故受之以剝.

남헌장씨가 말하였다: 꾸밈은 문식보다 귀하니 문식이 너무 지나치면 또한 그 바탕을 없어지게 하여 통하지 못하게 된다. 그러므로 꾸밈을 이루면 형통함이 소진한다. 통하지 못함을 말하기 때문에 박괘로써 받았다.

‖韓國大全‖

김상악(金相岳)『산천역설(山天易說)』

噬者, 合也 … 故受之以剝.

합(噬)은 합함이니 … 박괘(剝卦)로써 받았고.

致飾之亨難久, 飾旣致, 則亨亦盡矣.

꾸밈을 다한 형통함은 오래갈 수 없으니, 꾸밈이 이미 다하였다면 형통함도 소진한다.

서유신(徐有臣)『역의의언(易義擬言)』

致飾然後, 亨則盡矣, 故受之以剝, 剝者, 剝也.

꾸밈을 이룬 뒤에 형통함이 다하기 때문에 박괘(剝卦)로써 받았으니, 박(剝)은 깎는 것이다.

致, 至也. 亨則盡矣, 猶云質則盡矣. 文勝之至, 其質則斲剝殆盡矣. 亨字, 疑有誤. 淳
與亨形相近, 誠與亨, 音相近. 蓋所謂復則不妄者, 是也.

치(致)는 이르는 것이다. "형통하면 다한다"는 질박함이 다한다는 말과 같다. 꾸밈이 지극히
왕성하면 그 질박함은 깎여서 거의 소진한다. '형'자는 아마도 잘못이 있으니, '순(淳)'자는
'형(亨)'자와 모양이 비슷하고, '성(誠)'은 '형(亨)'과 음이 서로 비슷하다. 이른바 "회복하면
망령되지 않다"는 것이 이것이다.

이장찬(李章贊) 『역학기의(易學記疑)』

剝復之一陽五陰, 亦已略及於第九章註矣. 蓋剝者, 陽之將盡者也, 復者, 陽之復生者
也. 諸卦互體之爲剝復者, 有屯蒙焉, 有師比焉, 有臨觀焉, 至此則乃始有剝復之原卦,
終又有互體之入於損益, 以對咸恒之有夬姤互體. 此可見剝復之理, 始微而終著, 旣著
而又入於微矣, 此則乾之理也.

박괘·복괘의 한 음, 다섯 양 또한 이미 제 구장의 주에서 간략히 언급하였다. 박괘는 양이
곧 다하는 것이고, 복괘는 양이 다시 생겨나는 것이다. 여러 괘에서 호체가 박괘·복괘가
되는 것은 준괘·몽괘가 있고, 사괘·비괘가 있으며, 림괘·관괘가 있는데, 여기에 이르면
비로소 박괘(剝卦)·복괘(復卦)의 원괘가 있고, 끝에서 또한 호체가 손괘(損卦)·익괘(益
卦)로 들어감이 있어 함괘(咸卦)·항괘(恒卦)가 쾌괘(夬卦)·구괘(姤卦)인 호체를 가지고
있는 것과 짝이 된다. 여기에서 박괘·복괘의 이치가 시작은 미미하나 끝에는 드러나고,
이미 드러났다가 또 은미함으로 들어감을 알 수 있으니, 이는 건괘의 이치이다.

오치기(吳致箕) 「주역경전증해(周易經傳增解)」

蠱者, 事也 … 故受之以剝.
고(蠱)는 일이니 … 박괘(剝卦)로써 받았다.

蠱者, 壞也. 事莫大於治蠱, 而蠱旣治, 則必有可大之業. 業旣大矣, 必有光輝, 足以瞻
仰, 儀則足以觀示. 德旣可觀, 則自有來合之者. 旣有相合, 則不可無節文而苟合, 故必
在乎賁以餙之, 如執贄而成賓主之合, 用幣而成男女之合也, 致者, 專治之謂, 而賁者,
文餙也. 文餙太過, 反爲亨道之極, 則虛文盛而實行衰, 故事必歸於剝盡也.

'고'는 무너지는 것이다. 일은 무너짐을 다스리는 것보다 큰 것이 없고, 무너짐이 이미 다스

려졌다면 반드시 위대할만한 사업이 있을 것이다. 사업이 이미 크다면 반드시 광채가 있어 우러러 보기에 충분하고, 거동은 모범이 되기에 충분하다. 덕이 이미 볼만하다면 자연히 와서 합하는 자가 있다. 이미 서로 합함이 있다면 문채를 적절하게 함이 없이 구차하게 합해서는 안 되기 때문에 반드시 비괘(賁卦)를 두어 꾸미니, 예물을 드려 주인과 손님의 화합을 이루고, 폐백을 써서 남녀의 결합을 이룬다. '이룸[致]'이란 온전하게 다스린다는 말이고, '꾸밈'이란 아름답게 장식함이다. 아름답게 장식함이 너무 지나치면 도리어 형통한 도가 극에 달하여 헛된 꾸밈이 성행하고 실질적인 행위는 쇠퇴하므로 일이 반드시 깎여서 다하는 데에로 돌아간다.

剝者, 剝也. 物不可以終盡, 剝, 窮上反下, 故受之以復,

박(剝)은 깎는 것이다. 물건은 끝내 다할 수 없으니, 깎은 것이 위에서 다하면 아래로 돌아오기 때문에 복괘(復卦)로써 받았고,

‖中國大全‖

小註

漢上朱氏曰, 此周末所以不勝其弊文之末流也. 物窮則反, 不可終盡. 剝陽窮於上而終反於下, 故次之以復.

한상주씨가 말하였다: 이것은 주나라 말기에 그 폐단인 문식의 말류(末流)를 감당하지 못한 것이다. 사물은 다하면 돌아오기 때문에 끝내 다할 수 없다. 박괘는 양이 위에서 다하여 마침내 아래로 돌아오기 때문에 복괘로 이었다.

○ 雙湖胡氏曰, 噬嗑賁後, 坤遇艮而成剝復, 亦爲長少二男之從母也.

쌍호호씨가 말하였다: 서합괘(噬嗑)와 비괘(賁) 이후에 곤괘(☷)가 간괘(☶)를 만나 박괘(剝)와 복괘(復)를 이루었으니, 또한 맏이와 막내, 두 아들이 어머니를 따르는 것이다.

‖韓國大全‖

서유신(徐有臣) 『역의의언(易義擬言)』

物不可以終盡, 剝, 窮上反下, 故受之以復.

물건은 끝내 다할 수 없으니, 깎은 것이 위에서 다하면 아래로 돌아오기 때문에 복괘(復卦)로써 받았고.

物不可以終盡, 以物理言也, 剝窮上反下, 以卦象言也. 蓋剝復之際, 聖人所以屢致意也. 旣盡而復者, 卽所謂亨, 則盡者於是乎復也.

"물건은 끝내 다할 수 없으니"는 사물의 이치로 말한 것이다. "깎은 것이 위에서 다하면 아래로 돌아온다"는 괘상으로 말한 것이다. 깎고 회복하는 즈음에 성인은 누차 뜻을 다하는 것이다. 이미 다하여 회복하는 것이 바로 이른바 '형통함[亨]'이니, 다한 것이 여기에서 회복한다.

이장찬(李章贊) 『역학기의(易學記疑)』

說見上.

설명이 위에 보인다.

復則不妄矣, 故受之以无妄,

회복하면 망령되지 않기 때문에 무망괘(无妄卦)로써 받았고,

┃中國大全┃

小註

漢上朱氏曰, 復天理則无妄, 无妄則其動也大.

한상주씨가 말하였다: 천리를 회복하면 무망이니, 무망은 그 움직임이 크다.

○ 息齋余氏曰, 自有事而大, 大而可觀, 可觀而合, 合而飾, 所謂忠信之薄而僞之始也. 故一變而爲剝, 剝而復, 則眞實獨存而不妄矣.

식재여씨가 말하였다: 본래 일이 있어 커지고 커지면 볼만하며, 볼만해서 합하고 합하면 꾸미니, 충성과 믿음이 얇아져 가식이 시작됨을 말하는 것이다. 그러므로 한 번 변하여 박괘가 되고, 박괘에서 복괘가 되면 진실함이 홀로 있을지라도 거짓이 없을 것이다.

┃韓國大全┃

서유신(徐有臣) 『역의의언(易義擬言)』

不妄者, 自明誠, 謂之敎也. 无妄者, 自誠明, 謂之性也.

'망령되지 않는 것'은 밝음으로 말미암아 진실해지는 것으로 '교(敎)'라 한다. '망령됨이 없는 것'은 진실함으로 말미암아 밝아짐이니 '성(誠)'이라 한다.

이장찬(李章贊) 『역학기의(易學記疑)』

陽已復於下, 則其卦外體之三陰, 皆變柔爲剛, 變虛爲實, 所以爲无妄也, 卽中庸所謂誠也.

양이 이미 아래에서 회복되었다면 그 괘의 바깥 몸체인 세 음은 모두 부드러움이 변해 굳셈이 되고, 빈 것이 변해 가득 찬 것이 되어 무망괘가 되는 것이니 곧 『중용』에서 말하는 성(誠)이다.

有无妄然後, 可畜. 故受之以大畜,

망령됨이 없은 뒤에 쌓을 수 있기 때문에 대축괘(大畜卦)로써 받았고,

║中國大全║

小註

漢上朱氏曰, 前曰比必有所畜者, 比而後畜, 其畜也小, 故次以小畜. 无妄然後, 事事循理, 乃可大畜, 故次之以大畜.

한상주씨가 말하였다: 앞에서 "친하면 반드시 쌓임이 있다"고 한 것은 친한 이후에 쌓이는 것인데, 그 쌓임이 작기 때문에 소축괘로 이었다. 망령됨이 없게 된 다음에 일마다 이치를 따르면 크게 쌓일 수 있기 때문에 대축괘로 이었다.

○ 閻氏彦升曰, 无妄然後可畜, 所畜者在德, 故曰大.

염언승이 말하였다: 망령됨이 없은 뒤에 쌓일 수 있는데, 쌓은 것이 덕에 있으므로 크다고 하였다.

○ 雙湖胡氏曰, 剝復而後, 乾遇震艮而成无妄大畜, 亦爲長少二男之從父也.

쌍호호씨가 말하였다: 박괘와 복괘 이후에 건괘가 진괘(☳)와 간괘(☶)를 만나 무망괘와 대축괘를 이루었으니, 또한 맏이와 막내, 두 아들이 아버지를 따르는 것이다.

‖韓國大全‖

서유신(徐有臣) 『역의의언(易義擬言)』

无妄, 天德也. 有无妄, 人有天德也. 必有所畜, 則見其小也, 所以爲小畜也. 可畜云,
則其言無有限量, 可以包天地, 所以爲大畜也.

'망령됨이 없음'은 하늘의 덕이다. 망령됨이 없다는 것은 사람이 천덕을 지닌 것이다. 반드시
쌓는 바가 있으면 작은 것을 보니, 그래서 소축이 된다. 쌓을 수 있다고 한다면 그 말에
한량이 없어서 천지를 포괄할 수 있으니 그래서 대축이 된다.

이장찬(李章贊) 『역학기의(易學記疑)』

以无妄之德, 而畜以艮止之道, 所以爲大畜也.

무망의 덕인데 간괘의 멈추는 도로써 쌓으니, 그래서 대축괘가 되는 것이다.

物畜然後, 可養. 故受之以頤,

물건이 쌓인 뒤에 기를 수 있기 때문에 이괘(頤卦)로써 받았고,

‖中國大全‖

小註

南軒張氏曰, 畜然後, 可推以養人, 故受之以頤.

남헌장씨가 말하였다: 쌓인 뒤에야 미루어 사람을 기를 수 있기 때문에 이괘로써 받았다.

‖韓國大全‖

서유신(徐有臣) 『역의의언(易義擬言)』

物畜然後, 可養, 故受之以頤, 頤者, 養也.

물건이 쌓인 뒤에 기를 수 있기 때문에 이괘(頤卦)로써 받았으니, 이(頤)는 기름이다.

畜然後養者, 旣庶矣, 又富之也. 需者, 飮食之道, 頤之養, 則爲大也.

쌓인 뒤에 기른다는 것은 이미 많은 것이고 또 풍부한 것이다. 수(需)란 음식의 도이니 이괘(頤卦)로 기르면 커진다.

이장찬(李章贊) 『역학기의(易學記疑)』

頤之爲卦, 以二陽而包群陰, 卽天包地外, 養成萬物之象也, 所以爲頤. 而若專看初九上九, 則便是爲乾, 又若只看中間互體, 則自是爲坤. 竝其上下中間而言之, 則外實而中虛, 便是爲离, 而又爲坎之互體矣, 可見其上襲乾坤之派流, 而爲坎离之張本.

이괘는 두 양으로써 여러 음을 감싸니, 하늘이 땅 바깥을 감싸 만물을 양성하는 상으로 이괘가 되는 것이다. 만약 오로지 초구와 상구를 본다면 바로 건괘가 되고, 또 만약 단지 중간의 호체만 본다면 스스로 곤괘가 된다. 그 위아래 중간을 아울러 말한다면 바깥은 차있고 가운데는 비어서 곧 리괘가 되고, 또 감괘의 호체가 되니, 그 위로 건곤의 흐름을 받아서 감괘·리괘의 장본(張本)이 됨을 알 수 있다.

叟按, 卦卦爻爻之千變萬化, 何莫非乾坤之理, 而亦莫不因其卦而各有其象, 其中若論其稍近於乾坤純體者, 則惟夬姤大過, 有乾之互體, 剝復頤, 有坤之互體. 此方圓圖, 所以以頤大過而與乾姤坤復聯書之者也.

다시 살펴보았다: 매 괘 매효가 갖가지로 변화하는 것이 건곤의 이치가 아님이 없고 또 그 괘로 인하여 각기 그 상이 있지 않음이 없는데, 그 가운데 건곤의 순전한 몸체에 조금 가까운 것을 논하자면 구괘·쾌괘·대과괘에 건괘의 호체가 있고, 박괘·복괘·이괘에 곤괘의 호체가 있다. 이것이 「방원도」[22]에서 이괘·대과괘를 건괘·구괘 및 곤괘·복괘와 더불어 나란히 쓴 까닭이다.

---

22) 방원도: 복희 64괘 「방원도」를 말한다.

頤者, 養也, 不養則不可動, 故受之以大過,

이(頤)는 기름이니, 기르지 않으면 움직일 수 없기 때문에 대과괘(大過卦)로써 받았고,

‖中國大全‖

小註

或問, 不養則不可動, 故受之以大過, 何也. 朱子曰, 動則過矣, 故大過. 亦曰有其信者, 必行之, 故受之以小過

어떤 이가 물었다: 기르지 않으면 움직일 수 없으므로 대과괘로써 받았다는 것은 무슨 뜻입니까?

주자가 답하였다: 움직였다 하면 지나치기 때문에 '대과'입니다. 또 「서괘전」에서 "믿음이 있는 자는 반드시 행하기 때문에 소과괘(小過卦)로써 받았다"고 하였습니다.

○ 平庵項氏曰, 需當物生之初, 如兒之須乳, 苗之須漑, 故曰飮食之道. 頤當畜聚之極, 萬物交致其養, 故曰養也.

평암항씨가 말하였다: 수괘(需卦)는 물건이 처음 생기는 때로 아이가 젖을 먹고 싹이 물이 필요한 것과 같으므로 '음식의 도'라고 하였다. 이괘는 쌓고 모이는 지극한 때에 만물이 그 기름을 서로 이루기 때문에 '기름'이라고 하였다.

○ 閣氏彦升曰, 養者, 君子所以成已, 動者, 君子所以應物. 然君子處則中立, 動則中行, 豈求勝物哉. 及其應變, 則有時或過, 故受之以大過.

염언승이 말하였다: 기름은 군자가 자기를 완성하는 것이고, 움직임은 군자가 사물에 호응하는 것이다. 그러나 군자가 거처할 때에는 알맞음에 서고, 움직임일 때에는 중도를 행하니, 어찌 사물을 누르려고 하겠는가? 변화에 호응함에서는 때로 잘못이 있기 때문에 대과괘로써 받았다.

○ 雙湖胡氏曰, 无妄大畜後, 震艮巽兌, 雖男女長少, 自合成頤大過. 然頤互兩坤, 大

過互兩乾, 謂之无乾坤不可也. 自乾坤至此, 无一卦无乾坤信矣.

쌍호호씨가 말하였다: 무망괘(无妄)와 대축괘(大畜) 이후에 진괘(☳)·간괘(☶)·손괘(☴)·태괘(☱)가 비록 남녀의 맏이와 막내이지만 스스로 합하여 이괘(頤卦)와 대과괘(大過)를 이루었다. 그렇지만 이괘는 호체가 두 곤괘이고, 대과괘는 호체가 두 건괘이니, 건괘와 곤괘가 없어서는 안 된다는 말이다. 건·곤괘로부터 여기에 이르기까지 한 괘도 건·곤괘가 없는 것이 없다는 것을 믿을 만하다.

┃韓國大全┃

조호익(曹好益) 『역상설(易象說)』

頤者, 養也.

이(頤)는 기름이다.

註閻氏論養字, 恐非本意.

주에서 염씨가 '양(養)'자를 논한 것은 본래 뜻이 아닐 듯싶다.

유정원(柳正源) 『역해참고(易解參攷)』

頤者 [至] 大過.

이(頤)는 기름이니 … 대과괘(大過卦☰)로써 받았고.

鄭氏玄曰, 養賢者, 宜過於厚.

정현이 말하였다: 어짊을 기름은 마땅히 아주 두텁게 해야 한다.

○ 韓氏曰, 不養則不可動, 養過則厚.

한강백이 말하였다: 기르지 않으면 움직일 수 없고, 기름이 지나치면 두텁다.

서유신(徐有臣) 『역의의언(易義擬言)』

不養則不可動, 故受之以大過.

기르지 않으면 움직일 수 없기 때문에 대과괘(大過卦)로써 받았고.

此必有誤文, 不可强解.

여기에는 반드시 잘못된 글이 있을 것이니, 억지로 해석해서는 안 된다.

이장찬(李章贊) 『역학기의(易學記疑)』

大過之爲卦, 以四陽而動於二陰之中, 以天道言之, 陽之過也, 以人道言之, 事之過也, 所以爲大過. 而若專看初六上六, 則便是爲坤, 又若只看中間互體, 則自是爲乾. 竝其上下中間而言之, 外柔而中實, 便是爲坎, 而又爲离之互體矣, 亦可見其上襲乾坤之派流, 而下爲坎离之張本. 餘見上.

대과괘는 네 양으로써 두 음의 가운데에서 움직이니, 하늘의 도로 말하면 양이 지나친 것이고, 사람의 도로 말하면 일이 지나친 것이니 그래서 대과괘가 된다. 만약 오로지 초육과 상육을 본다면 바로 곤괘가 되고, 또 만약 단지 중간의 호체만 본다면 그 자체로 건괘가 된다. 그 위아래 중간을 아울러 말한다면 바깥은 부드럽고 가운데는 차 있어서 곧 감괘가 되고, 또 리괘의 호괘가 되니, 역시 위로는 건곤의 흐름을 받고 아래로는 감괘·리괘의 장본이 됨을 알 수 있다. 나머지는 위에 보인다.

심대윤(沈大允) 『주역상의점법(周易象義占法)』

嗑者, 合也 … 故受之以大過.

합(嗑)은 합함이니 … 때문에 대과괘(大過卦)로써 받았고.

能動作, 故有過.

움직여 작위하기 때문에 지나침이 있다.

物不可以終過. 故受之以坎,

사물은 끝내 지나칠 수 없기 때문에 감괘(坎卦)로써 받았고,

‖中國大全‖

小註

雙湖胡氏曰, 物不可終過. 故受以坎之辭, 蓋以中爲貴, 以坎之陽中而節其過則无過矣. 下文又以陷言之.

쌍호호씨가 말하였다: 사물은 끝내 지나칠 수 없기 때문에 감괘로써 받았다는 말은 알맞음을 귀하게 여긴다는 것으로 감괘의 양이 가운데 있어 그 지나침을 절제하면 잘못이 없게 된다. 아래의 글에서는 또 빠짐으로 말하였다.

‖韓國大全‖

김상악(金相岳) 『산천역설(山天易說)』

剝者, 剝也 … 物不可以終過. 故受之以坎.

박(剝)은 깎는 것이다 … 사물은 끝까지 지나칠 수만은 없기 때문에 감괘(坎卦☵)로써 받았고.

過之大者, 不能復進, 故次以坎. 過之小者, 猶可以行, 故次以旣濟.

크게 지나친 것은 다시 나아갈 수 없으므로 감괘를 다음에 두었다. 조금 지나친 것은 그래도 갈 수 있으므로 기제괘를 다음에 두었다.

서유신(徐有臣) 『역의의언(易義擬言)』

物不可以終過, 故受之以坎, 坎者陷也.

사물은 끝내 지나칠 수 없기 때문에 감괘(坎卦)로써 받았고, 감(坎)은 빠짐이다.

有坎陷, 則不可過, 以坎止其過也.

구덩이가 있으면 넘어가서는 안 되니, 감괘의 구덩이로서 그 지나침을 그친다.

이장찬(李章贊) 『역학기의(易學記疑)』

离居先天乾之位, 而其象爲日, 其數爲三, 坎居先天坤之位, 而其象爲月, 其數爲六, 則其爲陰陽之辨, 若是昭昭矣. 然則卦之次序, 當先离後坎, 而乃以坎先於离, 而係於大過之下何也. 若以坎爲中男, 离爲中女而言之, 則朱子以爲卦成後便見有此象矣. 此則不必論. 以四象言之, 少陰居第二, 少陽居第三, 而少陰之上, 各添一奇一偶者, 爲离三震四, 少陽之上, 各添一奇一偶者, 爲巽五坎六. 不如此, 則离何以爲日, 而襲乾之位乎, 坎何以爲月, 而襲坤之位乎.

리괘는 선천 건괘의 자리에 있는데 그 상은 해가 되며, 그 수는 3이고, 감괘는 선천 곤괘의 자리에 있는데 그 상은 달이 되며 그 수는 6이니, 그것이 음양의 분별이 됨이 이처럼 분명하다. 그렇다면 괘의 순서는 마땅히 리괘가 앞서고 감괘가 뒤에 와야 할 것인데, 감괘가 리괘보다 앞에 오고 대과괘의 다음에 이어진 것은 어째서인가? 감괘가 둘째 아들이고 리괘가 둘째 딸인 것으로 말한 것은 주자가 괘가 이루어진 후에야 이러한 상이 있음을 볼 수 있다고 여긴 것이니, 이는 굳이 논할 필요도 없다. 사상으로 말하면 소음은 두 번째에 있고, 소양은 세 번째에 있는데, 소음의 위에 각기 하나의 기(奇)와 하나의 우(偶)를 더하여 리괘의 3과 진괘의 4가 되고, 소양의 위에 각기 하나의 기와 하나의 우를 더하여 손괘의 5와 감괘의 6이 된다. 이와 같지 않다면 리괘가 어떻게 해가 되어 건괘의 자리를 물려받겠으며, 감괘가 어떻게 달이 되어 곤괘의 자리를 물려받겠는가?

然以河圖之生數言之, 坎爲天一之水, 离爲地二之火, 以天地之元來十數, 而論四象之位與數, 則离爲八而震爲二, 坎爲七而巽爲三. 於是陰數竝在於离, 陽數竝在於坎矣. 以爻畫言之, 三畫卦, 每以一爻之獨異者爲主. 故雖震巽艮兌之上下, 各得一陰一陽, 尙可爲其卦之主, 況坎得乾之中爻, 則雖是坤體, 而豈不爲乾乎. 离得坤之中爻, 則雖是乾體, 而豈不爲坤乎. 於此可知坎與离之何先何後矣.

그러나 「하도」의 생수로 말하면, 감괘는 천일(天一)의 수(水), 리괘는 지이(地二)의 화(火)이고, 천지의 원래 십수로 사상의 자리와 수를 논하면 리괘는 팔(八)이 되고 진괘는 이(二)

가 되며, 감괘는 칠(七)이 되고, 손괘는 삼(三)이 된다. 이에 음수는 모두 리괘에 있고, 양수는 모두 감괘에 있다. 효와 획으로 말하면, 삼획괘는 매양 한 효가 홀로 다른 것을 위주로 한다. 그러므로 비록 진괘·손괘·간괘·태괘의 위아래에 각기 한 음, 한 양을 얻더라도 오히려 그 괘의 주인이 될 수 있는데, 하물며 감괘는 건괘의 가운데 효를 얻었으니, 비록 곤괘의 몸체이나 어찌 건(乾)이 되지 않겠는가! 리괘는 곤괘의 가운데 효를 얻었으니 비록 건괘의 몸체이나 어찌 곤(坤)이 되지 않겠는가! 이에 감괘와 리괘가 어떤 것이 먼저이고 어떤 것이 나중인지를 알 수 있을 것이다.

夏按, 自屯至鼎順推, 自鼎至屯逆推, 已於第三章註言之矣. 然欲尋復至乾姤至坤之例, 則乾坤已在於上經之首, 屯蒙之上矣, 將推而至於何卦歟. 曰易之諸卦, 專以二五爻爲主. 蓋二者, 二氣之理也, 五者, 五行之理也. 坎之二五, 皆陰中之陽也, 离之二五, 皆陽中之陰也. 其專氣之理, 反有重於純體之陰陽. 蓋以三爻言之, 坎之上下, 皆坤也, 而其中則乾, 乃坤中之乾也. 离之上下, 皆乾也, 而其中則坤, 乃乾中之坤也. 以四象言之, 坎之下二爻爲少陽, 中二爻爲老陰, 上二爻爲少陰. 离之下二爻爲少陰, 中二爻爲老陽, 上二爻爲少陽. 故亦不害於邵子怕處其盛之義. 此坎离所以在於上經之末, 而先於咸恒者也. 然則自屯至坎, 自鼎至离, 果不是復至乾, 姤至坤之理耶.

다시 살펴보았다: 준괘로부터 정괘(鼎卦)에 이르기까지는 순서대로 미룬 것이고, 정괘로부터 준괘까지는 거꾸로 미룬 것이니, 이미 제 삼장의 주에서 말하였다. 그러나 복괘에서 건괘, 구괘에서 곤괘에 이르는 예를 말하고자 한다면, 건괘·곤괘는 이미 상경의 첫머리에 있어 준괘·몽괘의 앞에 있으니, 장차 미루어 어느 괘에 이르겠는가? 역의 여러 괘는 오로지 이효와 오효를 위주로 한다고 한다. 대체로 이(二)라는 것은 두 기(氣)의 이치이고, 오(五)라는 것은 오행의 이치이다. 감괘의 이와 오는 모두 음 속의 양이고, 리괘의 이와 오는 모두 양 속의 음이다. 기운을 오로지 하는 이치는 도리어 순체의 음양보다 중요함이 있다. 세 효를 가지고 말하면, 감괘의 위아래는 모두 곤(坤)이고, 그 가운데는 건(乾)이니 곤(坤) 가운데의 건(乾)이다. 리괘의 위아래는 모두 건이고, 그 가운데는 곤이니 건 가운데의 곤이다. 사상으로 말하면 감괘의 아래 두 효는 소양이 되고, 가운데 두 효는 노음이 되며, 위의 두 효는 소음이 된다. 리괘의 아래 두 효는 소음이 되고, 가운데 두 효는 노양이 되며, 위의 두 효는 소양이 된다. 그러므로 또한 소강절이 그 왕성함에 처하기를 두려워한 뜻에 어긋나지 않는다. 이는 감괘와 리괘가 상경의 끝에 있어 함괘·항괘보다 앞서는 까닭이다. 그렇다면 준괘(屯卦)로부터 감괘(坎卦)까지와 정괘(鼎卦)로부터 리괘(離卦)까지는 과연 복괘(復卦)로부터 건괘(乾卦)에 이르고 구괘(姤卦)로부터 곤괘(坤卦)에 이르는 이치가 아니겠는가?

若夫自坎至离, 自离至坎, 則不必一如方圓圖之例. 經文之例, 則雖乾坤否泰, 蓋嘗相繼, 竝錄六爻皆相反, 自餘諸卦皆用此例, 以示毫釐之差天壤易處, 又以示互藏之理, 當有斟酌, 以坎离之相反, 而豈无互變之道耶. 屯蒙之理, 自坎歷离, 至於革鼎, 則坎中震下艮上之陽, 皆盡於离中巽下兌上之陰, 便是自復而至坤也. 勢當入於重震, 以震之動得艮之止, 自艮以下, 當一如卦之序矣. 鼎革之理, 自离歷坎, 至於屯蒙, 則离中巽下兌上之陰, 皆盡於坎中震下艮上之陽, 便是自姤而至乾也. 勢當入於純坤, 以坤之順得乾之健, 而自乾健, 又爲坤順, 自坤以下, 亦當一如卦之序矣.

감괘로부터 리괘에 이르고 리괘로부터 감괘에 이르는 경우는 굳이 한결같이 「방원도」의 사례와 같이 할 필요는 없을 것이다. 경문의 사례는 비록 건괘와 곤괘, 비괘와 태괘가 대체로 서로 이어져 있고 연달아 기록된 여섯 효가 모두 서로 음양이 반대이니, 나머지 괘들도 모두 이 사례를 써서 털끝의 차이가 하늘 땅처럼 바뀌는 곳을 보여주었고, 또 음양이 서로 바뀌어 깃들이는 이치를 마땅히 짐작할 수 있음을 보여주었으니, 감괘와 리괘가 서로 반대 되는 것이 어찌 서로 변하는 도가 아니겠는가! 준괘와 몽괘의 이치가 감괘로부터 리괘를 거쳐 혁괘·정괘에 이르면 감괘의 가운데 획과 진괘의 아래 획과 간괘의 윗 획의 양이 리괘 가운데 획과 손괘의 아래 획과 태괘인 윗 획의 음에서 다한 것이니, 바로 복괘로부터 곤괘에 이른 것이다. 형세가 마땅히 중첩된 진괘로 들어가 진괘의 움직임으로서 간괘의 그침을 얻으니, 간괘로부터 아래는 마땅히 한결같이 괘의 순서와 같이 한다. 정괘와 혁괘의 이치는 리괘로부터 감괘를 지나 준괘·몽괘에 이르면 리괘의 가운데 획과 손괘의 아래 획과 태괘인 윗 획의 음이 감괘의 가운데 획과 진괘의 아래 획과 간괘의 윗 획의 양에서 다한 것이니, 바로 구괘로부터 건괘에 이르는 것이다. 형세가 마땅히 순전한 곤괘로 들어가 곤괘의 순종함으로서 건괘의 강건함을 얻고, 건괘의 강건함으로부터 또 곤괘의 순종함이 되니, 곤괘 이하 역시 한결같이 괘의 순서와 같이 한다.

然則屯蒙之理可知其自乾坤推得矣, 革鼎之理可知其自兌巽艮震推得矣. 如是看去, 則可知理致之循環无窮矣. 然自屯至坎爲二十七卦, 自鼎至离爲二十一卦, 其數不同何也. 曰, 三九爲二十七, 則自屯至坎而二十七卦者, 以离九之理而入於坎者也. 三七爲二十一, 則自鼎至离而二十一卦者, 以坎七之理而入於离者也. 此又可見互藏之理, 而坎离皆用陽數者, 尊陽之義也

그렇다면 준괘·몽괘의 이치는 건괘·곤괘로부터 미루어 얻었음을 알 수 있고, 혁괘·정괘의 이치는 태괘·손괘·간괘·진괘로부터 미루어 얻었음을 알 수 있다. 이처럼 본다면 이치가 순환해서 끝이 없음을 알 수 있을 것이다. 그러나 준괘로부터 감괘에 이르기까지는 27괘가 되고 정괘로부터 리괘에 이르기까지는 21괘가 되어 그 숫자가 같지 않음은 어째서인가? 3에 9를 곱하면 27이 되니, 준괘로부터 감괘에 이르러 27괘가 되는 것은 리괘 9의 이치로써 감괘에 들어간 것이다. 3에 7를 곱하면 21이 되니, 정괘로부터 리괘에 이르러 21괘가 되는 것은 감괘 7의 이치로써 리괘에 들어간 것이다. 여기에서 또 음양이 서로 바뀌어 깃드는 이치를 볼 수 있으며, 감괘·리괘가 모두 양수를 쓰는 것은 양을 높이는 뜻이다.

七九皆用三數者, 每卦之內外卦, 各有三畫故也. 曰, 經文之例, 必无一順一逆之理, 而有逆推者, 何也. 曰, 先儒皆以日月五星之運行于天, 爲順而左旋, 曆家則謂逆而右旋. 蓋儒家自地面觀之, 故知其爲左旋, 而曆家自天度考之, 故知其爲右23)旋. 然舍雖退而行, 未嘗不進, 退雖逆而進, 未嘗不順也. 易之可以順看逆看, 卽此理也. 雖以大學言之, 八條功效, 以物格爲始, 而以工夫言之, 則治國平天下之道, 果是在於格物之外耶. 故大學經文之一順一逆, 義各有據, 則易理之自革鼎而可以逆推者, 非耶. 讀書者, 當只從先儒說, 不當別求意趣, 而管見偶及於此, 故姑錄之以存疑以俟知者.

7·9가 모두 3수를 쓰는 것은 매 괘의 내외괘에 각기 삼획이 있기 때문이다. 경문의 예에서 반드시 한 번 순차적으로 하고 한 번 거슬러 하는 이치는 없는데, 거꾸로 미룸이 있는 것은 어째서인가? 이전의 학자들은 모두 일월(日月)과 오성(五星)이 하늘에서 운행하는 것을 순조로움이고 좌선한다고 여겼는데, 역가들은 거스름이고 우선이라고 여겼다. 유학자들은 땅에서 보기 때문에 그것이 좌선한다고 알고, 역가들은 하늘 쪽에서 헤아리기 때문에 그것이 우선한다고 안다. 그러나 그쳐서 비록 물러나 가더라도 나아가지 않은 적이 없고, 물러나서 비록 거슬러 가더라도 순응하지 않은 적이 없다. 역을 순차적으로도 보고 거슬러서도 볼 수 있는 것은 곧 이 이치이다. 비록 『대학』으로 말하면 8조목의 공효는 격물로 시작을 삼았지만, 공부로 말하면 치국평천하의 도가 과연 격물의 바깥에 있는가? 그러므로 『대학』 경문에서 한 번 순차적으로 하고 한 번 거슬려, 뜻이 각기 근거가 있다고 한다면, 역리에서 혁괘·정괘로부터 거스르고 미루는 것을 옳지 않다고 할 수 있겠는가? 글을 읽는 사람은 마땅히 단지 이전의 학자들의 설을 따르고 별도로 다른 뜻을 구하지 말아야 할 것이지만, 내 좁은 소견이 우연히 여기에 미쳤기에 짐짓 기록하여 의심을 간직해 두어서 알만한 이를 기다린다.

---

23) 右: 경학자료집성DB에 '有'로 되어 있으나, 경학자료집성 영인본을 참조하여 '右'로 바로잡았다.

坎者, 陷也. 陷必有所麗, 故受之以離, 離者, 麗也.

감(坎)은 빠짐이다. 빠지면 반드시 걸리기 때문에 리괘(離卦䷝)로써 받았으니, 리(離)는 걸림이다.

‖中國大全‖

小註

張子曰, 一陷溺而不得出爲坎, 一附麗而得出爲離

장자가 말하였다: 한 번 빠져서 나오지 못하는 것이 감괘이고, 한 번 걸려서 나오는 것이 리괘이다.

○ 龜山楊氏曰, 坎者陽也, 必有所麗, 則庶可以扶危拯溺, 不有所麗而一於陷者, 不可也. 作易者於坎後必繼以離, 豈无仁民愛物之心哉.

구산양씨가 말하였다: 감괘는 양이니, 반드시 걸린 것이 있으면 거의 위기에서 구하고 빠짐에서 건져낼 수 있으나, 걸린 것이 있지 않고 한결같이 빠져있는 것은 건져낼 수가 없다. 역을 지은 자가 감괘 뒤에 반드시 리괘로써 이었으니, 어찌 백성을 사랑하고 사물을 아끼는 마음이 없는 것이겠는가?

○ 雙湖胡氏曰, 頤大過而後, 坎離終焉, 頤似離, 大過似坎固也. 頤初二五上變, 則爲重體之坎, 大過初二五上變, 亦爲重體之離矣.

쌍호호씨가 말하였다: 이괘(頤卦)와 대과괘(大過) 이후에 감괘(坎卦)와 리괘(離卦)로써 마쳤는데, 참으로 이괘는 리괘와 비슷하고, 대과괘는 감괘와 비슷하다. 이괘의 초효·이효·오효·상효가 변하면 거듭된 몸체의 감괘가 되고, 대과괘의 초효·이효·오효·상효가 변하면 거듭된 몸체의 리괘가 된다.

本義

右上篇.

이상은 상편이다.

小註

臨川吳氏曰, 呂大圭云, 序卦之意, 有以相因爲序, 如屯蒙需訟是也, 有以相反爲序, 如否泰同人是也. 天地間, 不出相反相因而已.

임천오씨가 말하였다: 여대규가 "「서괘전」의 뜻에는 서로 말미암은 것으로 차례를 삼은 것이 있으니, 준괘(屯卦)·몽괘(蒙卦)·수괘(需卦)·송괘(訟卦)가 여기에 해당하고, 상반된 것으로 차례를 삼은 것이 있으니, 비괘(否卦)·태괘(泰卦)·동인괘(同人卦)가 여기에 해당한다"라고 하였다. 하늘과 땅 사이는 서로 반대되는 것과 서로 말미암는 것에서 벗어나지 않을 뿐이다.

‖韓國大全‖

유정원(柳正源) 『역해참고(易解參攷)』

坎者 [至] 麗也.

감(坎)은 … 리(離)는 걸림이다.

韓氏曰, 過而不已, 則陷沒也.

한강백이 말하였다: 지나치게 하기를 그만두지 않으면 함몰하고 만다.

○ 王氏昭素曰, 諸本有三句云, 麗必有所感, 故受之以咸, 咸者感也.

왕소소가 말하였다: 여러 판본에 세 구절을 두었는데, "걸리면 반드시 느끼는 바가 있기 때문에 함괘로 받았으니, 함(咸)이란 느끼는 것이다"라 하였다.

小註, 臨川說呂大圭.

소주에서 임천오씨가 여대규를 언급하였다.

案, 崇文文獻, 諸書之目, 旡呂大圭, 而宋時有呂氏奎, 作學易管見, 專取陰陽對待竝論, 此奎與大圭字相似, 而誤分與.

내가 살펴보았다: 도서관(崇文)의 문헌과 여러 책의 목차에 여대규(呂大圭)는 없고, 송나라 때 여규(呂奎)라는 이가 있어 『학역관견(學易管見)』을 지었는데, 오로지 음양대대만을 취해서 논하였다. 이 규(奎)자가 대규(大圭)자와 비슷하니, 잘못 나누어 쓴 것 같다.

서유신(徐有臣) 『역의의언(易義擬言)』

陷必有所麗, 故受之以離, 離者, 麗也.

빠지면 반드시 걸리기 때문에 리괘(離卦)로써 받았으니, 리(離)는 걸림이다.

坎卦, 陽在陰中, 不好底事, 故爲陷耳. 其夾住两間, 則是亦掛麗也. 陷必有所麗者, 正謂此也. 有所麗, 則可以出陷, 無所麗, 則陷之深無底也.

감괘는 양이 음 가운데 있으니, 좋지 않은 일이므로 빠지는 것이 될 뿐이다. 그 둘 사이에 끼어 있으면 이 역시 걸리는 것이다. "빠지면 반드시 걸리는 바가 있다"는 것은 바로 이를 말한다. 걸리는 바가 있으면 빠진 데서 나올 수 있고, 걸리는 바가 없으면 바닥이 없는 구덩이 속의 구멍으로 빠지게 된다.

이장찬(李章贊) 『역학기의(易學記疑)』

說見上.

설명이 위에 보인다.

오치기(吳致箕) 「주역경전증해(周易經傳增解)」

剝者, 剝也 … 離者, 麗也.

박(剝)은 깎는 것이다 … 리(離)는 걸림이다.

剝者, 剝盡也. 旣剝于上, 則必復生于下, 復者善之反也. 善端旣復, 則純乎天理, 旡所妄動, 旣旡妄動, 則言行誠實, 必有畜德之大, 德旣大畜, 則必有所養, 旣有所養, 則動諸事爲而必有大過人者. 然天下之事, 大過而極, 則必有陷於險難, 旣陷于險, 則必有所附麗, 資其才力, 而濟其難也. 諸卦之序, 有以天理之自然而爲言, 有以人事之當然而爲言. 然苟究其實則天理人事, 初無異同也.

박(剝)이란 깎여 다함이다. 이미 위에서 깎여버렸으면 반드시 아래에서 생겨나니, 복(復)은 선한 것이 돌아옴이다. 선한 단서가 이미 회복되었으면 천리에 순전하여 망령되게 움직이는 바가 없고, 망령된 움직임이 없으면 언행이 성실하여, 반드시 덕을 쌓음이 크고, 덕이 이미 크게 쌓였으면 반드시 기르는 바가 있으며, 이미 기른 바가 있으면 일과 행동에서 움직이되 반드시 남보다 크게 지나침이 있다. 그러나 천하의 일은 크게 지나쳐 극에 이르면 반드시 험난함에 빠짐이 있고, 이미 험난함에 빠졌으면 반드시 붙어 걸리는 바가 있으니, 그 재주와 힘을 바탕 삼아 어려움을 구제한다. 여러 괘의 순서는 천리의 저절로 그러함으로써 말한 것이고, 사람의 일의 당연한 것으로써 말한 것이다. 그러나 참으로 그 실상을 궁구하면 천리와 인사는 애초에 같고 다름이 없다.

서괘전하

序卦傳下

有天地然後, 有萬物, 有萬物然後, 有男女, 有男女然後, 有
夫婦, 有夫婦然後, 有父子, 有父子然後, 有君臣, 有君臣然
後, 有上下, 有上下然後, 禮義有所錯.

하늘과 땅이 있은 뒤에 만물이 있고, 만물이 있은 뒤에 남녀가 있고, 남녀가 있은 뒤에 부부가
있고, 부부가 있은 뒤에 부자가 있고, 부자가 있은 뒤에 군신이 있고, 군신이 있은 뒤에 상하가
있고, 상하가 있은 뒤에 예의를 둘 곳이 있다.

‖中國大全‖

小註

或問, 太極圖下二圈, 固是乾道成男, 坤道成女, 是各有一太極也. 如曰乾道成男, 坤道
成女, 方始萬物化生, 此卻雲有天地然後有萬物, 有萬物然後有男女, 是如何.
어떤 이가 물었다: 「태극도」의 아래 두 구역은 본래 건도에서 남자를 이루고, 곤도에서 여자
를 이룬다는 것으로 각각 하나의 태극이 있다는 것입니다. 건도에서 남자를 이루고, 곤도에
서 여자를 이룬다고 한다면 비로소 만물을 낳아 기르는 것인데, 여기에서는 도리어 하늘과
땅이 있은 뒤에 만물이 있고, 만물이 있은 뒤에 남자와 여자가 있다고 하였으니, 어떻게
된 것입니까?

朱子曰, 太極所說, 乃生物之初, 陰陽之精, 自凝結成兩箇, 後來方漸漸生去, 萬物皆
然. 如牛羊草木, 皆牝牡一爲陽一爲陰, 萬物有生之初, 亦各自有兩箇, 故曰二五之精
妙合而凝.
주자가 답하였다: 『태극도』에서 말한 것은 만물이 생기는 처음에는 음과 양의 정기가 저절
로 응결되어 둘이 된 다음에 점차로 생기는 것이니, 만물이 모두 그렇습니다. 소·양·초목
은 모두 암수가 하나는 양이 되고 하나는 음이 된 것으로 만물이 생기는 초기에도 각각
저절로 둘이 있으므로 "음양과 오행의 정기가 오묘하게 합해져서 응결된다"고 하였습니다.

○ 問, 六十四卦, 獨不言咸, 何也. 曰, 夫婦之道, 卽咸也. 亦如上經不言乾坤, 但言天地, 則乾坤可見也.

물었다: 64괘 중에 함괘만 말하지 않은 것은 어째서입니까?

답하였다: 부부의 도가 곧 함괘입니다. 또한 상경에서 건괘와 곤괘를 말하지 않은 것과 같으니, 하늘과 땅을 말하면 건괘와 곤괘를 알 수 있습니다.

○ 問, 錯字, 陸氏有兩音. 曰, 只作措字, 謂禮義有所施設耳.

물었다: '조(錯)'는 육씨가 두 가지 음이 있다고 하였습니다.

답하였다: 둘 조(措)로 하여야 하니, 예와 의를 베풀 곳이 있음을 말한 것일 뿐입니다.

○ 南軒張氏曰, 上經不言乾坤, 下經不言咸者, 蓋乾坤與咸, 初無所受故也.

남헌장씨가 말하였다: 상경에서는 건괘와 곤괘를 말하지 않고, 하경에서는 함괘를 말하지 않은 것은 건괘·곤괘와 함괘는 애초에 받을 것이 없기 때문이다.

○ 龜山楊氏曰, 乾坤者, 萬物父母, 咸恒, 人之父母.

구산양씨가 말하였다: 건괘와 곤괘는 만물의 부모이며, 함괘와 항괘는 사람의 부모이다.

○ 臨川吳氏曰, 先言天地萬物男女者, 有夫婦之所由也. 後言父子君臣上下者, 有夫婦之所致也. 有夫婦則其所生爲父子. 由家而國, 雖非父子, 而君尊臣卑之分, 如父子也. 由國而天下, 雖非君臣, 而上貴下賤之分, 如君臣也. 禮義所以分別尊卑貴賤之等. 錯猶置也. 乾坤咸不出卦名者, 以其爲上下篇之首卦, 特別異之.

임천오씨가 말하였다: 하늘과 땅, 만물과 남녀를 먼저 말한 것은 부부가 말미암는 것이기 때문이고, 부자와 군신, 상하를 뒤에 말한 것은 부부가 이룬 것이기 때문이다. 부부가 있으면 낳은 바가 부모와 자식이 된다. 가정으로 말미암아 국가가 있으니, 비록 부모와 자식이 아니더라도 임금은 높고 신하는 낮은 구분이 마치 부모와 자식 같다. 국가로 말미암아 천하가 있으니, 비록 임금과 신하가 아니더라도 위는 귀하고 아래는 천한 구분이 마치 임금과 신하 같다. 예와 의는 높고 낮고 귀하고 천한 등급을 구분하는 것이다. 조(錯)는 두는 것[置]이다. 건괘와 곤괘, 함괘가 괘의 이름에 나오지 않은 것은 그것들이 상편과 하편의 첫 괘로 특별히 다르기 때문이다.

○ 平庵項氏曰, 上下旣具, 則拜趨坐立之節形, 而宮室車旗之制設, 其行之必有文, 故謂之禮. 辨之必有理, 故謂之義. 禮義者, 非能制爲人倫也, 有人倫而後, 禮義行其間耳.

평암항씨가 말하였다: 위와 아래가 이미 갖추어졌다면 절하고 달리고 앉고 서는 예절이 드러나고, 궁실과 수레, 깃발의 제도가 설치되니, 그것을 행할 때 반드시 문(文)의 꾸밈이 있으므로 예(禮)라고 하고, 그것을 구분할 때 반드시 이치가 있으므로 의(義)라고 한다. 예(禮)와 의(義)는 인륜을 만들 수 있는 것이 아니고, 인륜이 있은 뒤에 예와 의가 그 사이에서 행해질 뿐이다.

┃韓國大全┃

김상악(金相嶽) 『산천역설(山天易說)』

乾坤, 萬物父母, 咸恒人之父母. 不曰咸而曰夫婦者, 初無所受也. 故朱子曰, 夫婦之道, 卽咸也. 上下篇, 雖分天地人事, 其序相承. 物之附麗者, 莫如夫婦.

건·곤괘는 만물의 부모이고 함·항괘는 사람의 부모이다. '함'이라 하지 않고 부부라 한 것은 처음이라 받은 것이 없어서이다. 그러므로 주자는 "부부의 도가 곧 함(咸)이다"라고 하였다. 상하편이 비록 천지와 인사로 나뉘지만, 그 차례가 서로 이어진다. 사물이 따라 붙음 가운데는 부부만 한 것이 없다.

서유신(徐有臣) 『역의의언(易義擬言)』

篇首曰, 有天地然後萬物生. 此復曰, 有天地然後有萬物. 蓋以乾坤冒乎上下經, 而以咸恒爲下經之始. 下經蓋言人事也. 天地萬物男女, 則所以有夫婦也. 父子君臣上下, 則皆出於夫婦也. 夫婦咸象也, 禮義造端乎夫婦, 而達於天下也.

이 편의 첫 머리에 "천지가 있은 뒤에 만물이 생긴다"고 하였고, 여기에서 다시 "천지가 있은 뒤에 만물이 있다"고 하였다. 건·곤괘는 상·하경을 포괄하고 함·항괘는 하경의 시작이다. 하경은 인사를 말한 것이다. 천지·만물·남녀는 부부가 있게 되는 까닭이다. 부자·군신·상하는 모두 부부에서 나온다. 부부는 함괘의 상이다. 예의는 부부에게서 시작이 되어 천하에 이른다.

이장찬(李章贊) 『역학기의(易學記疑)』

咸卦之不言咸, 所以倣乾坤之不言乾坤, 而自有天地至禮義有所錯, 用然後字凡七, 其非諸卦之比可知矣. 艮下兌上之卦, 有何可比於乾坤之至大也. 曰少男少女相感之理, 程子已言之, 然此恐是後天之理也. 看易之法, 必當以先天爲主, 而以後天叅看可也.

함괘에서 '함'을 말하지 않은 것은 건·곤괘에서 건곤을 말하지 않은 것을 모방했기 때문으로 "하늘과 땅이 있은 뒤에"로부터 "예의를 둘 곳이 있다"에 이르기까지 '연후(然後)'자를 쓴 것이 일곱 번이니, 다른 여러 괘들이 비할 바 아님을 알 수 있다. 간괘가 아래 태괘가 위인 괘를 어떻게 건·곤의 지극히 큼에 비하겠는가? 젊은 남자와 젊은 여자가 서로 느끼는 이치임을 정자가 이미 말했으나, 이는 아마도 후천의 이치일 것이다. 역을 보는 법은 반드시 선천을 위주로 하고, 후천을 참고해서 보는 것이 옳다.

蓋以先天言之, 太陽之數九, 而其位則一, 乾得其數, 兌居其位. 太陰之數六, 而其位則四, 坤得其數, 艮居其位. 得其數而在於南北正位者, 旣各以純體居於上經之首, 則得其位, 而在於東南西北偏隅者, 合爲一卦, 而首於下經宜矣. 然則咸之象傳所謂男下女, 此章所謂有夫婦. 雖以兌之爲太陽, 艮之爲太陰看去, 似無害於相感之理, 亦不害於禮義之有所錯, 而又可知其與乾坤爲對, 合置下經之首矣.

선천으로 말하면 태양의 수는 9이고 그 자리는 1이니 건괘가 그 수를 얻고 태괘가 그 자리를 얻는다. 태음의 수는 6이고 그 자리는 4이니 곤괘가 그 수를 얻고 간괘가 그 자리를 얻는다. 그 수를 얻어 남북의 정위에 있는 것[건·곤]이 이미 각기 순수한 몸체로 상경의 첫머리에 있으니, 그 자리를 얻어서 동남서북의 치우친 모퉁이에 있는 것[진·태·손·간]이 합하여 한 괘가 되어 하경의 첫머리에 있는 것이 마땅하다. 그렇다면 함괘의 「단전」에서 말한 "남자가 여자에게 낮춘다"와 이 장에서 말하는 "부부가 있다"는 비록 태괘가 태양이 되고 간괘가 태음이 된다는 측면에서 보아도 서로 감응하는 이치에 해로울 것이 없고 또 예의를 둘 곳이 있음에도 해롭지 않을 듯하다. 또 그것이 건곤과 짝이 되어 하경의 첫머리에 합하여 놓임을 알 수 있다.

夏按, 此章與上經, 本有界限, 而且極言咸卦之所重. 故不言有所麗者, 必有所感, 學者當言外得之矣.

다시 살펴보았다: 이 장은 상경과 본래 구별됨이 있고 또 함괘의 중요한 바를 지극히 말하였다. 그러므로 "걸리는 바가 있다"고 하지 않고 굳이 느끼는 바가 있다고 하였으니, 공부하는 이는 마땅히 말한 것 밖에서 알아차려야 할 것이다.

오치기(吳致箕) 「주역경전증해(周易經傳增解)」

上篇以天地氣化之功爲首, 故直言萬物生焉. 下篇以男女形化之功爲首, 故咸恒二卦,卽言夫婦之義者也. 雖不言咸, 而夫婦居天地萬物男女之下, 父子君臣上下之上, 此可見咸爲一篇之首, 而夫婦之造端得正, 則推以及於父子之生育, 君臣之尊卑, 上下之貴賤, 莫不自夫婦而有焉, 亦莫不有禮義之錯, 其間咸之義大矣哉.

상편에서는 천지기화의 공을 첫머리로 삼았기 때문에 곧바로 만물이 생겨남을 말하였다. 하편에서는 남녀가 형체를 이루는 공을 첫머리로 삼았기 때문에 함·항 두 괘가 곧 부부의 뜻을 말한 것이다. 비록 함괘를 말하지 않았지만 '부부'가 '천지·만물·남녀'의 뒤와 '부자·군신·상하'의 앞에 있으니, 여기에서 함괘가 한 편의 머리가 됨을 알 수 있는데, 부부의 시작됨이 바름을 얻으면 미루어 부자의 생육과 군신의 존비와 상하의 귀천에 이르기까지 부부로부터 비롯되지 않음이 없고, 또 예의가 행해짐이 있지 않음이 없으니, 그 사이에 함괘의 뜻이 크도다.

박문호(樸文鎬) 「경설(經說)·주역(周易)」

有天地然後, 萬物生焉, 此則乾坤以下, 皆萬物也. 有萬物然後, 有男女, 此則咸恆以上, 皆萬物也. 然則上經主乎萬物, 下經主乎萬事. 蓋下經亦非無物字, 而實主乎事, 其云禮義者是也. 詩所謂有物有則, 此之謂也.

천지가 있은 뒤에 만물이 생기니, 그렇다면 건·곤괘 이하가 모두 만물이다. 만물이 있는 뒤에 남녀가 있으니, 그렇다면 함·항괘 이상은 모두 만물이다. 그러나 상경은 만물을 주로 하고, 하경은 만사를 주로 한다. 하경도 '물(物)'자가 없는 것이 아니지만 실지로는 '일'을 주로 하니, 경문(經文)에 '예의(禮義)'라고 한 것이 이것이다. 『시경』에 "사물이 있으면 법칙이 있다"라 한 것이 이를 말한다.

夫婦之道, 不可以不久也, 故受之以恒,

부부의 도는 오래하지 않을 수 없기 때문에 항괘(恒卦)로써 받았고,

‖中國大全‖

小註

雙湖胡氏曰, 咸恒爲下經之主, 自旣未濟外諸卦, 皆艮兌巽震之會遇.

쌍호호씨가 말하였다: 함괘(咸卦)와 항괘(恒卦)가 하경의 주인이 된다. 기제괘(旣濟)와 미제괘(未濟) 이외의 모든 괘는 모두 간괘(☶)·태괘(☱)·손괘(☴)·진괘(☳)가 모이고 만난 것이다.

‖韓國大全‖

김상악(金相嶽) 『산천역설(山天易說)』

物不可以久居其所者, 泛論物理之當然, 如人臣居寵位之久者, 是也. 豈有夫婦不久居其所之理. 所謂序卦止取一端者, 是也.

사물이 한 곳에 오랫동안 머물 수 없다는 것은 물리의 당연함을 일반적으로 논한 것이니, 신하가 총애받는 자리에 오래 머무는 것 같은 경우가 이것이다. 어찌 부부가 그 자리에 오래 머물지 않는 이치가 있겠는가? 이른바 「서괘전」이 단지 한 모퉁이만 취했다는 것이 이것이다.

서유신(徐有臣) 『역의의언(易義擬言)』

夫婦之道, 不可以不久也. 故受之以恒, 恒者, 久也.

부부의 도는 오래하지 않을 수 없기 때문에 항괘(恒卦)로써 받았고, 항(恒)은 오래함이다.

咸恒皆夫婦之道, 而咸則其始, 恒則其久也.
함·항괘가 모두 부부의 도인데 함괘는 그 시작이고 항괘는 그것이 오래됨이다.

이장찬(李章贊) 『역학기의(易學記疑)』

以卦之次序言之, 咸, 感也. 二體又是兌之說艮之止也. 感而說而且止, 則自當有恒矣. 繫辭所謂有親則可久, 可久則賢人之德者也. 以卦之所處言之, 自乾至此, 凡三十二卦, 乃六十四卦之中央也. 震爲四巽爲五, 四五者, 自一至八之中數也. 故巽當河洛中央五點之數, 五點之中, 除了中一之一點則爲四, 故震四亦爲之中. 圓圖以姤復爲中, 方圖以恒益爲中, 皆此理也. 然此以全經言之也. 若取自屯至鼎之中, 則坎離爲中, 所謂中無定體隨時而在之義也.

괘의 순서로 말하면 '함'은 '느낌[咸]'이다. 두 몸체가 또 태괘의 기쁨과 간괘의 그침이다. 느껴서 기쁘고 또 그치니, 자연히 항상됨이 있는 것이 마땅하다. 「계사전」에서 말한 "친함이 있으면 오래할 수 있고"와 "오래할 수 있으면 현인의 덕이요"이다. 괘가 놓인 곳으로 말하면 건괘로부터 여기에 이르기까지 모두 32괘이니 64괘의 중앙이다. 「복희선천팔괘방위도」에서 진괘는 4이고 손괘는 5이니 4와 5는 1에서 8까지의 가운데 수이다. 그러므로 손괘는 「하도」와 「낙서」의 중앙 다섯 점의 수이고, 다섯 점 중에 가운데 한 점을 없애면 4가 되기 때문에 진괘의 4 역시 가운데가 된다.[1] 「원도」에서 구괘·복괘가 가운데가 되고, 「방도」에서 항괘·익괘가 가운데가 되는 것이 모두 이 이치이다. 그러나 이는 전체 경으로써 말한 것이다. 만약 준괘로부터 정괘(鼎卦)까지의 가운데를 취한다면 감괘·리괘가 가운데가 되니, 이른바 "가운데[中]는 고정된 몸체가 없이 때에 따라 있다"는 뜻이다.

---

1)

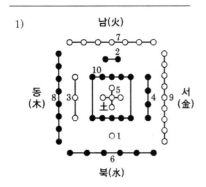

若夫長男長女之理, 則程子已言之. 然以先天言之, 少陰之數八, 而其位則二, 離得其數, 而震居其位. 少陽之數七, 而其位則三, 坎得其數, 而巽居其位. 得其數而在於東西正位者, 旣各以純體居於下經之末, 則得其位而在於東北西南偏隅者, 宜其合爲一卦而次於咸卦矣. 然則恒之六五, 所謂恒其德, 婦人吉, 夫子凶, 此章所謂夫婦, 恐亦當以震爲少陰巽爲少陽看去耳.

맏아들과 맏딸의 이치는 정자가 이미 말하였다. 그러나 선천으로 말하면 소음의 수는 8이고 그 자리는 2이니, 리괘가 그 수를 얻고 진괘가 그 자리를 얻었다. 소양의 수는 7이고 그 자리는 3이니, 감괘가 그 수를 얻고 손괘가 그 자리를 얻었다. 그 수를 얻어 동·서의 정위에 있는 것이[2] 이미 각기 순전한 몸체로 하경의 끝에 있으니, 그 자리를 얻어 동북·서남의 치우친 모퉁이에 있는 것[3]은 합해서 한 괘가 되어 함괘의 다음 차례가 되는 것이 마땅하다. 그렇다면 항괘의 육오에서 "그 덕을 항상되게 함이니, 부인은 길하고 남자는 흉하다"라 하였는데, 이 장에서 말한 '부부' 또한 진괘가 소음이 되고 손괘가 소양이 되는 것으로 보아야 할 것이다.

[夏]按, 四象之理, 乾九合於兌一, 坤六合於艮四, 而乾爲天坤爲地, 故咸之象言天地. 離八合於震二, 坎七合於巽三, 而離爲日坎爲月, 故恆之象言日月. 而坎離咸三卦之互爲中央, 於此可見. 餘見第十三章註.

다시 살펴보았다: 사상의 이치는 건괘의 9가 태괘의 1에 합하고, 곤괘의 6이 간괘의 4와 합하는데, 건괘는 하늘이 되고 곤괘는 땅이 되기 때문에 함괘의 「단전」에서 '천지'를 말하였다. 리괘의 8이 진괘의 2에 합하고, 감괘의 7이 손괘의 3에 합하는데, 리괘는 해가 되고 감괘는 달이 되기 때문에 항괘의 「단전」에서 '일월'을 말하였다. 감괘·리괘·함괘의 세 괘가 서로 중앙이 되는 것을 여기에서 볼 수 있다. 나머지는 제 13장 주석에 보인다.

---

2) 「복희선천팔괘방위도」에서 동쪽의 리괘와 서쪽의 감괘를 말한다.
3) 「복희선천팔괘방위도」에서 동북의 진괘와 서남의 손괘를 말한다.

恒者, 久也. 物不可以久居其所, 故受之以遯,

항(恒)은 오래함이다. 사물은 한 곳에 오랫동안 머물 수 없기 때문에 돈괘(遯卦)로써 받았고,

║中國大全║

小註

閣氏彦升曰, 不可以久居其所, 此以物言之也.

염언승이 말하였다: "한 곳에 오랫동안 머물 수 없다"는 것은 사물로 말하였기 때문이다.

○ 雙湖胡氏曰, 此又借恒之名, 泛論物義. 若夫婦之道, 豈可以不久居其所者乎.

쌍호호씨가 말하였다: 여기에도 항괘의 이름을 둔 것은 사물의 뜻을 일반적으로 논한 것이다. 부부의 도와 같은 것이 어찌 오랫동안 그 자리에 있지 않을 수 있겠는가?

▌韓國大全▌

서유신(徐有臣)『역의의언(易義擬言)』

物不可以久居其所 … 遯者, 退也.

사물은 한 곳에 오랫동안 머물 수 없기 때문에 … 돈(遯)은 물러감이다.

乾坤之位, 尙有先後天之異, 不可以久居其所者, 物理之自然也. 乾退於艮位, 是爲天山遯也. 坤進於巽位, 是爲地風升也.

건·곤괘의 자리는 선후천에서 다름이 있으니, 한 곳에 오랫동안 머물 수 없는 것이 사물의 이치의 자연함이다. 건괘가 간괘의 자리로 물러나는 것이 천산(天山) 돈괘(遯卦)가 되고, 곤괘가 손괘의 자리로 나아가는 것이 지풍(地風) 승괘(升卦)가 된다.

이장찬(李章贊)『역학기의(易學記疑)』

以恆之內外體言之, 震爲動萬物之象, 巽爲撓萬物之象. 旣被動撓, 則勢當自歸於遯矣. 遯之爲卦, 以象言之, 正南之乾, 退於西北艮位者也. 以義言之, 以乾之至健而爲艮止之道者也.

항괘의 내외의 몸체로 말하면 진괘는 만물을 움직이는 상이 되고, 손괘는 만물을 흔드는 상이 된다. 이미 흔들려 움직이면 형세가 자연히 물러가는 데로 돌아감이 마땅하다. '돈'이란 괘는 상으로 말하면 정남의 건괘가 서북의 간괘의 자리로 물러난 것이다. 뜻으로 말하면 건괘의 지극히 강건함이 간괘의 그치는 도가 되는 것이다.

. . . .

遯者, 退也. 物不可以終遯, 故受之以大壯,

돈(遯)은 물러감이다. 사물은 끝내 물러갈 수만은 없기 때문에 대장괘(大壯卦䷡)로써 받았고,

. . . .

‖中國大全‖

小註

雙湖胡氏曰, 咸恒而後, 艮震遇乾而爲遯壯, 亦爲父之臨二男也.

쌍호호씨가 말하였다: 함괘와 항괘 이후에 간괘(☶)와 진괘(☳)가 건괘(☰)를 만나 돈괘(遯卦)와 대장괘(大壯)가 되었으니, 또한 부모가 두 아들에 임한 것이다.

‖韓國大全‖

서유신(徐有臣) 『역의의언(易義擬言)』

大壯則止而不退也.

크게 장성하면 그치지만 물러나지는 않는다.

이장찬(李章贊) 『역학기의(易學記疑)』

以遯之內外體言之, 乾之至健, 遇艮而止. 止之極則自當有動, 健而且動, 故所以爲大壯. 以象言之, 遯之內體之艮, 在後天, 則移在東北, 東北卽震之本位. 故遯之外體之乾, 與震相合, 而爲雷在天上之象.

돈괘 내외의 몸체로 말하면 건괘의 지극히 강건함이 간괘를 만나 그친다. 그침이 극에 달하면 자연히 움직임이 있게 마련이니, 강건하고 또 움직이기 때문에 대장괘가 된다. 상으로

말하면 돈괘의 안쪽 몸체는 간괘로 후천에서는 옮겨가 동북쪽에 있으니, 동북쪽은 곧 진괘의 본래 자리이다. 그러므로 돈괘의 바깥 몸체인 건괘는 진괘와 서로 합하여 우레가 하늘 위에 있는 상이 된다.

夏按, 遯是厚畫底巽, 大壯是厚畫底兌, 合二卦, 便是爲大過中孚[4], 與臨觀之爲頤小過同. 頤大過之在於上經坎離之上, 中孚小過之在於下經二濟之上, 夫豈偶然哉.
다시 살펴보았다: 돈괘는 두터운 획의 손괘이고, 대장괘는 두터운 획의 태괘이니, 두 괘를 합하면 바로 대과괘·중부괘가 되니, 림괘(臨卦)와 관괘(觀卦)가 이괘(頤卦)·소과괘(小過卦)가 되는 것과 같다. 이괘(頤卦)와 대과괘가 상경의 감괘·리괘의 위에 있고, 중부괘·소과괘가 하경의 기제·미제괘의 위에 있는 것이 어찌 우연이겠는가?

심대윤(沈大允) 『주역상의점법(周易象義占法)』

有天地然後, 有萬物 … 物不可以終遯故受之以大壯.
하늘과 땅이 있은 뒤에 만물이 있고 … 사물은 끝내 물러갈 수만은 없기 때문에 대장괘로써 받았고.

大壯之聲名大, 而晉之著顯甚, 則必有猜忌之患, 黨論起而乖異之蔽生矣. 故君子中庸也.
대장괘의 소리와 이름이 크고, 진괘의 드러남이 심하면 반드시 시기하는 근심이 있어서 당론이 일어나 어그러지는 폐단이 생긴다. 그러므로 군자는 중용을 행한다.

---

4) 孚: 경학자료집성DB에 '半'으로 되어 있으나, 경학자료집성 영인본을 참조하여 '孚'로 바로잡았다.

物不可以終壯, 故受之以晉,

물건은 끝내 장성할 수만은 없기 때문에 진괘(晉卦)로써 받았고,

▌中國大全▌

小註

或問, 壯與晉何別. 朱子曰, 不但如此壯而已, 又更須進一步也.

어떤 이가 물었다: 대장괘(大壯)와 진괘(晉卦)를 어떻게 구별합니까?

주자가 답하였다: 이와 같이 장성할 뿐만 아니라, 또 다시 반드시 한 걸음 나아간 것입니다.

▌韓國大全▌

서유신(徐有臣) 『역의의언(易義擬言)』

物不可以終壯 … 晉者, 進也.

물건은 끝내 장성할 수만은 없기 때문에 … 진(晉)은 나아감이다.

不止於壯而已, 壯則必進.

장성함에서 그치지 않으니, 장성하면 반드시 나아간다.

이장찬(李章贊) 『역학기의(易學記疑)』

震往離位, 離往乾位, 而乾之對是坤. 故大壯之下, 受之以坤下離上之卦, 所以爲晉. 詳見下.

진괘가 리괘의 자리로 가고, 리괘가 건괘의 자리로 가는데, 건괘의 짝은 곤괘이다. 그러므로 대장괘 다음에 '곤괘가 아래 리괘가 위인 괘'로 받았으니, 그래서 진괘(晉卦)가 된다. 자세한 내용은 아래에 보인다.

晉者, 進也. 進必有所傷, 故受之以明夷,

진(晉)은 나아감이다. 나아가면 반드시 상(傷)하는 것이 있기 때문에 명이괘(明夷卦☷☲)로써 받았고,

┃中國大全┃

小註

閻氏彦升曰, 知進而已, 不知消息盈虛與時偕行, 則傷之者至矣, 故受之以明夷

염언승이 말하였다: 나아갈 줄만 알고, 사라지고 자라며 차고 비는 것을 때와 함께 행해야 하는 것을 알지 못하면 상함이 크기 때문에 명이괘로써 받았다.

○ 雙湖胡氏曰, 遯壯而後爲晉明夷, 由離坤而成爲母之臨中女. 雖無震巽艮兌, 然有 互艮互震, 亦猶上經屯蒙, 雖無乾坤正體, 而實未嘗不互坤也.

쌍호호씨가 말하였다: 돈괘(遯卦)와 대장괘(大壯) 다음에 진괘(晉卦)와 명이괘(明夷)가 되니, 리괘(☲)와 곤괘(☷)로 말미암아 어머니가 둘째 딸에 임함이 된다. 비록 진괘(☳)·손괘(☴)·간괘(☶)·태괘(☱)는 없지만 호괘인 간괘와 진괘가 있으니, 또한 상경에서 준괘(屯卦)와 몽괘(蒙卦)에 비록 건괘(☰)와 곤괘(☷)의 온전한 몸체는 없지만 실제로 호괘로 곤괘가 없었던 적이 없었던 것과 같다.

┃韓國大全┃

조호익(曺好益) 『역상설(易象說)』

晉者, 進也.

진은 나아감이다.

註雙湖說, 互坤也之互下, 疑有乾字,
주에 나오는 쌍호호씨의 설 가운데 '호곤야(互坤也)'라고 한 부분은 호(互)자 아래에 건(乾)자가 있어야 할 듯하다.

得其所歸者必大, 謂得物之所歸也. 若曰, 得己之所歸, 則己亦大中之一物, 安有自大之理. 如此看, 可以合必大之義.
"돌아갈 곳을 얻은 자는 반드시 크다"는 사물이 돌아갈 곳을 얻었음을 말한다. 만약 "자기가 돌아갈 곳을 얻었다"고 말한다면, 자기 역시 큰 가운데의 하나의 사물인 것이니, 어찌 스스로 크다는 이치가 있겠는가. 이처럼 본다면 반드시 크다는 뜻에 합할 수 있을 것이다.

김상악(金相嶽)『산천역설(山天易說)』

遯者, 退也 … 進必有所傷. 故受之以明夷.
돈(遯)은 물러감이다 … 나아가면 반드시 상(傷)하는 것이 있기 때문에 명이괘(明夷卦䷣)로써 받았고.

夷晉二卦象, 坤離上下, 日之出入, 故曰晉晝也, 明夷誅也.
명이괘(明夷卦)와 진괘(晉卦) 두 괘의 상은 곤괘와 리괘가 위아래로 되어 있어서 해가 나오고 들어가므로 진괘는 낮이고, 명이괘는 손상됨이다.

서유신(徐有臣)『역의의언(易義擬言)』

進必有所傷 … 夷者, 傷也.
나아가면 반드시 상(傷)하는 것이 있기 때문에 … 이(夷)는 상함이다.

凡物進極, 則必有傷也.
사물이 끝까지 나아가면 반드시 상함이 있다.

이장찬(李章贊)『역학기의(易學記疑)』

以晉之坤下離上而爲離下坤上之卦, 其象之顚倒, 宜其爲明入地中矣. 蓋諸卦之相續而相反者, 有需訟焉, 有師比焉, 有泰否焉, 有同人大有焉, 有晉明夷焉, 有旣濟未濟焉. 聖人非但扶陽而抑陰, 亦爲微顯而闡幽. 於乾坤之相配, 則取父泰之理, 故泰先於否. 於乾坎之相遇, 則取坎一陽之重於乾三陽, 故需先於訟. 於坤離之相會, 則取離一陰之重於坤三陰, 故晉先於明夷. 於坎離之相合, 則取坎一陽之重於離一陰, 故旣濟先於未濟. 至於坎一陽在三陰之下, 離一陰在三陽之下, 則雖聖人, 無容有以扶抑之微闡之, 故不得不以師同人先於比大有矣.

곤괘가 아래 리괘가 위인 진괘(晉卦)가, 리괘가 아래 곤괘가 위인 괘가 되니 그 상이 거꾸로 되어서 마땅히 밝음이 땅 속으로 들어가는 것이 된다. 여러 괘가 서로 이어지는데 서로 거꾸로 된 것으로는 수괘(需卦)·송괘(訟卦)가 있고, 사괘(師卦)·비괘(比卦)가 있으며, 태괘(泰卦)·비괘(否卦)가 있고, 동인괘(同人)·대유괘(大有)가 있으며, 진괘(晉卦)·명이괘(明夷)가 있고, 기제괘(旣濟)·미제괘(未濟)가 있다. 성인은 단지 양을 북돋고 음을 억제하는 것만이 아니라, 또한 드러난 것을 은미하게 하고 그윽한 것을 드러나게 한다. 건곤이 서로 짝이 되는 데 있어 교태(交泰)의 이치를 취하였으므로 태괘(泰卦)를 비괘(否卦)보다 앞세웠다. 건괘와 감괘가 서로 만남에 감괘의 한 양이 건괘의 세 양보다 중요함을 취하였으므로 수괘(需卦)를 송괘보다 앞세웠다. 곤괘와 리괘가 서로 만남에 있어서 리괘의 한 음이 곤괘의 세 음보다 중요함을 취하였으므로 진괘(晉卦)를 명이괘보다 앞세웠다. 감괘와 리괘가 서로 합함에 감괘의 한 양이 리괘의 한 음보다 중요함을 취하였으므로 기제괘를 미제괘보다 앞세웠다. 감괘의 한 양이 세 음의 아래에 있고, 리괘의 한 음이 세 양의 아래에 있는데 이르면, 비록 성인이라도 북돋거나 억누르고, 은미하게 하거나 드러낼 수 없었기 때문에 부득이 사괘·동인괘를 비괘(比卦)·대유괘보다 앞세웠다.

오치기(吳致箕) 「주역경전증해(周易經傳增解)」

夫婦之道不可以不久也 … 故受之以明夷.
부부의 도는 오래하지 않을 수 없기 때문에 … 명이괘로써 받았고.

不可不久者, 以夫婦居室爲言也. 不可久居者, 泛論物理如此也. 以夫婦言, 則豈有不可久之理哉. 此所謂序卦无所不包者也, 旣不可以久居, 則必有退遯, 旣不可以終退, 則必有所行之盛壯, 旣不可以終止於盛壯, 則必有所進, 知進而不知退, 其進不已, 則必有所傷矣.

'오래하지 않을 수 없는 것'을 부부가 사는 것으로 말하였다. '오랫동안 머물 수 없는 것'은 사물의 이치가 그렇다는 것을 일반적으로 말한 것이다. 부부로써 말하자면 어찌 오래 머물지 못하는 이치가 있겠는가? 이것이 이른바 「서괘전」이 포용하지 않는 바가 없는 것인데, 이미 "오랫동안 머물 수 없다"면 반드시 물러남이 있고, 이미 끝까지 물러날 수만은 없다면 반드시 가는 바가 왕성함이 있다. 이미 끝까지 왕성함에 머물 수 없다면 반드시 나아가는 바가 있으니, 나아갈 줄만 알고 물러날 줄을 몰라 그 나아감을 그치지 않으면 반드시 상하는 바가 있다.

夷者, 傷也. 傷於外者, 必反其家, 故受之以家人,

이(夷)는 상함이다. 밖에서 상한 자는 반드시 집으로 돌아오기 때문에 가인괘(家人卦)로써 받았고,

║中國大全║

小註

閻氏彦升曰, 以利合者, 迫窮禍患害相棄也, 以天屬者, 迫窮禍患害相收也. 明夷之傷, 豈得不反於家人乎.

염언승이 말하였다: 이익으로 합하는 자는 재난·우환·해로움이 들이닥치면 서로 저버리고, 천륜으로 결속된 자는 재난·우환·해로움이 들이닥치면 서로 받아들인다. 명이괘의 상처 입은 때에 어찌 가인에게로 돌아오지 않을 수 있겠는가?

║韓國大全║

이장찬(李章贊) 『역학기의(易學記疑)』

明夷之外體之坤, 在後天之西南, 則西南者, 巽之本位. 故離與巽相會而爲家人, 所謂西南得朋也.

명이괘의 바깥 몸체인 곤괘는 후천에서 서남쪽에 있으니 서남쪽은 손괘(巽卦)의 본래 위치이다.[5] 그러므로 리괘와 손괘가 서로 만나 가인괘가 되니, '서남쪽에서 벗을 얻음'을 말한다.

---

5) 「복희선천팔괘방위도」의 위치를 말한다.

家道窮必乖, 故受之以睽,

집안의 도가 궁하면 반드시 어그러지기 때문에 규괘(睽卦)로써 받았고,

‖中國大全‖

小註

南軒張氏曰, 夫家有父子之親, 夫婦之愛. 然身不行道, 則父子夫婦無復親矣. 此家道窮則乖離, 所以次睽也.

남헌장씨가 말하였다: 집안에는 부모와 자식의 친함과 부부의 사랑이 있다. 그렇지만 몸소 도로 행하지 않으면 부자와 부부가 다시 친해질 수 없다. 이는 집안의 도가 다하면 어그러지기 때문에 규괘로 이은 것이다.

‖韓國大全‖

이장찬(李章贊) 『역학기의(易學記疑)』

家人之外體之巽, 在後天東南, 則東南是兌之本位. 故家人之內體之離[6], 與兌相會而爲睽. 蓋自屯至鼎之間, 二體中有坎之卦凡十, 屯蒙需訟師比也, 蹇解也, 困井[7]也. 此則坎之三畫, 自震艮而直至於乾坤, 又歷六畫之坎, 而至於艮震, 至兌巽者也. 二體中有離之卦亦十, 鼎革也, 睽家人明夷晉也, 賁噬嗑也, 大有同人也. 此則離之三畫, 自巽至兌, 而又自兌至巽, 乃至於坤. 又歷六畫之離, 而至於艮震, 方始至於乾者也.

---

6) 離: 경학자료집성DB에 '卨'로 되어 있으나, 경학자료집성 영인본을 참조하여 '離'로 바로잡았다.

7) 井: 경학자료집성DB에 '竝'으로 되어 있으나, 경학자료집성 영인본을 참조하여 '井'으로 바로잡았다.

가인괘(家人)의 바깥 몸체인 손괘(☴)는 후천의 동남쪽에 있으니,[8] 동남쪽은 태괘의 본래 자리이다.[9] 그러므로 가인괘의 안쪽 몸체인 리괘가 태괘와 서로 만나 규괘가 된다. 준괘로부터 정괘에 이르는 사이에 두 몸체 가운데 감괘가 있는 괘는 모두 열 개이니, 준괘·몽괘·수괘·송괘·사괘·비괘이고, 건괘(蹇卦)·해괘이며, 곤괘(困卦)·정괘(井卦)이다. 이는 감괘의 세 획이 진괘·간괘로부터 곧바로 건괘·곤괘로 이르는 것이고,[10] 또 육획괘인 감괘를 지나 간괘·진괘에 이르고, 태괘·손괘에 이르는 것이다.[11] 두 몸체 가운데 리괘(☲)가 있는 괘 또한 열 개이니, 정괘(鼎卦)·혁괘이고, 규괘·가인괘·명이괘·진괘이며, 비괘·서합괘이고, 대유괘·동인괘이다. 이는 리괘의 세 획이 손괘로부터 태괘에 이르고 또 태괘로부터 손괘에 이르러서야 이에 곤괘에 이르는 것이다. 또 육획괘인 리괘를 지나 간괘와 진괘에 이르러서야 바야흐로 건괘에 이르기 시작하는 것이다.

蓋水之理, 生於天一, 成於地六, 故旣生之後 直至彌漫乎天地, 而以其潤下之性, 能周流無滯. 故旣歷重坎之後, 於艮震, 於兌巽, 無所不至也.
물[水]의 이치는 천일(天一)에서 생겨나 지육(地六)에서 이루어진다. 그러므로 이미 생긴 뒤에 곧바로 천지에 가득 참에 이르고, 그 적셔 내리는 성질로써 두루 흘러 정체됨이 없을 수 있다. 그래서 이미 중첩된 감괘를 지난 후에 간괘·진괘에까지 태괘·손괘에까지 이르지 못하는 곳이 없다.

火之理, 生於地二, 成於天七, 而起滅隨時, 熾熄無常, 其理自多間斷, 旣歷重離之後, 纔得炎上而乃已矣. 至若豊旅, 則離之遇震艮者也, 渙節, 則坎之遇巽兌者也, 旣濟未濟, 則坎離之相値者也. 離之於震艮, 坎之於巽兌, 本非其類, 必若坎之遇震艮, 如屯蒙, 離之遇巽兌, 如鼎革然後, 可謂同氣之相求矣. 坎離又是相克, 則二濟與豊旅渙節之在重震之下, 無乃如乾坤之下受以屯蒙, 而其象爲屯難蒙昧者歟.
불[火]의 이치는 지이(地二)에서 생겨서 천칠(天七)에서 이루어져 수시로 일어나고 소멸하며 제멋대로 치솟으니, 그 이치가 저절로 끊어짐이 많다가, 이미 중첩된 리괘(離卦)를 지난 후에 불타오르자마자 그친다. 풍괘(豊卦)·려괘(旅卦) 같은 것은 리괘(☲)가 진괘(☳)·간괘(☶)를 만난 것이고, 환괘(渙卦)·절괘(節卦)같은 것은 감괘(☵)가 손괘(☴)·태괘(☱)를

---

8) 「문왕후천팔괘방위도」의 위치를 말한다.
9) 「복희선천팔괘방위도」의 위치를 말한다.
10) 준괘(☵☳)·몽괘(☶☵)·수괘(☵☰)·송괘(☰☵)·사괘(☷☵)·비괘(☵☷)에서보면, 준괘·몽괘는 감괘가 진괘·간괘와 만났다가 수괘·송괘에서는 건괘를 만나고, 사괘·비괘에서는 곤괘를 만난 모양이 된다.
11) 건괘(蹇卦☵☶)·해괘(解卦☳☵)이며, 곤괘(困卦☱☵)·정괘(井卦☵☴)에서보면 건괘·해괘는 감괘가 간괘·진괘를 만나고, 곤괘·정괘에서는 태괘·손괘를 만난 모양이 된다.

만난 것이며, 기제괘·미제괘 같은 것은 감괘(☵)·리괘(☲)가 서로 만난 것이다. 리괘는 진괘·간괘와 본래 같은 종류가 아니고, 감괘는 손괘·태괘와 본래 같은 종류가 아니니, 반드시 감괘가 진괘·간괘를 만나는 것이 준괘(屯卦)·몽괘(蒙卦)와 같고, 리괘가 손괘·태괘를 만나는 것이 정괘(鼎卦)·혁괘(革卦)같은 뒤에야 같은 기운이 서로 구한다고 할 수 있을 것이다. 감괘·리괘는 또 상극이니, 기제·미제괘와 풍·려·환·절괘가 중첩된 진괘(震卦)의 다음에 있어 건·곤괘 다음에 준괘·몽괘로 받아 그 상(象)이 준괘의 어려움과 몽괘의 몽매함이 되는 것과 같지 않겠는가?

睽者, 乖也. 乖必有難, 故受之以蹇,

규(睽)는 어그러짐이다. 어그러지면 반드시 어려움이 있기 때문에 건괘(蹇卦)로써 받았고,

┃中國大全┃

小註

平庵項氏曰, 凡言屯者, 皆以爲難, 而蹇又稱難者, 卦皆有坎也. 然屯動乎險中, 行乎患難者也, 蹇見險而止, 但爲所阻難而不得前耳, 非患難之難也. 故居屯者, 必以經綸濟之, 遇蹇者, 待其解緩而後前, 難易固不侔矣.

평암항씨가 말하였다: 준괘(屯卦)를 말하는 자는 모두 어렵다고 여기고, 건괘(蹇卦) 또한 어렵다고 하는 것은 괘에 모두 감괘(☵)가 있어서이다. 그렇지만 준괘는 험한 가운데 움직이고 환란에서 행하는 것이고, 건괘는 험함을 보고 멈추어 오직 험하고 어렵다고 여겨 앞으로 나아가지 않을 뿐이니, 환란의 어려움이 아니다. 그러므로 준괘에 처한 자는 반드시 경륜으로써 구제하고 건괘를 만난 자는 풀리고 느슨해지기를 기다린 이후에 나아가니, 어렵고 쉬움이 참으로 같지 않다.

┃韓國大全┃

이장찬(李章贊) 『역학기의(易學記疑)』

睽之外體之離, 以坎爲對, 內體之兌, 以艮爲對, 則睽之下, 當有上坎下艮之卦.

규괘의 바깥 몸체인 리괘는 감괘로 짝을 삼고, 안쪽 몸체인 태괘는 간괘로 짝을 삼으니, 규괘 다음에는 위가 감괘 아래가 간괘인 괘가 있는 것이 마땅하다.

蹇者, 難也. 物不可以終難, 故受之以解,

건(蹇)은 어려움이다. 사물은 끝내 어려울 수 없기 때문에 해괘(解卦)로써 받았고,

∥中國大全∥

小註

雙湖胡氏曰, 家人睽而後, 艮震遇坎而爲蹇解. 自遯至解八卦, 艮震巽兌之遇乾坤離坎也, 自成一局.

쌍호호씨가 말하였다: 가인괘(家人)와 규괘(睽卦) 이후에 간괘(☶)·진괘(☳)가 감괘(☵)를 만나 건괘와 해괘가 되었다. 돈괘에서 해괘까지 8괘는 간괘(☶)·진괘(☳)·손괘(☴)·태괘(☱)가 건괘·곤괘·리괘·감괘를 만난 것으로 스스로 하나의 구분을 이루었다.

∥韓國大全∥

김상악(金相嶽) 『산천역설(山天易說)』

夷者, 傷也 … 物不可以終難. 故受之以解.

이(夷)는 상함이다 … 사물은 끝내 어려울 수 없기 때문에 해괘(解卦)로써 받았고.

解當以緩而亦不可失之太緩, 故緩必有所失.

'풀음[解]'은 느슨하게 하더라도 너무 느슨하게 하는 잘못을 해서는 안 된다. 그러므로 느슨해지면 반드시 잃는 것이 있다.

이장찬(李章贊) 『역학기의(易學記疑)』

蹇之內體之艮, 在後天爲東北, 乃震之本位. 故蹇之外體之坎, 與震合, 而爲解, 所謂東北喪朋也.

건괘의 안쪽 몸체는 간괘로 후천에서 동북쪽이 되니, 진괘의 본래 자리이다. 그러므로 건괘의 바깥 몸체인 감괘가 진괘와 합하여 해괘(解卦)가 되니, 이른바 "동북쪽에서 벗을 잃음"이다.

解者, 緩也, 緩必有所失, 故受之以損,

해(解)는 느슨해짐이니, 느슨해지면 반드시 잃는 것이 있기 때문에 손괘(損卦)로써 받았고,

┃中國大全┃

小註

或問, 序卦中如所謂緩必有所失, 似此等事, 恐後人道不到. 朱子曰, 然. 問, 緩字, 恐不是遲緩之緩, 乃是解怠之意, 故曰解, 緩也. 曰緩字, 是散意. 問, 如縱弛之類否. 曰然.

어떤 이가 물었다: 「서괘전」에서 말한 "느슨해지면 반드시 잃는 것이 있다"라는 이러한 일은 아마도 뒷사람들이 말하지 못한 것 같습니다.

주자가 답하였다: 그렇습니다.

물었다: '완(緩)'은 아마 느리다는 '완(緩)'이 아니고 게으르다는 의미인 듯합니다. 그러므로 '해(解)'는 느슨함이니'라고 하였습니다.

대답하였다: '완(緩)'은 흐트러진다는 뜻입니다.

물었다: 느슨하다는 종류입니까?

대답하였다: 그렇습니다.

┃韓國大全┃

서유신(徐有臣) 『역의의언(易義擬言)』

傷於外者, 必反其家. 故受之以家人.

밖에서 상한 자는 반드시 집으로 돌아오기 때문에 가인괘(家人卦)로써 받았고.

家人內也. 家道窮必乖, 故受之以睽, 睽者乖也. 家道之窮, 必致相乖也. 乖必有難, 故
受之以蹇, 蹇者難也, 只取乖離也. 物不可以終難. 故受之以解, 解者緩也. 時至而難
自緩也. 緩必有所失, 故受之以損, 只取弛緩也.

집안 사람은 안이다. 집안의 도가 궁하면 반드시 어그러진다. 그러므로 규괘로 받았으니,
'규(睽)'란 어그러짐이다. 집안의 도가 궁하면 반드시 서로 어그러짐에 이른다. 어그러지면
반드시 어려움이 있다. 그러므로 건괘(蹇卦)로 받았으니, '건(蹇)'이란 어려움으로 단지 어
그러져 떠나감을 취하였다. 사물이 끝까지 어려울 수는 없다. 그러므로 해괘로 받았으니
'해(解)'란 느슨해짐이다. 때가 이르면 어려움은 저절로 느슨해진다. 느슨해지면 반드시 잃
는 바가 있다. 그러므로 손괘로 받았으니 단지 해이해져 느슨함을 취하였다.

이장찬(李章贊) 『역학기의(易學記疑)』

解之外體之震, 爲後天之艮, 內體之坎, 爲後天[12)之兌. 故解之下, 受以艮上兌下之卦.

해괘(解卦)의 바깥 몸체인 진괘는 후천의 간괘이고,[13) 안쪽 몸체인 감괘는 후천의 태괘이
다.[14) 그러므로 해괘의 다음에 간괘가 위 태괘가 아래인 괘로 받았다.

오치기(吳致箕) 「주역경전증해(周易經傳增解)」

夷者, 傷也 … 故受之以損.

이는 상함이다 … 손괘로써 받았고.

家人卽我天屬之親. 故傷困於外者, 必反於家矣. 家道窮, 則失和順之道, 故親屬乖離,
而必至於睽矣. 睽旣極, 則終至於蹇難, 難旣極, 則必有解緩之時, 緩旣極, 則必至於怠
惰而損失也.

집안 사람은 곧 내 천륜의 친속이다. 그러므로 밖에서 상하여 곤궁한 자는 반드시 집으로
돌아온다. 집안의 도가 궁하면 화순한 도리를 잃기 때문에 친속이 괴리되어 반드시 어긋나
는데 이른다. 어긋남이 극에 이르면 마침내 어려움에 이르고, 어려움이 이미 극에 이르면
반드시 느슨한 때가 있으며, 느슨함이 극에 달하면 반드시 나태하여 손실됨에 이른다.

---

12) 天: 경학자료집성DB에 '大'로 되어 있으나, 경학자료집성 영인본을 참조하여 '天'으로 바로잡았다.

13) 「복희선천팔괘방위도」에서는 동북방이 진괘(震卦)인데, 「문왕후천팔괘방위도」에서는 동북방이 간괘(艮卦)
라는 뜻이다.

14) 「복희선천팔괘방위도」에서는 서쪽이 감괘(坎卦)인데, 「문왕후천팔괘방위도」에서는 서쪽이 태괘(兌卦)에
해당한다는 뜻이다.

損而不已, 必益, 故受之以益,

덜기를 그치지 않으면 반드시 더하기 때문에 익괘(益卦)로써 받았고,

‖中國大全‖

小註

雙湖胡氏曰, 蹇解而後, 損益次之者, 咸十卦變之盡爲損, 而艮上兌下, 恒十卦變之盡爲益, 而巽上震下, 亦猶上經乾坤十變而有否泰也.

쌍호호씨가 말하였다: 건괘(蹇卦)와 해괘(解卦) 이후에 손괘(損卦)와 익괘(益卦)가 다음인 것은 함괘(咸卦)에서 10괘가 변화를 다하여 손괘가 되어 위가 간괘(☶)이고 아래가 태괘(☱)이며, 항괘(恒卦)에서 10괘가 변화를 다하여 익괘가 되어 위가 손괘(☴)이고 아래가 진괘(☳)이니, 상경에서 건괘와 곤괘에서 10괘가 다하여 비괘와 태괘가 있는 것과 같다.

‖韓國大全‖

김상악(金相嶽) 『산천역설(山天易說)』

解者, 緩也 … 必益. 故受之以益.

해(解)는 느슨해짐이니 … 반드시 더하기 때문에 익괘(益卦)로써 받았고.

損之不已則必益, 益之不已則必損, 故曰損益爲盛衰之始.

덜기를 그치지 않으면 반드시 더해지고, 더하기를 그치지 않으면 반드시 덜어지기 때문에 "덜고 더함은 성쇠의 시작이 된다"고 하였다.

서유신(徐有臣) 『역의의언(易義擬言)』

損於此, 則必益於彼也.

여기에서 덜면 반드시 저기에서 더한다.

이장찬(李章贊) 『역학기의(易學記疑)』

損之上艮下兌, 有可以東西看者. 自解至損, 順看則乃後天之東北之艮, 正西之兌也.
自益至損, 逆看則乃先天之西北之艮, 東南之巽也.

손괘의 위는 간괘이고 아래는 태괘이니, 동서로 볼 수 있는 것이 있다. 해괘로부터 손괘에
이르는 것을 순차적으로 보면 후천 동북쪽의 간괘이고 서쪽의 태괘이다. 익괘로부터 손괘에
이르는 것을 거슬러 보면 선천 서북쪽의 간괘이고 동남쪽의 손괘이다.

蓋損之艮兌, 爲東北爲正西然後, 可以見解之二體之變. 又推其本, 而知其爲西北爲東
南然後, 可以見益之巽震爲西南爲東北, 而爲對於損矣. 故易者, 交易變易之義也. 先
天後天, 迭相變遷, 才有先天, 則便有後天. 然則以伏羲時爲先天, 以文王時爲後天者,
世俗論也. 後天之卦, 雖自文王改定, 而後天之理, 亦是自文王創出者耶.

손괘의 간괘와 태괘가 동북이 되고 서쪽이 된 뒤에야 해괘의 두 몸체의 변화를 볼 수 있다.
또 그 근본을 미루어 그것이 서북이 되고 동남이 됨을 안 뒤에야 익괘(益卦)의 손괘와 진괘
가 서남이 되고 동북이 되어 손괘(損卦)에 상대가 됨을 볼 수 있다. 그러므로 역은 교역과
변역의 뜻이다. 선천과 후천이 번갈아 서로 변해 옮겨가니, 선천이 있으면 곧 후천이 있다.
그러니 복희씨의 때를 선천이라 하고 문왕의 때를 후천이라 하는 것은 세속의 논의이다.
후천의 괘는 비록 문왕이 고쳐서 정하였지만, 후천의 이치도 문왕이 창작해 낸 것이겠는가?

又按, 損益二卦, 與此篇之首咸恒相應. 損爲咸之反, 益爲恒之反, 而咸之互爲夬, 恒之
互爲姤. 夬之反又爲姤. 損之互爲復, 益之互爲剝, 剝之反又爲復, 天根月窟之理, 隱映
乎其中. 邵子所謂山澤通氣, 損咸見義, 雷風相薄, 恒益起意者也. 且恒益二卦之得震巽
二體則一也, 而恆則在於六十四卦之中央, 益則在於損之下而不在恒之下, 或以卦之脈
絡次序, 各有不同而然歟. 曰非徒有脈絡次序也. 恒則三陽在中, 而爲三陰之所遮護, 益
則三陽在外, 而包得三陰故也. 造化之貴陽而賤陰, 聖人之扶陽而抑陰, 此又可見.

또 살펴보았다: 손괘·익괘 두 괘는 이 편 첫머리의 함괘·항괘와 서로 호응한다. 손괘(損
卦)는 함괘(咸卦)의 위아래 괘가 바뀌었고, 익괘(益卦)는 항괘(恒卦)의 위아래 괘가 바뀐
것이며, 함괘의 호괘는 쾌괘(夬卦)가 되고, 항괘의 호괘는 구괘(姤卦)가 되며, 쾌괘가 거꾸
로 되면 또 구괘가 된다. 손괘(損卦)의 호괘는 복괘가 되고, 익괘의 호괘는 박괘가 되며,

박괘가 거꾸로 되면 또 복괘가 되니, 음양이 조화를 이루는 이치가 은연중 그 가운데 반영되어 있다. 소강절이 말한 "'산과 못이 기를 통한다'는 것은 손괘와 함괘에서 뜻이 보이고, '우레와 바람이 서로 부딪친다'고 한 것은 항괘·익괘에서 뜻을 일으킨다"는 것이다. 또 항괘·익괘 두 괘가 진괘·손괘 두 몸체를 얻은 것은 같지만, 항괘는 64괘의 중앙에 있고, 익괘는 손괘 다음에 있지 항괘 다음에 있지 않으니, 혹 괘의 맥락과 순서에 각기 같지 않음이 있어서 그런 것인가? 이는 단지 맥락과 순서의 문제가 아니다. 항괘는 세 양이 가운데 있어 세 음에게 막혀 싸여 있고, 익괘는 세 양이 바깥에 있어 세 음을 감싸서 얻기 때문이다. 천지의 조화가 양을 귀하게 여기고 음을 천하게 여기며, 성인이 양을 북돋고 음을 억제함을 여기에서도 볼 수 있다.

益而不已, 必決, 故受之以夬,

더하기를 그치지 않으면 반드시 터지기 때문에 쾌괘(夬卦)로써 받았고,

▌中國大全▌

小註

漢上朱氏曰, 益久則盈, 盈則必決隄防, 故次夬.

한상주씨가 말하였다: 더하기를 오래하면 가득 차고, 가득 차면 반드시 제방이 터지기 때문에 쾌괘가 다음이다.

▌韓國大全▌

서유신(徐有臣) 『역의의언(易義擬言)』

益而不已, 必決 … 夬者, 決也.

더하기를 그치지 않으면 반드시 터지기 때문에 … 쾌(夬)는 터짐이니.

益至於盈, 必致潰決也. 損則益, 益則決, 決亦損也.

더하여 가득 참에 이르면 반드시 터져 무너짐에 이른다. 덜어내면 더하고, 더하면 터지니, 터짐도 덜어냄이다.

이장찬(李章贊) 『역학기의(易學記疑)』

益之內震外巽, 亦有可以東西看者. 自損至益, 順看則乃先天之西南之巽, 東北之震,其說已見於上矣. 自夬至益, 逆看則乃後天[15]之東南之巽, 正東之震也. 蓋必有東南之巽然後方有西北之乾, 必有正東之震然後, 方有正西之兌. 以此言之, 益之所以爲益, 可知爲後天之東南之巽, 正西之兌, 而夬之所以爲夬, 又可知爲後天之正西之兌, 西北之乾矣.

익괘의 안쪽이 진괘이고 바깥쪽이 손괘인 것도 동서의 방위로 볼 수 있는 점이 있다. 손괘(損卦)로부터 익괘에 이르는 것을 순차적으로 본다면 선천의 서남의 손괘와 동북의 진괘이니, 그 설명이 이미 앞에서 보였다. 쾌괘에서 익괘에 이르는 것은 거슬러 본다면 후천의 동남쪽의 손괘와 동쪽의 진괘이다. 반드시 동남쪽의 손괘가 있은 뒤에야 비로소 서북의 건괘가 있고, 반드시 동쪽의 진괘가 있은 뒤에야 서쪽의 태괘가 있다. 이로써 말하면 익괘가 익괘가 되는 까닭은 후천 동남쪽의 손괘와 서쪽의 태괘 때문임을 알 수 있고, 쾌괘가 쾌괘가 되는 까닭은 또 후천의 서쪽 태괘와 서북쪽의 건괘 때문임을 알 수 있다.

---

15) 天: 경학자료집성DB에 '夫'로 되어 있으나, 경학자료집성 영인본과 문맥을 참조하여 '天'으로 바로잡았다.

夬者, 決也, 決必有所遇, 故受之以姤,

쾌(夬)는 터짐이니, 터지면 반드시 만나는 것이 있기 때문에 구괘(姤卦)로써 받았고,

‖中國大全‖

小註

雙湖胡氏曰, 上決一陰, 下復一陽, 猶可也, 今上決一陰, 下遇一陰, 姑論卦名相次. 又曰損益而後, 兌巽遇乾而成夬姤, 亦爲父之臨二女也. 乾體止於此.

쌍호호씨가 말하였다: 위에서 한 음이 터졌어도 아래에 한 양이 회복한다면 괜찮지만, 지금은 위에서 한 음이 터졌는데 아래에서 한 음을 만난 것으로 우선 괘의 이름이 서로 이어짐을 논하였다.

또 말하였다: 손괘와 익괘 이후에 태괘(☱)와 손괘(☴)가 건괘(☰)를 만나 쾌괘와 구괘를 이루었으니, 또한 아버지가 두 딸에게 임하는 것이다. 건괘의 몸체는 여기에서 그친다.

‖韓國大全‖

서유신(徐有臣) 『역의의언(易義擬言)』

決必有所遇. 故受之以姤, 姤者, 遇也.

터지면 반드시 만나는 것이 있기 때문에 구괘(姤卦)로써 받았고, 구(姤)는 만남이니.

決則爲二, 二則相遇, 離合自然之理也.

터지면 둘이 되고, 둘이 되면 서로 만나니, 헤어지고 합함이 자연한 이치이다.

이장찬(李章贊) 『역학기의(易學記疑)』

夫之內乾外兌, 自姤逆看, 則亦不可專以後天言之也. 蓋先天之乾, 在於正南而右爲兌左爲巽. 故乾體從乎兌則爲夫, 從乎巽則爲姤, 姤所以爲遇者, 日之與天會, 月之與日會, 皆在南方故也, 說卦所謂相見乎離也. 鄕飮酒禮, 所謂坐賓於南, 坐介於東南, 取溫厚之氣盛於東南者也. 南爲文明之地, 而可知交際之理天人一也.

쾌괘(夬卦)의 안쪽은 건괘이고 바깥쪽은 태괘이니, 구괘(姤卦)로부터 거슬러 보면 역시 후천만 가지고는 말할 수 없다. 선천의 건괘가 남쪽에 있는데 오른쪽으로 태괘, 왼쪽으로 손괘가 된다. 그러므로 건괘의 몸체가 태괘를 따르면 쾌괘가 되고, 손괘를 따르면 구괘가 된다. 구괘가 만남이 되는 것은 해가 하늘과 만나고 달이 해와 만나는 것이 모두 남쪽에서이기 때문이니, 「설괘전」에서 말하는 "리괘에서 서로 만나본다"는 것이다. 「향음주례」에서 이른바 남쪽에 손님을 앉히고 동남쪽에 돕는 이를 앉히는 것은 온후한 기운이 동남쪽에 왕성함을 취한 것이다. 남쪽은 문명한 곳이니 교제하는 이치는 자연과 사람이 같음을 알 수 있다.

又按, 夫姤互體之在於諸卦者, 有同人大有焉, 有咸恒焉, 有遯大壯焉, 有革鼎焉, 遯大壯之下, 革鼎之上, 乃有原卦之夫姤, 亦可見. 夫姤之理, 始微終顯, 而復入於微, 有如剝復之例. 但剝復夫姤之爲互於諸卦者, 率皆先復而後剝, 先姤而後夫, 可見設戒之意, 而又可見其理之可以逆看矣. 至於屯蒙之互, 則獨先剝而後復, 此則可見爲勸之意, 而又可見其理之可以順看矣. 且屯蒙在乾坤之下, 此其所以特異於他卦也歟. 萃升二卦說見下.

또 살펴보았다: 쾌괘·구괘가 여러 괘에서 호체가 되는 것[16]으로는 동인·대유괘가 있고, 함괘·항괘가 있으며, 돈괘·대장괘가 있고, 혁괘·정괘가 있는데, 돈괘·대장괘 다음이자 혁괘·정괘 앞에 원괘인 구괘·쾌괘가 있음을 또한 볼 수 있다. 쾌괘·구괘의 이치는 처음에는 미미하다 마칠 때는 드러나고 다시 은미한 데로 들어가니, 박괘·복괘의 예와 같다. 다만 박괘·복괘·쾌괘·구괘가 여러 괘에서 호체가 되는 경우는 대체로 모두 먼저 복괘(復卦)가 나오고 뒤에 박괘(剝卦)가 나오며, 먼저 구괘(姤卦)가 나오고 뒤에 쾌괘(夬卦)가 나오니, 경계를 펼친 뜻을 볼 수 있고, 또 그 이치를 거슬러 볼 수 있음을 알 수 있다. 준괘(屯卦)·몽괘(蒙卦)가 호괘가 되는데 이르러서는 유독 먼저 박괘(剝卦)가 나오고 뒤에 복괘(復卦)가 나오니, 여기에서는 권면하는 뜻을 볼 수 있고, 또 그 이치를 순차적으로 볼 수 있음을 알 수 있다. 또 준괘·몽괘는 건·곤괘 다음에 있으니, 이것이 다른 괘와는 특별히 다른 까닭이다. 취괘·승괘 두 괘는 설명이 아래에 보인다.

---

16) 이하 열거한 동인괘·대유괘, 함괘·항괘, 돈괘·대장괘, 혁괘·정괘에서 호체를 가지고 새로운 괘를 만들면 모두 쾌괘(䷪) 또는 구괘(䷫)가 된다.

姤者, 遇也, 物相遇而後, 聚. 故受之以萃, 萃者, 聚也, 聚而
上者謂之升, 故受之以升,

구(姤)는 만남이니, 물건이 서로 만난 뒤에 모이기 때문에 취괘(萃卦)로써 받았고, 취(萃)는 모임이니,
모여서 올라감을 오른다고 하기 때문에 승괘(升卦)로써 받았고,

| 中國大全 |

小註

南軒張氏曰, 天下之物, 散之則小, 合而聚之則積小, 以成其高大, 故聚而上者爲升也.
남헌장씨가 말하였다: 천하의 사물은 흩어지면 작아지고, 합하여 모이면 작은 것을 쌓아 높
고 큰 것을 이루기 때문에 모여서 올라감이 오르는 것이 된다.

○ 雙湖胡氏曰, 夫姤而後, 兌巽遇坤而成萃升, 亦爲母之臨二女也. 坤體止於此.
쌍호호씨가 말하였다: 쾌괘와 구괘 이후에 태괘(☱)와 손괘(☴)가 곤괘(☷)를 만나 취괘와 승
괘를 이루었으니, 또한 어머니가 두 딸에게 임하는 것이다. 곤괘의 몸체는 여기에서 그친다.

| 韓國大全 |

이장찬(李章贊) 『역학기의(易學記疑)』

乾體旣與兌巽相合, 而爲夫爲姤, 而坤爲乾之配, 故坤亦與兌巽相合, 而爲萃爲升. 雙
湖以夫姤爲乾體止於此, 以萃升爲坤體止於此. 愚謂此卦在於革鼎之上, 如屯蒙之下
需訟師比之例也. 雖謂乾坤二體, 始於此四卦, 成於比師訟需, 終至於純體之乾坤, 亦
可矣. 繫辭言乾坤定矣云云之下, 乃有曰鼓之以雷霆云云. 旣言鼓之以雷霆云云之後,

乃有曰乾道成男坤道成女, 其下極言乾坤之象.

건괘의 몸체가 이미 태괘·손괘와 서로 합하여 쾌괘·구괘가 되었고, 곤괘는 건괘의 짝이므로 곤괘 역시 태괘·손괘와 서로 합하여 취괘·승괘가 된다. 쌍호호씨는 쾌괘·구괘를 가지고 건의 몸체가 여기에 그치며, 취괘·승괘를 가지고 곤의 몸체가 여기에 그친다고 여겼다. 나는 이 괘들이 혁괘·정괘 앞에 놓인 것이 준괘·몽괘 다음에 수괘·송괘·사괘·비괘가 놓인 예와 같다고 생각한다. 비록 건·곤의 두 몸체가 이 네 괘에서 시작되어 비괘·사괘·송괘·사괘에서 이루어지고, 마침내 순전한 몸체의 건곤에 이른다고 하여도 괜찮다. 「계사전」에 "건과 곤이 정해진다" 운운한 다음에 "우레와 번개로써 고동하며"운운하였다. 이미 "우레와 번개로써 고동하며" 운운한 뒤에 "건(乾)의 도(道)가 남성을 이루고 곤(坤)의 도(道)가 여성을 이룬다"라 하였으며, 그 다음에는 건곤의 상을 지극하게 말하였다.

蓋自其理之本原而言之, 則可謂有乾坤然後, 乃有六子, 自其理之著明者而言之, 則又可謂有六子然後, 乾坤始爲乾坤, 易道之可以順看逆看, 於斯可見矣. 但屯蒙之下, 直繫以有乾有坤之卦. 革鼎之上, 則歷井[17]困二卦而有有乾有坤之卦. 蓋以坎爲水, 水之理, 有源則自至於浩天. 故自屯至比六卦, 皆有二坎體, 而需訟師比四卦, 則又直得乾坤之體.

그 이치의 본원으로 말하자면 건곤이 있은 뒤에야 여섯 자식이 있는 것이라 할 수 있지만, 그 이치가 드러난 것으로 말하자면 또 여섯 자식이 있은 뒤에야 건곤이 비로소 건곤이 된다고 할 수 있으니, 역의 도는 순차적으로 볼 수도 있고 거슬러 볼 수도 있는 것임을 여기에서 알 수 있다. 다만 준괘·몽괘의 아래는 곧바로 건괘가 있거나 곤괘가 있는 괘로 이었다. 혁괘·정괘(鼎卦)의 위로는 정괘(井卦)곤괘(困卦)를 지나 건괘가 있거나 곤괘가 있는 괘가 있다. 대체로 감괘를 물로 여기니, 물의 이치는 근원이 있으면 저절로 호천에 이른다. 그러므로 준괘로부터 비괘(比卦)에 이르기까지 여섯 괘는 모두 두 개씩 감괘의 몸체가 있고,[18] 수괘·송괘·사괘·비괘의 네 괘는 또 곧바로 건·곤의 몸체를 얻었다.

離爲火, 火之理, 始雖至微而亦可及遠. 故自革鼎上歷十卦, 而至睽家人明夷晉四卦, 乃有離體, 可以見火之理, 自有其漸矣. 況困爲澤無[19]水之象, 井爲木上有水之象, 旣爲無水之澤木上之水, 則只有以略存水之理而已, 不害於火之漸爐矣. 且需訟師比, 是乾坤之得坎之單體者也, 升萃姤夬, 是乾坤之得兌巽二體者也, 陽一陰二之理也. 困卦

---

17) 井: 경학자료집성 DB에 '竝'으로 되어 있으나, 경학자료집성 영인본을 참조하여 '井'으로 바로잡았다.

18) 준괘·몽괘, 수괘·송괘, 사괘·비괘가 둘씩 짝이 되어 감괘의 몸체가 있다.

19) 無: 경학자료집성 DB에 '器'로 되어 있으나, 경학자료집성 영인본과 문맥을 참조하여 '無'로 바로잡았다.

說見下.

리괘는 불이니, 불의 이치는 처음에는 비록 지극히 미미하지만 역시 멀리까지 미칠 수 있다. 그러므로 혁괘·정괘 위로 열 개의 괘를 지나 규괘·가인괘·명이·진괘에 이르는 네 괘에 리괘(☲)의 몸체가 있어서 불의 이치를 볼 수 있으니, 자연히 그 점진적인 것이 있다. 하물며 곤괘(困卦)는 못에 물이 없는 상이 되고, 정괘(井卦)는 나무 위에 물이 있는 상이 되니, 이미 물이 없는 못과 나무 위의 물이 되었다면 단지 겨우 물의 이치만 보존되어 있을 뿐이어서 불이 점차 치솟는데 방해가 되지 못한다. 또 수괘·송괘·사괘·비괘는 건곤이 감괘의 한 몸체를 얻은 것이고, 승괘·취괘·구괘·쾌괘는 건곤이 태괘·손괘의 두 몸체를 얻은 것이니, 양은 하나이고 음은 둘인 이치이다. 곤괘(困卦)는 설명이 아래에 보인다.

升而不已, 必困, 故受之以困, 困乎上者, 必反下, 故受之以井,

오르기를 그치지 않으면 반드시 곤란하기 때문에 곤괘(困卦)로써 받았고, 위에서 곤란한 자는 반드시 아래로 돌아오기 때문에 정괘(井卦)로써 받았고,

‖ 中國大全 ‖

小註

雙湖胡氏曰, 萃升而後, 兌巽遇坎而成困井.

쌍호호씨가 말하였다: 취괘와 승괘 이후에 태괘(☱)와 손괘(☴)가 감괘(☵)를 만나 곤괘와 정괘를 이루었다.

‖ 韓國大全 ‖

김상악(金相嶽) 『산천역설(山天易說)』

益而不已, 必決 … 困乎上者, 必反下. 故受之以井.

더하기를 그치지 않으면 반드시 터지기 때문에 … 위에서 곤란한 자는 반드시 아래로 돌아오기 때문에 정괘(井卦)로써 받았고.

困爲剛掩而兌反爲巽, 巽之德陰, 巽於陽. 故困上者, 必反下.

곤괘가 굳센 양에 가려져서 태괘가 거꾸로 손괘가 되었는데, 손괘의 덕은 음으로 양에게 공손하다. 그러므로 위에서 곤란한 자는 반드시 아래로 돌아온다.

이장찬(李章贊) 『역학기의(易學記疑)』

困井二卦之間於升革, 已言於上矣. 升之上坤下巽, 自萃順看則巽[20]是先天本位, 而無關於後天. 然自困逆看, 則又可見先天之巽變爲後天之坤也. 困之上兌下坎, 旣是坎變爲兌者, 則升之上坤下巽, 豈但爲先天之坤先天之巽而已哉. 然則上經之師比, 亦可知爲坤變爲坎之理, 而但師之上坤下坎, 則自先[21]天而爲後天者也.

곤괘·정괘 두 괘가 승괘·혁괘 사이에 있음은 이미 위에서 말하였다. 승괘의 위는 곤괘이고 아래는 손괘인데 취괘로부터 순차적으로 보면 손괘는 선천의 본래 자리여서 후천과는 관계가 없다. 그러나 곤괘(困卦)로부터 거슬러 보면 또 선천의 손괘(☴)가 변하여 후천의 곤괘(☷)가 됨을 알 수 있다. 곤괘(困卦)의 위는 태괘이고 아래는 감괘인데, 이미 감괘가 변하여 태괘가 되었다면 승괘의 위인 곤괘와 아래인 손괘가 어찌 선천의 곤괘와 선천의 손괘만이 되겠는가? 그러니 상경의 사괘·비괘 역시 곤괘가 변하여 감괘가 되는 이치이고, 다만 사괘의 위인 곤괘와 아래인 감괘는 선천으로부터 후천이 된 것이다.

比之上坎下坤, 升之上坤下巽, 困之上兌下坎, 則皆是自後天而溯先天者也. 四卦之有順有逆, 亦可見自屯至坎, 自鼎至離, 一逆一順之妙矣. 且師比, 則只以坎之單體, 合於坤之單體, 而迭居上下. 升困之有坤有坎, 則所以照應乎師比, 而又乃以巽兌二體合之, 此亦可見陽一而陰二矣.

비괘(比卦)의 위인 감괘와 아래인 곤괘, 승괘의 위인 곤괘와 아래인 손괘, 곤괘의 위인 태괘와 아래인 감괘는 모두 후천으로부터 선천으로 거슬러 간 것이다. 네 괘에 순차적인 것과 거스른 것이 있으니 또한 준괘로부터 감괘에 이르고, 정괘(鼎卦)로부터 리괘(離卦)에 이르기까지 한 번 거스르고 한 번 순차적인 오묘함을 볼 수 있다. 또 사괘·비괘는 단지 감괘의 한 몸체가 곤괘의 한 몸체에 합하여 번갈아 위아래에 있는 것이다. 승괘(升卦)·곤괘(困卦)에는 곤괘(☷)와 감괘(☵)가 있으니 사괘·비괘와 조응하는 바이고, 또 손괘·태괘의 두 몸체가 합하니, 여기에서도 양은 하나이고 음은 둘임을 알 수 있다.

又按, 上經諸卦, 多主震艮. 屯蒙以下, 謙豫隨蠱噬嗑賁剝復無妄大畜十二卦是也, 而頤則兼以震艮, 震艮者, 坎之同類也. 下經諸卦, 多主巽[22]兌. 鼎革以上, 井困升萃姤夬益損睽家人十二卦是[23]也, 歷四卦而有咸恒, 此則震艮巽兌[24]之兼備者也. 又歷重離

而有大過, 此則一卦之但有巽兌者也. 巽兌者, 離之同類也. 然屯蒙以下, 有以乾坤而合於巽兌者, 小畜履臨觀是也. 亦有以震艮而兼以兌巽者, 隨蠱是也. 鼎革以上, 有以兌巽而兼以震艮者, 損益是也. 又有以乾坎而合於震艮者, 遯大壯蹇解是也.

또 살펴보았다: 상경의 여러 괘는 대부분 진괘, 간괘를 위주로 하였다. 준괘 · 몽괘 이하 겸괘 · 예괘 · 수괘 · 고괘 · 서합괘 · 비괘 · 박괘 · 복괘 · 무망괘 · 대축괘의 열두 괘가 이것이고, 이괘(頤卦)는 진괘와 간괘를 겸하였으니, 진괘 · 간괘는 감괘와 양으로 같은 종류이다. 하경의 여러 괘는 대부분 손괘와 태괘를 위주로 한다. 정괘(鼎卦) · 혁괘(革卦) 앞으로 정괘 · 곤괘 · 승괘 · 취괘 · 구괘 · 쾌괘 · 익괘 · 손괘 · 규괘 · 가인괘의 열두 괘가 이것이고, 네 괘를 지나서 함괘 · 항괘가 있는데, 이것들은 진괘 · 간괘 · 손괘 · 태괘를 겸하여 갖춘 것이다. 또 중첩된 리괘를 지나서 대과괘가 있는데, 이는 한 괘에 손괘와 태괘만 있는 것이다. 손괘 · 태괘는 리괘와 음으로 같은 종류이다. 그러나 준괘 · 몽괘 다음에 건괘 · 곤괘로써 손괘 · 태괘에 합한 것이 있으니, 소축괘 · 리괘 · 림괘 · 관괘가 이것이다. 역시 진괘 · 간괘로써 태괘 · 손괘를 아우른 것이 있으니, 수괘 · 고괘가 이것이다. 정괘(鼎卦) · 혁괘 앞에 태괘 · 손괘로써 진괘 · 간괘를 아우른 것이 있으니, 손괘 · 익괘가 이것이다. 또 건괘 · 감괘로써 진괘 · 간괘에 합한 것은 돈괘 · 대장괘 · 건괘 · 해괘가 이것이다.

然則隨蠱者, 自屯至坎之中也, 損益者, 自鼎至離之中也, 咸恆者, 又是屯與鼎之中也. 且屯以下, 雖主於坎, 而同人大有噬嗑賁, 則有離體, 鼎以上雖主於離, 而蹇解困井, 則有坎體, 此可見坎艮震之中, 未嘗不以離兌巽互用之矣, 離兌巽之中, 未嘗不以坎艮震互用之, 而其於一順一逆之際, 可知其當有相濟之道矣. 且屯蒙之下, 有以乾坤二體而合於坎離者, 師比同人大有是也. 又有以乾坤迭爲上下者, 泰否是也. 鼎革之上, 則但以震艮合於乾體, 遯大壯是也. 又以離體合於坤體者, 晉明夷是也. 所以前後殊例者, 亦可見其扶陽而抑陰矣. 井卦說見下.

그렇다면 수괘(隨卦) · 고괘는 준괘로부터 감괘까지의 중간이고, 손괘 · 익괘는 정괘(鼎卦)로부터 리괘(離卦)까지의 중간이고, 함괘 · 항괘는 또 준괘와 정괘(鼎卦)의 중간이다. 준괘 이하는 비록 감괘를 위주로 하지만 동인괘 · 대유괘 · 서합괘 · 비괘는 리괘의 몸체가 있고, 정괘(鼎卦)이상은 비록 리괘를 위주로 하지만 건괘 · 해괘 · 곤괘 · 정괘는 감괘의 몸체가 있으니, 이에 감괘 · 간괘 · 진괘 가운데에는 일찍이 리괘 · 태괘 · 손괘로써 서로 쓰지 않은 적이 없고, 리괘 · 태괘 · 손괘 가운데에는 일찍이 감괘 · 간괘 · 진괘로써 서로 쓰지 않은 것이 없음을 알 수 있으니, 그 한 번 순차적으로 하고 한 번 거스를 때에 마땅히 서로를 이루는 도리가 있음을 알 수 있다. 또 준괘 · 몽괘의 아래에 건 · 곤괘의 두 몸체로써 감괘 · 리괘에

---

24) 兌: 경학자료집성 DB와 영인본에 '艮'으로 되어 있으나, 문맥을 살펴 '兌'로 바로잡았다.

합한 것이 있으니, 사괘·비괘·동인괘·대유괘가 이것이다. 또 건괘·곤괘가 서로 오르내린 것이 있으니 태괘·비괘가 이것이다. 정괘·혁괘의 앞으로 단지 진괘·간괘로써 건의 몸체에 합한 것이 있으니 돈괘·대장괘가 이것이다. 또 리괘의 몸체로써 곤괘의 몸체에 합한 것이 있으니 진괘·명이괘가 이것이다. 그러므로 앞뒤의 다른 사례에서 또한 양을 북돋고 음을 억제함을 볼 수 있다. 정괘(井卦)는 설명이 아래에 보인다.

오치기(吳致箕) 「주역경전증해(周易經傳增解)」

損而不已, 必益 … 必困, 故受之以困.

덜기를 그치지 않으면 반드시 더하기 때문에 … 반드시 고난하기 때문에 곤괘로써 받았고.

損不已則必益, 益不已則必決 皆盛衰之理也. 決則必有遇, 如決去小人, 則可遇君子, 卽其一事也. 君子相遇, 則同德合志, 必有相萃, 旣得其萃, 則乘時遭會, 必有升進, 升而不已, 則終至於窮而受困矣.

덜기를 그치지 않으면 반드시 더하게 되고, 더하기를 그치지 않으면 반드시 터지는 것은 모두 성하고 쇠하는 이치이다. 터지면 반드시 만나는 것이 있으니, 마치 소인을 제거하면 군자를 만날 수 있는 것이 바로 그 한 가지 일이다. 군자가 서로 만나면 덕을 한가지로 하고 뜻을 합하여 반드시 서로 모임이 있으니, 이미 그 모임을 얻었으면 때를 타고 만나서 반드시 위로 나아감이 있는데, 올라가기를 마지않으면 마침내 궁하여 곤란함을 받는데 이른다.

井道不可不革, 故受之以革,

우물의 도는 개혁하지 않을 수 없기 때문에 혁괘(革卦䷰)로써 받았고,

‖中國大全‖

小註

漢上朱氏曰, 井久則穢濁不食. 治井之道, 革去其害井者而已.

한상주씨가 말하였다: 우물이 오래되면 더럽고 탁하게 되어 먹을 수 없다. 우물을 다스리는 도는 우물을 해롭게 하는 것을 바꾸고 제거하는 것뿐이다.

‖韓國大全‖

이장찬(李章贊) 『역학기의(易學記疑)』

坎之三畫, 外爲坤中爲乾. 乾坤旣與兌巽相合, 而爲夬姤爲萃升, 則坎之合於兌巽, 而爲困爲井固矣. 離之三畫, 外爲乾中爲坤, 則亦合於兌巽, 而爲革爲鼎矣.

감괘의 세 획은 바깥이 곤(坤)이고 속이 건(乾)이다. 건·곤이 이미 태괘·손괘와 서로 합하여 쾌괘(夬卦)·구괘(姤卦)가 되고, 취괘(萃卦)·승괘(升卦)가 된다면, 감괘가 태괘·손괘에 합하여 곤괘(困卦)·정괘(井卦)가 된다. 리괘의 세 획은 바깥이 건(乾)이고 속이 곤(坤)이니 역시 태괘·손괘에 합하여 혁괘(革卦)가 되고 정괘(鼎卦)가 된다.

革物者莫若鼎, 故受之以鼎,

물건을 개혁함은 솥만 한 것이 없기 때문에 정괘(鼎卦)로써 받았고,

┃中國大全┃

小註

雙湖胡氏曰, 困井而後, 兌巽遇離而成革鼎. 自夬至鼎八卦, 皆兌巽之遇乾坤坎離也, 又自成一局.

쌍호호씨가 말하였다: 곤괘(困卦)와 정괘(井卦) 이후에 태괘(☱)와 손괘(☴)가 리괘(☲)를 만나 혁괘(革卦)와 정괘(鼎卦)를 이루었다. 쾌괘에서 정괘(鼎卦)까지 8괘는 모두 태괘(☱)와 손괘(☴)가 건괘(☰)·곤괘(☷)·감괘(☵)·리괘(☲)를 만난 것으로 또한 스스로 하나의 구분을 이루었다.

┃韓國大全┃

이장찬(李章贊) 『역학기의(易學記疑)』

說見上篇第三章註. 革鼎二卦, 皆有離體, 而離爲後天之震, 故此下繫之以重震.

설명이 상편 제 삼장의 주에 보인다. 혁괘(革卦)·정괘(鼎卦) 두 괘는 모두 리괘의 몸체가 있는데, 리괘는 후천에서는 진괘이므로[25] 이 다음은 거듭된 진괘(震卦)로 이었다.

---

25) 「복희선천팔괘방위도」에서 동쪽의 리괘가 「문왕후천팔괘방위도」에서는 진괘가 된다는 뜻이다.

主器者, 莫若長子, 故受之以震,

그릇을 주관하는 자는 맏아들만 한 자가 없기 때문에 진괘(震卦)로써 받았고,

‖中國大全‖

小註

漢上朱氏曰, 鼎者, 宗廟之器, 主之者, 莫如震, 震長子也.

한상주씨가 말하였다: 솥은 종묘의 그릇으로 그것을 주관하는 자는 진괘(☳)만 한 것이 없으니, 진괘는 맏아들이다.

‖韓國大全‖

김상악(金相嶽) 『산천역설(山天易說)』

井道不可不革 … 莫若長子. 故受之以震.

우물의 도는 개혁하지 않을 수 없기 때문에 … 맏아들만 한 자가 없기 때문에 진괘(震卦)로써 받았고.

以繼鼎言, 則取長子義, 自受艮言, 則取動義.

정괘를 이은 것으로 말하면 장자의 뜻을 취한 것이고, 간괘로 받는 것으로 말하면 움직이는 뜻을 취한 것이다.

이장찬(李章贊) 『역학기의(易學記疑)』

形而上者謂之道, 而圖書旣出, 卦畫旣成, 則斯道也, 便爲形而下之器矣. 是器也, 自有

主宰焉. 先天主靜而後天生動, 動之理, 莫尙於震. 故震爲陽之始, 而在於正東三八木之位, 一其三而爲三畫, 八其三而爲八卦方位之二十四, 節氣之二十四, 皆出於此矣. 兩其三則爲每卦之六畫, 而又爲陰畫之名. 三其三則爲陽畫之名, 兩其八則爲十六卦, 四其八則爲三十二卦, 八其八則爲六十四卦, 以至於爲三百八十四爻, 三與八之所重可知矣.

형이상의 것을 도라 하는데,「하도」「낙서」가 이미 나오고 괘와 획이 이미 이루어지면 이 도는 곧 형이하의 기(器)가 된다. 이 기(器)는 자연히 주재가 있다. 선천은 고요함을 위주로 하고 후천은 생하여 움직이니, 움직이는 이치는 진괘보다 숭상할 것이 없다. 그러므로 진괘가 양의 시작이 되어 동쪽 3·8 목(木)의 자리에 놓인다. 그 셋을 한 번 하여 삼획이 되고, 그 셋을 여덟 번 하여 팔괘 방위의 24가 되니, 절기의 24가 모두 여기에서 나온다. 그 셋을 두 번 하여 매 괘의 6획이 되고 또 음획의 이름이 된다. 그 셋을 세 번하면 양획의 이름이 되고, 그 여덟을 두 배 하면 16괘가 되고, 그 여덟을 네 배하면 32괘가 되며 그 여덟을 여덟 배 하면 64괘가 되어 384효가 되는데 이르니, 3과 8이 중요한 것을 알 수 있을 것이다.

又況木之理, 自根而幹, 自幹而枝, 而每卦六爻自下而達上, 則震之爲卦, 非但爲三八之數. 乃有木之理, 則所以爲衆卦之主, 元爲四德之首, 卽此理也. 說卦, 帝出於震, 亦此意也, 其爲主器之長子者固矣. 震之象傳所謂以爲祭主, 豊之爻辭所謂配主夷主等主字, 皆不外乎主器之主字矣.

또 더구나 나무의 이치는 뿌리에서 줄기로, 줄기에서 가지로 나아가고 매 괘 여섯 효가 아래로부터 위로 나아가니, 진이란 괘만 3·8의 수가 되는 것은 아니다. 이에 나무의 이치가 있어서 여러 괘의 주인이 되는 것이니, 원(元)이 사덕의 으뜸이 되는 것이 곧 이 이치이다. 「설괘전」에 "상제가 진괘에서 나온다"는 것 역시 이 뜻이니, 제기를 주관하는 맏아들이 되는 것이 참으로 그러하다. 진괘(震卦)의 「단전」에 말하는 '제주(祭主)'와 풍괘(豊卦) 효사에서 말하는 '짝이 되는 주인[配主]'과 '대등한 상대[夷主]'에서의 '주(主)'는 모두 '제기를 주관한다'는 '주(主)'자에서 벗어나지 않는다.

夒按, 旣有革鼎之後, 震艮巽26)兌之重卦, 始見於此, 此與屯蒙之上, 有乾坤二卦, 同例矣. 其說已見上篇第二十六章. 然屯蒙之上, 只有二卦, 革鼎之下, 乃有十四卦, 何也. 曰, 易之道, 只是一陰一陽, 而若言終數, 則四爲地之生數之終, 十爲地之成數之終, 屯蒙得天一天三天五之數. 故始之以乾坤二卦, 革鼎得地二地四地八之數, 故終之以震以下十四卦. 此上當有震艮巽兌之爲互於諸卦, 如乾坤之於剝復夬姤頤大過之例, 而

---

26) 巽: 경학자료집성 DB에 '異'로 되어 있으나, 경학자료집성 영인본과 문맥을 참조하여 '巽'으로 바로잡았다.

六子之卦, 本不能爲他卦之互, 與乾坤之無互, 其理相符矣.

다시 살펴보았다: 이미 혁괘·정괘가 있은 뒤에 진괘·간괘·손괘·태괘의 거듭된 괘가 비로소 여기에 보이니, 이는 준괘·몽괘 앞에 건괘·곤괘 두 괘가 있는 것과 같은 예이다. 그 설이 이미 상편 제 이십육장에 보인다. 그러나 준괘·몽괘 앞에 단지 두 괘만 있고, 혁괘·정괘 뒤에 열 네 괘가 있는 것은 어째서인가? 역의 도는 단지 "한 번 음이 되고 한 번 양이 되니", 만약 끝나는 수를 말한다면 4는 땅의 생수의 끝이 되고, 10은 땅의 성수의 끝이 되며, 준괘·몽괘는 천일·천삼·천오의 수를 얻는다. 그러므로 건괘·곤괘의 두 괘로써 시작하고, 혁괘·정괘는 지이·지사·지팔의 수를 얻으므로 진괘 이하의 열 네 괘로써 끝맺는다. 여기에 마땅히 진괘·간괘·손괘·태괘가 여러 괘에 호괘가 됨이 있는 것이 건괘·곤괘가 박괘·복괘·쾌괘·구괘·이괘·대과괘에 대한 예와 같다. 여섯 자식괘가 본래 다른 괘의 호괘가 될 수 없는 것은 건괘·곤괘가 호괘가 없는 것과 그 이치가 서로 부합한다.

震者, 動也, 物不可以終動, 止之, 故受之以艮,

진(震)은 움직임이니, 물건은 끝내 움직일 수만은 없어 멈추기 때문에 간괘(艮卦☶)로써 받았고,

中國大全

小註

漢上朱氏曰, 震一陽動於下, 艮一陽止於上. 動極則止, 故受之以艮.

한상주씨가 말하였다: 진괘(震卦)는 한 양이 아래에서 움직이고, 간괘(艮卦)는 한 양이 위에서 멈추었다. 움직임이 지극해지면 멈추므로 간괘로써 받았다.

○ 雙湖胡氏曰, 革鼎而後, 震艮純卦次之.

쌍호호씨가 말하였다: 혁괘와 정괘 이후에 진괘와 간괘의 순괘(純卦)가 그 다음이다.

韓國大全

서유신(徐有臣) 『역의의언(易義擬言)』

遇之多爲萃, 聚而上者謂之升, 故受之以升. 積之高爲升, 升而不已必困. 故受之以困, 升高而不已則疲困也. 困乎上者, 必反下, 故受之以井. 升高而困, 故曰困乎上也. 井在地, 故曰下也. 井道不可不革, 故受之以革, 修治陶滌, 乃井之革也. 革物者, 莫若鼎, 故受之以鼎, 居水火之間, 而烹飪百味鼎之功也. 主器者, 莫若長子, 故受之以震, 震者動也. 鼎不動, 則無用, 然鼎重器也, 惟長子, 可以動用之. 物不可以終動, 止之, 故受之以艮, 艮者止也. 止之疑衍.

여러 번 만나면 모이게 되고, 모여서 올라가는 것을 '승'이라 하니, 그러므로 승괘로 받았다. 높이 쌓는 것이 '승'이 되니, 높이 쌓기를 마지않으면 반드시 곤란해진다. 그러므로 곤괘로 받았으니 높이 쌓았는데, 그치지 않으면 지치고 곤란하다. 위에서 곤란한 자는 반드시 아래로 돌아오기 때문에 정괘로 받았다. 높이 쌓아 곤란하므로 "위에서 곤란하다"라 하였다. 우물은 땅에 있는 것이므로 '아래'라고 하였다. 우물의 도리는 개혁하지 않을 수 없기 때문에 혁괘로 받았으니, 잘 닦아 그릇을 깨끗이 하는 것이 우물의 개혁이다. 물건을 개혁함은 솥만한 것이 없기 때문에 정괘로 받았으니, 물과 불 사이에 있으면서 먹을 것을 삶아 갖은 맛을 내는 것은 솥의 공이다. 그릇을 주관하는 자는 맏아들만 한 자가 없기 때문에 진괘로 받았으니, '진'이란 움직이다. 솥은 움직이지 않으면 소용이 없지만 솥은 무거운 그릇이니, 장자라야 움직여 쓸 수 있다. 물건은 끝까지 움직일 수만은 없어 멈추기 때문에 간괘로 받았으니, '간'이란 멈춤이다. '멈추기 때문에[止之]'는 잘못 들어간 듯하다.

이장찬(李章贊) 『역학기의(易學記疑)』

震爲艮之反, 故震之下, 受之以艮, 而又所以示震在後天, 化而爲艮之理. 又此二卦, 在革鼎之後, 上經之將終, 繫之以頤, 下經之將終, 繫之以小過, 此其理也.

진괘는 간괘를 거꾸로 한 것이므로 진괘의 다음에 간괘로 받았고, 또 진괘가 후천에서 변하여 간괘가 되는 이치를 보여주는 것이다. 또 이 두 괘는 혁괘·정괘의 뒤에 있는데, 상경이 끝나갈 때 이괘(頤卦)로 이었고, 하경이 끝나갈 때 소과괘로 이었으니, 이것이 그 이치이다.

- -

艮者, 止也, 物不可以終止, 故受之以漸,

간(艮)은 멈춤이니, 물건은 끝내 멈출 수만은 없기 때문에 점괘(漸卦)로써 받았고,

- -

┃中國大全┃

小註

南軒張氏曰, 漸者止於下, 而漸於上, 不終於止而有所進也.

남헌장씨가 말하였다: 점괘는 아래에서 멈추고 위에서 점진하니, 끝내 멈추지 않고 나아감이 있다.

┃韓國大全┃

서유신(徐有臣) 『역의의언(易義擬言)』

物不可以終止, 故受之以漸, 漸者, 進也.

물건은 끝내 멈출 수만은 없기 때문에 점괘(漸卦)로써 받았고, 점(漸)은 나아감이다.

震而艮, 艮而漸, 動靜必相因也.

진괘에서 간괘가 되고, 간괘에서 점괘가 되니,[27] 움직임과 고요함이 반드시 서로 기인한다.

---

27) 진괘(震卦)의 움직임에서 간괘(艮卦)의 그침이 되고, 간괘의 그침에서 점괘(漸卦)의 점진적인 움직임으로
전환되어 움직임과 고요함이 서로를 추동하는 근거가 됨을 말한다.

이장찬(李章贊) 『역학기의(易學記疑)』

震之下, 旣繫以艮, 則所重在艮. 故於震, 則取其反對之巽. 而巽在西南, 艮在西北最尊
之地, 取其自西南進於西北, 而其名爲漸. 如離之自正東最下之地, 合於正北坤位, 而
其卦爲晉之例. 其互爲未濟, 所謂女歸待男行也.

진괘 다음에 이미 간괘로 이었다면 중점이 간괘에 있다. 그러므로 진괘에 대해서는 그 음양
이 바뀐 손괘를 취하였다. 손괘는 서남에 놓이고 간괘는 서북 가장 존귀한 자리에 놓이니,
그 서남에서 서북으로 나아감을 취하여 그 이름이 점(漸)이 된다. 리괘가 동쪽 가장 낮은
자리로부터 북쪽 곤괘의 자리에 합하여 그 괘가 진(晉)이 되는 예와 같다. 그 호괘가 미제괘
가 되는 것이 이른바 "여자가 시집가는 것이니 남자를 기다려 가는 것이다"이다.

漸者, 進也, 進必有所歸, 故受之以歸妹,

점(漸)은 나아감이니, 나아가면 반드시 돌아오는 것이 있기 때문에 귀매괘(歸妹卦)로써 받았고,

｜中國大全｜

小註

閻氏彦升曰, 晉者進也, 晉必有所傷. 漸者進也, 進必有所歸, 何也. 曰晉所謂進者, 有進而已, 此進必有傷也. 漸之所謂進者, 漸進而已, 烏有不得所歸者乎.

염언승이 물었다: 진괘는 나아감이니, 나아가면 반드시 상하는 것이 하고, 점괘는 나아감이니, 나아가면 반드시 돌아오는 것이 있다고 한 것은 어째서입니까?

대답하였다: 진괘에서 말한 나아감은 나아감일 뿐이니, 이렇게 나아가면 반드시 상함이 있습니다. 점괘에서 말한 나아감은 점차적으로 나아갈 뿐이니, 어찌 돌아오지 못하겠습니까?

○ 雙湖胡氏曰, 夫子特借歸之一字, 以論其序, 非以明卦旨也. 又曰, 震艮而後, 艮巽兌震, 又自相遇而爲漸歸妹, 亦咸恒下, 二體合爲漸, 上二體合爲歸妹也.

쌍호호씨가 말하였다: 공자가 '귀(歸)'라는 말을 쓴 것은 그 차례를 논한 것이지 괘의 뜻을 밝힌 것은 아니다.

또 말하였다: 진괘(震卦)와 간괘(艮卦) 이후에 간괘(☶)·손괘(☴)·태괘(☱)·진괘(☳)가 또 자신들이 서로 만나 점괘와 귀매괘가 되었고, 또 함괘(咸卦)와 항괘(恒卦)의 아래 두 몸체가 합하여 점괘가 되고, 위 두 몸체가 합하여 귀매괘가 되었다.

∥韓國大全∥

서유신(徐有臣) 『역의의언(易義擬言)』

進必有所歸, 故受之以歸妹.

나아가면 반드시 돌아오는 것이 있기 때문에 귀매괘(歸妹卦)로써 받았고.

所歸者, 當歸之所也. 以漸而進, 故歸於所當歸也.

돌아오는 것은 마땅히 돌아갈 곳이다. 점진적으로 나아가므로 마땅히 돌아갈 곳에 돌아간다.

김상악(金相嶽) 『산천역설(山天易說)』

震者, 動也, … 故受之以歸妹.

진(震)은 움직임이니, … 귀매괘(歸妹卦)로써 받았고.

進必有所歸, 故夫子特借歸之一字, 以論其序.

나아가면 반드시 돌아오는 것이 있기 때문에 공자가 특별히 귀(歸)자를 써서 그 순서를 논하였다.

이장찬(李章贊) 『역학기의(易學記疑)』

在上之卦, 旣已內艮外巽, 則其次之卦, 必以內兌外震者, 反對之理也. 其互爲旣濟, 所謂女之終也. 雙湖謂, 咸恒下二體合爲漸, 上二體合爲歸妹. 然則咸恒者, 男之合乎女也, 漸歸妹者, 女之從乎男也.

앞에 있는 괘가 이미 안쪽이 간괘이고 바깥쪽이 손괘라면 그 다음에 오는 괘는 반드시 안쪽이 태괘이고 바깥쪽이 진괘가 되는 것이 음양이 바뀌는 이치이다. 그 호괘가 기제괘가 되는 것이 이른바 "여자의 종착점"이다. 쌍호호씨는 "함괘와 항괘의 하괘인 두 몸체가 합하여 점괘(漸卦)가 되고, 상괘인 두 몸체가 합하여 귀매괘가 된다."고 하였다. 그렇다면 함괘·항괘는 남자가 여자에게 합하는 것이고, 점괘·귀매괘는 여자가 남자를 따르는 것이다.

得其所歸者必大, 故受之以豐,

돌아갈 곳을 얻은 자는 반드시 커지기 때문에 풍괘(豐卦)로써 받았고,

┃中國大全┃

小註

漢上朱氏曰, 前曰, 與人同者, 物必歸焉, 故受之以大有, 此曰, 得其所歸者必大, 大有次同人者, 處大之道也, 豐次歸妹者, 致大之道也.

한상주씨가 말하였다: 앞에서는 "사람과 함께 하는 자는 물건이 반드시 돌아오기 때문에 대유괘로써 받았다"고 하였고, 여기에서는 "돌아갈 곳을 얻은 자는 반드시 커진다"고 하였으니, 대유괘가 동인괘 다음인 것은 큼에 처하는 도이며, 풍괘가 귀매괘 다음인 것은 큼을 이루는 도이다.

○ 雙湖胡氏曰, 亦借歸字, 泛論致豐之由, 非取歸妹義矣.

쌍호호씨가 말하였다: '귀(歸)' 자를 빌어서 풍(豐)을 이루는 원인을 널리 논한 것이지 귀매의 뜻을 취한 것은 아니다.

‖韓國大全‖

서유신(徐有臣) 『역의의언(易義擬言)』

得其所歸者必大. 故受之以豊, 豊者, 大也.

돌아갈 곳을 얻은 자는 반드시 커지기 때문에 풍괘(豊卦)로써 받았고, 풍(豊)은 큼이다.

郭氏以爲歸得其所則必大. 此似不切於必大之義, 而其釋得其所歸則精矣.

곽씨는 돌아감이 그 자리를 얻으면 반드시 커진다고 보았다. 이는 반드시 커진다는 뜻에 절실하지 않은 듯하지만, 그 '돌아갈 곳을 얻음'을 해석한 것이 정밀하다.

이장찬(李章贊) 『역학기의(易學記疑)』

震離兌, 在東北東南及正東, 震旣與兌合而爲歸妹, 則其不可與離合而爲豊乎. 東北爲陽方, 而正東爲木旺之地, 正南爲火旺之地, 陽明之氣, 盛於東南. 而震在先天則在東北, 在後天則在正東. 離在先天則在正東, 在後天則在正南乾之本位, 則豊之爲大, 可見矣. 其互則爲大過.

진괘·리괘·태괘는 동북·동남 및 동쪽에 있는데 진괘가 이미 태괘와 합하여 귀매괘가 되었다면 진괘는 리괘와 합하여 풍괘(豊卦)가 될 수가 없다. 동북은 양의 방위이고 동쪽은 목(木)이 왕성한 곳이며 남쪽은 화(火)가 왕성한 곳이니 따뜻하고 밝은 기운이 동남쪽에서 왕성하다. 진괘는 선천에서는 동북에 있고 후천에서는 동쪽에 있다. 리괘는 선천에서는 동쪽에 있고 후천에서는 남쪽인 건괘의 본래 자리에 있으니 풍괘가 '큼'이 됨을 알 만하다. 그 호괘는 대과(大過)괘가 된다.

豊者, 大也, 窮大者必失其居, 故受之以旅,

풍(豊)은 큼이니, 큼을 궁극히 하는 자는 반드시 그 거처를 잃을 것이기 때문에 여괘(旅卦)로써
받았고,

┃中國大全┃

小註

臨川吳氏曰, 臨之大, 以其所臨之二陽爲大, 豊之大, 以其卦名爲盛大之義.
임천오씨가 말하였다: 임괘의 '큼'은 임하는 두 양이 크다고 여기는 것이고, 풍괘의 '큼'은
괘 이름을 가지고 성대한 뜻으로 여긴 것이다.

○ 雙湖胡氏曰, 漸歸妹後, 震艮遇離成豊旅.
쌍호호씨가 말하였다: 점괘와 귀매괘 이후에 진괘(☳)·간괘(☶)가 리괘(☲)를 만나 풍괘
(豊卦)와 려괘(旅卦)를 이루었다.

┃韓國大全┃

서유신(徐有臣) 『역의의언(易義擬言)』

窮大, 謂極其富厚也. 失其居, 與歸得其所, 正相反也.
'큼을 궁극히 함'은 부유하고 두텁기를 지극히 하는 것이다. '그 거처를 잃음'은 '돌아감이
그 자리를 얻은 것'과 정반대이다.

이장찬(李章贊) 『역학기의(易學記疑)』

豊之內體爲離, 而歸妹之內體爲兌. 故以兌之反對之艮, 合於離而爲旅. 離有離其所之義, 艮者止也. 旣離其所而止之, 則乃旅之義也. 其互亦爲大過.

풍괘의 안쪽 몸체는 리괘이고 귀매괘(歸妹)의 안쪽 몸체는 태괘이다. 그러므로 태괘의 음양이 바뀐 간괘로써 리괘에 합하여 려괘(旅卦)를 삼았다. 리괘(☲)에는 그 자리에서 떠나는 뜻이 있고 간괘는 머무름이다. 이미 제 자리에서 떠나 머문다면 여행하는 뜻이다. 그 호괘역시 대과괘가 된다.

오치기(吳致箕) 「주역경전증해(周易經傳增解)」

困乎上者 … 故受之以旅.

위에서 곤란한 자는 … 려괘로써 받았고.

升之極, 而終受困, 故言困乎上矣. 井在下, 而有養道, 故受困於上者, 必反下得養道而不窮也. 井雖養人, 而久則穢濁, 故必當革去其故矣. 革物之器, 莫若鼎之取新, 而亦爲祭祀之重器, 故震以長子而主之矣. 此以二物之象而言其理也. 震爲物之動, 而動極則必至於靜而止也. 艮爲物之止, 而止極則必至於動而進也. 漸進而有歸者, 如女子以禮從夫而有所歸, 君子以禮事君而有所歸矣. 得歸而必大者, 如細流歸於江海則江海大, 萬民歸於君上則君上大矣. 然恃其所大, 而窮其豊盛, 則君失其國, 臣失其家, 而爲旅於外矣.

올라가기를 극도로 하며 끝내 곤란을 당하므로 "위에서 곤란하다"고 하였다. 우물은 아래에 있어 기르는 도리가 있기 때문에 위에서 곤란을 당한 자는 반드시 아래로 돌아와 기르는 도를 얻어 궁하지 않다. 우물이 비록 사람을 기르지만 오래되면 더러워지므로 반드시 그옛 것을 개혁해야 한다. 사물을 개혁하는 그릇으로는 '정괘가 새로운 것을 취하는 것' 만한 일이 없고, 또 제사에 쓰이는 중요한 그릇이므로 진괘는 맏아들로써 주관한다. 이는 두 가지 사물의 상으로 그 이치를 말하였다. 진괘는 사물의 움직임이 되는데 움직임이 극에 달하면 반드시 고요하여 그치는 데 이른다. 간괘는 사물의 그침이 되는데 그침이 극에 달하면 반드시 움직여 나아가는 데 이른다. 점진적으로 나아가 돌아감이 있는 것은 여자가 예로써 남편을 따라 시집가고, 군자가 예로써 임금을 섬겨 돌아감이 있는 것과 같다. 돌아감을 얻어 반드시 커지는 것은 가느다란 물줄기가 강과 바다로 돌아가면 강과 바다가 커지고, 만민이 임금에게로 돌아가면 임금이 커지는 것과 같다. 그러나 커지는 것을 믿어 풍성함을 다하면 임금이 나라를 잃어버리고 신하가 집을 잃어버려 밖으로 떠돌게 된다.

旅而無所容, 故受之以巽, 巽者, 入也, 入而後, 說之. 故受之
以兌,

나그네로 다녀 용납될 곳이 없기 때문에 손괘(巽卦)로써 받았고, 손(巽)은 들어감이니, 들어간 뒤에
기뻐하므로 태괘(兌卦)로써 받았고,

▍中國大全▍

小註

平庵項氏曰, 人之情相拒則怒, 相入則說, 故入而後說之.
평암항씨가 말하였다: 사람의 정은 서로 거부하면 화내고, 서로 들어가면 기뻐하므로 들어
간 이후에 기뻐하는 것이다.

○ 雙湖胡氏曰, 豊旅而後, 巽兌純卦次之.
쌍호호씨가 말하였다: 풍괘와 여괘 이후에 손괘(巽卦)와 태괘(兌卦)의 순괘(純卦)가 그 다
음이다.

▍韓國大全▍

서유신(徐有臣) 『역의의언(易義擬言)』

旅而無所容, 故受之以巽, 巽者, 入也.
나그네로 다녀 용납될 곳이 없기 때문에 손괘(巽卦)로써 빋았고, 손은 들어감이니.
而疑當作不可, 旅不可不入也.

'이(而)'자는 마땅히 '불가'로 써야 할 것 같으니, 나그네는 들어가지 않을 수 없다.

入而後, 說之. 故受之以兌, 兌者, 說也.
들어간 뒤에 기뻐하므로 태괘(兌卦)로써 받았고, 태(兌)는 기뻐함이니.
相入則相說.
서로 들어가면 서로 기뻐한다.

이장찬(李章贊) 『역학기의(易學記疑)』

上旣有有離之卦, 而離之中畫, 爲巽之下畫, 故旅之下, 受之以巽.
위에 이미 리괘가 있는 괘가 있고, 리괘의 가운데 획이 손괘의 아래 획이 되므로 려괘(旅卦)의 다음에 손괘(巽卦)로 받았다.

兌者, 說也, 說而後, 散之. 故受之以渙, 渙者, 離也, 物不可
以終離, 故受之以節,

태(兌)는 기뻐함이니, 기뻐한 뒤에 흩어지기 때문에 환괘(渙卦)로써 받았고, 환(渙)은 떠남이니, 물건
은 끝내 떠날 수만은 없기 때문에 절괘(節卦)로써 받았고,

‖中國大全‖

小註

雙湖胡氏曰, 巽兌又自出而遇坎, 以成渙節.
쌍호호씨가 말하였다: 손괘(☴)와 태괘(☱)가 또 스스로 나와 감괘(☵)를 만나서 환괘와 절
괘를 이루었다.

‖韓國大全‖

서유신(徐有臣) 『역의의언(易義擬言)』

說而後, 散之, 故受之以渙, 渙者, 離也.
기뻐한 뒤에 흩어지기 때문에 환괘(渙卦)로써 받았고, 환(渙)은 떠남이다.
憂則氣菀而積, 說則氣舒而散.
근심하면 기운이 모여서 쌓이고 기뻐하면 기운이 펴져서 흩어진다.

物不可以終離, 故受之以節.
물건은 끝내 떠날 수만은 없기 때문에 절괘(節卦)로써 받았고.

散之有節, 則時有不散焉.

흩어짐에 절도가 있다면 흩어지지 않는 때가 있다.

이장찬(李章贊) 『역학기의(易學記疑)』

上旣有巽, 故乃取巽之本是兌位而受之以兌. 然則上經之將終, 繫之以大過, 下經之將終, 繫之以小過, 皆此理也. 蓋革鼎之下, 先震後艮者, 自先天而變爲後天者也. 先巽後兌者, 自後天而移上一步, 以至於先天者也.

앞에 이미 손괘가 있으므로 손괘가 본래 태괘의 자리임을 취하여 태괘(兌卦)로 받았다. 그렇다면 상경이 끝나갈 때 대과괘(大過)로 잇고, 하경이 끝나갈 때 소과괘(小過)로 이은 것이 모두 이 이치이다. 혁괘(革卦)·정괘(鼎卦) 다음에 진괘(震卦)가 먼저 있고 간괘(艮卦)가 뒤에 있는 것은 선천으로부터 변하여 후천이 된 것이다. 손괘(巽卦)가 먼저 있고 태괘(兌卦)가 뒤에 있는 것은 후천으로부터 한 걸음 올라가 선천에 이른 것이다.

又按, 震之互爲蹇, 艮之互爲解, 巽之互爲睽, 兌之互爲家人. 蹇解家人睽之理, 旣在於此, 則可以代乾坤之爲互於剝復夬姤等卦之例.

또 살펴보았다: 진괘(震卦)의 호괘는 건괘(蹇卦)가 되고 간괘(艮卦)의 호괘는 해괘(解卦)가 되며, 손괘(巽卦)의 호괘는 규괘(睽卦)가 되고, 태괘(兌卦)의 호괘는 가인괘(家人)가 된다. 건괘·해괘·가인괘·규괘의 이치가 이미 여기에 있으니, 건·곤괘가 박괘·복괘·쾌괘·구괘 등의 괘에서 호괘가 되는 예를 잇는다.

上旣有重兌, 故復取先天兌之變體之巽, 又取後天兌之本是坎位, 而合爲渙卦. 其互爲頤.

앞에 이미 거듭된 태괘가 있으므로 다시 선천 태괘가 변한 몸체인 손괘를 취하였고 또 후천 태괘가 본래 감괘의 자리인 것을 취해 합해서 환괘가 되었다. 그 호괘는 이괘(頤卦)가 된다.

節而信之, 故受之以中孚, 有其信者, 必行之, 故受之以小過,

절도가 있으면 믿기 때문에 중부괘(中孚卦䷼)로써 받았고, 믿음이 있는 자는 반드시 행하기 때문에 소과괘(小過卦)로써 받았고,

中國大全

小註

平庵項氏曰, 有其信, 猶書所謂有其善, 言以此自負而居有之也. 自恃其信者, 其行必果而過於中.

평암항씨가 말하였다: "믿음이 있음"은 『서경(書經)』에서 말한 "선(善)함이 있다고 함"[28]과 같으니, 이것으로 자부하여 자처한다는 말이다. 스스로 그것을 믿는 자는 그 행동이 반드시 과감하여 알맞음에 지나칠 것이다.

○ 臨川吳氏曰, 過者, 行動而踰越之也, 故大過云動, 小過云行. 凡行動, 未至其所爲未及, 旣至其所爲至, 旣至而又動又行, 則爲踰越而過也.

임천오씨가 말하였다: 지나침은 행동하여 그것을 넘은 것이므로 대과괘에서 '움직임'이라고 하였고, 소과괘에서 '행함'이라고 하였다. 행동은 그 곳에 아직 이르지 않았다면 미치지 못함이 되고, 이미 이르렀다면 이름이 되는데, 이미 이르고도 다시 움직이고 행한다면 넘어서 지나치게 될 것이다.

○ 雙湖胡氏曰, 渙節後, 兌巽艮震, 自相遇爲中孚小過, 亦咸恒上下二體, 交互相重成卦也. 咸恒一變損益, 再變漸歸妹, 三變中孚小過, 陰陽各從其類焉.

쌍호호씨가 말하였다: 환괘(渙卦)와 절괘(節卦) 이후에 태괘(☱)·손괘(☴)·간괘(☶)·진괘(☳)가 자신들이 서로 만나 중부괘와 소과괘가 되었고, 또 함괘와 항괘의 위 아래 두 몸체가 서로 엇걸리고 서로 거듭하여 괘를 이루었다. 함괘와 항괘가 한 번 변하면 손괘와 익괘가

---

28) 『書經·說命』: 有其善, 喪厥善, 矜其能, 喪厥功.

되고, 두 번 변하면 점괘와 귀매괘가 되고, 세 번 변하면 중부괘와 소과괘가 되니, 음과 양이 각각 그 종류를 따른 것이다.

▌韓國大全▐

유정원(柳正源) 『역해참고(易解參攷)』

節而 [至] 小過.

절도가 있으면 … 소과괘로써 받았고.

漢上朱氏曰, 行者, 足相過也, 小過, 以陰過陽, 有行之象.

한상주씨가 말하였다: '행(行)'은 발이 서로 지나가는 것이다. 소과괘는 음으로써 양을 지나치니 행하는 상이 있다.

김상악(金相嶽) 『산천역설(山天易說)』

得其所歸者必大, 故受之以豊 … 有其信者, 必行之, 故受之以小過.

돌아갈 곳을 얻은 자는 반드시 커지기 때문에 풍괘(豊卦)로써 받았고, … 믿음이 있는 자는 반드시 행하기 때문에 소과괘(小過卦)로써 받았고.

節而制之於外, 孚而信之於中, 節得其道, 則上能信守之, 下亦信從之, 故曰節而信之.

밖으로 절도가 있어 제재하고, 안으로 미더워 신뢰가 있게 해서 절도가 그 도를 얻으면 윗사람이 신뢰하여 지키고, 아랫사람도 신뢰하여 따르니, 그러므로 "절도가 있으면 믿는다"고 하였다.

서유신(徐有臣) 『역의의언(易義擬言)』

節而信之, 故受之以中孚.

절도가 있으면 믿기 때문에 중부괘(中孚卦)로써 받았고.

無信則非節. 古人謂信如四時節而信之, 卽此類也.

미더움이 없으면 절도가 아니다. 옛 사람이 미더움이 사계절의 절기와 같아야 믿는다고 했으니, 곧 이러한 종류이다.

有其信者, 必行之, 故受之以小過.
믿음이 있는 자는 반드시 행하기 때문에 소과괘(小過卦)로써 받았고.

有其信者, 有意於必信也. 有意必信, 則必行, 乃已不免有小過也. 如雨中身往罷獵是也.
미음이 있는 자는 반드시 미덥게 함에 뜻이 있다. 반드시 미덥게 함에 뜻이 있으면 반드시 행하니 이에 이미 작은 잘못이 있음을 면하지 못한다. 마치 빗속에 몸소 가서 사냥을 그만두게 하는 것이 이것이다.

이장찬(李章贊) 『역학기의(易學記疑)』

以渙之內體爲坎, 故乃取上坎下兌之卦, 其互亦爲頤. 其所以節之義, 則坎爲水而兌爲澤, 可見其有涯岸矣. 坎爲月而兌爲上弦, 所謂月幾望也. 坎爲溝瀆, 而兌爲剛鹵, 無非撙節之意也. 嘗因是而言之, 此卦在艮之下第八, 艮者止也. 在於此下者, 有中孚小過旣濟未濟, 中孚之象, 有柔在內, 剛得中之象, 小過卦辭, 有不可大事, 不宜上之訓, 旣濟以豫防爲象, 未濟以愼辨爲象. 未濟上九乃易之終也, 而又有不知節之戒, 此節字, 與節卦相應. 噫, 聖人之道, 雖範圍天地而其戒愼恐懼之意, 尤以有加, 天道虧盈益謙之理, 益昭昭矣. 此可見聖人之道, 包乎至大而無外, 入乎至小而無內矣.

환괘의 안쪽 몸체는 감괘이므로 위는 감괘 아래는 태괘인 괘를 취하였고 그 호괘 역시 이괘(頤卦)이다. 그것이 '절제'의 뜻인 까닭은 감괘가 물이고 태괘가 못이니 거기에 물가 언덕이 있음을 알 수 있다. 감괘는 달인데 태괘가 상현이 되니 이른바 보름에 가까운 달이다. 감괘는 도랑이 되고 태괘는 굳세고 짠 것이 되니 절제하는 뜻이 아님이 없다. 이로 인하여 말하면 이 괘는 간괘 뒤로 여덟번 째에 놓이니 '간'은 그침이다. 이 뒤에 놓인 것은 중부괘·소과괘·기제괘·미제괘인데, 중부괘 「단전」에는 "부드러운 음이 안에 있고 굳센 양이 알맞음을 얻은" 상이 있고, 소과괘 괘사에는 "큰 일은 불가하니" "올라감은 마땅하지 않다"는 교훈이 있으며, 기제괘에서는 '미리 방비함'을 상으로 삼고, 미제괘에서는 '신중히 분별함'을 상으로 삼았다. 미제괘 상구는 『주역』의 끝인데 또 "절제를 알지 못하는 것"에 대한 경계가 있으니, '절제'라는 말은 절괘와 서로 호응한다. 아, 성인의 도는 비록 천지를 범위로 하지만 그 경계하고 신중히 하며 두려운 듯 하는 뜻이 더욱 보태짐이 있으니, 자연의 도가 이지러지고 가득 차며 보태고 덜어내는 이치가 더욱 밝다. 여기에서 성인의 도는 지극히 커서 밖이 없는 데까지 포괄하고, 지극히 작아 속이 없는 데까지 들어감을 알 수 있다.

有過物者, 必濟, 故受之以旣濟,

남보다 지나침이 있는 자는 반드시 구제하기 때문에 기제괘(旣濟卦)로써 받았고,

┃中國大全┃

小註

南軒張氏曰, 能高於人而過之然後, 可以濟天下.
남헌장씨가 말하였다: 능력이 다른 사람보다 높아서 지나친 뒤에야 천하를 구제할 수 있다.

○ 平庵項氏曰, 大過則踰越常理, 故必至於陷, 小過或可濟事, 故有濟而無陷也.
쌍호호씨가 말하였다: 크게 지나치면 항상된 이치를 뛰어넘기 때문에 반드시 빠짐에 이르고, 조금 지나치면 간혹 일을 구제할 수 있기 때문에 구제함은 있고 빠짐은 없다.

┃韓國大全┃

서유신(徐有臣) 『역의의언(易義擬言)』

有過物者, 必濟. 故受之以旣濟.
남보다 지나침이 있는 자는 반드시 구제하기 때문에 기제괘(旣濟卦)로써 받았고.

過物, 過於物也, 過故濟也.
"남보다 지나친다[過物]"는 남보다 뛰어난 것이다. 뛰어나므로 구제한다.

이장찬(李章贊) 『역학기의(易學記疑)』

渙之外體爲巽, 而節之內體爲兌, 故渙節之下, 受之以外巽內兌之卦, 而中二爻得柔順之體, 誠意足以感人. 故其卦名爲中孚, 其互亦爲頤, 又是厚畫底離也.

환괘의 바깥 몸체는 손괘이고 절괘의 안쪽 몸체는 태괘이므로 환괘·절괘 다음에 바깥이 손괘이고 안쪽이 태괘인 괘[중부괘]로 받았는데, 가운데 두 효가 부드럽고 순함을 얻은 괘이니, 정성스런 뜻이 충분히 남을 감동시킨다. 그러므로 그 괘의 이름이 중부가 되고 그 호괘 또한 이괘(頤卦)가 되며, 또 두터운 획의 리괘이다.

物不可窮也, 故受之以未濟, 終焉.

물건은 궁할 수 없기 때문에 미제괘(未濟卦)로써 받아 마쳤다.

‖中國大全‖

小註

平庵項氏曰, 坎離之交謂之既濟, 此生生不窮之所從出也, 而聖人猶以爲有窮也. 又分之以爲未濟, 此卽咸感之後, 繼之以常久之義也. 蓋情之交者, 不可以久而無弊, 故必分之正者, 終之. 人之心腎, 其氣何嘗不交, 而心必在上, 腎必在下, 不可易也. 觀此, 可以知既濟未濟之象矣.

평암항씨가 말하였다: 감괘(☵)와 리괘(☲)가 사귀는 것을 기제괘라고 하니, 이것은 낳고 낳아 끝이 없는 것이 나오는 것인데 성인은 오히려 다함이 있다고 여겼다. 또 나누어 미제괘가 되니, 이것은 함괘의 느낌29) 이후에 항괘의 일정하고 오래함30)의 뜻으로 이었다. 인정의 사귐은 오래하여 폐단이 없을 수 없기 때문에 반드시 나누어 바른 것으로 마쳐야 한다. 사람의 심장과 신장은 그 기운이 일찍이 사귀지 않음이 없지만 심장은 반드시 위에 있고 신장은 반드시 아래에 있어 바꿀 수 없다. 이것을 보면 기제괘와 미제괘의 상을 알 수 있다.

○ 雙湖胡氏曰, 中孚小過後, 離坎重爲既未濟, 爲下經之終. 中孚小過似離坎, 固也中孚二三四五各易位則爲離, 小過二三四五各易位, 亦爲坎矣.

쌍호호씨가 말하였다: 중부괘와 소과괘 이후에 리괘와 감괘가 거듭하여 기제괘와 미제괘가 되니, 하경의 끝이다. 중부괘와 소과괘는 리괘·감괘와 유사하니, 잠시 중부괘(中孚卦)의 이효와 삼효, 사효와 오효가 각각 자리를 바꾸면 리괘(離卦)가 되고, 소과괘(小過卦)의 이효와 삼효, 사효와 오효가 각각 자리를 바꾸면 또한 감괘(坎卦)가 된다.

---

29) 『周易·咸卦』: 象曰, 咸, 感也.
30) 『周易·恒卦』: 象曰, 恒, 久也.

本義

右下篇.

이상은 하편이다.

‖ **韓國大全** ‖

유정원(柳正源) 『역해참고(易解參攷)』

未濟終焉.

미제괘로써 받아 마쳤다.

東萊呂氏曰, 趙楙謂終焉二字, 疑非孔子之辭, 後人傳之誤也.

동래여씨가 말하였다: 조유가 "'마쳤다[終焉]'란 두 글자는 공자의 말씀이 아니라 뒷사람이 잘못 전한 것인 듯하다"라고 하였다.

김상악(金相嶽) 『산천역설(山天易說)』

有其信者, 必行之. … 故受之以未濟, 終焉.

믿음이 있는 자는 반드시 행하기 때문에 … 미제괘(未濟卦)로써 받아 마쳤다.

卦已終而曰物不可窮者, 未濟終爲旣濟也.

괘가 이미 끝났는데 "물건은 궁할 수 없다"고 한 것은 미제괘가 끝내 기제괘가 되었기 때문이다.

서유신(徐有臣) 『역의의언(易義擬言)』

此非用意安排也. 夫旣濟未始旣濟, 亦必有所未濟者. 天下豈有十分無欠之物乎. 此乃造化自然之理, 而物無可窮之日也. 凡聲色財貨富貴勢利豪侈遊宴, 欲其窮極者, 不知此理故也.

이는 의도적으로 안배한 것이 아니다. 기제는 처음부터 기제인 것이 아니니, 또한 반드시 미제인 바가 있다. 천하에 어찌 완전히 흠이 없는 물건이 있겠는가? 이는 조화의 자연한 이치이니 만물은 다할 수 있는 날이 없다. 소리와 색, 재화와 부귀, 권세와 이익, 사치와 열락을 끝까지 다하려는 자는 이러한 이치를 모르기 때문이다.

이장찬(李章贊) 『역학기의(易學記疑)』

中孚二體爲巽兌, 故以巽兌之反對爲卦, 而以二陽陷於四陰之中, 只爲可小事之象. 故其名爲小過. 易雖以二濟爲終, 而以有艮之卦, 置之二濟之上, 則艮之終始萬物之理, 此可見矣. 其互爲大過, 可見人有不爲也, 而後可以有爲之意矣. 且此卦爲厚畫底坎, 與中孚之厚畫底離合之爲旣濟未濟. 蓋有天地, 則有日月, 而離坎爲日月之象, 故上經終以坎離, 下經終以二濟. 而革鼎之下, 受之以震艮, 震艮者, 先天坤之兩旁也, 而坤爲後天之坎. 其下受之以漸歸妹, 此則有二濟之互體者也. 又次之以豊旅, 此二卦則有離體者也. 又次之以巽兌, 巽兌者, 先天乾之兩旁也, 而乾爲後天之離. 又次之以渙節, 此二卦則有坎體者也. 又次之以厚畫底離坎, 以爲二濟, 二濟之義大矣哉.

중부괘의 두 몸체는 손괘ㆍ태괘이므로 손괘ㆍ태괘의 음양이 바뀐 것으로 괘를 삼았으니, 두 양이 네 음 가운데 빠져 있어 단지 작은 일만 할 수 있는 상이 된다. 그러므로 그 이름이 '소과'가 된다. 『주역』은 비록 기제ㆍ미제가 끝이 되지만 간괘가 있는 괘를 기제ㆍ미제괘 앞에 두었으니, 간괘가 만물을 마치고 시작하는 이치를 여기에서 볼 수 있다. 그 호괘는 대과괘가 되니 "사람이 하지 않는 것이 있은 뒤에야 할 일이 있다"는 뜻을 볼 수 있다.[31] 또 이 괘는 두터운 획의 감괘가 되니, 중부괘의 두터운 획의 리괘와 합하여 기제ㆍ미제괘가 된다. 하늘과 땅이 있으면 해와 달이 있으니, 리괘ㆍ감괘는 해와 달의 상이 되므로 상경을 감괘ㆍ리괘로 마쳤고, 하경은 기제ㆍ미제괘로 마쳤다. 혁괘ㆍ정괘 다음에 진괘(震卦)ㆍ간괘(艮卦)로 받았으니 진괘(☳)ㆍ간괘(☶)가 「선천도」에서 곤괘의 양 옆에 있어서이고, 곤괘는 후천의 감괘가 되어, 그 다음에 점괘ㆍ귀매괘로 받았는데 여기에는 기제ㆍ미제의 호괘인 것이 있다. 또 풍괘ㆍ려괘가 다음이 되니 이 두 괘는 리괘의 몸체를 가진 것이다. 또 손괘ㆍ태괘가 다음이 되니, 손괘ㆍ태괘는 선천에서 건괘의 양 옆이고 건괘는 후천의 리괘가 된다. 또 환괘ㆍ절괘가 다음이 된다. 이 두 괘는 감괘의 몸체를 가진 것이다. 또 두터운 획의 리괘ㆍ감괘가 다음이 되어 기제ㆍ미제가 되니 기제ㆍ미제의 뜻이 크도다.

且以中孚小過之義言之, 上經之臨觀以厚畫底震艮而爲頤小過, 下經之遯大壯, 以厚畫底巽兌而爲大過中孚. 又以震艮巽兌之重卦, 置之將終之篇, 而至豊旅則以離體而兼之以有震有艮, 渙節則以坎體而兼之以有巽有兌, 皆莫不有以照應乎頤小過大過中

---

31) 『孟子ㆍ離婁』: 孟子曰, 人有不爲也, 而後可以有爲.

孚32). 而豊旅渙節中33)孚小過六卦之中, 又各有頤大過之互體, 可見上下經, 終條理之
□□相符矣. 若言始終相符之理, 則乾坤離坎, 其理無二, 離在乾位, 而其中爻則坤也,
坎在坤位, 而其中爻則乾也. 以坎離二濟, 置之上下經之末, 則循環無窮之理, 於是可
見矣. 此豈非古人做易, 其巧不□言者耶. 互體及厚畫, 具現逐卦之下.

또 중부·소과의 뜻으로 말하면, 상경의 림괘·관괘가 두터운 획인 진괘·간괘로서 이괘·
소과괘가 되고, 하경의 돈괘·대장괘가 두터운 획의 손괘·태괘로서 대과괘·중부괘가 된
다. 또 진괘·간괘·손괘·태괘의 중첩된 괘로써 편이 끝나가는 위치에 두었고, 풍괘·려괘
에 이르러 리괘의 몸체로서 진괘·간괘가 있는 것을 겸하였으며, 환괘·절괘는 감괘의 몸체
로서 손괘·태괘가 있는 것을 겸하였으니, 모두 이괘·소과괘·대과괘·중부괘에 조응하지
않음이 없다. 풍괘·려괘·환괘·절괘·중부괘·소과괘의 여섯 괘 가운데 또 각기 이괘(離
卦)·대과괘(大過)의 호체가 있으니 상하경에서 조리를 맺음이 □□ 서로 부합함을 알 수
있다. 처음과 끝이 서로 부합하는 이치를 말한다면 건괘·곤괘·리괘·감괘에 그 이치가 둘
이 없으니, 리괘는 건괘의 자리에 있는데 그 가운데 효가 곤이고, 감괘는 곤괘의 자리에 있는
데 그 가운데 효가 건이다. 감괘·리괘와 기제·미제괘로써 상하경의 끝에 놓으니, 순환하여
마지않는 이치를 여기에서 볼 수 있다. 이 어찌 고인이 역을 지음에 그 기교가 말로 □ 다할
수 없다는 것이 아니겠는가. 호체 및 두터운 획의 괘가 축괘(逐卦)의 뒤에 구현되었다.

中孚以巽兌爲二體, 小過以震艮爲二體. 而八卦之序, 兌爲二, 離爲三, 震爲四, 巽爲
五, 坎爲六, 艮爲七. 然則旣未濟之以坎離爲二體. 蓋就中孚小過二卦上, 取其二四與
六七之中數, 非但取坎之中於先天震艮, 離之中於先天巽兌而已. 與乾一坤八, 雖離34)
三數, 而乾一亦爲坎一, 坤八亦爲离八. 又離在乾位, 坎在坤位, 則先後天之理, 可謂一
而二, 二而一矣.

중부괘는 손괘·태괘로써 두 몸체를 삼고, 소과괘는 진괘·간괘로써 두 몸체를 삼는다. 팔
괘의 순서는 태괘가 2, 리괘가 3, 진괘가 4, 손괘가 5, 감괘가 6, 간괘가 7이다. 그러니 기
제·미제괘는 감괘·리괘로써 두 몸체를 삼는다. 중부·소과 두 괘에 나아가 2·4와 6·7의
가운데 수를 취하니, 비단 감괘가 선천의 진괘·간괘에서 가운데가 되고 리괘가 선천의 손
괘·태괘에서 가운데가 되는 것만 취하는 것이 아니다. 건괘1·곤괘8과 비록 세 수가 떨어
져 있으나 건괘의 1은 역시 감괘의 1이고, 곤괘의 8은 역시 리괘의 8이다. 또 리괘는 건괘의
자리에 있고, 감괘는 곤괘의 자리에 있으니, 선천·후천의 이치가 하나이면서 둘이고 둘이

---

32) 孚: 경학자료집성DB에 '牛'으로 되어 있으나, 경학자료집성 영인본을 참조하여 '孚'로 바로잡았다.
33) 中: 경학자료집성DB에 '申'으로 되어 있으나, 경학자료집성 영인본을 참조하여 '中'로 바로잡았다.
34) 離: 경학자료집성DB에 '隔'으로 되어 있으나, 경학자료집성 영인본을 참조하여 '離'로 바로잡았다.

면서 하나이다.

又按, 旣濟之互爲未濟, 詳見下.
또 살펴보았다: 기제괘의 호괘가 미제괘가 됨은 자세한 것이 아래에 보인다.

未濟者, 旣濟之正對也, 其互則旣濟也. 夫旣濟之互爲未濟, 未濟之互, 亦爲旣濟. 此豈非旣濟之中, 猶有未濟之患, 未濟之中, 猶有可濟之道者耶. 且乾坤爲後天之離坎, 則泰否便是旣濟未濟也. 震兌爲先天之離坎, 則隨歸妹亦便是旣濟未濟也. 此豈非天地間事事物物之理, 皆在於旣濟未濟之間者耶.

미제괘는 기제괘의 음양이 바뀐 것이고, 그 호괘는 기제괘이다. 기제괘의 호괘가 미제괘가 되고, 미제괘의 호괘도 기제괘가 된다. 이는 어찌 이미 건넌 가운데 오히려 아직 건너지 못한 근심이 있는 것이 아니겠으며, 아직 건너지 못한 가운데 오히려 건널 수 있는 도리가 있는 것이 아니겠는가? 건괘·곤괘가 후천의 리괘·감괘가 되니, 태괘·비괘는 곧 기제·미제괘가 된다. 진괘·태괘가 선천의 리괘·감괘가 되니, 수괘(隨卦)·귀매괘 역시 기제·미제괘가 된다. 이 어찌 천지 사이에 개개 사물의 이치가 모두 이미 기제·미제괘 사이에 놓인 것이 아니겠는가?

由乎此而上溯乎中孚小過, 則中孚者, 地八木地四金之卦也. 小過者, 天三木天五土之卦也. 二濟者, 天一地六之坎水, 與地二天七之離火也. 屯蒙革鼎之理, 於是尤著矣. 若於二濟之所以爲二濟, 則上坎下離, 而離在乾之本位, 故其[35]卦爲旣濟, 謙之象辭, 所謂天道下濟而光明也. 上離下坎, 而坎爲險陷之地, 故其卦爲未濟, 訟之象辭, 所謂不利涉大川也.

이로 말미암아 위로 중부·소과괘로 거슬러 올라가면 중부괘는 지팔목(地八木)·지사금(地四金)의 괘이고, 소과괘는 천삼목(天三木)·천오토(天五土)인 괘이다. 기제·미제괘는 천일·지육인 감괘의 수가 지이·천칠인 리괘의 화와 함께 하는 것이다. 준괘·몽괘·혁괘·정괘의 이치가 여기에서 더욱 드러난다. 기제·미제가 기제·미제가 되는 까닭은 위가 감괘 아래가 리괘인데, 리괘가 건괘의 본래 자리에 놓이기 때문에 그 괘가 기제괘가 되는 것이니, 겸괘 단사에서 말한 "하늘의 도가 내려와 교제하여 빛나고 밝다"이다. 위가 리괘이고 아래가 감괘인데 감괘는 험하고 빠지는 곳이므로 그 괘가 미제괘가 되니, 송괘 단사에서 말하는 "큰 내를 건너는 것이 이롭지 않다"이다.

---

35) 其: 경학자료집성 DB에 '其'로 되어 있으나, 경학자료집성 영인본과 문맥을 참조하여 '其'로 바로잡았다.

然離爲日而正照於午, 坎爲月而正照於子, 是乃離之所以爲天九之乾, 坎之所以爲地十之坤, 而乾坤之首於上經者, 卽此理也. 可以見陰陽變化, 無有終始之可言, 而天地之數, 生克之理, 於此兼備矣. 又況未濟內體之坎, 還爲上經屯之外體, 小過外體之震, 亦爲屯之內體. 艮之爲小過內體者, 與坎之爲未濟內體者, 合而爲蒙之全卦. 且旣有坎震艮, 則自當有正對之理. 故二濟之離, 與中孚之巽兌, 又爲下經之革鼎. 天地之理, 經緯錯綜, 終而復始, 與河圖生成之序, 一一脗合矣.

그러나 리괘는 해가 되어 바로 오(午)에서 비추고, 감괘는 달이 되어 바로 자(子)에서 비추니 이것이 리괘가 천구(天九)인 건괘가 되는 것이고, 감괘가 지십(地十)인 곤괘가 되는 것이니 건·곤괘가 상경의 첫머리인 것이 곧 이 이치이다. 음양의 변화는 처음과 끝을 말할 수 있는 것이 없지만, 천지의 수와 생극의 이치가 여기에 겸비되어 있음을 알 수 있다. 또 더구나 미제괘의 안쪽 몸체는 감괘로 역시 상경 준괘의 바깥 몸체이고, 소과괘의 바깥 몸체인 진괘도 준괘의 안쪽 몸체가 된다. 소과괘의 안쪽 몸체가 되는 간괘와 미제괘의 안쪽 몸체가 되는 감괘가 합하여 온전한 몽괘가 된다. 또 이미 감괘·진괘·간괘가 있으면 자연히 음양이 바뀌는 이치가 있는 것이 마땅하다. 그러므로 기제·미제괘의 리괘가 중부괘의 손괘·태괘와 더불어 또 하경의 혁괘·정괘가 된다. 천지의 이치는 경위(經緯)가 얽히고 끝났다가 다시 시작하니, 「하도」에서 생성하는 순서와 하나하나 꼭 들어맞는다.

於是乎後天之理, 復歸於先天, 則可知其博厚高明悠久無疆之理. 噫, 自乾至未濟之間, 源委甚長, 變化多端, 天地之大造化, 聖人之大事業, 不外乎此. 非若復至乾姤至坤之變易分明, 可以易於推測, 自非有聖人之大眼目大力量者, 則孰有得以窺其端倪者哉. 此乃所謂物不可窮者也, 而先儒於此未有辨解. 所謂未及者, 鄭重而未及言之者也. 旣已妄加詮釋之後, 聞陳希夷辨卦圖今來我國, 而大抵以序卦爲主. 未知鄙說之果有相符否也.

이에 후천의 이치가 선천으로 다시 돌아간다면 그 넓고 두터우며 높고 밝으며 길고 끝이 없는 이치를 알 수 있을 것이다. 아, 건괘로부터 미제괘에 이르기까지 전말이 매우 길고 변화가 무쌍하니, 천지의 큰 조화와 성인의 큰 사업이 여기에서 벗어나지 않는다. 만약 복괘에서 건괘에 이르고 구괘에서 곤괘에 이르는 변역이 분명하여 쉽게 추측할 수 있는 것이 아니고, 성인의 큰 안목과 큰 역량이 있지 않다면, 누가 그 단서를 엿볼 수 있겠는가? 이것이 이른바 "물건은 궁할 수 없다"는 것인데, 이전의 학자들이 이에 대해 분석해서 설명하지 않았다. 이른바 "언급하지 않았다"는 것은 신중하여 말하지 않은 것이다. 이미 내가 망령되게 해석을 더한 뒤에 진희이가 괘도를 변석한 것이 우리나라에 들어왔는데, 대체로 괘의 순서를 위주로 했다고 들었다. 내가 해설한 것과 과연 서로 부합하는지 모르겠다.

或曰, 屯蒙鼎革, 若可逆推順推, 則其將除去乾坤及震以下十四卦歟, 曰非也. 夫看互
卦者, 雖除去上下各一爻, 只取中間四爻. 然若無上下兩爻, 則不成爲全卦, 而原卦互
卦, 其理無二, 吉凶悔吝, 大抵略同. 故繫辭曰, 原始要終. 愚嘗曰, 此乃上下兩爻之理
也, 又曰, 非其中爻不備. 愚嘗曰, 此則互卦之理也. 然則全經之中, 有此四卦之順看逆
看者, 乃所以詳解全經而原始要終者也, 與互卦之理, 庶可同歸矣.

준괘 · 몽괘 · 정괘 · 혁괘를 거슬러 미루고 순차적으로 미룰 수 있다면, 건 · 곤괘 및 진괘
이하 열 네 개의 괘를 없애도 되는가? 그렇지 않다. 호괘를 보면 비록 위아래 각 한 효씩을
제거하고 단지 가운데 네 효를 취하지만, 만약 위아래 두 효가 없다면 온전한 괘가 이루어지
지 않는다. 원괘와 호괘는 그 이치가 둘이 아니어서 길흉회린이 대체로 같다. 그러므로 「계
사전」에서 "시작을 찾아내고 마침을 간추린다"고 하는데, 내가 일찍이 "이는 위아래 두 효의
이치이다"라고 하였다. 또 "그 가운데 효가 아니면 갖추어지지 않는다"라고 하는데, 내가
일찍이 "이는 호괘의 이치이다"라고 하였다. 그러니 전체 경에서 이 네 괘를 순차적으로 보
고 거슬러 보는 것이 전체 경을 상세하게 해석하고 '시작을 찾아내고 마침을 간추리는' 것이
니 호괘의 이치와 더불어 거의 귀결점이 비슷하다".

按, 諸卦之連續者, 有以三畫而或上或下者, 屯蒙之類是也. 有以陰陽爻而或升或降
者, 如需之九五, 訟之九二, 小畜之六四, 履之六三之類是也. 有每爻之爲正對者, 乾坤
否泰之類是也. 有反對之卦, 如艮之反爲巽, 兌之反爲震, 而其卦爲損爲益之類是也.
有時對之卦, 如益之外體之巽爲對於夬之內體之乾, 內體之震爲對於夬之外體之兌是
也. 此則愚嘗聞諸術者, 其理亦有不可誣者矣. 然則雖乾一卦二體, 而論其正對反對時
對之有無亦可矣. 有二體之翻倒上下者, 需訟師比之類, 是也. 此皆有可攷矣. 至於互
卦之說, 自漢儒發之, 可謂大有功於易學, 而惜乎其不見取於程朱也.

내가 살펴보았다: 괘들이 연달아 이어지는 것에 세 획으로써 오르고 내려가는 것이 있으니,
준괘 · 몽괘 같은 것이 이것이다. 음양의 효로써 오르고 내리는 것이 있으니, 수괘(需卦)의
구오와 송괘(訟卦)의 구이와 소축괘(小畜)의 육사와 리괘(履卦)의 육삼같은 것이 이것이다.
매 효가 음양이 바뀐 것[正對]이 있으니, 건괘 · 곤괘, 비괘 · 태괘 같은 것이 이것이다. 거꾸
로 되어 음양이 바뀐 것[反對]이 있으니, 간괘가 거꾸로 되어 손괘가 되고, 태괘가 거꾸로
되어 진괘가 되어서 그 괘가 손괘(損卦)가 되고 익괘(益卦)가 되는 것 같은 것이 이것이다.
마주보는 괘[時對]36)가 있으니, 익괘의 바깥 몸체인 손괘(☴)가 쾌괘의 안쪽 몸체인 건괘(☰)

---

36) 마주보는 괘[時對]: 본문에서 시대(時對)의 예를 든 것을 살펴보면, 「문왕팔괘방위도」에서 익괘의 바깥 몸체
인 손괘(☴)와 쾌괘의 안쪽 몸체인 건괘(☰)는 서로 마주보는 위치에 있고, 안쪽 몸체인 진괘(☳)와 쾌괘의
바깥 몸체인 태괘(☱) 역시 마주보는 위치에 있다.

에 상대하고, 안쪽 몸체인 진괘(☳)가 쾌괘의 바깥 몸체인 태괘(☱)에 상대하는 것이 이것이다. 이는 내가 술가에게 들은 적이 있는데, 그 이치가 또한 속일 수 없는 것이 있었다. 그렇다면 비록 건괘 한 괘가 두 몸체이지만, 그 정대(正對)와 반대(反對)와 시대(時對)의 유무를 논하는 것도 가능할 것이다. 두 몸체가 위아래로 뒤집어진 것은 수괘 · 송괘, 사괘 · 비괘 같은 것이 이것이다. 이는 모두 살펴볼 만한 것이 있다. 호괘의 설은 한나라 유학자들로부터 펼쳐져 역학에 크게 공이 있다고 할 것인데, 정 · 주자에게 취해짐을 받지 못하였으니, 애석하다.

又有一卦二體之自[37]先天而爲後天者, 如師之外體之坤, 卽後天之坎, 而仍以坎爲其內體, 比之外體之坎, 卽先天之坤, 而仍以坤爲其內體之類是也. 此理自我發之, 卦卦推之, 無不暗合, 而但未有明證, 聞術家言則果然雲, 始知術家之言, 亦有不可廢者矣. 然則三畫卦之或上或下, 陰陽爻之或升或降, 及正對反對時對互體, 與每卦先後天之變易, 皆可以一一見例矣.

또 한 괘의 두 몸체가 선천으로부터 후천이 되는 것으로는 사괘(師卦)의 바깥 몸체인 곤괘가 곧 후천의 감괘이니 감괘가 그 안쪽 몸체가 되고, 비괘(比卦)의 바깥 몸체인 감괘가 곧 선천의 곤괘이니 곤괘가 그 안쪽 몸체가 되는 부류가 이것이다. 이 이치는 내가 밝힌 것으로 괘마다 미루어 보니 암암리에 부합하지 않음이 없으나 다만 증명하지를 못하였는데 술가의 말을 들으면 과연 그렇다고 하니, 비로소 역술가의 말도 없앨 수 없는 것이 있음을 알겠다. 그러니 삼획괘가 오르고 내리며, 음양의 효가 오르고 내리는 것, 정대 · 반대 · 시대 · 호체가 매괘 선후천의 변역과 함께하는 것을 모두 일일이 사례를 보일 수 있을 것이다.

近聞, 皇明來知德有來注周易, 李光地有周易折[38]中, 淸人翁方綱有翁氏易, 我朝張旅軒有易學圖說, 今方行於世, 此皆未知必以序卦爲主. 而身居僻鄕, 無由一見而辨質之, 可歎.

근래 듣자하니 명나라 래지덕이 『래씨주역』을 지었고, 이광지가 『주역절중』을 지었으며, 청나라 사람 옹방강이 『옹씨역』을 지었고, 우리나라 여헌 장현광이 『역학도설』을 지어 지금 세상에 돌아다니고 있다고 하는데, 이 책들이 모두 괘 배열을 위주로 하였는지 모르겠다. 내가 궁벽한 시골에 사는 탓으로 보고 질정하지 못했으니 한탄스럽다.

심대윤(沈大允) 『주역상의점법(周易象義占法)』

物不可以終壯故 … 故受之以未濟終焉.

---

37) 自: 경학자료집성DB에 □로 되어 있으나, 경학자료집성 영인본과 문맥을 참조하여 '自'로 바로잡았다.
38) 折: 경학자료집성DB와 영인본에 '抑'으로 되어 있으나, 문맥을 살펴 '折'로 바로잡았다.

물건은 끝내 장성할 수만은 없기 때문에 … 미제괘로써 받아 마쳤다.

六十四卦之序, 重複相接, 不止於如此也. 此特其槪耳.
육십사괘의 순서가 중복되어 서로 만남이 이와 같은 데 그치지 않는다. 이는 단지 그 대강일 뿐이다.

오치기(吳致箕) 「주역경전증해(周易經傳增解)」

旅而无所容 … 故受之以未濟終焉.
나그네로 다녀 용납될 곳이 없기 때문에 … 미제괘로써 받아 마쳤다.

旅以親寡, 而非巽順, 則无所容矣. 苟能巽順, 則无往而不入. 入而不相拒, 則必有所喜
悅, 悅而氣不欝結, 則必至於舒散. 然終不可以渙漫離散, 故必有以防限而節之矣. 節
所以制於外者, 則必有中心之孚, 然後人必信從. 恃此信從而不復詳審, 必行其志, 則
必有過人之事矣. 行事過, 則可以无不濟, 而至於旣濟, 則物之窮矣. 物无可窮之理, 故
終之以未濟焉.
나그네로서 친한 사람이 적은데 공손하지 않으면 용납될 곳이 없다. 참으로 공손할 수 있으면 가는 데마다 들어가지 못할 곳이 없다. 들어가서 거절당하지 않으면 반드시 기쁜 바가 있으며, 기뻐하되 기운이 뭉치지 않으면 반드시 흩어짐에 이른다. 그러나 끝내 흩어질 수만은 없기 때문에 반드시 막아서 절제함이 있다. 절제함이 밖을 절제할 수 있는 까닭은 반드시 속마음의 미더움이 있는 뒤에 남들이 믿고 따르기 때문이다. 이렇게 남들이 믿고 따르는 것만을 믿고서 다시 잘 살피지 않고, 반드시 그 뜻을 행한다면 반드시 남보다 뛰어난 일은 있을 것이다. 그러나 일을 행함이 지나치면 이루지 못함은 없겠지만 이미 다 이루어 버렸다면 사물이 궁해진다. 사물은 다하는 이치가 없기 때문에 '아직 다 건너지 못함[未濟]'으로써 마쳤다.

박문호(樸文鎬) 「경설(經說)·주역(周易)」

物不可窮也.
물건은 다할 수 없다.

蓋以旣濟有窮之道, 故雲爾. 此與雜卦男之窮之窮字, 別是一義, 而不相悖也.
기제괘가 궁함이 있는 도이기 때문에 이렇게 말한 것이다. 이것과 「잡괘전」의 "남자의 궁한 곳"의 '궁(窮)'자는 별도로 하나의 뜻이어서 서로 어긋나지 않는다.

잡괘전

雜卦傳

┃中國大全┃

小註

朱子曰, 雜卦反對之義, 只是反覆, 則其吉凶禍福動静剛柔, 皆相反也.

주자가 말하였다: 「잡괘전」은 반대되는 뜻[1]이 반복될 뿐이니, 길흉·화복·동정·강유가 모두 서로 반대된다.

○ 序卦雜卦, 聖人去這裏見有那无繁要底道理, 也說則箇了過去. 然雜卦中亦有說得極精處.

「서괘전」과 「잡괘전」은 성인이 거기에서 긴요치 않은 도리가 있으면 설명도 대략 해 나갔다. 그렇지만 「잡괘전」에는 정밀하게 말한 것도 있다.

○ 南軒張氏曰, 序卦所以言易道之常, 雜卦所以言易道之變, 此古有是言也. 殊不知易之雜卦, 乃言其卦畫反對, 各以類而言之, 非雜也. 於雜之中而有不雜者存焉.

남헌장씨가 말하였다: 「서괘전」은 역도(易道)의 일정함을 말하였고, 「잡괘전」은 역도(易道)의 변화를 말하였다는 이런 말이 예로부터 있었다. 이는 『주역』의 「잡괘전」이 괘와 획이 거꾸로 되거나 음양이 바뀐 것을 말한 것으로 각각 부류대로 말하였지 섞인 것이 아님을 전혀 알지 못한 것이다. 뒤섞인 것 중에 뒤섞이지 않은 것이 있다.

○ 臨川吳氏曰, 序卦, 上經三十卦, 下經三十四卦, 以反對而觀, 則上經十八卦, 下經十八卦也. 此篇仍其反對之偶, 而不仍其先後之序. 故曰雜, 其義則以明六十四卦所主之爻也.

임천오씨가 말하였다: 「서괘전」은 상경(上經)이 30괘, 하경(下經)이 34괘인데, 거꾸로 된 괘로 보면 상경(上經)이 18괘, 하경(下經)이 18괘이다. 이 「잡괘전」은 반대가 되는 짝을 따른 것이지 앞뒤의 순서를 따른 것이 아니다. 그러므로 '잡(雜)'이라 하였으며, 그 뜻은 64괘에서 주인이 되는 효를 밝힌 것이다.

---

1) 「잡괘전」에서 반대(反對)는 거꾸로 되었거나 음양이 바뀐 괘를 말한다. 그러나 반(反)과 대(對)의 개념규정은 학자들마다 일치하지 않는다. 주자는 반(反)을 음양이 바뀐 괘인 착괘의 의미로, 대(對)를 거꾸로 된 괘인 도전괘의 의미로 쓴다. 그러나 다른 학자들 가운데에는 반(反)을 거꾸로 된 괘로, 대(對)를 음양이 바뀐 괘의 의미로 쓰는 경우가 있다.

○ 雙湖胡氏曰, 雜卦自乾至困, 非但當上經三十卦, 實雜下經十二卦於其中, 咸至夬, 非但當下經三十四卦, 亦雜上經十二卦於其中, 雜中不雜, 必有至理. 又嘗觀雜卦, 以乾爲首, 不終之以他卦, 而必終之以夬者, 蓋夬以五陽決一陰, 決去一陰則復爲純乾矣. 故曰君子道長小人道憂也. 張子曰易爲君子謀, 大哉言矣.

쌍호호씨가 말하였다: 「잡괘전」의 건괘(乾卦)에서 곤괘(困卦)까지는 상경(上經)의 30괘에 해당할 뿐만 아니라 실제로 하경(下經)의 12괘가 그 가운데 섞여 있고, 함괘(咸卦)에서 쾌괘(夬卦)까지는 하경의 34괘에 해당할 뿐만 아니라 또한 상경의 12괘가 그 가운데 섞여 있으니, 섞여 있는 가운데 섞이지 않음에 반드시 지극한 이치가 있다. 또 일찍이 「잡괘전」을 보니, 건괘를 처음으로 하여 다른 괘로써 끝마치지 않고 쾌괘(夬卦)로써 반드시 끝마친 것은 쾌괘는 다섯 양이 한 음을 결단하는 것으로 한 음을 결단하여 제거하면 다시 순수한 건괘가 되기 때문이다. 그러므로 「잡괘전」의 끝에서 "군자의 도는 자라고 소인의 도는 걱정스럽다"고 하였다. 장자는 "역은 군자를 위하여 도모한 것이니, 그 말씀이 크도다!"라고 하였다.

○ 息齋余氏曰, 雜卦一篇, 乃序卦之變通也. 序卦自乾坤而下三十, 自咸恒而下三十四, 雜卦亦然. 序卦反對, 雜卦亦多反對, 此其所同也. 序卦以乾坤頤大過坎離在上篇, 中孚小過在下篇, 故二篇反對, 皆成十八卦. 雜卦但以乾坤在上篇, 餘盡在下篇, 又自大過以下, 不復反對, 此其所異也.

식재여씨가 말하였다: 「잡괘전」한 편은 「서괘전」의 변통이다. 「서괘전」은 건괘와 곤괘 이하가 30괘이고, 함괘와 항괘 이하가 34괘인데 「잡괘전」도 그렇다. 「서괘전」은 거꾸로 된 괘와 음양이 바뀐 괘로 되어있는데, 「잡괘전」도 대부분 거꾸로 된 괘와 음양이 바뀐 괘이니, 이것이 같은 점이다. 「서괘전」은 건괘·곤괘·이괘·대과괘·감괘·리괘는 상편에 있고, 중부괘·소과괘는 하편에 있으므로 두 편의 반대괘는 모두 18괘를 이룬다. 「잡괘전」은 건괘와 곤괘만 상편에 있고, 나머지는 모두 하편에 있으며, 또 대과괘 이하로는 다시 반대괘가 없으니, 이것이 다른 점이다.

○ 盧陵龍氏曰, 按春秋傳釋繫辭, 所謂屯固比入, 坤安震殺之屬, 以一字斷卦義, 往往古筮書多有之, 雜卦此類是也. 夫子存之, 爲經羽翼, 非創作也.

여릉용씨가 말하였다: 『춘추』에서 「계사전」을 해석한 것을 살펴보니, "준괘(屯卦)는 견고하고, 비괘(比卦)는 들어가는 상이다",[2] "곤괘는 백성을 편안하게 하고, 진괘는 악인을 죽이는 것이다"[3] 등에서 한 글자로 괘의 뜻을 결단하였는데, 이따금 옛 점치는 글에서 이런 경우가

---

2) 『春秋·閔公』 1년: 初, 畢萬筮仕於晉, 遇屯䷂之比䷇, 辛廖占之, 曰吉. 屯固比入, 吉孰大焉, 其必蕃昌.
3) 『春秋·閔公』 1년: "合而能固, 安而能殺, 公侯之卦也"에 대한 주석: 比合屯固, 坤安震殺, 故曰公侯之卦.

많이 있었으니, 「잡괘전」이 이런 종류이다. 공자가 이것을 두어 경전에 대한 이해를 도왔으니, 창작한 것은 아니다.

‖韓國大全‖

유정원(柳正源) 『역해참고(易解參攷)』

韓氏曰, 雜揉衆卦, 錯綜其義, 或以同相類, 或以異相明也.

한강백이 말하였다: 여러 괘를 뒤섞어 배합하여 그 뜻을 얽었는데, 같은 점으로 서로 분류하기도 하고, 다른 점으로 서로 밝히기도 하였다.

박문호(朴文鎬) 「경설(經說)·주역(周易)」

雜擧反對之卦爲說, 故名曰雜卦傳.

거꾸로 되거나 음양이 바뀐 괘를 뒤섞어 거론해 설명하였으므로 「잡괘전」이라고 이름 붙였다.

乾剛坤柔,

건(乾䷀)은 굳세고 곤(坤䷁)은 부드럽고,

┃中國大全┃

小註

朱子曰, 剛柔雖若各有所偏, 必相錯而後得中. 然在乾坤二卦之全體, 當剛而剛, 當柔而柔, 則不待相錯而不害其全矣. 其爻位之无過不及者, 如乾坤之二五, 亦不待相錯而不害其爲中矣. 陰陽變化, 而太極之妙, 无不在焉, 於此蓋可見也. 若謂乾剛坤柔, 便有所偏, 則於二卦之象及二五之爻, 有不通者.

주자가 말하였다: 굳셈과 부드러움이 비록 각각 치우침이 있어서 반드시 서로 뒤섞인 뒤에야 알맞음을 얻을 것 같지만 건괘와 곤괘의 전체에 있어서 굳셈에는 굳세게 하고, 부드러움에는 부드럽게 해야 하니, 서로 뒤섞임을 기다리지 않아도 그 온전함을 해치지 않는다. 그 효의 자리가 지나치거나 미치지 못함이 없는 것은 건괘와 곤괘의 이효와 오효가, 또한 서로 뒤섞임을 기다리지 않아도 가운데가 됨을 해치지 않음과 같다. 음과 양이 변화함에 태극의 오묘함이 있지 않음이 없다는 것을 여기에서 알 수 있다. 만약 건의 굳셈과 곤의 부드러움에 치우침이 있다면 두 괘의 단전과 이효와 오효에 대하여 통하지 못함이 있는 것이다.

○ 漢上朱氏曰, 乾坤易之門, 剛皆乾, 柔皆坤, 剛柔雜成諸卦, 故曰乾剛坤柔.

한상주씨가 말하였다: 건괘와 곤괘는 역의 문이니, 굳셈은 건괘이고, 부드러움은 곤괘이다. 굳셈과 부드러움이 섞여서 여러 괘를 이루므로 "건괘는 굳세고 곤괘는 부드럽다"고 하였다.

○ 臨川吳氏曰, 六十四卦, 乾坤爲純剛純柔之卦. 剛柔之畫, 自初起至上而極, 然後見乾爲純剛, 坤爲純柔, 故乾主上九, 坤主上六. 乾坤六陽六陰之卦上爲主. 夬剝五陽五陰之卦五爲主, 大壯觀四陽四陰之卦四爲主, 泰否三陽三陰之卦三爲主, 臨遯二陽二陰之卦二爲主, 復姤一陽一陰之卦初爲主, 此十二卦主爻與術家同.

임천오씨가 말하였다: 64괘 중 건괘와 곤괘는 순수하게 굳세고, 순수하게 부드러운 괘가 된다. 굳셈과 부드러움의 획이 초효에서 시작하여 상효에서 지극해진 이후에 건괘가 순수한 굳셈이 되고, 곤괘가 순수한 부드러움이 됨을 알 수 있으므로 건괘는 상구가 주인이고, 곤괘는 상육이 주인이다. 여섯 양과 여섯 음의 괘인 건괘와 곤괘는 상효가 주인이고, 다섯 양과 다섯 음의 괘인 쾌괘와 박괘는 오효가 주인이며, 네 양과 네 음의 괘인 대장괘와 관괘는 사효가 주인이고, 세 양과 세 음의 괘인 태괘와 비괘는 삼효가 주인이며, 두 양과 두 음의 괘인 림괘와 돈괘는 이효가 주인이고, 한 양과 한 음의 괘인 복괘와 구괘는 초효가 주인이니, 이 12괘의 주효(主爻)는 술수가와 같다.

▌韓國大全▐

김상악(金相岳) 『산천역설(山天易說)』

乾坤易之門也. 故乾純剛坤純柔, 六十四卦, 剛柔之變, 皆由於乾坤也.

건곤은 역의 문이다. 그러므로 건은 순전히 굳세고 곤은 순전히 부드러우니 64괘에서 굳셈과 부드러움의 변화는 모두 건곤에서 말미암는다.

서유신(徐有臣) 『역의의언(易義擬言)』

乾剛陽物也, 坤柔陰物也. 六子之剛柔, 皆得於乾坤.

건괘는 굳센 양이고, 곤괘는 부드러운 음이다. 여섯 자식의 굳셈과 부드러움은 모두 건·곤괘에서 얻는다.

오치기(吳致箕) 「주역경전증해(周易經傳增解)」

此以對卦言. 乾坤之德而剛柔相反, 卽對中有反也. 他皆倣此.

이는 음양이 바뀐 괘[對卦]로써 말하였다. 건곤의 덕은 굳셈과 부드러움이 서로 반대[反]이니 음양이 바뀐 가운데 거꾸로 됨이 있다. 다른 괘들도 다 이와 같다.

比樂師憂.

비(比)는 즐겁고 사(師)는 근심스럽다.

‖ 中國大全 ‖

小註

東坡蘇氏曰, 有親則樂, 動衆則憂.

동파소씨가 말하였다: 친함이 있으니 즐겁고, 무리를 움직이니 근심스럽다.

○ 閻氏彦升曰, 比順從故樂, 師行險故憂.

염언승이 말하였다: 비(比)는 순종하므로 즐겁고, 사(師)는 험난한 것을 행하므로 근심스럽다.

○ 息齋余氏曰, 在上而得衆, 故樂, 居下而任重, 故憂. 中天下而立, 定四海之民, 比之樂也, 鞠躬盡力, 死而後已, 成敗利鈍, 非所逆覩, 師之憂也.

식재여씨가 말하였다: 위에 있으면서 무리를 얻었기 때문에 즐겁고, 아래에 있으면서 임무가 막중하기 때문에 근심스럽다. 천하의 가운데에 서서 천하의 백성을 안정시킴이 비(比)의 즐거움이고, 몸을 굽혀 힘을 다하여 죽은 뒤에야 그치고, 성공과 실패, 이로움과 불리함은 미리 헤아릴 바가 아님이 사(師)의 근심스러움이다.

○ 臨川吳氏曰, 比九五居上, 爲顯比之主, 故樂, 師九二居下, 爲行師之主, 故憂.

임천오씨가 말하였다: 비괘는 구오효가 위에 있어 가까움을 드러내는 주체가 되기 때문에 즐겁고, 사괘는 구이효가 아래에 있어 군대를 행하는 주체가 되기 때문에 근심스럽다.

‖韓國大全‖

김상악(金相岳) 『산천역설(山天易說)』

比樂者, 有親也, 師憂者, 動衆也.

“비(比)는 즐겁고”는 친함이 있어서이고, “사(師)는 근심스럽다”는 무리를 움직여서이다.

서유신(徐有臣) 『역의의언(易義擬言)』

比與衆樂, 師與衆憂.

비괘는 무리와 함께 즐거워하고, 사괘는 무리와 함께 근심한다.

오치기(吳致箕) 「주역경전증해(周易經傳增解)」

自此至兌, 皆以反體言也. 比有親而爲樂, 師行險而爲憂. 此以卦義憂樂相對, 卽反中有對也. 他皆倣此.

여기서부터 태괘에 이르기까지는 모두 거꾸로 된 몸체로써 말하였다. 비괘는 친함이 있어 즐거움이 되고, 사괘는 험한 것을 행해서 근심이 된다. 이는 괘의 뜻이 근심과 즐거움으로 상대되니, 반대되는 가운데 상대함이 있다. 다른 괘들도 다 이와 같다.

臨觀之義, 或與或求.

림(臨)과 관(觀)의 뜻은 혹은 주고 혹은 구한다.

中國大全

本義

以我臨物曰與, 物來觀我曰求. 或曰, 二卦互有與求之義.

내가 남에게 임하는 것을 '준다[與]'고 하고, 남이 와서 나를 보는 것을 '구한다[求]'고 한다. 어떤 이는 "두 괘는 서로 '주고' '구하는' 뜻이 있다"고 하였다.

小註

朱子曰, 臨觀更有與求之義. 臨以二陽言之, 則二陽可以臨上四陰, 以卦中爻言之, 則六五上六, 又以上而臨下.

주자가 말하였다: 림괘와 관괘는 더욱 주고 구한다는 뜻이 있다. 림괘는 두 양으로 말하면 두 양이 위의 네 음에 임할 수 있고, 괘 가운데 효로 말하면 육오와 상육이 또 위에서 아래에 임하고 있다.

○ 臨川吳氏曰, 臨九二二陽浸長, 在上之陰, 不敢以勢臨之, 而與之以俟其上進. 觀六四四陰已盛, 然不進逼犯陽, 而統率三陰居下, 以求觀九五之中正.

임천오씨가 말하였다: 림괘의 구이효는 두 양이 점점 자란 것으로 위에 있는 음이 감히 세력으로 임할 수 없고, 그와 더불어 위로 나아가기를 기다리는 것이다. 관괘의 육사효는 네 음이 이미 성대하지만 나아가 양을 핍박하지 않고 아래에 있으면서 세 음을 통솔하여 중정한 구오효를 보기를 구한다.

┃韓國大全┃

조호익(曺好益) 『역상설(易象說)』

觀四陰求觀於上, 二陽爲觀於下, 此互有與求之義也.

관괘는 네 음이 위에다가 보임을 구하고, 두 양이 아래에 보이게 되니 이는 서로 주고 구하는 뜻이 있다.

김상악(金相岳) 『산천역설(山天易說)』

我之臨物, 物之觀我, 有與求之義.

내가 대상에 임하고, 대상이 나를 관찰하니 '주고 구하는' 뜻이 있다.

서유신(徐有臣) 『역의의언(易義擬言)』

觀皆有相與相求之義.

관괘는 모두 서로 주고 서로 구하는 뜻이 있다.

심대윤(沈大允) 『주역상의점법(周易象義占法)』

乾剛坤柔 … 或與或求.

건(乾)은 굳세고 곤(坤)은 부드럽고 … 혹은 주고 혹은 구한다.

臨爲下所與, 觀爲下所求.

림괘는 아랫사람이 주는 것이 되고, 관괘는 아랫사람이 구하는 것이 된다.

오치기(吳致箕) 「주역경전증해(周易經傳增解)」

臨主二陽在內臨外, 而亦以四陰在外而臨內. 觀主二陽在上觀下, 而亦以四陰在下而觀上. 故曰或與或求.

림괘는 두 양이 안에 있으면서 밖으로 임하는 것을 위주로 하고, 또한 네 음이 밖에 있으면서 안으로 임한다. 관괘는 두 양이 위에서 아래를 바라봄을 위주로 하고 또한 네 음이 아래에서 위를 바라본다. 그러므로 혹은 주고 혹은 구한다고 했다.

屯, 見而不失其居, 蒙雜而著.

쥰(屯)은 나타나나 그 거처를 잃지 않으며, 몽(蒙)은 섞이나 드러난다.

‖中國大全‖

本義

屯, 震遇坎, 震動故見, 坎險不行也. 蒙, 坎遇艮, 坎幽昧, 艮光明也. 或曰, 屯以初言, 蒙以二言.

준괘는 진괘(☳)가 감괘(☵)를 만난 것이니, 진(震)은 움직이므로 나타나고, 감(坎)은 험해서 가지 못한다. 몽괘는 감괘(☵)가 간괘(☶)를 만난 것이니, 감(坎)은 그윽하고 어두우나 간(艮)은 빛나고 밝다. 어떤 이는 "준괘는 초효로써 말한 것이고, 몽괘는 이효로써 말한 것이다"라고 하였다.

小註

節齋蔡氏曰, 屯物之始生故見, 主初也, 未得位而利居貞, 故不失其居. 蒙然而生, 故雜, 二爲蒙主, 而能治之, 使明故著.

절재채씨가 말하였다: 준괘는 물건이 처음 생기기 때문에 나타난다고 하였고, 초효를 주인으로 하지만 아직 자리를 얻지 못하여 바름에 머물러 있는 것이 이롭기 때문에 그 거처를 잃지 않는다고 하였다. 어두운 상태로 태어나기 때문에 섞여있다고 하였고, 이효가 몽괘의 주인이 되어 다스려서 밝게 하기 때문에 드러난다고 하였다.

○ 柴氏中行曰, 在蒙昧之中, 雖未有識別, 而善理昭著.

시중행이 말하였다: 어두운 가운데 있어 아직 식별력이 있지는 않지만 선한 이치가 밝게 드러나 있다.

○ 臨川吳氏曰, 屯蒙皆二陽之卦. 屯九五見於上卦二陰之中而爲主, 其下一陽則動於

坎險之內而固守, 故曰不失其居. 蒙九二雜於下卦二陰之中而爲主, 其上一陽則止於
坎險之外而光明, 故曰著, 坎陽陷於陰中, 一也. 見者陽在上卦之天而位顯, 雜者陽在
下卦之地而位幽也.

임천오씨가 말하였다: 준괘와 몽괘는 양효가 둘인 괘이다. 준괘의 구오는 상괘의 두 음 가운
데 나타나 주인이 되고, 하괘의 한 양은 험한 감괘(☵) 안에서 움직이지만 견고하게 지키므
로 그 거처를 잃지 않는다고 하였다. 몽괘 구이는 하괘 두 음 가운데 섞여 있어 주인이 되고,
상괘의 한 양은 험한 감괘 밖에 그쳐서 빛나고 밝으므로 드러난다고 하였지만, 감괘의 양이
음 가운데 빠짐은 같다. 나타남은 양이 상괘의 하늘에 있어 자리가 드러남이고, 섞임은 양이
하괘의 땅에 있어 자리가 그윽한 것이다.

‖韓國大全‖

유정원(柳正源) 『역해참고(易解參攷)』

韓氏曰, 君子經綸之時, 雖見而盤桓, 利貞不失其居也. 雜而未知所定也, 求發其蒙, 則
終得所定. 著, 定也.

한강백이 말하였다: 군자가 경륜할 때에는 비록 보여도 머뭇거리니, 곧음을 이롭게 여겨 자
기 자리를 잃지 않는다. 섞여서 정할 바를 알지 못하지만 그 몽매함을 벗길 구하면 마침에
정할 바를 얻는다. ‘저(著)’는 정함이다.

○ 郭氏京曰. 稺字誤作雜字. 蒙之爲義, 當蒙昧幼稺之時, 心旡所定, 非叢雜之義.

곽경이 말하였다: 치(稺)자가 잡(雜)자로 잘못 쓰여 있다. ‘몽’의 뜻은 몽매하고 어리석은
때여서 마음에 정한 바가 없는 것이지 무더기로 뒤섞였다는 뜻이 아니다.

김상악(金相岳) 『산천역설(山天易說)』

屯, 初九居二陰之下, 動而得正位, 故見而不失其居. 蒙, 九二雜於二陰之中, 爲發蒙之
主, 故雜而著.

준괘는 초구가 두 음의 아래에 있고 움직여 바른 자리를 얻기 때문에 나타나나 그 거처를
잃지 않는다. 몽괘는 구이가 두 음의 가운데에 섞여 몽매함을 열어주는 주인이 되므로 섞이

나 드러난다.

서유신(徐有臣) 『역의의언(易義擬言)』

屯, 物始生而未離乎土也. 蒙, 品類不齊而可以識別也. 或曰, 雜當作稚.

준괘는 만물이 처음 생겨 아직 땅에서 떠나지 않은 것이다. 몽괘는 여러 종류의 물건이 가지런하지 않지만 식별할 수는 있다. 어떤 이는 "'섞이나[雜]'는 '어리나[稚]'로 써야한다"고 하였다.

오치기(吳致箕) 「주역경전증해(周易經傳增解)」

陽見于下, 而不失居正者. 屯之初九, 有濟屯之才也. 剛雜于柔, 而著其中德者. 蒙之九二爲治蒙之主也. 不失其居, 與雜處之義爲對也.

양이 아래에서 나타나나 바름에 거처함을 잃지 않은 것이다. 준괘의 초구이니 어려움을 구제할 수 있는 재질이 있다. 굳센 것이 부드러운 것에 섞여있으나 알맞은 덕이 드러나는 것이다. 몽괘의 구이이니 몽매함을 다스리는 주인이 된다. 그 자리를 잃지 않음은 섞여 거처하는 뜻과 상대가 된다.

震, 起也, 艮, 止也. 損益, 盛衰之始也.

진(震)은 일어남이고, 간(艮)은 그침이다. 손(損)과 익(益)은 성하고 쇠함의 시작이다.

║中國大全║

小註

節齋蔡氏曰, 震陽起于下, 艮陽止于上. 損者盛之始, 益者衰之始.

절재채씨가 말하였다: 진괘는 양이 아래에서 일어남이고, 간괘는 양이 아래에서 그침이다. 손괘는 성함의 시작이고, 익괘는 쇠함의 시작이다.

○ 息齋余氏曰, 損益盛衰之始, 泰否之變也.

식재여씨가 말하였다: 손괘와 익괘는 성하고 쇠함의 시작인데 태괘와 비괘가 변한 것이다.

○ 鄱陽董氏曰, 損者人之所憂也, 而乃爲盛之始, 益者人之所喜也, 而乃爲衰之始, 則是於吉凶消長之幾, 進退存亡之理, 其可迷而不悟哉.

파양동씨가 말하였다: '손(損)'은 사람이 근심하는 것이지만 성함[盛]의 시작이 되고, '익[益]'은 사람이 기뻐하는 것이지만 쇠함의 시작이 되니, 이에 길흉·소장의 기미와 진퇴·존망의 이치에 대하여 헷갈려서 깨닫지 못해서야 되겠는가?

‖韓國大全‖

조호익(曺好益) 『역상설(易象說)』

損益, 盛衰之始也.

손(損)과 익(益)은 성하고 쇠함의 시작이다.

損, 本泰卦, 九三上六二爻變而爲損. 故曰衰之始也. 益本否卦, 初六九三二爻變而爲益. 故曰盛之始也. 余氏註說, 恐或如此.

손괘는 본래 태괘이니, 구삼과 상육의 두 효가 변하여 손괘가 되었다. 그러므로 ‘쇠함의 시작’이라고 하였다. 익괘는 본래 비괘(否卦)이니, 초육과 구삼의 두 효가 변하여 익괘가 되었다. 그러므로 ‘성함의 시작이라고 하였다. 여씨가 주해에서 말한 것이 혹 이런 것이 아닌가 한다.

김상악(金相岳) 『산천역설(山天易說)』

陽在下則起, 在上則止. 損之極爲盛之始, 益之極爲衰之始.

양이 아래에 있으면 일어나고 위에 있으면 그친다. 덜어냄이 다함은 성함의 시작이 되고, 더함이 다함은 쇠함의 시작이 된다.

서유신(徐有臣) 『역의의언(易義擬言)』

震, 起也, 艮, 止也.

진(震)은 일어남이고, 간(艮)은 그침이다.

起者, 始也, 止者, 終止也.

‘일어남[起]’은 시작하는 것이고, ‘그침[止]’은 끝마치는 것이다.

심대윤(沈大允) 『주역상의점법(周易象義占法)』

屯見 … 盛衰之始也.

준(屯䷂)은 나타나나 … 성하고 쇠함의 시작이다.

屯物始生可見, 而艱苦以着根. 人始見於行事, 艱難以立基業.

준괘는 만물이 처음 생겨나 보이는 것이니 어렵게 뿌리를 내린다. 사람이 처음으로 일을 시작해서 어렵게 기초를 세우는 것이다.

오치기(吳致箕) 「주역경전증해(周易經傳增解)」

震, 起也, 艮, 止也.

진(震)은 일어남이고, 간(艮)은 그침이다.

震陽起于下, 艮陽止于上, 起止之義爲對也.

진괘는 양이 아래에서 일어나고, 간괘는 양이 위에서 그치니, 일어나고 그치는 뜻이 짝이 된다.

損益, 盛衰之始也.

손(損)과 익(益)은 성하고 쇠함의 시작이다.

損卦上體之艮反而爲益卦下體之震, 故爲陽盛之始. 益卦上體之巽反而爲損卦下體之兌, 故爲陰衰之始. 而言始則終可以推也. 此以陰陽盛衰之象爲對也.

손괘(損卦) 상체의 간괘(☶)를 거꾸로 하면 익괘(益卦) 하체의 진괘(☳)가 되므로 양이 흥성하는 시작이 된다. 익괘 상체의 손괘(☴)를 거꾸로 하면 손괘 하체의 태괘(☱)가 되므로 음이 쇠하는 시작이 된다. 시작을 말했다면 끝도 미루어 볼 수 있다. 이는 음양이 성하고 쇠하는 상으로 짝을 삼았다.

大畜, 時也, 无妄, 災也.

대축(大畜)은 때이고, 무망(无妄)은 재앙이다.

中國大全

本義

止健者, 時有適然, 无妄而災, 自外至.

굳셈을 그침은 때가 마침 그런 것이고, 잘못이 없는 경우의 재앙은 바깥으로부터 온 것이다.

小註

節齋蔡氏曰, 剛健者難畜, 當剛止之時故能畜. 莫非災也, 无妄之災, 乃所謂災也.

절재채씨가 말하였다: 강건함은 쌓기 힘드니, 굳셈이 그치는 때이기 때문에 쌓을 수 있다. 재앙이 아님이 없지만, 무망의 재앙이 이른바 재앙이다.

○ 息齋余氏曰, 止有靜中之得, 故大畜曰時, 動有慮外之失, 故无妄曰災.

식재여씨가 말하였다: 그침에 고요하고 알맞음을 얻음이 있기 때문에 대축괘에서 '때'라고 하였고, 움직임에 생각 밖의 잘못이 있기 때문에 무망괘에서 '재앙'이라고 하였다.

○ 柴氏中行曰, 禍非自取曰災.

시중행이 말하였다: 스스로 초래한 것이 아닌 화를 재앙이라고 하였다.

‖韓國大全‖

김상악(金相岳) 『산천역설(山天易說)』

以柔畜剛者, 時也, 非所期望者, 災也.

유약한 음으로 굳센 양을 저지하는 것은 때가 그러하며, 기대하는 바가 아닌 것은 재앙이다.

서유신(徐有臣) 『역의의언(易義擬言)』

大畜亦不能無時, 无妄亦不能無灾.

크게 쌓는 것도 때가 없을 수 없고, 망령됨이 없어도 재앙이 없을 수는 없다.

오치기(吳致箕) 「주역경전증해(周易經傳增解)」

无非時也, 大畜之止而道行, 乃其時也. 莫非災也, 无妄之動而有眚, 乃其災也. 此以得失時災之義言也.

때가 아님이 없으니, 대축괘의 그쳐서 도가 행해지는 것은 그 때인 것이고, 재앙이 아님이 없으니, 무망괘의 움직여 허물이 있는 것은 그 재앙인 것이다. 이는 얻는 것과 잃는 것, 때에 맞는 것과 재앙을 얻는 것의 뜻을 가지고 말하였다.

萃聚, 而升不來也.

취(萃)는 모임이고, 승(升)은 오지 않음이다.

‖ 中國大全 ‖

小註

節齋蔡氏曰, 澤聚而下, 木升而上.

절재채씨가 말하였다: 못은 모여서 내려가고, 나무는 올라가 위로 간다.

○ 臨川吳氏曰, 萃以觀之四往上爲主, 而同類之三陰聚於下. 升以臨之三來初爲主, 而同類之三陰升於上, 升上爲往, 降下爲來, 不來謂升而不降也.

임천오씨가 말하였다: 취괘는 관괘의 사효가 상효로 와서 주인이 되고 같은 종류의 세 음이 아래에 모여 있는 것이며, 승괘는 림괘의 삼효가 초효로 가서 주인이 되고 같은 종류의 세 음이 위로 올라간 것이니, 위로 올라가는 것을 '가다[往]'라 하고, 아래로 내려오는 것을 '오다[來]'라 하며, '오지 않음[不來]'은 올라가서 내려오지 않음을 말한다.

‖ 韓國大全 ‖

유정원(柳正源) 『역해참고(易解參攷)』

升不來.

승(升)은 오지 않음이다.

韓氏曰, 方在上升, 故不還也.

한강백이 말하였다: 바야흐로 올라가고 있으므로 돌아오지 않는다.

김상악(金相岳)『산천역설(山天易說)』

澤聚而下也, 木升而上也.

못은 모여서 내려가고 나무는 위로 향해 올라간다.

서유신(徐有臣)『역의의언(易義擬言)』

聚於下則有上進之勢, 升於上則無下來之義.

아래에서 모이면 위로 나아가는 기세가 있고, 위로 올라가면 내려오려는 뜻이 있다.

오치기(吳致箕)「주역경전증해(周易經傳增解)」

兌在上而三陰下聚. 巽在下而三陰上升, 聚于下者不散, 升于上者不來. 此以卦體卦義言也.

취괘는 태괘가 위에 있으면서 세 음이 아래로 모이고, 승괘는 손괘가 아래에 있으면서 세 음이 위로 올라가는데, 아래에 모인 것은 흩어지지 않고, 위로 올라간 것은 내려오지 않는다. 이는 괘의 몸체와 괘의 뜻을 가지고 말하였다.

謙輕, 而豫怠也.

겸(謙)은 가벼움이고, 예(豫)는 게으름이다.

║中國大全║

小註

朱子曰, 謙輕, 是自謙抑不自尊重.

주자가 말하였다: "겸은 가벼움"은 스스로 겸손하고 억눌러 스스로 높은 체하지 않는 것이다.

○ 問, 謙何以爲輕. 曰, 輕是自卑小之義, 說豫之極, 便放倒了, 如上六冥豫是也.

물었다: 겸은 어찌 가볍습니까?

답하였다: 가벼움은 스스로 낮추고 작게 여기는 뜻입니다. 기뻐하고 즐거워함이 지극하면 곧 풀어져 잘못될 것이니, 상육에서 "즐거움에 빠져 어두우니"[4]가 이것입니다.

○ 柴氏中行曰, 謙者視已若甚輕, 豫則有滿盈之志而怠矣.

시중행이 말하였다: 겸은 자신을 매우 가벼운 듯 보고, 예는 가득 찬 뜻이 있어 게으르다.

○ 臨川吳氏曰, 謙一陽居下卦之上, 爲謙卑之主, 而不尊大, 故自小而輕, 豫一陽居上卦之下, 爲豫樂之主, 而志滿足, 故自肆而怠.

임천오씨가 말하였다: 겸괘는 한 양이 하괘의 위에 있어 겸손하고 낮추는 주인이 되어 높고 큰 체하지 않기 때문에 스스로 작게 여겨 가볍고, 예괘는 한 양이 상괘의 아래에 있어 즐거움의 주인이 되어 뜻이 가득 차고 만족하기 때문에 스스로 함부로 하여 게으르다.

---

4) 『周易 · 豫卦』: 上六, 冥豫, 成, 有渝无咎.

∥韓國大全∥

김상악(金相岳) 『산천역설(山天易說)』

謙不自尊重故輕, 豫志意滿足故怠.

겸(謙)은 스스로를 높고 무겁게 여기지 않으므로 가볍고, 예(豫)는 뜻이 만족스러우므로 게으르다.

서유신(徐有臣) 『역의의언(易義擬言)』

謙戒輕慢, 豫戒怠忽.

겸괘는 경솔하고 오만함을 경계하고, 예괘는 태만하고 소홀함을 경계한다.

심대윤(沈大允) 『주역상의점법(周易象義占法)』

大畜時也 … 豫怠也.

대축(大畜)은 때이고 … 예(豫)는 게으르다.

事業有時, 誠力有災, 升高上而不下. 謙過則輕侮, 豫極則怠惰.

사업에는 때가 있고 정성스레 힘씀에는 재앙이 있으며, 높은 데로 올라가 내려오지 않는다. 겸손이 지나치면 가벼워 모욕스럽고, 즐거움이 극에 달하면 게을러진다.

오치기(吳致箕) 「주역경전증해(周易經傳增解)」

謙抑損而不自尊重, 故曰輕, 豫滿盈而乃至放肆, 故曰怠. 此以卦義言也.

겸손은 억제하고 덜어내서 스스로를 존중하지 않으므로 '가볍다'고 하였고, 즐거움이 가득하면 제멋대로 하는 데 이르게 되므로 '게으르다'고 하였다. 이는 괘의 뜻으로 말하였다.

噬嗑, 食也, 賁, 无色也.

서합(噬嗑)은 먹는 것이고, 비(賁)는 색이 없는 것이다.

‖中國大全‖

本義

白受采.

흰색은 채색을 받는다.

小註

節齋蔡氏曰, 頤中有物故食, 賁則其色不常故无色.

절재채씨가 말하였다: 입 안에 물건이 있으므로 먹고, 비는 그 색이 일정하지 않으므로 색이 없는 것이다.

○ 白雲郭氏曰, 賁以白賁无咎. 故无色, 則質全, 有天下之至賁存焉.

백운곽씨가 말하였다: 비는 꾸밈을 희게 하면 허물이 없다.[5] 그러므로 색이 없으면 바탕이 온전할 것이니, 천하의 지극한 꾸밈이 있는 것이다.

○ 息齋余氏曰, 食色人情所不免, 噬嗑曰食, 而賁曰无色者, 蓋色至於賁, 則易過矣, 故戒之.

식재여씨가 말하였다: 식욕과 색욕은 사람이 면할 수 없는 것이므로 서합괘에서 ‘먹다’라고 하였고, 비괘에서 ‘색이 없다’라고 한 것은 색은 꾸밈이 지극하면 허물이 되기 쉽기 때문에 경계한 것이다.

○ 臨川吳氏曰, 噬嗑以否初往五而爲主, 賁以泰上來二文剛而爲主.

임천오씨가 말하였다: 서합괘는 비괘의 초효가 오효로 가서 주인이 된 것이고, 비괘는 태괘의 상효가 이효로 와서 굳셈을 꾸며 주인이 된 것이다.

---

5) 『周易·賁卦』: 上九, 白賁, 无咎.

┃韓國大全┃

김상악(金相岳)『산천역설(山天易說)』

頤中有物, 食其所有. 賁之无色, 文反乎質也.

턱 속에 물건이 있으니 그 든 것을 먹으며, "비는 색이 없는 것이다"는 꾸밈이 바탕으로 돌아가는 것이다.

서유신(徐有臣)『역의의언(易義擬言)』

噬嗑非謂所不當食. 賁非謂彩色絢耀

서합괘는 마땅히 먹지 말아야 할 바를 가리키는 것이 아니다. 비괘는 색과 무늬가 곱고 빛남을 가리키는 것이 아니다.

오치기(吳致箕)「주역경전증해(周易經傳增解)」

頤爲口而動在下, 口動則爲食. 賁爲文而止在上, 文止則爲无色. 此以卦體卦德言也.

이괘는 입이 되는데 아래에서 움직이니, 입이 움직이면 먹는 것이 된다. 비괘는 꾸밈이 되는데 위에서 그치니, 꾸밈이 그치면 색이 없는 것이 된다. 이는 괘의 몸체와 괘의 덕으로 말하였다.

박문호(朴文鎬)「경설(經說)·주역(周易)」

賁无色.

비는 색이 없는 것이다.

小註郭氏說似長, 與本義之意合.

소주에 나온 곽씨의 설6)이 나은 듯하니, 『본의』의 뜻과 합한다.

---

6) 『본의』에서는 '賁无色'를 '흰색은 채색을 받는다[白受采]'로 풀이하였다. 이에 대한 백운곽씨의 풀이는 다음과 같다. "비는 꾸밈을 희게 하면 허물이 없다. 그러므로 색이 없으면 바탕이 온전할 것이니, 천하의 지극한 꾸밈이 있는 것이다.[白雲郭氏曰, 賁以白賁无咎. 故无色, 則質全, 有天下之至賁存焉.]"

兌見, 而巽伏也.

태(兌☱)는 나타남이고, 손(巽☴)은 엎드림이다.

中國大全

本義

兌陰外見, 巽陰內伏.

태는 음이 밖으로 나타난 것이고, 손은 음이 안에 엎드린 것이다.

小註

楊氏曰, 柔一也, 居於上者爲見, 處於下者爲伏.

양씨가 말하였다: 부드러움은 같지만 위에 있는 것은 나타나고, 아래에 처한 것은 엎드린다.

韓國大全

김상악(金相岳) 『산천역설(山天易說)』

兌陰見於外, 巽陰伏於內.

태괘는 음이 밖으로 드러나고, 손괘는 음이 안에서 엎드려 있다.

서유신(徐有臣) 『역의의언(易義擬言)』

說見乎外, 入伏于內.

기쁨은 밖으로 드러나는 것이고 들어감은 안으로 숨는 것이다.

심대윤(沈大允) 『주역상의점법(周易象義占法)』

噬嗑食也 … 巽伏也.
서합(噬嗑)은 먹는 것이고 … 손(巽)은 엎드림이다.

賁白而无色, 兌爲前面, 巽爲仆伏.
희게 꾸미니 색이 없다. 태괘는 앞쪽이 되고 손괘는 엎드림이 된다.

오치기(吳致箕) 「주역경전증해(周易經傳增解)」

兌陰見于上, 巽陰伏于下. 見伏之義爲對也.
태괘는 음이 위에서 나타나고, 손괘는 음이 아래에 엎드려 있다. 나타나고 엎드린 뜻이 짝이 된다.

隨, 无故也, 蠱則飭也.

수(隨)는 연고가 없음이고, 고(蠱)는 삼감이다.

‖中國大全‖

本義

隨前无故, 蠱後當飭.

수는 앞이라서 연고가 없고, 고는 뒤라서 마땅히 삼가야 한다.

小註

柴氏中行曰, 隨以无故爲善, 有故皆利心也. 又曰不主於故, 隨時而行也.

시중행이 말하였다: 수괘는 연고가 없음을 선으로 여기니, 연고가 있는 경우는 모두 이기심이 있는 것이다.

또 말하였다: 연고를 위주로 하지 않고 때에 따라 행한다.

○ 平庵項氏曰, 隨以无故而爲安, 蠱以有故而修飭, 故聖人不畏多難, 而畏无難也.

평암항씨가 말하였다: 수괘는 연고가 없음을 편안하게 여기고, 고괘는 연고가 있음을 삼가기 때문에 성인은 어려움이 많음을 두려워하지 않고 어려움이 없음을 두려워한다.

○ 息齋余氏曰, 隨從否變, 欲捨其故, 蠱從泰變, 欲飭其後.

식재여씨가 말하였다: 수괘는 비괘(否卦)에서 변하여 그 연고를 버리고자 하고, 고괘는 태괘에서 변하여 그 뒤를 신중하게 하고자 한다.

┃韓國大全┃

유정원(柳正源)『역해참고(易解參攷)』

韓氏曰, 隨時之義, 不繫於故也. 隨則受之以蠱. 飭, 整治也. 蠱所以整治其事也.

한강백이 말하였다: 때를 따르는 의리는 연고에 매이지 않는다. 따르면 일이 있으니 고괘로 받는다. 칙(飭)은 다스림이다. '고'는 그 일을 바로잡는 것이다.

김상악(金相岳)『산천역설(山天易說)』

无故, 故相隨, 有事, 故修飭.

연고가 없으므로 서로 따르고, 일이 있으므로 닦고 삼간다.

서유신(徐有臣)『역의의언(易義擬言)』

隨爲隨時, 不宜守舊也. 蠱乃飭蠱, 未必剏新也.

수괘는 때에 따라야지 마땅히 옛 것만 지켜서는 안 된다. 고괘란 일을 바로잡는 것이지 꼭 새로운 시도를 하는 것이 아니다.

오치기(吳致箕)「주역경전증해(周易經傳增解)」

此二卦兼反對兩體也. 隨以无故而能相隨, 蠱以有事而當脩飭. 此以卦義言也.

이 두 괘는 거꾸로 됨[反]과 음양이 바뀜[對]의 두 몸체를 겸하고 있다. 수괘(隨卦)는 연고가 없기 때문에 서로 따를 수 있고, 고괘는 일이 있기 때문에 닦고 삼가야 한다. 이는 괘의 뜻으로 말하였다.

박문호(朴文鎬)「경설(經說)・주역(周易)」

无故猶言不常也.

'연고가 없음'은 항상되지 않다고 말하는 것과 같다

剝, 爛也, 復, 反也.

박(剝)은 문드러짐이고, 복(復)은 돌아옴이다.

中國大全

小註

漢上朱氏曰, 剝爛, 五陰潰於內也.

한상주씨가 말하였다: "박이 문드러짐이다"는 다섯 음이 안에서 무너지는 것이다.

○ 進齋徐氏曰, 剝爛則陽窮於上, 復反則陽生於下, 猶果之爛墜于中, 則可種而生矣.

식재여씨가 말하였다: 깎여서 문드러지면 양이 위에서 다하고, 회복하여 돌아오면 양이 아래에서 생기니, 과일이 중간에 너무 익어 떨어지면 씨를 뿌려 생기게 할 수 있는 것과 같다.

韓國大全

김상악(金相岳) 『산천역설(山天易說)』

剝爛則陽盡於上, 復反則陽生於下.

깎여서 문드러지면 양이 위에서 다하고, 회복하여 돌아오면 양이 아래에서 생긴다.

서유신(徐有臣) 『역의의언(易義擬言)』

爛者, 以漸而消也, 反者, 回程而來也.

'난'은 점점 사라지는 것이고, '반'은 길을 돌아서 오는 것이다.

오치기(吳致箕) 「주역경전증해(周易經傳增解)」

自此至家人, 又反體也. 剝爲五陰之潰, 故曰爛. 復爲一陽之生, 故曰反. 此以一陽之消長言也.

여기서부터 가인괘까지는 또한 거꾸로 된 몸체이다. 박괘는 다섯 음이 한 양을 무너뜨리므로 '문드러짐'이라 하였다. 복괘는 한 양이 생겨나므로 '돌아옴'이라고 하였다. 이는 한 양이 사그라들고 자라남을 가지고 말한 것이다.

晉, 晝也, 明夷, 誅也.

진(晉)은 낮이고, 명이(明夷)는 상(傷)함이다.

中國大全

本義

誅, 傷也.

주(誅)는 상함이다.

小註

節齋蔡氏曰, 晉, 離在上而明著, 夷, 離在下而明傷.

절재채씨가 말하였다: 진괘는 리괘(離☲)가 위에 있어 밝게 드러나고, 명이괘는 리괘(離☲)가 아래에 있어 밝음이 상한다.

○ 白雲郭氏曰, 晉與明夷, 朝暮象也, 故言明出地上, 明入地中.

백운곽씨가 말하였다: 진괘와 명이괘는 아침과 저녁의 상이므로 밝음이 땅 위로 나오고, 밝음이 땅 아래로 들어간다고 말하였다.

○ 臨川吳氏曰, 晉六五, 離日當天, 晝也, 明夷六二, 離日入地. 明者夷傷也. 誅卽夷傷之義.

임천오씨가 말하였다: 진괘 육오는 리괘(☲)인 해가 하늘에 있음이니 낮에 해당하고, 명이괘 육이는 리괘(☲)인 해가 땅에 들어감이니, 밝음이 상처를 입는 것이다. 주(誅)는 곧 상처를 입는다는 뜻이다.

‖韓國大全‖

유정원(柳正源) 『역해참고(易解參攷)』

履齋孫氏曰, 晉晝明夷誅, 以誅對晝, 非反對之義. 大象傳曰, 明入地中明夷, 則知明出地上爲晝, 明入地中爲昧, 當作明夷昧也. 若以爲誅, 豈聖人雜卦之旨邪.

이재손씨가 말하였다: "진괘는 낮이고 명이는 상함이다"라 하여 '상함'과 '낮'을 상대시켰는데, 반대의 뜻이 아니다. 「대상전」에서 "밝음이 땅속으로 들어간 것이 명이이다"라 하였으니 밝음이 땅 위로 나오면 낮이 되고, 밝음이 땅 속으로 들어가면 어두움[昧]이 되니 마땅히 명이는 '어두움'이라 해야 한다. 만약 '상함[誅]'이라 한다면 어찌 성인이 「잡괘전」에서 말하려는 뜻이겠는가?

김상악(金相岳) 『산천역설(山天易說)』

明在上則爲晝, 明在下則爲誅, 誅, 傷也.

밝음이 위에 있으면 낮이 되고, 밝음이 아래에 있으면 상하게 된다. '주(誅)'는 상함[傷]이다.

서유신(徐有臣) 『역의의언(易義擬言)』

麗乎大明, 故曰晝也. 後入乎地, 故曰誅也.

큰 밝음[해]에 걸려 있으므로 '낮'이라고 하였다. 뒤에 땅으로 들어가므로 '상함'이라고 하였다.

심대윤(沈大允) 『주역상의점법(周易象義占法)』

随, 无故也 … 明夷誅也.

수(隨)는 연고가 없음이고 … 명이(明夷)는 상(傷)함이다.

随時而不生事, 蠱飭而事上, 剝爛爛而不可復爲

때를 따르니 일을 만들지 않고, 일을 삼가서 하여 윗사람을 섬기지만 썩어 문드러져 회복할 수가 없다.

오치기(吳致箕) 「주역경전증해(周易經傳增解)」

明在上而著, 故曰晝, 明在下而傷, 故曰誅. 此以卦體卦義言也.

밝음이 위에 있어서 드러나므로 '낮'이라고 하였고, 밝음이 아래에 있어서 상하므로 '상함'이라고 하였다. 이는 괘의 몸체와 괘의 뜻을 가지고 말하였다.

井通, 而困相遇也.

정(井)은 통함이고, 곤(困)은 서로 만남이다.

▌中國大全▐

本義

剛柔相遇, 而剛見揜也.

굳셈과 부드러움이 서로 만남에 굳셈이 가려지는 것이다.

小註

白雲郭氏曰, 往來井井, 則其道通, 困遇剛揜, 所以爲困.

백운곽씨가 말하였다: 오고가는 이가 우물을 우물로 쓰니,[7] 그 도가 통합이고, 곤괘(困卦)는 굳셈이 가려짐을 만나기 때문에 곤괘(困卦)가 되는 것이다.

○ 平庵項氏曰, 以通與遇爲反對, 則遇爲相抵而不通之象矣. 巽之上爻, 主塞坎水之上源, 而井之坎, 乃出其上, 蓋塞而復通者也, 故謂之通. 兌之下爻, 主塞坎水之下流, 而困之坎, 適在其下, 正遇其塞, 所以困也. 自乾坤至此三十卦, 正與上經之數相當, 而下經亦以咸恒爲始, 以此見卦雖以雜名, 而乾坤咸恒上下經之首, 則未嘗雜也.

평암항씨가 말하였다: 통합과 만남을 반대로 여긴 것이니, 만남은 서로 저지하여 통하지 않는 상이 된다. 손괘(☴)의 상효가 물인 감괘(☵)의 맨 위 근원을 주로 막아 정괘의 험함이 그 위로 솟아나오니, 막혔지만 다시 통하는 것이다. 그러므로 통합이라고 하였다. 태괘(☱)의 아래 효가 물인 감괘가 아래로 흐르는 것을 주로 막아 곤괘의 험함이 마침 그 아래에 있는 것이니, 바로 그 막힘을 만났기 때문에 곤인 것이다. 건괘와 곤괘에서 여기까지가 30괘

---

7) 『周易·井卦』: 井, 改邑不改井, 无喪无得, 往來井井, 汔至, 亦未繘井, 羸其瓶, 凶.

로 바로 상경의 수에 서로 해당하며, 하경도 함괘와 항괘로 시작하니, 이로써 비록 「잡괘전」이라고 이름 지었지만, 건괘와 곤괘, 함괘와 항괘가 상하경의 첫머리가 됨은 일찍이 섞인 적이 없음을 알 수 있다.

‖韓國大全‖

김상악(金相岳) 『산천역설(山天易說)』

井養而不窮也, 困剛遇柔而見掩也.

우물은 길러서 다함이 없는 것이고, 곤란함은 굳센 양이 부드러운 음을 만나 가려진 것이다.

서유신(徐有臣) 『역의의언(易義擬言)』

井, 二五雖不相應, 而上六通開也. 困卦象, 雖爲剛揜, 而二五相遇, 有終通之道也.

정괘는 이효와 오효가 비록 서로 호응하지 않으나 상육은 통한다. 곤괘의 상은 비록 굳센 양이 가려지지만 이효와 오효가 서로 만나니 마침내 통하는 도가 있다.

오치기(吳致箕) 「주역경전증해(周易經傳增解)」

井之坎陽在上而養不窮, 故曰通. 困之坎陽在下而剛見揜, 故曰遇. 此以卦體卦義言也.

정괘에서 감괘의 양이 위에 있어서 기르기를 다하지 않으므로 "통한다"고 하였다. 곤괘(困卦)에서 감괘의 양이 아래에 있어서 굳센 양이 가려지므로 "만난다"고 하였다. 이는 괘의 몸체와 괘의 뜻을 가지고 말하였다.

咸, 速也, 恒, 久也.

함(咸)은 빠름이고, 항(恒)은 오램이다.

‖中國大全‖

本義

咸速恒久.

함은 빠름이고, 항은 오램이다.

小註

白雲郭氏曰, 咸爲天下至速之道, 所謂不疾而速者也.

백운곽씨가 말하였다: 함괘는 천하에 지극히 빠른 도이니, 이른바 빠르려고 하지 않아도 빠른 것이다.

○ 節齋蔡氏曰, 有感則應, 故速, 常故能久.

절재채씨가 말하였다: 감동이 있으면 호응하기 때문에 빠르고, 항상되기 때문에 오래간다.

‖韓國大全‖

김상악(金相岳) 『산천역설(山天易說)』

有感則應速, 有恒則能久.

감동이 있으면 호응함이 빠르고, 항상됨이 있으면 오래갈 수 있다.

서유신(徐有臣) 『역의의언(易義擬言)』

速以其感也, 久以其常也.
빠름은 느끼기 때문이고, 오래감은 항상되기 때문이다.

오치기(吳致箕) 「주역경전증해(周易經傳增解)」

感則速, 而速則婚媾及時. 恒則久, 而久則夫婦偕老. 此以卦義言也.
감동하면 빠르고, 빠르면 혼인할 짝이 때에 맞춰 이른다. 항상되면 오래가고, 오래가면 부부
가 해로한다. 이는 괘의 뜻을 가지고 말하였다.

박문호(朴文鎬) 「경설(經說)・주역(周易)」

本義, 咸速恆久, 恐是衍文.
『본의』에서 "함속항구(咸速恆久)"라고 한 문장은 잘못 들어간 것인 듯하다.

澳, 離也, 節, 止也.

환(澳䷺)은 떠남이고, 절(節䷻)은 그침이다.

‖中國大全‖

小註

節齋蔡氏曰, 風散水, 故離, 澤防水, 故止.

절재채씨가 말하였다: 바람이 물을 흩어지게 하므로 떠나고, 못이 물을 막기 때문에 그친다.

○ 平庵項氏曰, 澳節正與井困相反. 井以木出水, 故居塞而能通, 澳則以水浮木, 故通之極而至於散也. 節以澤上之水, 故居通而能塞, 困爲澤下之水, 故塞之極而至於困也.

평암항씨가 말하였다: 환괘(澳)와 절괘(節)는 바로 정괘와 곤괘와는 위아래가 바뀐 괘이다. 정괘는 나무가 물을 내기 때문에 막혀 있지만 통하고, 환괘(澳卦)는 물이 나무를 뜨게 하므로 통함이 지극하지만 흩어짐에 이른다. 절괘는 못 위의 물이기 때문에 통해 있지만 막히고, 곤괘(困卦)는 못 아래의 물이기 때문에 막힘이 지극하여 어려움에 이른다.

○ 臨川吳氏曰, 澳九二, 坎水在巽風之下, 爲風所離散, 節九五, 坎水在兌澤之上, 爲澤所節止.

임천오씨가 말하였다: 환괘의 구이는 물인 감괘(☵)가 바람인 손괘(☴)의 아래에 있어 바람에 흩어지게 되고, 절괘의 구오는 물인 감괘(☵)가 못인 태괘(☱)의 위에 있어 못에 의해 절제되고 멈추게 된다.

‖韓國大全‖

김상악(金相岳) 『산천역설(山天易說)』

渙離者, 風散水也, 節止者, 澤防水也.

"환은 떠남이다"는 바람이 물을 흩는 것이고, "절은 그침이다"는 못이 물을 가둬두는 것이다.

서유신(徐有臣) 『역의의언(易義擬言)』

離分散也, 止有限也.

떠남은 나뉘어 흩어지는 것이고, 그침은 한정이 있는 것이다.

오치기(吳致箕) 「주역경전증해(周易經傳增解)」

風散水爲渙, 而渙則離而不止. 澤防水爲節, 而節則止而不離. 此以卦象卦德言也.

바람이 물을 흩어 환괘가 되는데 흩어지면 떠나가 멈추지 않는다. 못이 물을 가둬 절괘가 되니, 절제하면 그쳐서 떠나가지 않는다. 이는 괘의 상과 괘의 덕으로 말하였다.

解, 緩也, 蹇, 難也.

해(解)는 느슨해짐이고, 건(蹇)은 어려움이다.

‖中國大全‖

小註

張子曰, 天下之難旣解, 故安於佚樂, 每失於緩. 蹇者, 見險而止, 故爲難.

장자가 말하였다: 천하의 어려움이 이미 풀렸기 때문에 즐거움에 편안하나 매양 느슨한 데서 잘못된다. 건은 험함을 당하여 멈추기 때문에 어렵게 된다.

○ 臨川吳氏曰, 解九二, 坎陷在內, 震則出險而動於外, 內險已解緩也. 蹇九五, 坎險在外, 艮則見險而止於內, 外險方艱難也.

임천오씨가 말하였다: 해괘의 구이는 감괘(☵)의 빠짐이 안에 있고, 진괘(☳)가 험함을 나와서 밖에서 움직이니, 안의 험함이 이미 풀린 것이다. 건괘의 구오는 감괘(☵)의 험함이 밖에 있고, 간괘(☶)가 험함을 당하여 안에서 그치니, 밖의 험함이 한창 어려운 것이다.

‖韓國大全‖

김상악(金相岳) 『산천역설(山天易說)』

解緩, 故動而免險, 蹇難, 故見險而止.

풀려 느슨하므로 움직여 험함을 면하고, 어렵기 때문에 험함을 당해 그친다.

서유신(徐有臣) 『역의의언(易義擬言)』

緩, 序卦所謂緩必有所失也.

'느슨해짐'은 「서괘전」에서 말하는 "느슨해지면 반드시 잃는 것이 있다"이다.

심대윤(沈大允) 『주역상의점법(周易象義占法)』

井通 … 蹇難也.

정(井)은 통함이고 … 건(蹇)은 어려움이다.

困相遇而掩蔽, 咸感應之速.

곤괘는 서로 만나 가리고 덮으며, 함괘는 느껴 호응함이 빠르다.

오치기(吳致箕) 「주역경전증해(周易經傳增解)」

動而出於險之外, 故爲解. 緩止而居於險之內, 故爲蹇難. 此以卦體卦德言也.

움직여 험함의 밖으로 벗어나므로 해괘가 된다. 느슨해져 멈추어서 험함의 가운데에 거하므로 건괘(蹇卦)의 어려움이 된다. 이는 괘의 몸체와 괘의 덕으로 말하였다.

睽, 外也, 家人, 內也.

규(睽)는 밖이고, 가인(家人)은 안이다.

▌中國大全▌

小註

進齋徐氏曰, 睽者疏而外也, 家人者親而內也.

진재서씨가 말하였다: 규(睽)는 소원하여 밖이고, 가인(家人)은 친밀하여 안이다.

○ 臨川吳氏曰, 睽六五在外爲主, 家人六二在內爲主.

임천오씨가 말하였다: 규괘의 육오는 외괘에 있으면서 주인이 되고, 가인괘의 육이는 내괘에 있으면서 주인이 된다.

▌韓國大全▌

김상악(金相岳) 『산천역설(山天易說)』

睽于外者, 不相親, 親于內者, 不相睽.

밖으로 어긋나는 자는 서로 친하지 못하고, 안으로 친한 자는 서로 어긋나지 않는다.

서유신(徐有臣) 『역의의언(易義擬言)』

睽麗乎外也, 家人麗乎內也. 家人則內, 睽則外也.

규괘는 밖에서 걸리고, 가인괘는 안에서 걸린다. 가인괘는 안이고 규괘는 바깥이다.

오치기(吳致箕) 「주역경전증해(周易經傳增解)」

睽乖而相離, 故曰外. 家人親而相得. 故曰內. 此以卦義言也.

반목하여 어그러져 서로 떠나므로 '밖'이라고 하였다. 집안사람은 친하여 서로 얻으므로 '안'이라고 하였다. 이는 괘의 뜻으로 말하였다.

否泰, 反其類也.

비(否)와 태(泰)는 그 부류를 뒤집어 놓은 것이다.

‖中國大全‖

小註

進齋徐氏曰, 否大往小來, 泰小往大來, 故曰反其類.

진재서씨가 말하였다: 비괘(否卦)는 큰 것이 가고 작은 것은 오며, 태괘(泰卦)는 작은 것이 가고 큰 것은 오기 때문에 그 부류를 뒤집어 놓은 것이라고 하였다.

‖韓國大全‖

김상악(金相岳) 『산천역설(山天易說)』

否內陰而外陽, 泰內陽而外陰. 故反其類也.

비괘(否卦)는 내괘가 음이고 외괘가 양이며, 태괘는 내괘가 양이고 외괘가 음이다. 그러므로 그 부류를 뒤집어 놓은 것이다.

서유신(徐有臣) 『역의의언(易義擬言)』

否陰類在內, 陽類在外. 泰陽類在內, 陰類在外.

비괘(否卦)는 음의 무리가 안에 있고, 양의 무리가 바깥에 있다. 태괘(泰卦)는 양의 무리가 안에 있고 음의 무리가 바깥에 있다.

오치기(吳致箕) 「주역경전증해(周易經傳增解)」

此二卦, 兼反對兩體也. 泰以小往大來而爲否之反. 否以大往小來而爲泰之反. 故曰反
其類. 此以卦體言也.

이 두 괘는 거꾸로 됨[反]과 음양이 바뀜[對]의 두 몸체를 겸하고 있다. 태괘(泰卦)는 작은
것이 가고 큰 것이 오니 비괘(否卦)가 거꾸로 된 것이고, 비괘는 큰 것이 가고 작은 것이
오니 태괘가 거꾸로 된 것이다. 그러므로 "그 부류를 뒤집어 놓은 것이다"라 하였다. 이는
괘의 몸체로 말하였다.

大壯則止, 遯則退也.

대장(大壯)은 멈춤이고, 돈(遯)은 물러감이다.

‖中國大全‖

本義

止謂不進.

멈춤은 나아가지 못함을 말한다.

小註

臨川吳氏曰, 大壯四陽進而消陰, 遯二陰進而消陽. 慮後陽之恃其壯, 故不欲九四之進, 而欲其止, 慮前陽之不及遯, 故不欲六二之進, 而欲其退也. 聖人於五陽之夬, 亦不欲陽之輕進, 於一陰之姤, 亦惟欲陰之不進, 蓋同此意也.

임천오씨가 말하였다: 대장괘는 네 양이 나아가 음을 사라지게 하는 것이고, 돈괘는 두 음이 나아가 양을 사라지게 하는 것이다. 뒤의 양이 그 장성함을 과신할까 염려하였기 때문에 구사를 나아가게 하지 않고 멈추려고 하고, 앞의 양이 도피함에 이르지 않을까 염려하였기 때문에 육이를 나아가게 하지 않고 물러나게 하였다. 성인이 다섯 양의 쾌괘에서도 양이 경솔하게 나아가지 않게 하고, 한 음의 구괘에서도 음이 나아가지 않게 하였으니, 이 뜻은 같다.

‖韓國大全‖

유정원(柳正源) 『역해참고(易解參攷)』

節齋蔡氏曰, 大壯陰止, 遯陽退.

절재채씨가 말하였다: 대장괘는 음이 저지하는 것이고, 돈괘는 양이 물러가는 것이다.

김상악(金相岳) 『산천역설(山天易說)』

大壯而止, 則无羸角之困, 遯而退, 則无係遯之厲.

크게 씩씩하지만 멈추면 뿔이 위태로운 곤란함이 없고, 물러나 후퇴하면 물러남과 관련된 위태로움이 없을 것이다.

서유신(徐有臣) 『역의의언(易義擬言)』

方壯則止, 向衰則退, 非知幾者, 其能之乎.

막 장성할 때 멈추고, 쇠하기 시작할 무렵 물러나니, 기미를 아는 자가 아니라면 그렇게 할 수 있겠는가?

오치기(吳致箕) 「주역경전증해(周易經傳增解)」

自此至鼎又反體也. 大壯之陽, 止于四而不前, 故曰止. 遯之陰, 退于三而不進, 故曰退. 此以卦體之四陽二陰言也.

여기서부터 정괘(鼎卦)까지는 또 거꾸로 된 몸체이다. 대장괘의 양이 사효에서 그쳐서 나아가지 못하므로 “멈춘다”고 하였다. 돈괘의 음이 삼효에서 물러나 나아가지 못하므로 “물러간다”고 하였다. 이는 괘체의 네 음과 두 음을 가지고 말한 것이다.

大有, 衆也, 同人, 親也.

대유(大有䷍)는 무리이고, 동인(同人䷌)은 친함이다.

‖ 中國大全 ‖

小註

漢上朱氏曰, 大有六五, 柔得尊位而有其衆, 衆亦歸之, 故曰大有衆也. 同人六二, 得中得位, 而同乎人, 人亦親之, 故曰同人親也.

한상주씨가 말하였다: 대유괘의 육오는 유순한 음이 존귀한 자리를 얻어 무리를 가졌고, 무리도 그에게 돌아가므로 ‘대유는 무리’라고 하였다. 동인괘의 육이는 알맞음과 자리를 얻어 사람들과 함께 하고, 사람들도 그를 친하게 여기므로 ‘동인은 친함’이라고 하였다.

‖ 韓國大全 ‖

김상악(金相岳) 『산천역설(山天易說)』

大有則所愛者衆, 同人則所與者親.

크게 소유하면 아껴주는 자들이 많아지고, 남들과 함께 하면 함께 하는 자들이 친해진다.

서유신(徐有臣) 『역의의언(易義擬言)』

大有, 有其衆也. 同人所親而已.

대유괘는 그 무리를 가진 것이고, 동인괘는 친한 것일 뿐이다.

심대윤(沈大允) 『주역상의점법(周易象義占法)』

睽外也 … 大有衆也.

규(睽)는 밖이고 … 대유(大有)는 무리이고.

大壯不以强剛爲壯, 故曰止.

대장괘는 굳센 것으로 씩씩함을 삼지 않으므로 "멈춘다"고 하였다.

오치기(吳致箕) 「주역경전증해(周易經傳增解)」

大有爲物之衆盛, 故曰衆. 同人爲人之相合, 故曰親. 此以卦體之一陰五陽言也.

대유괘는 사물이 무리짓고 왕성함이 되므로 '무리'라고 하였다. 동인괘는 사람들이 서로 합하는 것이 되므로 '친함'이라고 하였다. 이는 괘체의 한 음 다섯 양을 가지고 말하였다.

革, 去故也, 鼎, 取新也.

혁(革)은 옛 것을 버림이고, 정(鼎)은 새 것을 취함이다.

中國大全

小註

漢上朱氏曰, 水火相革, 革已廢也, 故革去故, 以木巽火, 火方興也, 故鼎取新.

한상주씨가 말하였다: 수(水)와 화(火)가 서로 변혁하여 변혁이 이미 다하므로 혁(革)은 "옛 것을 버린다"고 하였고, 목(木)이 화(火)에 순종하여 불이 막 일어나므로 정(鼎)은 "새 것을 취한다"고 하였다.

○ 平庵項氏曰, 革以火溶金, 故爲去故, 鼎以木鑽火, 故爲取新, 亦以離爲主也.

평암항씨가 말하였다: 혁(革)은 불로 쇠를 녹이므로 옛 것을 버리게 되고, 정(鼎)은 나무로 불을 피우기 때문에 새 것을 취하게 되니, 또한 리괘(☲)를 주인으로 여긴다.

韓國大全

김상악(金相岳) 『산천역설(山天易說)』

水火相息, 有去故之義, 火木相隨, 有取新之理.

수(水)와 화(火)는 서로가 없애니 '옛 것을 버리는' 뜻이 있고, 화(火)와 목(木)은 서로 따르니 '새로운 것을 취하는' 이치가 있다.

서유신(徐有臣) 『역의의언(易義擬言)』

革去故而已, 鼎又取新也.

혁(革)은 옛 것을 버릴 뿐이지만, 정(鼎)은 또 새 것을 취한다.

오치기(吳致箕) 「주역경전증해(周易經傳增解)」

革以水火相息, 而有去故之義. 鼎以火木爲烹而有取新之理. 此以卦象卦義言也.

혁괘는 수(水)와 화(火)가 서로 없애니 옛 것을 버리는 뜻이 있다. 정괘(鼎卦)는 화(火)와 목(木)으로 삶게 되니 새로운 것을 취하는 이치가 있다. 이는 괘의 상과 괘의 뜻을 가지고 말하였다.

小過, 過也, 中孚, 信也.

소과(小過)는 지나침이고, 중부(中孚)는 미더움이다.

‖中國大全‖

小註

節齋蔡氏曰, 莫非過也, 小過之過, 乃所謂過也. 小者能過, 夫豈常理哉. 莫非信也, 中孚之信, 乃所謂信也. 信出于中夫, 豈邀約之所能致哉.

절재채씨가 말하였다: 지나침이 아님이 없겠지만 소과괘의 지나침이야말로 ‘지나침’이라 할 것이다. 작은 것은 지나칠 수 있지만 어찌 항상된 이치이겠는가? 믿음이 아닌 것이 없겠지만, 중부괘의 믿음이야말로 ‘믿음’이라고 할 것이다. 믿음은 속에서 나오는 것이니, 어찌 기약한다고 이룰 수 있는 것이겠는가?

○ 臨川吳氏曰, 小過九四主也, 而爲六五所過. 蓋陰盛能過, 陽衰不及也. 中孚六四主也, 而爲九五所信. 蓋陽實能感, 陰虛能應也.

임천오씨가 말하였다: 소과괘는 구사효가 주인이나 육오효에 의해 지나친 것이 된다. 왕성한 음이 지나치니 쇠한 양이 미치지 못한다. 중부괘는 육사가 주인이니 구오가 믿는 바가 된다. 가득 찬 양이 감동시키니 비어있는 음이 호응할 수 있다.

‖韓國大全‖

김상악(金相岳) 『산천역설(山天易說)』

過者, 踰其常, 信者, 存其誠.

지나친 자는 그 평상함을 넘어서고, 미더운 자는 그 정성을 간직한다.

서유신(徐有臣)『역의의언(易義擬言)』

小過所當過也, 中孚方爲信也.

소과괘는 지나침에 해당된 것이고, 중부괘는 이제 막 믿는 것이 된다.

오치기(吳致箕)「주역경전증해(周易經傳增解)」

此二卦, 對體也. 小過以小而過者, 乃爲過. 故曰過. 中孚以中而信者, 乃爲信. 故曰信. 此以卦義言也.

이 두 괘는 음양이 바뀐 몸체이다. 소과괘는 작으면서 지나친 것이니 이에 지나친 것이 된다. 그러므로 '지나침'이라고 하였다. 중부괘는 가운데 있어서 미더운 자이니 이에 미더운 것이 된다. 그러므로 '미더움'이라고 하였다. 이는 괘의 뜻으로 말한 것이다.

豊，多故，親寡，旅也.

풍(豊)은 까닭이 많은 것이고, 친한 사람이 적은 것은 려(旅)이다.

‖中國大全‖

本義

旣明且動, 其故多矣.

이미 밝고 또 움직이니 그 까닭이 많다.

小註

平庵項氏曰, 卦名皆在句上, 旅獨在下者, 取韻協也.

평암항씨가 말하였다: 경문에서 괘의 이름은 모두 구절의 앞 쪽에 놓이는데, 려괘만 뒤쪽에 놓인 것은 운을 맞춘 것이다.

○ 潘氏夢旂曰, 物盛則多故, 旅寓則少親.

반몽기가 말하였다: 만물이 흥성하면 까닭이 많고, 나그네가 머물면 친한 이가 적다.

○ 楊氏曰, 昔華封祝堯而堯曰辭, 以豊則多故爾. 孔子當西周之時, 栖栖然一旅人者, 以旅則親寡爾.

양씨가 말하였다: 예전에 화(華) 땅을 지키는 이가 요임금에게 축수하자, 요임금이 "사양한다"하였으니,[8] 흥성하면 까닭이 많기 때문이다. 공자가 서주시대를 만나 떠도는 나그네가 되었으니, 여행하면 친한 이가 적은 까닭이다.

---

8) 『장자·천지』: 화(華) 땅의 봉인(封人)이 수(壽)·복(福)·다남자(多男子)의 세 가지로 요임금을 축원하였는데, 요임금이 사양한다고 하였다.

○ 嵩山晁氏曰, 豐多故, 今本有也字, 按荀本无之.

숭산조씨가 말하였다: "풍괘는 까닭이 많은 것이다[豐多故]"는 오늘날 판본에 '야(也)'자가 있는데, 살펴보니 순씨의 판본에는 없다.

韓國大全

김상악(金相岳) 『산천역설(山天易說)』

處豐盛則多事故, 在旅寓則小親識.

풍성함에 처하면 일이 많이 생기고, 나그네로서 객사에 머물면 친하고 잘 아는 사람이 적다.

유정원(柳正源) 『역해참고(易解參攷)』

豐多故.

풍(豐)은 까닭이 많은 것이고.

鄱陽董氏曰, 按, 朱子本義, 多從古文, 如故下无也字之類.

파양동씨가 말하였다: 살펴보니 주자의 『본의』에서는 대부분 고문을 따랐는데 '고(故)'자 다음에 '야(也)'자가 없는 부류와 같다.

서유신(徐有臣) 『역의의언(易義擬言)』

親寡旅, 恐當作旅親寡也. 與坎下也. 叶韻. 豐之爻辭, 多事, 旅之爻辭, 寡助.

'친과려(親寡旅)'는 '려친과(旅親寡)'로 써야하니, 그래야 '감하야(坎下也)'와 운이 맞는다. 풍괘의 효사에는 일이 많고 려괘의 효사에는 도움이 적다.

오치기(吳致箕) 「주역경전증해(周易經傳增解)」

此二卦, 又反體也. 豐居物盛之時, 故多故舊, 旅在覊寓之時, 故寡親知. 此以卦義言也.

이 두 괘 또한 거꾸로 된 몸체이다. 풍괘(豐卦)는 만물이 왕성한 때에 있으므로 오래된 친구가 많고, 려괘(旅卦)는 여관에 있는 때이므로 아는 이가 적다. 이는 괘의 뜻으로 말하였다.

박문호(朴文鎬) 「경설(經說) · 주역(周易)」

親寡旅.

친한 사람이 적은 것은 려(旅)이다.

小註項氏云, 取協韻. 然以此篇文法觀之, 不容此一句別爲一例, 且旅字在親寡之上然後, 寡與下其韻尤叶, 處字則當叶於下字耳.

소주에서 항씨가 "운을 맞춘 것이다"라 하였다. 그러나 이 편(篇)의 글쓰는 법으로 보자면 이 한 구절만 별도로 하나의 사례가 된다고 볼 수는 없다. 또 '려(旅)'자가 '친과(親寡)'의 앞에 있은 뒤에야 '과(寡)'와 '하(下)'[9]가 그 운이 더욱 어울린다. '처(處)'자[10]는 마땅히 '하(下)'자에 운(韻)이 어울린다.

---

9) 하(下): 다음 경문인 "離上, 而坎下也"에서의 하(下)자를 말한다.
10) 처(處): "離上, 而坎下也."다음 경문인 "小畜, 寡也, 履, 不處也."에서의 '처(處)'자이다.

離上, 而坎下也.

리(離)는 올라가는 것이고, 감(坎)은 내려가는 것이다.

‖中國大全‖

本義

火炎上, 水潤下.

화(火)는 불타오르고, 수(水)는 적셔 내려간다.

‖韓國大全‖

김상악(金相岳) 『산천역설(山天易說)』

火炎上, 水潤下也.

화(火)는 타오르고 수(水)는 적셔 내린다.

서유신(徐有臣) 『역의의언(易義擬言)』

炎上潤下, 其性相反也, 上逮下交, 其用相濟也.

불타 오르고 적셔 내림은 그 성질이 서로 반대이지만, 위로 따라잡고 아래로 사귀어 그 작용이 서로 이룬다.

오치기(吳致箕) 「주역경전증해(周易經傳增解)」

此二卦對體也. 火性炎上, 水性潤下. 此以卦象卦德言也.

이 두 괘는 음양이 바뀐 몸체이다. 화(火)의 성질은 불타오르고 수(水)의 성질은 적셔 내린다. 이는 괘의 상과 괘의 덕으로 말하였다.

小畜, 寡也, 履, 不處也.

소축(小畜)은 적은 것이고, 리(履)는 머물지 않는 것이다.

‖中國大全‖

本義

不處, 行進之義.

'머무르지 않음'은 행해 나아가는 뜻이다.

小註

雙湖胡氏曰, 寡, 一陰小義, 不處, 行履之義.

쌍호호씨가 말하였다: '적은 것[寡]'은 하나의 음이 작다는 뜻이고, '머물지 않음'은 행해 가는 뜻이다.

‖韓國大全‖

유정원(柳正源) 『역해참고(易解參攷)』

履不處也.

리(履)는 머물지 않는 것이다.

王氏曰, 履卦陽爻, 皆以不處其位爲吉也.

왕필이 말하였다: 리괘(履卦)의 양효는 모두 그 자리에 머물지 않은 것을 길하게 여겼다.

김상악(金相岳) 『산천역설(山天易說)』

寡不能敵衆, 故爲小畜, 行進而不處, 故爲履.

적은 것은 무리를 대적할 수 없으므로 소축괘가 되고, 나아가 머무르지 않으므로 리괘(履卦)가 된다.

서유신(徐有臣) 『역의의언(易義擬言)』

雖云畜矣, 亦無多矣. 雖云履矣, 亦不居矣.

비록 "쌓는다"고 했지만 역시 많지는 않고, 비록 "밟는다"고는 했지만 역시 머물지는 않는다.

오치기(吳致箕) 「주역경전증해(周易經傳增解)」

自此至訟, 又反體也. 小畜以一陰得其位, 而畜衆陽, 故曰寡. 寡者, 言力少也. 履以一陰不得位, 而履衆陽, 故曰不處. 不處者, 言不得其居也. 此以卦體卦義言也.

여기서부터 송괘까지도 거꾸로 된 몸체이다. 소축괘는 한 음이 그 자리를 얻어 여러 양을 막으므로 "적다"고 하였다. '적음'은 힘이 적음을 말한다. 리괘는 한 음이 자리를 얻지 못하고 여러 양을 밟으므로, "머물지 않는다"고 하였다. '머물지 않음'은 그 자리를 얻지 못했음을 말한다. 이는 괘의 몸체와 괘의 뜻을 가지고 말하였다.

需不進也, 訟不親也.

수(需)는 나아가지 않음이고, 송(訟)은 친하지 않음이다.

‖中國大全‖

小註

漢上朱氏曰, 關子明云, 履而不處者, 其周公乎. 需而不進者, 其仲尼乎. 險在下而陽上行, 相違者也. 故曰訟不親也.

한상주씨가 말하였다: 관자명이 말하기를 "행하여 머무르지 않은 이는 주공이로구나. 기다려 나아가지 않은 이는 공자로구나"라 하였다. 험함이 아래에 있고 양이 위로 가니 서로 어긋나는 것이다. 그러므로 "송괘는 친하지 않음이다"라 하였다.

○ 平庵項氏曰, 需訟皆主乾言. 止坎下, 故不進, 違坎去, 故不親.

평암항씨가 말하였다: 수괘와 송괘는 모두 건괘를 주인으로 하여 말한다. 험함의 아래에서 멈추므로 나아가지 못하고, 험함과 어긋나 가버리므로 친하지 않다.

‖韓國大全‖

김상악(金相岳) 『산천역설(山天易說)』

宜進而不進, 需也, 欲親而不親, 訟也.

나아가야 하는데 나아가지 않으니 기다리고[需], 친하려고 하는데 친하지 않으므로 송사한다[訟].

서유신(徐有臣) 『역의의언(易義擬言)』

須待, 故不進也. 違行, 故不親也.

기다려야 하기 때문에 나아가지 않는다. 행함이 서로 어긋나므로 친하지 않다.

심대윤(沈大允) 『주역상의점법(周易象義占法)』

同人親也 … 訟不親也.

동인(同人)은 친함이다 … 송(訟)은 친하지 않음이다.

豊明燭奸情則多故, 寡不實也. 不處者, 隨地而履行也. 記曰, 禮從宜, 三王不同禮. 子曰, 吾學周禮, 今用之, 吾從周.

풍괘는 밝은 등불에 정분을 내니 까닭이 많고, 적은 것은 충실하지 못하다. 머물지 않는 자는 곳에 따라 행한다. 『예기』에 "예는 상황의 마땅함에 따른다"고 하였으니 삼왕의 예가 똑같지 않았다. 공자는 "내가 주나라의 예를 배웠는데 이제 이것을 쓰고 있으니 나는 주나라를 따르겠다"[11]고 하였다.

오치기(吳致箕) 「주역경전증해(周易經傳增解)」

需以遇險而待, 故爲不進. 訟以居險而爭, 故爲不親. 此以卦義言也.

수괘는 험함을 만나 기다리므로 '나아가지 않음'이 된다. 송괘는 험함에 거하여 싸우므로 '친하지 않음'이 된다. 이는 괘의 뜻을 가지고 말하였다.

---

11) 『중용』 28장.

大過, 顚也.

대과(大過)는 엎어지는 것이다.

‖中國大全‖

小註

進齋徐氏曰, 本末弱, 故顚.

진재서씨가 말하였다: 본말[本末]이 약하기 때문에 엎어진다.

○ 南軒張氏曰, 小過, 過而未顚, 過中於大, 故曰顚.

남헌장씨가 말하였다: 소과는 허물이 있어도 엎어지지 않지만, 허물이 크기 때문에 "엎어진다"고 하였다.

‖韓國大全‖

김상악(金相岳) 『산천역설(山天易說)』

本末弱, 故顚.

밑둥과 끝이 약하므로 엎어진다.

서유신(徐有臣) 『역의의언(易義擬言)』

顚首也, 猶乾之爲首也. 大過互乾, 故其象如此, 而爲下七卦之顚也.

'전[顚]'은 머리이니, 건괘가 머리가 되는 것과 같다. 대과괘는 건괘를 호괘로 하므로 그 상이 이와 같아서 아래 일곱 괘의 머리가 된다.

심대윤(沈大允)『주역상의점법(周易象義占法)』

大過 … 頤, 養正也.

대과(大過)는 … 이(頤)는 바름을 기르는 것이다.

大過, 非好反常也. 顚沛而不得已也.

대과괘는 평상함에 반대로 하기를 좋아하는 것이 아니다. 거꾸러져서 부득이할 뿐이다.

姤, 遇也, 柔遇剛也, 漸, 女歸, 待男行也.

구(姤)는 만나는 것이니 부드러운 음이 굳센 양을 만나는 것이고, 점(漸)은 여자가 시집가는 것이니 남자를 기다려 가는 것이다.

中國大全

小註

朱子曰, 女待男而行, 所以爲漸.

주자가 말하였다: 여자는 남자를 기다려서 가니 그래서 '점진적인 것[漸]'이 된다.

韓國大全

김상악(金相岳) 『산천역설(山天易說)』

姤, 遇也, 柔遇剛也.

구(姤)는 만나는 것이니 부드러운 음이 굳센 양을 만나는 것이고.

一陰遇五陽, 故爲姤.

한 음이 다섯 양을 만나기 때문에 구괘가 된다.

漸女歸, 待男行也.

점(漸)은 여자가 시집가는 것이니 남자를 기다려 가는 것이다.

女待男而行, 所以爲漸.

여자가 남자를 기다려서 가니, 그래서 점괘가 된다.

서유신(徐有臣) 『역의의언(易義擬言)』

朱子曰, 女待男而行, 所以爲漸也.

주자가 말하였다: 여자가 남자를 기다려서 가니 그래서 점괘(漸卦)가 된다.

頤, 養正也.

이(頤)는 바름을 기르는 것이다.

‖中國大全‖

小註

南軒張氏曰, 所養不正, 則是養其小者, 以害其大者矣.
남헌장씨가 말하였다: 기르는 바가 바르지 않으면 이는 그 작은 것을 길러서 그 큰 것을 해치는 것이다.

○ 臨川吳氏曰, 頤上九爲主, 而下養五, 三以上養下, 所以爲正也.
임천오씨가 말하였다: 이괘(頤卦)는 상구가 주인이 되어 아래로 오효를 기른다. 삼효 이상은 아래를 기르니 그래서 바르게 된다.

‖韓國大全‖

김상악(金相岳) 『산천역설(山天易說)』

頤者, 養也. 養不可以不正也.
이(頤)는 기름이다. 기름에는 바르게 하지 않아서는 안 된다.

오치기(吳致箕) 「주역경전증해(周易經傳增解)」

大過, 顚也. 頤, 養正也.

대과(大過)는 엎어지는 것이다. 이(頤)는 바름을 기르는 것이다.

此二卦之對體, 與他卦之對體爲一例, 而且恊韻. 故依節齋蔡氏之改正, 而下諸卦倣此. 大過弱其本末, 故曰顚, 頤擇其大小, 故曰養正. 此以卦體卦義言也.

이 두 괘의 음양이 바뀐 몸체는 다른 괘의 음양이 바뀐 몸체와 같은 사례이고 또 운이 맞는다. 그러므로 절제채씨가 개정한 것에 의거하니 아래 여러 괘들도 이와 같다. 대과괘는 밑둥과 끝이 약하기 때문에 "엎어진다"고 하였고, 이괘(頤卦)는 크고 작은 것을 가리기 때문에 '바름을 기르는 것'이라 하였다. 이는 괘의 몸체와 괘의 뜻을 가지고 말하였다.

旣濟, 定也.

기제(旣濟)는 정해진 것이다.

▎中國大全▎

小註

節齋蔡氏曰, 六位皆當, 故定.
절재채씨가 말하였다: 여섯 자리가 모두 합당하기 때문에 정해진 것이다.

○ 潘氏夢旂曰, 事已濟則定矣.
반몽기가 말하였다: 일이 모두 이루어졌으니 정해진 것이다.

▎韓國大全▎

김상악(金相岳) 『산천역설(山天易說)』

六位皆當, 故定.
여섯 자리가 모두 마땅하므로 '정해진 것'이다.

서유신(徐有臣) 『역의의언(易義擬言)』

頤, 養正也. 旣濟, 定也.
이(頤)는 바름을 기르는 것이다. 기제(旣濟)는 정해진 것이다.

水火相逮, 六爻得當, 是爲定也.
물과 불이 서로 번갈아 들고 여섯 효가 마땅함을 얻으니, 정해진 것이 된다.

歸妹, 女之終也.

귀매(歸妹)는 여자의 종착점이다.

┃中國大全┃

小註

雙湖胡氏曰, 女未嫁之稱, 旣嫁爲歸, 則女之終矣.

쌍호호씨가 말하였다: '여(女)'는 시집가기 전의 호칭이고 시집가고 나면 '부(婦)'가 되니, 여자의 종착점이다.

┃韓國大全┃

김상악(金相岳) 『산천역설(山天易說)』

歸妹者, 女事之終也.

귀매란 여자 일의 끝이다.

오치기(吳致箕) 「주역경전증해(周易經傳增解)」

歸妹, 女之終也. 漸, 女歸, 待男行也.

귀매괘(歸妹卦)는 여자의 종착점이다. 점괘(漸卦)는 여자가 시집가는 것이니 남자를 기다려 가는 것이다.

此二卦, 亦兼反對也. 歸妹以嫁而爲女事之終, 漸以禮而爲待男以行. 此以卦義言也.

이 두 괘 역시 거꾸로 됨[反]과 음양이 바뀜[對]을 겸하였다. 귀매괘는 시집감으로써 여자 일의 끝이 되고, 점괘는 예로써 남자를 기다려 가는 것이 된다. 이는 괘의 뜻을 가지고 말하였다.

未濟, 男之窮也.

미제(未濟)는 남자의 궁한 곳이다.

‖中國大全‖

小註

臨川吳氏曰, 旣濟六二主也. 以陰居陰, 得其定位, 而上下五爻, 亦皆得其定位, 故曰定也. 未濟九二主也. 以陽居陰, 失其正位, 而同類二陽, 亦皆失其正位, 故曰男之窮也. 三陰亦不得正位, 不足言也.

임천오씨가 말하였다: 기제괘는 육이가 주인이다. 음으로서 음의 자리에 있어 그 정해진 자리를 얻었고 위아래 다섯 효도 모두 그 정해진 자리를 얻었으므로 ‘정해진 것[定]’이라고 하였다. 미제괘는 구이가 주인이다. 양으로서 음의 자리에 있어 바른 자리를 잃었고 동류인 두 양도 모두 바른 자리를 잃었으므로 ‘남자의 궁한 곳’이라고 하였다. 세 음도 바른 자리를 얻지 못하였으니 말할 것이 못된다.

○ 南軒張氏曰, 雜卦先言離坎, 後言旣濟未濟, 則上下經之終, 亦未嘗雜亂也.

남헌장씨가 말하였다: 「잡괘전」에서 리괘와 감괘를 먼저 말하고, 기제괘와 미제괘를 뒤에 말하였으니 상·하경의 끝 역시 뒤섞여 어지럽지 않다.

‖韓國大全‖

김상악(金相岳) 『산천역설(山天易說)』

三陽失位也.

세 양이 자리를 잃었다.

서유신(徐有臣)『역의의언(易義擬言)』

歸妹, 女之終也. 未濟, 男之窮也.

귀매괘(歸妹卦)는 여자의 종착점이다. 미제괘(未濟卦)는 남자의 궁한 곳이다.

成都隱者曰, 未濟男之窮, 三陽失位也. 愚亦曰, 歸妹女之終, 三陰失位也. 歸妹恐當在
未濟之下.

성도의 은자가 말하였다: 미제괘는 남자가 궁한 것으로 세 양이 제자리를 잃었다.

나도 살펴보았다: 귀매는 여자의 끝이니 세 음이 제자리를 잃었다. 귀매괘는 미제괘 다음에
있어야 할 것 같다.

심대윤(沈大允)『주역상의점법(周易象義占法)』

旣濟定也 … 小人道憂也.

기제괘(旣濟卦)는 정해진 것이다 … 소인의 도는 근심스럽다.

未濟中男窮苦于下.

미제괘에서는 둘째 아들이 아래에서 곤궁하다.

오치기(吳致箕)「주역경전증해(周易經傳增解)」

旣濟, 定也. 未濟, 男之窮也.

기제(旣濟)는 정해진 것이다. 미제(未濟)는 남자의 궁한 곳이다.

此二卦, 兼反對兩體也. 六位皆當, 故曰定, 三陽失位, 故曰窮. 此以卦體言也.

이 두 괘는 거꾸로 됨[反]과 음양이 바뀜[對]의 두 몸체를 겸한다. 여섯 자리가 모두 마땅하
므로 "정해진다"고 하였고, 세 양이 제 자리를 잃었으므로 "궁하다"고 하였다. 이는 괘의 몸
체를 가지고 말하였다.

夬, 決也. 剛決柔也, 君子道長, 小人道憂也.

쾌(夬)는 터놓는 것이다. 굳센 양이 부드러운 음을 터놓으니, 군자의 도는 자라나고 소인의 도는 근심스럽다.

▮中國大全▮

本義

自大過以下卦, 不反對, 或疑其錯簡. 今以韻協之, 又似非誤, 未詳何義.

대과괘로부터 이하의 괘들은 음양이 서로 바뀌었거나 거꾸로 되지 않았으니 혹 착간이 아닌가 한다. 이제 운으로 맞춰보면 또 오류가 아닌 듯하니 무슨 뜻인지 잘 모르겠다.

小註

朱子曰, 卦有反, 有對, 乾坤坎離是反, 艮兌震巽是對. 乾坤坎離, 倒轉也, 只是四卦, 兌艮震巽, 倒轉, 則爲中孚頤小過大過. 其餘, 皆是對卦.

주자가 말하였다: 괘에는 음양이 바뀐 것도 있고 거꾸로 된 것도 있으니, 건·곤·감·리괘는 음양이 바뀐 것이고, 간·태·진·손괘는 거꾸로 된 것이다. 건·곤·감·리괘는 뒤집으면 단지 네 개의 괘일 뿐이지만 태·간·진·손괘는 뒤집으면 중부·이·소과·대과괘가 된다. 그 나머지는 모두 거꾸로 된 괘이다.

○ 問, 乾坤大過頤坎離中孚小過八卦, 翻覆不成別卦, 是如何. 曰, 八卦便只是六卦, 乾坤坎離是四正卦, 兌便是翻轉底巽, 震便是翻轉底艮. 六十四卦, 只八卦是正卦, 餘便只二十八[12]卦, 翻轉爲五十六卦. 中孚便是箇大底離, 小過是箇大底坎. 又曰, 中孚是箇雙夾底離, 小過是箇雙夾底坎, 大過是箇厚畫底坎, 頤是箇厚畫底離.

물었다: 건·곤·대과·이·감·리·중부·소과의 8괘는 뒤집어도 다른 괘를 이루지 못하니 어째서입니까?

---

12) 八: 경학자료집성DB와 영인본에 '四'로 되어 있으나, 『주자어류』 권67을 참조하여 '八'로 바로잡았다.

답하였다: 8괘는 다만 6괘일 뿐이니 건·곤·감·리괘는 사정괘(四正卦)이고 태괘는 뒤집어진 손괘이며, 진괘는 뒤집어진 간괘입니다. 64괘에서 8괘만 정괘(正卦)이고 나머지는 단지 28괘인데 뒤집으면 56괘가 됩니다. 중부괘는 큰 리괘이고 소과괘는 큰 감괘입니다. 또 말하였다: 중부괘는 두 획을 하나로 하는 리괘이고, 소과괘는 두 획을 하나로 하는 감괘이며, 대과괘는 두터운 획의 감괘이고, 이괘는 두터운 획의 리괘입니다.

○ 三畫之卦只是六卦, 卽六畫一卦. 以正卦八, 加反卦二十有八, 爲三十有六, 六六三十六也, 邵子謂之暗卦. 小成之卦八, 卽大成之卦六十四, 八八六十四也, 三[13]十六與六十四同.

삼획의 괘는 단지 여섯 괘이니, 여섯 획이 하나의 괘이다. 8개의 정괘(正卦)에 거꾸로 된 28괘에 더하면 36괘가 되니, 6×6=36으로 소강절이 말한 암괘(暗卦)이다. 소성괘가 8개이니 대성괘는 64개로 8×8=64가 되니, 36과 64가 같다.

○ 鄭氏康成曰, 自大過以下, 卦旨不協, 似錯亂失正, 弗敢改耳.

정강성이 말하였다: 대과괘부터는 괘의 뜻이 어울리지 않아 뒤섞여 바름을 잃은 듯하나 감히 고치지 못할 뿐이다.

○ 節齋蔡氏曰, 按雜卦例, 皆反對, 協韻爲序, 今以其例改正. 大過顚也, 頤養正也, 旣濟定也, 未濟男之窮也. 歸妹女之終也, 漸女歸, 待男行也. 姤遇也, 柔遇剛也. 夬決也, 剛決柔也, 君子道長, 小人道憂也.

절재채씨가 말하였다: 「잡괘전」의 배열을 살펴보면 모두 음양이 바뀌거나 거꾸로 한 괘로 운을 맞추어 순서를 정하였으니, 이제 그 배열을 바로잡으면 다음과 같다. 대과괘는 엎어짐이고, 이괘는 바름을 기름이며, 기제괘는 정함이고, 미제괘는 남자의 궁한 곳이다. 귀매괘는 여자의 종착점이고, 점괘는 여자가 시집가는 것이니 남자를 기다려 간다. 구괘는 만나는 것이니 부드러운 음이 굳센 양을 만나는 것이다. 쾌괘는 터놓는 것이니, 굳센 양이 부드러운 음을 터놓아 군자의 도는 자라나고 소인의 도는 근심스럽다.

○ 建安丘氏曰, 今依蔡易讀之, 則八卦旣得以類從而韻亦協. 但不當僭改經文爾.

건안구씨가 말하였다: 이제 채씨의 역을 따라 읽으면 8괘는 이미 부류대로 따라서 얻었고 운도 어울린다. 다만 함부로 경문을 고치는 것은 합당하지 않다.

---

13) 三: 경학자료집성DB와 영인본에 '二'로 되어 있으나, 『주자어류』 권67을 참조하여 '三'으로 바로잡았다.

○ 鄱陽董氏曰, 按蘇氏亦有改正, 自頤大過而下數卦然, 不若蔡氏之妥.
파양동씨가 말하였다: 살펴보니 소씨도 고친 것이 있는데 이괘·대과괘 이하 몇 개의 괘가 그러하나 채씨의 것만큼 타당하지는 못하다.

○ 雲峰胡氏曰, 易終於雜卦, 而交易變易之義, 愈可見矣. 每一卦反覆爲兩卦, 而剛柔吉凶每每相反, 此變易之義也. 自乾坤至困三十卦, 與上經之數相當, 而雜下經十二卦於其中. 自咸至夬三十四卦, 與下經之數相當, 而雜上經十二卦於其中, 此交易之義也.
운봉호씨가 말하였다:『주역』은「잡괘전」에서 마치는데 교역과 변역의 뜻을 더욱 볼 수 있다. 매 괘를 거꾸로 하여 두 괘가 되는데 굳셈과 부드러움, 길함과 흉함이 매양 상반되니, 이것은 변역의 뜻이다. 건괘·곤괘로부터 곤괘(困卦)에 이르기까지 30괘는 상경의 수에 상당하되 그 가운데 하경의 12괘가 섞여 있다. 함괘로부터 쾌괘에 이르기까지 34괘는 하경의 수에 상당하되 그 가운데 상경의 12괘가 섞여있으니, 이것은 교역의 뜻이다.

或曰此偶然爾, 愚曰非偶然也, 皆理之自然也. 坎離交之中者, 本居上經三十卦內, 今附於下三十四卦, 震艮巽兌交之偏者, 本居下經三十四卦內, 今附於上三十卦. 至若无反對者, 上經六卦下經二卦, 今附於上者二卦, 附於下者六卦, 皆交易之義也.
어떤 이는 이것이 우연일 뿐이라 하지만, 나는 우연이 아니라 모두 이치가 저절로 그러한 것이라고 하겠다. 가운데 효가 사귀는 감괘와 리괘는 본래 상경 30괘 안에 있는데 이제 아래 34괘에 붙였고, 가장자리 효가 사귀는 진괘·간괘·손괘·태괘는 본래 하경 34괘 안에 있는데 이제 위 30괘에 붙였다. 거꾸로 함이 없는 괘[不易卦]는 상경에 여섯 개의 괘, 하경에 두 개의 괘인데 이제 위에 두 개의 괘를 붙이고 아래에 여섯 개의 괘를 붙이니 모두 교역의 뜻이다.

十二月卦氣, 除乾坤外, 上經泰否臨觀剝復, 陰之多於陽者十二, 下經遯壯姤夬, 陽之多於陰者十二. 今雜卦移否泰於三十四卦之中, 而陰陽之多少復如之. 特在上經者, 三十六畫, 在下經者, 二十四畫, 今附於上者, 二十四畫, 附於下者, 三十六畫, 愈見其交易之妙爾.
열 두 달의 괘기는 건괘·곤괘 외에 상경에 태·비·임·관·비·복괘로 음이 양보다 열 둘이 많고, 하경에 돈·대장괘·구·쾌괘로 양이 음보다 열 둘이 많다. 이제「잡괘전」에서는 비괘·태괘를 34괘 가운데로 옮겼으니 음양의 많고 적음이 다시 그와 같다. 다만 상경에 있는 것이 36획이고, 하경에 있는 것이 24획인데 이제 위에 붙인 것이 24획이고 아래에 붙인 것이 36획이니 더욱 그 교역의 묘함을 볼 수 있다.

若合六十四卦論之, 上經三十卦, 陰爻之多於陽者八, 下經三十四卦, 陽爻之多於陰者亦八. 今則附於三十卦者, 陽爻七十二, 陰爻一百八, 而陰多於陽者三十六, 附於三十四卦者, 陽爻一百二十, 陰爻八十四, 而陽之多於陰者, 亦三十六. 特反對論, 上經陰之多於陽者四, 下經陽之多於陰者, 亦四. 今則附於上者, 陽爻三十九, 陰爻五十七, 而陰爻多於陽者十八, 附於下者, 陽爻六十九, 陰爻五十一, 而陽之多於陰者, 亦十八. 或三十六或十八, 互爲多少, 非特可見陰陽交易之妙, 而三十六宮之妙, 愈可見矣. 是豈聖人之心思智慮之所爲哉.

64괘로 논하자면 상경 30괘에 음효가 양효보다 8획이 많고, 하경 34괘에 양효가 음효보다 8획이 많다. 이제 30괘에 붙인 것이 양효가 72, 음효가 108이니 음이 양보다 36획 많고, 34괘에 붙인 것이 양효가 120, 음효가 84이니 양이 음보다 역시 36획이 많다. 다만 거꾸로 한 괘로 논하자면 상경에서 음이 양보다 4획이 많고, 하경에서 양이 음보다 또한 4획이 많다. 이제 위에 붙인 것이 양효가 39, 음효가 57이어서 음효가 양보다 18획 많고, 아래에 붙인 것이 양효가 19, 음효가 51이어서 양이 음보다 역시 18획이 많다. 혹 36만큼 혹 18만큼 서로 많고 적으니 음양이 교역하는 묘함을 볼 수 있을 뿐만 아니라 36궁의 묘함도 더욱 볼 수 있다. 이것이 어찌 성인이 마음으로 생각하고 헤아려 한 것이겠는가?

愚固曰, 伏羲之畫文王周公孔子之言皆天也. 本義謂自大過以下卦, 不反對或疑其錯簡. 今以韻協之, 又似非誤, 未詳何義. 愚竊以爲雜物撰德, 非其中爻不備, 此蓋指中四爻互體而言也. 先天圖之左互復頤旣濟家人歸妹睽夬乾八卦, 右互姤大過未濟解漸蹇剝坤八卦. 此則於右取姤大過未濟漸四卦, 於左取頤旣濟歸妹夬四卦, 各擧其半, 可兼其餘矣. 是雖所取, 不能无雜, 蓋此爲雜卦而互體, 又其最雜者也.

나는 참으로 복희가 괘를 그린 것과 문왕·주공·공자의 말씀이 모두 천리라고 말하겠다. 『본의』에서는 "대과괘로부터 이하의 괘들은 음양이 서로 바뀌었거나 거꾸로 되지 않았으니 혹 착간이 아닌가 한다. 이제 운으로 맞춰보면 또 오류가 아닌 듯하니 무슨 뜻인지 잘 모르겠다"라 하였다. 내가 가만히 생각해 보니, "사물을 뒤섞고 덕을 짓는 것이 가운데 효가 아니면 갖출 수 없다"는 것은 가운데 네 효의 호체를 가리켜 말한 것이다. 「선천도」의 왼편의 호괘는 복·이·기제·가인·귀매·규·쾌·건괘의 8괘이고, 오른쪽의 호괘는 구·대과·미제·해·점·건·박·곤괘의 8괘이다. 여기에서는 오른쪽에서 구·대과·미제·점괘의 네 괘를 취하고, 왼쪽에서 이·기제·귀매·쾌괘의 네 괘를 취하여 각기 그 반씩을 들었으니 그 나머지도 겸할 수 있을 것이다. 이는 비록 취하는 것이라도 뒤섞지 않을 수 없으니 잡괘가 되고 호괘는 가장 복잡한 것이다.

上三十卦, 終之以困, 柔揜剛也, 下三十四卦, 終之以夬, 剛決柔也. 柔揜剛, 君子不失其所亨, 剛決柔, 君子道長, 小人道憂矣. 然則天地間, 剛柔每每相雜, 至若君子之爲剛, 小人之爲柔, 決不可使相雜也. 雜卦之末, 特分別君子小人之道言之, 聖人贊化育扶世變之意微矣. 始於乾, 終於夬, 或曰夬之一陰決盡則爲乾也. 以皇極經世考之, 乾巳會之終, 堯舜雍熙之世也. 十二萬九千六百年, 安得常如自夬而乾所値堯舜之世哉. 嗚呼, 任賢勿貳, 去邪勿疑, 疑謀勿成, 卽此所謂夬之決也. 後之治天下者, 亦法堯舜而已矣.

위의 30괘는 곤괘(困卦)로 마치니 유약함이 굳셈을 가린 것이고, 아래 34괘는 쾌괘로 마치니 굳셈이 유약함을 결단하는 것이다. 유약함이 굳셈을 가리지만 군자가 그 형통한 바를 잃지 않으며, 굳셈이 유약함을 결단하니 군자의 도는 자라고 소인의 도는 근심스러운 것이다. 그러니 천지 사이에 굳셈과 부드러움이 매양 서로 섞이지만 군자가 굳셈이 되고 소인이 유약함이 됨 같은 것은 결코 서로 섞이게 해서는 안 된다. 「잡괘전」의 끝머리에 특히 군자와 소인의 도를 구별하여 말하였으니, 성인이 천지의 화육을 돕고 세상의 변화를 북돋는 뜻이 미묘하다. 건괘에서 시작하여 쾌괘에서 마치니, 어떤 이는 "쾌괘의 한 음이 다 소진되면 건괘가 된다"고 한다. 『황극경세서』를 살펴보면 건괘는 사회(巳會)의 끝으로 요·순의 빛나는 시대에 해당한다. 129,000년이 어찌 늘 쾌괘로부터 건괘에 이르는 요순의 시대에 해당하겠는가? 아, 현인을 등용함에 두 마음을 두지 말고, 사악함을 제거하는 데 주저하지 말며 의심스런 계책은 이루려 하지 말아야 하는 것,[14] 이것이 이른바 쾌괘의 결단함이니 후세에 천하를 다스리는 자 또한 요순을 본받아야 할 것이다.

‖韓國大全‖

조호익(曺好益) 『역상설(易象說)』

篇末註雲峯云云.

편의 끝에서 운봉호씨가 운운하였다.

上經陰二十四陽十二. 下經陽十八陰六, 移否泰於下, 則下經陽二十四, 陰十二, 上經

---

14) 『書經·大禹謨』.

陰十八, 陽六, 故云, 復如之.

상경은 음이 24개이고 양이 12개이다. 하경은 양이 18개이고 음이 6개인데 비괘·태괘를 하경으로 옮기면 하경은 양이 24개이고 음이 12개이며, 상경은 음이 18개, 양이 6개이다. 그러므로 운봉호씨가 "다시 이와 같다"고 하였다.

안정복(安鼎福) 「경서의의-역(經書疑義-易)·잡괘설·잡괘후설(雜卦說·雜卦後說)

雜卦, 惟乾坤咸恒不雜, 餘皆雜之者, 何也. 乾坤爲氣化之始而居上篇之首, 咸恒爲形化之始而居下篇之首, 爲衆卦之綱領, 故不雜, 而餘卦爲用, 故雜之. 雜之而後, 易道之妙用, 不窮尤顯矣. 序卦, 乾坤歷十卦, 而換體相對, 得否泰, 否泰乾坤之用也. 咸恒歷十卦, 而亦換體相對, 得損益, 損益咸恒之用也. 然則否泰與損益相換矣. 八純卦. 乾坤爲衆卦之父母而爲之體, 則不可動. 而六子爲用周流相通, 則其變宜矣.

「잡괘전」에서 건·곤·함·항괘만 순서를 뒤바꾸지 않고, 나머지 괘들은 모두 뒤바꾼 것은 어째서인가? 건·곤괘는 기화(氣化)의 시작으로 상편의 첫머리에 있고, 함·항괘는 형화(形化)의 시작으로 하편의 첫머리에 있어 뭇 괘들의 강령이 되므로 뒤바꾸지 않으며 나머지 괘들은 작용이 되므로 뒤바꾼다. 뒤바꾼 뒤에 역도의 오묘한 작용이 궁하지 않아 더욱 드러난다. 「서괘전」에서 건·곤괘가 열 개의 괘를 지나 몸체를 바꾸어 상대해서 비괘·태괘를 얻으니, 비괘·태괘는 건·곤괘의 작용이다. 함·항괘가 열 개의 괘를 지나 역시 몸체를 바꾸어 상대해서 손괘·익괘를 얻으니, 손괘·익괘는 함·항괘의 작용이다. 그렇다면 비괘·태괘는 손괘·익괘와 서로 교환할 수 있다. 여덟 순괘에서 건곤이 여러 괘의 부모로 몸체가 되니 움직이지 않고, 여섯 자식들은 작용이 되어 두루 행해서 서로 통하니 변화함이 마땅하다.

乾坤坎離四正卦居上篇, 震艮兌巽四隅卦居下篇, 序卦之序也. 今以坎離易震艮兌巽而換置之, 坎離只爲二卦而不足當四卦之數. 故以大過頤之肯坎離而與之互換矣. 餘十二卦, 以序卦之次對言, 則萃升與大有同人換, 晉明夷與小畜履換, 井困與需訟換, 其序不可亂矣. 他卦許多而必以萃升以下十二卦相換者, 何也. 乾坤爲衆卦之主, 而六子從乾坤者也. 以上下篇分屬乾坤, 則乾當屬乎上, 坤當屬乎下, 而六子之從乾坤換居二篇者, 天地相交之義也. 是以序卦豫長男從母也, 比中男從母也, 剝少男從母也, 上篇自存, 故不動. 觀長女從母也. 上篇自存, 故亦不動.

건·곤·감·리의 네 정괘(正卦)가 상편에 있고, 진·간·태·손의 네 모퉁이 괘는 하편에 있는 것이 「서괘전」의 순서이다. 이제 감·리괘로 진·간·태·손괘를 바꾸어 배치하면, 감·리괘는 단지 두 괘가 되어 네 괘의 수를 감당하기에 부족하다. 그러므로 감괘·리괘와 닮은 대과괘·이괘로[15] 그것과 서로 교환하였다. 나머지 열 두 괘는 「서괘전」의 순서대로 짝을 지워 말하였는데, 취괘·승괘와 대유·동인괘를 교환하고, 진괘·명이괘를 소축괘·리괘와 교환하며, 정괘·곤괘를 수괘·송괘와 교환했으니 그 순서를 어지럽힐 수 없다. 다른 괘가 숱하게 많은데 굳이 취괘·승괘 다음의 열두 괘로 바꾼 것은 어째서인가? 건·곤괘는 뭇 괘의 주인이 되고 여섯 자식은 건곤을 따르는 자가 되어서이다. 상하편을 건·곤으로 나누어 배속하면 건괘는 당연히 위에 속하고 곤괘는 당연히 아래에 속하며 여섯 자식이 건·곤을 따라 교환하여 두 편에 있는 것은 하늘과 땅이 서로 사귀는 뜻이다. 그래서 괘의 순서에서 예괘(豫卦)는 맏아들이 어머니를 따르고, 비괘(比卦)는 둘째 아들이 어머니를 따르며, 박괘(剝卦)는 막내아들이 어머니를 따르는데, 상편에 본래 존재하므로 움직이지 않는다. 관괘(觀卦)는 장녀가 어머니를 따르는데 상편에 본래 존재하므로 역시 움직이지 않는다.

晉中女從母也, 萃少女從母也, 二卦從下篇而來. 小畜長女從父也, 大有中女從父也, 二卦從上篇而來. 夬少女從父也. 下篇自存故不動, 大壯長男從父也. 下篇自存故亦不動, 需中男從父也, 從上篇而來. 大畜爲少男從父之卦而不動者何也. 艮體靜而當畜止之時不動也. 二篇諸卦, 皆上雜下雜, 而艮體不雜, 其義可見.

진괘는 둘째 딸이 어머니를 따르고, 취괘는 막내딸이 어머니를 따르니, 두 괘는 하편에서 왔다. 소축괘는 맏딸이 아버지를 따르고 대유괘는 둘째 딸이 아버지를 따르는데 두 괘는 상편에서 왔다. 쾌괘는 막내딸이 아버지를 따르는데 하편에 본래 존재하므로 움직이지 않는다. 대장괘는 맏아들이 아버지를 따르는데 하편에 본래 존재하므로 또한 움직이지 않는다. 수괘(需卦)는 둘째 아들이 아버지를 따르니 상편에서 왔다. 대축괘는 막내아들이 아버지를 따르는 괘가 되는데 움직이지 않는 것은 어째서인가? 간괘는 몸체가 고요하고 저지하여 멈추는 때를 당해 움직이지 않는다. 두 편의 여러 괘는 모두 상편으로 뒤바뀌고 하편으로 뒤바뀌었는데 간괘는 몸체가 뒤바뀌지 않았으니 그 뜻을 알 수 있다.

曰然則損艮頤之變易何也. 損與否泰換, 當損益之時, 非動不可. 艮隨震而動. 頤隨大過而動. 且以坎離易震艮兌巽, 則其勢不得不換矣. 其餘升明夷同人履訟. 皆隨本卦之反而動, 無他義, 蓋易卦專以反對而成故也.

그렇다면 손괘(損卦)·간괘(艮卦)·이괘(頤卦)의 변역은 어째서인가? 손괘(損卦)는 비괘·태괘와 자리의 순서를 바꾸었는데 덜어내고 보태는 때를 맞이하여 움직임이 아니면 안 된다. 간괘(艮卦)는 진괘(震卦)를 따라 움직이고, 이괘(頤卦)는 대과괘를 따라 움직인다.

---

15) 괘의 상을 전체적으로 크게 보면 대과괘(䷛)는 감괘(坎卦☵)를 닮았고, 이괘(頤卦䷚)는 리괘(離卦☲)를 닮았다.

또 감괘로써 비록 진·간·태·손괘를 바꾸더라도 그 형세는 바꾸지 않을 수 없다. 그 나머지 승괘·명이괘·동인괘·리괘·송괘는 모두 본괘가 거꾸로 된 것을 따라 움직이니, 다른 뜻은 없고 역의 괘는 오로지 거꾸로 함으로써 이루어지기 때문이다.

井困非從母之卦, 而又居上者何也. 雜卦雖名曰雜, 其上篇, 必欲準序卦上篇之數, 下篇亦然. 故今取二卦, 移于上篇之末, 以足三十卦之數. 而其取井者, 井之卦辭曰, 往來井井, 以其有周流不滯之義耳. 乾坤雖不變, 而乾坤合體爲否泰, 反居下篇, 咸恒雖不變, 而咸恒分體, 而爲震艮兌巽, 反居上篇, 則乾坤咸恒, 亦未嘗不變, 其義亦妙. 損益次于震艮者, 一動一靜, 而損益生焉. 否泰次于睽家人者, 一踈一親, 而否泰形焉. 推此以求之, 則其相次之序, 亦有可言者矣.

정괘(井卦)·곤괘(困卦)는 어머니를 따르는 괘가 아닌데 또 위에 있는 것은 어째서인가? 「잡괘전」은 비록 이름이 '잡'이지만, 그 상편은 반드시 「서괘전」 상편의 수를 기준으로 하였고 하편 역시 그러하다. 그러므로 이제 두 괘를 취하여 상편의 끝으로 옮겨 30개 괘의 숫자를 충족시켰다. 정괘(井卦)를 취한 것은 정괘의 괘사에 "오고가는 이가 우물을 우물로 쓴다"고 하였으니, 두루 흘러 막히지 않는 뜻이 있어서이다. 건·곤괘는 비록 변하지 않으나 건곤이 몸체를 합하여 비괘·태괘가 되어 도리어 하편에 있고, 함·항괘가 비록 변하지 않으나 함괘·항괘가 몸체를 나누어 진·간·태·손괘가 되어 도리어 상편에 있으니, 건괘·곤괘·함괘·항괘 역시 일찍이 변하지 않음이 없으니 그 뜻 역시 오묘하다. 손괘·익괘가 진괘·간괘 다음에 있는 것은 한 번 움직이고 한 번 고요해서 덜고 보탬이 생기는 것이다. 비괘·태괘가 규괘·가인괘 다음에 있는 것은 한 번은 소원하고 한 번은 친하여 비색함과 태평함이 형성되는 것이다. 이를 미루어 구하면 서로 다음이 되는 순서도 말할 만한 것이 있다.

其他卦雖不動, 而其反對之耦相換, 序卦師比, 此云比師之類者. 上篇八卦下篇二十二卦不換者, 上篇二十二卦下篇十二卦, 亦有意義, 而不可推究, 其或拘於韻語而然歟. 下篇否泰以下, 較上篇損益以下, 其次序每不及一位而差之, 此亦有義而不可知也.

다른 괘들은 비록 움직이지 않으나 그 거꾸로 된 짝이 서로 뒤바뀌니 「서괘전」의 사괘·비괘를 여기서는 비괘·사괘라 한 종류의 것이다. 상편의 8괘 하편의 22괘가 뒤바뀌지 않은 것과 상편의 22괘와 하편의 12괘에도 역시 뜻이 있을 것인데 미루어 궁구하지 못하겠으니, 혹 음운에 얽매여 그런 것인가? 하편의 비괘·태괘 이하를 상편의 손괘·익괘 이하와 비교하면 그 순서는 매번 한 자리씩 미치지 못하여 차이가 있는데, 이 역시 뜻이 있겠으나 알 수가 없다.

〈雜卦後說〉辛未

〈잡괘후설〉신미년

雜卦卦次, 更有所疑. 朱子解經, 凡有錯誤, 皆刊正, 如孝經大學之類是也. 至雜卦大過以下八卦, 不以反對成文, 與上例不同. 故只曰未詳何義, 不爲之改定. 若使心下十分無疑, 不待蔡氏之言, 而經文歸正矣.

「잡괘전」의 괘의 차례는 다시 의심스러운 바가 있다. 주자는 경을 해석할 때 착오가 있는 것은 모두 바로 잡았으니, 『효경』·『대학』 같은 종류가 이것이다. 「잡괘전」에서 대과괘 이하 여덟 개 괘는 거꾸로 한 것을 가지고 문장을 이루지 않아서 앞의 예와 같지 않다. 그러므로 단지 "무슨 뜻인지 잘 모르겠다"고만 하고 개정하지 않았다. 만약 마음에 전혀 의심이 없었다면 채씨의 말16)을 기다릴 것 없이 경문이 바른 데로 돌아갔을 것이다.

凡讀經, 若以己見之不合, 而輒加刪定, 則弊將何勝. 易之爲書, 其例不一, 聖人別著雜卦一篇, 以著其不可爲典要之義. 序卦六十四卦, 大抵皆反對, 故雜卦所取, 亦皆反對, 而至末八卦, 又非其例, 則聖人之意, 若曰卦雖反對, 而亦有不反對之例, 是所謂不可爲典要者也. 然則大過以下八卦所取, 取何例也. 聖人於繫辭曰, 雜物撰德, 非其中爻不備, 中爻者, 互體也.

경전을 읽는데 자기의 견해와 부합하지 않는다고 해서 문득 덧붙이고 깎아서 정하면 그 폐단을 장차 어찌 이길 것인가? 『주역』이란 책은 그 사례가 한결같지 않으니, 성인이 별도로 「잡괘전」 한 편을 써서 고정된 표준을 만들 수 없다는 뜻을 드러내었다. 「서괘전」의 64괘는 모두 거꾸로 되었으므로 「잡괘전」에서 취한 것도 모두 거꾸로 된 것인데, 끝의 여덟 개 괘에 이르러 또 그 예가 아니라면 성인의 뜻은 괘가 비록 거꾸로 된 것이나 또한 반대로 되지 않은 사례도 있다고 말하는 것 같으니, 이것이 이른바 정해진 준칙을 삼을 수 없다는 것이다. 그렇다면 대과괘 이하 여덟괘가 취한 것은 어떤 예를 취한 것인가? 성인이 「계사전」에서 "사물을 섞음과 덕(德)을 가려냄은 가운데의 효(爻)가 아니면 갖춰지지 않을 것이다."라 하였으니, 가운데 효는 호체이다.

---

16) 절재채씨가 말하였다: 잡괘의 배열을 살펴보면 모두 음양이 바뀌거나 거꾸로 한 괘로 운을 맞추어 순서를 정하였으니, 이제 그 배열을 바로잡으면 다음과 같다. 대과괘는 엎어짐이고, 이괘는 바름을 기름이며, 기제괘는 정함이고, 미제괘는 남자의 궁한 곳이다. 귀매괘는 여자의 종착점이고, 점괘는 여자가 시집가는 것이니 남자를 기다려 행한다. 구괘(姤卦)는 만나는 것이니 부드러운 음이 굳센 양을 만나는 것이다. 쾌괘(夬卦)는 터놓는 것이니, 굳센 양이 부드러운 음을 터놓아 군자의 도는 자라나고 소인의 도는 근심스럽다.[節齋蔡氏曰, 按雜卦例, 皆反對, 協韻爲序, 今以其例改正. 大過顚也, 頤養正也, 旣濟定也, 未濟男之窮也. 歸妹女之終也, 漸女歸, 待男行也. 姤遇也, 柔遇剛也. 夬決也, 剛決柔也, 君子道長, 小人道憂也.]

大過等八卦, 胡氏互體之說是也. 以序卦考之, 乾坤爲衆卦之首, 旣未濟居衆卦之末. 故大過等八卦, 皆取互體之乾坤旣未濟, 以著易卦之終始. 大過姤皆互乾, 是重乾爲諸卦之父也. 漸互未濟, 頤互坤, 是以中女中男而從母也. 旣濟互未濟, 歸妹互旣濟, 是中男中女相配也. 未濟互旣濟, 夬互乾, 是以中男中女而從父也. 乾多而坤少者, 是易之扶陽而抑陰者, 其意亦微矣.

대과괘 등 여덟 개의 괘에 대한 호씨의 호체의 설이 이것이다. 「서괘전」으로 살펴보면 건곤은 뭇 괘의 첫머리가 되고 기제·미제괘는 뭇 괘의 끝에 있다. 그러므로 대과괘 등 여덟 개 괘는 모두 건·곤괘와 기제·미제괘를 호체로 취하여 『주역』 괘의 처음과 끝을 드러내었다. 대과·구괘는 모두 건괘를 호체로 하니, 중첩된 건괘로 여러 괘들의 아버지가 된다. 점괘는 미제괘를 호체로 하고, 이괘(頤卦)는 곤괘를 호체로 하니 둘째 딸과 둘째 아들이 어머니를 따르는 것이다. 기제괘는 미제괘를 호체로 하고 귀매괘는 기제괘를 호체로 하니 둘째 아들과 둘째 딸이 서로 배필이 된다. 미제괘가 기제괘를 호괘로 하고, 쾌괘가 건괘를 호괘로 하니, 이는 둘째 아들과 둘째 딸로서 아버지를 따르는 것이다. 건괘가 많고 곤괘가 적은 것은 『주역』이 양을 북돋우고 음을 억제하는 것이니 그 뜻이 또한 은미하다.

以言其相序之義, 則初變而乾再見者, 以陽卦爲主也. 再變而未濟從坤者, 至此而坤始見, 與乾和, 而乾坤始和, 事多未濟也. 三變而成未濟旣濟者, 凡事從未濟而至旣濟也. 四變而旣濟從乾者, 凡事事皆濟, 而與乾合德, 歸功於乾, 易之能事, 至此畢矣.

그 순서의 뜻을 가지고 말하자면 처음 변해서 건괘가 다시 드러나는 것은 양괘를 위주로 하기 때문이다. 두 번째 변해서 미제가 곤괘를 따르는 것은 여기에 이르러 곤이 비로소 나타나 건괘와 조화를 이루는데, 건곤이 비로소 화합하니 일은 아직 이루지 못한 것이 많다. 세 번째 변하여 미제·기제괘를 이루는 것은 일은 미제로부터 기제에 이르게 되기 때문이다. 네 번째 변해서 기제괘가 건괘를 따르는 것은 일마다 다 구제되는 것으로 건괘와 덕을 합해서 건괘로 공이 돌아가니, 역의 모든 일이 여기에 이르러 마친다.[17]

坎离者, 天一地二, 氣化之首, 而爲乾坤之用. 人物之生, 莫不稟是而育焉, 故易卦最重坎离. 序卦上篇以坎离終焉, 下篇以旣未濟終焉, 以示其歸重之意, 而雜卦之以旣未濟與乾坤, 並稱于末者, 其意同矣. 剝復互坤, 而不取於此, 則固是抑陰之義. 至於暌家

---

[17]

괘번호	57	58	59	60	61	62	63	64
괘명	大過	姤	漸	頤	旣濟	歸妹	未濟	夬
호체	乾	乾	未濟	坤	未濟	旣濟	旣濟	乾
변	初變		再變		三變		四變	

人, 皆互旣未濟, 而亦不取于此者, 何也. 聖人旣於上篇, 取三十卦, 下篇又取二十六卦, 以明反對相雜之義, 取其中八卦, 又以明其反對之外, 亦有互體之例. 睽下四卦之不取者, 旣取旣濟歸妹, 則於此不必復取而然也.

감괘·리괘는 천일(天一)과 지이(地二)로 기화의 첫머리이고 건곤의 작용이 된다. 사람과 사물이 생겨남에 이를 받아 길러지지 않음이 없으므로 『주역』 괘에서 감괘와 리괘를 가장 중요하게 여긴다. 「서괘전」 상편에서 감괘·리괘로 마치고, 하편에서 기제·미제괘로 마쳐서 그 중요하게 여기는 뜻을 보였으니, 「잡괘전」에서 기제·미제와 건곤괘를 끝에 함께 말한 것은 그 뜻이 같다. 박괘·복괘는 곤괘를 호괘로 하는데 여기에서 취하지 않았으니, 참으로 음을 억제하는 뜻이다. 규괘·가인괘에 이르러 모두 기제·미제괘를 호체로 하는데, 역시 여기에서 취하지 않은 것은 어째서인가? 성인이 이미 상편에서 30괘를 취하였고 하편에서 또 26괘를 취하여 거꾸로 되고 뒤바뀌는 뜻을 밝혔고, 그 가운데 여덟 개 괘를 취하여 또 그 거꾸로 되는 것 외에 또 호체의 예가 있음을 밝혔다. 규괘 이하 네 괘를 취하지 않는 것은 이미 기제·귀매괘를 취하였다면 여기에 굳이 다시 취할 필요가 없어서 그러한 것이다.

김상악(金相岳) 『산천역설(山天易說)』

五陽進于下, 一陰退于上, 故曰剛決柔也. 決之則爲純剛, 故君子道長, 小人之所憂也.

다섯 양이 아래에서 나아오고 한 음이 위에서 물러나므로 "굳센 양이 부드러운 음을 터놓으니"라고 하였다. 터놓으면 순전한 굳셈이 되므로 군자의 도가 자라나는 것을 소인이 근심하는 것이다.

○ 雜卦, 始於乾而終於夬者, 何也. 夬乃五陽之卦也. 剛長乃終, 物極反本之義也.

「잡괘전」이 건괘에서 시작하여 쾌괘에서 마치는 것은 어째서인가? 쾌괘는 다섯 양의 괘이다. 굳센 양이 자라나 마치니, 사물이 극에 달하면 근본으로 돌아가는 뜻이다.

서유신(徐有臣) 『역의의언(易義擬言)』

夬, 君子道長之象也. 君子道長爲小人之憂也. 自姤以下七卦, 并見於大過之互變也. 竊謂雜卦自乾至困三十卦爲上篇, 自咸至大過二十七卦爲下篇, 而上篇反對十六卦, 下篇反對十六卦, 共爲三十二卦, 乃六十四之半也. 前儒以爲雜卦出於互體, 今按大略可見矣.

쾌괘는 군자의 도가 자라나는 상이다. 군자의 도가 자라남은 소인의 근심이 된다. 구괘 이하 일곱 괘는 모두 대과괘의 호변(互變)을 볼 수 있다.[18]

내가 살펴보았다:「잡괘전」은 건괘부터 곤괘(困卦)까지 30괘를 상편으로 삼고, 함괘부터 대과괘까지 27괘를 하편으로 삼았는데, 상편에서 거꾸로 된 괘가 16괘이고, 하편에서 거꾸로 된 괘가 16괘여서 모두 32개의 괘가 되니 곧 64괘의 절반이다. 이전의 학자들이「잡괘전」은 호체에서 나왔다고 보았는데, 이제 살펴보니 대략 알 만하다.

上篇互復之卦, 師臨蒙損. 互剝之卦, 比觀屯益. 互蹇之卦, 震噬嗑豫晉. 互解之卦, 艮賁謙明夷. 互漸者, 取其无妄隨萃. 互歸妹者, 取其大畜蠱升. 互家人者, 取其兌困. 互睽者, 取其巽井. 互卦取復剝乾坤也. 下篇互姤之卦, 咸革遯同人. 互夬之卦, 恒鼎大壯大有. 互頤之卦, 節中孚坎渙. 互大過之卦, 旅小過離豊. 互家人者, 取其訟履. 互睽者, 取其需小畜. 互漸者, 取其否. 互歸妹者, 取其泰. 互卦取家人睽蹇解大過也. 姤漸頤旣濟未濟歸妹夬乃大過之互變也. 蓋不用序卦次第, 故名之曰雜卦也. 然其錯雜取舍分劑之義爲難曉也, 姑此闕疑以竢後之知者焉.

상편에서 복괘를 호체로 하는 괘는 사괘(師卦)·림괘(臨卦)·몽괘(蒙卦)·손괘(損卦)이다. 박괘를 호체로 하는 괘는 비괘(比卦)·관괘(觀卦)·준괘(屯卦)·익괘(益卦)이다. 건괘(蹇卦)를 호체로 하는 괘는 진괘(震卦)·서합괘·예괘·진괘(晉卦)이다. 해괘(解卦)를 호체로 하는 괘는 간괘·비괘(賁卦)·겸괘·명이괘이다. 점괘를 호체로 하는 것은 무망괘·수괘(隨卦)·취괘(萃卦)를 취한다. 귀매괘를 호체로 하는 것은 대축괘·고괘·승괘를 취한다. 가인괘를 호체로 하는 것은 태괘(兌卦)·곤괘(困卦)를 취한다. 규괘를 호체로 하는 것은 손괘(巽卦)·정괘(井卦)를 취한다. 호괘는 복괘·박괘·건괘·곤괘를 취한다. 하편에서 구괘를 호체로 하는 괘는 함괘·혁괘·돈괘(遯卦)·동인괘이다. 쾌괘를 호체로 하는 괘는 항괘·정괘(鼎卦)·대장괘·대유괘이다. 이괘(頤卦)를 호체로 하는 괘는 절괘·중부괘·감괘·환괘이다. 대과괘를 호체로 하는 괘는 려괘(旅卦)·소과괘·리괘(離卦)·풍괘이다. 가인괘를 호체로 하는 것은 송괘·리괘(履卦)를 취한다. 규괘를 호체로 하는 것은 수괘(需卦)·소축괘를 취한다. 점괘를 호체로 하는 것은 비괘(否卦)를 취한다. 귀매괘를 호체로 하는 것은 태괘(泰卦)를 취한다. 호괘는 가인괘·규괘·건괘·해괘·대과괘를 취한다. 구괘·점괘·이괘(頤卦)·기제괘·미제괘·귀매괘·쾌괘는 곧 대과괘의 호변이다.「서괘전」의 순서를 쓰지 않았으므로「잡괘전」이라고 이름하였다. 그러나 뒤섞어 취사하고 분별한 뜻은 알기 어려우니, 이대로 의심스러운 채로 남겨두어 후세의 아는 사람을 기다린다.

---

18) 구괘(姤卦), 취괘(萃卦), 승괘(升卦), 곤괘(困卦), 정괘(井卦), 혁괘(革卦), 정괘(鼎卦)에서 모두 호괘로 택풍(澤風) 대과괘(大過卦)를 만들 수 있다.

오치기(吳致箕) 「주역경전증해(周易經傳增解)」

姤遇也 … 小人道憂也.
구(姤)는 만나는 것이니 … 소인의 도는 근심스럽다.

此二卦又反體也. 一柔在五剛之下, 故曰柔遇剛. 一柔在五剛之上, 故曰剛決柔也. 終以君子道長小人道憂, 指夬而言者, 卽聖人之易, 專以扶陽抑陰爲義也. 此以卦體一陰之消長言也.
이 두 괘 또한 거꾸로 된 몸체이다. 하나의 부드러운 음이 다섯 개 굳센 양의 아래에 있으므로 "부드러운 음이 굳센 양을 만난다"고 하였고, 하나의 부드러운 음이 다섯 개 굳센 양의 위에 있으므로 "굳센 양이 부드러운 음을 터놓는다"고 하였다. 끝내 "군자의 도는 자라나고 소인의 도는 근심스럽다"고 하여 쾌괘를 가리켜 말한 것은 곧 성인의 역이 오로지 양을 북돋고 음을 억제하는 것으로 뜻을 삼은 것이다. 이는 괘의 몸체의 한 음이 사그라들고 자라나는 것을 가지고 말하였다.

박문호(朴文鎬) 「경설(經說) · 주역(周易)」

吾所著周易詳說, 一主古易, 故取本義而不取程傳. 蓋本義於羲文之本事則得矣, 而每卦以象占二字釋之, 以學者用功之地論之, 殆不免於都无事之歸. 若程傳則其於釋經文, 或不无牽强處, 而其喫緊爲學者之意, 則有勝於本義. 他日汝讀時, 姑取傳義合編者而爲業可也.
내가 지은 『주역상설』은 한결같이 고역을 위주로 하였으므로 『본의』를 취하고 『정전』을 취하지 않았다. 『본의』는 복희 · 문왕의 본래 일에 대해 얻었고, 괘마다 '상''점' 두 글자로 풀이 하였으니, 공부하는 이가 힘을 쏟을 곳으로 논하자면 거의 일없는 데로 돌아감을 면하지 못할 것이다. 『정전』의 경우에는 경문을 해석함에 있어서 간혹 억지스러운 곳이 없지 않으나 그 공부하는 이를 위한 요긴한 뜻은 『본의』보다 낫다. 후일에 독자들이 읽을 때 『정전』과 『본의』의 합본을 취해서 공부하는 것이 옳을 것이다.

한국주역대전 14 계사하전·설괘전·서괘전·잡괘전

초판 인쇄   2017년 8월 10일
초판 발행   2017년 8월 30일

엮 은 이 | 한국주역대전 편찬실
펴 낸 이 | 하운근
펴 낸 곳 | 學古房

주   소 | 경기도 고양시 덕양구 통일로 140 삼송테크노밸리 A동 B224
전   화 | (02)353-9908   편집부(02)356-9903
팩   스 | (02)6959-8234
홈페이지 | http://hakgobang.co.kr
전자우편 | hakgobang@naver.com, hakgobang@chol.com
등록번호 | 제311-1994-000001호

ISBN   978-89-6071-694-0   94140
         978-89-6071-680-3   (전14권)

값 : 1,250,000원 (전14책)

이 도서의 국립중앙도서관 출판예정도서목록(CIP)은 서지정보유통지원시스템 홈페이지
(http://seoji.nl.go.kr)와 국가자료공동목록시스템(http://www.nl.go.kr/kolisnet)에서 이용하
실 수 있습니다. (CIP제어번호 : CIP2017021512)

■ 파본은 교환해 드립니다.